SOINS INFIRMIERS

PSYCHIATRIE ET SANTÉ MENTALE

J. SUE COOK, RN, EdD

KAREN LEE FONTAINE, RN, MSN

Adaptation française: Pauline Audet, B.Sc.inf., C.E.C.

> Les idées et les principes sont des guides pour l'action ; l'évolution des soins infirmiers se fera dans la mesure où les idées et les principes qui les sous-tendent ne seront pas figés et autoriseront toute forme de révision ou de création.
>
> *Hildegard Peplau*

ERPI ÉDITIONS DU RENOUVEAU PÉDAGOGIQUE INC.

5757, RUE CYPIHOT, SAINT-LAURENT (QUÉBEC) H4S 1X4
TÉLÉPHONE : (514) 334-2690 TÉLÉCOPIEUR : (514) 334-4720

Adaptation :	**Pauline Audet**, inf., B.Sc.inf., C.E.C.
	Professeure de soins infirmiers au collège de Limoilou, chargée de cours à la maîtrise en enseignement des soins infirmiers à l'Université de Sherbrooke.
Consultation :	**Évelyne Pigeon**, professeure de sociologie au collège de Limoilou - pour le chapitre 5.
	Fernande Villeneuve, L.L.b., inf. sp. psychiatrie, professeure de soins infirmiers au collège de Limoilou – pour le chapitre 4.
Traduction :	**Dominique Amrouni, Geneviève Boutry, Marie-Claude Désorcy, Magda Samek**
Révision linguistique :	**Véra Pollak** et **Jacqueline Leroux**
Correction d'épreuves :	**Jean-Paul Morisset**
Mise en pages :	**Ateliers de typographie Collette inc.**
Maquette de la couverture :	**Philippe Morin**

Cet ouvrage est une adaptation française de la deuxième édition de *Essentials of Mental Health Nursing* de J. Sue Cook et Karen Lee Fontaine, publiée et vendue à travers le monde avec l'autorisation d'Addison-Wesley Publishing Company, Inc.

Dépôt légal : 3e trimestre 1991
Bibliothèque nationale du Québec
Bibliothèque nationale du Canada
Imprimé au Canada
ISBN 2-7613-0594-9

7 8 9 10 11 12 FR 54321
2024 ABCD   VO-7

Avant-propos

Je suis heureuse de présenter aux étudiantes ce manuel de base qui regroupe l'ensemble des concepts sur lesquels s'appuient les soins infirmiers en psychiatrie et en santé mentale.

Elles trouveront dans cet ouvrage les troubles mentaux du DSM-III-R (1987), auxquels sont rattachés les diagnostics infirmiers approuvés par l'ANADI. Ces deux cadres de référence conviennent aux programmes de base de soins infirmiers et correspondent à la terminologie véhiculée dans les milieux cliniques. Ils permettent donc l'adoption d'un langage commun, tant pour les enseignantes que pour les praticiennes.

Ce manuel n'a pas la prétention de couvrir toutes les facettes du monde de la psychiatrie et de la santé mentale, ni celle d'approfondir l'aspect psychothérapeutique de la relation infirmière-client. Les interventions de soins proposées orientent la pratique ; ce sont donc essentiellement des lignes directrices et, comme telles, elles ne peuvent pas rendre compte de la complexité, de la subtilité et de l'individualité des réactions humaines.

Virginia Satir soutient que « la communication est le plus important de tous les facteurs qui influencent une personne dans sa santé et dans sa relation aux autres »*. Aucune norme, aucune prescription rigide ne peut donc supplanter l'écoute chaleureuse et attentive, l'empathie et l'authenticité de l'infirmière soucieuse du mieux-être de son client.

Je souhaite que ce manuel soit le tremplin de futures recherches sur les réactions humaines aux problèmes de santé. J'espère aussi qu'il saura mobiliser l'enthousiasme des infirmières afin qu'elles poursuivent leurs efforts en vue de soulager les grandes souffrances humaines comme la solitude, la douleur, l'impuissance, la culpabilité, le désespoir...

Je pressens que le potentiel créateur des infirmières va dépasser les frontières de cet ouvrage !

Je remercie particulièrement Mmes Francine Ouellette et Claire Thibodeau, MM. Gilles Lavigne et Michel Larose ainsi que mes enfants, Pierre-Yves et Marie-Hélène, pour leur aide et leur soutien au cours de l'adaptation de ce livre.

Pauline Audet

---

*Satir, V. *Pour retrouver l'harmonie familiale* (Peoplemaking). Montréal, France-Amérique, 1980.

LES AUTEURES

J. Sue Cook

est chargée de cours de soins infirmiers à la California State University de
Turlock (Stanislaus). Elle possède un baccalauréat et une maîtrise ès sciences
de la California State University de Fresno. En 1980, elle a reçu son doctorat
en éducation à l'université de San Francisco. Elle a été membre du conseil
d'administration de la California Nurses' Association de 1984 à 1986. Pendant
cinq ans, soit de 1986 à 1991, Mme Cook a été chargée des relations avec le
gouvernement. En tant que conférencière au Recovery Resources de Ceres
(Californie), elle a traité de la question du diagnostic infirmier en santé
mentale. Par ailleurs, elle a donné une série de cours sur la démarche de soins
infirmiers en santé mentale au Psychiatric Inpatient Program of Stanislaus
County. Elle a été agente de liaison auprès d'un sénateur de l'État de
Californie. En outre, Mme Cook occupe un poste d'infirmière à temps partiel
au Scenic General Hospital et elle est coordonnatrice du programme de
baccalauréat ès sciences de la California State University. En 1987, elle a reçu
le prix *Meritorious Performance and Professional Promise Award* de la
California State University (Stanislaus).

Karen Lee Fontaine

est chargée de cours de soins infirmiers à la Purdue University de Calumet.
Elle possède un baccalauréat ès sciences de la Valparaiso University et elle est
infirmière diplômée de la Lutheran Hospital School of Nursing, de St. Louis.
Elle possède également une maîtrise ès sciences de la Rush University de
Chicago. Sexologue diplômée, elle pratique en cabinet privé et elle anime de
nombreux séminaires sur la sexualité. Elle a participé à la rédaction de
plusieurs ouvrages traitant de la gestion du stress, de la sexualité, du
vieillissement, des troubles sexuels et de la violence. La Purdue University de
Calumet lui a décerné le prix *Outstanding Undergraduate Teacher Award*
pour 1982-1983. Enfin, l'association Gamma Phi de Sigma Theta Tau l'a
nommée enseignante de l'année en 1984.

Note de l'éditeur : L'ordre de présentation des noms des auteures est alphabétique. Chacune
d'entre elles a contribué à part égale à la rédaction du présent ouvrage.

Table des matières

Introduction

Le but de ce manuel est de fournir à l'étudiante toutes les données concernant les soins infirmiers en santé mentale sans pour autant la surcharger de notions inutiles. Nous avons révisé et réorganisé les renseignements contenus dans les versions antérieures de cet ouvrage après les avoir utilisés nous-mêmes et soumis à l'appréciation d'étudiantes, de collègues et de réviseurs. Nous espérons que la future infirmière trouvera la lecture de ce manuel agréable et saura tirer un maximum de profit du résultat de notre travail.

Cadre théorique et philosophique

Nous avons rédigé le présent ouvrage en gardant à l'esprit l'idée que les soins infirmiers en santé mentale ont pour but d'aider le client à surmonter ses difficultés, à résoudre ses problèmes, à soulager sa souffrance affective et à s'épanouir sur le plan psychologique, tout en respectant ses valeurs, ses croyances et ses décisions. Pour ces mêmes raisons, nous incitons l'étudiante à se livrer à une auto-analyse qui lui permettra d'approfondir la compréhension et l'acceptation de soi. En effet, l'infirmière capable de clarifier ses croyances et ses valeurs est moins encline à les imposer au client et moins prompte à le juger. En outre, notre conception de l'être humain est une conception holistique : nous croyons qu'il est constitué d'un ensemble de systèmes interdépendants en constant devenir et nous considérons son corps, son esprit et son âme comme un tout.

Nous présentons ici toute une gamme de philosophies et de théories qui aideront l'étudiante à mieux comprendre le client et son vécu. Ainsi, nous analysons les diverses philosophies ayant trait à la santé, à la souffrance et aux soins infirmiers du point de vue de leurs répercussions sur l'infirmière et sur le client. Nous abordons également la notion de personnalité selon les diverses théories, telles les théories psychanalytique, psychosociale, behavioriste, cognitive, humaniste, féministe, etc. L'étudiante se trouve de ce fait encouragée à explorer les nombreuses approches qui lui sont proposées. En outre, nous traitons de l'influence du sexisme, du racisme, de l'âgisme et de l'homophobie sur la santé mentale des victimes de la discrimination et des préjugés dans notre société.

Présentation

L'ouvrage est divisé en deux parties. La première, intitulée *Notions fondamentales*, comprend les chapitres 1 à 6. On y présente les conceptions, les théories et les rôles de l'infirmière ainsi que les caractéristiques de la relation infirmière-client. Par ailleurs, nous invitons l'étudiante qui hésite lors de ses premières interventions auprès du client souffrant de troubles psychiatriques à appliquer à son propre cas la méthode de résolution des problèmes de la démarche de soins infirmiers. Nous croyons ainsi pouvoir apaiser les inquiétudes courantes de l'étudiante, tout en lui enseignant comment elle peut appliquer à son propre cas la démarche de soins infirmiers. Nous insistons beaucoup sur l'acquisition et l'évaluation des techniques de communication thérapeutique. Nous présentons également dans cette première partie des méthodes de collecte de données sur le comportement, sur l'état affectif, sur l'état cognitif et sur l'état physique ainsi que les étapes du diagnostic, de la planification et de l'évaluation de la démarche de soins infirmiers. Enfin, nous abordons dans la première partie les modalités du traitement interdisciplinaire, les liens entre la culture et la santé mentale et les moyens de surmonter les crises qui jalonnent toute vie.

La deuxième partie, intitulée *Soins infirmiers en psychiatrie et en santé mentale*, comprend les chapitres 7 à 17. Nous présentons dans chaque chapitre les ressemblances et les différences entre les troubles et les modes de traitement chez l'enfant, l'adolescent, l'adulte et la personne âgée, selon le cas. Tous les chapitres ont la même structure, c'est-à-dire qu'ils commencent par l'exposé des connaissances de base concernant les caractéristiques comportementales, affectives, cognitives, physiologiques et socioculturelles des troubles, et se terminent par un résumé des théories de la causalité et des traitements médicaux.

Le bilan de santé, annoncé par le symbole de la loupe, est structuré de la même manière afin d'aider l'étudiante à faire le lien entre les réactions particulières du client et les connaissances de base qu'elle a acquises. La reprise des catégories favorise l'apprentissage et la rigueur de la collecte des données, quel que soit le trouble dont souffre le client. Nous présentons dans chaque chapitre les médicaments prescrits pour le traitement de chacun des troubles afin d'étayer les connaissances pharmacologiques acquises dans la première partie. Chaque chapitre contient également un grand nombre de plans de soins infirmiers qui englobent les diagnostics infirmiers courants, les objectifs, les interventions, les justifications et les résultats escomptés. Dans cette deuxième partie, nous mentionnons également les coordonnées des divers groupes d'entraide ou des services professionnels que l'étudiante pourra consulter pour son usage personnel ou pour y diriger son client.

Pédagogie

Nous croyons que l'apprentissage de la démarche de soins infirmiers est une étape primordiale de la formation de l'infirmière psychiatrique. Nous présentons la démarche de soins infirmiers dans la première partie et nous en faisons la charpente de la deuxième partie, car nous estimons que, sans une démarche cohérente, l'étudiante ne peut pas acquérir la rigueur nécessaire à une collecte appropriée des données et à leur analyse systématique. La structure des bilans de santé suit celle des connaissances de base. Bien des manuels présentent un exemple général de bilan de santé, sans enseigner à l'étudiante la manière d'effectuer la

collecte des données chez le client atteint d'un trouble particulier. Nous estimons cependant que l'étudiante ou l'infirmière débutante ne possède pas les techniques nécessaires à la formulation de questions appropriées au diagnostic médical du client. Grâce aux bilans de santé que nous avons élaborés, l'étudiante apprendra à poser des questions lui permettant d'effectuer une collecte des données dont la forme et la portée conviennent à des cas précis. Les questions sont ouvertes et font appel aux techniques de communication. Nous avons décidé de présenter la planification des soins sous forme de tableaux. De la sorte, l'étudiante a sous les yeux les diagnostics infirmiers susceptibles de s'appliquer au client ainsi que tous les renseignements pertinents. Cette présentation sous forme de tableau fait ressortir le fait que le plan de soins infirmiers est le fondement même des soins, et non pas un exercice laborieux à soumettre à l'enseignante.

Par les nombreux exemples cliniques que nous avons pris soin de donner, nous souhaitons illustrer de façon concrète les comportements, les sentiments, les modes de pensée et les interactions des clients. Une étude de cas plus poussée se trouve à la fin de chaque chapitre. Les chapitres contiennent également des tableaux qui résument les notions importantes. Dans les annexes, l'étudiante trouvera le corrigé des exercices de révision qui apparaissent à la fin des chapitres. Pour mieux guider l'étudiante, non seulement nous fournissons la bonne réponse mais, en plus, nous expliquons pourquoi les autres réponses sont fausses.

Un contenu d'actualité

Le chapitre 6, intitulé *Les crises développementales: conséquences et résolution*, traite des crises qui surviennent à des stades précis de développement. Nous abordons des sujets d'actualité tels les répercussions du divorce sur l'enfant, la grossesse chez les adolescentes, la formation du groupe de pairs, la crise de la quarantaine, les conflits des générations, l'âgisme et les pertes subies par la personne âgée. Ce sont là les problèmes qui causent le plus de stress aux personnes et aux familles et qui les poussent le plus souvent à solliciter un traitement psychiatrique. La future infirmière trouvera dans ce chapitre des conseils qui l'aideront à prévoir et à résoudre ses propres crises.

Le chapitre 17, intitulé *Les grands dossiers de demain*, porte sur les soins d'ordre affectif et social à prodiguer aux personnes atteintes du sida, à leurs familles et à leurs amis. On ne saurait, en effet, passer ce fléau des temps modernes sous silence. Nous traitons également au chapitre 17 du problème des sans-abri et nous y exposons les causes du vagabondage, les besoins physiques et mentaux des sans-abri ainsi que les interventions infirmières destinées à cette population.

Dans certains chapitres, nous abordons quelques autres problèmes d'actualité : les théories du développement moral, la théorie de la crise, l'intervention en cas de crise, l'obésité, le viol, les troubles de l'adulte qui a été victime de sévices sexuels durant l'enfance, la toxicomanie chez les professionnels de la santé, la codépendance, les enfants adultes d'alcooliques, etc. Nous abordons également les questions de la communication, du processus de deuil et de la vie aux côtés de la personne atteinte d'une maladie mentale.

Le glossaire qui se trouve à la fin de l'ouvrage vise à faciliter l'apprentissage des notions et des termes présentés. L'étudiante trouvera en annexe les catégories diagnostiques du DSM-III-R et la Loi sur la protection du malade mental qui lui permettront d'approfondir ses connaissances. Enfin, l'index permet au lecteur de retrouver rapidement un terme ou de consulter plus facilement ce manuel.

Karen Lee Fontaine
J. Sue Cook

LES ILLUSTRATIONS

Les illustrations et les commentaires présentés au début de chaque chapitre sont les créations de clients souffrant de troubles mentaux aigus, hospitalisés dans le service psychiatrique du Stanford University Hospital de Palo Alto, en Californie. Cet hôpital avait en effet mis sur pied un programme d'arts plastiques dans le but d'aider les clients à exprimer leur monde intérieur, un monde où règnent souvent le désespoir, l'anxiété, la confusion, la colère et l'apathie. En extériorisant ces sentiments accablants par le truchement de l'écriture et du dessin, les clients peuvent sortir quelque peu de leur isolement social, soulager leurs tensions et canaliser des émotions extrêmement douloureuses. Par ailleurs, les créations des clients aident les intervenants à percer la réalité intime de la personne et à améliorer les soins qu'ils lui prodiguent.

Les clients ont participé bénévolement au projet de publication de leurs œuvres et aussi bien eux-mêmes que leurs psychiatres ont consenti par écrit à la reproduction des dessins et des textes dont la nature est tellement intime. Nous avons, par ailleurs, écarté les dessins des clients grièvement psychotiques ou paranoïaques dans leur propre intérêt et nous ne publions pas les noms des créateurs afin de respecter leur droit à la protection de la vie privée.

Les dessins ont été exécutés au cours d'une période de trois mois dans le cadre des activités d'un groupe d'ergothérapie du centre hospitalier de Stanford. Le groupe, formé en moyenne de six membres, se réunissait chaque semaine pendant environ une heure. Afin de perturber le moins possible le déroulement du programme, nous avons essayé d'apporter le moins de changements possibles à la structure du groupe et au déroulement des activités. La première partie des séances était consacrée à une activité d'arts plastiques où l'expression de soi primait le talent artistique et l'esthétique. Les clients savaient que leurs travaux pourraient paraître dans un manuel destiné aux futures infirmières, l'objectif étant de sensibiliser ces dernières aux sentiments et aux pensées des personnes souffrant de troubles psychiatriques. Ils avaient reçu des consignes précises quant à l'emploi de la couleur, à la mise en page et au sujet. Enfin, on leur a demandé de rédiger quelques mots d'accompagnement pour expliquer leurs intentions à ces lectrices. Nous avons modifié le moins possible les descriptions retenues afin de conserver l'émotion, l'énergie et la poésie qui se dégageaient des manuscrits. Pour stimuler l'expression de soi des clients, une liste de thèmes leur avait été fournie :

- mon moi intérieur et mon moi extérieur ;
- l'endroit où je me sens protégé ;
- comment je vois ceux qui essaient de m'aider ;
- comment je vois ma maladie ;
- ce qui m'aide ;
- ma vie au centre hospitalier.

Pendant la deuxième partie des séances de groupe, les clients discutaient de leurs dessins et de leurs commentaires entre eux et avec les thérapeutes. Aucun membre du groupe n'était contraint à prendre la parole et on respectait sa réserve. Il est arrivé à plusieurs reprises que les participants soient à la fois surpris et rassurés par la similitude de leurs sentiments. Lorsqu'ils abordaient des sujets difficiles, ils recevaient un soutien appréciable des autres clients et du personnel.

Pour évaluer les répercussions du projet sur les clients, les intervenants sollicitaient leurs commentaires et leurs réactions à la fin des séances. Comme les clients savaient que l'éditeur devait choisir les dessins, les intervenants craignaient que la spontanéité des participants n'en souffre. Cependant, les commentaires des clients traduisaient une attitude positive. En voici quelques-unes : « Cela m'a donné l'occasion de réaliser quelque chose », « de transformer quelque chose de négatif (le désespoir) en quelque chose de positif », « de me sentir, pour une fois, gagnant et non perdant », « de recevoir un encouragement à un moment où je ne m'aimais pas », et « de comprendre comment je me sentais, car une image vaut mille mots ». Agréablement surpris par le fait que leurs créations pouvaient avoir une utilité, les clients ont produit de nombreux dessins.

En règle générale, le client en psychiatrie est accablé par le découragement et son image de soi est très négative. Le traitement vise à atténuer cette détresse et à redonner espoir grâce à la psychothérapie, au soutien, à la stabilité du milieu thérapeutique, à la pharmacothérapie et à l'acquisition de meilleures stratégies d'adaptation. L'expression artistique est un outil très efficace, car elle permet de transformer des émotions bouleversantes en œuvre durable. Leur contribution au présent ouvrage fut pour les clients une occasion de découvrir leurs forces et, par la même occasion, de nouveaux modes d'expression de soi.

Vivian Banish

Première partie

NOTIONS FONDAMENTALES

CHAPITRE 1

L'infirmière et le client

KAREN LEE FONTAINE

La main tendue

Lorsque je me suis présenté à l'hôpital la première fois pour demander de l'aide, j'ai dû d'abord déclarer souffrir d'une quelconque maladie. Je ne ressentais rien ni ne pensais rien. J'étais enfermé dans un tunnel, plongé dans une tristesse des plus ténébreuses.

Le personnel de l'hôpital m'a vraiment aidé à sortir de ce tunnel. Je dois beaucoup à mon médecin, mais encore plus au personnel infirmier, qui a manifesté à mon égard une compréhension, une chaleur et une gentillesse à toute épreuve. Je remercie infiniment le personnel médical qui se consacre au traitement de la maladie mentale.

■ *Objectifs*

Après avoir étudié le présent chapitre, vous devriez être en mesure de :

- exprimer clairement votre conception personnelle de la santé et de la maladie ;
- définir la maladie mentale d'un point de vue holistique ;
- expliquer l'influence de la conception de la souffrance sur la pratique professionnelle de l'infirmière ;
- effectuer la collecte des données relatives aux réactions comportementales, affectives, cognitives et socioculturelles du client à la maladie ;
- expliquer en quoi les composantes physique, émotionnelle et spirituelle de la relation infirmière-client sont indissociables ;
- intégrer les caractéristiques de l'aidant efficace à sa pratique professionnelle ;
- discerner vos inquiétudes par rapport à l'établissement d'une communication efficace avec le client ;
- faire appel aux différents rôles de l'infirmière pour mettre en application le plan de soins infirmiers ;
- utiliser le processus de résolution des problèmes avec le client ;
- surmonter vos craintes à l'égard de la pratique clinique ;
- utiliser le processus d'évaluation pour améliorer votre pratique professionnelle.

■ *Sommaire*

Introduction
Conception de la santé
Conception de la souffrance
Conception des soins infirmiers

Collecte des données et analyse de la relation infirmière-client
Introspection
Réactions à la maladie :
– facteurs comportementaux
– facteurs affectifs
– facteurs cognitifs
– facteurs spirituels
– facteurs socioculturels
Relation infirmière-client

Planification de la relation infirmière-client
Caractéristiques de l'aidant efficace
Communication
Rôles de l'infirmière
Objectifs de soins infirmiers

Situations particulières
Le client en phase aiguë et sa famille
Peurs relatives à la pratique clinique

Évaluation

Résumé

Introduction

Le client, l'infirmière et la relation qui les unit sont au centre même de la pratique professionnelle de l'infirmière. La future infirmière commence à acquérir des habiletés interpersonnelles dès son premier cours ; elle les développe tout au long de ses études, puis au fil de ses expériences auprès de clients en psychiatrie. À mesure qu'elle dépasse les tâches et les interventions pour chercher l'efficacité dans ses relations, l'étudiante commence à s'analyser elle-même ainsi qu'à analyser ses clients et ses relations avec eux. La compréhension de soi va de pair avec la compréhension des autres. Si cette compréhension s'allie chez l'étudiante à une base théorique solide et à une collecte des données exhaustive, la portée et la justesse de son diagnostic, de sa planification, de son intervention et de son évaluation s'en trouvent infiniment accrues.

Dès le début de ses études et au fil de sa carrière, l'infirmière explore un grand nombre de principes théoriques. Ces principes et les valeurs personnelles et professionnelles de l'infirmière influent sur ses décisions, et constituent le fondement de toutes ses activités. L'infirmière doit examiner et clarifier consciemment les principes théoriques et les valeurs qui forment sa philosophie, afin d'aborder chaque situation avec des idées claires, cohérentes et productives.

Conception de la santé

Les définitions que chaque personne donne de la santé et de la maladie reflètent sa **conception de la santé** et elles influent sur la façon dont les soins de santé sont donnés ou reçus. Chez l'infirmière, ces croyances fondamentales se répercutent sur la façon d'aborder le client, sur l'élaboration des interventions et sur l'évaluation de l'efficacité des soins. Par ailleurs, les croyances du client déterminent si oui ou non il demandera des soins de santé ; le cas échéant, elles président aussi au choix du moment où il en fera la demande, au choix du professionnel, de même qu'au choix des recommandations dont il tiendra compte.

La **santé** n'est ni un état statique ni un objectif concret ; c'est un processus dynamique qui s'étend sur toute la durée de la vie. La santé se distingue de la simple absence de maladie du fait qu'elle constitue un potentiel de croissance, qu'elle exprime un sentiment profond de vitalité. La personne qui se situe du côté santé dans le continuum maladie-santé éprouve un sentiment d'harmonie et projette une image dynamique. La santé, c'est entre autres la capacité de limiter le stress inutile, d'entretenir des relations interpersonnelles, de s'aimer soi-même et de gérer ses problèmes physiques.

La **maladie**, au contraire, se définit comme une sensation subjective de manque d'harmonie interne ou externe. L'anxiété, la culpabilité, la souffrance, l'insatisfaction et le désespoir sont tous des états qui peuvent décrire la maladie. Un manque d'harmonie prolongé peut entraîner la maladie.

L'harmonie ne se manifeste pas uniquement sur le plan physique ou psychique. L'harmonie est

holistique, c'est-à-dire qu'elle concerne la personne entière – son corps, son âme et son esprit. Il peut être déroutant et trompeur de dissocier artificiellement ces aspects. Ce modèle tridimensionnel permet d'aborder et de comprendre la personne dans sa totalité. L'infirmière qui adopte un **point de vue holistique** considère chaque personne comme un ensemble de systèmes dynamiques, interreliés de façon complexe mais indivisibles. Que la personne soit malade ou bien portante, aucun aspect n'est dissociable des autres. L'ensemble ainsi formé transcende la somme de ses parties.

Il n'est pas rare que les étudiantes entreprennent l'étude des soins infirmiers en psychiatrie imprégnées des mythes et des stéréotypes que la société véhicule au sujet des clients souffrant de problèmes de santé mentale. Cependant, à mesure qu'elles avancent dans leurs études, elles s'aperçoivent qu'il n'existe pas de définition universelle de la normalité, relativement au comportement, à l'affectivité ou à la pensée. Dans toute culture, on qualifie souvent de pathologique le comportement, l'affect ou la pensée qui est inusité ou difficilement compréhensible. Les futures infirmières étudient diverses théories qui doivent leur permettre de comprendre le client et ce qu'il éprouve et vit. Or, ces théories ne concordent pas toutes avec les définitions de la santé mentale ou de la santé en général. Le **modèle médical** définit la santé mentale comme l'absence de signes et de symptômes d'invalidité, et emploie les catégories diagnostiques pour désigner un groupe de comportements anormaux. Afin de communiquer avec les professionnels des autres disciplines, l'étudiante doit connaître la terminologie des diagnostics et la signification précise de chacun.

Parallèlement, on peut aussi considérer la santé mentale sous d'autres angles. Ainsi, on peut la définir comme la capacité, pour une personne donnée, de remplir les rôles qui lui incombent. On peut aussi évaluer la santé selon le **modèle adaptatif**, en étudiant les interactions de la personne avec son milieu et son cheminement vers un fonctionnement optimal. D'autres décrivent la personne en bonne santé comme celle qui s'achemine vers la **réalisation** et la compréhension de son potentiel intérieur (Leddy et Pepper, 1985). Dans un **contexte familial**, par ailleurs, la santé s'assimile à un système familial capable d'adaptation et de bon fonctionnement. D'un **point de vue spirituel**, on estime que la personne jouit d'une bonne santé mentale si elle se sent unie aux autres et trouve une signification profonde à la vie. Les soins infirmiers holistiques intègrent ces théories et vont au-delà des étiquettes pour atteindre la personne souffrante.

Conception de la souffrance

L'infirmière doit examiner avec soin sa **conception de la souffrance**, c'est-à-dire ses idées sur le sens de la souffrance dans la vie. Bien que certains croient que la maladie et la souffrance font naturellement partie de la vie humaine et qu'elles constituent une voie pouvant permettre un plus grand accomplissement de la personne, d'autres les considèrent soit comme une aberration, soit comme une épreuve pour la foi, soit comme une punition divine ou comme une manifestation du mal (Pumphrey, 1977). Les croyances de l'infirmière influent sur sa façon de juger du degré de souffrance des autres, car la souffrance ne peut se mesurer objectivement. Son jugement détermine son mode d'intervention auprès du client qui éprouve un malaise psychologique ou une douleur physique. Si l'infirmière croit qu'un client souffre beaucoup, elle sera portée à s'occuper davantage de lui que du client qui semble moins en détresse. Le désir d'alléger la souffrance est l'un des principaux motifs invoqués par celles qui choisissent la profession d'infirmière. Il faut se rappeler que les croyances relatives à la souffrance sont en fait des opinions que l'infirmière doit discerner comme telles, faute de quoi la collecte des données risque d'être faussée (Davitz, Davitz et Rubin, 1980).

La conception que l'infirmière a de la souffrance a une influence directe sur ses interactions avec le client. L'étude de Davitz, Davitz et Rubin (1980) a montré que les infirmières qui perçoivent une profonde détresse chez leurs clients sont davantage portées à expliquer leurs procédés, à exprimer de l'empathie, à s'approcher des clients, à les toucher et à consulter les autres membres de l'équipe de soins quand elles ne sont pas en mesure de répondre aux questions. Au contraire, les infirmières qui perçoivent une détresse moins intense ont tendance à ne pas expliquer leurs actions et à ne pas justifier les examens. En répondant laconiquement aux questions des clients ou en les éludant, elles ont tendance à être plus distantes et plus impersonnelles.

Il importe que l'infirmière analyse sa propre expérience de la souffrance afin de déterminer en quoi elle influe sur sa pratique professionnelle. En 1989, Holm et ses collaborateurs ont découvert que l'expérience personnelle de l'infirmière a une incidence sur l'évaluation qu'elle fait de la souffrance physique et émotionnelle du client. L'infirmière efficace ne réagit pas de manière excessive à la souffrance ; elle ne reste pas non plus indifférente.

Conception des soins infirmiers

Après avoir défini sa conception de la santé et de la souffrance, l'infirmière doit analyser sa **conception des soins infirmiers**, tant pour son propre profit que pour celui de ses clients.

La démarche de soins infirmiers repose sur la connaissance, les valeurs, l'engagement et l'action. Les valeurs et les croyances apportent une direction et une signification aux soins infirmiers dans le contexte des relations interpersonnelles.

L'apport le plus important du système de croyances personnelles au rôle professionnel est l'altruisme. Plus qu'une simple disposition, l'altruisme est une valeur et une façon d'entrer en relation avec autrui. La personne altruiste croit en la valeur intrinsèque des êtres ; elle est capable de nouer des liens étroits et sincères avec une autre personne. L'infirmière altruiste est portée à agir pour le bien du client ; elle s'engage à l'aider à satisfaire ses besoins et à développer son potentiel (Holderby et McNulty, 1982 ; Watson, 1985).

Les conceptions de la santé, de la souffrance et des soins infirmiers déterminent l'établissement des priorités et l'emploi du temps, de même que la quantité d'énergie dépensée et le degré d'émotion éprouvé. Ces valeurs et croyances contribuent à améliorer l'image de soi de l'infirmière, à accroître sa satisfaction au travail, et l'aident à élaborer une philosophie personnelle qui a des répercussions sur sa vie privée et professionnelle (Holderby et McNulty, 1982 ; Watson, 1985).

Collecte des données et analyse de la relation infirmière-client

Lors de la collecte des données relatives à la relation infirmière-client, trois facteurs entrent en jeu :

- l'apport de l'infirmière à la relation ;

- l'apport du client à la relation ;

- les aspects physique, émotionnel et spirituel de la dynamique qui se développe au sein de la relation.

Introspection

L'introspection est un processus dynamique et continu qui permet à l'infirmière de comprendre les aspects physique, émotionnel, social et spirituel de son soi profond. C'est une démarche d'examen, de révision, de rejet et de réaffirmation des croyances personnelles. Par une réflexion consciente sur sa propre vie, la personne tente de comprendre son existence et de lui donner un sens. Par l'auto-analyse, c'est-à-dire l'introspection, l'infirmière clarifie ses valeurs personnelles et accède à une meilleure compréhension d'elle-même.

Comme les êtres humains ne sont pas des entités isolées, l'auto-analyse doit aussi porter sur les relations interpersonnelles. Se connaître soi-même n'est pas une tâche facile. Il nous faut dépasser l'image idéale que nous avons de nous-mêmes et affronter notre propre réalité. Nous devons comprendre le fonctionnement et les raisons de notre propre comportement. La connaissance de soi passe par la mise au jour de nos besoins dont, notamment, le besoin de se porter au secours des autres, le besoin d'être forte ou le besoin d'être aimée. La reconnaissance des besoins personnels accroît la précision de l'analyse du comportement en aidant l'infirmière à assumer la responsabilité de son propre comportement et son effet sur les autres.

Une meilleure compréhension de soi n'est pas le seul bénéfice que l'infirmière tire de l'auto-analyse. En effet, elle apprend à accepter ses forces et ses limites tout en continuant de travailler à sa croissance personnelle. Elle apprend à assumer la responsabilité de ses réussites et de ses échecs.

La personne qui se connaît mal a tendance à rationaliser ou à faire de la projection. Par conséquent, il arrive souvent qu'elle dédaigne chez les autres ce qu'elle déteste en elle. L'acceptation de soi est donc une condition essentielle à l'acceptation des autres.

Certaines étudiantes en soins infirmiers opposent une résistance à l'auto-analyse et au processus de croissance. Il est possible qu'une peur inconsciente de parvenir à la maturité en soit à l'origine. En effet, une personne mûre est indépendante et trouve en elle-même sa motivation et sa discipline. Elle prend des risques tout en étant capable d'affronter la désapprobation. Certaines personnes hésitent à s'auto-analyser de crainte de faire des découvertes désagréables pour elles-mêmes ou pour autrui. Pour d'autres, tout changement est source d'anxiété. Par ailleurs, une peur inconsciente de la réussite entrave la croissance de certaines personnes. La réussite implique en effet qu'une personne se maintienne à la hauteur de ses accomplissements. La réussite oblige aussi à soutenir, à guider ou à aider ceux qui réussissent moins bien, et cela peut sembler trop exigeant à certains.

L'image qu'on a de soi sur le plan personnel est étroitement liée à celle qu'on a sur le plan professionnel. L'infirmière qui est satisfaite d'elle-même sur le plan personnel est davantage portée à prendre des risques calculés, ce qui contribue à former une image de soi positive et stimulante sur le plan professionnel. L'infirmière qui a une image de soi défavorable sur le plan personnel hésite davantage à prendre des risques et est moins autonome, ce qui vient renforcer l'image négative qu'elle a d'elle-même sur le plan professionnel. Ces deux images croissent ou stagnent ensemble. La croissance professionnelle est indissociable de la croissance personnelle (Leddy et Pepper, 1985).

La conscience de soi est essentielle à la collaboration de l'infirmière avec le client.

L'infirmière peut difficilement aider un client à résoudre un problème si elle-même n'a pas surmonté le problème en question. La connaissance de soi permet à l'infirmière de reconnaître ses limites dans certaines situations.

> *Thérèse, âgée de 42 ans, est étudiante en soins infirmiers. Son mari est alcoolique depuis trois ans, mais il refuse de l'admettre. Par l'introspection et par interaction avec d'autres étudiantes et avec son enseignante, Thérèse a pris conscience de sa souffrance et de la profonde colère qu'elle éprouve à l'égard de son mari. Sachant qu'elle risque fort de projeter inconsciemment ses sentiments sur des clients alcooliques, ce qui entraverait la démarche thérapeutique, Thérèse a demandé d'être exemptée pour le moment de toute relation étroite avec un client alcoolique.*

Toutes les infirmières éprouvent, à un moment ou à un autre, de l'anxiété, de la colère ou du ressentiment à l'égard de certains clients. L'auto-analyse les aide à comprendre ces sentiments, à les maîtriser sur le plan professionnel, et à réagir plus efficacement en milieu clinique. L'infirmière qui se connaît bien a une vision globale des soins, ce qui lui permet de les planifier, de les exécuter et de les évaluer de façon plus éclairée.

Réactions à la maladie : facteurs comportementaux

L'infirmière efficace est consciente de la complexité de ses clients. Les réactions comportementales à la maladie ont plus d'une cause et plus d'un objet. Par son comportement, le client cherche souvent à protéger l'image qu'il a de lui-même. Il tente également de communiquer avec autrui et de satisfaire ses besoins. Le comportement n'est pas un phénomène isolé, mais il est influencé par le passé, par le présent et par l'avenir. De plus, il traduit la perception que la personne a de la réalité.

L'être humain a besoin de s'apprécier et d'être apprécié des autres. Le comportement vise souvent à satisfaire ce besoin. La personne qui s'accepte mal cherche souvent l'approbation des autres, et elle se comporte généralement de façon à leur plaire. Par la passivité, la docilité excessive ou des cadeaux, le client peut tenter d'obtenir l'approbation du personnel infirmier. Il arrive que la personne difficile ou plaignarde fustige les autres afin de détourner l'attention ou de se donner une meilleure opinion d'elle-même.

La personne qui s'accepte craint moins d'être elle-même et elle est plus ouverte. Elle se sent aimée et acceptée, capable et digne ; son comportement reflète cette opinion. Elle se prend en charge, elle est moins méfiante et plus tolérante.

Bref, le comportement reflète l'image qu'on a de soi ; il vise à la protéger et à la renforcer. Quand une personne ne se comporte pas en accord avec l'image qu'elle a d'elle-même, il lui arrive de nier sa conduite par des affirmations comme « Ça ne me ressemble vraiment pas de faire ça » ou « Ça n'était pas très gentil de ma part ». Non seulement l'image qu'on a de soi façonne-t-elle le comportement, mais elle le juge.

Quel que soit son degré d'acceptation de soi, la personne hospitalisée dépend davantage du personnel et de sa famille. La gravité de sa maladie détermine son degré de dépendance, et le milieu hospitalier y contribue. En vêtements de nuit, alité et entouré d'étrangers, le client n'est certes pas en position de pouvoir.

> *Pendant son séjour à l'unité de chirurgie pour une intervention mineure, Jeanne portait des survêtements. Elle disait se sentir ainsi moins vulnérable, moins dépendante et plus sûre d'elle-même face à son traitement.*

Le milieu hospitalier est fortement structuré et il n'est pas individualisé. Les horaires et les règlements dictent l'heure des repas, du coucher, de la toilette et des visites. On ne tient pas compte du client dans l'élaboration de l'horaire des traitements et des examens diagnostiques ; on ne l'encourage pas non plus à participer activement à son traitement. Le client doit accepter l'intervention d'étrangers sur sa personne et s'en remettre à eux pour la satisfaction de ses besoins fondamentaux. Cette dépendance accrue, renforcée par le milieu et par la maladie, engendre un sentiment d'impuissance doublé parfois d'une crainte tacite que la dépendance soit prolongée ou définitive. Pour limiter la perte d'indépendance, l'infirmière doit s'efforcer, dans la mesure du possible, d'individualiser les normes. Elle peut, par exemple, laisser le client porter ses propres vêtements, assouplir l'horaire des visites, encourager le client qui en est capable à se rendre dans le hall ou à la boutique et, en général, permettre au client de demeurer aussi autonome que possible.

Le comportement que nous venons de décrire prend tout son sens à la lumière de la perception que chaque personne a de son monde intérieur et extérieur, perception qui détermine la réalité d'une personne. La réalité est relative, et elle subit l'influence des expériences passées, de la situation présente et des perspectives d'avenir. Les comportements d'adaptation varient suivant la perception de la réalité.

Jean, âgé de 50 ans, est admis à l'unité de soins intensifs coronariens pour un deuxième infarctus du myocarde en 12 mois. Le contact est vite rétabli entre lui et le personnel. Il y a une forte incidence de cardiopathie dans ses antécédents familiaux. Aucun de ses proches parents de sexe masculin n'a dépassé l'âge de 55 ans. Son mode de vie est caractérisé par un emploi très stressant, une consommation élevée de cigarettes et peu d'exercice. Depuis toujours, Jean s'attend à mourir jeune. Avant même son premier infarctus, il a mis de l'ordre dans ses affaires, rédigé son testament et préparé sa famille à l'éventualité de sa mort. Il semble triste mais calme, et ses paroles sont empreintes de résignation.

Berthe, âgée de 48 ans, est admise à l'unité de soins intensifs coronariens pour un premier infarctus du myocarde. C'est la première fois qu'elle est hospitalisée. Le matériel et l'atmosphère frénétique de l'unité la subjuguent. Elle a des antécédents familiaux de longévité, et un seul de ses cousins a souffert de cardiopathie. Berthe s'est appliquée à vivre sainement : elle a une bonne alimentation, fait de l'exercice et emploie des techniques de contrôle du stress. Elle s'est toujours attendue à vivre longtemps. À l'heure actuelle, Berthe est en colère contre le personnel et contre sa famille. Comme elle a pris soin de sa santé, elle estime que cela « n'aurait pas dû lui arriver ». Sa colère l'empêche de collaborer pleinement à son traitement.

En se rappelant que les clients réagissent tous différemment à la maladie, l'infirmière comprend mieux la signification de leurs comportements. Ainsi, il se peut qu'un client utilise fréquemment la sonnette d'appel parce qu'il craint de mourir et qu'il a besoin de se savoir protégé par le personnel. Un autre client, présumant que le personnel infirmier est incompétent ou indifférent, peut actionner la sonnette dans un élan de frustration. Un autre encore peut se sentir seul au point d'appeler l'infirmière pour avoir un contact humain. Tout comportement est une tentative de communication, et l'infirmière doit en décoder les signes pour effectuer une collecte précise des données.

Réactions à la maladie : facteurs affectifs

Les personnes malades et hospitalisées présentent des réactions affectives très diverses qui varient selon le type et les conséquences de leur maladie. L'infirmière peut s'attendre à ce qu'une maladie aiguë et temporaire ne provoque pas les mêmes réactions qu'une maladie chronique ou en phase terminale. Les attentes du client à l'égard de son hospitalisation déterminent ses émotions. Ses expériences passées façonnent ses attentes actuelles. Certains clients ont eu de bonnes expériences avec les infirmières et les médecins ; ils ont été soulagés ou guéris. D'autres, par contre, n'ayant trouvé ni soulagement ni guérison, ont eu des expériences défavorables. Quand ses attentes concordent avec la réalité, le client éprouve moins de détresse que dans le cas contraire.

La maladie et l'hospitalisation sont des événements stressants qui mettent à rude épreuve la capacité d'adaptation du client. Au début, plutôt que d'adopter un nouveau comportement, la personne surmonte le stress avec des moyens qui lui sont familiers. Ces moyens peuvent être exagérés jusqu'à ce que le stress disparaisse ou jusqu'à ce que la personne acquière des moyens d'adaptation plus efficaces.

Chez Johanne, le principal comportement d'adaptation au stress professionnel est l'intellectualisation. Quand elle est hospitalisée, elle s'informe auprès de tous les membres de l'équipe de soins, se documente sur son diagnostic médical, sollicite l'opinion de sa famille et tente de prendre des décisions éclairées.

Marc réagit au stress professionnel en devenant plus dépendant de sa directrice, en la laissant établir les priorités. Quand il est hospitalisé, Marc laisse l'infirmière et le médecin prendre les décisions relatives à son traitement. Il devient craintif si sa famille exprime un désaccord quelconque avec le personnel soignant.

Afin qu'elle puisse procéder à la collecte de données relatives aux émotions que le client éprouve face à la maladie et à l'hospitalisation, l'infirmière et le client doivent exprimer leurs attentes respectives. La signification symbolique de l'hospitalisation, qui influe sur les attentes du client, est formée des expériences passées du client relatives à l'hospitalisation. Ces expériences peuvent inclure la douleur, la séparation d'avec les êtres chers, la mort d'un proche ou la honte associée à la dépendance. L'infirmière doit tenir compte des expériences passées et des attentes actuelles du client pour déterminer ses réactions affectives à la maladie (Robinson, 1984).

Anxiété   L'**anxiété**, émotion souvent ressentie lors d'une maladie, apparaît en réaction à la crainte de souffrir ou de subir une perte importante. Une personne devient anxieuse quand quelque chose menace son estime de soi, son système de valeurs, son image corporelle ou sa vie. L'anxiété lui signale des dangers éventuels et l'avertit de sa vulnérabilité. Elle lui fournit de l'énergie pour éliminer ou affronter une menace ou une perte (voir le chapitre 8 pour plus de détails sur l'anxiété).

De nombreux clients hésitent à faire part de leur anxiété à l'infirmière, craignant peut-être de paraître inadaptés ou puérils. Quand le client n'exprime pas son anxiété, il peut tenter de la nier ou d'utiliser d'autres moyens de défense pour la supporter. Il peut, par exemple, présenter des symp-

tômes somatiques ou adopter un comportement difficile. L'anxiété s'accompagne fréquemment d'un comportement régressif, notamment de pleurs, de questions incessantes, d'une mauvaise interprétation de l'information ou d'une dépendance accrue (Robinson, 1984).

Impuissance et désespoir   Le sentiment d'**impuissance**, souvent ressenti par les clients, est lié de près à l'anxiété. Il peut constituer une réaction d'adaptation acquise ou une réaction immédiate à une situation nouvelle. La personne hospitalisée peut se sentir impuissante en raison d'une perte (d'indépendance, de revenu, d'emploi, d'estime de soi), d'un changement (de l'image corporelle) ou d'une peur (que le trouble ne soit pas maîtrisé). Il est essentiel pour l'intervention thérapeutique que l'infirmière comprenne comment le client se perçoit lui-même et comment il perçoit sa situation. Le **désespoir** accompagne souvent le sentiment d'impuissance. Le client ressent du désespoir quand il ne voit pas de terme à sa souffrance, quand il reçoit un diagnostic de maladie chronique ou mortelle, ou qu'il est en pleine réaction dépressive.

Culpabilité   La **culpabilité** est une autre émotion courante face à la maladie. L'infirmière entend souvent des affirmations liées à la culpabilité telles que « Si seulement j'avais… » et « Si je n'avais pas… ». La plupart du temps, le client se sent coupable de comportements passés qui, croit-il, ont contribué à son trouble ou à sa maladie, notamment l'usage du tabac, la consommation d'alcool, une alimentation excessive, un travail envahissant, un manque d'exercice ou des conflits familiaux incessants. Le sentiment de culpabilité peut être relié à la conception que le client a de la souffrance. S'il croit que la souffrance est une punition, il se cherchera des fautes. S'il croit que la souffrance est une manifestation du mal, il peut se sentir personnellement responsable. La culpabilité peut naître aussi de sentiments de responsabilité à l'égard des autres membres de la famille. Le client peut se sentir coupable s'il doit demander au conjoint de prendre plus que sa part de tâches ménagères, de modifier ses activités professionnelles ou domestiques, ou de porter le fardeau financier occasionné par la maladie. Si la personne a des enfants à la maison, elle peut se sentir coupable d'abandonner son rôle de parent. La culpabilité non résolue rend le client plus sujet à une réaction dépressive.

Solitude   La **solitude** est un autre sentiment souvent éprouvé par les clients hospitalisés. En effet, le client est séparé de ceux qu'il aime au moment même où il a le plus besoin de soutien affectif. Des étrangers se substituent à sa famille, et l'agitation de l'hôpital remplace la routine familiale. Les habitudes de la vie quotidienne cèdent leur place aux normes de l'établissement hospitalier. L'hospitalisation bouleverse plusieurs des aspects de la vie qui permettent aux gens de se sentir unis les uns aux autres. Ce sentiment s'accroît lorsque le client craint d'exprimer sa solitude et son besoin de sécurité à l'infirmière. Parfois, le client adulte juge ces sentiments infantiles et tente de les nier. Le cas échéant, il peut demander souvent la présence de l'infirmière afin d'intensifier le contact et de se sentir réconforté. D'autres clients peuvent craindre d'exprimer leur besoin de sécurité parce qu'ils croient que l'infirmière est trop occupée pour leur consacrer du temps. Ces clients peuvent devenir apathiques ou en apparence indifférents aux autres et au milieu.

Colère   Les clients ressentent souvent de la **colère** quand ils sont malades et hospitalisés. La colère est une réaction à une menace, à un mal ou à une perte. Ainsi, les clients éprouvent de la colère lorsqu'ils se sentent impuissants, lorsqu'ils ont peur, lorsque leurs besoins ne sont pas satisfaits ou lorsqu'ils sont menacés par la douleur, la perte d'un membre ou d'un organe, ou par la mort. L'infirmière reconnaît que la colère, si elle n'est pas niée ou réprimée, peut favoriser l'amélioration de l'état du client ou son rétablissement. L'infirmière accepte le droit à la colère du client, elle lui donne l'occasion de la verbaliser, et elle continue d'apporter des soins et du soutien au client en colère (Robinson, 1984).

Hostilité   L'**hostilité** se distingue de la colère par son intention destructrice. L'hostilité est souvent dirigée contre la première personne venue, et elle peut se manifester de manière dommageable tant pour la personne qui l'exprime que pour la personne envers qui elle est dirigée. L'infirmière doit évaluer les sources possibles de l'hostilité du client. L'hostilité résulte parfois d'une faible estime de soi. Si une personne ne s'aime pas, elle peut difficilement imaginer que les autres puissent avoir d'elle une opinion différente. Elle suppose qu'ils ne l'aiment pas et réagit par des sentiments hostiles. L'hostilité peut aussi être une réaction à la perception d'une menace dans l'environnement. Elle peut constituer une réaction d'adaptation à la peur et à l'anxiété, en ce sens qu'elle peut empêcher ces sentiments de parvenir à la conscience. L'hostilité peut aussi être un moyen de défense pour reprocher une situation aux autres plutôt que d'en assumer la douloureuse responsabilité. Enfin, la personne qui craint de se révéler peut manifester de l'hostilité afin de garder les autres à distance. Pour intervenir adéquatement, l'infirmière doit déterminer avec précision la source et la signification de l'hostilité d'un client (Robinson, 1984).

Réactions à la maladie : facteurs cognitifs

Les réactions d'ordre cognitif à la maladie sont influencées par le concept de soi, l'estime de soi et l'acceptation de soi. Le **concept de soi** est un ensemble organisé de pensées relatives aux caractéristiques du « je » ou du « moi », c'est-à-dire au soi de la personne. Le concept de soi est formé des croyances que la personne entretient sur elle-même (plan intrapersonnel), sur ses relations avec autrui (plan interpersonnel) et sur son importance dans la famille et dans le monde en général (plan socioculturel). L'**estime de soi**, la part affective du soi, est constituée des sentiments propres à la personne ainsi que de ses valeurs dont, notamment, la force, le courage, le calme, la dignité et la confiance. Chaque personne a aussi une représentation de son soi idéal, représentation qui est généralement meilleure que le soi perçu ou réel. L'**acceptation de soi** se définit comme le degré d'harmonie entre l'image de soi d'une personne et son soi idéal. Moins il y a d'harmonie, moins la personne parvient à s'accepter ou à s'aimer.

La maladie et la souffrance influent sur le concept, l'estime et l'acceptation de soi. L'hospitalisation suscite souvent chez le client des sentiments d'incapacité ou d'incompétence. Il se met à douter de sa valeur, tant pour lui-même que pour les autres. Le manque d'harmonie entre le concept de soi et le soi idéal s'accroît à mesure que diminue l'acceptation de soi.

Intériorisation ou extériorisation du foyer de contrôle

Le **foyer de contrôle** détermine le degré de maîtrise qu'une personne croit exercer sur sa vie. La personne qui a un **foyer de contrôle interne** assume la responsabilité des événements et croit que ce qui arrive résulte principalement de ses propres actions. Elle a l'impression de maîtriser son environnement et sa vie. Par contre, la personne qui a un **foyer de contrôle externe** s'en remet non pas à elle-même mais à son entourage. Elle croit que le destin, le hasard ou des gens plus puissants qu'elle déterminent son existence. Elle se sent désemparée lorsqu'il lui faut assumer la responsabilité d'un changement.

Les gens ont tendance à se comporter conformément à leurs attentes. Le client qui a un foyer de contrôle interne est capable de fixer son attention sur lui-même et sur les problèmes qu'il doit résoudre. Il est capable de mettre en application le processus de résolution des problèmes. À l'opposé, le client qui a un foyer de contrôle externe situe la source de ses problèmes à l'extérieur de lui-même. Par conséquent, les solutions éventuelles lui échappent. Il utilise les pronoms de la troisième personne plus souvent que le *je*. Étant donné son impuissance, il est plus difficile pour ce type de personne de mettre en application le processus de résolution des problèmes.

Ambivalence

La maladie entraîne souvent l'**ambivalence**, c'est-à-dire la coexistence d'attitudes conflictuelles. Au départ, une personne peut éprouver une certaine ambivalence à l'idée de recourir à une aide professionnelle. « Je ne me sens pas si malade, se dit-elle, alors j'attendrai un peu. Par contre, j'ai peut-être quelque chose de grave. Je devrais y voir immédiatement. » Ou encore : « Je n'ai vraiment pas le temps d'aller chez le médecin. Mais si je suis vraiment malade et que je ne peux pas travailler, je risque de perdre beaucoup d'argent. » Cependant, même après avoir eu recours à des soins de santé, bien des personnes éprouvent de l'ambivalence par rapport aux recommandations qu'on leur a faites : « Elle a dit que je dois prendre une semaine de congé. Je suis si fatiguée que ça me tente, mais le travail va s'accumuler. » Ou encore : « Je sais qu'il faut que j'arrête de fumer. Ce n'est pas en fumant que je respirerai mieux. Mais j'aime fumer et je ne me sens pas capable d'arrêter. »

Questionnement

Le **questionnement** est une autre forme de réaction cognitive à la maladie. Le client demande souvent : « Pourquoi moi ? » « Qu'ai-je fait pour mériter ça ? » « Pourquoi ça ne va pas mieux ? » Le client qui cherche un sens à sa maladie en examinant le passé tente de maîtriser le présent et d'orienter l'avenir. Il s'enquiert auprès des professionnels de la santé de la rectitude du diagnostic médical et de l'opportunité du traitement prévu. Il questionne sa famille et ses amis pour s'assurer de leur engagement, de leur amour et de leur intérêt à son égard. Les réponses que le client se donne à lui-même sont étroitement liées à sa conception de la souffrance, à son concept de soi et à son acceptation de soi (Musil et Abraham, 1986).

Déni

Le **déni** est un mécanisme de défense qui atténue l'anxiété immédiate déclenchée par l'apparition de la maladie. Une période de déni constitue souvent un mécanisme d'adaptation, en ce sens qu'il permet à la personne de conserver l'énergie psychologique et physique qu'elle dépenserait autrement dans une réaction d'anxiété. Quand le client est incapable de renoncer à l'attitude défensive de déni, il peut survenir de graves problèmes qui entraveront son cheminement vers la santé et le bien-être.

Réactions à la maladie : facteurs spirituels

Le développement de la **spiritualité** est un processus tant intrapersonnel qu'interpersonnel. La composante intrapersonnelle correspond à l'élaboration d'un système de valeurs et de croyances relatives au sens et au but de la vie et de la mort. La composante interpersonnelle ou relationnelle correspond à un sentiment d'union aux autres et à une puissance extérieure souvent assimilée à Dieu. La spiritualité comporte, d'une part, l'amour, la confiance et l'indulgence que l'on porte à soi-même et aux autres et, d'autre part, la capacité d'accepter l'amour, la confiance et l'indulgence des autres et de Dieu. Chez beaucoup de gens, la spiritualité se traduit par un sentiment de plénitude, d'intégrité et de paix.

La personne malade peut éprouver une certaine détresse sur le plan spirituel. Cette détresse peut s'exprimer sous forme de culpabilité à l'égard de comportements passés ou sous forme d'un sentiment d'injustice à l'égard de sa situation présente. Elle peut aussi prendre la forme d'une insatisfaction ou d'une incapacité de trouver un sens et un but à la vie. Chez beaucoup de gens, la détresse spirituelle prend sa source dans un sentiment d'isolement (Labun, 1988).

Réactions à la maladie : facteurs socioculturels

Pour comprendre les réactions du client à la maladie, l'infirmière doit aussi déterminer les conséquences de la maladie pour la famille et l'influence de la famille sur la personne malade. Il peut être difficile de recueillir des données sur les interactions familiales, puisque chaque famille adopte un comportement qui lui est propre en présence d'autrui. En l'absence d'observateurs, ce comportement peut être tout à fait différent. Pour percevoir la véritable vie familiale du client, l'infirmière ne peut compter que sur l'épanouissement de la confiance et de la sympathie.

Les réactions à la maladie sont acquises dans le milieu familial et culturel. C'est par l'intermédiaire de la famille que les contraintes sociales façonnent la personne. La famille perpétue et adapte les normes culturelles. Certaines familles présentent une structure fondée sur l'autorité; les règles y sont précises et les horaires réguliers. Ces familles respectent les traditions et on n'y exprime pas ses sentiments en public. D'autres familles obéissent à des principes plus démocratiques; les horaires sont plus souples, on y accepte davantage les changements et on exprime ouvertement ses sentiments. Enfin, dans d'autres familles, il n'existe ni règles précises ni horaires. On encourage l'expérimentation et l'intuition, et on exprime ses sentiments de manière passionnée.

Comme la plupart des centres hospitaliers ont une structure rigide, l'infirmière peut s'attendre à ce que le client issu d'une famille obéissant à des règles strictes s'adapte plus facilement à l'hospitalisation que le client issu d'une famille aux règles souples. Au chapitre de l'expression des sentiments, il importe que l'infirmière comprenne les normes familiales et culturelles du client. Ainsi, elle ne doit pas en conclure qu'un client souffre d'insuffisance affective s'il n'exprime pas ses sentiments parce qu'il n'est pas habitué à le faire en dehors de la cellule familiale. Elle ne doit pas non plus conclure à l'immaturité d'un client qui exprime ses sentiments avec passion.

La maladie et l'hospitalisation d'un de ses membres constituent pour la famille une crise dont la gravité et la durée peuvent varier considérablement. Non seulement la famille doit-elle poursuivre ses activités quotidiennes, mais elle doit aussi affronter les conséquences de la maladie. De plus, la famille doit s'adapter aux réactions émotionnelles du membre malade ainsi qu'à celles des autres. Les contraintes sont nombreuses : prise en charge de nouveaux rôles, problèmes financiers et, dans le cas où des parents s'installent à la maison pour aider durant la crise, problèmes d'adaptation. Certaines familles trouvent difficile d'exprimer leurs sentiments, et elles hésitent à demander l'aide du personnel infirmier ou d'une travailleuse sociale. D'autres familles sont davantage portées à chercher des réponses et à demander de l'aide.

Lorsque l'infirmière comprend le bagage socioculturel du client, sa collecte des données est plus précise et plus complète. Si elle examine aussi les plans comportemental, affectif et intellectuel, l'infirmière peut être sûre d'offrir au client une approche holistique. Au chapitre 5, nous traitons en détail du rôle de la culture dans les soins infirmiers.

Relation infirmière-client

La relation infirmière-client est le facteur clé de la démarche de soins infirmiers. À travers cette relation, l'infirmière peut effectuer une collecte des données précise, formuler des diagnostics infirmiers, planifier et exécuter ses interventions et, enfin, évaluer l'efficacité de sa démarche. La relation thérapeutique est l'instrument privilégié du changement (Kasch, 1984). Pour faciliter le changement, l'infirmière définit la nature de sa relation avec le client d'un point de vue holistique.

La **composante physique** de la relation infirmière-client regroupe toutes les interventions et toutes les techniques que l'infirmière emploie avec le client ou pour lui. Cormack (1983) définit la composante physique comme l'ensemble des fonctions à haute visibilité des soins infirmiers. Il est facile de définir et de décrire la composante physique à l'intention des étudiantes. Les étudiantes en apprennent les techniques et sont tout à fait conscientes qu'une omission peut placer le client en danger de mort. On évalue les étudiantes sur l'exécution de tâches observables, et on les félicite, ce qui renforce l'orientation vers la tâche qui prévaut dans le modèle médical des soins de santé. Puisque les connaissances évoluent quotidiennement, il est primordial que l'infirmière continue d'apprendre et d'utiliser de nouvelles techniques pour offrir les meilleurs soins physiques possible.

La **composante émotionnelle** de la relation infirmière-client, tout aussi importante que la composante physique, représente l'attitude de l'infirmière à l'égard du client comme celle d'un être humain à l'égard d'un autre, et non pas comme celle d'une personne soignante à l'égard d'un patient. L'infirmière doit donner beaucoup d'elle-même dans ses relations avec le client : considération positive, impartialité, tolérance, chaleur, empathie, authenticité, et révélation de soi. À mesure que la composante émotionnelle évolue, l'infirmière encourage le client à exprimer sa perception du monde, ses expériences passées et ses attentes ainsi que ses espoirs et ses rêves d'avenir. Elle invite également le client à lui faire part de ses sentiments de peur, d'impuissance, de désespoir, de culpabilité, de solitude, de colère, de joie, de plaisir ou d'espoir. Cormack (1983) définit la composante émotionnelle de la relation infirmière-client comme l'ensemble des fonctions à faible visibilité : sens de l'observation, analyse de la psychodynamique et habiletés à communiquer verbalement et non verbalement. Il est plus difficile d'enseigner et d'apprendre cette composante des soins infirmiers, car elle relève d'un plus haut degré d'abstraction.

La **composante spirituelle** de la relation infirmière-client représente le sentiment d'union entre le client et l'infirmière. C'est l'impression profonde de participer à quelque chose de plus grand que soi-même. L'infirmière sensible à la composante spirituelle de sa relation avec le client respecte les valeurs culturelles et les croyances religieuses de ce dernier. Elle reconnaît sa dignité et sa valeur et, en temps opportun, elle l'aide à trouver un sens et un but à la vie. Quand la composante spirituelle est négligée, l'infirmière aussi bien que le client peuvent éprouver des sentiments d'aliénation, d'exclusion et d'isolement.

Pour les besoins de la collecte des données, les trois composantes que nous venons d'énumérer sont dissociées afin que l'infirmière puisse percevoir avec plus d'exactitude sa relation avec le client. En réalité, cependant, toutes les composantes sont reliées et forment un tout. Les soins physiques ne sont pas aussi efficaces lorsque l'infirmière et le client ne se sentent aucunement solidaires ou lorsque les pensées et les sentiments du client sont réprimés. L'engagement est l'essence même des relations. Comme l'a résumé Goldsborough (1969, p. 66) : « Essentiellement, l'engagement se définit comme un intérêt profond porté à la situation actuelle ou éventuelle d'une personne, puis comme une action posée avec elle et pour elle. C'est aller au-devant du soi profond d'un autre, le toucher et l'écouter. »

La **composante du pouvoir** de la relation infirmière-client est reliée aux croyances de l'infirmière relatives au foyer de contrôle. L'infirmière qui admet un foyer de contrôle externe s'attend à ce que le client s'abandonne entièrement au personnel. Dans son esprit, le personnel agit « sur » le client et « pour » le client qui, lui, intervient le moins possible. Cette infirmière laisse le client croire que les autres sont la cause de ses problèmes. Elle court le risque de s'apitoyer sur lui et de le plaindre plutôt que de l'aider à cheminer vers la croissance et le changement.

L'infirmière qui croit en un foyer de contrôle interne incite le client à faire converger son énergie et son attention sur lui-même et sur son pouvoir d'action. Aux yeux de cette infirmière, le client n'est ni impuissant ni dépendant. Elle met l'accent sur la motivation du client et sur l'acquisition de comportements plus adaptatifs. Elle construit la relation autour du besoin qu'a le client d'orienter et de diriger sa propre vie.

Pendant la crise qu'occasionne la maladie, le client bénéficie alors d'un foyer de contrôle interne, conscient néanmoins qu'il ne peut tout régir. Le fait de reconnaître l'existence de certaines forces externes permet à beaucoup de gens de trouver un sens à la vie et de puiser réconfort et soutien dans la prière ou la méditation (Moch, 1988).

Depuis l'émergence des mouvements de consommateurs, les clients défendent plus âprement leur droit à l'autodétermination. Le statut du client dans la relation infirmière-client est en voie de passer de la dépendance à l'interdépendance. Désormais, le foyer de contrôle appartient au client, et c'est un rôle de soutien qui est dévolu à l'infirmière. Autrement dit, le client participe activement à la planification de ses soins et prend une part de la responsabilité pour l'issue de son traitement. La démarche de soins infirmiers s'effectue *avec* le client et non plus *sur* le client. L'infirmière comprend que le client a l'ultime pouvoir d'accepter ou de refuser le plan de soins proposé.

Autrefois, il arrivait fréquemment que l'infirmière prenne des décisions à la place du client, car on supposait alors qu'elle connaissait mieux ses besoins. En réalité, ces initiatives visaient souvent à accélérer les soins infirmiers fonctionnels. Maintenant que la relation infirmière-client est marquée au sceau de l'interdépendance, l'infirmière propose diverses possibilités au client et le seconde dans le processus de résolution des problèmes. Lors de l'évaluation de sa relation avec le client, l'infirmière juge si les droits du client sont respectés, si les valeurs sont claires, si l'information est bien véhiculée et si les décisions sont justifiées. La participation active du client ne peut que contribuer à l'efficacité et à la qualité des soins infirmiers.

Planification de la relation infirmière-client

Comme nous l'avons mentionné précédemment, l'altruisme consiste à entrer en relation avec les êtres de manière à leur permettre de développer pleinement leur potentiel. Les interventions efficaces sont donc celles qui tiennent compte de la valeur et de la dignité du client ainsi que de ses besoins physiques, émotionnels, sociaux et spirituels.

Répondre aux besoins du client peut engendrer des sentiments de malaise ou d'anxiété chez l'infirmière. Ainsi, qu'elle soit débutante ou expérimentée, l'infirmière a besoin de soutien et d'encadrement pour rester efficace. Par encadrement, nous entendons le processus par lequel une enseignante, une infirmière-chef, une spécialiste du milieu clinique ou une personne d'expérience évalue la pratique clinique de l'infirmière afin que s'accroissent ses connaissances et sa compétence. L'infirmière en profite pour exprimer les sentiments qu'elle éprouve à son égard et à l'égard des clients, et aussi pour recevoir conseils et soutien émotionnel. La planification et l'exécution sont plus efficaces quand l'encadrement clinique est continu. Benfer (1985, p. 43) décrit en ces termes la nécessité de l'encadrement :

> L'encadrement clinique est l'instrument privilégié de l'élaboration d'un réseau de soutien. Nous parlons ici du type d'encadrement clinique qui consiste à analyser nos interactions et nos comportements dans notre travail auprès des patients et qui s'étend aussi à notre croissance et à notre potentiel de développement dans le cadre de notre travail clinique.

Caractéristiques de l'aidant efficace

L'intégration des caractéristiques de l'aidant efficace à la pratique professionnelle de l'infirmière favorise la croissance et la satisfaction de l'infirmière autant que celles du client. Ces quelques attitudes sont essentielles à la relation thérapeutique au cours de laquelle l'infirmière exécute ses interventions.

Considération positive   La **considération positive** consiste à croire en la valeur et au potentiel du client. C'est affirmer la primauté de la personne et respecter sa dignité (Rogers, 1967). Certains clients ont peu de respect de soi et éprouvent beaucoup de difficulté à se valoriser. La considération positive de l'infirmière est essentielle au renforcement de l'estime de soi du client.

Pour comprendre les comportements au moyen desquels se manifeste cette attitude, on doit se pencher d'abord sur les comportements opposés, soit ceux qui consistent à contester, à railler ou à critiquer les sentiments du client. Ces comportements correspondent à des tentatives de domination. L'infirmière manifeste aussi une attitude négative quand elle refuse d'entrer en relation avec un client aux prises avec un problème particulier, ce qui équivaut à les dévaloriser par omission.

L'infirmière peut manifester sa considération positive par de nombreux comportements, notamment en exprimant son intérêt pour les sentiments du client et en protégeant son estime de soi lorsqu'elle est menacée. L'infirmière dont l'attitude est positive fait passer les besoins du client avant les siens. Elle est convaincue que le client est capable de résoudre ses problèmes, elle a des égards pour lui et lui témoigne un intérêt véritable. Elle favorise la croissance du client et le laisse cheminer dans la direction qu'il choisit. La considération positive contribue à l'établissement d'un environnement rassurant pour le client.

Impartialité   L'infirmière impartiale évite d'être trop critique à l'égard du client. À cette fin, elle doit être consciente des pensées et des sentiments négatifs qu'elle pourrait avoir à l'égard de certains clients. L'infirmière peut ainsi éviter d'agir selon des idées préconçues. L'infirmière impartiale laisse le client exprimer ses pensées et ses sentiments, et elle l'estime capable de prendre des décisions et de faire des choix. Elle est « avec » le client,

comme le décrit Mayeroff dans son ouvrage intitulé *On Caring* (1971, p. 43) :

> Lorsque quelqu'un est avec moi, je n'ai pas l'impression d'être seul, je sens que l'on me comprend, non pas de façon détachée, mais selon ce que je ressens. Je me rends compte qu'on veut me voir tel que je suis, *non pas pour me juger, mais pour m'aider.* [Italique ajouté.] Je n'ai pas à me dissimuler en essayant de paraître mieux que je ne le suis ; je peux m'ouvrir, me laisser approcher et, ainsi, aider l'autre à m'aider. La pensée qu'il y a quelqu'un avec moi m'aide à me voir et à voir le monde plus clairement. Lorsque mes paroles me sont répétées, j'ai l'occasion de vraiment m'écouter et de mieux en comprendre la signification.

Tolérance   Faire preuve de **tolérance** à l'égard du client, c'est l'accepter tel qu'il est. L'infirmière tolérante respecte les pensées du client, et elle les prend en considération pour l'aider à mieux se comprendre. Être tolérante, c'est reconnaître que le client a droit à la libre expression de ses sentiments. En tant que réactions intérieures à la perception des autres et du milieu, les sentiments sont authentiques et ne sauraient être critiqués, contestés ou dénoncés. Dire au client comment il devrait se sentir ou ne pas se sentir revient à dénigrer ses expériences passées, son état présent et son potentiel. C'est souvent lorsque nos propres sentiments nous troublent que nous avons tendance à dévaloriser ceux des autres.

L'infirmière efficace accepte le comportement du client, sauf s'il est nuisible au client lui-même ou aux autres personnes. Certains comportements, la masturbation en public par exemple, embarrassent les autres et peuvent ultérieurement être une source de honte pour la personne. C'est pourquoi l'infirmière protège le client en lui accordant l'espace et le temps nécessaires à cette activité humaine normale. Il convient cependant de limiter les activités qui peuvent mener à l'épuisement complet du client, et on ne saurait accepter qu'un client fasse preuve de violence envers lui-même ou envers les autres.

Pour déterminer si un comportement est acceptable ou non, l'infirmière doit d'abord en prévoir les conséquences. S'il est considéré comme nuisible au client ou à d'autres personnes, l'infirmière doit établir un plan d'intervention. Rappelez-vous que la force physique peut être nécessaire si un client ne peut ou ne veut modifier un comportement. L'infirmière doit alors se poser les questions suivantes : « Ce comportement est-il nuisible ou m'agace-t-il tout simplement ? » « Les règlements de l'unité sont-ils plus importants que les droits et la dignité du client ? » « Ce comportement est-il dangereux au point qu'il faille employer la force pour y mettre fin ? » « Est-ce que je veux employer la force physique pour modifier le comportement et suis-je en mesure de le faire ? » Les exemples suivants illustrent une telle situation.

> *Maria est infirmière au service d'urgence. On lui confie Paul, un client que la police a arrêté pour ivresse sur la voie publique. On l'a mis dans une chambre conçue pour assurer la sécurité de ce type de client. Maria entre dans la chambre et trouve Paul en train de fumer une cigarette, ce qui est contraire aux règlements du service. Paul refuse d'éteindre sa cigarette, et Maria tente de la lui enlever par la force. Furieux, Paul la frappe au visage, et Maria se retrouve avec quelques points de suture.*

> *Carole est infirmière à l'unité de psychiatrie. Depuis un moment, elle tente d'intervenir auprès de Gilberte, une cliente qui est furieuse contre sa compagne de chambre. Lorsqu'il devient évident que Gilberte a perdu la maîtrise d'elle-même, Carole demande l'aide des autres membres du personnel soignant, et ils élaborent rapidement un plan d'intervention. Au moment où Gilberte soulève une chaise et en menace sa compagne de chambre, trois membres du personnel soignant l'encerclent et lui enlèvent la chaise. Ils l'accompagnent ensuite dans un endroit calme, et deux d'entre eux demeurent avec elle jusqu'à ce qu'elle maîtrise mieux son comportement.*

Il apparaît que Maria a tenté de faire respecter les règlements du service sans se poser les questions primordiales. Comme Paul était seul dans la chambre, sa cigarette pouvait être tolérée. Maria aurait

pu décider de rester avec lui le temps qu'il fume afin d'éviter tout accident. Par contre, l'emploi de la force physique n'était pas approprié dans ce contexte, car il n'y avait pas de danger. Si Maria tenait absolument à faire cesser le comportement de Paul, elle aurait dû demander de l'aide et réfléchir à un plan adéquat. Carole, en revanche, a déterminé que le comportement de Gilberte était inacceptable parce qu'il compromettait la sécurité de sa compagne de chambre. Elle a élaboré et exécuté un plan afin d'éviter que quelqu'un se blesse, et elle a donné à Gilberte l'occasion de parler des sentiments sous-jacents à son comportement.

Chaleur   L'infirmière efficace fait preuve de **chaleur** en exprimant son intérêt à l'égard du client. Cela ne signifie pas qu'elle doive être expansive ou trop familière. La chaleur s'exprime d'abord et avant tout non verbalement, par une attitude constructive, un ton amical ou un sourire engageant. Le simple fait de se pencher vers le client et d'établir un contact visuel avec lui est une manifestation de chaleur, tout comme le contact physique, dans la mesure où il est acceptable et qu'il ne représente pas une menace pour le client.

Empathie   On a beaucoup écrit sur l'**empathie** en tant que caractéristique essentielle de l'infirmière efficace. L'empathie se définit comme la capacité de comprendre le monde de l'autre et de lui communiquer cette compréhension. L'infirmière empathique comprend comment le client se perçoit ; elle saisit aussi la signification qu'il attribue aux événements. L'empathie permet de connaître les sentiments du client, ses buts et ce dont il a besoin pour croître et pour changer. Pour ce faire, l'infirmière doit conserver sa propre identité et demeurer objective. En d'autres termes, elle voit le monde avec les yeux du client mais ne réagit pas de la même façon que lui, faute de quoi elle ne l'accompagne plus vers la croissance aussi efficacement. On n'a pas besoin d'être en colère pour se rendre compte qu'un client est en colère. Il faut toutefois être capable d'explorer les sentiments de colère avec lui.

Forsyth (1980) a dégagé deux conditions à la naissance de l'empathie. La première est la *conscience* de soi, du client et de l'expérience vécue par l'un et l'autre. L'infirmière consciente de ses valeurs, de ses attitudes et de ses réactions est plus impartiale envers le client et moins sujette à projeter sur lui ses propres attitudes et attentes. La deuxième condition est l'*immédiateté*, c'est-à-dire la capacité d'aborder les sentiments du client sur-le-champ et non pas lorsque l'on est disponible, dis-posé ou rassuré. Il y a empathie lorsqu'il y a écoute attentive et réaction appropriée.

L'infirmière doit montrer qu'elle essaie de comprendre le client de son mieux. Après avoir soigneusement pesé la signification des messages et des sentiments du client, l'infirmière doit confirmer ses perceptions auprès de lui. L'empathie ne naît que *si l'infirmière est capable de communiquer verbalement ses perceptions de façon à ce que le client puisse les confirmer ou les corriger.*

Pour que la relation soit efficace, l'infirmière et le client doivent évaluer l'exactitude des échanges empathiques. L'empathie bien dirigée peut faciliter la collaboration thérapeutique et aider le client à mieux se sentir et se comprendre (Book, 1988 ; Marcia, 1987).

Authenticité   L'efficacité des soins infirmiers repose sur l'**authenticité** de l'infirmière. L'infirmière authentique est sincère et naturelle dans ses relations thérapeutiques. Lorsqu'elle s'engage envers un client, elle endosse un rôle professionnel. Elle ne « joue » pas ce rôle, auquel cas elle ferait seulement semblant de l'aider. Quand l'infirmière se soucie davantage de paraître que d'être et d'agir, elle se livre à un simulacre d'aide et elle est incapable d'authenticité envers ses clients, ses pairs et ses coordonnatrices. L'infirmière fait preuve d'authenticité s'il y a concordance entre ce qu'elle pense ou ressent et ce qu'elle communique verbalement ou non verbalement au client.

Stéphane, étudiant en soins infirmiers, en est à sa première journée à l'unité psychiatrique. Il a des échanges avec un groupe de clients et deux autres étudiantes, dans le salon. Il semble tendu : il se tient droit, a les mains crispées et balance les pieds. Sa voix est plus aiguë que d'habitude. En blaguant, un des clients lui lance : « Qu'est-ce qu'il y a ? Les fous te font peur ? » Stéphane s'empresse de répondre : « Non, je n'ai pas peur. Je me sens bien ici. » Les clients le regardent d'un air dubitatif et se tournent ensuite vers les deux autres étudiantes. Stéphane explique son problème à son enseignante. Ensemble, ils discutent de la discordance entre sa communication verbale et non verbale et analysent l'effet produit sur les clients. Quelques semaines plus tard, Stéphane éprouve de plus en plus de frustration à l'égard d'un client qui refuse systématiquement de participer aux activités de l'unité. Cette fois, il parvient à être congruent et à exprimer directement sa frustration envers le client plutôt que d'essayer de masquer ses sentiments.

Patience   Il est essentiel que l'infirmière témoigne de la **patience** envers le client afin de lui donner l'occasion de croître et de se développer. Être patiente ne signifie pas attendre passivement ; c'est recourir aux techniques de l'écoute active et réagir. La patience de l'infirmière permet au client de croître à son propre rythme et non pas au rythme de l'infirmière ; elle lui donne la possibilité de découvrir, de peser et de planifier les changements qui s'imposent ; elle l'amène à résoudre ses incertitudes et à surmonter en partie le malaise qui accompagne inévitablement le changement et la croissance. L'infirmière efficace doit aussi être patiente avec elle-même. Elle cherche les occasions de développer sa conscience de soi et d'acquérir de nouvelles connaissances. De plus, elle reconnaît que la compétence professionnelle est plus qu'un simple objectif, mais bien un long processus d'apprentissage et d'évolution.

Respect   Le **respect** se traduit par la reconnaissance de la dignité et de la valeur du client, la confiance en sa capacité de résoudre ses problèmes et de prendre des décisions. L'infirmière respectueuse désigne et appelle le client par le nom qu'il préfère. Elle évite de le juger, de le blâmer. Elle le considère comme quelqu'un de responsable et lui manifeste un intérêt profond.

Fiabilité La **fiabilité** est l'aboutissement de toutes les caractéristiques qui précèdent. L'infirmière qui possède de bonnes habiletés interpersonnelles suscite la confiance du client. La démarche de soins infirmiers facilite cet attachement thérapeutique (Mooney, 1976). L'infirmière fiable est digne de confiance et responsable. Elle est ponctuelle, elle tient ses promesses, et ses attitudes sont cohérentes. Le client apprend qu'il peut compter sur elle. De plus, la confiance s'épanouit quand l'infirmière montre sa volonté de continuer à travailler avec les clients même s'ils progressent peu.

L'infirmière fiable respecte la confidentialité de la relation infirmière-client. Elle se doit de protéger la vie privée du client car, encore aujourd'hui, la maladie mentale ou un séjour en unité psychiatrique sont empreints de préjugés. L'infirmière doit assurer au client que seule l'équipe de soins aura accès aux renseignements relatifs à son cas. Il arrive souvent que l'infirmière et le client habitent le même quartier, ce qui fait craindre à ce dernier qu'un membre du personnel ne divulgue à d'autres la nouvelle de son hospitalisation. Pour atténuer cette crainte, l'infirmière doit insister sur la question de la confidentialité. Les résultats d'une enquête à propos de la confidentialité ont démontré que 77 p. cent des clients interrogés jugeaient important que le personnel du centre hospitalier ne parle à personne de ce qu'ils révèlent sur eux-mêmes et 80 p. cent affirmaient que le fait de savoir que leurs communications demeureraient confidentielles avait amélioré leurs relations avec le personnel (Schnid et *coll.*, 1983, p. 355).

Le doute peut s'installer lorsqu'on ne permet pas au client de voir son dossier. Le droit d'accès au dossier garantit au client que son point de vue sera également mentionné. L'infirmière peut trouver utile de montrer ses notes au client, car les premières observations et interprétations peuvent donner lieu à de plus amples discussions.

Les habiletés interpersonnelles sont le fondement d'une relation de confiance. À mesure que le client apprend à faire confiance à l'infirmière, il répond davantage aux occasions de croître et d'évoluer. Comme l'a résumé Mayeroff (1971, p. 45) : « Pour qu'une autre personne puisse croître grâce à mes soins, elle doit me faire confiance, car c'est à cette seule condition qu'elle s'ouvrira à moi et me laissera l'atteindre. Si la personne ne me fait pas confiance, elle sera méfiante et fermée. »

Révélation de soi La confiance s'épanouit quand l'infirmière trouve la juste dose de **révélation de soi**. Il arrive fréquemment que, pour susciter la confiance et l'ouverture, les étudiantes croient devoir s'en tenir à une écoute passive et impartiale. Cependant, l'infirmière qui ne communique pas ses pensées et ses sentiments ne peut susciter ces attitudes. Seules les relations fondées sur la réciprocité sont sources de progrès. Pour être appropriée, la révélation de soi doit toujours être orientée vers un objectif et déterminée par les besoins du client, et non pas par ceux de l'infirmière. Il arrive souvent que, à titre d'intervention thérapeutique, l'infirmière demande au client de verbaliser ses sentiments. Or, il est tout aussi important d'apprendre au client qui montre peu d'habiletés interpersonnelles à percevoir les sentiments des autres et à valider ses perceptions. En présence d'une infirmière disposée à se révéler, le client peut améliorer ses relations interpersonnelles. La révélation de soi peut même inciter le client à une introspection plus poussée. En effet, le client est souvent rassuré d'apprendre que ses sentiments sont véritables et humains, et qu'il n'est pas le seul à les éprouver.

Brigitte, étudiante en soins infirmiers, a atteint l'étape finale de sa relation avec Marcel. Celui-ci a du mal à parler des sentiments qu'il éprouve face à l'imminence de sa séparation d'avec Brigitte. Elle intervient donc au moyen de la révélation de soi pour aider Marcel à exprimer clairement ses sentiments. « Tu sais, Marcel, commence-t-elle, ça me fait de la peine de te voir partir. Nous avons travaillé très fort ensemble, et je sors grandie de cette expérience. J'ai appris à mieux écouter, et mon travail avec toi m'a permis de m'améliorer en tant qu'infirmière. Je me sens triste quand je vois partir quelqu'un à qui je tiens. Notre rendez-vous de 14 h me manquera. » En se révélant, Brigitte permet à Marcel de verbaliser la tristesse que cause la fin de leur relation.

Humour L'**humour** est un instrument qui favorise l'efficacité de la relation infirmière-client. Certaines infirmières jugent à tort que l'humour est « antiprofessionnel ». Il faut cependant distinguer l'humour sain de l'humour malsain. L'humour malsain vise à ridiculiser les autres, à rire *des* autres. Il stigmatise et exclut la personne. L'humour peut être malsain lorsqu'il sert à éluder les problèmes véritables. L'humour sain, en revanche, est un moyen de provoquer le rire. Il vise à rire *avec* les autres et il n'exclut personne. L'humour sain est approprié aux situations et respecte la dignité de la personne. Le sens de l'humour est un mécanisme d'adaptation adulte qui peut aider à affronter des situations difficiles (Osterlund, 1983).

L'humour est un moyen de provoquer le rire, et le rire vigoureux a des effets physiologiques bénéfiques. Le rire stimule l'appareil respiratoire, accroît le taux d'oxygène sanguin, accélère la fréquence cardiaque et stimule la circulation. La poussée d'adrénaline qui en résulte contribue à procurer un sentiment de bien-être et de vigilance. Le rire stimule les organes internes en « massant » l'abdomen. Il diminue la tension musculaire ; d'ailleurs, il est impossible de transporter un objet lourd pendant que l'on rit à gorge déployée. Tous ces changements produisent un effet euphorisant chez la personne qui rit (Merwin et Smith-Kurtz, 1988).

Les bénéfices psychologiques de l'humour et du rire sont nombreux. L'humour atténue l'anxiété et la peur. Il diffuse les émotions négatives qu'on ne peut comprendre, et il apaise le stress et la tension. Dans un milieu aussi structuré que celui d'un centre hospitalier, l'humour est une échappatoire à la routine et à l'ennui. Il peut également constituer un exutoire pour le trop-plein d'énergie engendrée par la colère. Le rire tempère l'intensité de l'émotion et il atténue les comportements défensifs. Si le client est capable de se distancier d'une situation irritante et d'en rire plutôt que de se fâcher, il décharge son énergie de manière adaptative. Sa colère diminuant d'intensité, le client peut résoudre la situation plus efficacement. L'humour peut aussi contribuer à modifier le point de vue d'une personne. Lorsque la personne peut porter sur elle-même un regard humoristique, elle devient plus objective. Au fil du temps, une situation doulou-

reuse peut devenir un prétexte à l'amusement (Ferguson et Campinha-Bacote, 1989 ; Simon, 1988).

L'humour et le rire jouent sur la dynamique des groupes. Puisque le rire se communique, il favorise un rapport d'égalité dans la relation infirmière-client. Il tisse des liens entre l'infirmière et le client, et il facilite leur relation. Le rire est une invitation au rapprochement. Il rallie les êtres, attise l'intérêt qu'ils se portent, dissipe la solitude et renforce la cohésion du groupe.

Le sens de l'humour du client peut fournir des indices diagnostiques à l'infirmière. Ainsi, les modifications du rire peuvent signaler d'autres difficultés d'adaptation. Les clients déprimés conservent un sens de l'humour cognitif, mais ils n'en tirent aucun plaisir et ils sont incapables de rire. Les clients en manie s'amusent d'un rien. Cependant, à cause d'un manque de jugement, ces rires peuvent se transformer en sarcasme et finir par nuire aux autres. Les clients suspicieux sont incapables de rire des situations qu'ils vivent ; ils sont si effrayés qu'ils perçoivent l'humour comme une manifestation d'hostilité à leur égard. Quand une personne atteinte d'une psychonévrose obsessionnelle fait l'objet d'une blague, elle l'interprète souvent comme une remarque sérieuse. Elle se concentre sur la blague et tente de l'expliquer dans ses moindres détails. L'alcool, la marijuana et d'autres drogues peuvent lever les inhibitions de telle sorte que presque tous les stimuli semblent drôles. Lors de la collecte des données, l'infirmière peut demander au client quelle est sa blague préférée. La réponse permettra à l'infirmière de jauger le sens de l'humour du client. L'infirmière devrait aussi lui demander s'il rit souvent et si son rire s'est modifié.

L'humour peut aussi servir aux fins d'intervention. L'infirmière peut enseigner les bienfaits du rire au client en lui rappelant les distinctions entre l'humour sain et l'humour malsain. Des « groupes de rire » peuvent se former dans les unités où les clients et le personnel échangent des blagues ou regardent ensemble des bandes vidéo amusantes.

Les divertissements structurés et les jeux informels sont des interventions qui peuvent encourager l'humour. Comme le jeu non compétitif est amusant et qu'il favorise la participation et l'interaction, il peut renforcer la confiance en soi du client et, souvent, améliorer ses contacts avec la réalité (Jack, 1987).

L'emploi habile de l'humour, des divertissements structurés et du jeu en tant qu'interventions infirmières détend l'atmosphère et assouplit les interactions. Il peut mettre les conflits au jour et faciliter l'expression spontanée des sentiments. L'humour n'est pas la panacée des problèmes émotionnels, mais il améliore souvent l'adaptation, car il favorise la connaissance de soi, facilite la résolution des problèmes et confère de l'énergie.

Les caractéristiques de l'aidant efficace sont la considération positive, l'impartialité, la tolérance, la chaleur, l'empathie, l'authenticité, la patience, le respect, la fiabilité, la révélation de soi et l'humour, et, dans le contexte de la démarche de soins infirmiers, elles facilitent la croissance du client.

Communication

La communication est un facteur clé dans le cadre des soins infirmiers. L'objectif de la communication est double : 1) donner et recevoir de l'information ; 2) établir un contact interpersonnel. Pour être efficace, la communication doit être orientée vers un but. Les habiletés reliées à la communication ont trait à la capacité d'observer, d'écouter, de réagir verbalement ou non verbalement, de valider et de résoudre des problèmes.

Pour comprendre ce que vit le client, l'infirmière doit écouter tant les messages explicites que les messages implicites qu'il transmet. Les **messages explicites** sont véhiculés par les paroles du client et doivent être entendus dans le contexte de ses états affectifs. L'intonation, la posture et l'expression du visage véhiculent des **messages implicites**. Une question explicite comme « Quel est l'horaire des visites ? » peut avoir diverses significations suivant les messages implicites qui l'accompagnent. Il peut s'agir d'une simple interrogation. Cependant, si le client hausse la voix ou s'il est visiblement tendu, c'est peut-être qu'il tente d'exercer un certain pouvoir sur un milieu qu'il juge trop étouffant. Si le client pose la question d'une voix craintive, qu'il a les yeux dilatés ou qu'il tremble, c'est peut-être qu'il est terrifié à l'idée de se séparer de ses proches et d'interagir avec des étrangers. Les

problèmes peuvent donc surgir non pas en raison d'un manque d'habileté à communiquer mais bien en raison d'un manque de sensibilité aux messages implicites.

L'infirmière pour qui l'écoute et la compréhension priment sur la verbalisation interagit généralement avec plus d'efficacité et de succès. « Que dirai-je ensuite et que répondra le client ? », voilà une question qui préoccupe de nombreuses étudiantes. Au début de leurs études, elles s'emploient souvent à dire la « bonne chose » ou à utiliser la « bonne technique », ce qui peut les faire paraître distantes ou, au contraire, surprotectrices. Or, il vaut mieux pour le client que l'étudiante demeure elle-même, sans prétention et sans masque. À mesure que l'étudiante développe ses habiletés de communication, la recherche du mot juste passe après l'écoute et la compréhension.

L'infirmière doit être consciente des pièges que comporte l'écoute polie, qui consiste à donner des signes d'écoute sans véritablement écouter ni comprendre. Fréquent dans le cadre social, ce comportement peut s'étendre aux interactions entre l'infirmière et le client, notamment si l'étudiante craint d'être jugée incompétente ou sotte. L'écoute polie se produit lorsque les interlocuteurs aiment mieux parler qu'écouter, lorsqu'ils s'ennuient ou lorsqu'ils s'impatientent.

L'infirmière croit souvent que le client a écouté et compris la majeure partie de ce qu'elle a dit. Or, des sentiments tels que l'anxiété ou la colère peuvent diminuer la capacité d'écoute du client. L'infirmière doit constamment se demander si le client a écouté et compris ses paroles. En cas de doute, elle peut poser les questions suivantes : « Pouvez-vous me répéter ce que je viens de dire ? » ou encore « Je ne suis pas certaine de m'être exprimée très clairement. Qu'avez-vous compris ? »

Les infirmières apprennent à poser de nombreuses questions lors de la collecte des données (voir le chapitre 2). Lorsque le questionnement se prolonge indûment, des difficultés apparaissent généralement. L'infirmière et le client ne sont plus qu'interrogatrice et interrogé. La relation devient inégale car l'interrogatrice a le pouvoir de déterminer le déroulement de l'interaction. Il est alors tacitement entendu que l'interrogatrice représente l'autorité et que l'interrogé doit être soumis. L'infirmière peut s'apercevoir qu'elle pose trop de questions lorsque le client répond de manière laconique ou qu'il prend rarement l'initiative au cours de l'interaction.

Les périodes de silence constituent l'un des aspects les plus difficiles de la communication. Le silence embarrasse de nombreuses étudiantes, car elles croient qu'elles devraient toujours avoir des paroles thérapeutiques pour le client. En présence de clients silencieux, les étudiantes anxieuses ont tendance à trop parler. Le silence peut signifier bien des choses, dont notamment :

- Je suis actuellement trop fatigué pour parler.

- Je ne veux pas vous parler.

- Je suis perdu et je ne sais pas quoi ajouter.

- Je ne vois pas où mène cette discussion.

- J'aimerais réfléchir à ce qui vient d'être dit.

- J'aime bien être simplement avec vous, sans parler.

Pour réagir adéquatement, l'infirmière doit comprendre le silence du client. Une observation comme « J'ai remarqué que vous êtes devenu très silencieux. Pouvez-vous me parler de ce silence ? » peut encourager le client à poursuivre.

Le client volubile peut aussi causer des difficultés à l'étudiante. Encline à parler beaucoup en présence de clients taciturnes, elle a tendance à se taire devant les clients loquaces. Il se peut que l'étudiante hésite à interrompre le client parce qu'elle craint d'être impolie ou parce qu'elle se sent démunie devant un tel flot de paroles. Elle peut aussi se sentir soulagée du fait que le client se décide enfin à lui parler. À tort, certaines étudiantes voient dans la volubilité un signe d'interaction thérapeutique. L'infirmière expérimentée, elle, ne reste pas passive devant un client loquace. Il est difficile de comprendre des propos ininterrompus pendant plus de 30 secondes. En interrompant un client bavard, l'infirmière peut en outre se concentrer sur les préoccupations qu'il exprime et manifester son intérêt. Voici des exemples d'interruptions utiles :

- « Vous soulevez plusieurs sujets. Pourrions-nous les aborder un à un ? »

- « Permettez-moi de vous interrompre un instant pour m'assurer que j'ai bien compris. »

- « Je ne veux pas vous interrompre, mais j'ai besoin de ralentir pour mieux comprendre. »

Une communication efficace produit des interactions et des relations infirmière-client plus satisfaisantes (voir le chapitre 2 pour de plus amples détails sur les habiletés de communication). C'est dans le cadre de cette relation que s'opèrent des interventions planifiées de soins infirmiers et que le client évolue vers une vie plus saine et mieux adaptée.

Rôles de l'infirmière

Les rôles de l'infirmière sont des modes de comportement appropriés à des situations et à des personnes particulières. Loin d'être des comportements isolés, les rôles de l'infirmière prennent tout leur sens dans un contexte interpersonnel. Dans le cadre de sa démarche de soins, l'infirmière adopte de nombreux rôles pour aider le client à croître et à changer. Elle choisit les rôles à jouer à un moment particulier en se fondant sur les interventions planifiées. Dans tous ses rôles, l'infirmière doit s'efforcer d'adopter un comportement cohérent, ce qui est particulièrement bénéfique à la croissance du client.

Denis, étudiant en soins infirmiers, définit sa relation avec une cliente, Tania, comme une coopération ayant pour but la solution des problèmes qui l'ont amenée en centre hospitalier. Il leur arrive quelquefois, lors d'une interaction, de s'asseoir côte à côte sur le canapé de la salle de télévision, ce qui définit une relation égalitaire. Leurs interactions peuvent aussi avoir lieu dans la salle de cours de l'unité, et Denis s'installe alors derrière le bureau, ce qui est propre à une relation d'autorité. Le manque de cohérence de Denis se traduit aussi par le fait qu'il décide parfois des problèmes à aborder avec Tania, alors que, à d'autres occasions, il n'a pas d'objectif précis en tête et s'attend à ce que Tania prenne la décision. La confusion qui entoure le rôle de Denis dans leur relation entrave le potentiel de croissance de Tania.

Carlos, étudiant en soins infirmiers, décrit sa relation avec Lucie comme une coopération axée sur la croissance de cette dernière. Carlos s'assure qu'ils s'assoient toujours face à face et qu'aucun obstacle physique ne les sépare. Il encourage constamment Lucie à choisir le thème de leurs interactions. Il lui explique ouvertement le plan de soins qu'il a rédigé à son intention, puis ils l'évaluent et le modifient ensemble. Comme le comportement de Carlos est congruent avec la définition de son rôle, Lucie a plus de chances d'accomplir des changements dans sa vie.

Rôle professionnel   Dans le cadre de sa relation avec le client, l'infirmière doit adopter un **rôle professionnel** plutôt qu'un rôle social. Les rôles sociaux sont réciproques en ce sens que les vis-à-vis s'attendent à une pleine satisfaction de leurs besoins respectifs. Le rôle professionnel, lui, a le client et ses besoins pour seule raison d'être. Pour éviter une dépendance malsaine, l'infirmière ne doit pas satisfaire tous les besoins du client. Dans le cadre du rôle professionnel, l'infirmière et le client forment une équipe, liée par une sorte de contrat ou entente thérapeutique dont l'objet est de favoriser la croissance et l'adaptation du client.

Agent de socialisation   Auprès de ses clients, l'infirmière tient lieu d'**agent de socialisation**. Lors des rencontres individuelles, elle et le client s'attaquent aux difficultés que celui-ci peut éprouver à communiquer ses pensées et ses sentiments. Le client applique ensuite ses nouvelles habiletés sociales dans ses interactions avec le groupe de pairs de l'unité. En participant à des groupes non structurés, l'infirmière peut évaluer la progression des habiletés sociales du client et donner l'exemple d'un comportement de groupe approprié. Les conversations informelles fournissent au client l'occasion de discuter de sujets neutres et de soulager quelque peu son anxiété.

Enseignante   L'infirmière a aussi un rôle d'**enseignante**. En effet, elle informe le client des problèmes inhérents à sa situation ainsi que des influences réciproques entre ces problèmes et sa maladie mentale. Une bonne partie de l'enseignement se rapporte au plan de soins. Cet enseignement rassure le client dans la mesure où il le renseigne sur ce qui est susceptible de se produire et lui confère plus d'autorité. L'infirmière explique au client les traitements offerts dans le centre hospitalier, leur déroulement et leurs avantages. Le client doit aussi être informé des médicaments qu'il reçoit. L'infirmière lui indique la raison de la médication, l'effet thérapeutique escompté ainsi que les effets secondaires habituels et le temps d'action des médicaments prescrits. L'infirmière doit mentionner au client les aliments ou les activités à éviter en raison de la médication ainsi que les mesures à prendre s'il oublie une dose. En outre, l'infirmière doit accompagner ses consignes verbales de documentation écrite.

Il se peut enfin que l'infirmière doive enseigner les activités de la vie quotidienne. En effet, certains clients doivent apprendre à faire leurs repas, leur lessive et leurs courses pour pouvoir vivre de façon autonome. Ceux qui n'ont ni loisirs ni passe-temps peuvent avoir besoin de l'aide de l'infirmière pour choisir des activités appropriées et acquérir les habiletés qui y sont reliées.

Modèle   L'infirmière peut enseigner aux clients la façon de réaliser les changements désirés. Non seulement leur enseigne-t-elle directement des comportements plus adaptatifs, mais elle leur sert également de **modèle**. La personne peut apprendre en imitant des comportements qui reflètent certaines attitudes ou certaines valeurs. La présence d'un modèle permet aux clients d'observer et d'expérimenter des comportements nouveaux. Elle les aide à clarifier leurs valeurs ainsi qu'à communiquer de façon ouverte et congruente. L'infirmière est un modèle important pour le client et, à ce titre, elle doit être consciente de son influence. Elle fera ainsi en sorte de ne pas imposer son propre système de valeurs aux clients influençables.

Protectrice des intérêts du client   À titre de **protectrice des intérêts du client** ou d'**avocate**, l'infirmière a la responsabilité d'adapter le milieu aux besoins du client, notamment à ses besoins d'intimité et d'interactions sociales. Elle cherche également à assouplir les normes et à employer diverses techniques de communication afin d'établir un contact avec le client d'une manière compréhensible pour lui et à laquelle il peut réagir. L'infirmière sert de lien entre le client et les autres membres de l'équipe de soins (Robinson, 1984). En tant que citoyenne, l'infirmière défend les intérêts de tous les bénéficiaires de soins en santé mentale en s'efforçant d'éliminer les stigmates de la maladie mentale.

Pour Taylor (1985, p. 13), le rôle d'avocate du client que joue l'infirmière consiste à l'aider à « exercer authentiquement ses responsabilités envers lui-même et envers les autres ». De ce point de vue, le client doit avoir la possibilité d'exprimer ses sentiments sans être censuré ni critiqué. On l'encourage à participer activement à son traitement et à devenir indépendant. Dans leur cheminement vers les objectifs thérapeutiques fixés, l'infirmière et le client expriment leurs perceptions respectives. L'infirmière enseigne au client le comportement responsable à adopter à l'égard des autres clients, et elle protège celui qui est temporairement incapable d'assurer lui-même sa protection.

Kohnke (1982, p. 2) affirme que « le rôle d'avocate consiste à *informer* le client, puis à l'*épauler*, quelle que soit sa décision ». Le client a droit à ses croyances et à ses valeurs. Il choisit l'orientation à donner à sa vie, et il décide des moyens à prendre pour atteindre ses objectifs. L'infirmière veille à ne pas entraver ce processus et à ne pas épargner au client les conséquences de ses décisions. La définition de ce rôle repose sur le droit à l'autodétermination du client et sur sa responsabilité quant aux conséquences de ses décisions. L'infirmière respecte donc les décisions du client, même si elle ne les approuve pas.

« Conseillère »   Dans le rôle de *« conseillère »*, l'infirmière exerce des fonctions de counseling fondées sur des connaissances, des habiletés et des valeurs. Habituellement, l'infirmière remplit ce rôle lors des rencontres individuelles prévues à l'horaire. Elle doit s'efforcer d'établir une relation de confiance afin d'assurer l'exactitude de sa collecte de données ; elle doit planifier, exécuter et évaluer. Les fonctions de counseling visent des objectifs précis et sont fondées sur le plan de soins que l'infirmière élabore conjointement avec le client. Par le counseling, l'infirmière fournit au client l'occasion d'exprimer les pensées, les sentiments et les comportements qui l'affectent et qui affectent les autres. Pendant ces interactions, l'infirmière démontre et emploie des techniques de communication verbale et non verbale efficaces. C'est alors le moment d'exécuter, d'évaluer et de modifier une variété d'interventions. L'infirmière encourage le client à recourir au processus de résolution de problèmes pour affronter plus efficacement les problèmes déjà signalés. L'efficacité du counseling se traduit chez le client par une amélioration des mécanismes d'adaptation et par une estime et une connaissance de soi accrues.

Animatrice   Pour aider le client à atteindre ses objectifs, l'infirmière peut aussi animer des **jeux de rôle**, c'est-à-dire recréer et simuler une situation passée ou future comme si elle se produisait dans l'instant présent. Bien que le client joue généralement son propre rôle, il peut parfois prendre celui d'une autre personne. L'infirmière joue le rôle d'une personne clé ; elle peut aussi aider le client à réagir et à se comporter d'une nouvelle manière. Le jeu de rôle est un processus actif qui consiste à mettre en pratique des changements de comportement spécifiques.

Jeanne espère trouver un emploi de secrétaire après sa sortie du centre hospitalier. Elle et son infirmière, Charlotte, ont planifié les étapes qui lui permettront d'atteindre cet objectif. Comme Jeanne craint surtout les entrevues, elle et Charlotte décident de simuler une entrevue, Charlotte jouant le rôle d'une employeure potentielle.

CHARLOTTE : Bonjour. Voulez-vous vous asseoir ?

JEANNE : Merci.

CHARLOTTE : Je vois que vous avez rempli les formulaires. Parlez-moi de vous.

JEANNE : Au secours, Charlotte ! Qu'est-ce que je dois dire ?

CHARLOTTE (*délaissant son rôle d'employeure*) : Pense à tes emplois antérieurs, à tes réussites et à tes compétences pour cet emploi.

JEANNE : D'accord. Eh bien, après mes études secondaires, j'ai occupé pendant trois ans un poste de secrétaire chez un agent d'assurances. Je faisais du classement, je dactylographiais la correspondance et je m'occupais des affaires courantes. J'ai laissé cet emploi il y a un an, quand j'ai eu mon bébé et, maintenant, je suis prête à retourner au travail. Je connais la sténo et je tape 60 mots à la minute. Je travaille fort, je suis consciencieuse, et j'aimerais avoir l'occasion de travailler pour vous.

Jeanne et Charlotte continuent de simuler l'entrevue. Par la suite, elles en évaluent le déroulement, discutent des sentiments que Jeanne a éprouvés et des changements qu'elle devrait apporter. Enfin, elles planifient un autre jeu de rôle pour le lendemain et évaluent conjointement l'activité.

Dans le cadre du jeu de rôle, l'infirmière crée des situations où le client peut mettre de nouveaux comportements à l'essai dans un contexte rassurant. En accroissant la confiance en soi du client lors d'interactions problématiques, le jeu de rôle peut l'inciter à appliquer ce qu'il a appris à des situations réelles. Le jeu de rôle peut également aider le client à s'exprimer directement, à clarifier ses sentiments, à manifester ses peurs ou à s'affirmer davantage.

Tous les rôles de l'infirmière sont des stratégies interdépendantes visant à planifier et à exécuter le plan de soins. Quand l'infirmière a recours à diverses habiletés, les changements comportementaux, affectifs et cognitifs voulus ont plus de chances de se produire.

Objectifs de soins infirmiers

Dans le contexte du présent chapitre, nous présentons les objectifs de soins infirmiers comme des lignes directrices permettant à l'étudiante de se concentrer sur ses rôles dans l'unité psychiatrique et sur les habiletés à déployer en milieu clinique. La liste d'objectifs que nous présentons ici n'a rien

d'exhaustif, mais constitue plutôt un premier pas vers des relations infirmière-client efficaces. Il ne faut pas confondre les objectifs de soins infirmiers avec les objectifs thérapeutiques du client, qui sont des changements mesurables de son comportement. Cependant, il est clair que l'infirmière et le client doivent viser des objectifs réciproques pour que leur relation soit efficace.

Parmi les objectifs courants de soins infirmiers, citons les suivants :

- aider le client à s'adapter ;

- enseigner au client le processus de résolution des problèmes ;

- aider le client à s'intégrer socialement.

Aider le client à s'adapter L'un des objectifs de soins infirmiers en psychiatrie est d'aider le client à s'adapter à ses problèmes actuels. Le client doit se concentrer sur le présent, car le changement n'est possible que dans l'ici et le maintenant. Le passé et l'avenir comptent également, mais seulement dans la mesure où ils influent sur le présent. Les significations rattachées aux événements passés modifient les perceptions présentes, tout comme les attentes ont une incidence sur l'avenir. Néanmoins, c'est dans le présent que la personne évalue le passé, fait des projets d'avenir et modifie son comportement. Le client qui ressasse ses problèmes passés et qui souffre sans s'occuper de sa situation présente risque d'accepter la permanence des problèmes et de renoncer à tout espoir de changement. Celui qui voit l'avenir en noir et ne tient pas compte de son potentiel de changement risque fort de voir ses sinistres attentes se réaliser.

En tant qu'objectif de soins infirmiers, aider le client à s'adapter consiste également à l'amener à définir ses propres problèmes. Si seuls comptent les définitions et les objectifs de l'infirmière, le progrès sera minime. En effet, le client n'est pas enclin à travailler sur les difficultés qu'il juge secondaires. L'infirmière peut l'aider à décrire et à préciser ses problèmes s'il les a énoncés en termes vagues et ambigus. Pour ce faire, elle s'enquiert expressément de la nature de chaque problème et de la personne qu'il affecte. Lorsque le client parle d'une manière générale, l'infirmière ne peut se permettre de présupposer des détails ; elle doit aider le client à préciser davantage les événements et les protagonistes. L'étape suivante consiste à s'enquérir de l'apparition du problème et des circonstances qui contribuent à son maintien. Cette étape aide le client à analyser la signification de la situation ainsi qu'à décrire les valeurs et les croyances qui influent sur sa définition du problème. Au terme du processus, l'infirmière et le client devraient s'entendre sur une définition concrète du problème et le formuler de manière à laisser entrevoir les solutions possibles (voir le tableau 1-1 pour les étapes de la définition des problèmes).

Enseigner au client le processus de résolution des problèmes Une fois les problèmes précisés et les objectifs thérapeutiques établis, l'objectif de soins infirmiers suivant est d'enseigner au client le processus de résolution des problèmes. Il importe de se concentrer sur un seul problème à la fois et de mesurer le progrès accompli à partir des petits changements qui surviennent. Comme tous les problèmes du client sont interdépendants, un changement touchant l'un d'entre eux se répercutera sur les autres. Il est utile de rappeler au client que, dans le passé, il a fait de

Tableau 1-1   *Étapes de la définition des problèmes*

Définition du client
   Comment décririez-vous le problème ?
   Qui ce problème touche-t-il ? Vous ? Votre famille ? Votre
      employeur ? Votre milieu ?
Importance du problème
   Quand ce problème a-t-il commencé ?
   Quels facteurs entretiennent ce problème ?
Influence passée et future
   Quels événements passés ont influé sur le problème
      actuel ?
   Quels sont vos attentes et vos espoirs concernant ce
      problème ?
   Que souhaitez-vous le plus quand ce problème sera
      résolu ?
   Quelle serait la dernière stratégie que vous adopteriez pour
      résoudre ce problème ?
Définition concrète du problème
   Y a-t-il plus d'un problème en cause ?
   À quel aspect du problème global doit-on d'abord
      s'attaquer ?

son mieux pour surmonter ses problèmes et qu'il peut désormais leur trouver de nouvelles solutions. L'infirmière reconnaît ainsi les tentatives passées tout en suggérant que de nouvelles habiletés sont maintenant nécessaires. Le rôle de l'infirmière est d'écouter, d'observer, d'encourager et d'évaluer. Le résultat ultime du processus de résolution des problèmes est l'acquisition d'un comportement d'adaptation plus efficace.

Tout au long du processus de résolution des problèmes, il est très utile que le client garde une liste des idées émises. Au fil du temps, il pourra ajouter, modifier ou supprimer des éléments de la liste.

Le processus de résolution des problèmes consiste à :

1. faire l'inventaire des stratégies déjà tentées ;

2. énumérer de nouvelles stratégies ;

3. prédire les conséquences probables de chaque nouvelle stratégie ;

4. choisir la nouvelle stratégie à tenter ;

5. exécuter la stratégie choisie dans une situation réelle ou simulée ;

6. évaluer les résultats.

Lors de la première étape, il faut analyser les détails des stratégies déjà tentées, leur exécution et leurs résultats. Comme le problème persiste, ces stratégies doivent être modifiées ou écartées.

Lors de la deuxième étape, il arrive souvent que le client ne puisse suggérer qu'une ou deux idées. L'infirmière peut alors proposer des séances de remue-méninges pour stimuler la créativité du client. Pendant ces séances, toutes les stratégies énoncées, même irréalistes ou absurdes, sont notées. Le fait de réfléchir à des stratégies absurdes amène souvent à penser à des stratégies réalistes et créatives. Enfin, une fois que le client a dressé la liste de toutes ses idées, l'infirmière peut ajouter ses propres suggestions.

Après avoir soigneusement passé en revue les conséquences probables de chaque stratégie (troisième étape), l'infirmière et le client choisissent la stratégie à tenter (quatrième étape). L'infirmière doit éviter de prendre cette décision à la place du client, car elle le placerait ainsi en situation de dépendance et compromettrait le processus. La stratégie retenue doit être formulée aussi concrètement et précisément que possible. Simultanément, l'infirmière et le client déterminent des résultats précis et mesurables qu'ils analyseront lors de l'évaluation du processus.

Pendant la cinquième étape, on doit permettre au client de commettre des erreurs. Si on lui évite tous les écueils, il en déduira qu'il est incapable de prendre sa vie en main.

Lors de l'évaluation du processus de résolution des problèmes, l'infirmière et le client se penchent sur les résultats obtenus et déterminent s'ils sont satisfaisants. L'atteinte d'un résultat satisfaisant signifie que la stratégie était efficace et qu'elle peut être conservée. Si le résultat est insatisfaisant, l'infirmière et le client doivent trouver les lacunes de la stratégie. Pour ce faire, ils doivent revenir à la quatrième étape et choisir une autre stratégie ou modifier l'ancienne (voir le tableau 1-2 pour un aperçu de ces étapes).

En traversant les étapes de la résolution des problèmes, le client perfectionne ses habiletés, et il peut ensuite les appliquer à d'autres aspects problématiques de sa vie. Dès lors que le client est mieux à même de prendre et d'assumer ses responsabilités à l'égard de ses décisions, il acquiert un foyer de contrôle interne, ce qui fait naître en lui des sentiments de compétence et d'estime de soi.

L'exemple suivant illustre le déroulement du processus de résolution des problèmes entre une étudiante et son enseignante. Le processus est le même entre une infirmière et un client. Il faut noter que, lorsque le client est en phase aiguë et qu'il ne peut réfléchir logiquement, le processus de résolution des problèmes ne constitue pas une intervention appropriée.

Suzanne, étudiante en soins infirmiers, a pris rendez-vous avec son enseignante, Lise. Suzanne désire discuter du faible résultat obtenu à son premier examen. Elle affirme qu'elle connaît la matière mais que la nervosité la paralyse quand arrivent les examens.

Tableau 1-2   *Étapes du processus de résolution des problèmes*

Faire l'inventaire des stratégies déjà tentées
    Qu'avez-vous fait pour résoudre le problème jusqu'à maintenant ?
    Comment vous y êtes-vous pris exactement ?
    Qu'est-il arrivé alors ?
Énumérer de nouvelles stratégies
    Que pourriez-vous essayer d'autre ?
    Pensez-vous à des solutions absurdes à ce problème ?
    Qu'est-ce qui pourrait aussi être efficace ?
    Avez-vous pensé à… ?
Prédire les conséquences
    Qu'est-ce qui pourrait arriver si vous mettiez la première stratégie à l'essai ?
    Est-ce qu'autre chose pourrait arriver ?
    Qu'est-ce qui pourrait arriver si vous mettiez la deuxième stratégie à l'essai ?
Choisir la meilleure stratégie
    Quelle stratégie semble la meilleure en ce moment ?
    Quels comportements précis adopterez-vous pour exécuter cette stratégie ?
    Précisément, qu'est-ce qui changera si vous réussissez ?
Exécuter la stratégie
    Avec qui tenterez-vous cette stratégie ?
    Quand mettrez-vous ce nouveau comportement en pratique ?
    Est-ce que je peux faire quelque chose pour vous aider à mettre ce nouveau comportement en pratique ?
Évaluation
    Quel a été le résultat de la stratégie que vous avez tentée ?
    Vos attentes ont-elles été satisfaites ?
    Est-ce que quelque chose a besoin de modification ?
    Si vous n'avez pas réussi, quelle autre stratégie parmi celles énumérées pourriez-vous tenter ?

LISE : Comme le problème n'est pas nouveau pour vous, qu'est-ce que vous avez fait dans le passé pour diminuer votre anxiété lors des examens ?

SUZANNE : J'ai essayé de me dire de ne pas m'inquiéter parce que je connais la matière.

LISE : Est-ce que cela a donné de bons résultats ?

SUZANNE : Non. J'ai encore peur avant les examens.

LISE : Avez-vous essayé autre chose ?

SUZANNE : Non. J'étudie beaucoup, puis j'échoue aux examens.

LISE : Avez-vous pensé à autre chose ?

SUZANNE : Eh bien, j'ai pensé demander à d'autres ce qu'elles font quand elles sont nerveuses.

LISE : Rien d'autre ?

SUZANNE : Non, je ne sais vraiment pas quoi faire.

LISE : Faisons un petit remue-méninges. Pensons à toutes sortes de stratégies, qu'elles soient réalistes ou même absurdes ou irréalistes. *(Sur un ton humoristique)* Par exemple, vous pourriez tomber malade avant chaque examen et ainsi ne jamais avoir à en subir d'autres. Ou vous pourriez abandonner vos études.

SUZANNE *(s'acclimatant à l'esprit du remue-méninges)* : Ou je pourrais être atteinte d'une maladie mortelle. Mes enseignantes auraient pitié de moi et ne me donneraient plus jamais d'examen. *(Pause)* Sérieusement, il me semble que le service d'orientation offre un cours de préparation aux examens.

LISE : C'est vrai. Il offre un cours gratuit de six semaines sur la façon d'améliorer les résultats d'examens. Je pense que la première séance porte sur l'anxiété. *(Pause)* D'après vous, qu'est-ce qui arrivera si vous essayez une de ces stratégies ?

SUZANNE : C'est sûr que je ne tomberai pas malade et que je n'abandonnerai pas mes études ! Je veux continuer. Puisque mon problème est dû à l'anxiété et non pas au manque de connaissances, il semble bien que le service d'orientation soit le meilleur choix.

LISE : Comment saurez-vous que c'est la bonne stratégie ?

SUZANNE : Si j'apprends les techniques, que je passe le prochain examen sans paniquer et que mes notes augmentent, je suppose que la stratégie aura été bonne.

LISE : Comment vous y prendrez-vous pour exécuter cette stratégie ?

SUZANNE : En sortant de votre bureau, j'irai au service d'orientation et je m'inscrirai. Je me sens excitée à l'idée de faire quelque chose de concret pour une fois.

LISE : Est-ce que je peux encore vous être utile ?

SUZANNE : Non merci, vous m'avez déjà beaucoup aidée en m'écoutant et en me mettant sur la bonne voie.

LISE : Quand vous aurez terminé le cours du service d'orientation, j'aimerais vous revoir pour que nous puissions évaluer si la stratégie a été

efficace. Pourriez-vous prendre rendez-vous avec moi dans une quinzaine de jours ?

SUZANNE : Bien sûr.

Aider le client à s'intégrer socialement   Chaque personne a besoin de croire qu'elle est importante pour son entourage. Or, certains clients ont besoin d'aide pour s'intégrer socialement, que ce soit dans le milieu hospitalier ou dans la communauté ; d'autres ont seulement besoin de soutien pour maintenir leur degré d'intégration sociale. L'infirmière et le client évaluent ensemble la compétence interpersonnelle et sociale du client. L'infirmière lui pose des questions directes au sujet du réseau de parents et d'amis qu'il a dans son milieu. Elle s'enquiert notamment de la taille de son réseau social, de la fréquence de ses contacts amicaux, de la réciprocité de ses relations familiales et amicales, et des formes que prend pour lui le soutien social. L'infirmière doit se garder de présupposer que tous les réseaux sociaux sont d'un grand soutien, car certains peuvent être nuisibles et épuisants (Powers, 1988).

Taille du réseau
- Avec combien de membres de votre famille gardez-vous des contacts étroits ?
- Combien d'amis intimes diriez-vous avoir ?
- Combien de connaissances voyez-vous quand vous êtes à la maison ?

Fréquence des contacts
- Au cours du mois dernier, combien d'activités sociales avez-vous eues avec vos amis ou votre famille ?
- À quelle fréquence communiquez-vous avec vos amis ou votre famille, par téléphone ou en personne ?

Réciprocité
- Parlez-moi des gens qui, d'après vous, vous apportent un soutien bénéfique.

- En quoi offrez-vous un soutien bénéfique à vos amis et à votre famille ?

- Combien de gens communiquent avec vous en vue d'activités sociales ?

Formes de soutien social
- Quel genre de soutien matériel recevez-vous des autres ?

- Qui vous donne des conseils quand vous en avez besoin ?

- Qui vous témoigne de l'amitié ?

- Quelles sont les personnes que vous aimez et qui vous rendent cet amour ?

Quand l'infirmière découvre des lacunes dans la taille, l'étendue, la disponibilité ou la réciprocité du réseau social du client, il est alors approprié d'avoir recours au processus de résolution des problèmes pour améliorer la compétence sociale du client. Elle peut se concentrer sur l'amélioration des habiletés interpersonnelles du client, telles la communication et l'affirmation de soi, ou encore sur l'élargissement du réseau dans le milieu. Il peut être particulièrement utile d'informer le client socialement isolé des groupes de soutien, des groupes d'entraide et des clubs spécialisés qui existent dans son milieu (Gartner et Reissman, 1984) (voir le tableau 1-3 pour une liste des groupes communautaires appropriés).

Situations particulières

Les situations décrites dans les paragraphes qui suivent font référence à la réaction du client ou de sa famille à la maladie en phase aiguë, ou à la réaction de l'infirmière à ses propres incertitudes.

Le client en phase aiguë et sa famille

Dans tous les milieux cliniques, l'infirmière doit être préparée à recueillir des données sur les réactions affectives, comportementales, cognitives et socio-culturelles du client à la maladie. Ces habiletés, perfectionnées lors d'un cours de soins infirmiers

Tableau 1-3   *Groupes d'entraide (liste exhaustive)*

Dépendance
  Alcooliques anonymes
  Al-Anon
  Gamblers anonymes
  Maison Jean-Lapointe inc.
Agression
  Parents anonymes
  Viol secours
  Maison des femmes
  Maison de la famille
Problèmes de santé mentale
  Déprimés anonymes
  Association d'entraide pour les agoraphobes
  Groupe d'aide aux personnes impulsives (GAPI)
  Émotifs anonymes
  Tel-Aide (service d'écoute téléphonique)
  Centre de prévention du suicide (Québec)
  Suicide action (Montréal)
  Centre femmes d'aujourd'hui
  Société québécoise de l'autisme
  Ami du déficient mental
  Association canadienne pour la santé mentale
  La Boussole (Regroupement des parents et amis de la personne atteinte de maladie mentale)
  Centre social de la croix blanche

en psychiatrie, sont essentielles dans tous les domaines de la pratique professionnelle, y compris dans le milieu médico-chirurgical. Dans le domaine des soins intensifs, notamment, les notions fondamentales des soins infirmiers en santé mentale s'intègrent aux soins apportés aux clients malades physiquement.

L'intervention auprès de clients en phase aiguë constitue un défi pour l'infirmière. Elle doit faire preuve d'une compétence technique supérieure et être en mesure de fonctionner dans des situations excessivement tendues. Les soins intensifs exigent aussi de l'infirmière qu'elle porte attention à la personnalité profonde de la personne malade ou blessée et de ses proches.

La stabilité émotionnelle du client qui tombe soudainement malade est profondément ébranlée. Il est terrifiant de se retrouver du jour en lendemain en danger de mort. La personne est alors confrontée à la réalité de sa mort et à la menace de perdre tout ce qui compte pour elle. La panique qui en résulte est tout aussi importante que le trouble physiologique, et le client a désespérément besoin de soins infirmiers holistiques. Norman Cousins (1983, p. 202) a dit que « rien n'est plus essentiel au traitement de la maladie grave que de libérer le client de la panique et de l'appréhension ». La panique cause un afflux de catécholamine, une constriction des vaisseaux sanguins et une déstabilisation cardiaque à un moment critique de la lutte du client pour la survie (Cousins, 1983). Comme la panique est potentiellement fatale, il est primordial que l'infirmière sache la détecter et intervenir rapidement.

Le traitement d'urgence peut intensifier la panique du client. Le transport en ambulance engendre une tension qu'intensifient le hurlement strident de la sirène et la vitesse du véhicule. Arrivé au service d'urgence, le client est pris en charge par une équipe efficace dont l'objectif immédiat est de stabiliser son état physiologique. Le fait d'être séparé de ses proches, de dépendre de personnes étrangères, la douleur, la perte de maîtrise et l'incertitude de la guérison ajoutent à la peur. L'environnement des services d'urgence et des unités de soins intensifs rappelle sans cesse au client que sa vie est en danger. Il arrive que les clients inconscients perçoivent les paroles prononcées à leur chevet ; certains ont même dit qu'ils avaient craint que le personnel ne mette fin prématurément aux mesures d'urgence (Finkelmeier, Kenwood et Summers, 1984).

La plupart des victimes d'un accident ont besoin de parler de l'événement. La résolution est souvent liée à des exposés répétés de la situation et des sentiments éprouvés à cette occasion. Le client qui revit des événements traumatisants a besoin d'être écouté et épaulé. Jusqu'à un certain point, il est possible d'intervenir pour toutes les conséquences émotionnelles d'une maladie très grave et d'améliorer ainsi la qualité des aspects techniques des soins infirmiers.

La possibilité de la mort menace aussi la santé de la famille. Les infirmières en soins intensifs sont si absorbées par la survie du client qu'elles n'accordent souvent aux familles qu'une attention superficielle. Pourtant, il est primordial que l'infirmière tienne compte de la famille si elle désire devenir pour elle une source d'aide plutôt qu'une autre difficulté à surmonter. L'infirmière recueille des données sur la dynamique familiale et sur la capacité d'adaptation de chaque membre afin d'ajuster ses interventions aux problèmes spécifiques de la famille (voir le tableau 1-4).

Les réactions des familles à la maladie très grave varient autant que celles des clients. Beaucoup de familles ont en premier lieu une réaction de choc ou de déni et peuvent sembler abasourdies. Le déni, moyen de défense servant à affronter une souffrance extrême, est nécessaire au maintien de la stabilité en cas de surcharge émotionnelle. Certaines personnes libèrent l'énergie engendrée par l'anxiété et la peur au moyen d'accès émotionnels comme les pleurs ou les blasphèmes. D'autres deviennent dépendantes et réclament beaucoup de réconfort. D'autres encore expriment leur frustration en se plaignant ou en fustigeant le personnel. Certaines familles se demandent pourquoi ce malheur leur arrive à elles et éprouvent des sentiments d'impuissance et de désespoir. Certaines familles se replient sur elles-mêmes, tandis que d'autres parlent sans cesse ou rient de façon incœrcible.

L'infirmière doit aussi réagir à la perturbation cognitive que subit la famille. Certaines familles entretiennent à propos de l'événement des croyances erronées qu'il faudra corriger à un moment ou à un autre du traitement afin qu'elles puissent s'adapter à la catastrophe. Les membres de la famille doutent fréquemment de la pertinence de leur réaction lors d'une situation d'urgence ; ils peuvent même s'accuser de négligence ou chercher des preuves de leur incompétence. Lorsque l'anxiété est intense, les gens ne sont pas en mesure de prendre des décisions et de résoudre des problèmes. L'infirmière, consciente de cette situation, interviendra en conséquence. Comme la famille peut s'interroger quant aux mesures à prendre dans l'immédiat, elle a besoin de directives claires. Lorsque l'infirmière établit un diagnostic, planifie et intervient, les membres de la famille ressentent moins de symptômes de crise et réagissent d'une manière plus adéquate à l'événement traumatisant.

Le plan de soins infirmiers présenté au tableau 1-4 a pour but de répondre aux besoins psychologiques et spirituels des clients et des

(suite page 35)

Tableau 1-4 Plan de soins infirmiers en cas de maladie très grave

Diagnostic infirmier : Anxiété, reliée à un milieu inconnu.
Objectif : Le client dit que son anxiété a diminué.

Intervention	Justification	Résultat escompté
Se présenter : dire son nom et sa fonction.	Cette présentation personnalise l'interaction et renseigne le client.	
Parler au client et lui expliquer ce qui arrive.	Cet échange atténue la peur de l'inconnu ; démontre du respect et de l'intérêt ; amorce l'interaction.	Le client dit qu'il connaît un peu mieux son nouveau milieu et comprend ce qui s'y passe.
Reconnaître l'anxiété du client (p. ex. : « Ce doit être difficile de se retrouver dans un endroit inconnu »).	Cette attitude permet de reconnaître les sentiments et de les prendre en considération.	
Le renseigner sur le matériel et les fonctions du personnel.	La connaissance du milieu atténue l'anxiété.	
Lors du transfert d'un client, le renseigner sur la nouvelle unité. Répondre honnêtement aux questions. Présenter le client à la nouvelle infirmière responsable.	L'unité devenant plus familière, l'anxiété s'atténue. Les présentations facilitent le transfert des relations.	Le client dit qu'il connaît sa nouvelle unité.

Diagnostic infirmier : Sentiment d'impuissance, relié à la dépendance envers le personnel.
Objectif : Le client dit qu'il a l'impression de maîtriser la situation.

Intervention	Justification	Résultat escompté
Établir la relation en se présentant comme l'infirmière responsable.	Cette précision permet au client de comprendre la place qu'il occupe dans le système.	
Reconnaître les sentiments du client (p. ex. : « Ce doit être difficile de sentir qu'on perd la maîtrise de ce qui nous arrive »).	Le client a besoin qu'on légitime ses sentiments de dépendance dans une situation nouvelle.	Le client parle de ses peurs.
Avant et pendant les interventions et les traitements, donner au client des explications claires.	Il est nécessaire de répéter les explications quand l'anxiété est intense et que la faculté de compréhension du client est limitée.	Le client indique par ses paroles ou son comportement qu'il a compris les explications.
Donner au client le plus de maîtrise possible sur son corps et sur son environnement.	Un certain pouvoir décisionnel accroît chez le client le sentiment qu'il est maître de la situation.	Le client prend des décisions appropriées.

Diagnostic infirmier : Anxiété, reliée aux paroles entendues en état apparent d'inconscience.
Objectif : Le client n'est pas traumatisé par les paroles échangées autour de lui.

Intervention	Justification	Résultat escompté
Ne pas parler du client avec les autres professionnels à l'intérieur de son champ auditif.	Il est possible que le client puisse entendre et comprendre les conversations. Il pourrait mal interpréter ce qui est dit et éprouver de la peur.	Le client ne reçoit pas d'information inadéquate de la part de l'infirmière ou de sa famille.
Ne pas parler d'autres clients à l'intérieur du champ auditif du client.	Le client peut croire qu'on parle de son cas. L'infirmière peut sembler moins digne de confiance.	

(Suite du diagnostic à la page suivante)

Tableau 1-4 *(suite)*

Diagnostic infirmier *(suite)* : Anxiété, reliée aux paroles entendues en état apparent d'inconscience.
Objectif : Le client n'est pas traumatisé par les paroles échangées autour de lui.

Intervention	*Justification*	*Résultat escompté*
Parler comme si le client entendait tout (p. ex. : l'informer de la situation, mentionner ses forces, proposer le plan de soins).	Le client est souvent capable d'entendre et de comprendre même s'il ne peut répondre.	
Expliquer à la famille qu'il est possible que le client, même inconscient, puisse entendre et comprendre les conversations.	Il faut inciter la famille à parler au client et l'avertir qu'elle doit éviter toutes remarques désobligeantes ou alarmantes.	

Diagnostic infirmier : Peur, reliée à la perspective de la mort.
Objectif : Le client démontre qu'il utilise son énergie afin de lutter pour vivre.

Intervention	*Justification*	*Résultat escompté*
Reconnaître et accepter les sentiments du client.	Les sentiments sont réels, et le client a le droit de les exprimer.	
Encourager les comportements d'adaptation et les mécanismes de défense.	Les mécanismes de défense préservent la stabilité et doivent être encouragés pour éviter la désorganisation émotionnelle.	Le client continue d'utiliser des mécanismes de défense pour surmonter la crise.
Ne pas rassurer en vain le client mais ne pas lui enlever non plus tout espoir. Lui annoncer les mauvaises nouvelles de façon à l'encourager plutôt qu'à le démoraliser. Déterminer les forces et les ressources du client.	L'espoir et l'optimisme peuvent favoriser le traitement médical et accroître les chances de guérison. Ceux dont on a détruit l'espoir affrontent la maladie moins efficacement (Cousins, 1983).	Le client exprime son désir de vivre par ses paroles ou son comportement.
Proposer au client un contrat thérapeutique avec le personnel en lui parlant de ce que le personnel peut lui offrir et de ce que lui-même peut faire pour sa guérison.	L'entente convenue entre le client et le personnel met en relief le plan de lutte contre le problème et donne au client le sentiment que tout espoir n'est pas perdu.	

Diagnostic infirmier : Détresse spirituelle, reliée au mourir.
Objectif : Le client s'éteint aussi paisiblement que possible.

Intervention	*Justification*	*Résultat escompté*
Ne pas isoler le client de sa famille ni du personnel.	L'isolement intensifie les peurs du client pendant le processus terminal de la vie.	Le client manifeste un sentiment d'union avec les autres par ses paroles ou par son comportement.
Communiquer par le toucher.	Le toucher est une intervention efficace et réconfortante.	
Utiliser les techniques de communication verbale.	Ces techniques visent à convaincre le client que l'infirmière est attentive à ses besoins.	
Demander à la famille quels sont les besoins ou les rites religieux du client et s'efforcer d'y pourvoir avant le décès.	La satisfaction des besoins spirituels du client allégera sa détresse.	

(Suite à la page suivante)

Tableau 1-4   *(suite)*

▌**Diagnostic infirmier :** Altération de la communication verbale de la famille, reliée à l'anxiété intense provoquée par une
situation accablante.
▌**Objectif :** La famille peut communiquer ses besoins fondamentaux.

Intervention	*Justification*	*Résultat escompté*
S'assurer qu'une seule et même personne intervient auprès de la famille.	La cohérence est nécessaire à l'établissement d'une relation de confiance.	La famille reconnaît le professionnel responsable du client.
Répondre immédiatement aux sentiments de la famille (p. ex. : « Je comprends à quel point c'est difficile pour vous » ou « Je crois savoir que vous êtes fâchée d'être séparée de votre mari en ce moment »).	La famille a besoin qu'on reconnaisse et qu'on légitime ses sentiments.	
Si un membre de la famille est dans un état de panique, l'aborder d'une manière ferme mais aimable et tâcher de le maîtriser calmement en établissant un contact physique (p. ex. : le prendre par les épaules et établir un contact visuel).	Comme la panique diminue le champ de perception, la personne ne comprend que les communications brèves et fermes.	La panique s'atténue.
Certaines personnes auront besoin d'encadrement pour affronter la situation. Leur dire clairement où aller et quoi faire.	Beaucoup de familles ont de la difficulté à prendre des décisions en situation de stress.	Les mesures nécessaires seront prises.

▌**Diagnostic infirmier :** Manque de connaissances de la famille, relié à un manque d'information sur l'état de l'être cher.
▌**Objectif :** La famille dit qu'elle connaît l'état de l'être cher.

Intervention	*Justification*	*Résultat escompté*
Promettre à la famille que le membre du personnel soignant responsable du client la renseignera toutes les 30 minutes pendant la période critique.	Cela atténue la peur et l'isolement qu'éprouve la famille.	La famille reconnaît le professionnel responsable du client.
Répéter l'information aussi souvent que nécessaire. Ne pas supposer que la famille a compris ce qui a été dit.	Le stress diminue le champ de perception et oblige la répétition de l'information.	La famille répète l'information de façon exacte.
Assurer la famille du fait que le client ne souffrira pas et qu'on veillera à son bien-être.	Les familles entretiennent souvent des peurs et des idées fausses au sujet de l'état du client.	La famille dit qu'elle comprend l'aide apportée au client.

▌**Diagnostic infirmier :** Détresse spirituelle, reliée à la mort d'un être cher.
▌**Objectif :** La famille accepte la mort suivant son système de croyances.

Intervention	*Justification*	*Résultat escompté*
S'il le désire, le conjoint doit pouvoir rester auprès du client pendant ses derniers moments.	Les conjoints franchissent ensemble une étape importante de la vie. La famille connaîtra mieux les circonstances du décès.	
Assurer une certaine intimité à la famille et rester avec elle.	La famille doit pouvoir pleurer le client loin des étrangers.	

(Suite du diagnostic à la page suivante)

Tableau 1-4 *(suite)*

Diagnostic infirmier *(suite)* : Détresse spirituelle, reliée à la mort d'un être cher.
Objectif : La famille accepte la mort suivant son système de croyances.

Intervention	Justification	Résultat escompté
Lorsqu'on doit annoncer le décès à la famille, employer des termes précis plutôt que des euphémismes (p. ex. : « Votre femme est décédée » plutôt que « Nous avons perdu votre femme »).	Quand l'anxiété est intense, il faut employer des termes clairs et simples pour éviter les ambiguïtés.	La famille dit qu'elle accepte la réalité.
Dire à la famille ce qui s'est produit et pourquoi.	Ces précisions dissipent les idées fausses que la famille peut avoir et répondent aux interrogations qui peuvent subsister.	
Donner à la famille l'occasion et le temps de parler de la perte et d'y réagir.	La verbalisation du chagrin est un comportement d'adaptation approprié. La disponibilité de l'infirmière renforce ce comportement.	
S'assurer que les besoins religieux de la famille sont satisfaits.	Cette attitude réconforte la famille et lui permet d'accomplir ses rites religieux.	La famille dit que ses besoins spirituels sont satisfaits.
Offrir à la famille de voir le corps. La préparer à l'apparence du corps.	Le contact avec la réalité amorce le processus de deuil.	

Diagnostic infirmier : Stratégies d'adaptation familiale inefficaces : soutien compromis, reliées au choc provoqué par la mort subite d'un être cher.
Objectif : La famille s'engage dans le processus de deuil vers l'acceptation.

Intervention	Justification	Résultat escompté
S'ils ne peuvent agir efficacement, ne pas donner aux membres de la famille l'impression qu'ils sont inadéquats. Être impartiale et tolérante.	Pour ne pas contribuer au dysfonctionnement, l'infirmière doit éviter d'imposer ses propres valeurs. Les réactions aux expériences nouvelles sont imprévisibles.	La famille obtient le soutien nécessaire pour prendre des mesures immédiates.
Si c'est nécessaire, faire les appels téléphoniques pour la famille.	L'infirmière doit prendre la situation en mains jusqu'à ce qu'un membre de la famille soit capable de le faire.	
Apporter du soutien lors de l'étape finale en expliquant les mesures à prendre, en indiquant l'endroit où ira le corps, en mentionnant s'il y aura une autopsie, etc.	Il arrive souvent que la famille ignore la marche à suivre ainsi que les mesures administratives et juridiques à prendre.	
Si c'est nécessaire, aider la famille à trouver un moyen de transport jusqu'à la maison.	Les émotions intenses du moment rendent les membres de la famille inaptes à la conduite automobile.	
Essayer de faire en sorte que quelqu'un attende la famille à la maison.	La famille a besoin d'un soutien continu après avoir quitté le centre hospitalier.	
Donner à la famille les numéros de téléphone des groupes de deuil de la région.	Un soutien continu peut prévenir une réaction de chagrin dysfonctionnel.	La famille nomme les services susceptibles de lui offrir un soutien ultérieur.
Dans la semaine qui suit le décès, faire un appel de suivi à la famille.	Après les obsèques, les membres de la famille ont souvent besoin de passer en revue les circonstances du décès. Répodre aux interrogations qui subsistent concernant le décès.	

familles aux prises avec une maladie très grave. Ce plan illustre l'utilisation des notions fondamentales des soins infirmiers en santé mentale dans le domaine médico-chirurgical.

Peurs relatives à la pratique clinique

Au début d'un cours de soins infirmiers en santé mentale, les étudiantes parlent souvent de leurs incertitudes et de leurs peurs à l'égard d'elles-mêmes et de leurs clients. Elles craignent d'aborder un nouveau milieu, de ne pas savoir quoi dire, de n'avoir rien à offrir et d'être maladroites. Leurs appréhensions à l'égard des clients peuvent provenir des stéréotypes rattachés à la maladie mentale. Il n'est pas rare qu'elles craignent d'être rejetées, prises à partie ou blessées physiquement par les clients.

Afin d'informer et d'aider les étudiantes, nous avons élaboré le plan de soins de l'étudiante présenté au tableau 1-5. Appliquer la démarche de soins infirmiers à soi-même est un bon moyen de résoudre les problèmes d'adaptation à l'unité clinique.

Évaluation

Pour évaluer sa pratique professionnelle, l'infirmière doit recourir au processus d'**auto-évaluation** en se posant les questions suivantes :

- Quelle est ma conception de la maladie et de la santé ?

- Quel est le rôle de la souffrance dans la vie ?

- Quelle est ma conception des soins infirmiers ?

- Parmi les qualités que j'ai manifestées dans mes relations avec mes clients, lesquelles ont favorisé ou entravé leur croissance ?

- Quelle a été ma préoccupation première : aider mes clients ou impressionner les autres par mes habiletés ?

- Quelles caractéristiques dois-je améliorer ou modifier pour devenir plus efficace dans la relation d'aide ?

L'infirmière doit également évaluer sa capacité de tirer des leçons de ses expériences et de ses erreurs, son altruisme à l'égard des clients, son sens des responsabilités et sa confiance en son jugement professionnel.

Au cours du processus d'évaluation, l'infirmière doit aussi tenir compte de l'avis des autres. L'**évaluation par les pairs** est une source d'information qui favorise grandement la croissance professionnelle. Auprès de ses pairs, l'infirmière peut discerner l'image qu'elle projette et la perception que les autres ont d'elle-même. Les enseignantes et les coordonnatrices peuvent lui signaler les points à améliorer. Elles peuvent la seconder dans son auto-évaluation en lui disant comment elles ont perçu sa manière de s'acquitter des divers rôles et lui suggérer des changements. Pour mettre une lacune en lumière, les enseignantes et les coordonnatrices peuvent recourir au jeu de rôle ; pour résoudre un problème quelconque, elles peuvent employer le processus de résolution des problèmes.

Bien que souvent négligée, la clientèle constitue une autre source d'information. Pour mieux comprendre son rôle et son comportement, l'infirmière doit aussi recourir à l'**évaluation par les clients**. Ils montrent souvent plus d'assurance que les infirmières pour déceler les qualités utiles de ces dernières. Les clients mentionnent que des qualités telles que la chaleur, l'acceptation, la gentillesse, la serviabilité et l'affabilité sont essentielles à l'établissement d'un contrat et d'une relation thérapeutiques (Cormack, 1983).

Tableau 1-5   Plan de soins à l'intention de l'étudiante en soins infirmiers

▮ **Diagnostic infirmier :** Peur de se trouver dans un milieu inconnu.
▮ **Objectif :** L'étudiante dit qu'elle se sent à l'aise dans l'unité lors de sa troisième journée en milieu clinique.

Intervention	Justification	Résultat escompté
Faire le bilan de sa première journée en milieu clinique. Énumérer les facteurs qui ont alors contribué à ses peurs. Déterminer les comportements utilisés pour les surmonter.	Toute situation nouvelle engendre des peurs qui portent habituellement sur les mêmes aspects (p. ex. : l'incompétence, les relations interpersonnelles, la protection de soi, etc.). La personne tend à réutiliser un comportement d'adaptation qui s'est révélé efficace dans le passé.	L'étudiante trouve et met en application un comportement d'adaptation qui s'est révélé efficace dans le passé.
Demander à la coordonnatrice quelles sont ses attentes par rapport à la première semaine en milieu clinique.	La compréhension des attentes liées au rôle et aux comportements particuliers de l'étudiante atténue l'anxiété.	L'étudiante détermine les attentes réalistes de sa coordonnatrice.
Demander à la coordonnatrice quelles sont les normes de comportement à respecter dans l'unité clinique.	La compréhension des normes formelles et tacites du système facilite l'intégration à l'équipe de soins.	L'étudiante modifie son comportement suivant les normes de l'unité.
Se familiariser avec le milieu physique.	La connaissance des lieux atténue l'anxiété.	L'étudiante connaît l'emplacement de chaque chose dans l'unité.
Lors du premier échange, parler de ses peurs et dire si elles étaient justifiées ou non.	La confrontation des attentes à la réalité accroît la compréhension de soi et l'aisance dans une situation nouvelle.	L'étudiante distingue les attentes de la réalité.

▮ **Diagnostic infirmier :** Peurs stéréotypées à l'égard des personnes ayant des problèmes de santé mentale.
▮ **Objectif :** L'étudiante dit avoir une compréhension réaliste des personnes ayant des problèmes de santé mentale.

Intervention	Justification	Résultat escompté
Discerner ses propres stéréotypes culturels à l'égard des clients en psychiatrie.	Le fait de constater que des stéréotypes sont à l'origine des peurs en diminue l'intensité.	L'étudiante fait une distinction entre les stéréotypes culturels à l'égard des clients et la réalité de leur comportement.
Lors de la séance de préparation, discuter de ses attentes à l'égard du comportement des clients.	Lors des discussions, des similitudes et des différences se dégagent des diverses expériences vécues.	L'étudiante exprime ses attentes.
Se renseigner auprès de sa coordonnatrice sur le comportement réel des clients de l'unité.	Le fait de savoir que la plupart des comportements n'ont rien d'extraordinaire atténue l'anxiété.	
Discerner précisément ses peurs à l'égard des clients (p. ex. : peur qu'ils soient bizarres ou que leurs mécanismes d'adaptation soient meilleurs que les siens).	Le fait de préciser ses peurs auprès de sa coordonnatrice, lui permet de donner le soutien approprié.	
Aborder le client comme une personne et non comme un cas.	Le diagnostic médical ne doit pas définir la personnalité profonde du client.	
Aborder le client comme une personne dont les problèmes peuvent être résolus.	Cette approche permet de voir que le client n'est pas totalement dépourvu.	L'étudiante aborde le client comme un individu qui a à la fois des problèmes et des points forts.
Trouver les aspects sains et les ressources du client.	Dans bien des domaines de la vie, le client est parfaitement adapté et tout aussi capable qu'une autre personne.	

(Suite à la page suivante)

Tableau 1-5 *(suite)*

▌ **Diagnostic infirmier :** Peur de ne pas savoir de quoi parler.
▌ **Objectif :** L'étudiante est capable de discuter aisément de divers sujets avec les clients.

Intervention	*Justification*	*Résultat escompté*
Lorsqu'on rencontre les clients pour la première fois, se présenter et discuter de sujets neutres.	Les clients et les étudiantes ont alors l'occasion de faire connaissance sans aborder de sujets stressants.	L'étudiante a des interactions sociales thérapeutiques avec les clients.
Pendant la rencontre individuelle prévue au plan de soins infirmiers, suivre l'initiative du client quant au choix du sujet à discuter.	Le choix d'un sujet et d'un objectif précis évite la dispersion lors de l'interaction.	Les rencontres individuelles comportent un but précis.
Renoncer à l'ambition irréaliste d'avoir parfaitement raison avant de faire quelque observation que ce soit au client.	Une attitude perfectionniste lors des interactions inhibe le processus et amène le client à se retirer de la relation.	L'étudiante parle de sa peur de l'échec.
Prendre le risque de faire part de ses perceptions au client et de rechercher une confirmation (p. ex. : « On dirait que vous êtes en colère » ou « Ai-je raison de penser que la situation vous frustre beaucoup ? »).	Même si les perceptions sont incorrectes, le fait de les exposer amène le client à exprimer ses sentiments.	L'étudiante exprime ses perceptions au client.
Reconnaître les signes d'une augmentation de l'anxiété chez soi et prendre des mesures pour la freiner.	Le fait de reconnaître et de maîtriser l'anxiété permet une meilleure utilisation des habiletés cognitives et verbales.	

▌ **Diagnostic infirmier :** Peur de n'avoir rien à offrir.
▌ **Objectif :** L'étudiante est capable de décrire ses atouts professionnels.

Intervention	*Justification*	*Résultat escompté*
Discerner sa peur de l'incompétence en écoutant ce qu'on dit sur soi-même (p. ex. : « Comment puis-je aider cette personne alors que je ne sais pas ce qu'elle a ? » ou « Ces clients sont trop malades – ou pas assez. Comment puis-je les aider ? »).	En précisant ses peurs à sa coordonnatrice, l'étudiante lui permet de trouver des solutions au problème.	L'étudiante décrit ses peurs de manière précise.
Si les clients doutent qu'on soit qualifiée, expliquer simplement la raison de sa présence dans l'unité et le rôle qu'on y joue.	Souvent, les questions des clients cachent un désir de mieux connaître l'étudiante ou de comprendre son intention.	L'étudiante répond calmement aux questions du client.
Reconnaître que ses connaissances pratiques et théoriques s'accroîtront pendant ses études.	La peur d'être incompétente s'atténue à mesure que s'accroissent les habiletés et les connaissances.	L'étudiante applique la théorie à la pratique clinique.
Voir dans son énergie et son enthousiasme des qualités à potentiel thérapeutique.	Quand l'énergie est canalisée par la démarche de soins infirmiers, le processus de résolution des problèmes devient plus créatif.	L'étudiante emploie son énergie de manière créative.
Reconnaître qu'une relation interpersonnelle valable est thérapeutique pour le client.	Les contacts positifs sont peut-être la principale lacune du milieu familial du client. L'expérience d'une relation positive rehausse son image de soi et lui permet de développer des habiletés interpersonnelles.	L'étudiante établit des relations thérapeutiques en exécutant la démarche de soins infirmiers.

(Suite du diagnostic à la page suivante)

Tableau 1-5 *(suite)*

Diagnostic infirmier *(suite)* : Peur de n'avoir rien à offrir.
Objectif : L'étudiante est capable de décrire ses atouts professionnels.

Intervention	Justification	Résultat escompté
Se rappeler les caractéristiques de l'aidant efficace.	Les qualités interpersonnelles et les habiletés sociales sont plus utiles au changement thérapeutique que les aspects techniques de la communication efficace.	L'étudiante possède les caractéristiques de l'aidant efficace.
Faire participer le client à la démarche de soins infirmiers et travailler avec lui à l'atteinte d'objectifs thérapeutiques précis.	Les solutions aux problèmes naissent du travail fait *avec* le client et non du travail fait *sur* le client.	L'étudiante emploie l'approche coopérative.

Diagnostic infirmier : Peur de blesser le client par des paroles maladroites.
Objectif : L'étudiante communique plus efficacement à la fin de son cours.

Intervention	Justification	Résultat escompté
Discerner sa crainte de prononcer des paroles maladroites qui auraient une influence désastreuse et irréversible sur le client.	La qualité des relations de soins l'emporte sur les paroles maladroites. Aucune étudiante ne peut détruire un client avec quelques mots malheureux.	
Parler à des étudiantes qui ont fait aussi un stage en milieu clinique.	La discussion aide l'étudiante à voir ses peurs de façon réaliste.	
Reconnaître que le stage en milieu clinique est une occasion d'apprendre et que, tôt ou tard, des paroles maladroites seront prononcées.	L'étudiante aura bien d'autres occasions de faire des interventions plus appropriées.	
Si une maladresse est commise, présenter des excuses au client et formuler une réponse plus appropriée sur le plan thérapeutique.	C'est par le processus d'évaluation que l'étudiante améliore ses habiletés de communication.	L'étudiante évalue et modifie ses réactions verbales à l'égard des clients.
Demander à la coordonnatrice d'utiliser des enregistrements afin d'améliorer les habiletés de communication.	La coordonnatrice peut seconder le processus d'évaluation de l'étudiante en lui fournissant une rétroaction objective.	L'étudiante emploie diverses techniques de communication efficace.

Diagnostic infirmier : Peur d'être rejetée par le client.
Objectif : L'étudiante gère ses sentiments de rejet.

Intervention	Justification	Résultat escompté
Déterminer la pire chose qui, selon soi, pourrait arriver si le client refusait de coopérer.	Les clients ont le droit de refuser une relation individuelle. Le cas échéant, l'étudiante aura maintes occasions de travailler avec d'autres clients.	L'étudiante discerne ses peurs.
Si, par son comportement, le client manifeste son refus de coopérer, essayer de vérifier ce comportement avec lui.	Ce qui importe avant tout, c'est le comportement immédiat du client.	L'étudiante peut confirmer le comportement du client.

(Suite du diagnostic à la page suivante)

Tableau 1-5   *(suite)*

Diagnostic infirmier *(suite)* : Peur d'être rejetée par le client.
Objectif : L'étudiante gère ses sentiments de rejet.

Intervention	*Justification*	*Résultat escompté*
Si le client commente le comportement de l'étudiante, faire part de ces perceptions à ses pairs et à sa coordonnatrice.	L'analyse de son propre comportement permet à l'étudiante de ne pas se sentir personnellement visée par tous les commentaires des clients et de ne pas modifier sa conduite en fonction de ces commentaires.	L'étudiante ne prend pas la responsabilité de tous les comportements des clients.
Ne pas refuser de discuter de problèmes délicats avec le client de peur d'être rejetée.	Le client peut interpréter la peur de l'étudiante comme un manque de compréhension ou d'intérêt à son égard.	L'étudiante aborde les problèmes délicats de façon appropriée.

Diagnostic infirmier : Peur de la colère du client.
Objectif : L'étudiante est capable de tolérer l'expression verbale de la colère du client.

Intervention	*Justification*	*Résultat escompté*
Discerner et analyser sa réaction à la colère et à son expression (p. ex. : « Les gens aimables ne se mettent pas en colère », « C'est acceptable d'être en colère, mais il faudrait toujours en parler calmement », « Je suis à l'aise quand les gens en colère crient »).	Le fait d'avoir conscience de ses valeurs personnelles évite de les imposer au client.	L'étudiante verbalise ses valeurs à l'égard du sentiment de colère.
Accepter le droit à la colère du client.	Les sentiments sont réels et ne peuvent être dénigrés ni passés sous silence.	L'étudiante encourage le client à exprimer ses sentiments.
Essayer de comprendre la signification de la colère du client.	Le fait de comprendre pourquoi le client se sent blessé ou menacé est essentiel pour apaiser la colère.	
Demander au client ce qui l'a mis en colère.	Les questions directes peuvent empêcher un accès de colère. En assumant la responsabilité de son propre comportement, l'étudiante fournit au client un exemple à suivre.	L'étudiante analyse ce qui dans son comportement a contribué à la colère du client.
Laisser le client parler de sa colère.	Le client doit pouvoir parler de ses sentiments avant que l'étudiante n'amorce le processus de résolution des problèmes pour dénouer la situation.	L'étudiante demeure auprès du client en colère.
Écouter le client et réagir aussi calmement que possible.	En se montrant disposée à écouter, l'étudiante manifeste son attention et son intérêt.	
À la fin de l'interaction, prendre le temps de passer en revue ses sentiments et ses réactions avec ses pairs et sa coordonnatrice.	L'étudiante comprend mieux ses sentiments. Elle doit analyser ses réactions pour déterminer ce qu'il lui faudra modifier la prochaine fois que le client se mettra en colère.	L'étudiante parle de ses propres sentiments. Elle évalue l'interaction.

(Suite à la page suivante)

Tableau 1-5 *(suite)*

■ **Diagnostic infirmier :** Peur d'être blessée physiquement par le client.
■ **Objectif :** L'étudiante n'est pas blessée physiquement.

Intervention	Justification	Résultat escompté
Vérifier si cette peur est justifiée.	La violence physique est très rare en unité psychiatrique.	
Reconnaître les premiers signes d'un accès de violence.	Une intervention précoce prévient un accès de violence.	L'étudiante discerne les premiers signes de l'escalade de la violence.
Demander immédiatement l'aide du personnel et de sa coordonnatrice.	Les professionnels expérimentés sont capables d'intervenir efficacement.	L'étudiante avertit le personnel de l'imminence d'un comportement violent.
Si le client devient violent physiquement, laisser le champ libre aux membres du personnel qui exécutent le plan d'action.	Le personnel possède un plan d'intervention d'équipe. L'étudiante *ne* participe *pas* à cette intervention, à moins qu'on ne lui demande expressément son aide.	

RÉSUMÉ

1. On peut définir la santé comme un processus dynamique orienté vers la pleine réalisation du potentiel de la personne et comme un sentiment profond de vitalité.

2. La maladie est un sentiment de disharmonie ou d'incongruence physique, intellectuelle et spirituelle.

3. Diverses théories expliquent la santé et la maladie mentales. Les soins infirmiers holistiques intègrent ces théories et vont au-delà des étiquettes pour rejoindre la personne qui souffre.

4. Les croyances personnelles de l'infirmière à l'égard du rôle de la souffrance dans la vie influent sur la façon dont elle intervient auprès du client qui éprouve un malaise psychologique ou une douleur physique.

5. La conception que l'infirmière a des soins infirmiers oriente et sous-tend sa pratique professionnelle, et l'altruisme est l'un de ses fondements. Sans altruisme, l'infirmière ne peut s'engager authentiquement ni réagir de manière personnelle à l'égard du client.

6. L'introspection permet à l'infirmière de comprendre ses propres sentiments et de s'y adapter de façon professionnelle, et ainsi de réagir plus efficacement à l'égard des clients.

7. Sur le plan du comportement, les réactions du client à la maladie sont déterminées par de nombreux facteurs ; elles correspondent à des tentatives de communication et de satisfaction de ses besoins. Le comportement est influencé par le passé, le présent et l'ave-nir, et il est conforme à la perception que le client a de la réalité.

8. La personne malade et hospitalisée présente diverses réactions affectives. Pour intervenir de façon appropriée, l'infirmière doit déterminer précisément la source et la signification de la réaction émotionnelle du client.

9. La maladie et la souffrance influent sur les réactions d'ordre cognitif du client et touchent particulièrement le concept de soi, l'estime de soi, l'acceptation de soi.

10. Les réactions d'ordre spirituel dépendent des croyances relatives à la signification de la vie et de la mort ainsi que d'un sentiment d'union avec autrui ou avec une puissance extérieure.

11. La détresse spirituelle peut être reliée à un sentiment de culpabilité, d'injustice, d'insatisfaction, d'inutilité, d'aliénation ou d'isolement.

12. Pour dispenser des soins infirmiers efficaces, l'infirmière doit déterminer les répercussions de la maladie sur la famille de même que les répercussions de la famille sur le client.

13. Les composantes physique, émotionnelle et spirituelle de la relation infirmière-client sont interdépendantes et inséparables.

14. Les perceptions que l'infirmière et le client ont du foyer de contrôle au sein de leur relation déterminent l'orientation des soins infirmiers et définissent le pouvoir dans la relation infirmière-client.

15. Les habiletés reliées à la communication sont essentielles aux interventions de l'infirmière exécutées dans le contexte de la relation thérapeutique.

16. L'intégration des caractéristiques de l'aidant efficace aux soins infirmiers favorise la croissance de l'infirmière et du client et accroît leur satisfaction.

17. La communication efficace est un facteur clé dans le cadre des soins infirmiers.

18. Les rôles de l'infirmière sont divers et interdépendants.

19. Les objectifs de soins infirmiers sont des lignes directrices qui aident à la planification d'interventions individualisées.

20. Les notions fondamentales des soins infirmiers en santé mentale servent dans tous les domaines cliniques de la pratique professionnelle.

21. L'étudiante peut appliquer à elle-même la démarche de soins infirmiers pour résoudre ses problèmes d'adaptation à l'unité clinique.

EXERCICES DE RÉVISION

1. Vous avez déterminé que Daniel, votre client, se situe du côté santé dans le continuum santé-maladie. Lequel des énoncés suivants justifie le mieux votre opinion ?
    (a) Daniel ne présente aucun signe de maladie organique.
    (b) Daniel dit que sa vie est ennuyante mais qu'il éprouve peu de stress.
    (c) Daniel est insatisfait de ses relations interpersonnelles.
    (d) Daniel affirme qu'il évolue de jour en jour et qu'il est satisfait de sa vie.

2. Il est important que l'infirmière détermine sa conception personnelle de la souffrance parce que celle-ci :
    (a) influe sur son évaluation de la souffrance du client ;
    (b) est définie universellement par les infirmières et les clients ;
    (c) lui permet de mesurer directement le degré de souffrance ;
    (d) lui évite de réagir trop fortement à la souffrance.

3. Sylvia discute des problèmes que lui causent ses fils adolescents : « Ils ne me respectent pas, dit-elle, ils me rabrouent, et ils ne me disent pas toujours où ils vont. J'ai essayé d'être une bonne mère. Leur façon d'être avec moi est injuste. » Lequel des énoncés suivants représente

le diagnostic infirmier le plus approprié à Sylvia ?
    (a) Isolement social, relié au fait de ne pas être un élément important dans la vie de ses fils.
    (b) Détresse spirituelle, reliée à un sentiment d'injustice.
    (c) Chagrin par anticipation, relié à la croissance de ses fils et à leur départ éventuel du foyer.
    (d) Conflit décisionnel, relié à l'éducation des adolescents.

4. Laquelle des situations suivantes illustre le mieux le résultat d'un processus positif d'introspection et d'autoanalyse pour l'infirmière ?
    (a) Ginette a choisi de ne pas travailler auprès de femmes battues, car elle vit avec un homme violent.
    (b) René a choisi de travailler dans l'unité de toxicomanie même s'il nie sa consommation excessive d'alcool pendant les fins de semaine.
    (c) Aline désire former un groupe d'entraide pour conjoints d'alcoolique bien qu'elle nie l'alcoolisme de son mari.
    (d) Michelle a choisi d'animer un groupe de deuil parce qu'elle a été incapable de surmonter le suicide de son mari, survenu il y a un an.

5. Lequel des exemples suivants évoque le mieux un client possédant un foyer de contrôle interne ?
    (a) Édouard dit que son ulcère est dû à un excès de stress au travail.
    (b) Julie croit que son accident est dû à une malchance et non à l'alcool.
    (c) Pierre craint de contracter toutes les maladies auxquelles il est exposé.
    (d) Manon a recours au processus de résolution des problèmes pour planifier son congé.

BIBLIOGRAPHIE

Benfer B: Clinical supervision as a support system for the care giver. In: *Psychiatric/Mental Health Nursing, Contemporary Readings,* 2nd ed. Backer B, et al. (editors). Wadsworth, 1985.

Book HE: Empathy. *Am J Psychiatry* 1988; 145(4):420–424.

Cormack D: *Psychiatric Nursing Described.* Churchill Livingstone, 1983.

Cousins N: *The Healing Heart.* Norton, 1983.

Davitz L, Davitz J, Rubin C: *Nurses' Responses to Patients' Suffering.* Springer, 1980.

Fenton MV: Development of the scale of humanistic nursing behaviors. *Nurs Research* 1987; 36(2):82–87.

Ferguson MS, Campinha-Bacote J: Humor in nursing. *J Psychosoc Nurs* 1989; 26(4):29–34.

Finkelmeier B, Kenwood N, Summers C: Psychological ramifications of survival from sudden cardiac death. *CCQ* 1984; 7(2):71.

Forsyth G: Analysis of the concept of empathy: Illustrations of one approach. *ANS* 1980; 2(2):33.

Gartner A, Reissman F: *The Self-Help Revolution.* Human Sciences Press, 1984.

Goldsborough J: Involvement. *Am J Nurs* 1969; 69(1):66.

Holderby R, McNulty E: *Teaching and Caring: A Human Approach to Patient Care.* Reston, 1982.

Holm K, et al.: Effect of personal pain experience on pain assessment. *Image* 1989; 21(2):72–75.

Jack LW: Using play in psychiatric rehabilitation. *J Psychosoc Nurs* 1987; 25(7):17.

Kasch C: Interpersonal competence and communication in the delivery of nursing care. *ANS* 1984; 6(2):71.

Kohnke MF: *Advocacy: Risk and Reality.* Mosby, 1982.

Labun E: Spiritual care: An element in nursing care planning. *J Adv Nurs* 1988; 13(3):314.

Leddy D, Pepper J: *Conceptual Bases of Professional Nursing.* Lippincott, 1985.

Marcia J: Empathy and psychotherapy. In: *Empathy and Its Development,* Eisenberg N, Strayer J (editors). Cambridge University Press, 1987.

Mayeroff M: *On Caring.* Harper & Row, 1971.

Merwin MR, Smith-Kurtz B: Healing of the whole person. In: *Post-Traumatic Therapy and Victims of Violence.* Ochberg FM (editor). Brunner/Mazel, 1988.

Moch SD: Towards a personal control/uncontrol balance. *J Adv Nurs* 1988; 13(1):119–123.

Mooney J: Attachment/separation in the nurse-patient relationship. *Nurs Forum* 1976; 15(3):259.

Musil CM, Abraham IL: Coping, thinking and mental health nursing. *Issues Ment Health* 1986; 8(3):191–201.

Osterlund H: Humor, a serious approach to patient care. *Nurs '83* 1983; 13(12):46.

Powers BA: Social networks, social support and elderly institutionalized people. *ANS* 1988; 10(2):40–58.

Pumphrey J: Recognizing your patient's spiritual needs. *Nurs '77* 1977; 7(12):64.

Robinson L: *Psychological Aspects of the Care of Hospitalized Patients,* 4th ed. Davis, 1984.

Rogers C, et al.: *Person to Person: The Problem of Being Human.* Lafayette, CA: Real People Press, 1967.

Schnid D, et al.: Confidentiality in psychiatry: A study of the patient's view. *Hosp Community Psychiatry* 1983; 34(4):353.

Simon JM: Therapeutic humor. *J Psychosoc Nurs* 1988; 26(4):8–12.

Taylor S: Rights and responsibilities: Nurse-patient relationships. *Image* 1985; 17(1):9.

Watson J: *Nursing: The Philosophy and Science of Care.* Colorado Ass. Press, 1985.

LECTURES COMPLÉMENTAIRES

Buber, M. *Je et Tu*, Paris, Aubier-Montaigne, 1969.

Chalifour, J. *La relation d'aide en soins infirmiers: Une perspective holistique-humaniste*, Boucherville, Gaëtan Morin éd., 1989.

Collière, M.F. *Promouvoir la vie*, Paris, InterÉdition, 1982.

Gouvernement du Québec. *La promotion de la santé mentale, santé société,* Québec, 1990.

Jourard, M.-S. *La transparence de soi*, Sainte-Foy, Éditions Saint-Yves, 1977.

Nightingale, F. *Notes on Nursing: What it is and what it is not*, New York, Dover Publications Inc., 1989.

O.I.I.Q. *Nursing en santé mentale*, Montréal, O.I.I.Q., 1978.

Paul, D. « La relation infirmière-client, pivot de la santé mentale du client et de l'infirmière », *Nursing Québec*, 5 (1), 1984.

Rainville, T. « Vers un nursing holiste ». *L'infirmière canadienne, 26*, 3, 20-23, 1984.

Wilson, H.S., et C.R. Kneisl, *Soins infirmiers psychiatriques* (ch. 1), Montréal, Éditions du Renouveau Pédagogique, 1982.

CHAPITRE 2

La démarche de soins infirmiers

J. SUE COOK

Je me sens prisonnière d'un corps que je refuse, et l'incertitude me déchire.
Cela cessera-t-il un jour?

■ *Objectifs*

Après avoir étudié le présent chapitre, vous devriez être en mesure de :

- discuter des fondements philosophiques et théoriques des soins infirmiers en psychiatrie et en santé mentale ;
- expliquer les principales théories qui sous-tendent les soins infirmiers en psychiatrie et en santé mentale ;
- présenter des théoriciennes qui ont élaboré leur conception des soins infirmiers ;
- utiliser les habiletés de communication thérapeutique dans le cadre des soins infirmiers en psychiatrie et en santé mentale ;
- faire le lien entre les divers types d'outils appropriés à la collecte des données en milieu psychiatrique ;
- énoncer les diagnostics infirmiers dans le cadre des soins psychiatriques et les utiliser ;
- établir un plan de soins pour les clients souffrant de problèmes de santé mentale ;
- décrire trois types d'interventions utilisées dans le cadre des soins infirmiers en psychiatrie et en santé mentale ;
- expliquer l'évaluation des soins infirmiers en milieu psychiatrique ;
- procéder à votre auto-évaluation à l'aide d'une liste de contrôle.

■ *Sommaire*

Introduction
Fondements philosophiques
Fondements théoriques
Théories fondamentales
Conceptions des soins infirmiers

Démarche de soins infirmiers

Collecte des données
Bilan de santé
Autres outils de collecte des données

Analyse et interprétation des données
Diagnostics infirmiers en psychiatrie
Application du processus d'analyse et d'interprétation des données à une situation clinique
Diagnostic infirmier et diagnostic médical en milieu psychiatrique

Planification des soins infirmiers

Exécution du plan de soins
Étapes de la relation thérapeutique

Évaluation
Examen des progrès du client
Auto-évaluation

Résumé

Introduction

Il y a de fortes chances que nous soyons tous, au cours de notre vie, touchés de près ou de loin par la maladie mentale. Dans notre entourage immédiat ou de manière indirecte, nous connaissons presque tous une personne atteinte de troubles mentaux. Pourtant, la maladie mentale provoque encore chez les gens des réactions d'anxiété, de peur, de honte et de culpabilité. Si l'on offre des fleurs à la personne qui a une crise cardiaque, qui souffre du cancer ou de toute autre maladie physique, et qu'on lui témoigne de la sympathie, on cherche à éviter la personne atteinte de troubles mentaux, on la critique et on la rejette.

La maladie mentale est l'une des maladies les plus répandues en Amérique du Nord. Un grand nombre des clients rencontrés dans les cliniques de médecine familiale ou dans les unités de soins intensifs des hôpitaux présentent des problèmes psychiatriques que les professionnels de la santé, eux mêmes aux prises avec des sentiments ambivalents à l'égard de la maladie mentale, passent sous silence ou minimisent. Pour que l'attitude des professionnels change, il faut qu'ils approfondissent leurs connaissances sur cette maladie.

Fondements philosophiques

Les soins infirmiers ont évolué avec le temps. S'inspirant à la fois des théories traditionnelles et modernes, l'American Nurses Association définit les **soins infirmiers** comme étant

> le diagnostic et le traitement des réactions humaines à des problèmes de santé existants ou potentiels (*Social Policy Statement*, 1980).

Cette définition décrit parfaitement la place des soins infirmiers dans l'ensemble des services de santé. Étant donné la complexité du système des services de santé, on a créé des disciplines spécialisées, dont les soins infirmiers en psychiatrie, pour répondre aux besoins multiples des clients. En 1976, Evans et ses collaborateurs ont défini les soins infirmiers en psychiatrie de la façon suivante :

> Domaine spécialisé des soins infirmiers ayant les théories du comportement humain pour science et l'usage du self dans un but défini pour art. Les soins en psychiatrie visent la prévention et la guérison des troubles mentaux et leurs séquelles, ainsi que la promotion de la santé mentale dans la société.

Après avoir défini les soins infirmiers en général et les soins infirmiers en santé mentale, il est essentiel, avant de passer à la pratique, de comprendre sur quels fondements philosophiques ils reposent.

Les principes philosophiques servent à circonscrire, à préciser et à justifier la pratique professionnelle. Les principales justifications de cette pratique sont d'ordre *théorique*, *psychologique* et *social*. L'analyse des justifications théoriques nous permet de préciser les idées relatives à la pratique professionnelle. Les justifications psychologiques sont liées à la nature de l'être humain. Les justifications sociales s'appliquent aux êtres humains en tant qu'individus ayant des besoins d'ordre social.

Les fondements des soins infirmiers en psychiatrie s'appuient sur l'expérience humaine proprement dite, c'est-à-dire sur des attitudes, des valeurs, des sentiments et des émotions, à partir desquels se forment des modes de pensée. Ces modes, de même que la connaissance de l'évolution de la culture et de la société, permettent à chacun d'intérioriser l'expérience et les comportements de l'être humain. C'est à partir de cette intériorisation que sont prises les décisions de la vie courante (Strain, 1971).

Le courant de pensée présenté ici est l'humanisme, qui définit l'être humain, dans une perspective holistique, comme un ensemble dynamique de processus physiques, émotifs, psychiques et spirituels (Krieger, 1981). En 1957, Lamont a exposé dix propositions fondamentales inhérentes à cette théorie centrée sur la personne, qui place l'individu au cœur de l'univers :

1. La nature gouverne la totalité de l'être ; elle est un système de matière et d'énergie en évolution constante, qui existe indépendamment de tout esprit ou de toute conscience.

2. La personne est le résultat d'une évolution naturelle, et l'humanisme s'appuie sur des faits et lois scientifiques. Chez l'individu, le corps est inséparable de la personnalité, et il n'y a pas de survie de la conscience après la mort.

3. La personne est l'objet d'une foi absolue. Un être humain a le pouvoir de résoudre ses propres problèmes par la méthode scientifique.

4. L'être humain est réellement libre de choisir et d'agir, et il est le maître de son propre destin.

5. La morale est le fondement de toutes les valeurs humaines. Ses objectifs ultimes sont le bonheur de chacun ici-bas, la liberté et l'évolution de l'humanité, sans

égard à la nationalité, à la race ou à la religion.

6. La personne accède au « bonheur » en combinant harmonieusement les satisfactions personnelles et la réalisation de soi avec sa contribution au bien-être de la communauté.

7. L'épanouissement de l'expression artistique et la conscience du beau reposent sur la conviction que les impressions d'ordre esthétique peuvent influer sur le quotidien des individus.

8. Les programmes sociaux doivent avoir une vaste portée et promouvoir la démocratie, la paix, ainsi qu'un niveau de vie élevé dans le monde entier.

9. Tous les domaines de la vie économique, politique et culturelle doivent mettre en application la pensée rationnelle et la méthode scientifique au moyen de procédés démocratiques.

10. Les hypothèses et convictions fondamentales peuvent être remises en question à la lumière de vérifications empiriques, de faits nouveaux et d'un raisonnement plus rigoureux.

L'infirmière doit fonder ses décisions sur ces croyances et ces valeurs. Afin de dispenser des soins de qualité aux clients atteints de troubles mentaux, il est essentiel qu'elle connaisse ses propres principes philosophiques et qu'elle les compare à ceux de la pensée humaniste.

Fondements théoriques

Outre les fondements philosophiques des soins infirmiers en psychiatrie, les infirmières doivent connaître des théories provenant de nombreuses disciplines. La théorie permet de prévoir la réalité en organisant de façon systématique les principes qui la décrivent et l'expliquent. On peut dire qu'elle est la justification de croyances philosophiques (Yura et Walsh, 1978).

La pratique des soins infirmiers en psychiatrie a évolué au fil des années et a été influencée par les progrès réalisés sur le plan social et dans le domaine de la science et de la technologie. Cependant, l'apparition des théories de soins infirmiers mises en pratique dans le cadre de la démarche de soins constitue le progrès le plus important. En alliant à la théorie fondamentale sa connaissance du client, ses compétences sur le plan des soins physiques et son habileté à communiquer, l'infirmière peut donner à ses clients le soutien émotionnel dont ils ont besoin.

Pour comprendre les théories relatives aux soins infirmiers en psychiatrie, l'infirmière a besoin de certaines connaissances générales sur le mode d'élaboration des théories et sur les auteurs des théories relatives aux soins infirmiers. Plusieurs chercheurs en soins infirmiers ont élaboré des théories sur la nature et la science des soins infirmiers. Celles-ci fournissent une infrastructure de réflexion, d'observation et d'interprétation dans le cadre de la démarche de soins infirmiers.

Théories fondamentales

Une théorie résulte de l'analyse d'un ensemble de faits et de leurs relations entre eux. La manière de percevoir les soins infirmiers ainsi que leur évolution ont été influencées par plusieurs théories, dont certaines proviennent de l'observation de la nature et d'autres de l'observation des êtres humains.

Théorie générale des systèmes La **théorie générale des systèmes** de Ludwig von Bertalanffy est une théorie universelle applicable à de nombreuses disciplines. Un **système** est un ensemble d'éléments interactifs qui contribuent à l'objectif global du système. Chaque système comprend des sous-systèmes organisés de manière hiérarchique, du plus simple au plus complexe.

Les systèmes sont ouverts ou fermés. L'énergie, la matière et l'information sont libres de se déplacer à l'intérieur des systèmes **ouverts**. Par contre, dans les systèmes **fermés**, qui sont en théorie le contraire des systèmes ouverts, il n'y a pas de mouvement, qu'il s'agisse d'énergie de matière ou d'information. Toutefois, on ne connaît pas de système qui soit totalement fermé. Dans le cadre de la santé mentale, la famille peut être considérée comme un exemple de système à la fois ouvert et fermé. La cellule familiale proprement dite est fermée, parce que les mouvements d'énergie, de matière et d'information restent à l'intérieur de la cellule. Cependant, la cellule familiale interagit avec d'autres systèmes, et ces interactions ont un effet sur les échanges internes de la cellule. On appelle *homéostasie* ou *homéodynamie* l'état d'équilibre dynamique stable que maintiennent les systèmes ouverts. Le système reste stable grâce au mécanisme de rétroaction, ou renvoi d'information (Flynn et Heffron, 1984).

Dans le cadre des soins infirmiers en psychiatrie, on utilise les concepts de la théorie des systèmes pour essayer d'expliquer le comportement du client. L'infirmière et le client font partie à la fois de systèmes ouverts et fermés. La rétroaction est un élément essentiel des interactions entre le client et l'infirmière, et cette dernière y recourt pour aider le client à maintenir l'homéostasie.

Théorie de l'adaptation   On appelle **théorie de l'adaptation** la théorie qui permet d'expliquer et de comprendre comment l'équilibre qui assure la survie des systèmes est maintenu. Cette théorie s'applique de façon générale aux réactions biologiques, physiologiques et psychologiques de la personne et elle sert aussi de fondement à de nombreuses thérapies actuelles.

Nos systèmes régulateurs utilisent un mécanisme de compensation. Les facteurs d'agression détruisent l'équilibre en déclenchant le mécanisme de compensation qui aide l'organisme à réagir au stress. L'adaptation correspond à la manière dont l'organisme réagit aux facteurs d'agression. Les mécanismes de défense sont un exemple de mécanismes d'adaptation en milieu psychiatrique (Leddy et Pepper, 1985).

Théorie des besoins humains   La **théorie des besoins humains** part du principe qu'un besoin engendre une tension interne, qui résulte du changement d'état d'un système et de la motivation nécessaire pour répondre à ce besoin. La satisfaction des besoins régit le comportement d'une personne. Pour expliquer les priorités du compor-

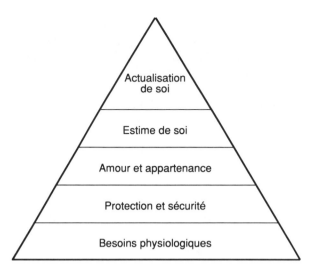

Figure 2-1   *La hiérarchie des besoins selon Maslow*

tement humain, Abraham Maslow a établi une hiérarchie des besoins : besoins physiologiques, besoin de protection et de sécurité, besoin d'amour et d'appartenance, besoin d'estime de soi et besoin d'actualisation de soi (voir la figure 2-1).

Les besoins physiologiques d'une personne visent à maintenir son bien-être physique par un apport suffisant d'air, d'eau, de nourriture, de sommeil, etc. Ces besoins doivent être satisfaits avant tous les autres ; ils sont donc les plus fondamentaux. Chez certains clients atteints de troubles mentaux, ces besoins peuvent devenir un fardeau. Il arrive qu'un client souffrant de schizophrénie néglige ses propres besoins physiologiques ; l'infirmière intervient alors pour s'assurer qu'ils sont satisfaits.

Le besoin de protection et de sécurité (besoin de se sentir protégé physiquement et psychologiquement, et dégagé de tout sentiment d'anxiété ou de peur) apparaît une fois que les besoins physiques sont satisfaits. La satisfaction du besoin de sécurité garantit la stabilité, la paix et l'efficacité des rapports sociaux. Pour satisfaire son besoin de sécurité, le client atteint de troubles mentaux a souvent besoin d'aide.

Le besoin d'amour et d'appartenance intervient lorsque les besoins physiologiques et le besoin de sécurité sont satisfaits. Ce besoin apparaît chez le client dans le cadre de ses relations avec ses parents, son conjoint, ses enfants, ses amis et collègues. L'affection, l'intimité, la solidarité et le respect sont des moyens de répondre au besoin d'amour et d'appartenance. Le client atteint de troubles mentaux a souvent l'impression que ce besoin n'est pas satisfait.

Le besoin d'estime de soi, qui se manifeste une fois le besoin d'amour et d'appartenance satisfait, correspond au respect de soi et d'autrui. Ce besoin comprend le désir de force, d'accomplissement, de compétence et de maîtrise. Les sentiments de valeur personnelle, de confiance en soi et de dignité jouent un rôle important dans la satisfaction du besoin d'estime de soi. Le manque d'estime de soi engendre un comportement de compensation avec troubles de l'adaptation, comportement constaté par les infirmières qui s'occupent de clients atteints de troubles mentaux.

Le besoin d'actualisation de soi se trouve au sommet de la pyramide et n'apparaît que lorsque tous les autres besoins sont satisfaits. Même si ses besoins sont satisfaits à tous les niveaux inférieurs, c'est-à-dire jusqu'au besoin d'estime de soi, le client peut rester préoccupé tant qu'il ne fait pas ce qui lui convient le mieux. Ce malaise est dû au désir de réaliser pleinement son potentiel. L'infirmière s'efforce d'aider le client à y parvenir (Yura et Walsh, 1988).

Que le besoin d'estime de soi ou les besoins physiologiques soient pleinement satisfaits ou non, le sentiment de ne pas être aimé ou d'être délaissé peut se répercuter sur la façon de réagir aux autres besoins et entraîner un sentiment d'impuissance et d'infériorité. L'importance de la théorie des besoins humains dans les soins infirmiers en psychiatrie est très grande.

Théorie de la perception   On a élaboré la **théorie de la perception** pour expliquer le système de comportement basé sur la satisfaction des besoins humains. Chaque personne possède son propre système de comportement pour faire face à différentes situations. L'étude de la percep-tion repose sur plusieurs variables : l'environnement physique, les processus et interactions physiologiques, et les phénomènes liés au comportement. Le contact avec l'environnement se fait par l'intermédiaire de récepteurs sensibles à l'énergie.

Il existe trois types de cellules réceptrices, soit les extérocepteurs, les intérocepteurs et les propriocepteurs. Les extérocepteurs sont essentiellement des cellules d'organes sensoriels qui reçoivent de l'énergie de l'extérieur. Les intérocepteurs sont des cellules de l'organisme qui réagissent aux variations de pression ou de température ainsi qu'à la douleur. Les propriocepteurs réagissent aux variations d'énergie causées par le mouvement et l'attitude physique.

Le développement de la perception, qui va du simple au complexe, est influencé par la signification des stimuli. Ces significations sont acquises et elles influent davantage sur la perception lorsque la stimulation se produit dans des circonstances ambiguës. L'identification des objets est le premier processus de perception qui soit acquis. Une fois les objets identifiés, la perception s'organise encore davantage par la manipulation et la mémorisation des événements, ce qui aide la personne à se former des attentes par rapport à son milieu. La rétroaction, ou renvoi d'information, est le principal mécanisme dont on se sert pour vérifier l'exactitude de la perception.

La relation entre expérience et perception s'appuie sur plusieurs suppositions. La première est la généralisation, qui consiste à tirer un apprentissage d'une situation donnée et à le mettre en pratique dans une autre situation de même type. Pour réagir de façon appropriée, la personne utilise les souvenirs d'expériences antérieures qui ont un rapport avec la situation actuelle. La deuxième supposition correspond au fait que les enfants et les adultes font la distinction entre les propriétés constantes d'une catégorie de phénomènes ou d'objets et les variations fortuites du contexte. La dernière supposition est la discrimination verbale, nécessaire pour nommer, codifier et étiqueter les expériences. L'utilisation de l'information verbale permet de contrôler la perception immédiate et le raisonnement (Allport, 1955 ; Day, 1966 ; Vernon, 1970 ; Yura et Walsh, 1978).

Dans le cadre des soins infirmiers en psychiatrie, il y a interaction entre les perceptions de l'infirmière et celles du client, élaborées à partir de ses expériences passées et actuelles. Le processus de clarification et de validation des perceptions est au cœur de la communication thérapeutique entre le client et l'infirmière.

Théorie de l'apprentissage   La recension des écrits consacrés à l'apprentissage doit porter sur plusieurs siècles. Le philosophe anglais John Locke a formulé une théorie de l'apprentissage dans laquelle le produit de l'expérience et les principes d'association des actes de répétition constituent la base de l'apprentissage humain. Partant des idées de Locke, Yvan Pavlov élabora la théorie du conditionnement classique, que Thorndike reprit pour construire une théorie sur les associations créées entre stimuli et réactions. La théorie de l'apprentissage fut ensuite précisée par un autre psychologue, John B. Watson, qui postula que le comportement est déterminé par l'environnement et que les différences de comportement peuvent s'expliquer par des environnements différents. Plus récemment, les travaux de Skinner sur les agents de renforcement ont ajouté de nouveaux éléments précisant les principes de la théorie de l'apprentissage (Bevelas, 1978 ; Rohmer, Ammon et Cramer, 1974).

L'un des principes fondamentaux de la théorie de l'apprentissage est le conditionnement opérant, appelé aussi **théorie S-R (stimulus-réponse)**. Selon le principe du conditionnement opérant, si on renforce la réaction d'un organisme à un stimulus, il est probable que l'organisme réagira de façon analogue à l'avenir lorsqu'il sera en présence du même stimulus. Le renforcement peut être positif ou négatif. Le renforcement positif correspond à un stimulus favorable comme la nourriture ou une récompense, alors que le renforcement négatif correspond à des actes répressifs comme un choc ou une réprimande.

Les concepts de stimulus, de réaction et de renforcement sont les principaux éléments du comportement dans la théorie de l'apprentissage. Ils sont à la base de la théorie du comportement utilisée dans les soins infirmiers en psychiatrie pour planifier les économies de jetons et pour conditionner des comportements mieux adaptés sur le plan social.

Théorie de la communication   La **théorie de la communication** porte essentiellement sur les liens qui sous-tendent les relations et sur les interactions entre différents systèmes ou à l'intérieur des systèmes. Cette théorie est à la base de la communication entre l'infirmière et le client. Un système de communication comprend une source, un émetteur, un canal, un récepteur et une destination. La source désigne la formulation d'un message ayant une signification donnée. L'émetteur transforme ensuite le message en information. Au cours de la transmission, les canaux peuvent accepter plusieurs messages écrits en même temps que des messages radio pour les messages sonores. Le récepteur transforme alors l'information physique en message, lequel est interprété en arrivant à destination grâce aux facultés perceptives de la personne qui le reçoit.

La rétroaction est un facteur important de la communication et fait partie de l'ensemble bilatéral de composantes qui permettent le fonctionnement d'un système de communication. Les théories de résolution de problèmes s'appuient sur la théorie de la communication ; en milieu psychiatrique, l'infirmière va en effet utiliser une technique de résolution de problèmes pour décoder la communication avec le client.

Conceptions des soins infirmiers

Depuis le début des sciences infirmières, les infirmières ont créé un système théorique basé sur l'hypothèse selon laquelle chaque personne est une combinaison unique de facteurs physiques, cognitifs, émotifs et spirituels que l'on ne peut dissocier. Depuis Florence Nightingale, on tend à insister sur l'aspect holistique des soins infirmiers. C'est elle qui a exigé que l'on définisse les soins infirmiers, et elle-même s'y est employée avec ardeur.

Après les travaux de Florence Nightingale et jusqu'au début des années 50, on a construit des modèles conceptuels de soins infirmiers qui ont été surtout diffusés dans des manuels d'instructions.

Cette étape technique fut importante car elle montrait que l'on se penchait enfin sur le problème de la définition des soins infirmiers. Après la Deuxième Guerre mondiale, l'objet et l'orientation des soins infirmiers ont changé : les interventions infirmières, considérées jusqu'alors comme des tâches, étaient désormais perçues comme les éléments d'un processus interpersonnel. Cette tendance est particulièrement nette dans les descriptions qui suivent.

Virginia Henderson   Les travaux de Virginia Henderson, publiés pour la première fois en 1939, étaient fortement influencés par la théorie des besoins humains. Henderson proposait l'idée que la personne est une entité complète, le corps et l'esprit étant inséparables. Selon elle, l'unique fonction d'une infirmière consiste à aider une personne à remplir des activités contribuant à la santé. Cette assistance est nécessaire aussi bien pour guider le client guéri vers la convalescence que pour permettre au client en phase terminale de trouver la paix. L'infirmière aide le client à acquérir la force, la volonté et les connaissances nécessaires pour redevenir indépendant le plus rapidement possible. Les éléments caractérisant la définition des soins infirmiers donnée par Virginia Henderson sont encore applicables aujourd'hui.

Selon Henderson, les soins infirmiers doivent être personnalisés, adaptés aux besoins du client et dispensés selon un plan comprenant une analyse continuelle des besoins. Virginia Henderson fut la première à lancer la notion des soins axés sur le client et à proposer pour l'infirmière une fonction et un rôle indépendants (Saffier, 1977).

Hildegard Peplau   Dans un ouvrage publié en 1952, intitulé *Interpersonal Relations in Nursing*, Hildegard Peplau analyse les interventions infirmières dans un contexte interpersonnel. Ses idées s'inspirent de la théorie de la communication et, en particulier, des travaux de H.S. Sullivan.

Selon Peplau, les soins infirmiers sont un processus interpersonnel. Les principaux concepts de sa théorie sont la croissance, le développement, la communication et les rôles.

La relation thérapeutique entre l'infirmière et le client est au cœur de la théorie de H. Peplau, théorie selon laquelle la communication est un processus de résolution de problèmes qui s'effectue au sein de la relation. C'est un processus de collaboration dans lequel l'infirmière peut avoir à jouer différents rôles pour aider le client à satisfaire ses besoins et à continuer de grandir et de progresser (voir la figure 2-2). Selon Peplau, la personnalité du client se renforce au fur et à mesure qu'il résout ses conflits et ses anxiétés.

Peplau considère, tout comme Henderson, que chaque personne est façonnée par des facteurs culturels et biologiques. Elle définit quatre étapes distinctes dans la relation thérapeutique. La première est l'étape d'orientation, au cours de laquelle le client décide qu'il a besoin d'aide ; l'infirmière doit alors établir un rapport de confiance avec le client pour pouvoir faire une évaluation correcte de son état et fixer avec lui les objectifs à atteindre. La deuxième phase est l'étape d'identification, où l'on cherche à déterminer les attentes du client et celles de l'infirmière; le client commence à faire confiance à l'infirmière et à penser qu'elle peut l'aider. C'est pendant cette étape que l'on circonscrit les problèmes et que l'on commence à discuter des solutions. La troisième est l'étape d'exploitation, pendant laquelle le client risque d'osciller entre la dépendance et l'indépendance. L'infirmière lui rend la confiance qu'il lui a témoignée en lui permettant de chercher des solutions et de les essayer. En principe, le client utilise toutes les ressources disponibles pour résoudre ses problèmes. Pendant la quatrième étape, qui est celle de la résolution, il peut être encore tiraillé entre la dépendance et l'indépendance. Si l'infirmière a réussi à établir une bonne relation avec le client, celui-ci peut avoir quelques difficultés à y mettre un terme. La relation étroite qui s'est établie au cours des autres étapes aide le client à surmonter les difficultés de la résolution (voir le tableau 2-1).

Nettement en avance sur son époque lorsqu'elle élabora sa théorie, Hildegard Peplau prépara le terrain pour les théories futures, et ses travaux font encore autorité pour l'élaboration de nouvelles théories et pratiques de soins infirmiers en psychiatrie.

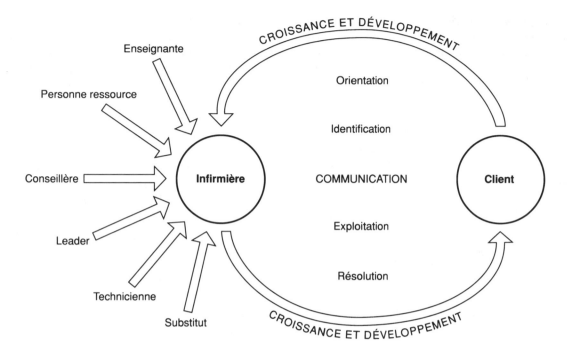

Figure 2-2   *La relation infirmière-client selon Peplau*

Source : Beck CM, Rawlins RP, Williams SR, *Mental Health – Psychiatric Nursing*, Mosby, 1984, p. 50.

Tableau 2-1   *Les phases de la relation infirmière-client selon Peplau*

Orientation	Établir le besoin d'une assistance de la part d'un professionnel de la santé Établir une relation efficace Être attentif aux sujets qui pourraient permettre de mieux circonscrire les problèmes Déterminer s'il convient de poursuivre la relation ou s'il est préférable de diriger le client vers un autre service
Identification	Préciser les perceptions et les attentes Définir les problèmes plus clairement Examiner des solutions possibles aux problèmes
Exploitation	Tenter de résoudre les conflits conscients et inconscients, que l'infirmière ou le client ne saisissent pas bien. Créer une atmosphère rassurante Montrer que l'on a confiance en la capacité du client de participer au processus de résolution de problèmes Clarifier, écouter, accepter et interpréter
Résolution	Évaluer si les besoins du client ont été satisfaits. Surmonter les difficultés de la fin de la relation Mettre à profit le lien qui a été établi afin que le client s'engage dans d'autres relations importantes Aider le client à se fixer de nouveaux objectifs

Source: Beck CM, Rawlins RP, Williams SR. *Mental Health – Psychiatric Nursing*, Mosby, 1984, p. 50.

Ida Jean Orlando   En 1961, Orlando fit paraître un ouvrage intitulé The D*ynamic Nurse-Patient Relationship*. Ses travaux, fortement influencés par la théorie de la communication, s'inspirent aussi de ses propres observations. Selon elle, l'infirmière a la responsabilité de veiller à ce que les besoins du client soient satisfaits, soit en intervenant elle-même, soit en se faisant aider par d'autres. Orlando affirme que le processus de soins infirmiers est amorcé par le client lorsqu'il exprime la signification de son propre comportement. Pour déterminer la nature de la détresse du client et l'aide dont il a besoin, l'infirmière doit discuter avec lui. Selon Orlando, le processus de soins infirmiers est constitué par l'interaction entre le comportement du client, la réaction de l'infirmière et les interventions visant à résoudre le problème.

Dorothy Johnson   Selon Dorothy Johnson, dont les travaux ont été influencés par la théorie générale des systèmes et la théorie des besoins humains, la personne est un être bio-psycho-social. Johnson considère les soins infirmiers comme un service fourni directement au client et qui contribue à son bien-être en lui permettant d'atteindre un état stable et de s'y maintenir. Selon elle, les soins infirmiers ont pour fonction première d'aider le client à atteindre cette stabilité et à la conserver.

Dorothy Johnson divise la démarche de soins infirmiers en quatre étapes: la collecte des données – qui comprend deux niveaux, l'analyse et l'interprétation des données – la formulation du diagnostic, l'intervention (limitation, défense, inhibition et facilitation) et l'évaluation (Johnson, 1980 ; 1961).

Imogene M. King   King fit paraître *Toward a Theory for Nursing* en 1971. Ses travaux sont fortement influencés par la théorie générale des systèmes ; selon elle, la personne est un système ouvert et la démarche de soins infirmiers est un processus interactif entre l'infirmière et le client. Cette interaction leur permet de se percevoir mutuellement et de percevoir la situation puis, par la communication, d'atteindre des objectifs. Ainsi, la communication est le moyen par lequel on peut fixer et étudier des objectifs, puis se mettre d'accord sur ces objectifs et les atteindre.

Selon King, la démarche de soins infirmiers est une démarche humaine et interpersonnelle qu'elle définit comme un ensemble d'actes, de réactions, d'interactions et d'échanges entre les individus et les groupes au sein des systèmes sociaux (King, 1981).

June Mellow   La deuxième approche théorique des soins infirmiers en psychiatrie fut proposée par June Mellow, cinq ans après l'approche systématique avancée par Peplau. Contrairement aux autres théories, celle de June Mellow s'inspire de la psychanalyse.

Sa conception des soins infirmiers et de la démarche clinique découle de ses travaux auprès de clients souffrant de schizophrénie. Elle pense qu'une relation symbiotique s'établit entre le client et l'infirmière et que, au lieu de rechercher dans le développement du client les causes du trouble dont il souffre, l'infirmière devrait essayer de lui fournir une expérience émotionnelle corrective. Selon June Mellow, l'infirmière peut créer des liens émotifs avec le client en lui parlant, en l'écoutant, en l'aidant à prendre son bain, à se nourrir, à s'habiller et à se divertir (Lego, 1975 ; Murry et Huelskoetter, 1983).

Dorothea E. Orem   Orem a élaboré les notions d'auto-soin, de déficit d'auto-soin, de déviation universelle et de déviations de l'état de santé. Ses travaux, influencés par la théorie générale des systèmes, définissent les soins infirmiers comme un moyen de concevoir, de mettre en place et de gérer des systèmes thérapeutiques d'auto-soin. Selon elle, l'objectif des soins infirmiers est d'aider les personnes, individuellement ou en groupe, à recouvrer la santé.

Elle distingue trois étapes dans la démarche de soins infirmiers : l'analyse et l'interprétation des données, la conception d'un système de soins, et les interventions infirmières (Orem, 1980).

Martha Rogers   La contribution de Martha Rogers dans l'ensemble des ouvrages consacrés aux soins infirmiers est considérable. Elle donne de l'être humain une conception unitaire et synergique, et ses idées s'appuient sur la théorie générale des systèmes. Selon elle, les soins infirmiers ont pour but de favoriser l'interaction harmonieuse entre la personne et son environnement. Elle croit que la cohérence et l'intégrité de l'être humain ainsi que l'orientation et la réorientation des modes d'interactions entre la per-sonne et son environnement favorisent l'atteinte d'un état de santé optimal.

Situant les soins infirmiers dans le contexte du processus de la vie, Rogers estime que la démarche de soins comprend l'analyse et l'interprétation des données, l'intervention et l'évaluation de l'intervention (Rogers, 1970).

Joyce Travelbee   S'inspirant des travaux d'Orlando, Joyce Travelbee a souligné le caractère unique de la pratique professionnelle sur le plan de la relation interpersonnelle. Elle envisage les soins infirmiers comme un processus interpersonnel dans lequel l'infirmière aide le client ou la famille à prévenir ou à surmonter l'épreuve de la maladie et à lui donner un sens.

Joyce Travelbee utilise la démarche de soins pour créer une relation entre l'infirmière et le client. Cette relation d'aide comprend, selon elle, plusieurs phases : la préparation, l'orientation, la connaissance mutuelle et la phase terminale. Joyce Travelbee constate que, pour établir une relation infirmière-client, il est nécessaire d'avoir recours à l'observation, à l'interprétation, à la prise de décisions, à l'intervention et à l'évaluation (Travelbee, 1966).

Sœur Callista Roy   Le modèle de Roy est fondé sur les principes de la théorie de l'adaptation. Selon ce modèle, l'être humain est constitué de différents éléments reliés entre eux d'une façon telle que l'ensemble est sensible aux agressions provenant du système lui-même ou de son environnement. Sœur Roy voit la personne qui reçoit les soins infirmiers comme un système adaptatif dont le mécanisme, sous sa forme la plus simple, implique un apport de l'extérieur (*intrant*), des processus internes et de rétroaction, et un résultat (*extrant*). Selon elle, les interventions de l'infirmière doivent favoriser l'adaptation du client.

Le modèle conceptuel de Roy s'appuie sur huit hypothèses, qui définissent l'être humain comme un être bio-psycho-social en interaction constante avec un environnement qui évolue. Callista Roy voit la santé et la maladie comme des éléments inévitables de la vie et croit que les individus doivent être capables de s'adapter pour répondre de manière positive à la vie. Selon elle, la capacité du client de s'adapter dépend de son degré d'adaptation, de son état avant l'adaptation exigée dans la situation, ainsi que des types et des quantités de stimuli auxquels il a été soumis. Elle définit le degré d'adaptation comme étant l'amplitude de stimulation qui donne lieu à une réponse positive et croit que chaque personne est en mesure de s'adapter en fonction de ses besoins physiologiques, de l'image qu'elle a d'elle-même, de son rôle et de ses relations interdépendantes (Riehl et Roy, 1980).

Sœur Callista Roy envisage les soins infirmiers comme un processus de résolution de problèmes, et elle divise la démarche de soins en six étapes : collecte des données de premier niveau, collecte des données de deuxième niveau, mise au jour des problèmes, définition des objectifs, intervention ou choix des approches, et évaluation (Roy et Roberts, 1981).

Betty Neuman   Le modèle conceptuel de Betty Neuman propose une approche des problèmes du client qui tient compte de la personne dans son intégralité. S'inspirant fortement de la théorie du syndrome général d'adaptation (SGA) de Selye, Betty Neuman définit les soins infirmiers comme une profession unique, qui s'intéresse principalement aux variables influant sur les réactions de la personne aux facteurs d'agression.

Betty Neuman a mis au point un outil de collecte de données et d'intervention permettant de recueillir les données biographiques du client, de déterminer, d'une part, les facteurs d'agression perçus par le client et par les personnes qui dispensent les soins et, d'autre part, les facteurs intrapersonnels, interpersonnels et extrapersonnels, d'énoncer le problème, de résumer les objectifs et d'établir un plan de soins (Neuman, 1980).

Démarche de soins infirmiers

Les soins infirmiers s'appuient, nous l'avons vu, sur des fondements philosophiques. L'infirmière qui arrive en milieu de soins psychiatrique possède tout un bagage d'idées et de principes se rapportant aux soins à dispenser aux clients. De même, chaque client a ses propres idées et ses propres principes, que l'infirmière doit essayer de comprendre à l'aide d'éléments théoriques. La démarche de soins sert de guide au processus cognitif de l'infirmière lorsqu'elle s'occupe d'un client.

Les ouvrages consacrés aux soins infirmiers sont nombreux. Yura et Walsh (1978), par exemple, estiment que la démarche de soins est l'élément essentiel des soins infirmiers, car elle est au cœur de toutes les interventions de l'infirmière. La structure de la démarche de soins constitue un point d'appui à partir duquel l'infirmière peut agir de façon systématique. Bien que ses étapes varient selon les groupes, on considère fondamentalement que la démarche de soins est un moyen organisé, systématique et délibéré de prodiguer des soins.

Au cours de l'évolution de la pratique professionnelle en général et de la santé mentale en particulier, de nombreux changements ont eu lieu. Afin de mieux comprendre les normes actuelles de la profession, il convient de revoir tout d'abord les perspectives historiques de la démarche de soins infirmiers.

Avant les années 50, on envisageait les soins infirmiers sous un angle essentiellement pratique et on les définissait par les tâches et interventions des infirmières. Peplau fut la première à parler des étapes de la relation infirmière-client. Un peu plus tard, en étudiant les aspects interpersonnels de cette relation, Orlando souligna que les interventions de l'infirmière devaient être délibérées plutôt qu'intuitives.

Au cours des années 60, les spécialistes ont commencé à décrire la démarche de soins comme une approche scientifique. Dans ses écrits, Dorothy Johnson a souligné la nécessité de procéder systématiquement à une collecte de données accompagnée d'une analyse rigoureuse (Johnson, 1961). En 1966, Kelly fit paraître dans *Nursing Research* un article dans lequel le diagnostic est pour la première fois décrit comme un moyen de déterminer aussi bien la cause d'un symptôme que la façon de le soulager. Pour Kelly, la collecte des données consiste à recueillir des données non seulement sur les symptômes et signes cliniques du client mais aussi sur son profil social et ses antécédents culturels, ainsi que sur les facteurs physiques et psychologiques de son environnement (Kelly, 1964 ; 1966).

En 1967, Yura et Walsh proposèrent une définition innovatrice de la démarche de soins en distinguant quatre étapes. Vers 1970, les professionnels de la santé commencèrent à considérer les soins infirmiers comme une discipline scientifique.

L'American Nurses Association (ANA) a publié des directives pour la pratique professionnelle en psychiatrie. Ces directives, que l'on appelle *normes*, constituent la base historique et culturelle des courants de pensée relatifs aux soins infirmiers en psychiatrie, mais ont plus particulièrement pour fonction de maintenir la qualité des soins dispensés aux clients atteints de troubles mentaux. Les énoncés de l'ANA portant sur les soins infirmiers en psychiatrie et les normes de pratique professionnelle soulignent l'importance de la démarche de soins auprès du client en ce qui a trait à la prévention, au traitement et à la réadaptation. En 1973, l'ANA adopta des normes de pratique professionnelle (*Standards of Nursing Practice*) qui distinguent cinq étapes dans la démarche de soins.

Le Bureau de l'Ordre des infirmières et infirmiers du Québec, pour sa part, a publié en 1984 un document définissant les normes de compétence professionnelle de l'infirmière (voir le tableau 2-2). À chacune des normes correspondent des critères génériques, qui précisent celles-ci et qui s'adressent à l'ensemble des infirmières et infirmiers, et des critères spécifiques, qui s'adressent à un groupe d'infirmières et d'infirmiers, dont celles et ceux qui sont spécialisés en psychiatrie et en santé mentale.

Tableau 2-2   *Normes de compétence pour les infirmières et les infirmiers œuvrant dans les établissements de santé*

Norme 1
L'infirmière connaît les sources d'information et les moyens pour faire la collecte des données. Elle recueille les données pertinentes, auprès de l'individu, d'un groupe d'individus, de la famille, du milieu et de la communauté et ce, à partir d'une conception de soins infirmiers, selon la condition du bénéficiaire. (*collecte des données*)

Norme 2
L'infirmière connaît les étapes d'organisation des données recueillies. Elle analyse et interprète les données en se basant sur des connaissances scientifiques, une conception de soins infirmiers, les composantes de la situation et la perception qu'a le bénéficiaire de sa situation. L'analyse et l'interprétation des données sont reliées à l'individu, à un groupe d'individus, à la famille, au milieu, à la communauté. L'infirmière décrit les caractéristiques de la situation et elle vérifie la conformité de son interprétation auprès du bénéficiaire et des personnes concernées. (*interprétation des données*)

Norme 3
L'infirmière connaît et applique les étapes nécessaires à la planification des soins infirmiers. En se référant à une conception des soins infirmiers, aux données recueillies, à des connaissances scientifiques, elle formule le plan de soins avec la participation du bénéficiaire s'il y a lieu et de la famille ou de la personne significative et avec l'équipe de soignantes. (*planification des soins*)

Norme 4
L'infirmière connaît les principes à la base des divers types d'intervention de soins infirmiers. Elle applique ces principes dans la réalisation du plan de soins élaboré. Elle prodigue au bénéficiaire les soins planifiés afin de lui fournir l'assistance dont il a besoin selon sa condition. Elle maintient des relations interpersonnelles, elle donne l'enseignement, elle favorise les apprentissages et la rééducation, elle applique des mesures de confort, des mesures préventives et thérapeutiques et elle contribue aux méthodes de diagnostic. Elle suscite la participation du bénéficiaire, de la famille ou de la personne significative aux soins. (*exécution des soins*)

Norme 5
L'infirmière connaît les étapes de l'évaluation. Elle procède à cette évaluation avec le bénéficiaire ou les membres de la famille/les personnes significatives. Suite à cette évaluation, elle reprend les étapes de la démarche et apporte les modifications ugées nécessaires. (*évaluation de la démarche*)

Norme 6
L'infirmière connaît et utilise des moyens pour assurer au bénéficiaire des soins continus en établissement et dans la communauté. (*continuité des soins*)

Norme 7
L'infirmière situe son rôle dans l'équipe de soins infirmiers et elle l'assume. (*équipe de soins*)

Norme 8
L'infirmière connaît ses responsabilités en tant que membre d'une profession et elle s'en acquitte. (*responsabilités professionnelles*)

Norme 9
L'infirmière connaît des méthodes de contrôle des soins infirmiers. Elle contrôle les soins infirmiers selon son niveau de responsabilité. (*contrôle des soins*)

Norme 10
L'infirmière connaît son rôle au sein de l'équipe multidisciplinaire et elle l'assume. (*multidisciplinarité*).

Source : Ordre des infirmières et infirmiers du Québec. *Extraits de l'évaluation de la compétence professionnelle de l'infirmière et de l'infirmier du Québec*, Montréal, OIIQ, 1985.

On y retrouve les cinq étapes de la démarche de soins :

1. La collecte des données

2. L'interprétation des données (également appelée « analyse des données »)

3. La planification des soins

4. L'exécution des soins

5. L'évaluation de la démarche

La figure 2-3 permet de se représenter les relations existant entre ces différentes étapes, dont une description est donnée au tableau 2-3.

Collecte des données

- Entrevue
- Observation
- Examen de l'état mental
- Consultation d'autres sources
  d'information

Évaluation

*(Avec la collaboration du client si c'est
possible.)*
- Comparaison entre les objectifs visés
  et les réactions du client
- Auto-évaluation
- Révision du plan
- Inscription

**Analyse et interprétation des
données**

- Liens entre les observations et la
  situation du bénéficiaire et de ses
  proches
- Validation de l'interprétation
- Énoncé du diagnostic infirmier

Exécution

- Intervention dépendantes
- Interventions interdépendantes
- Interventions indépendantes
           pour
- Promotion de la santé
- Maintien de la santé
- Recouvrement de la santé

Planification

*(Avec la collaboration du client si c'est
possible.)*
- Définition des objectifs (ou résultats
  escomptés)
- Choix des interventions
- Rédaction du plan de soins

Figure 2-3   *La démarche de soins infirmiers en psychiatrie*

Collecte des données

La collecte des données consiste à examiner le profil du client afin de déceler les problèmes éventuels ou de le déclarer en bonne santé. À la suite de cette étape, l'infirmière est en mesure de confirmer une maladie, de déterminer les problèmes prédominants et potentiels, et de définir l'état de santé du client. Les données recueillies donnent une image complète du client et la collecte systématique de données exactes permet de déceler les problèmes du client et de faire une analyse et une interprétation correctes des données. Le plan de soins et l'exécution des interventions dépendent, par conséquent, de l'exactitude des données recueillies.

Les données peuvent provenir de sources diverses, mais le client en est la source première. La famille et les personnes clés représentent une source supplémentaire de données. Il existe aussi de nombreuses sources de données en milieu clinique : les dossiers médicaux ou sociaux, les résultats des épreuves diagnostiques, les notes d'observation, les rapports de relève des équipes de travail, les plans de soins et les notes d'évolution. Une visite au domicile du client ou dans sa communauté, lorsque cela est possible, permet aussi d'obtenir des données (Christensen, 1982B).

Lorsqu'elle recueille les données, l'infirmière doit avant tout déterminer dans quelle mesure les

Tableau 2-3 *Les cinq étapes de la démarche de soins infirmiers en psychiatrie*

I. Collecte des données
  A. Collecte des données systématique
    1. Méthode d'entrevue
    2. Observation des comportements objectifs et subjectifs
    3. Examen des documents disponibles dans le milieu de soins (profil médical, dossiers, rapports d'équipe, etc.)
  B. Enregistrement des données

II. Analyse et interprétation des données
  A. Formulation des diagnostics infirmiers actuels ou potentiels
  B. Possibilité de validation du diagnostic par des pairs dans le milieu de soins

III. Planification
  A. Élaboration du plan de soins infirmiers
    1. Objectifs fixés en fonction des problèmes de soins spécifiques du client
    2. Interventions adaptées aux objectifs retenus et aux facteurs étiologiques
  B. Guide d'interventions thérapeutiques
  C. Collaboration avec autrui

IV. Exécution
  A. Interventions visant à favoriser, à maintenir ou à rétablir la santé physique et mentale
  B. Interventions visant à éviter la maladie
  C. Interventions visant à permettre la réadaptation
  D. Interventions validées par le client et les collègues
  E. Interventions psychothérapeutiques
  F. Interventions d'enseignement
  G. Interventions liées aux activités de la vie courante
  H. Interventions de thérapie somatique
  I. Interventions liées au milieu thérapeutique

V. Évaluation
  A. Enregistrement, communication et examen des résultats
  B. Évaluation des réactions du client aux interventions infirmières
    1. Révision de la base de données
    2. Révision du diagnostic infirmier
    3. Révision du plan de soins
  C. Recherche de validation, de suggestions et de nouveaux renseignements
  D. Inscription aux dossiers des résultats de l'évaluation
  E. Auto-évaluation relative aux interventions thérapeutiques

besoins du client sont satisfaits. L'approche holistique favorise l'individualité du client, car elle tient compte des variations dans ses modes d'interaction, dans sa conscience de soi et dans l'opinion qu'il a des autres. L'infirmière doit prendre en compte non seulement l'originalité du client mais également sa propre personnalité. En effet, chaque infirmière a ses limites, ses points forts, ses façons de réagir, ses valeurs et attitudes, dont elle doit avoir conscience avant de s'occuper du client. Elle doit s'efforcer d'être réceptive au style de communication du client et d'en comprendre la signification dans son cadre de référence à lui plutôt que dans son cadre de référence à elle.

Tout en insistant sur les besoins du client lors de la collecte des données, il est important d'inclure des renseignements généraux le concernant, notamment son âge, son sexe, son niveau d'instruction, sa situation professionnelle, son profil de croissance et de développement personnel, ses antécédents culturels, sa situation socio-économique, sa religion, son état physique, son état émotionnel, ses stratégies d'adaptation, son mode de vie, ses modes d'interaction et ses opinions relatives à la santé et à la maladie (Carpenito, 1989A ; Yura et Walsh, 1988).

Bilan de santé

Le bilan de santé est le principal outil de collecte des données et on l'établit à la suite d'une entrevue avec le client. Menée selon un plan bien défini, cette entrevue permet de recueillir des données appartenant à des catégories déterminées par un modèle conceptuel de soins infirmiers. Le modèle utilisé dans le cadre du présent ouvrage est un modèle éclectique et nous donnons ci-après un spécimen de bilan de santé. Cet outil, qui regroupe les aspects biologiques, sociaux, culturels et psychologiques des soins, est conçu pour effectuer la collecte de données initiale auprès de tous les clients atteints de troubles mentaux. Dans chacun des chapitres consacrés aux problèmes de santé mentale, nous présentons des exemples pertinents de bilans de santé ; il est conseillé de les utiliser avec le modèle de base, qui figure dans le présent chapitre.

Bilan de santé

Renseignements généraux
Données biographiques
Nom :
Adresse :
Âge :
Sexe :
Origine ethnique :
Principale langue parlée :
Lieu de naissance :
Religion :
Situation de famille :
Profession :
Niveau de scolarité :
Emploi :
Assurance-groupe :
Diagnostic médical (DSM-III-R) :
Données administratives
Date d'admission :
Heure d'admission :
Date de l'entrevue :
Heure de l'entrevue :
Infirmière conduisant l'entrevue :
Autres personnes présentes à l'entrevue :

Observations générales de l'infirmière
Apparence physique
Taille et poids :
Tenue vestimentaire (la décrire et indiquer si elle est
appropriée au milieu) :
Communication non verbale (expression corporelle, contact
visuel, gestes, état affectif, etc.) :
Démarche :
Altération des facultés physiques :
Altération des facultés mentales :
Communication verbale :
Aspect de la peau (couleur, éraflures, lésions, éruptions,
plaques rouges, etc.) :
Dentier :
Lunettes, lentilles cornéennes :
Prothèses (si oui, indiquer le type) :
Besoins fondamentaux et activités de la vie courante
Air :
Observer le rythme respiratoire et en déceler les
altérations ou déficits :
Demander au client s'il a des difficultés respiratoires et, si
oui, de les décrire :
Circulation :
Observer les extrémités du client (couleur, mouvement et
fonctionnement) :
Demander au client s'il a des troubles circulatoires et, si
oui, de les décrire :
Alimentation et liquides :
Que mangez-vous ?
Suivez-vous un régime et, si oui, quels aliments vous
sont interdits ?

Combien de repas prenez-vous par jour ?
Mangez-vous seul ou avec d'autres personnes ?
Où prenez-vous vos repas ?
Mangez-vous souvent chez vous ?
Mangez-vous souvent au restaurant ?
Prenez-vous des vitamines et, si oui, lesquelles ?
Votre régime alimentaire ou votre poids ont-ils changé
récemment ? Si oui, comment ?
Avez-vous remarqué récemment une augmentation ou
une diminution de votre appétit ? Si oui, décrivez le
changement survenu.
Combien de collations prenez-vous par jour ? De quels
aliments sont-elles composées ?
Élimination :
Combien de fois urinez-vous ?
Décrivez l'aspect de vos urines :
Ressentez-vous une brûlure lorsque vous urinez ?
Décrivez l'odeur de vos urines :
Combien de fois allez-vous à la selle ?
Décrivez l'aspect de vos selles (consistance,
couleur, etc.)
Utilisez-vous souvent des laxatifs ?
Utilisez-vous souvent des lavements ?
Quels aliments spéciaux mangez-vous pour vous aider à
uriner ou à aller à la selle ?
Fonctions neuro-sensorielles :
Portez-vous des lunettes pour lire ? pour conduire ? pour
d'autres activités ?
Depuis combien de temps portez-vous des lunettes ?
Portez-vous un correcteur auditif ? Si oui, depuis combien
de temps ?
Si vous ne portez pas de lunettes ni de correcteur auditif,
pensez-vous en avoir besoin ?
Avez-vous des difficultés à reconnaître les odeurs ? Si oui,
lesquelles ?
Avez-vous de la difficulté à reconnaître le goût de
certains aliments ? Si oui, lesquels ?
Sommeil et repos :
Combien d'heures dormez-vous chaque jour et de quelle
heure à quelle heure ?
Faites-vous souvent une sieste ?
Votre temps de sommeil vous suffit-il ? Vous sentez-vous
reposé, fatigué, etc. ?
Combien de fois par nuit vous réveillez-vous ?
Qu'est-ce qui vous aide à dormir (massage dorsal,
musique, lait chaud, somnifères, etc.) ?
Qu'est-ce qui vous dérange dans votre sommeil ?
Si vous avez été dérangé dans votre sommeil, pouvez-
vous vous rendormir ?
Dormez-vous avec une veilleuse ?
Dormez-vous la fenêtre ouverte ?
Quand vous levez-vous ?
Avez-vous du mal à dormir dans un environnement qui
ne vous est pas familier ? Si oui, décrivez ce qui ne va
pas :

Sécurité :

Quelles mesures de sécurité prenez-vous à votre domicile (verrouiller les portes le jour ou la nuit, verrouiller les fenêtres, garder les étiquettes sur les médicaments, prendre les médicaments en respectant les recommandations du médecin, etc.) ?

Le milieu où vous vivez est-il sûr ou non ? Pourquoi ?

Quelle est à votre avis la meilleure façon d'assurer la sécurité ?

Motricité :

Quels types d'activités physiques faites-vous chaque jour ?

Depuis combien de temps n'avez-vous pas fait d'exercice physique ?

Quel type d'activité physique faites-vous au travail ?

Êtes-vous satisfait de la quantité d'exercice que vous faites ? Pourquoi ?

Décrivez vos limites physiques :

Douleur :

Quel genre de douleur ressentez-vous le plus souvent ?

Qu'avez-vous l'habitude de faire pour soulager cette douleur ?

Fumez-vous ? Si oui, quelle quantité ?

Buvez-vous des boissons alcoolisées ? Si oui, à quelle fréquence ? Avec qui buvez-vous ? Buvez-vous seul ?

Prenez-vous des tranquillisants ? Si oui, lesquels ?

Quelles autres drogues avez-vous l'habitude de prendre ?

Combien de tasses de café ou de thé ou de verres de cola buvez-vous par jour ?

Prenez-vous des drogues et de l'alcool en même temps ? À quelle fréquence ?

À quels aliments êtes-vous allergique ?

À quels médicaments êtes-vous allergique ?

Avez-vous d'autres allergies (poussière, animaux, ruban adhésif, etc.) ?

Quel type de traitement avez-vous suivi pour vos allergies ?

Quelles maladies importantes avez-vous eues ?

Quelles opérations importantes avez-vous subies ?

Quel effet vos maladies ou opérations chirurgicales ont-elles eu sur votre façon de vivre ?

Quel traitement suivez-vous actuellement ?

Hygiène :

Prenez-vous souvent un bain ou une douche ?

Préférez-vous prendre un bain, une douche ou faire votre toilette au-dessus d'un lavabo ?

À quelle heure de la journée préférez-vous prendre un bain ou une douche ?

Quels types de désodorisant ou d'eau de toilette utilisez-vous ?

Combien de fois par jour vous brossez-vous les dents ? Combien de fois utilisez-vous la soie dentaire ?

Quelle est la fréquence de vos examens dentaires ?

Sexualité :

Comment faites-vous pour satisfaire vos besoins sexuels (rapports sexuels, attouchements, caresses, masturbation, etc.) ?

Comparez vos propres besoins avec ceux de votre partenaire :

Sont-ils compatibles ou incompatibles ? Comment tenez-vous compte des besoins de votre partenaire ?

Pour les clientes :

Décrivez vos cycles menstruels (régularité, abondance, etc.)

Quand examinez-vous vos seins ?

Tous les combien vous faites-vous faire un frottis vaginal ?

Enseignement et apprentissage :

Pour quelle raison venez-vous vous faire soigner ?

Qu'attendez-vous du traitement ?

Sous quelle forme préférez-vous recevoir l'information (documents imprimés, cours, films, etc.) ?

Décrivez les besoins d'apprentissage que vous pensez avoir :

Jusqu'à quel niveau avez-vous poursuivi vos études ?

Lisez-vous beaucoup ? Quels sont les livres ou les magazines que vous aimez lire ?

Avez-vous des croyances ou pratiques culturelles ayant un rapport avec votre maladie et dont nous devrions être informés ? Si oui, quelles sont ces croyances (esprit du Mal, guérisseurs, etc.) ?

Profil psychosocial :

Quel est votre principal problème d'ordre psychologique ?

À votre avis, quelle en est la cause ?

Quel est, à votre avis, votre plus gros problème actuellement ?

Depuis combien de temps avez-vous ce problème ?

Qu'est-ce qui vous aidera à guérir ?

Pensez-vous que vous allez guérir ? Pourquoi ?

Santé psychique

Stratégies d'adaptation :

Qui sont les personnes importantes dans votre vie ?

À qui parlez-vous régulièrement ?

Combien de temps passez-vous seul ?

Avec combien de personnes avez-vous des contacts chaque jour ?

Voyez-vous souvent d'autres personnes ?

Que faites-vous dans une situation stressante (manger, fumer, dormir, boire de l'alcool, avoir des rapports sexuels, s'isoler, se mettre en colère, parler à quelqu'un, prier, lire, écouter de la musique, etc.) ?

Modes d'interaction :

Qui sont les personnes faisant partie de votre famille immédiate ?

Comment exprimez-vous vos pensées et vos sentiments aux autres (verbalement, par allusions, par des moyens non verbaux) ?

Quand faites-vous part de votre opinion à votre famille?
et à vos amis?

Que pensez-vous des interactions que vous avez avec
votre famille? et avec vos amis?

Fonctions cognitives:

Aviez-vous de la difficulté à apprendre à l'école?

Lisez-vous souvent? Aimez-vous lire des journaux, des
livres? Quel est le dernier livre que vous avez lu?

Trouvez-vous difficile d'apprendre des choses nouvelles?

Comment apprenez-vous le mieux (en écoutant, en
lisant, en regardant)?

Comment réussissez-vous dans votre travail scolaire ou
dans votre vie professionnelle?

Concept de soi:

Êtes-vous satisfait de votre poids? Pourquoi?

Que pensez-vous de votre aspect physique?

Votre corps a-t-il subi une altération d'ordre physique?

Vous a-t-il été difficile d'accepter ces changements?

Ces modifications physiques ont-elles eu un effet sur vos
relations avec votre famille, vos amis, vos collègues? Si
oui, lequel?

Vous considérez-vous comme supérieur, égal, ou
inférieur aux autres?

Comment exprimez-vous vos pensées et vos sentiments
aux autres?

Profil émotionnel:

En général, quelle est votre humeur (calme, déprimée,
enjouée, coléreuse, excitée, agitée, etc.)?

Décrivez vos récents changements d'humeur et dites de
quelle façon vous vous êtes exprimé pendant cette
période:

Êtes-vous satisfait de votre humeur habituelle? Pourquoi?

Quelles sont vos relations avec les autres lors de vos
changements d'humeur?

Êtes-vous satisfait de votre comportement lors de vos
changements d'humeur? Pourquoi?

Santé sociale

Santé familiale:

Y a-t-il dans votre famille une des maladies chroniques
suivantes:

_____ tuberculose

_____ diabète

_____ cancer

_____ hypertension

_____ dépression

_____ anxiété

_____ cardiopathie

_____ néphropathie

_____ alcoolisme

_____ toxicomanie

_____ psychose

Relations significatives:

Quelles personnes ont le plus d'importance dans votre
vie?

De qui vous sentez-vous le plus proche? Pourquoi?

Dans l'ensemble, comment s'entendent les membres de
votre famille?

Quels sont les principaux conflits dans votre famille?

Lorsque des membres de votre famille sont préoccupés
ou ont besoin d'aide, à qui s'adressent-ils?

À votre avis, quel soutien recevez-vous de votre famille
en ce qui concerne vos problèmes de santé?

Stratégies d'adaptation familiale:

Comment votre famille réagit-elle au stress?

Comment les décisions sont-elles prises dans votre
famille? Qui a le dernier mot?

Qu'arrive-t-il en cas de désaccord entre deux membres
de votre famille?

Si quelqu'un tombe malade dans la famille, qui en prend
soin?

Quel rôle jouez-vous au sein de la famille? Vous sentez-
vous à l'aise dans ce rôle? Pourquoi?

Aspects culturels:

Quelles valeurs sociales a-t-on privilégié dans votre
éducation?

Auxquelles de ces valeurs croyez-vous à l'heure actuelle?

Quelles sont vos traditions familiales (réunions, fêtes,
chef de famille, nourriture, activités religieuses,
pratiques liées à la santé, etc.)?

Auxquelles de ces traditions adhérez-vous?

Aspects relatifs aux loisirs:

Que faites-vous pour vous distraire en famille?

Que pensez-vous du temps de loisirs (vous
l'appréhendez, vous l'envisagez avec plaisir, etc.)?

Quels sont vos passe-temps? Quels sont ceux des autres
membres de votre famille?

À quoi vous intéressez-vous hors du travail et de la
famille?

De quelles ressources votre famille dispose-t-elle pour
participer à ces activités (matériel, argent, moyens de
transport, temps, etc.)?

Quand avez-vous pour la dernière fois participé à des
activités de loisirs avec votre famille?

Environnement:

Vivez-vous dans une maison multifamiliale ou
unifamiliale?

Vous sentez-vous à l'aise là où vous vivez? Pourquoi?

De quel espace disposez-vous personnellement?

Avez-vous des animaux domestiques? Lesquels?

Êtes-vous ennuyé par certaines nuisances (bruit, sons,
odeurs, etc.)?

Aspects spirituels:

Quelles sont vos préférences religieuses?

Pratiquez-vous la religion dans laquelle vous avez été
élevé? Sinon, vous sentez-vous en situation de conflit à
ce sujet?

Les autres membres de votre famille pratiquent-ils votre
religion? Sinon, que pensent-ils de vos différences?

Quelles sont vos pratiques religieuses les plus courantes (méditation, prière, étude de la Bible, participation à la messe, etc.) ?

Valeurs :

Quelles sont, pour vous, les choses les plus importantes dans la vie ? Les moins importantes ?

Comment en tenez-vous compte dans votre façon de vivre ? Si vous n'en tenez pas compte, cela vous pose-t-il un problème ?

Que pensez-vous des valeurs morales que l'on vous a inculquées pendant l'enfance ?

Vos valeurs morales sont-elles cause de conflit interne ou de conflit avec votre famille ? Si oui, décrivez le conflit :

Vous sentez-vous adapté socialement ?

Viendriez-vous en aide à un inconnu ? à une relation ? Pourquoi ?

Accepteriez-vous l'aide d'un inconnu ? d'une relation ? Pourquoi ?

Évaluation personnelle :

Quelles sont vos principales qualités ?

Quels sont vos principaux défauts ?

Quels sont vos talents particuliers ?

Comment vous classez-vous par rapport aux autres ?

Résumé des observations non verbales

Niveau émotionnel de l'entrevue :

Attitude du client à l'égard de l'entrevue et de l'infirmière :

Expressions du visage, gestes, posture, contact visuel, ton de la voix, mouvements, tremblements des mains ou autres activités pendant l'entrevue :

Sujets évités par le client :

Réaction de l'infirmière au client :

Élocution :

Présentation du client (propreté, odeurs corporelles, ongles, cheveux, etc.) :

Constriction ou dilatation des pupilles :

Concentration sur la conversation (champ d'attention, mouvements rapides, bâillements, bouge sur son siège, contact visuel, délai de réponse, compréhension des mots prononcés, etc.) :

ÉTUDE DE CAS

Bilan de santé appliqué à une situation clinique

Marie S., 35 ans, infirmière auxiliaire en chômage, a été admise à l'unité d'orthopédie à cause d'une douleur lombaire chronique. Une hospitalisation de sept jours avait pour objectif de contrôler la médication analgésique et de soulager la douleur par une traction pelvienne. Mécontente de la médication prescrite par le médecin, Marie se montra très agressive et exigeante envers le personnel infirmier. Le personnel, estimant qu'il était pratiquement impossible de s'occuper d'elle, demanda au médecin une consultation en psychiatrie.

Les renseignements qui suivent ont été recueillis par l'infirmier qui a fait passer l'entrevue à Marie avant l'examen psychiatrique.

Bilan de santé

Renseignements généraux

Données biographiques

Nom : Marie S.

Adresse : 883, rue Étoile, Québec

Âge : 35 ans

Sexe : Féminin

Origine ethnique : Canadienne

Principale langue parlée : Français

Lieu de naissance : Montréal

Religion : Catholique

Situation de famille : Divorcée

Profession : Infirmière auxiliaire

Niveau de scolarité : Cinquième année du secondaire

Emploi : Sans emploi

Assurance-groupe : Néant

Diagnostic médical : Douleur lombaire chronique, pas de diagnostic DSM-III-R

Données administratives

Date d'admission : 4 août 1989

Heure d'admission : 9 h

Date de l'entrevue : 5 août 1989

Heure de l'entrevue : 20 h

Infirmière conduisant l'entrevue : Robert Silva, RN

Autres personnes présentes à l'entrevue : Néant

Observations générales de l'infirmière

Apparence physique

Taille et poids : Femme de taille moyenne mesurant environ 1,63 m et pesant environ 54 kg.

Tenue vestimentaire : Chemise de nuit en nylon noir, robe de chambre en flanelle bleue et pantoufles noires. Marie étant en milieu de soins intensifs, les vêtements de nuit sont appropriés. Toutefois, la chemise de nuit en nylon est très décolletée et rend difficile l'installation ou le retrait de la traction pelvienne.

Communication non verbale (expression corporelle, contact visuel, gestes, état affectif, etc.) : Marie traîne légèrement les pieds en marchant et ses épaules sont affaissées. Lorsqu'elle s'assied, elle déplace le poids de son corps vers la droite. Marie évite de regarder l'infirmier droit dans les yeux. De temps en temps, elle ferme les yeux et grimace de douleur.

Démarche : Marie tient bien sur ses jambes, mais elle se déplace très lentement.

Altération des facultés physiques : Pas d'altération visible.

Altération des facultés mentales : Marie réagit lentement et elle est souvent interrompue par ce qu'elle appelle des élancements dans le dos.

Communication verbale : Marie préfère trouver une position confortable avant de commencer à parler. Elle parle lentement et s'arrête parfois en milieu de phrase parce qu'elle a perdu le fil de ses idées. Quand ses phrases sont longues, il lui arrive de mal articuler certains mots.

Aspect de la peau (couleur, éraflures, lésions, éruptions, plaques rouges, etc.) : Marie est pâle et a les yeux cernés. Elle a des plaques rouges sur les hanches, qui sont dues à une irritation causée par la ceinture de traction pelvienne. Elle n'a pas d'hématomes, ni d'éraflures ni de lésions.

Dentier : Néant.

Lunettes, lentilles cornéennes : Marie porte des lunettes pour lire et n'a pas de lentilles cornéennes.

Prothèses : Néant.

Besoins fondamentaux et activités de la vie courante

Air : Marie semble avoir un rythme respiratoire normal. Elle déclare n'avoir aucune difficulté à respirer en général. Il lui arrive de souffrir d'hyperventilation lorsque la douleur est aiguë.

Circulation : Les pieds et les mains de Marie sont pâles, et il y a présence d'un pouls dans toutes ses extrémités. Cependant, Marie déclare que la douleur dorsale se propage le long de ses jambes. Elle déclare ne pas avoir de problèmes circulatoires.

Alimentation et liquides : Marie aime tous les aliments. Elle évite toutefois les produits laitiers pour cause d'allergie. Pendant la journée, elle prend des collations composées de noix, de céréales, ou de craquelins et fromage, et elle prend un repas normal le soir. Elle mange généralement seule devant la télévision. Marie mange souvent à l'extérieur dans des restaurants à service rapide. Elle ne prend pas de vitamines. Elle a remarqué avoir pris 7 kg au cours de la dernière année.

Élimination : Marie urine quatre fois par jour environ. Ses urines sont ambres. Elle ne ressent pas de brûlure et ne remarque pas d'odeur nauséabonde. Marie a une émission fécale tous les trois jours. Ses selles sont dures et formées. Elle prend du lait de magnésie au moins deux fois par mois pour aller à la selle et utilise parfois des lavements préparés.

Fonctions neuro-sensorielles : Marie porte des lunettes de lecture. Elle a commencé à en porter lorsqu'elle était à l'école secondaire. Elle déclare ne pas avoir de difficulté à entendre, ni de difficulté à identifier les odeurs ou le goût des aliments.

Sommeil et repos : Marie trouve qu'elle ne dort pas suffisamment. Elle prend des analgésiques toutes les quatre heures, généralement de l'Empirin 4, et un anxiolytique toutes les six heures, en général du Valium 10 mg. Marie se repose uniquement entre les prises de médicaments. Elle ne dort généralement que quatre heures par nuit. Son sommeil est facilement perturbé si elle fait un mouvement brusque qui réveille sa douleur lombaire. Marie déclare que, si elle est venue à l'hôpital, c'est notamment parce qu'elle a besoin de repos. Elle se sent toujours fatiguée.

Sécurité : Marie se sent en sécurité chez elle. Elle verrouille la porte la nuit. Elle essaie de suivre les instructions de son médecin et de prendre les médicaments prescrits. Elle range ses médicaments dans une armoire et les laisse dans leur contenant d'origine.

Motricité : Marie ne fait pas d'activités physiques quotidiennes à cause de sa douleur qui est trop intense. La souffrance la rendant incapable de travailler, elle a dû quitter son emploi d'infirmière auxiliaire. Elle se sent tellement diminuée dans ses facultés motrices que le simple fait de s'habiller le matin représente pour elle un effort.

Douleur : Marie souffre de douleurs lombaires depuis six mois environ, à la suite d'un accident d'automobile. Pour soulager cette douleur, Marie prend des analgésiques et des anxiolytiques. Elle fume environ un paquet de cigarettes par jour. Étant donné la quantité d'analgésiques qu'elle consomme, elle prend rarement des boissons alcoolisées. Marie boit une pleine cafetière par jour et trois ou quatre verres de cola. Elle est allergique aux produits laitiers et se dit allergique au Demerol, à la pénicilline, au Soma et au Flexiril. Marie n'a pas pu préciser les réactions provoquées par certains aliments ou médicaments ; elle n'a jamais suivi de traitement pour ses allergies. Marie est généralement en bonne santé, exception faite d'une hystérectomie pratiquée lorsqu'elle avait 28 ans et d'un accident d'automobile il y a trois ans. Lors de cet accident, Marie s'est fracturé les C-5 et C-6, et a eu une entorse de la région thoraco-lombaire. Il y a six mois, un autre accident d'automobile lui a de nouveau endommagé la région lombaire. Depuis cet accident, elle a dû arrêter de travailler et elle prend continuellement des analgésiques pour calmer la douleur.

Hygiène : Marie essaie de prendre une douche chaque jour, le soir. Elle utilise des désodorisants et de l'eau de toilette parce qu'elle a l'impression que les médicaments contre la douleur lui donnent une odeur corporelle étrange. Marie se brosse les dents matin et soir. Elle consulte un dentiste une fois par année, lorsqu'elle en a les moyens.

Sexualité : Marie n'a pas voulu donner des détails sur sa relation avec son ami, relation qui dure depuis deux ans. Elle a déclaré que ce qu'ils font ensemble ne regarde qu'eux. Depuis son hystérectomie, Marie n'est plus menstruée. Elle ne vérifie pas ses seins et n'a pas envie d'apprendre à le faire.

Enseignement et apprentissage : Marie a déclaré qu'elle est venue suivre un traitement parce qu'elle a besoin de sommeil et de repos. Elle a l'impression que les analgésiques qu'elle prend ne lui font pas d'effet et qu'elle a besoin de quelque chose de plus fort que l'Empirin 4. Marie est fâchée contre son médecin, parce qu'il a supprimé le Valium qu'elle prenait toutes les six heures et l'a remplacé par 8 mg de morphine toutes les quatre heures sans interruption. Marie n'a pas ressenti de soulagement après 24 heures passées à l'hôpital. Le médecin n'a pas renouvelé sa prescription de Valium et a refusé d'augmenter sa dose de morphine. Marie a précisé qu'elle a été vraiment désagréable avec les infirmières, parce qu'elles n'avaient pas l'air de croire que ses douleurs étaient réelles. Marie ne pense pas avoir de besoins d'apprentissage. Elle est simplement hospitalisée pour se reposer.

Profil psychosocial : Marie est devenue agressive lorsque le mot psychologique a été mentionné. Elle nie avoir des problèmes d'ordre psychologique et pense que la cause de ses problèmes est uniquement physique. Marie veut guérir, mais elle pense que rien ne peut l'aider pour l'instant.

Santé psychique

Stratégies d'adaptation : Marie est séparée de sa famille. Son mari l'a quittée il y a trois ans en emmenant avec lui leur fillette de six ans. Marie était alors en convalescence à la suite de son accident d'automobile. Ses parents ne lui ont jamais donné leur soutien et lui reprochent cet accident qui a détruit sa famille. Depuis deux ans, Marie sort régulièrement avec un jeune homme, Georges, qu'elle a rencontré dans un bar. C'est lui qui est son principal soutien depuis qu'ils se connaissent. Il aide Marie à s'occuper de son intérieur et lui fait la cuisine depuis l'accident qu'elle a eu il y a six mois. Marie voulait qu'il vienne vivre avec elle, mais il ne l'a pas fait. Marie ne voit personne d'autre que Georges. Elle dit qu'elle fume pour surmonter le stress et remarque qu'elle augmente sa consommation de cigarettes lorsqu'elle est tendue.

Modes d'interaction : Marie ne vit pas près de sa famille immédiate. Elle téléphone de temps en temps à son père. Marie affirme être la personne forte dans la relation avec son ami et dit qu'elle n'a pas de difficulté à lui exprimer verbalement ses pensées et ses sentiments. Marie pense avoir une relation solide avec lui.

Fonctions cognitives : Marie avait de bons résultats scolaires. Elle dit qu'elle lit beaucoup et apprend facilement.

Concept de soi : Marie se trouve un peu trop grosse mais, dans l'ensemble, elle est satisfaite de son aspect physique. Son corps n'a pas subi d'altération physique, mis à part l'hystérectomie, et elle se sent à l'aise dans son corps depuis cette opération chirurgicale. Marie dit qu'elle se sent supérieure à la plupart des gens, mais qu'elle essaie de ne pas leur montrer qu'elle pense ainsi. Marie exprime ses pensées et sentiments sans détour.

Profil émotionnel : Marie dit qu'elle se sent déprimée depuis son accident d'automobile survenu il y a six mois. Elle s'est repliée sur elle-même en essayant de supporter sa douleur. Elle ajoute qu'il lui arrive de ne pas s'habiller

de la journée et de rester en robe de chambre. Son ami l'a aidée à vivre cette période difficile en lui faisant la cuisine et en l'encourageant à accomplir les activités quotidiennes. Marie déclare qu'elle voudrait ne plus être déprimée et recommencer à vivre sans souffrir.

Santé sociale

Santé familiale : Marie déclare qu'il n'y a aucune des maladies suivantes dans ses antécédents familiaux.

_____ tuberculose

_____ diabète

_____ cancer

_____ hypertension

_____ dépression

_____ anxiété

_____ cardiopathie

_____ néphropathie

_____ alcoolisme

_____ toxicomanie

_____ psychose

Relations significatives : Marie affirme que son ami est la personne dont elle se sent la plus proche, parce qu'il est toujours là quand elle a besoin de lui. Sa famille s'est dispersée à cause du divorce de ses parents, il y a plusieurs années. Elle dit qu'il n'y a pas de conflit majeur dans la famille et que les membres de sa famille n'aiment pas entendre parler de ses problèmes de santé. Ils ont cessé de venir la voir après son premier accident d'automobile et changent de sujet lorsqu'elle parle de ses problèmes physiques.

Stratégies d'adaptation familiale : Marie déclare que, dans sa famille, on refuse habituellement de reconnaître une situation de stress et on attend qu'elle disparaisse. Elle ajoute qu'elle ne se souvient pas des rôles au sein de la famille.

Aspects culturels : Marie a été élevée dans le respect des valeurs chrétiennes et elle continue de respecter ces valeurs. Lorsqu'on lui demande de s'expliquer davantage, elle change de sujet.

Aspects relatifs aux loisirs : Marie dit qu'elle n'a aucun passe-temps et qu'elle n'aime pas les loisirs. Depuis quelque temps, la douleur accapare le plus souvent son attention, et elle n'a même pas envie de regarder la télévision.

Environnement : Marie habite dans un appartement et se dit satisfaite de l'endroit où elle vit. C'est un quartier où habitent des gens assez âgés et peu d'enfants. Le quartier est calme, la plupart des gens sont retraités et discrets. Cela convient à Marie car elle ne se sent pas obligée de faire connaissance avec ses voisins.

Aspects spirituels : Marie déclare qu'elle est catholique et qu'elle va rarement à l'église. La religion ne tient pas une grande place dans sa vie.

Valeurs : Marie explique que, pour l'instant, la chose la plus importante à ses yeux est de recouvrer la santé et de ne plus souffrir. La chose la moins importante est de se remarier et de fonder une famille. Marie dit qu'elle se sent en accord avec ses valeurs morales et change de sujet lorsqu'on essaie d'approfondir le sujet. Elle n'aime pas beaucoup être dans une salle commune et trouve que les gens la traitent avec indifférence à cause de sa situation. Elle pense qu'elle serait mieux traitée si elle avait une chambre individuelle. Elle n'aime pas l'attitude condescendante des infirmières qui s'occupent d'elle. Évaluation personnelle : Marie a du mal à préciser ses qualités et défauts. Elle dit qu'elle est capable de supporter la douleur mieux que la plupart des gens et que, avec le genre de souffrance qu'elle endure, il y en a beaucoup qui auraient craqué.

Résumé des observations non verbales
Pendant presque toute la durée de l'entrevue, Marie a semblé retenir sa colère. Tout en s'efforçant d'être polie, elle semblait en vouloir à son interlocuteur. Marie a bien coopéré et a essayé de répondre aux questions. Par moments, elle évitait certains sujets. Au début de l'entrevue, elle a précisé qu'elle n'aimait pas du tout le « baratin psychologique » qu'on cherchait à lui imposer et a prévenu l'infirmier qu'elle ne répondrait que si elle en avait envie. Elle s'est détendue au fur et à mesure que l'entretien progressait et donnait moins l'impression d'avoir peur d'être analysée. Au début de l'entrevue, elle évitait tout contact visuel avec son interlocuteur; cela a changé vers le milieu de l'entrevue quand elle a commencé à se détendre. À plusieurs reprises pendant l'entretien, il lui est arrivé de grimacer de douleur. Étant donné son état émotif, il est difficile de savoir si sa douleur est réelle. Marie tenait, semble-t-il, à faire savoir à l'infirmier qu'elle souffrait le martyre pendant l'entrevue mais, lorsque la conversation s'engageait sur un sujet qui l'intéressait, elle semblait ne plus penser à sa douleur. Elle a résolument évité de parler des relations familiales et de sa relation avec son ami. Marie parle lentement et bredouille par moments. L'infirmier qui a mené l'entrevue a eu du mal à ressentir de l'empathie pour Marie car elle a eu, envers lui et envers les autres membres du personnel infirmier, une attitude désagréable. Elle est parvenue à sa façon à mettre l'infirmier mal à l'aise. Lors de l'entrevue, Marie avait une tenue soignée, ses cheveux bruns étaient tressés en arrière. Elle portait sa propre chemise de nuit et sa propre robe de chambre. Elle avait les yeux cernés et semblait fatiguée. Ses pupilles étaient contractées et elle donnait l'impression d'avoir du mal à se concentrer. Au bout d'une heure, Marie a demandé la permission de se retirer pour aller dormir, parce qu'elle se sentait plus détendue après avoir dit ce qu'elle « avait sur le cœur ».

Autres outils de collecte des données

Le bilan de santé n'est qu'un des multiples outils que l'infirmière peut utiliser pour faire la collecte des données.

L'observation   Élément essentiel de la pratique professionnelle en psychiatrie, l'**observation** consiste à voir et à écouter les signes de communication verbale ou non verbale du client et porte sur tous les aspects de sa vie. Pour faire cette observation, l'infirmière doit, en tenant compte de ses propres limites, utiliser tous ses sens : la vue, l'ouïe, l'odorat, le goût et le toucher.

Il existe plusieurs techniques de communication pouvant aider l'infirmière dans son observation. Tout d'abord, elle doit montrer qu'elle comprend le client, c'est-à-dire ses idées sur le monde et sur le sens qu'il prête à ses expériences. Ensuite, l'infirmière pose des questions ouvertes qui lui permettent d'obtenir les renseignements dont elle a besoin pour comprendre le client. Cette technique permet également à l'infirmière de mieux cerner l'intention du client dans la communication et de la valider. Troisièmement, et ce point est très important, l'infirmière doit pratiquer l'écoute active, et être attentive à tous les aspects verbaux et non verbaux de la communication. Il convient de noter que, dans la technique de l'écoute active, le silence peut jouer un rôle très utile.

L'infirmière doit, d'une part, chercher à comprendre le mode de communication de son client et ce qu'il ressent face à la situation et, d'autre part, confirmer auprès de lui l'exactitude de ses interprétations. Ce renvoi d'information aide effectivement le client à comprendre l'impression que sa communication peut faire sur les autres. L'infirmière peut aussi révéler au client les observations qu'elle a notées à propos de son comportement, ce qui l'aide à comprendre comment il est perçu par les autres. Pour encourager le client à préciser sa pensée, l'infirmière peut avoir recours à la réitération, ou reflet simple, technique qui consiste à répéter ce que dit le client. Enfin, le fait de centrer la communication sur un sujet aide le client à mieux communiquer : lorsqu'elle décèle un thème qui se dégage de la communication, l'infirmière encourage le client à l'approfondir (Hagerty, 1984 ; Wilson et Kneisl, 1988).

L'entrevue   L'entrevue est le principal outil de communication pour l'infirmière en milieu psychiatrique. Menée dans un but défini, l'entrevue psychiatrique est surtout axée sur les troubles du comportement et sur les profils physique, émotionnel et social du client. Elle permet aussi de déterminer l'état mental actuel du client et constitue un moyen systématique d'établir une vaste base de données à partir desquelles on pourra élaborer un plan de soins.

L'entrevue peut servir à recueillir des données, à établir un lien avec un client, à lui venir en aide et à évaluer ses comportements. C'est sur les observations faites au cours de l'entrevue et sur les données recueillies que vont s'appuyer les diagnostics infirmiers.

Hagerty (1984) a défini quelques directives générales pour mener une entrevue :

- Choisir une pièce confortable, calme et à l'abri des indiscrétions.

- Éviter les interruptions.

- Créer une ambiance agréable. L'attitude de l'infirmière est particulièrement importante.

- Prévoir 30 à 60 minutes d'entrevue ; la durée dépendra du but recherché et des circonstances.

- Dès le départ, expliquer au client que des notes seront prises. Si, pour une raison quelconque, l'infirmière ne prend pas de notes pendant l'entrevue, elle doit consigner les renseignements immédiatement après.

La relation infirmière-client   La relation infirmière-client constitue le préambule essentiel de la démarche de soins infirmiers en psychiatrie. L'utilisation de certaines techniques de communication permet à l'infirmière d'obtenir plus facilement des renseignements auprès du client. Si elle parvient à déterminer comment son style de communication est perçu par le client, elle pourra établir une meilleure relation avec lui.

Techniques de communication   Les techniques verbales favorisant la communication thérapeutique font depuis longtemps l'objet de publications (voir au tableau 2-4 la liste des techniques de communication thérapeutique et au tableau 2-5 la liste des techniques de communication non thérapeutique). Les plus utiles de ces techniques sont décrites dans les paragraphes qui suivent.

Les questions ouvertes servent à entrer en contact avec le client et à lui faire sentir que l'infirmière l'écoute et s'intéresse à ses problèmes.

La réitération, ou reflet simple, est aussi pour l'infirmière une façon de montrer au client qu'elle l'écoute. Cette technique consiste à répéter l'idée principale que vient d'exprimer le client. Selon qu'elle souhaite renforcer ce que dit le client ou centrer l'entretien sur un point qu'il a soulevé, l'infirmière reprend en totalité ou en partie ce qu'il vient de dire. Au début, l'infirmière peut trouver cette technique artificielle et avoir du mal à l'utiliser ; cependant, elle constatera après plusieurs essais que le client répond beaucoup plus facilement quand il est certain que l'infirmière a bien entendu ce qu'il a dit.

La clarification est utile lorsque l'infirmière n'est pas sûre d'avoir bien compris les idées exprimées par le client. Les clients ont du mal à exprimer verbalement leurs émotions, surtout si le sentiment exprimé les rend mal à l'aise. L'infirmière aide donc le client à préciser ses sentiments, ses idées et perceptions, et aussi à faire le lien entre ses sentiments et ses comportements.

La reformulation est plus qu'une répétition, car elle peut porter sur le contenu du message ou des sentiments exprimés. C'est un moyen pour l'infirmière de montrer au client qu'elle a entendu et compris ce qu'il lui a dit. La reformulation aide le client à se concentrer sur ses sentiments et permet à l'infirmière de montrer de l'empathie pour lui.

La focalisation permet au client de se concentrer sur un problème donné au lieu de passer d'un sujet à un autre. Cette technique aide le client à faire face à la réalité. Pour apprendre à surmonter les problèmes, le client doit être capable de préciser ses pensées, ses sentiments et ses croyances.

L'échange de perceptions permet au client de vérifier si l'infirmière a bien compris les idées et sentiments qu'il a exprimés. Cela donne l'occasion à l'infirmière de montrer au client qu'elle comprend ses problèmes. On peut aussi utiliser cette technique pour préciser les points qui ne sont pas clairs.

Tableau 2-4 *Techniques de communication thérapeutique*

Techniques	Exemples	Techniques	Exemples
Utiliser le silence	Pas de réponse verbale S'asseoir avec le client	Focaliser l'attention	Ce point mérite d'être examiné de plus près.
Manifester de l'acceptation	Oui. Hum. Je vous suis. Signe de la tête.	Explorer	Parlez-moi de cela plus en détail. Pouvez-vous me donner une description plus complète? Quel genre de travail?
Montrer de la considération	Bonjour monsieur Lepage. Le portefeuille en cuir que vous avez confectionné est absolument superbe! Je remarque que vous vous êtes peigné.	Informer	Je m'appelle Suzanne. Les heures de visite sont ... Voilà pourquoi je suis ici ... Je vais vous emmener au ...
		Clarifier	Je ne suis pas sûre d'avoir bien compris... À votre avis, quel est le point essentiel dont vous avez parlé?
Offrir son temps	Je vais m'asseoir avec vous un moment. Je vais rester ici avec vous. Je tiens à ce que vous vous sentiez à l'aise.	Faire état de la réalité	Je ne vois personne d'autre dans la pièce. Ce bruit vient d'une voiture. Votre mère n'est pas là. Je suis infirmière.
Poser des questions ouvertes	De quoi voulez-vous parler? À quoi pensez-vous? Par où voulez-vous commencer?	Exprimer le doute	N'est-ce pas inhabituel? Vraiment? C'est difficile à croire.
Encourager la poursuite de la conversation	Continuez. Et ensuite? Racontez-moi.	Valider	Dites-moi si j'ai compris la même chose que vous. Employez-vous ce terme pour exprimer l'idée ...?
Situer l'événement dans le temps ou dans l'ordre	Qu'est-ce qui semble avoir causé ...? Était-ce avant ou après ...? Quand cela est-il arrivé?	Verbaliser les sous-entendus	CLIENT : Je ne peux parler ni à vous ni à personne. Cela ne sert à rien. INFIRMIÈRE : Avez-vous l'impression que personne ne comprend?
Faire des observations	Vous semblez tendu. Êtes-vous mal à l'aise quand vous ...? Je remarque que vous vous mordez les lèvres. Quand vous ..., cela me met mal à l'aise.	Suggérer la collaboration	En parlant ensemble, nous pouvons peut-être découvrir ce qui provoque votre anxiété.
Encourager le client à décrire ses perceptions	Si vous vous sentez anxieux, dites-le moi. Qu'est-ce qui se passe? Que semble dire cette voix?	Résumer	Voyons, ai-je bien compris? Vous avez dit... Nous venons de parler pendant une heure de ...
Encourager la comparaison	Est-ce que cela ressemblait à ...? Avez-vous déjà eu des expériences similaires?	Encourager la formulation d'un plan d'action	Que pouvez-vous faire pour exprimer votre colère de façon inoffensive? La prochaine fois que la situation se présente, que pourrez-vous faire?
Refléter ou réitérer	CLIENT : Je n'arrive pas à dormir; je reste éveillé la nuit. INFIRMIÈRE : Vous avez du mal à dormir?		
Reformuler	CLIENT : Pensez-vous que je devrais en parler au docteur? INFIRMIÈRE : La décision d'en parler au docteur semble vous préoccuper...		

Tableau 2-5   *Techniques de communication non thérapeutique*

Techniques	Exemples	Techniques	Exemples
Rassurer	Je crois que vous ne devez pas vous faire du souci à propos de ... Tout ira bien. Vous allez de mieux en mieux.	Prendre parti	Cet hôpital a une bonne réputation. Personne ici ne vous mentirait. Le Dr Choquet est un très bon psychiatre.
Manifester son approbation	C'est bien. Je suis heureuse que vous ...	Demander des explications	Pourquoi pensez-vous cela ? Pourquoi avez-vous cette impression?
Refuser	Ne parlons pas de cela. Je ne veux pas entendre parler de ...	Indiquer l'existence d'une source externe	Qui vous a dit que vous étiez Jésus ? Qui vous a fait faire cela ?
Manifester sa désapprobation	C'est mal. Je préférerais que vous ne fassiez pas ...	Minimiser l'importance des sentiments exprimés	CLIENT : Je n'ai pas de raison de vivre. Je voudrais être mort. INFIRMIÈRE : Il arrive à tout le monde d'avoir le cafard.
Exprimer son accord	C'est correct. Je suis d'accord.	Commentaires stéréotypés	Il fait beau aujourd'hui. Je vais bien. Et vous, comment allez-vous ? Tenez bon !
Exprimer son désaccord	Ce n'est pas correct. Je ne suis absolument pas d'accord avec ... Je ne crois pas.	Répondre au pied de la lettre	CLIENT : Je suis un œuf de Pâques. INFIRMIÈRE : Un œuf de quelle couleur ?
Conseiller	Je pense que vous ne devriez pas ... Pourquoi ne faites-vous pas ... ?	Argumenter	CLIENT : Je ne vaux rien. INFIRMIÈRE : Mais si, vous êtes quelqu'un. Tout le monde vaut quelque chose.
Enquêter	Maintenant, parlez-moi de ... Racontez-moi votre vie.	Interpréter	Ce que vous voulez dire en réalité, c'est que... Inconsciemment, vous voulez dire ...
Démentir	Mais voyons, vous ne pouvez pas être le Premier Ministre !	Changer de sujet inopinément	CLIENT : Je voudrais mourir. INFIRMIÈRE : Avez-vous eu de la visite en fin de semaine ?
Mettre à l'épreuve	Quel jour sommes-nous ? Pensez-vous encore que ... ?		

L'information est une technique qui consiste à renseigner le client sur sa santé tout en lui donnant l'occasion de tirer ses propres conclusions.

La suggestion consiste, pour l'infirmière, à présenter au client différentes possibilités pour qu'il puisse résoudre ses problèmes de façon plus constructive. Toutefois, *suggérer* ne veut pas dire *conseiller*. En effet, lorsqu'elle donne un conseil au client, l'infirmière lui dit ce qu'il doit faire. Or, elle doit précisément l'aider à ne pas dépendre des conseils qu'elle lui donne ; par ailleurs si ses conseils conduisent à un échec, le client risque de lui en faire le reproche (Cook, 1981 ; Stuart et Sundeen, 1983 ; Travelbee, 1971).

Il existe plusieurs techniques non verbales de communication thérapeutique auxquelles la plupart des infirmières peuvent recourir. Elles sont décrites dans les paragraphes qui suivent.

L'écoute active est essentielle dans toute relation infirmière-client. Pour comprendre le client, l'infirmière doit l'écouter. Mais *écouter* ne veut pas simplement dire *entendre les mots*. Pour utiliser cette technique avec succès, l'infirmière doit accorder toute son attention au client. L'écoute active est à la base de toutes les autres techniques thérapeutiques.

Le silence est une technique qu'on utilise avec l'écoute. Par le silence, on encourage le client à continuer de parler. C'est une technique difficile à utiliser, parce qu'elle peut embarrasser l'infirmière et être mal perçue par le client. L'infirmière peut utiliser cette technique lorsqu'elle ne sait pas exactement comment répondre au client. Par le contact visuel ou d'autres moyens non verbaux, l'infirmière communique au client l'intérêt qu'elle lui porte.

L'authenticité désigne le caractère honnête et sincère d'une relation infirmière-client. En d'autres mots, ce que dit l'infirmière ou sa manière de se comporter doit correspondre à ce qu'elle pense ou ressent. Il n'est pas nécessaire de se révéler totalement pour être authentique, mais il faut révéler la part de soi qui est significative dans la relation en cours.

Le respect est essentiel dans la relation infirmière-client. L'infirmière perçoit le client comme une personne qui a de la valeur, et ce respect ne dépend pas du comportement du client car elle l'accepte tel qu'il est. Le respect s'exprime de plusieurs façons : rester assise en silence aux côtés du client, s'excuser si on l'a vexé, lui faire part de ses sentiments au sujet de son comportement et le remercier de bien vouloir répondre honnêtement.

L'empathie désigne la capacité de l'infirmière de percevoir ce que le client ressent et comprend, et de lui communiquer cette perception. L'empathie doit faire partie de toute relation infirmière-client. Chaque individu étant unique, il est difficile de comprendre parfaitement une autre personne. L'infirmière sera donc d'autant plus capable de comprendre les clients que son expérience sera variée.

Le toucher est un moyen pour l'infirmière de personnaliser la communication dans une situation très intense. Elle doit toutefois savoir ce qu'en pense le client et tenir compte du fait qu'il ne veut peut-être pas qu'on le touche. Certains clients se méfient, d'autres se font une piètre idée d'eux-mêmes, ou bien ont une telle peur irraisonnée des microbes que leur anxiété s'accroît lorsqu'on les touche. Dans le cadre de la communication thérapeutique, *toucher* peut signifier mettre un bras autour des épaules d'un client qui pleure ou prendre la main d'un client qui exprime des regrets.

L'expression du visage et le mouvement du corps fournissent des indices non verbaux qui aident le client à interpréter les réponses de l'infirmière. Il est donc important que les mouvements et expressions de l'infirmière concordent avec ses paroles (Cook, 1981 ; Stuart et Sundeen, 1983 ; Travelbee, 1971 ; Wilson et Kneisel, 1988).

Composantes de la communication Une communication efficace comprend cinq éléments principaux : l'émetteur, le message, le canal, le récepteur et la rétroaction. L'émetteur est la personne qui envoie le message au récepteur en utilisant un canal donné ; le récepteur répond alors au message, et ce renvoi d'information est appelé *rétroaction*. Les idées, les événements, les situations, les émotions, les attitudes et même la connaissance peuvent influer sur chacun des éléments de la communication. Dans le contexte de la relation infirmière-client, c'est à l'infirmière qu'incombe la responsabilité de reconnaître l'interaction de ces effets sur les éléments de la communication (Bradley et Edinberg, 1982).

Lorsque le récepteur ne réagit pas au message ou ne répond pas à l'émetteur, on parle de communication *unilatérale*. C'est alors l'émetteur qui domine la situation ; c'est le cas par exemple d'une émission de télévision, d'une conférence, d'un discours ou d'une note de service. Ce type de communication peut perturber les interactions entre infirmières et clients. En effet, si le client perçoit l'infirmière comme une personne chargée de transmettre l'information ou d'envoyer les messages, il lui sera difficile d'assumer la responsabilité de modifier son comportement. Le client ne participera pas activement à la relation et attendra que l'infirmière lui donne ses instructions.

La communication *bilatérale* est beaucoup plus efficace lors des interactions entre l'infirmière et le client. Dans ce type de communication, le récepteur participe activement au processus : il reçoit les messages et y répond par un retour d'information. Il est alors plus facile pour l'infirmière de connaître les besoins du client et de l'aider à modifier son comportement. La communication bilatérale demande plus de temps que la communication unilatérale, mais elle est fondamentale dans la relation infirmière-client.

Les interactions entre infirmières et clients sont axées sur la personne. Cette orientation entre souvent en contradiction avec les autres responsabilités de l'infirmière en milieu clinique. L'infirmière a habituellement un certain nombre de tâches matérielles à accomplir parallèlement à ses interactions avec les clients. En général, elle est évaluée en fonction de ces tâches concrètes et visibles ; le travail moins visible qui consiste à s'occuper des besoins psychologiques du client passe souvent inaperçu. Le fait que, dans le système de soins, on récompense l'infirmière par des promotions, des augmentations de salaire et des évaluations du rendement fondées sur les tâches concrètes et visibles peut contribuer à la détérioration de la relation infirmière-client. Comme il est difficile de définir une méthode systématique pour établir une bonne relation infirmière-client, l'infirmière risque de se consacrer davantage aux tâches visibles et de négliger l'acquisition des habiletés nécessaires à l'établissement d'interactions de qualité avec les clients.

En mettant ses connaissances en pratique et en faisant preuve de compréhension, l'infirmière peut cependant accomplir des tâches peu visibles tout en s'acquittant des tâches matérielles. Supposons par exemple que le client soit agité et qu'un médicament lui ait été prescrit. Lorsqu'elle vient lui donner une injection, l'infirmière peut prendre le temps de lui expliquer ce qu'elle fait et de le rassurer. Par ce genre d'attitude, elle lui apporte une aide psychologique en plus de calmer son agitation physique.

Les principes de la communication et des relations infirmière-client s'appliquent à divers contextes et donnent de meilleurs résultats lorsqu'on accorde de l'attention à la fois aux tâches peu visibles et aux tâches matérielles. Les interactions devraient être structurées de manière à permettre l'exécution des tâches tout en veillant au bien-être du client. Les habiletés de communication peuvent s'adapter à de nombreux milieux de soins.

Les principaux canaux de communication sont les canaux visuel, auditif et kinesthésique. Le canal visuel fait intervenir la vue, l'observation et la perception. L'observation de l'expression corporelle, du regard, de la pose et de l'apparence joue un rôle clé dans la relation infirmière-client. Il faut toutefois se méfier des risques de mauvaise interprétation ; celle-ci peut entraîner une rupture de la relation. Le canal auditif comprend les mots pro- noncés, le ton et le timbre de la voix, le rythme et la vitesse d'élocution. Tous ces facteurs peuvent modifier l'effet du message sur le récepteur. Le canal kinesthésique, qui fait référence à la sensibilité physique, à la douleur, au soutien émotionnel et physique, comporte des aspects culturels. Dans bien des cultures, tout contact physique avec un étranger est déplacé. Or, l'infirmière est une personne étrangère qui est souvent placée dans des situations où il est nécessaire de toucher le client. Ce contact physique peut aussi bien aider le client à libérer des émotions refoulées que le mettre en colère. Le toucher est un moyen de communication efficace à condition que ni l'infirmière ni le client ne se sentent mal à l'aise.

Style de communication. Le style de communication de chacun dépend des circonstances et des personnes qui entrent en jeu dans la relation infirmière-client. Plusieurs facteurs influent sur le style de communication de l'infirmière : l'ouverture, l'orientation vers la personne ou vers la tâche, la révélation de soi, l'acceptation, l'attitude défensive et la congruence.

L'ouverture caractérise la personne prête à écouter et à comprendre, et par conséquent à modifier le message dans le cadre du processus de communication (Katz et Kahn, 1966). L'ouverture peut varier selon les rôles adoptés. Par exemple, on réagit de manière différente lorsqu'on est en présence de pairs ou en présence de supérieurs ou de subordonnés. D'autre part, une personne peut être complètement repliée sur elle-même et être réfractaire à toute modification de l'intention du message. Dans le contexte de la relation infirmière-client, l'ouverture consiste à donner et recevoir de l'information, à complimenter, à critiquer, à poser des questions et à faire des suggestions.

L'orientation vers la personne ou vers la tâche est une autre caractéristique du style de communication. Certaines personnes sont entièrement orientées vers la tâche alors que d'autres s'orientent vers la personne (Blake et Mouton, 1969). Ce facteur a une incidence sur le type d'informations recueillies et sur l'attitude de l'infirmière envers le client.

La révélation de soi est nécessaire au maintien d'une relation efficace entre l'infirmière et le client. Cette habileté implique le désir et la capacité de parler de ses sentiments et de ses perceptions d'une manière franche et honnête (Jourard, 1971). La révélation de soi peut varier entre l'excès et l'incapacité totale de parler de soi. L'infirmière doit acquérir une certaine perspicacité pour choisir le moment et les circonstances où elle peut se révéler; quant au client, il faut qu'il sente un climat de confiance dans sa relation avec l'infirmière.

L'acceptation de soi et de l'autre joue un rôle clé dans le style de communication. Accepter l'autre, c'est l'approuver, bien sûr, mais c'est surtout comprendre ce qu'il pense ou ressent, lui reconnaître le droit de penser comme il pense et ne rien lui reprocher, même s'il a tort ou besoin de modifier son comportement (Rogers, 1951). On associe souvent la notion d'*impartialité* à celle d'acceptation. Il n'est pas toujours facile d'accepter l'autre, surtout si ses attitudes ou ses valeurs s'opposent aux nôtres. Dans la relation infirmière-client, l'un comme l'autre peuvent se sentir blessés, ce qui entraîne un sentiment de frustration, de déception et de colère. S'il y a un manque d'acceptation, il faut le reconnaître. Les deux parties doivent comprendre qu'elles font de leur mieux et elles doivent persévérer vers l'acceptation mutuelle.

L'attitude défensive peut avoir des significations différentes dans le processus de communication. On interprète parfois cette attitude comme la réaction d'une personne qui se sent attaquée. On peut aussi l'interpréter comme un moyen de lutter contre l'anxiété. Dans le contexte de la relation infirmière-client, il faut reconnaître l'attitude défensive, puis en discuter. Par exemple, l'infirmière peut dire : « Vous semblez en colère, qu'est-ce qui vous dérange ? » (Bradley et Edinberg, 1982).

La congruence est le dernier facteur qui intervient dans le style de communication. Elle correspond au degré de cohérence entre les paroles, l'expression du visage et du corps, et le ton de la voix. Le message transmis doit correspondre aux sentiments et aux pensées de celui qui l'émet (Satir, 1976). La congruence est importante dans la relation infirmière-client pour créer un climat thérapeutique.

Le style de communication propre à chaque personne se forme au cours de son développement. Le profil de personnalité présenté au tableau 2-6 a pour but de permettre à une personne de mieux comprendre son propre style de communication et celui des autres. Le diagramme de la figure 2-4 permet à la personne qui répond au test de savoir à quelle catégorie appartient son style de communication, et le tableau 2-7 indique les caractéristiques de chaque catégorie. Une fois son style prédominant déterminé, l'infirmière peut prendre conscience des forces et des faiblesses qui le caractérisent et être à même de mieux comprendre ses propres réactions.

Examen de l'état mental Cet examen renseigne sur le comportement et les capacités mentales du client. Il est utile lorsque le client a montré des signes d'altération de la pensée au cours de l'entrevue destinée à dresser le bilan de santé. Plus précisément, l'examen de l'état mental comprend les observations générales sur l'apparence physique et le comportement du client, et l'évaluation de l'élocution, du niveau de conscience, de l'état émotionnel, des opérations de la pensée et du contenu des idées, ainsi que des fonctions cognitives. L'impression générale relative aux déficiences, au comportement et à la performance du client sert de fondement pour l'analyse et l'interprétation des données. (Le tableau 2-8, p. 75, donne un aperçu de l'examen de l'état mental.)

Autres examens Pour comprendre le client, l'infirmière peut également recourir aux examens psychologiques. Ils sont de deux types : ceux qui évaluent les fonctions intellectuelles ou cognitives et ceux qui décrivent le fonctionnement de la personnalité. On les utilise pour les raisons suivantes : 1) déterminer s'il y a déficience mentale ; 2) déterminer la psychothérapie appropriée ; 3) faciliter le diagnostic différentiel ; 4) appuyer les expertises en psychiatrie légale.

Il existe de nombreux examens psychologiques. L'infirmière doit être au courant qu'ils existent et savoir en quoi ils peuvent l'aider à mieux

Tableau 2-6 *Profil de personnalité (SELF)*

Énoncés 1 à 14 : En regard de chaque énoncé, inscrivez le chiffre qui correspond le mieux à votre personnalité.

Faux	Un peu	Parfois	Vrai en	Vrai dans
1	vrai	vrai	général	tous les cas
	2	3	4	5

1. En groupe, j'ai tendance à parler et à agir au nom du groupe. _____

2. Je suis rarement calme lorsque je suis en présence d'autres personnes. _____

3. Lorsque j'ai l'occasion de diriger, j'ai tendance à jouer ce rôle activement au lieu de le déléguer aux autres. _____

4. Je préfère rencontrer des gens plutôt que de lire un bon livre. _____

5. Je demande parfois à ma famille ou à mes amis plus qu'ils ne peuvent accomplir. _____

6. J'aime sortir souvent. _____

7. Pour moi, il est important que les gens suivent les conseils que je leur donne. _____

8. J'aime recevoir des invités. _____

9. Lorsque j'ai la responsabilité de quelque chose, je n'ai pas de difficulté à attribuer des tâches aux autres. _____

10. Je change souvent mes projets pour faire de nouvelles connaissances. _____

11. Je me retrouve souvent en train de jouer le rôle de meneur et de prendre la situation en main. _____

12. J'aime beaucoup me mêler à la foule. _____

13. Quand la situation risque de mal tourner dans un groupe, je prends en général les rênes et j'essaie d'arranger la situation. _____

14. Je me fais des amis très facilement. _____

Énoncés 15 à 20 : En regard de chaque énoncé, inscrivez la lettre correspondant à votre réponse.

15. Vous participez à une conversation entre plusieurs personnes. Quelqu'un fait une remarque que vous savez incorrecte et vous êtes sûre que les autres ne s'en sont pas aperçus. Allez-vous intervenir ? _____

   A. Oui
   B. Non

16. Après une dure journée de travail, vous préférez: _____

   A. retrouver quelques amis et participer à une activité.
   B. demeurer à la maison et vous détendre.

17. Lorsqu'il faut organiser une sortie en groupe, en général, vous : _____

   A. êtes la première personne à suggérer une idée et vous poussez les autres à se décider rapidement.
   B. veillez à ce que chacun donne son avis et acceptez la décision du groupe.

18. Vous venez juste de terminer un projet de trois mois auquel vous avez consacré beaucoup de temps et d'énergie. Pour fêter l'occasion, vous déciderez probablement : _____

   A. d'inviter des amis et d'organiser une soirée.
   B. de passer une fin de semaine calme et paisible, de faire ce qui vous plaît, seul(e) ou en compagnie d'un(e) ami(e) intime.

19. Si vous trouvez votre salaire insuffisant, vous _____

   A. en parlez à votre patron et lui demandez une augmentation.
   B. ne faites rien et espérez que la situation change.

20. Selon vous, votre entourage vous perçoit surtout comme une personne : _____

   A. sociable et extravertie.
   B. introvertie et réfléchie.

Tableau 2-6 *(suite)*

Pour déterminer la note que vous avez obtenue :

I. Pour les énoncés 15 à 20 :
> Comptez 5 points pour chaque réponse A.
> Comptez 1 point pour chaque réponse B.

Dans les deux colonnes ci-dessous, inscrivez les points obtenus aux énoncés 15 à 20.

II. Recopiez maintenant dans les colonnes ci-dessous les chiffres inscrits en regard des énoncés 1 à 14.

III. Additionnez les points de chaque colonne.

1. _____		2. _____
3. _____		4. _____
5. _____		6. _____
7. _____		8. _____
9. _____		10. _____
11. _____		12. _____
13. _____		14. _____
15. _____		16. _____
17. _____		18. _____
19. _____		20. _____

Tendances à diriger : Score brut _____

Tendances à socialiser : Score brut _____

Pour chaque score brut, vous allez maintenant calculer une note finale.

Si vous avez obtenu	Donnez-vous la note
10 à 14	1
15 à 22	2
23 à 27	3
28 à 35	4
36 à 44	5
45 à 50	6

Tendances à diriger : Score final _____

Tendances à socialiser : Score final _____

Inscrivez le score final que vous avez obtenu pour les *tendances à diriger* en traçant un point sur l'axe vertical de la figure 2-4. Cette échelle montre votre tendance à diriger et à prendre la situation en main. Si vous obtenez un score élevé sur cette échelle, vous vous sentez à l'aise lorsque vous devez superviser les autres et dominer la situation. Si vous obtenez un score faible sur cette échelle, vous avez tendance à donner votre appui et à rechercher l'accord des autres.

Inscrivez le score final que vous avez obtenu pour les *tendances à socialiser* en traçant un point sur l'axe horizontal de la figure 2-4. Cette échelle indique dans quelle mesure vous avez besoin de la compagnie des autres. Si vous vous placez très à gauche sur cette échelle, vous vous sentez certainement mieux lorsque vous êtes en compagnie. Si vous vous placez nettement à droite, vous êtes probablement réservé(e), vous aimez rester seul(e) ou en compagnie d'amis très proches et vous ne recherchez pas les interactions avec autrui.

Joignez les deux points par une droite. Hachurez la région comprise entre cette droite et les deux échelles. La lettre (S, E, L ou F) qui figure dans la partie hachurée correspond à votre type de personnalité. Les divers types de personnalité sont décrits au tableau 2-7.

Source : National Press Publications, 1988.

connaître chacun de ses clients. L'infirmière est également chargée d'administrer et d'interpréter ces examens en collaboration avec le psychologue (Stuart et Sundeen, 1983).

Depuis peu, on effectue des examens en laboratoire en plus des examens psychologiques pour faire l'évaluation diagnostique des clients atteints de troubles mentaux. Ces nouvelles mé-

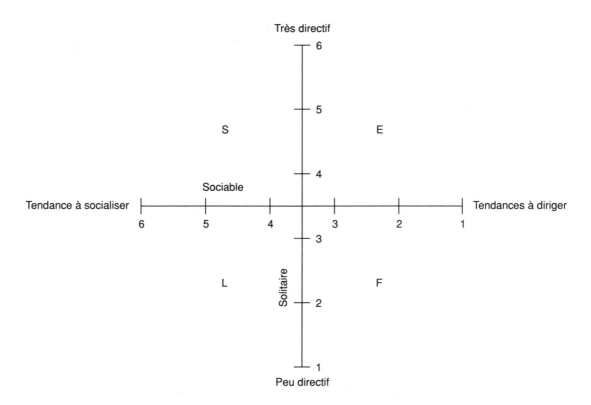

Figure 2-4   *Tracé des résultats correspondant à votre personnalité (SELF)*

thodes diagnostiques comprennent, notamment, la tomographie informatisée, la tomographie axiale transverse informatisée, la technique de reconstruction d'images par résonance magnétique, la tomographie par émission de positrons et les tests neurochimiques. Depuis plusieurs années, on utilise aussi l'électro-encéphalographie pour étudier l'activité des ondes cérébrales (Andreasen, 1984).

Analyse et interprétation des données

La deuxième étape de la démarche de soins infirmiers, l'analyse et l'interprétation des données, mène à la formulation d'un diagnostic infirmier. Le terme « diagnostic infirmier » date des années 60. Dans les normes de pratique professionnelle (*Standards of Nursing Practice*) qu'elle a publiées en 1973, l'ANA a décidé d'inclure le diagnostic infirmier dans la démarche de soins infirmiers.

Cette même année, le *National Conference Group for Classification of Nursing Diagnoses* s'était réuni pour établir une liste officielle des diagnostics infirmiers. Marjory Gordon (1976), qui présida les quatre premières confé-rences nationales, donne du **diagnostic infirmier** la définition suivante :

> Le diagnostic infirmier est l'énoncé d'un problème de santé actuel ou potentiel que l'infirmière, par sa formation et son expérience, est habilitée à traiter.

Depuis la cinquième conférence sur les diagnostics infirmiers, 99 catégories diagnostiques ont été acceptées. (La liste des diagnostics approuvés par l'ANADI – Association nord-américaine du diagnostic infirmier – apparaît au tableau 2-9.) À l'heure actuelle, le diagnostic infirmier est le maillon le plus fragile de la démarche de soins. Le présent ouvrage tente donc de consolider la notion de diagnostic infirmier dans le contexte des soins infirmiers en psychiatrie.

Tableau 2-7 *Caractéristiques des divers types de personnalité (SELF)*

Type	Points forts	Points faibles	Type	Points forts	Points faibles
S	Persuasif	Insistant		Esprit d'équipe	Dépendant
	Audacieux	Intimidant		Attentionné	Indécis
	Esprit d'émulation	Arrogant		Dévoué	Idéaliste
	Innovateur	Instable		Enthousiaste	Vulnérable
	Confiant	Impatient		Serviable	Hésitant
	Sociable	Manipulateur		Accessible	Soumis
	Influent	Caustique		Confiant	
	Ouvert	Réactif		Attentif	
	Direct	Dominateur		Fiable	
	Extraverti			Aime la variété	
E	Pratique	Dogmatique		Sociable	
	Ordonné	Têtu		Conciliant	
	Très direct	Rigide			
	Indépendant	Inapprochable	F	Exigeant	Indécis
	Organisé	Distant		Consciencieux	Perfectionniste
	Conformiste	Critique		Réaliste	Renfermé
	Visant des objectifs	Insensible		Réservé	Ennuyeux
	Fiable			Méticuleux	Maussade
	Économe			Esprit pratique	Timide
	Ambitieux			Calme	Passif
				Idéal élevé	
				Prudent	

Source : National Press Publications, 1988.

Pour simplifier la liste des diagnostics et la rendre plus facile d'utilisation, Marjory Gordon a défini 11 modes fonctionnels de santé :

Mode 1 : Perception et gestion de la santé

Mode 2 : Nutrition et métabolisme

Mode 3 : Élimination

Mode 4 : Activité et exercice

Mode 5 : Sommeil et repos

Mode 6 : Cognition et perception

Mode 7 : Perception de soi et concept de soi

Mode 8 : Relation et rôle

Mode 9 : Sexualité et reproduction

Mode 10 : Adaptation et tolérance au stress

Mode 11 : Valeurs et croyances

Cette typologie des modes fonctionnels de santé sert à attirer l'attention de la praticienne sur des diagnostics infirmiers possibles, lorsque des problèmes sont décelés dans l'un ou l'autre de ces domaines. (Le tableau 2-10, page 77, présente une liste des diagnostics infirmiers correspondant à chacun des modes fonctionnels de santé selon Gordon.)

La structure du diagnostic infirmier aide l'infirmière à rédiger des énoncés clairs et concis sur les problèmes de soins du client. Pour établir un diagnostic infirmier, il faut dans un premier temps définir ces problèmes en examinant les données recueillies. Le fait qu'un client n'est pas capable de satisfaire l'un de ses besoins atteste l'existence de problèmes. Cependant, mentionner qu'un client a un besoin d'ordre nutritionnel ne constitue pas un diagnostic infirmier. Le diagnostic infirmier porte plus spécifiquement sur le problème créé par le besoin nutritionnel du client. L'énoncé diagnostique correct est dans ce cas : Déficit nutritionnel. C'est un énoncé précis, qui permet de déterminer l'objectif des soins infirmiers et d'orienter les interventions.

Pour énoncer clairement un diagnostic, il est nécessaire de tenir compte des facteurs étiologiques qui sont à l'origine du problème ou du dysfonctionnement. Il peut arriver que certains facteurs de

(suite page 78)

Tableau 2-8 *Examen de l'état mental : Observations générales et comportement**

Aspect physique
Habillement (classique, élégant, inadéquat, guindé) :
Mise personnelle (soignée, négligée, désordonnée) :
Expression du visage (éveillée, vide, triste, hostile, figée) :
Contact visuel :
Comportement moteur (maniéré, agité, figé) :
Maintien (droit, affaissé) :
Démarche (stable, chancelante, ataxique) :
État général (bien nourri, mal nourri, peau transparente, cernes sous les yeux) :

Élocution
Rythme (rapide, lent) :
Interruptions (débit régulier, change de sujet inopinément, s'interrompt subitement) :
Volume (fort, à peine audible) :
Clarté (bredouille, répond par monosyllabes) :
Timbre et modulation (altérés, calmes, hostiles) :

Niveau de conscience
Perception sensorielle (altérée, somnolente, confuse, sans réaction) :
Réaction générale au milieu environnant (distrait, attentif) :
Réponse (répond aux questions, suit des consignes simples) :

État émotionnel
Humeur (dépression, euphorie, anxiété, tristesse, calme, crainte, apathie, colère) :
Affect (intensité, opportunité, instabilité, gamme des émotions) :

Opérations de la pensée (forme)
Expression verbale (rapide ou lente, claire, logique, organisée, cohérente) :
Signes pathologiques :
• Pensée autistique (associations restreintes à la subjectivité du client) :
• Blocage (interruption soudaine du discours ou de la pensée) :
• Langage circonstancié (détails ennuyeux et sans importance ralentissant la progression de la pensée) :
• Fabulation (récit d'expériences imaginaires visant inconsciemment à combler des trous de mémoire) :
• Fuite des idées (passage rapide d'une idée à une autre sans rapport avec le sujet) :
• Associations vagues (associations d'idées n'ayant pas de rapport entre elles) :
• Néologisme (fabrication de nouveaux mots incompréhensibles aux autres pour symboliser des idées) :
• Persévération (répétition involontaire de certaines réactions motrices ou verbales) :
• Digression (développement de la pensée qui s'écarte du sujet) :
• « Salade de mots » (mélange de mots ou de phrases n'ayant aucun sens) :

Contenu de la pensée
Thème :
• Symptômes physiques (préoccupations somatiques) :
• Rituels (pensée ou comportement répétitifs) :
• Destruction (violence, suicide, homicide) :
• Défense (délire, ambivalence excessive, déformations de la perception, hallucinations) :

Fonctions cognitives
Orientation (capacité de reconnaître son environnement) :
Temps (jour, mois, année) :
Lieu (sait où il est) :
Identité (sait son nom) :
Situation (sait pourquoi il a besoin d'aide ou pourquoi il est hospitalisé) :
Attention et concentration :
• Exercice des séries de chiffres. Demander au client de répéter une série de trois chiffres dans un sens et dans l'autre. Augmenter jusqu'à cinq ou six chiffres.
• Calculs arithmétiques simples.
Mémoire
• Récente – demander au client de raconter des événements qui se sont produits au cours des 24 dernières heures ou des faits d'actualité récents.
• Lointaine – demander au client de dire sa date de naissance ou d'énumérer les niveaux scolaires qu'il a terminés.
Niveau d'intelligence (non normalisé)
• En harmonie avec l'environnement
• Relate des faits d'actualité récents
• Connaît le nom des cinq derniers Premiers Ministres
• Autres questions d'ordre général : (le nombre de jours dans la semaine, les quatre saisons de l'année, la capitale nationale)
Pensée abstraite
• Capable de généraliser
• Trouve la signification des symboles
• Conceptualise les objets et les événements
Auto-critique et jugement
• Façon d'envisager le problème (Le client juge-t-il que la situation est grave ? Pense-t-il que le traitement soit nécessaire ?) :
• Questions sollicitant l'avis du client :
Que feriez-vous si vous trouviez un portefeuille dans la rue ?
Que feriez-vous si vous voyiez un enfant se faire renverser par une voiture ?
Perception et coordination :
• Demander au client d'écrire son nom sur une feuille de papier (observer si son écriture est aisée, rapide, coordonnée, adéquate ou tremblotante) :
• Demander au client de tracer des formes simples (cercle, carré, losange, horloge) :
Résumé
Résumer tous les éléments pathologiques :

*Consigner les observations d'ordre général concernant le client ainsi que les traits dominants.

Tableau 2-9 *Diagnostics infirmiers approuvés par l'Association nord-américaine du diagnostic infirmier (ANADI)*

Système 1
Échanges
Altération de l'élimination urinaire
Altération des mécanismes de protection
Atteinte à l'intégrité de la muqueuse buccale
Atteinte à l'intégrité de la peau
Atteinte à l'intégrité des tissus
Constipation
Constipation colique
Déficit de volume liquidien (1)
Déficit de volume liquidien (2)
Déficit nutritionnel
Dégagement inefficace des voies respiratoires
Diarrhée
Diminution de l'irrigation tissulaire (préciser: cardio-
    pulmonaire, cérébrale, gastro-intestinale, périphérique,
    rénale)
Diminution des échanges gazeux
Diminution du débit cardiaque
Dysréflexie
Excès de volume liquidien
Excès nutritionnel
Hyperthermie
Hypothermie
Incontinence fécale
Incontinence par réduction du temps d'alerte
Incontinence urinaire à l'effort
Incontinence urinaire fonctionnelle
Incontinence urinaire réflexe
Incontinence urinaire vraie ou totale
Mode de respiration inefficace
Pseudo-constipation
Rétention urinaire
Risque d'accident
Risque d'altération de la température corporelle
Risque d'aspiration (fausse route)
Risque d'atteinte à l'intégrité de la peau
Risque d'excès nutritionnel
Risque d'infection
Risque d'intoxication
Risque de déficit de volume liquidien
Risque de suffocation
Risque de syndrome d'immobilité
Risque de trauma
Thermorégulation inefficace

Système 2
Communication
Altération de la communication verbale

Système 3
Relations
Conflit face au rôle parental
Dysfonctionnement sexuel
Isolement social
Perturbation dans l'exercice du rôle
Perturbation dans l'exercice du rôle parental
Perturbation de la dynamique familiale
Perturbation de la sexualité
Perturbation des interactions sociales
Risque de perturbation dans l'exercice du rôle parental

Système 4
Valeurs
Détresse spirituelle

Système 5
Choix
Conflit décisionnel (préciser)
Déni non constructif
Incapacité de s'adapter à un changement dans l'état de santé
Non-observance (préciser)
Recherche d'un meilleur niveau de santé (préciser les
    comportements)
Stratégies d'adaptation défensives
Stratégies d'adaptation familiale inefficaces: absence de soutien
Stratégies d'adaptation familiale efficaces: potentiel de
    croissance
Stratégies d'adaptation familiale inefficaces: soutien compromis
Stratégies d'adaptation individuelle inefficaces

Système 6
Mouvement
Allaitement efficace
Allaitement inefficace
Altération de la mobilité physique
Difficulté à se maintenir en santé
Fatigue
Incapacité (partielle ou totale) d'avaler
Incapacité (partielle ou totale) d'organiser et d'entretenir le
    domicile
Incapacité (partielle ou totale) d'utiliser les toilettes
Incapacité (partielle ou totale) de s'alimenter
Incapacité (partielle ou totale) de se laver et d'effectuer ses
    soins d'hygiène
Incapacité (partielle ou totale) de se vêtir et de soigner son
    apparence
Intolérance à l'activité
Manque de loisirs
Perturbation de la croissance et du développement
Perturbation des habitudes de sommeil
Risque d'intolérance à l'activité

Système 7
Perceptions
Altération de la perception sensorielle (préciser: auditive,
    gustative, kinesthésique, olfactive, tactile, visuelle)
Négligence de l'hémicorps (droit ou gauche)
Perte d'espoir
Perturbation chronique de l'estime de soi
Perturbation de l'estime de soi
Perturbation de l'identité personnelle
Perturbation de l'image corporelle
Perturbation situationnelle de l'estime de soi
Sentiment d'impuissance

Système 8
Connaissances
Altération des opérations de la pensée
Manque de connaissances (préciser)

Système 9
Sensations et sentiments
Anxiété
Chagrin (deuil) dysfonctionnel
Chagrin (deuil) par anticipation
Douleur aiguë
Douleur chronique
Peur
Réaction post-traumatique
Risque de violence envers soi-même ou envers les autres
Syndrome du traumatisme de viol
Syndrome du traumatisme de viol: réaction mixte
Syndrome du traumatisme de viol: réaction silencieuse

Tableau 2-10 *Diagnostics infirmiers groupés selon les modes fonctionnels de santé*

Perception et gestion de la santé	Difficulté à se maintenir en santé Non-observance (préciser) Perturbation de la croissance et du développement Recherche d'un meilleur niveau de santé (préciser les comportements) Risque d'accident Risque d'intoxication Risque de suffocation Risque de trauma	Cognition et perception	Chagrin (deuil) dysfonctionnel Conflit décisionnel Douleur Douleur chronique Dysréflexie Isolement social Perturbation dans l'exercice du rôle Perturbation dans l'exercice du rôle parental Perturbation des interactions sociales Risque de perturbation dans l'exercice du rôle parental
Nutrition et métabolisme	Allaitement efficace Allaitement inefficace Altération des mécanismes de protection Atteinte à l'intégrité de la muqueuse buccale Atteinte à l'intégrité de la peau Atteinte à l'intégrité des tissus Déficit de volume liquidien Déficit nutritionnel Excès de volume liquidien Excès nutritionnel Hyperthermie Hypothermie Incapacité (partielle ou totale) d'avaler Risque d'altération de la température corporelle Risque d'atteinte à l'intégrité de la peau Risque d'excès nutritionnel Risque d'infection Risque de déficit de volume liquidien Thermorégulation inefficace	Sommeil et repos Sexualité et reproduction Adaptation et tolérance au stress	Perturbation des habitudes de sommeil Dysfonctionnement sexuel Perturbation de la sexualité Déni non constructif Incapacité de s'adapter à un changement dans l'état de santé Réactions post-traumatiques Risque de violence (envers soi ou envers les autres Stratégies d'adaptation défensives Stratégies d'adaptation familiale efficaces : potentiel de croissance Stratégies d'adaptation familiale inefficaces : absence de soutien Stratégies d'adaptation familiale inefficaces : soutien compromis Stratégies d'adaptation individuelle inefficaces Syndrome du traumatisme de viol Syndrome du traumatisme de viol : réaction mixte Syndrome du traumatisme de viol : réaction silencieuse
Élimination	Altération de l'élimination urinaire Constipation Constipation colique Diarrhée Incontinence fécale Incontinence urinaire à l'effort Incontinence urinaire fonctionnelle Incontinence urinaire par réduction du temps d'alerte Incontinence urinaire réflexe Incontinence urinaire vraie ou totale Pseudo-constipation Rétention urinaire	Valeurs et croyances	Altération de la perception sensorielle (préciser : visuelle, auditive, kinesthésique, gustative, tactile, olfactive) Altération des opérations de la pensée Détresse spirituelle Manque de connaissances (préciser) Négligence de l'hémicorps (droit ou gauche) Risque d'aspiration (fausse route)
Activité et exercice	Altération de la mobilité physique Dégagement inefficace des voies respiratoires Diminution de l'irrigation tissulaire (préciser : cérébrale, cardio-pulmonaire, rénale, gastro-intestinale, périphérique) Diminution du débit cardiaque Incapacité (partielle ou totale) d'organiser et d'entretenir le domicile Incapacité (partielle ou totale) d'utiliser les toilettes	Perception de soi et concept de soi	Altération de la communication verbale Anxiété Chagrin (deuil) par anticipation Fatigue Perte d'espoir Perturbation chronique de l'estime de soi Perturbation de l'identité personnelle Perturbation de l'image corporelle

(suite page suivante)

Tableau 2-10 *(suite)*

Incapacité (partielle ou totale) de s'alimenter
Incapacité (partielle ou totale) de se laver et d'effectuer ses soins d'hygiène
Incapacité (partielle ou totale) de se vêtir et de soigner son apparence
Intolérance à l'activité
Manque de loisirs
Mode de respiration inefficace
Perturbation des échanges gazeux
Risque d'intolérance à l'activité
Risque de syndrome d'immobilité

Perturbation de la dynamique familiale
Perturbation situationnelle de l'estime de soi
Peur
Sentiment d'impuissance
Sentiment de désespoir

risque orientent vers une cause particulière et prédisposent le client à un mode de dysfonctionnement spécifique. Les facteurs étiologiques sont déterminants dans le choix des interventions. Dans le présent ouvrage, chaque chapitre portant sur un trouble mental particulier donne les caractéristiques déterminantes (d'ordre comportemental, affectif, cognitif, physiologique et socioculturel) des problèmes couramment observés chez les clients atteints du dysfonctionnement à l'étude ainsi que les facteurs étiologiques correspondant à ces caractéristiques. Tous les plans de soins ont été élaborés à partir des diagnostics infirmiers plutôt qu'à partir des problèmes de santé (Gordon, 1982, 1976 ; Lederer et coll., 1990).

Diagnostics infirmiers en psychiatrie

L'ANA a autorisé la mise sur pied d'un projet visant à formuler des diagnostics infirmiers propres au milieu de soins psychiatrique. La première liste de diagnostics infirmiers en psychiatrie, **Psychiatric Nursing Diagnoses, First Edition (PND-I)**, a été présentée aux infirmières lors du congrès de l'ANA en 1988.

Le groupe de travail de l'ANA qui a mis au point la classification PND-I a souligné la nécessité d'une collaboration avec la NANDA (North American Nursing Association) afin d'élaborer une liste complète et unique. On travaille donc actuellement à la mise au point d'une liste commune découlant de la classification PND-I. Toute discussion portant sur ces travaux de mise au point dépasse le cadre du présent ouvrage. Dans un ouvrage publié en

1988, Wilson et Kneisl comparent la liste approuvée des diagnostics infirmiers, des diagnostics infirmiers en psychiatrie et des critères diagnostiques DSM-III-R.

Application du processus d'analyse et d'interprétation des données à une situation clinique

Lorsqu'on examine les données recueillies sur Marie, page 61, on s'aperçoit que plusieurs indices ou caractéristiques déterminantes orientent vers des facteurs étiologiques spécifiques, sous-jacents à ses problèmes. On observe des perturbations dans les modes fonctionnels de santé suivants : nutrition et métabolisme, élimination, activité et exercice, sommeil et repos, cognition et perception, perception de soi, relation et rôle, sexualité et reproduction, adaptation et tolérance au stress. (Le tableau 2-11 présente les diagnostics infirmiers établis à partir des données sur Marie.)

Diagnostic infirmier et diagnostic médical en milieu psychiatrique

Il est depuis longtemps admis que le diagnostic fait partie de la démarche médicale. Au fil des années, on a vu apparaître un grand nombre de classifications et d'énoncés diagnostiques. Cela est également vrai en psychiatrie. Pour cette spécialisation médicale, la classification des troubles mentaux est donnée dans le *Manuel diagnostique et statistique des troubles mentaux* **(DSM-III-R)**. Le protocole DSM-III-R de l'American Psychiatric Association (APA) définit cinq dimensions ou axes :

Tableau 2-11 *Diagnostics infirmiers correspondant à la situation de Marie S.*

Nutrition et métabolisme
    Excès nutritionnel, relié à de mauvaises habitudes alimentaires et au manque d'exercice

Élimination
    Risque de constipation, relié à une baisse du niveau d'activité et aux effets secondaires des calmants

Activité et exercice
    Intolérance à l'activité, reliée au refus de se livrer à des activités
    Altération de la mobilité physique, reliée à l'impression d'être incapable de se déplacer en raison de la douleur

Sommeil et repos
    Perturbation des habitudes de sommeil, reliée à la douleur

Cognition et perception
    Douleur chronique, reliée à l'inquiétude entraînée par les symptômes physiques

Perception de soi et concept de soi
    Risque d'anxiété, relié à la perception d'une menace à l'intégrité biologique
    Perte d'espoir, relié à la conviction que la situation est irréversible

Relation et rôle
    Risque d'altération de la communication verbale, relié au refus des interactions sociales
    Perturbation dans l'exercice du rôle, reliée à la situation professionnelle
    Risque d'isolement social, relié à des plaintes somatiques incessantes
    Risque de violence envers les autres, relié à des paroles hostiles et menaçantes

Sexualité et reproduction
    Risque de dysfonctionnement sexuel, relié à la perte de désir durant les périodes de douleur

Adaptation et tolérance au stress
    Stratégies d'adaptation familiale inefficaces (soutien compromis), reliées à la destruction de la structure familiale
    Stratégies d'adaptation individuelle inefficaces, reliées au refus des interactions sociales

syndromes cliniques, troubles de la personnalité et du développement, troubles et affections physiques, sévérité de facteurs de stress psychosociaux, et évaluation globale du fonctionnement (APA, Masson, Paris, 1989).

Ces dimensions correspondent à des axes : le client peut présenter des troubles sur plusieurs axes ou avoir un diagnostic sur un axe et rien sur les autres. La classification DSM-III-R est descriptive et laisse au praticien le soin d'analyser les facteurs étiologiques. Dans un petit nombre de cas seulement, l'étiologie et la pathophysiologie sont bien établies, et font partie de la définition du trouble en question (voir le chapitre 4, p. 159, et l'annexe A).

On peut comparer les diagnostics infirmiers aux diagnostics DSM-III-R. La base des deux ensembles de diagnostics découle du processus de résolution de problèmes, processus qui débute avec la collecte de données et qui implique l'examen des signes et symptômes du client atteint de troubles mentaux.

Dans le cadre du présent ouvrage, les diagnostics DSM-III-R ont permis d'organiser les connaissances disponibles sur divers troubles mentaux. Les diagnostics DSM-III-R orientent certains aspects des diagnostics infirmiers ; ils ne sont pas pour autant l'unique référence que l'on invoque pour préciser le diagnostic infirmier en psychiatrie : ils ne sont qu'un outil parmi d'autres.

Le diagnostic infirmier et le DSM-III-R sont des produits de l'ère informatique. En donnant à l'infirmière en psychiatrie la possibilité d'utiliser une classification commune, ces outils lui permettent d'améliorer sa pratique professionnelle. L'application cohérente des énoncés diagnostiques permet à l'infirmière d'élaborer des plans de soins plus complets et d'améliorer ainsi la qualité des soins dispensés au client. On trouve une description plus détaillée des critères diagnostiques DSM-III-R au chapitre 4.

Planification des soins infirmiers

Après avoir établi les diagnostics infirmiers, l'infirmière passe à la planification des soins. Il est en effet essentiel de prévoir la conduite des opérations pour aider le client à atteindre un état de santé optimal. **L'élaboration du plan de soins** consiste 1) à établir l'ordre de priorité des soins infirmiers ; 2) à fixer les objectifs à atteindre ; 3) à définir les stratégies d'intervention. L'étape de planification succède à la collecte, à l'analyse et à l'interprétation des données, ainsi qu'à la formulation des diagnostics infirmiers.

L'infirmière établit l'ordre de priorité en s'appuyant sur des théories, des concepts, des modèles et des principes. (Nous avons passé en revue plusieurs théories de soins infirmiers au début du présent chapitre.) Dans les ouvrages portant sur les soins infirmiers, le modèle le plus couramment utilisé pour établir l'ordre de priorité des soins est la hiérarchie des besoins de Maslow (Christensen, 1986A). Selon ce modèle, l'infirmière classe les divers besoins par ordre de priorité, les besoins physiologiques comme l'air, la nourriture et l'eau ayant priorité sur les besoins de sécurité. Une fois que les besoins physiologiques sont satisfaits, les besoins de sécurité ont priorité sur les besoins d'amour, et ainsi de suite jusqu'à ce que tous les besoins aient été examinés. (Le tableau 2-12 présente la classification des diagnostics infirmiers de Marie S. selon la hiérarchie des besoins.)

Une fois l'ordre de priorité établi, l'infirmière décide avec le client des objectifs qu'il doit atteindre pour soulager ses problèmes. La nature de chaque objectif est déterminée par le diagnostic infirmier. Les objectifs auront plus de chances d'être atteints s'ils sont fixés avec la participation du client. L'infirmière doit lui fournir les renseignements nécessaires.

Tableau 2-12   *Diagnostics infirmiers de Marie S. classés selon la hiérarchie des besoins*

Besoins physiologiques
    Excès nutritionnel
    Risque de constipation
    Perturbation des habitudes de sommeil

Besoin de protection et de sécurité
    Intolérance à l'activité
    Risque d'anxiété
    Douleur chronique
    Altération de la mobilité physique

Besoin d'amour et d'appartenance
    Risque d'altération de la communication verbale
    Risque de dysfonctionnement sexuel
    Risque d'isolement social

Besoin d'estime de soi
    Risque de violence envers les autres
    Stratégies d'adaptation familiale inefficaces: soutien
        compromis
    Stratégies d'adaptation individuelle inefficaces
    Perte d'espoir
    Perturbation dans l'exercice du rôle

L'objectif à atteindre doit refléter le résultat escompté. Pour cela, il est nécessaire de définir les objectifs avec précision, de manière à indiquer les comportements que le client doit adopter pour obtenir les résultats voulus. Dans cet ouvrage, les objectifs sont en général définis par des éléments mesurables, et les résultats escomptés précisent les comportements souhaitables. De cette façon, l'étudiante peut tenir compte de l'état du client et des résultats obtenus pour déterminer si un objectif a été atteint.

Pour définir les objectifs liés au comportement, on peut les répartir en trois domaines :

1. Les *objectifs cognitifs*, qui concernent les facultés intellectuelles du client, notamment ses connaissances et ses aptitudes ;

2. *Les objectifs affectifs*, qui concernent les émotions, attitudes et valeurs du client ;

3. *Les objectifs psychomoteurs*, qui concernent les capacités motrices du client.

Ces trois classifications ont été décrites, entre autres, par Bloom, Krathwohl et Simpson dans les manuels de pédagogie (Popham, 1975), et leurs descriptions ont été adaptées à diverses disciplines, dont celle des soins infirmiers. Les indicateurs de comportement pour chacun de ces domaines sont par exemple : 1) domaine cognitif – le client « identifie » ; 2) domaine affectif – le client « choisit » une valeur ; 3) domaine psychomoteur – le client « exécute ».

En plus de fixer des objectifs communs et mesurables, il faut aussi déterminer les échéances. Ces échéances deviennent alors partie intégrante des critères d'évaluation des résultats obtenus ; tout comme pour les objectifs, l'infirmière et le client doivent fixer les échéances ensemble, l'infirmière devant, pour sa part, veiller à ce que ces échéances soient raisonnables.

Le modèle de plan de soins apparaissant dans le présent ouvrage a été conçu dans le but d'aider l'étudiante à planifier des soins infirmiers pour des clients atteints de troubles mentaux divers. Ce modèle comprend d'abord le *diagnostic infirmier*, issu de l'analyse et de l'interprétation des données, puis *l'objectif* que le client doit atteindre, objectif qu'on suppose établi conjointement par l'infirmière et le client. Vient ensuite *l'intervention*, qui correspond à des actes planifiés en fonction de divers troubles mentaux définis dans la classification DSM-III-R. La *justification* vise à aider l'étudiante à comprendre les raisons qui sous-tendent son intervention. Enfin, l'étape de l'évaluation est présentée ici sous la rubrique *résultat escompté*. Bien que les résultats escomptés puissent servir de critères d'évaluation, nous les utilisons ici pour donner à l'étudiante des indicateurs de comportements reliés aux objectifs. (Le tableau 2-13 présente un exemple de modèle de plan de soins utilisé dans le présent manuel.)

Exécution du plan de soins

L'étape suivante de la démarche de soins infirmiers est l'exécution des interventions prescrites par le plan de soins pour tenter de remédier au problème du client. La justification des interventions infirmières repose sur des connaissances scientifiques très diverses (théories, modèles conceptuels, principes de soins infirmiers, sciences naturelles, science du comportement, sciences humaines, etc.).

On distingue trois types fondamentaux d'interventions :

1. Les *interventions dépendantes*, qui découlent du diagnostic médical. Ces interventions, prescrites par le médecin, comprennent l'administration des médicaments et des traitements ; en général, elles ne sont pas inscrites au plan de soins.

2. Les *interventions interdépendantes*, qui découlent de problèmes cliniques traités par des médecins en collaboration avec des travailleurs sociaux et des psychologues. La planification d'un congé dans une maison de repos en est un exemple.

3. Les *interventions indépendantes*, qui découlent du diagnostic infirmier. C'est le type d'intervention dont il est essentiellement question dans le présent manuel.

(Le tableau 2-14 montre comment exécuter un plan de soins pour l'un des diagnostics infirmiers formulés dans le cas de Marie S.)

La relation thérapeutique est donc la principale intervention indépendante de l'infirmière en milieu psychiatrique. On emploie l'expression r*elation thérapeutique* au lieu de *relation sociale*, qui a un caractère trop superficiel, et pas assez intime. Dans les relations sociales, on ne dévoile qu'une petite partie de soi parce qu'on ne connaît pas assez l'autre participant ; la conversation porte habituellement sur des sujets neutres ou généraux. Par contre, la relation thérapeutique est empreinte d'acceptation mutuelle et de confiance ; les participants se font part de leurs impressions, de leurs besoins, de leurs désirs, parlent de leurs comportements et de leurs sentiments (Coad-Denton, 1978).

Tableau 2-13 Modèle des plans de soins infirmiers

Diagnostic infirmier: Diagnostic en deux parties: problème et facteurs étiologiques
Objectif: Mesurable et établi en collaboration avec le client

Intervention	Justification	Résultat escompté
Interventions prescrites d'après la justification scientifique des facteurs étiologiques	Raison scientifique pour laquelle on exécute l'intervention	Comportements du client indiquant que l'objectif a été atteint

Tableau 2-14   Plan de soins infirmiers correspondant à un des diagnostics infirmiers établis pour Marie S.

Diagnostic infirmier : Douleur chronique, reliée à l'inquiétude entraînée par les symptômes physiques.
Objectif : À sa sortie, la cliente indique des méthodes permettant de calmer la douleur.

Intervention	Justification	Résultat escompté
Évaluer les mesures qui ont été efficaces dans le passé pour calmer la douleur de la cliente.	Inventaire des méthodes pouvant soulager la douleur.	La cliente indique les méthodes qui sont efficaces et celles qui sont inefficaces.
Informer la cliente sur les méthodes non pharmaceutiques pour soulager la douleur : • changer de position ; • avoir une posture correcte et un bon alignement corporel ; • immobiliser la partie douloureuse ; • se livrer à des activités qui détournent l'attention de la douleur, comme la méditation ; • recourir à des techniques de relaxation ; • écouter de la musique relaxante ; • utiliser le massage, la chaleur, les compresses froides si elles ne sont pas contre-indiquées.	Découverte d'autres méthodes possibles pour atténuer la douleur et éviter l'emploi excessif d'analgésiques.	La cliente applique de nouvelles méthodes pour soulager la douleur. La cliente est moins fatiguée. La cliente dit que sa douleur est soulagée. La cliente fixe des objectifs réalistes pour soulager la douleur. La cliente utilise les ressources des services d'aide.
Créer un environnement favorable : • réduire le bruit ; • supprimer le va-et-vient excessif ; • nettoyer le linge ; • prendre des mesures pour atténuer la douleur.	Diminution du stress qui accentue la douleur.	
Aider la cliente à fixer des objectifs réalistes pour lutter contre la douleur.	Compréhension de la nature de la douleur et des principes de maîtrise de la douleur.	
Aider la cliente à planifier les changements à apporter à son style de vie : • examiner sa capacité de changer son style de vie ; • la diriger vers des services d'aide.	Intégration des changements d'habitude nécessaires pour calmer la douleur chronique.	

La relation thérapeutique comprend trois étapes – l'introduction, le travail et la conclusion –, qui souvent se chevauchent. Nous en donnons une description succincte dans les paragraphes qui suivent.

Étape d'introduction de la relation thérapeutique

L'étape d'introduction est une étape de prise de contact ou d'orientation, pendant laquelle l'infirmière et le client font connaissance et établissent une entente mutuellement acceptable qui va guider la relation. L'infirmière et le client doivent décider du but de la relation, de la durée de chaque entrevue, de l'endroit où ils vont se rencontrer, des limites de la relation et de son caractère confidentiel. Il est important de prévenir le client du moment où prendra fin la relation et de l'y préparer dès maintenant. Au cours de l'étape d'introduction, l'infirmière devient une personne significative pour le client, et ce dernier lui fait confiance. Tout au long du présent manuel, les expressions « établir une relation de confiance » ou « établir une relation individuelle » font référence à l'étape initiale de la relation thérapeutique.

C'est en général l'infirmière qui prend l'initiative d'établir la relation avec le client. Elle commence par se présenter : elle se nomme et indique le poste qu'elle occupe. Elle propose au client de travailler avec lui pour l'aider à régler les difficultés qui l'ont amené à se faire traiter. C'est à ce moment qu'ils décident de l'endroit et de l'heure des entrevues. L'infirmière doit demander au client comment il préfère qu'on s'adresse à lui ; il est essentiel qu'elle respecte l'horaire qui a été convenu pour encourager le client à lui faire confiance.

Étape de travail de la relation thérapeutique

La deuxième étape de la relation thérapeutique est l'étape de travail, ou d'entretien de la relation. C'est une étape qu'il est difficile de caractériser, car elle dépend de la nature des problèmes de chaque client. La liste qui suit donne toutefois quelques lignes directrices concernant le rôle de l'infirmière pendant cette étape :

1. Démontrer un intérêt sincère et être naturelle.

2. Laisser le client diriger la conversation. Encourager les sujets suggérés par les remarques du client ou par un intérêt exprimé antérieurement.

3. Éviter de donner son opinion ou de parler longuement de ses intérêts personnels.

4. Garder le dialogue ouvert en reprenant les dernières paroles du client lorsqu'il laisse tomber la conversation.

5. Se taire s'il semble inutile de répondre ou si aucune réponse appropriée ne vient à l'esprit. Attendre que le client poursuive ou dire calmement : « Oui, continuez. »

6. Éviter de combler les silences à tout prix en bavardant. Accorder au client un délai raisonnable pour qu'il reprenne la conversation.

7. Pour clarifier un problème, interroger le client sur le sujet abordé. Par exemple, si le client parle sans arrêt d'aller vivre dans une autre région, lui demander quels sont ses plans pour trouver du travail et un logement.

8. Refléter les émotions ou attitudes du client en répétant ses remarques ou attitudes implicites.

9. Donner un soutien affectif en restant auprès du client lorsqu'il semble fortement ému par le problème.

10. Fixer des limites pour apprendre au client à maîtriser son comportement.

Étape de conclusion de la relation thérapeutique

L'étape de la conclusion (terminaison ou résolution) de la relation doit être intégrée au plan de soins dès l'étape initiale. La conclusion est parfois éprouvante pour l'infirmière comme pour le patient et il n'est pas rare de voir le client exprimer la crainte d'une perte imminente. L'infirmière doit comprendre ce sentiment de perte et aider le client à l'exprimer et à le surmonter. Le client peut réagir en lui offrant des cadeaux, ou avoir une réaction de dépendance, de régression, de colère, etc. Il arrive même qu'il trouve de nouveaux problèmes à résoudre pour essayer de prolonger la relation. L'infirmière peut aussi éprouver un sentiment de perte et de séparation, car la relation thérapeutique suppose un investissement considérable sur le plan émotif. L'étape de la conclusion a pour objectif principal d'aider le client à examiner ce qu'il a appris au cours de la relation et à appliquer ces connaissances à d'autres interactions ou relations (Doona, 1979; Peplau, 1952; Taylor, 1982). (Le tableau 2-15 donne des exemples d'interactions entre Marie S. et l'infirmière pendant la durée de leur relation thérapeutique.)

Évaluation

Dernière étape de la démarche de soins en psychiatrie, l'**évaluation** est souvent aussi la plus négligée. Au cours de cette étape, l'infirmière compare les progrès réalisés avec les objectifs fixés et examine les résultats obtenus.

Examen des progrès du client

Pour faire l'évaluation, l'infirmière compare l'état de santé du client après les interventions avec les objectifs et résultats escomptés qui avaient été fixés au début. En principe, une évaluation des résultats consiste à répondre aux questions suivantes :

- Les interventions prévues dans le plan de soins ont-elles été efficaces ?
- L'objectif a-t-il été atteint ?
- A-t-on constaté les résultats escomptés ?
- Quel changement a-t-on observé dans le comportement du client ?
- Quelles interventions ont été efficaces ? Quelles interventions doivent être corrigées ?

Tableau 2-15   *Étapes de la relation thérapeutique avec Marie S.*

Étape d'introduction

INFIRMIER : Bonjour Marie, je m'appelle Robert. Je vais avoir un entretien avec vous, aujourd'hui, pour établir votre bilan de santé.

CLIENTE : On l'a déjà fait à mon arrivée ici.

INFIRMIER : Je sais, et je n'ai pas l'intention de refaire la même chose. Je viens du service de psychiatrie et je voudrais obtenir des renseignements plus précis.

CLIENTE : C'est bien ça ! Tout le monde croit que je suis folle !

Étape du travail

CLIENTE : Je vous l'ai dit hier, il y a des années que je n'ai pas parlé à ma mère.

INFIRMIER : Vous m'avez dit que cela ne vous dérange pas, et pourtant vous m'en avez parlé deux jours de suite. Est-il possible que cela vous ennuie inconsciemment ?

CLIENTE : Peut-être. Il faudrait que j'y réfléchisse. Je ne me rendais pas compte que cela me dérangeait autant avant que vous m'en fassiez la remarque.

INFIRMIER : Qu'est-ce qui vous dérange le plus dans le fait de ne plus voir votre mère ?

Étape de conclusion

INFIRMIER : Marie, aujourd'hui vous allez rentrer chez vous et je ne vous verrai plus.

CLIENTE : Le temps a passé très vite ici. C'est drôle comme j'ai pu être désagréable avec vous, parce que je croyais que vous alliez essayer de fouiller dans ma vie privée et me faire subir toutes ces foutaises de psycho !

INFIRMIER : Oui, vous m'en avez fait voir au début. Mais nous avons surmonté l'obstacle, et je crois que nous avons réussi à examiner certains de vos problèmes. À votre avis, qu'est-ce qui vous a aidé le plus ?

CLIENTE : Je crois que le fait de voir quelqu'un m'accepter pour ce que je suis et essayer de comprendre ma souffrance m'a aidée à voir ce que j'étais en train de me faire à moi-même.

- Le client est-il satisfait des soins dispensés par l'infirmière ?
- Quels sont les plans qui ont besoin d'être modifiés ?
- Est-il nécessaire de planifier de nouvelles interventions ?
- A-t-on pris en note correctement les caractéristiques du comportement du client, pour prévoir les modifications à apporter aux interventions ?

Puisque l'étudiante n'exécutera pas les interventions décrites dans tous les chapitres consacrés aux divers troubles mentaux, les résultats escomptés servent de référence pour l'évaluation. Ces résultats visent principalement des changements de comportement ou des modifications de l'état de santé ; on peut les utiliser pour examiner les écarts par rapport aux résultats obtenus dans des cas réels.

L'infirmière doit donc essayer de savoir si les résultats du plan de soins ont été obtenus en s'informant auprès du client et de ses collègues, et en procédant à une auto-évaluation. Pour ce faire, elle consulte ses notes d'observation, elle discute des constatations et examine les données recueillies. Il est important d'inscrire au dossier les résultats de l'évaluation des soins.

En ce qui concerne l'évaluation, il faut tenir compte de deux autres critères : l'évaluation formative et l'évaluation sommative. *L'évaluation formative* est un processus continu basé sur la façon dont le client réagit aux soins et qui permet à l'infirmière de réorienter, de modifier ou de maintenir le plan de soins. *L'évaluation sommative* est la dernière étape du processus d'évaluation. Elle sert à déterminer si le client a atteint les objectifs fixés avec l'infirmière. Elle est une sorte de résumé du plan de congé. (Le tableau 2-16 présente un exemple d'évaluations formative et sommative pour Marie S.)

Auto-évaluation

Comme la participation personnelle à la relation thérapeutique est une condition essentielle lorsqu'on travaille avec des personnes atteintes de troubles mentaux, il est important non seulement d'évaluer les progrès du client mais aussi de s'évaluer soi-même. Les infirmières qui examinent judicieusement les progrès qu'elles font avec leurs clients et qui vérifient leurs résultats auprès de leurs collègues peuvent améliorer la qualité de leur pratique. Il existe diverses méthodes d'auto-évaluation, consistant par exemple à faire des rapports écrits d'entrevues ou à utiliser des listes de contrôle ou *checklist* (voir le tableau 2-17).

RÉSUMÉ

1. De nombreuses infirmières se sentent mal à l'aise lorsqu'elles doivent s'occuper de clients atteints de troubles mentaux. Le présent manuel vise donc à familiariser les étudiantes avec les fondements des soins infirmiers en psychiatrie.

2. Il a pour fondement philosophique les principes fondamentaux de l'approche humaniste.

3. La démarche de soins infirmiers en est le cadre fondamental.

4. La formulation des principaux concepts des soins infirmiers en psychiatrie fait appel à d'autres disciplines et théories.

5. Hildegard Peplau, théoricienne des soins infirmiers, est l'une des personnes qui ont le plus contribué au développement des soins infirmiers en psychiatrie.

6. La démarche de soins infirmiers en psychiatrie est comparable à la démarche de soins utilisée dans les autres secteurs des soins infirmiers.

7. La démarche de soins en psychiatrie est composée de cinq étapes propres à la démarche de soins infirmiers.

Tableau 2-16 *Évaluations formative et sommative pour la situation de Marie S.*

Évaluation formative		Évaluation sommative	
Objectif	*Évaluation*	*Objectif*	*Évaluation*
Avant sa sortie de l'hôpital, la cliente inventorie des méthodes de soulagement de la douleur.	Le 6 août, Marie a pris un bain chaud dans la baignoire d'hydromassage (bain-tourbillon) avant d'être mise en traction. Elle a remarqué un net soulagement de la douleur.	Avant sa sortie de l'hôpital, la cliente inventorie des méthodes de soulagement de la douleur.	Le 17 août, Marie a reçu son congé. On ne lui a pas prescrit une posologie fixe et régulière d'analgésiques. Il est prévu qu'elle ne prendra des médicaments que si la douleur devient insupportable ; auquel cas, elle appellera le médecin. Marie comptait entrer en clinique de soulagement de la douleur.

Tableau 2-17 *Liste de contrôle (check-list) pour l'auto-évaluation*

Ai-je:	Oui	Non	Remarques	Ai-je:	Oui	Non	Remarques
1. Établi une relation thérapeutique avec le client?	____	____	_____	15. Évité de trop parler?	____	____	_____
2. Accepté le client en tant que personne?	____	____	_____	16. Posé des questions encourageant l'initiative?	____	____	_____
3. Accepté le client à son niveau de comportement?	____	____	_____	17. Reconnu mes sentiments et réactions à l'égard du client?	____	____	_____
4. Défini le but, les horaires et les rôles dans la relation?	____	____	_____	18. Créé pour le client une ambiance d'apprentissage?	____	____	_____
5. Précisé le caractère confidentiel des renseignements?	____	____	_____	19. Saisi les signes verbaux et non verbaux?	____	____	_____
6. Encouragé les initiatives du client?	____	____	_____	20. Respecté les limites de mon rôle?	____	____	_____
7. Laissé le client prendre des décisions?	____	____	_____	21. Évité de raconter ma vie privée ou de donner ma propre opinion?	____	____	_____
8. Écouté activement le client?	____	____	_____	22. Utilisé les données fournies par le client pour élaborer le plan de soins?	____	____	_____
9. Utilisé les approches indirectes?	____	____	_____	23. Maintenu l'intérêt, l'attention et le soutien?	____	____	_____
10. Centré l'attention sur le client et ses préoccupations?	____	____	_____	24. Enregistré les données avec exactitude et sans les déformer?	____	____	_____
11. Rompu les moments de silence?	____	____	_____	25. Aidé le client à faire des liens et à résumer?	____	____	_____
12. Évité de donner des conseils?	____	____	_____				
13. Évité de demander pourquoi ou comment?	____	____	_____				
14. Fait des déclarations ouvertes?	____	____	_____				

8. L'O.I.I.Q. a énoncé les normes de pratique professionnelle pour les soins infirmiers et y incorpore les étapes de la démarche de soins : collecte des données, analyse et interprétation des données, planification, exécution et évaluation.

9. Le bilan de santé est un outil essentiel dans la collecte des données concernant le client. C'est à partir de cette information qu'on élabore le plan de soins.

10. Les modes fonctionnels de santé et les besoins socioculturels sont des éléments fondamentaux du bilan de santé.

11. L'infirmière en milieu psychiatrique analyse et interprète les données recueillies à la lumière de ses observations, de l'entrevue et de sa relation avec le client, de l'examen de l'état mental du client, d'autres examens ainsi que du diagnostic médical.

12. Le diagnostic infirmier défini par Marjory Gordon et la liste approuvée des diagnostics s'appliquent en milieu psychiatrique.

13. Les facteurs étiologiques du diagnostic infirmier sont déterminés à partir des données issues du bilan de santé et d'autres outils à la disposition de l'infirmière en milieu psychiatrique.

14. Les caractéristiques déterminantes observées au cours de la collecte des données aident l'infirmière à préciser les diagnostics infirmiers.

15. Les diagnostics DSM-III-R signalent à l'infirmière la présence de caractéristiques déterminantes potentielles spécifiques à des catégories données de troubles mentaux.

16. Une fois les diagnostics infirmiers déterminés, il est important d'établir l'ordre de priorité des soins à dispenser. La hiérarchie des besoins de Maslow est particulièrement utile à cette fin.

17. On fixe des buts qui guideront la planification. Pour obtenir de bons résultats, l'infirmière doit faire participer le client et fixer avec lui des buts mutuellement acceptables.

18. Les buts sont des descriptions assez générales de ce que le client espère accomplir grâce aux soins et au traitement.

19. Les objectifs, ou résultats escomptés, sont nécessaires à l'infirmière pour comprendre les comportements qu'elle observe chez le client et qui indiquent que les buts ont été atteints.

20. C'est au cours de l'étape appelée *exécution* que l'infirmière dispense les soins au client.

21. Il y a trois types fondamentaux d'interventions en milieu psychiatrique : les interventions dépendantes, interdépendantes et indépendantes.

22. La relation thérapeutique entre l'infirmière et le client est une des principales interventions indépendantes en psychiatrie. La relation thérapeutique comporte trois étapes, qui sont l'introduction, le travail et la conclusion.

23. L'étape finale de la démarche de soins en psychiatrie est l'évaluation des soins.

24. L'évaluation sert à préciser les progrès réalisés par le client, à déterminer si les objectifs ont été atteints, à vérifier l'efficacité des interventions à obtenir de nouvelles données pour apporter des modifications au plan de soins.

25. L'évaluation tient compte de deux critères : l'aspect formatif et l'aspect sommatif.

26. L'auto-évaluation est un élément essentiel des soins infirmiers en psychiatrie étant donné la participation personnelle de l'infirmière aux interventions indépendantes.

EXERCICES DE RÉVISION

Les questions qui suivent portent sur le cas de Marie S. pris comme exemple dans le présent chapitre.

1. Lorsqu'on établit le bilan de santé de Marie, lequel des énoncés suivants décrit le mieux ses capacités motrices ?

    (a) Marie a des capacités motrices limitées en raison de douleurs lombaires.

    (b) Marie est capable d'accomplir toutes les tâches de la vie quotidienne.

    (c) Marie n'est absolument pas limitée sur le plan moteur.

    (d) Marie a besoin de rester couchée.

2. Parmi les énoncés diagnostiques suivants, lequel correspond le mieux aux capacités motrices de Marie ?

    (a) Incapacité (partielle ou totale) de se vêtir et de soigner son apparence

    (b) Altération de la mobilité physique

    (c) Manque de loisirs

    (d) Diminution du débit cardiaque

3. Lequel des énoncés suivants correspond le mieux à un but réaliste dans le plan de soins de Marie ?

    (a) La cliente accomplit les activités de la vie quotidienne.

    (b) La cliente se déplace en se faisant aider.

    (c) La cliente se retourne toutes les deux heures.

    (d) La cliente accepte les limites sur le plan de l'activité physique.

4. Parmi les interventions qui suivent, laquelle serait appropriée en ce qui concerne la mobilité physique ?

    (a) Tourner la cliente toutes les deux heures.

    (b) Encourager son alignement corporel.

    (c) Surveiller toute tentative de mobilisation de la cliente.

    (d) Apprendre à la cliente à passer de son lit au fauteuil roulant.

5. Lequel des énoncés suivants permet le mieux d'évaluer la mobilité physique de Marie ?

    (a) Marie a demandé un bain-tourbillon.

    (b) Un analgésique a été administré à trois reprises au cours d'un même quart de travail.

    (c) Marie a refusé de prendre l'analgésique.

    (d) Marie a demandé de l'aide pour enlever l'appareil de traction et pour se rendre aux toilettes.

BIBLIOGRAPHIE

Allport F: *Theories of Perception and the Concept of Structure.* Wiley, 1955.

American Nurses' Association, *Nursing: A Social Policy Statement.* Kansas City, Missouri, 1980.

Andreasen NC: *The Broken Brain.* Harper & Row, 1984.

Andrews PB: Nursing diagnosis. In: *Nursing Process.* Griffith JW, Christensen PJ (editors). Mosby, 1982.

Bevelas JB: *Personality: Current Theory and Research.* Brooks/Cole, 1978.

Blake RR, Mouton JS: *Building a Dynamic Organization Through Communication and Organization Development.* Addison-Wesley, 1969.

Bradley JC, Edinberg MA: *Communication in the Nursing Context.* Appleton-Century-Crofts, 1982.

Carpenito LJ: *Handbook of Nursing Diagnosis 1989–90.* Lippincott, 1989A.

Carpenito LJ: *Nursing Diagnosis: Application to Clinical Practice,* 3rd ed. Lippincott, 1989B.

Christensen PJ: Goals and objectives. In: *Nursing Process.* Griffith JW, Christensen PJ (editors). Mosby, 1986A.

Christensen PJ: Nursing assessment: Data collection of the individual client. In: *Nursing Process.* Griffith JW, Christensen PJ (editors). Mosby, 1986B.

Coad-Denton A: Therapeutic superficiality and intimacy. In: *Clinical Practice in Psychosocial Nursing.* Longe D, Williams R (editors). Appleton-Century-Crofts, 1978.

Color MS: I am nursing diagnosis . . . color me DSM III green. In: *Classification of Nursing Diagnosis: Proceedings of the Fifth Conference.* Mosby, 1984.

Cook JS: *A Mastery Learning Teaching Strategy for the Discrimination of Nurse-Patient Interaction Constructs in a Simulated Mental Health Clinical Setting.* (Dissertation.) University of San Francisco, 1981.

Day RH: *Perception.* St. Louis: William Brown, 1966.

Doona MB: *Travelbee's Intervention in Psychiatric Nursing,* 2nd ed. Davis, 1979.

Evans BL, et al.: *Statement on Psychiatric and Mental Health Nursing Practice.* American Nurses' Association, 1976.

Flynn JM, Heffron PB: *Nursing: From Concepts to Practice.* Bowie MD: Brady, 1984.

Gordon M: Nursing diagnosis and the diagnostic process. *Am J Nurs* (Aug) 1976; 76:1299.

Gordon M: *Nursing Diagnosis: Process and Application.* McGraw-Hill, 1982.

Hagerty BK: *Psychiatric–Mental Health Assessment.* Mosby, 1984.

Johnson DE: The significance of nursing care. *Am J Nurs* (Nov) 1961; 61:63–66.

Johnson DE: The behavioral system model for nursing. In: *Conceptual Models for Nursing Practice.* Riehl JP, Roy C (editors). Appleton-Century-Crofts, 1980.

Johnson DE: Professional practice in nursing. In: *The Shifting Scene: Directions for Practice.* National League for Nursing, 1967.

Jourard SM: *The Transparent Self.* Van Nostrand Reinhold, 1971.

Katz D, Kahn RL: *The Social Psychology of Organization.* Wiley, 1966.

Kelly K: Clinical inference in nursing, part I. *Nurs Res* 1964; 13:314–322.

Kelly K: Clinical inference in nursing, part II. *Nurs Res* 1966; 15:23.

King IM: *Toward a Theory for Nursing.* Wiley, 1971.

Krieger JP (editor): *Foundations for Holistic Health Nursing Practices.* Lippincott, 1981.

Lamont C: *The Philosophy of Humanism.* Philosophical Library, 1957.

Leddy S, Pepper JM: *Conceptual Bases of Professional Nursing.* Lippincott, 1985.

Lederer JR, et al.: *Care Planning Pocket Guide,* 3d ed. Addison-Wesley, 1990.

Lego S: The one-to-one nurse-patient relationship. In: *Psychiatric Nursing 1946–1974: A Report of the State of the Art.* Huey F (editor). American Journal of Nursing Co., 1975.

Maslow, AH: *Psychological Review,* 1943; 50:370–396.

Murry RB, Huelskoetter MMW: *Psychiatric/Mental Health Nursing: Giving Emotional Care.* Prentice-Hall, 1983.

Neuman B: The Betty Neuman health-care systems model: A total person approach to patient problems. In: *Conceptual Models for Nursing Practice,* 2nd ed. Riehl JP, Roy C (editors). Appleton-Century-Crofts, 1980.

Orem DE: *Nursing: Concepts of Practice,* 2nd ed. McGraw-Hill, 1980.

Orlando IJ: *The Dynamic Nurse-Patient Relationship*. Putnam, 1961.

Peplau HE: *Interpersonal Relations in Nursing*. Putnam, 1952.

Popham WJ: *Educational Evaluation*. Prentice-Hall, 1975.

Rogers C: *Client Centered Therapy*. Houghton-Mifflin, 1951.

Rogers ME: *An Introduction to the Theoretical Basis of Nursing*. Davis, 1970.

Rohwer WD, Ammon PR, Cramer P: *Understanding Intellectual Development*. Hinsdale, IL: Dryden Press, 1974.

Romano C, McCormick KA, McNelly LD: Nursing documentation: A model for a computerized data base. *ANS* 1974; 4(2):43–56.

Roy C, Roberts SL: *Theory Construction in Nursing: An Adaptation Model*. Prentice-Hall, 1981.

Safier G: *Contemporary American Leaders in Nursing: An Oral History*. McGraw-Hill, 1977.

Satir V: *Making Contact*. Celestial Arts, 1976.

Strain JP (editor): *Modern Philosophies of Education*. Random House, 1971.

Stuart GW, Sundeen SJ: *Principles and Practices of Psychiatric Nursing,* 2nd ed. Mosby, 1983.

Taylor CM: *Mereness' Essentials of Psychiatric Nursing,* 11th ed. Mosby, 1982.

Travelbee J: *Interpersonal Aspects of Nursing*. Davis, 1966.

Travelbee J: *Interpersonal Aspects of Nursing,* 2nd ed. Davis, 1971.

Vernon M: *Perception Through Experience*. London: Methuen, 1970.

Wilson HS, Kneisl CR: *Psychiatric Nursing,* 2nd ed. Addison-Wesley, 1988.

Yura H, Walsh MB: *The Nursing Process*. Appleton-Century-Crofts, 1967.

Yura H, Walsh MB: *The Nursing Process,* 3rd ed. Appleton-Century-Crofts, 1978.

Yura H, Walsh MB: *The Nursing Process,* 5th ed. Appleton & Lange, 1988.

LECTURES COMPLÉMENTAIRES

Adam, E. « Modèles conceptuels », *Nursing Papers. Perspectives on Nursing*, 15 (2), 1983.

Auger, L. *Communication et épanouissement personnel: La relation d'aide*, Ottawa, CIM, 1972.

Bizier, N. *De la pensée au geste. Un modèle conceptuel en soins infirmiers*. Montréal, Décarie, 1987.

Carpenito, L.J. *Diagnostics infirmiers, du concept à la pratique clinique*, 2e éd., Paris, MEDSI/McGraw-Hill, 1990.

Chalifour, J. *La relation d'aide en soins infirmiers: Une perspective holistique-humaniste*, Boucherville, Gaëtan Morin, 1989.

Dumas, L. « Choisir un cadre théorique ». « Choisir Orem ». *Nursing Québec*, 10 (6), 1990.

Doenges, M.E., et M.F. Moorhouse, *Diagnostics infirmiers et interventions: Guide pratique*, Montréal, Éditions du Renouveau Pédagogique, 1991.

Egan, G. *Communication dans la relation d'aide*, Montréal, HRW, 1987.

Lazure, H. *Vivre la relation d'aide: Approche théorique et pratique d'un critère de compétence de l'infirmière*. Mont-Royal, Décarie, 1987.

Ordre des infirmières et infirmiers du Québec. *Extraits de l'évaluation de la compétence professionnelle de l'infirmière et de l'infirmier au Québec*, Montréal, O.I.I.Q., 1989.

Orlando, D.J. *La relation dynamique infirmière-client*, Montréal, HRW, 1979.

Pelletier, M.C. « La pratique de l'infirmière en psychiatrie à l'ère des cadres conceptuels propres à la discipline infirmière ». Dans *Prendre part aux défis en nursing psychiatrique et en santé mentale en 1988*, IIIe conférence nationale du Nursing Psychiatrique, juin 1988.

Phaneuf, M. *Soins infirmiers: La démarche scientifique – Orientation vers le diagnostic infirmier*, Montréal, McGraw-Hill, 1986.

Potter, P.A., et A.G. Perry. *Soins infirmiers: théorie et pratique*, Montréal, Éditions du Renouveau Pédagogique, 1990.

Richard, L. « Le modèle d'adaptation de Roy », *L'infirmière canadienne*, no X, Ottawa, AIIC. 1982.

Taylor, C.M., et S.S. Cress *Diagnostics infirmiers, guide pour le plan de soins*, Paris, Maloine-Décarie, 1988.

Travelbec J. *Relation d'aide en nursing psychiatrique*, Montréal, Éditions du Renouveau Pédagogique, 1978.

Wilson, H.S., et C.R. Kneisl. *Soins infirmiers psychiatriques* (chap. 2, 3, 4, 6, 7, 8), Montréal, Éditions du Renouveau Pédagogique, 1982.

CHAPITRE 3

Les théories de la personnalité et la santé mentale

LESLIE BONJEAN

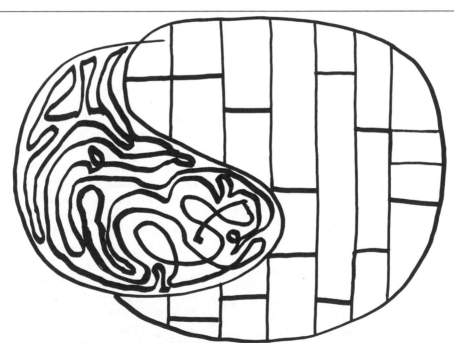

Mon monde intérieur et mon monde extérieur.

Dans mon monde intérieur tout se confond et s'entremêle. Tant de pensées et d'émotions qui s'engouffrent dans un labyrinthe. La grande route qui semble ondoyer paisiblement n'est en réalité qu'un enchevêtrement de rues sans issues, de chemins barrés, de voies qui tournent sans mener nulle part. Et tant de pièges où s'embusquent ma déconvenue et mon désespoir.

Mon monde extérieur est très structuré et bien rangé. Les lignes droites et les fenêtres ouvertes me rassurent et m'indiquent clairement la direction à suivre. Mais j'ai peur, car le chaos de mon monde intérieur empiète graduellement sur ma vie extérieure qui est en si bon ordre.

■ *Objectifs*

Après avoir étudié le présent chapitre, vous devriez être en mesure de :

- expliquer l'utilité des différentes théories et des cadres théoriques pour les soins infirmiers en tant que discipline scientifique ;
- expliquer les bases théoriques du développement de la personnalité dans la perspective psychanalytique, interpersonnelle, behavioriste, psychosociale et humaniste ainsi que dans la perspective du développement cognitif et moral ;
- analyser les théories exposées dans le présent chapitre et les moyens de les appliquer dans la pratique professionnelle ;
- établir un rapport entre les théories exposées dans le présent chapitre et la pratique clinique.

■ *Sommaire*

Introduction
Définition des théories
Les théories et la démarche de soins infirmiers
Les différentes théories

Les théories du développement de la personnalité
La perspective psychanalytique
La perspective interpersonnelle
La perspective behavioriste
La perspective du développement cognitif
La perspective psychosociale
La perspective humaniste
La perspective du développement moral

Résumé

Introduction

L'évolution de la science et de la technologie au siècle dernier a mené à la formulation de nombreuses notions et théories. Dans des disciplines comme la psychologie, la sociologie, la philosophie, la biologie et les sciences naturelles, l'élargissement des bases théoriques a permis la recherche de nouvelles connaissances. Les soins infirmiers ont, eux aussi, beaucoup progressé depuis Florence Nightingale, de nombreuses théories ayant été élaborées et mises en application. Pour ce faire, la profession a eu recours à deux moyens : 1) la recherche, qui a mené à la formulation des théories de soins infirmiers ; 2) l'exploration, la compréhension et l'utilisation des théories interdisciplinaires.

Définition des théories

L'élaboration de la théorie, but premier de la science, est essentielle à toute discipline scientifique ; la théorie permet de faire des rapprochements entre divers groupes de concepts et de les mettre en corrélation de façon à en saisir la signification et à mieux les comprendre. Les infirmières peuvent alors trouver dans la théorie des réponses à leurs questions et des solutions aux problèmes qu'elle rencontrent dans leur travail. Puisque les soins infirmiers sont en fin de compte une science appliquée, les théories servent non seulement à désigner les notions et à les analyser mais aussi à guider la pratique et à prédire l'issue des interventions.

Le mot « théorie » vient du grec *theorein* qui signifie « observation, mais aussi vision des choses ». Kerlinger (1973, p. 9) définit la théorie comme étant un ensemble de connaissances interreliées (concepts, définitions et propositions) qui présentent une vision systématique des phénomènes et précisent les rapports entre les variables, dans le but d'examiner ces phénomènes et de les prévoir. Pour Kim (1983, p.10), la théorie est tout simplement la formulation de rapports entre plusieurs classes de phénomènes (et, partant, de concepts) menant à la compréhension d'un problème ou de la nature des choses.

Les théories sont élaborées en vue de :

- classer les données et de les organiser ;

- expliquer la raison pour laquelle certains phénomènes se produisent ;

- comprendre l'importance des événements passés ;

- augmenter l'emprise sur certains phénomènes ;

- permettre de prévoir certains événements.

Il est tentant de considérer les théories comme des abstractions sans valeur pratique dans le monde réel. Barbara Stevens (1979) fait remarquer que la pratique est souvent assimilée à ce qui est réaliste et la théorie, du moins implicitement, à ce qui ne l'est pas. À son avis, cette façon anti-intellectuelle d'interpréter et d'utiliser la théorie nuit aux progrès des soins infirmiers et réduit donc cette science à une banale transmission de connaissances d'une infirmière à l'autre. Même si l'élaboration des théories reste, sans aucun doute, un processus souvent abstrait, le produit fini devient par contre, un guide pratique. Si, comme les Grecs, on estime que la théorie est une observation ou une vision des choses, on peut la considérer comme l'un des moyens de transformer une certaine vision des soins infirmiers en réalité.

Mais qu'est-ce qu'une vision dans le domaine des soins infirmiers ? L'un des buts incontestables de la profession est la prestation des soins sur des bases scientifiques. Mais est-ce la seule exigence de cette discipline ? Car même s'il est essentiel de savoir ce qu'il faut faire et pour quelle raison, cela ne suffit pas. Il faut encore ajouter une dimension humaniste à la connaissance scientifique. En d'autres mots, pour revenir à la notion de vision des choses, il s'agit, dans le cas des soins infirmiers, de prestation de soins humanistes sur des bases scientifiques ; d'où l'expression **soins infirmiers humanistes holistiques**. Étant donné que la majorité des théories qui guident la pratique des soins infirmiers est basée sur l'interprétation des notions selon une approche humaniste, leur mise en pratique peut aider les infirmières à rendre leur profession plus humaine. Pour élaborer une théo-

rie, les chercheurs doivent nécessairement commencer par concevoir des principes qui définissent clairement leur conception de l'être humain et de l'univers. Par la suite, les rapports entre les principes et ces notions doivent être compatibles. En plus d'indiquer la voie que la profession devrait suivre, les théories, et les principes inhérents garantissent, par leur nature, une pratique humaniste.

Les théories et la démarche de soins infirmiers

Comme nous l'avons énoncé, les théories fournissent des données scientifiques pour l'établissement des normes de pratique. La démarche de soins infirmiers permet d'organiser ces données scientifiques abondantes pour obtenir un système facilement applicable. Il s'agit là d'une intellectualisation des étapes que l'infirmière effectue, lorsqu'elle planifie ses interventions et les met en application. Les théories, par leur nature, fournissent d'abondantes données applicables à diverses situations. Elles sont par ailleurs censées présenter un cadre assez vaste pour laisser place à la créativité. Les infirmières acceptent plus volontiers de recourir aux théories lorsqu'elles leur permettent de faire preuve d'initiative dans des situations particulières. Cette liberté d'action offre de nombreuses possibilités pour les soins aux clients, mais le problème d'organisation n'en est que plus complexe.

Une théorie peut guider les infirmières de plusieurs façons. Elle leur permet : 1) d'étudier une situation donnée sous un certain angle ; 2) de prévoir ce qui pourrait se produire dans cette situation ; 3) de déterminer les interventions qui se sont avérées efficaces par le passé. Cependant, elle ne leur indique pas nécessairement comment organiser toutes ces données. La démarche de soins infirmiers favorise le classement systématique des données recueillies grâce à l'application d'un cadre théorique à une situation réelle. Même si les interventions s'inspirent toute d'une théorie donnée, le choix de l'intervention appartient en fin de compte uniquement à l'infirmière. La démarche de soins infirmiers individualise les interventions. On peut donc dire que la démarche adapte la théorie au client, ce qui diminue le caractère abstrait des théories tout comme de la démarche de soins infirmiers.

Les différentes théories

Nous présentons dans ce chapitre les diverses théories applicables à la prestation de soins infirmiers en psychiatrie et en santé mentale. Les infirmières débutantes sont en droit de se poser les questions suivantes :

- Quelles sont les théories les plus appropriées ?
- Lesquelles conviennent davantage à un type donné de pratique ?
- Lesquelles sont d'application courante ?

Il est impossible de répondre catégoriquement à ces questions. Si l'on menait une enquête auprès des infirmières qui exercent dans le domaine de la psychiatrie et de la santé mentale, on obtiendrait probablement autant d'opinions différentes qu'il y a de théories et d'interlocutrices.

Bien que certaines infirmières, et notamment les spécialistes en milieu clinique, préfèrent se limiter à un cadre théorique particulier, la plupart se servent de plusieurs cadres théoriques à la fois. Les débutantes devraient explorer plusieurs approches de soins et apprendre à les mettre en pratique. C'est en effet par l'étude que les étudiantes trouveront des réponses aux questions que nous avons évoquées. Puisque la démarche entreprise avant la prise d'une décision est plus importante que la décision, la recherche et la découverte justifieront incontestablement le cadre théorique qu'on finira par utiliser.

Les théories du développement de la personnalité

Avant de passer en revue les théories du développement de la personnalité, il conviendrait de se pencher sur la signification du mot *personnalité*, que la plupart des gens connaissent bien. Dans la conversation, on l'utilise souvent pour décrire l'habileté à établir des relations et à se sentir à l'aise en société. On parle de forte personnalité dans le cas de la personne sociable, pleine d'humour et divertissante, mais de personnalité faible dans le cas de celle qui est taciturne et mal à l'aise dans ses rapports avec autrui.

Dans le langage courant, la caractéristique la plus frappante d'une personne sert aussi à décrire sa personnalité. Il y a, par exemple, la personnalité agressive, généreuse, égoïste et paresseuse. Il existe des centaines de façons de décrire une personnalité, et l'énumération précédente n'est certes pas exhaustive.

Si l'on cherche à approfondir la notion de personnalité, il ne serait pas très utile de consulter les études rédigées sur le sujet. Les nombreuses définitions biosociales qui y sont proposées ressemblent davantage à des croyances populaires qu'à des définitions de biophysique expliquant les influences organiques. Certaines définitions de la personnalité décrivent le comportement d'adaptation des individus et d'autres essaient de combiner les aspects biosociaux, biophysiques et adaptatifs. Il est évident que les scientifiques définissent la personnalité en fonction du sujet principal de leurs travaux. Hall et Lindzey (1970) estiment qu'aucune définition de la personnalité ne peut s'appliquer de façon générale. Ils affirment (p. 9) que la personnalité est définie par les principes empiriques particuliers sur lesquels repose la théorie utilisée par l'observateur.

La perspective psychanalytique

La **théorie psychanalytique** est née de la pratique clinique de Sigmund Freud.

Sigmund Freud Sigmund Freud est le premier qui cherche à déterminer les sources et les manifestations des troubles de l'esprit et de la personnalité. En 1885, Freud est maître de conférences à l'université de Vienne, chargé du cours sur les troubles nerveux. Cette même année, il quitte son poste pour étudier sous la direction de Jean Martin Charcot, neurologue réputé pour qui l'hypnose constitue la principale intervention thérapeutique et dont les clients souffrent, pense-t-on, de « désordres hystériques de l'esprit ». Ceux-ci semblent aveugles ou paralysés et aucun diagnostic médical précis n'explique leurs symptômes. Freud, au cours de ses travaux sous la direction de Charcot et, plus tard, en collaboration avec deux autres neurologues qui utilisent aussi l'hypnose chez les malades dits « hystériques », constate que les processus mentaux sont beaucoup plus complexes que l'observation de la personne consciente ne le lui avait laissé entrevoir. Cette expérience va marquer toute sa vie et l'amènera à élaborer une théorie détaillée du développement de la personnalité.

Aspects de la conscience Freud divise la conscience en trois catégories :

- le conscient
- le préconscient
- l'inconscient

La première catégorie, le **conscient**, inclut tout ce dont il est facile de se souvenir comme les adresses, les numéros de téléphone, les dates d'anniversaires et de vacances. La deuxième catégorie – le **préconscient** (appelé parfois le *subconscient*) – contient toutes les pensées, sentiments et désirs oubliés, mais qui peuvent facilement revenir à la mémoire. Il peut s'agir d'anciens numéros de téléphone ou d'anciennes adresses, de sentiments éprouvés le jour du mariage ou à la naissance du premier enfant, du nom de la première amie, ou de l'animosité ressentie envers le premier patron. La troisième catégorie – **l'inconscient** – englobe les pensées, les sentiments, les actions, les expériences et les rêves qui ne peuvent pas remonter au conscient ou dont on ne peut se souvenir.

Le ça, le moi et le surmoi Pour Freud, la personnalité est constituée de trois instances :

- le ça
- le moi
- le surmoi

Chacune de ces instances remplit une fonction différente, mais elles sont si étroitement interreliées qu'il est difficile d'en séparer les effets sur le comportement d'une personne.

Les pulsions biologiques et psychologiques présentes à la naissance constituent le **ça**. Les pulsions sont des désirs psychologiques innés, considérés comme des besoins. Sur le plan biologique, la faim est une carence nutritionnelle, mais, sur le plan psychologique c'est un désir de nourriture. Le désir est le facteur de motivation qui pousse une personne à rechercher la nourriture. Par conséquent, les pulsions servent à orienter le comportement dans une direction donnée.

Le ça garde en réserve toute l'énergie psychique, qui, à son tour, confère au moi et au surmoi la capacité d'agir. Le ça n'a aucune connaissance du monde extérieur et ne fonctionne que dans les limites de sa propre réalité subjective. Totalement centré sur lui-même, il n'a comme principale préoccupation que la satisfaction immédiate de ses besoins. Comme le ça ne peut pas supporter la tension qui augmente à mesure que ces besoins ne sont pas satisfaits, il essaie de les assouvir le plus rapidement possible, sans tenir compte de la réalité ou de la moralité. C'est ce qu'on appelle le **principe de plaisir**.

Le ça est capable d'actes réflexes, comme le clignement des yeux, l'éternuement et les soupirs, qui lui permettent d'atténuer dans l'immédiat la tension engendrée par la plupart des situations où des besoins primaires s'expriment, mais qui ne lui procurent pas la satisfaction dont il a besoin dans des situations plus complexes. Il est également capable de produire des images mentales pour dissiper la tension. La personne qui a faim peut, par exemple, évoquer l'image d'une denrée alimentaire pour soulager la tension causée par le besoin de manger. C'est ce qu'on appelle le **processus primaire**. Ni l'acte réflexe ni le processus primaire ne sont en mesure de soulager complètement la tension. Le ça est incapable de comprendre la démarche réaliste qui lui permettrait d'aboutir à la satisfaction de ses besoins. C'est là qu'entre en fonction le moi.

Le rôle du **moi** est de veiller à ce que les pulsions débridées qui mènent le ça vers la satisfaction de ses besoins ne s'échappent pas hors des frontières de la réalité. Ainsi, pour que ses besoins de nourriture soient satisfaits, la personne qui a faim doit apprendre à se trouver de la nourriture, à la préparer et à la manger. Elle doit donc établir une distinction entre la représentation mentale des aliments et leur signification réelle, ce qui revient à dire que les images doivent être converties en perceptions qui lui permettent d'assouvir sa faim. Le but principal de ce processus est de permettre au moi de contenter le ça de façon à assurer son bien-être et la survie. Alors que le ça obéit au principe de plaisir, et fonctionne selon un processus primaire, le moi obéit au principe de réalité et fonctionne selon un processus secondaire.

Le **principe de réalité** a pour principale fonction de maintenir la tension à un niveau tolérable jusqu'à ce que la personne trouve l'objet qui puisse répondre à ses besoins. Le **processus secondaire** est simplement la pensée réaliste qui permet au moi de trouver des moyens de répondre aux besoins du ça et de mettre ses desseins à l'essai; ce processus porte le nom d'**épreuve de la réalité**. Le moi a pour mission d'aider le ça à satisfaire ses besoins et ne s'y opposera jamais sciemment. Le moi n'existe pratiquement pas sans le ça et il ne peut jamais s'en libérer complètement. Le rapport entre le ça et le moi est un rapport de connivence, c'est-à-dire qu'il sert une fin pratique et qu'il est nécessaire à la survie de l'espèce. Le moi ne s'embarrasse pas de valeurs morales ni de tabous. Ce rôle est réservé à la troisième instance, le surmoi.

Le **surmoi** est l'instance qui intériorise les règles de la société et les valeurs personnelles, qui sont, ensuite, inculquées aux enfants selon un système de récompense et de punition. Le surmoi se plie davantage à un idéal qu'à la réalité. C'est l'instance morale de la personnalité, qui vise la perfection par opposition au plaisir du ça et à la réalité du moi. À toutes fins pratiques, c'est ce qu'on appelle la « conscience », l'instance de la personnalité qui se préoccupe essentiellement du bien et du mal. Puisque les enfants sont récompensés ou punis, selon leur conduite, ils apprennent très vite ce qui est acceptable ou « bien » et ce qui est inacceptable ou « mal ». Lorsque l'enfant est récompensé pour sa bonne conduite, l'expérience est incorporée dans l'**idéal du moi**, qui est une partie du surmoi. Ce processus s'appelle **introjection**, forme d'identification qui permet l'incor-

poration des normes et des valeurs des autres dans son propre soi. Par ailleurs, lorsque l'enfant est puni à cause de sa mauvaise conduite, l'expérience est incorporée dans sa **conscience**. La dynamique de ces deux processus est la suivante : l'idéal du moi nous récompense en nous procurant un sentiment de bien-être, et la conscience nous punit en nous infligeant un sentiment de malaise. Les individus dont le surmoi n'est pas développé sont incapables d'éprouver un sentiment de bien-être ou de malaise par suite d'une certaine conduite. Bien qu'on les qualifie souvent d'immoraux, il serait plus exact de dire qu'ils sont amoraux.

Le surmoi est donc une instance de censure des pulsions irrationnelles du ça et un véhicule qui permet au moi de s'acquitter de ses responsabilités envers le ça en l'aidant à choisir, pour sa satisfaction, des objets qui ne sont pas considérés comme mauvais ou immoraux. Freud a découvert que les liens serrés qui existent entre ces instances de la personnalité déterminent grandement le comportement des êtres humains. Il a également compris que des conflits surgissent lorsque ces trois instances tendent vers des buts différents. D'après Freud, le mode de règlement de ces conflits détermine l'état de santé mentale de la personne.

Angoisse et mécanismes de défense La notion d'angoisse forme la trame de la perspective psychanalytique de la personnalité. Pour les freudiens, l'angoisse est une sensation de tension, de détresse et de malaise, quelque peu semblable à la peur, mais produite par la perte réelle ou imaginaire de la maîtrise de soi plutôt que par un danger extérieur. Les émotions provoquées par l'angoisse sont à tel point intolérables qu'elles poussent la victime à prendre certaines mesures. La fonction de l'angoisse est de mettre en garde l'individu contre un danger imminent. Ce message clair, lancé au moi, le prévient que, faute de mesures palliatives, il risque d'être submergé. Pour s'adapter à l'angoisse, le moi ne peut prendre que des mesures rationnelles lui permettant de diminuer la sensation de malaise. Ce procédé réussit souvent chez la personne en bonne santé mais, durant certaines périodes de la vie de chacun, le moi est incapable de faire face et peut avoir recours à des procédés moins rationnels pour surmonter l'angoisse, procédés qu'on appelle les mécanismes de défense du moi.

Les mécanismes de défense du moi soulagent l'angoisse, par le biais de la dénégation, de la fausse interprétation ou de la déformation de la réalité. Cela est vrai même lorsque l'on a recours à des mécanismes de défense que Freud considérait comme nécessaires et salutaires. La **sublimation** et le **déplacement** qui, d'après Freud, sont nécessaires à la motivation sociale et personnelle, en sont des exemples. Les mécanismes de défense constituent eux-mêmes, une déformation de la réalité, et le fait d'y avoir recours provoque, en général, une absence de congruence entre la réalité et la perception de cette réalité. Ces mécanismes se déclenchent surtout dans l'inconscient (voir au tableau 3-1, la description des principaux mécanismes de défense).

Développement psychosexuel Le développement psychosexuel est le processus de développement de la personnalité de la naissance à l'adolescence. Lors de chacun des cinq stades distingués par Freud, l'enfant peut prendre des moyens caractéristiques pour satisfaire le plaisir sexuel (libido). Ces stades correspondent à ceux de la croissance du corps et Freud les a nommés : 1) le stade oral ; 2) le stade anal ; 3) le stade phallique ; 4) la période de latence ; 5) le stade génital. Freud dit qu'il est impossible de passer d'un stade à l'autre si les besoins du stade précédent n'ont pas été satisfaits. Si, pendant qu'elle nourrit son enfant, la mère se montre affectueuse et attentive, et si elle lui laisse le temps de satisfaire le besoin qu'il a de téter, le nourrisson apprend à apaiser son angoisse par les mouvements de la bouche et atteint un niveau de croissance suffisant pour passer au stade suivant (voir au tableau 3-2, le résumé des principales caractéristiques du développement psychosexuel selon Freud).

L'importance de la théorie psychanalytique On peut utiliser la théorie psychanalytique pour l'évaluation des clients. Grâce à elle, on peut examiner de façon systématique le développement au cours des premières années de vie et les stratégies d'adaptation utilisées par les clients. Les infirmières ont intérêt à connaître la théorie psychanalytique, car elle leur fournit un cadre pour comprendre le comportement. La théorie de Freud permet, par exemple, une distinction entre la simulation et la régression ou entre la manipulation et la dénégation. Par ailleurs, l'infirmière pourra plus facilement excuser la colère dirigée contre elle si elle comprend qu'il s'agit d'une projection. La théorie psychanalytique permet de mieux saisir les méandres mystérieux de l'esprit humain et rapproche ainsi davantage l'infirmière du client.

Comme nous l'avons déjà expliqué, l'infirmière peut faire preuve de créativité lorsqu'elle applique ces diverses théories. Après la présentation de chaque grande théorie, on a regroupé dans un tableau des exemples d'application à l'étape de collecte des données du processus de soins infirmiers. Ces exemples ne se veulent cependant aucunement exhaustifs (voir au tableau 3-3, les applications de la perspective psychanalytique).

La perspective interpersonnelle

Les théories révolutionnaires de Freud ont bouleversé la psychologie. Cependant, vers la fin du dix-neuvième siècle, d'autres disciplines voient également le jour et apportent chacune son propre bagage de connaissances scientifiques. Sociologues et anthropologues s'aperçoivent que le développement de l'être humain est plus complexe qu'on ne le croyait et leurs théories se fondent rapidement dans la masse des connaissances acquises, surtout grâce aux progrès de la psychologie. De nombreux disciples de Freud considèrent sa vision comme trop étriquée étant donné qu'elle ne tient pas compte des influences sociales et culturelles. Ils commencent donc à reformuler les anciennes notions et à créer de nouvelles théories, dont la **théorie interpersonnelle** du développement de la personnalité.

Harry Stack Sullivan Bien que Harry Stack Sullivan commence ses travaux à l'école de la psychanalyse, il met par la suite au point une théorie du développement qui s'écarte beaucoup des idées de Freud. Il s'agit de la théorie **interpersonnelle** du développement. Pour Sullivan, la

Tableau 3-1   *Les mécanismes de défense du moi*

Mécanisme de défense	Exemple	Rôle
Identification : processus qui pousse le sujet à imiter le comportement de celui qu'il craint ou qu'il respecte afin de surmonter son angoisse.	L'élève infirmière qui imite l'attitude maternante que l'une des enseignantes adopte face aux clients.	Permet d'éviter l'auto-dévalorisation.
Introjection : forme d'identification qui favorise l'incorporation des normes et des valeurs d'autrui dans le soi, même si elles sont contraires aux idées personnelles.	Le garçon de 7 ans qui dit à sa jeune sœur qu'il ne faut pas parler aux étrangers. Ce garçon a introjecté cet interdit qui lui a été inculqué par ses parents et par ses professeurs.	Permet d'éviter les représailles sociales et la punition. Essentiel au développement du surmoi de l'enfant.
Projection : processus qui permet de blâmer l'entourage ou le milieu pour des désirs, des pensées, des défauts et des erreurs inacceptables pour la personne.	La mère qui est avertie que son enfant doit redoubler et qui jette le blâme sur la mauvaise qualité de l'enseignement.	Protège l'image de soi.
	Le mari qui oublie de payer une facture et qui reproche à sa femme de ne pas la lui avoir donnée plus tôt.	Permet de nier l'existence des défauts et des erreurs.
Déplacement : le transfert de réactions affectives d'un objet ou d'une personne à un autre objet ou à une autre personne.	Le couple qui se dispute et le mari frappe, dans sa rage, une porte plutôt que de frapper sa femme.	Permet d'exprimer ses émotions en les transférant sur des personnes ou des objets moins dangereux.
	L'étudiante qui reçoit une mauvaise note pour un travail qui lui a demandé beaucoup d'efforts et qui, une fois rentrée chez elle, déverse sa colère sur sa famille.	
Rationalisation : justification de certains comportements par une logique erronée, nourrie par des motifs, acceptables sur le plan social, mais qui ne les ont pas réellement inspirés.	La mère qui administre une fessée trop forte à son bébé et qui se justifie en se disant que les couches ont sûrement amorti les coups.	Permet de surmonter l'incapacité d'atteindre des buts ou de respecter certaines normes.
Dénégation : tentative de filtrer ou d'ignorer certaines réalités qu'on refuse d'accepter.	La femme à qui l'on annonce que son père souffre d'un cancer avec des métastases et qui continue d'organiser une réunion de famille qui aura lieu 18 mois plus tard.	Permet de se couper provisoirement du plein effet d'une situation traumatisante.
Refoulement : mécanisme inconscient qui interdit aux pensées, aux émotions et aux désirs menaçants d'émerger de l'inconscient.	L'adolescent dont le meilleur ami a été tué dans un accident d'auto et qui ne peut plus se souvenir des circonstances de cet accident.	Offre une protection contre les expériences traumatisantes jusqu'à ce que la personne soit capable de s'y adapter.
Formation réactionnelle : mécanisme qui permet au sujet d'agir de façon contraire à ses sentiments.	Le cadre supérieur qui en veut à ses patrons d'avoir demandé à un bureau de consultants de recommander des changements à apporter dans son service mais qui affirme qu'il soutient entièrement cette idée et se montre excessivement poli et coopérant.	Aide à renforcer le refoulement en favorisant l'extériorisation des émotions d'une façon plus acceptable.
Régression : retour à un stade de développement antérieur où l'on se sent plus à l'aise et qui comporte moins d'exigences et de responsabilités.	L'adulte qui, n'ayant pas gain de cause, pique une crise de colère.	Permet de revenir à un stade de développement où le maternage et la dépendance étaient nécessaires et acceptés sans gêne.
	Le client grièvement malade qui abandonne à l'infirmière le soin de lui donner son bain et de le nourrir.	

Tableau 3-1 *(suite)*

Mécanisme de défense	Exemple	Rôle
Intellectualisation : mécanisme qui permet de remplacer la réaction affective qui accompagnerait normalement un incident gênant ou pénible par des explications théoriques qui le débarrassent de toute signification ou émotion.	La douleur que l'on ressent à la mort soudaine d'un être cher est diminuée si l'on essaie de trouver une explication à l'événement ou si l'on essaie de l'analyser.	Protège l'image de soi contre les souffrances et les événements traumatisants.
Annulation : acte ou paroles visant à oblitérer certaines pensées, pulsions ou gestes inacceptables et qui permettent au sujet de dissiper son sentiment de culpabilité en les réparant.	Le père qui administre une fessée à son fils et qui lui rapporte un cadeau le lendemain. Le professeur qui prépare un examen beaucoup trop facile mais qui pondère les résultats de façon à ce qu'on ait du mal à obtenir une bonne note.	Permet de dissiper les sentiments de culpabilité et de racheter les erreurs commises.
Compensation : camouflage des faiblesses par la mise en avant d'un trait plus avantageux ou de la réussite dans un domaine où l'on se sent plus à l'aise.	L'élève du secondaire qui, étant trop petit, ne peut jouer au football et qui devient champion de course de fond.	Permet de surmonter les faiblesses et de réussir.
Sublimation : transfert de l'énergie d'une pulsion sexuelle ou agressive primitive à des activités acceptables sur le plan social.	La personne en proie à des pulsions sexuelles primitives excessives qui investit son énergie psychique dans un système de valeurs religieuses qui bénéficient de la considération générale.	Protège le sujet contre des comportements impulsifs ou irrationnels.
Substitution : remplacement d'un objet inacceptable ou inaccessible, auquel on attache beaucoup de prix, par un autre de moindre valeur, mais qui est acceptable ou accessible.	Une femme qui souhaite épouser un homme qui soit à l'image de son père décédé, mais qui finit par prendre pour mari un homme qui lui ressemble quelque peu.	Permet au sujet d'atteindre ses buts et réduit grandement la frustration et les déceptions.

personnalité est une notion abstraite qui ne peut se manifester que dans le cadre des rapports interpersonnels. C'est la raison pour laquelle il n'étudie l'individu que dans le contexte de ses rapports avec autrui. D'après la théorie interpersonnelle, la personnalité ne se manifeste que dans les interactions avec une autre personne ou avec un groupe. Sullivan ne nie pas que l'hérédité et l'épanouissement du corps font partie du développement, mais il attache beaucoup plus d'importance à l'organisme en tant qu'entité sociale qu'en tant que entité biologique.

Bien que pour Sullivan la personnalité soit une notion plus abstraite que pour Freud, il en fait quand même l'axe de la dynamique humaine dans la sphère interpersonnelle où il reconnaît trois processus primordiaux : les dynamismes, les personnifications et les processus cognitifs.

Les dynamismes Dans sa forme la plus simple, le dynamisme est un ensemble de comportements adoptés depuis longtemps. On peut, par conséquent, considérer le dynamisme comme une habitude. La définition de Sullivan est assez large pour qu'on puisse inclure dans un dynamisme donné de nouveaux comportements. Tant que l'ensemble des comportements ne subit pas de modification radicale, on peut dire qu'on reste dans le cadre du même dynamisme.

Selon la théorie de Sullivan, les dynamismes font ressortir les traits de la personnalité. On peut dire, par exemple, que l'enfant qui est « méchant »

Tableau 3-2   *Les stades du développement psychosexuel selon Freud*

Stade	Âge	Principales caractéristiques
Oral	De 0 à 18 mois	La bouche, les lèvres et la langue constituent la principale source du plaisir. Puisque l'enfant ne peut se passer des soins de la mère, il développe à son égard une dépendance.
Anal	De 18 mois à 3 ans	Le primat est accordé à la maîtrise des sphincters qui commandent l'évacuation de l'urine et des fèces. La défécation procure un sentiment de soulagement. Pendant ce stade, l'enfant apprend à retarder la gratification en différant le plaisir apporté par le soulagement par voie anale.
Phallique	De 3 à 6 ans	Développement d'une prise de conscience par rapport à la zone génitale, avec une prédominance de pulsions sexuelles agressives attachées aux organes sexuels. Ce stade correspond à l'apprentissage de l'identité sexuelle. La masturbation et les fantasmes sexuels sont courants.
Phase de latence	De 6 à 12 ans	Ce stade est caractérisé par la mise en veilleuse du développement sexuel et l'investissement de l'énergie dans le développement cognitif et les activités intellectuelles.
Génital	De 12 ans jusqu'au début de l'âge adulte	Les pulsions sexuelles abondent et le but principal devient l'établissement de rapports satisfaisants avec les personnes du sexe opposé.

présente un dynamisme d'hostilité. L'idée maîtresse est que la réaction habituelle d'une personne face à une autre ou face à une situation constitue un dynamisme. D'après Sullivan, la plupart des dynamismes répondent aux besoins fondamentaux de l'individu, car ils réduisent son angoisse.

Ainsi le nouveau-né connaît l'angoisse pour la première fois au moment où il quitte le ventre de sa mère. À mesure que l'enfant grandit, l'angoisse surgit chaque fois que sa sécurité est menacée. Sullivan appelle **dynamisme du soi** ou **système du self** le dynamisme qui se forme pour réduire l'angoisse. Le système du self est le gardien de la sécurité de l'individu.

Les personnifications   Selon la théorie de Sullivan, la personnification est l'image qu'on a de soi et d'autrui. Chaque être humain possède un grand nombre de telles images, forgées à partir d'attitudes, de sentiments et de perceptions dérivées des expériences individuelles. Par exemple, pour l'enfant, la personnification du bon maître ne se produit que s'il a rencontré ce genre de personne. Toute relation qui se traduit par une « bonne » expérience entraîne une personnification avantageuse de la personne avec laquelle on a entretenu cette relation. Les personnifications fâcheuses découlent d'une « mauvaise » expérience.

Selon Sullivan, les personnifications s'élaborent au début de la vie pour permettre à l'individu de s'adapter aux relations interpersonnelles. Avec l'âge, cependant, les personnifications très rigides peuvent entraver les relations interpersonnelles.

Tableau 3-3   *Application de la théorie psychosexuelle de Freud.*

Collecte des données

1. À quel stade de développement se situe ce client ?

2. Quelles sont les tâches qu'il devrait être en mesure d'accomplir ?

3. Connaît-on des facteurs l'empêchant d'exécuter ces tâches ?

4. Quelles sont les menaces biologiques et psychologiques qui pèsent sur lui ?

5. Quels sont les besoins qui, chez ce client, ne sont pas satisfaits ?

6. Comment le client perçoit-il sa propre situation ?

7. A-t-il manifestement recours à des mécanismes de défense ?

8. Dans quel but le client les utilise-t-il ?

9. Quels sont les signes d'angoisse qu'on peut déceler chez ce client ?

10. L'angoisse du client est-elle justifiée ?

Les processus cognitifs   Pour Sullivan, les processus cognitifs constituent la troisième composante importante de la sphère interpersonnelle. Ces processus cognitifs, tout comme les personnifications, dépendent d'expériences qui appartiennent à l'un des trois modes suivants. Le premier, qui doit obligatoirement précéder tous les autres, est l'**expérience prototaxique**, c'est-à-dire l'expérience qui accède à la conscience sans qu'elle soit reliée à aucune autre, sans discrimination entre soi et l'univers. Il s'agit, par exemple, des images, des sensations ou des émotions. Les nourrissons connaissent souvent ce genre d'expériences. Le deuxième mode est celui de l'**expérience parataxique**. Elle est vécue par la personne qui établit un rapport de cause à effet entre des événements qui se produisent plus ou moins simultanément mais qui ne sont pas liés de façon logique. Supposons, par exemple, qu'un enfant dise à sa mère qu'il la déteste et que plus tard elle tombe malade. La pensée parataxique l'amène à conclure que chaque fois qu'il dira à sa mère qu'il la déteste, elle tombera malade. Sullivan affirme que la plupart de nos pensées ne dépassent pas le niveau parataxique. Le troisième mode est celui de l'**expérience syntaxique** qui constitue, de l'avis de Sullivan, le niveau le plus élevé de la pensée. Il s'agit de la faculté de symboliser, en général, et de celle de symboliser le discours, en particulier. La symbolisation ne peut se concrétiser que si un groupe d'individus comprend le sens des symboles et s'entend sur leur signification. À ce niveau, on peut donner un ordre logique aux expériences et les communiquer (voir au tableau 3-4, les stades de développement selon Sullivan).

L'importance de la perspective interpersonnelle

La théorie interpersonnelle offre à l'infirmière une nouvelle perspective dans laquelle elle peut évaluer le comportement humain. Cette théorie définit le développement dans un contexte social et lui permet d'évaluer les influences de la culture et de l'interaction sociale sur le comportement du client (voir au tableau 3-5, les applications de la perspective interpersonnelle).

Tableau 3-4   *Les stades du développement interpersonnel selon Sullivan*

Stade de développement	Période	Principales caractéristiques
Petite enfance	0 à 18 mois	Les interactions du nourrisson avec son milieu se produisent surtout au niveau de la zone buccale. L'allaitement lui apporte les premières expériences interpersonnelles. La satisfaction des besoins favorise le développement de la confiance.
Prime enfance	De 18 mois à 6 ans	Le passage à ce stade se fait lors de l'apprentissage de la parole. C'est le début de l'intégration du concept de soi. L'identification sexuelle a également lieu durant cette période. L'enfant apprend à retarder les gratifications.
Enfance	De 6 à 9 ans	Début de la socialisation. L'enfant apprend la subordination aux figures d'autorité. Les rapports sociaux confèrent un sentiment d'appartenance.
Préadolescence	De 9 à 12 ans	Le besoin de rapports étroits avec les camarades du même sexe est intense. Le préadolescent fait l'apprentissage de la vie au sein du groupe. Ce stade marque le début des premiers rapports humains véritables.
Début de l'adolescence	De 12 à 14 ans	Un modèle de rapports hétérosexuels se développe alors. L'adolescent est à la recherche de son identité. Il éprouve des sentiments ambigus par rapport à la dépendance et à l'autonomie.
Fin de l'adolescence	De 14 à 21 ans	C'est le début de l'intégration à la société. L'estime de soi se stabilise. La personne apprend à établir des liens affectifs qui n'altèrent pas l'identité du moi.

Tableau 3-5   *Application de la théorie interpersonnelle de Sullivan*

Collecte des données

1. À quel stade du développement se situe ce client?

2. Quelles sont les tâches qu'il devrait être capable d'accomplir pour assurer son développement?

3. Est-ce que l'accomplissement des tâches antérieures a su satisfaire les besoins interpersonnels du client?

4. Si les besoins interpersonnels sont restés insatisfaits, quel en a été l'effet sur le client?

5. Comment le client se perçoit-il? Comment le client se décrit-il?

6. De quelle façon le client manifeste-t-il son angoisse?

7. Quels sont les mécanismes d'adaptation du client?

8. Quels sont les rapports du client avec les autres?

9. En termes de rapports humains, quels sont les réseaux de soutien dont le client dispose?

La perspective behavioriste

B.F. Skinner   Les **théories behavioristes**, et notamment celles de Skinner, ont eu une influence considérable sur les scientifiques puisqu'elles ont changé leur façon d'aborder le développement de la personnalité. Comme les théoriciens du développement interpersonnel, Skinner a remis en question la plupart des idées de Freud et de ses disciples, comme l'existence des pulsions innées et l'élaboration de la structure de la personnalité, entre autres. Selon Skinner, puisque ces phénomènes ne pouvaient être observés, ils ne pouvaient pas faire l'objet d'une étude scientifique.

La théorie de Skinner porte surtout sur l'analyse fonctionnelle du comportement, ce qui sous-entend une approche pragmatique. La question qu'on doit se poser est: pourquoi une personne agit-elle d'une certaine façon et qu'est-ce qui dans son environnement la pousse à un tel comportement? La théorie behavioriste s'attache moins à la com-préhension du comportement par rapport à des événements passés qu'au besoin immédiat de prévoir la tendance de ce comportement et de la dominer. Pour Skinner, les actes ont beaucoup plus d'importance que les motivations, les instincts et les émotions inconscientes.

D'après cette théorie, les comportements peuvent être modelés grâce à un système de récompenses et de punitions. Étant donné que tout comportement a des conséquences précises, Skinner pense qu'il faut récompenser le sujet chaque fois que son comportement a des conséquences positives et que le comportement en question doit être renforcé, mais qu'il faut, par ailleurs, le punir si son comportement a des conséquences négatives.

Dans la perspective behavioriste, le comportement est structuré et il peut être façonné. De ce point de vue, les processus d'apprentissage et d'interaction avec l'environnement déterminent la personnalité. Si nous poussons plus loin ce raisonnement, cela revient à dire que nos problèmes et nos carences sont le résultat d'un apprentissage inadéquat et que nous pouvons les corriger grâce à de nouvelles expériences d'apprentissage qui renforcent un comportement différent. Le **principe du renforcement** (appelé parfois conditionnement opérant) est l'une des bases de la théorie de Skinner.

Le renforcement du comportement permet de changer la probabilité avec laquelle ce comportement se reproduira. D'après Skinner, certains facteurs favorisent la diminution de cette probabilité tout en augmentant la probabilité qu'un nouveau comportement soit adopté. Selon le principe du renforcement, la modification du comportement conditionné s'installe plus solidement lorsqu'un « renforçateur » suit la réponse conditionnée. En d'autres mots, la réponse est répétée si elle est renforcée. C'est ce que Skinner appelle la **réponse opérante**, c'est-à-dire la réponse qui apporte un changement dans l'environnement. Il se produit un **conditionnement opérant,** par exemple, lorsqu'une enseignante ne voit pas d'inconvénient à ce ses étudiantes lui remettent régulièrement leur travaux en retard. Si elle veut réduire la fréquence d'une telle pratique, elle doit tout simplement refuser ce genre de comportement. Elle peut aussi modifier ce comportement si elle donne des punitions; c'est ce qu'on appelle une **réponse punitive**. Skinner dit que l'on peut prévoir, modifier et expliquer chaque comportement, si on peut analyser et comprendre le principe de renforcement qu'on a utilisé pour le consolider.

Les théories de Skinner ont eu autant de défenseurs que de détracteurs. Certains s'opposent à l'idée de modifier les comportements par l'utilisation constante d'un système de récompense-punition. Pour défendre la théorie de Skinner, ces adeptes rappellent qu'il est inutile de recourir à la punition pour renforcer les comportements souhaitables. En d'autres mots, on peut renforcer systématiquement des comportements souhaitables grâce aux récompenses seulement. Dans ce cas la punition est absente du processus de modification du comportement.

L'importance de la perspective behavioriste L'infirmière peut se servir des théories de Skinner dans deux domaines. Le premier est celui de l'éducation des clients. Le renforcement positif des bonnes réponses est l'un des éléments clés de l'apprentissage. D'après Skinner, ce ne sont généralement pas les étudiants qui sont incapables d'apprendre ; ce sont les enseignants qui ne savent pas enseigner. Si l'infirmière loue le client pour ses efforts d'apprentissage et l'encourage, selon Skinner, les chances de réussite sont plus grandes. Pour que ce principe fonctionne, il faut aussi établir des objectifs précis afin que les résultats puissent être mesurés.

Le second domaine est celui de la santé mentale. On peut, par exemple, utiliser les principes de Skinner pour modifier le comportement d'un client ou d'une infirmière plutôt que son système de valeurs ou les traits de sa personnalité. On se sert souvent des thérapies behavioristes dans les unités de soins psychiatriques réservés aux adolescents, dans les groupes d'aide aux toxicomanes et lors des séances de perte du poids et d'abandon de la cigarette. La théorie behavioriste aide l'infirmière et le client à mieux comprendre les avantages à changer, chez ce dernier, un comportement donné (voir au tableau 3-6, les applications de la perspective behavioriste). La théorie de Skinner a également inspiré les intervenants chargés de la rééducation des délinquants et des criminels.

Tableau 3-6 *Application de la théorie behavioriste de Skinner*

Collecte des données

1. Quels comportements précis devraient être modifiés chez le client ?

2. Quels sont les nouveaux comportements qui devraient remplacer les anciens ?

3. Le client admet-il que certains de ses comportements devraient changer ?

4. Comment le comportement qu'on veut modifier est-il renforcé ?

5. Quelle personne ou quel facteur renforce le comportement en question ?

6. Qu'est-ce qui est important pour ce client ?

7. Quels sont les types de récompenses qui renforceraient les nouveaux comportements ?

8. Le client est-il disposé à collaborer à l'établissement d'un but ?

9. Le client comprend-il clairement les buts ?

La perspective du développement cognitif

C'est à Jean Piaget qu'on doit l'élaboration de la théorie du développement cognitif de la personnalité.

Jean Piaget D'après Piaget, l'intelligence des enfants se développe grâce aux contacts avec le milieu. Il émet l'hypothèse que la réalité de l'enfant est confrontée à des milieux en constante évolution et que, durant ce processus, celui-ci apprend à reconnaître les différences entre sa propre réalité et celle du monde extérieur. Une fois ces différences intégrées, l'enfant sera capable d'établir de nouveaux rapports entre les objets et, par conséquent, de développer une compréhension plus profonde du monde.

Selon Piaget, la capacité de penser d'un enfant se développe grâce à l'interaction de deux processus. Le premier processus est celui de l'**assimilation**, c'est-à-dire l'incorporation de données nouvelles dans des structures ou schèmes existants. Piaget distingue trois types d'assimilation : l'assimilation biologique, l'assimilation mentale et l'assimilation sociale. L'**assimilation biologique** est l'ingestion de la nourriture et sa digestion. L'**assimilation mentale** est l'absorption des informations de l'extérieur auxquelles le sujet attribue une certaine signification selon sa perception. L'**assimilation sociale**, enfin, est l'apprentissage des règles de la société et leur intégration dans le système de valeurs de l'individu. Le but de l'assimilation est d'adapter le monde extérieur aux besoins individuels.

Le deuxième processus est celui de l'**accommodation**, c'est-à-dire la modification des schèmes existants pour intégrer de nouvelles connaissances ne s'accordant plus avec un vieux schème. Piaget distingue encore une fois trois types d'accommodation : l'accommodation physique, l'accommodation mentale et l'accommodation sociale. L'**accommodation physique** est la simple modification de posture, comme lorsqu'on se met sur la pointe des pieds pour atteindre un objet placé trop haut. L'**accommodation mentale** est constituée des ajustements intellectuels nécessaires à l'assimilation des informations. L'**accommodation sociale** est l'adoption d'un système particulier de valeurs à cause des pressions venant du monde extérieur. L'accommodation comporte une modification des réactions qui permet l'adaptation aux réalités du monde extérieur.

Selon la théorie de Piaget, le développement intellectuel s'accomplit lors du jeu entre l'assimilation et l'accommodation en vue d'atteindre un état d'équilibre idéal. D'après lui, ce développement stagne lorsqu'un type de comportement prédomine. Si les enfants assimilent, par exemple, des connaissances mais s'ils sont incapables de les adapter au monde extérieur, Piaget considère qu'ils se réfugient essentiellement dans des activités ludiques et dans la fantaisie. Si, d'autre part, les enfants sont dociles et acceptent sans rechigner tout ce qui les entoure, leur comportement n'est qu'imitation et ne traduit aucun apprentissage autonome.

Tout comme Freud et Sullivan, Piaget distingue des stades de développement intellectuel lequel, pour lui, se divise en quatre périodes : 1) la période de l'intelligence sensori-motrice ; 2) la période préopératoire ; 3) la période des opérations concrètes ; 4) la période des opérations formelles hypothético-déductives. Durant chaque période, les enfants développent de nouveaux modes de pensée qui présentent des différences notables les uns par rapport aux autres. La vitesse à laquelle un enfant traverse une période est fonction de son patrimoine génétique et de son milieu (voir au tableau 3-7, les périodes du développement intellectuel selon Piaget).

Tableau 3-7 *Les périodes du développement cognitif selon Piaget*

Période de développement	Âge	Principales caractéristiques
Sensori-motrice	De 0 à 2 ans	Le nourrisson prend connaissance du monde par ses sens. Il commence à comprendre que les objets qui l'entourent ont leur propre existence. Son comportement est fonction des buts qu'il souhaite atteindre.
Préopératoire	De 2 à 7 ans	L'enfant comprend que les objets peuvent être représentés par des symboles. C'est le début de l'apprentissage de la parole. L'enfant ne peut concevoir un autre point de vue que le sien. Son intelligence est plus intuitive que logique. Il est capable d'évaluer des objets qui se trouvent à l'extérieur de son champ visuel. L'imagination est active et l'enfant apprend à reconnaître les rapports qui existent entre les choses.
Opérations concrètes	De 7 à 11 ans	C'est le début de la réflexion logique. L'enfant a de bonnes capacités de raisonnement sur le plan concret. Il fait l'apprentissage des classifications.
Opérations formelles	De 11 à 15 ans	L'enfant poursuit des expériences systématiques pour distinguer le vrai du faux. La pensée abstraite ainsi que la capacité de reconnaître la valeur de sa propre identité et d'établir des relations avec autrui se développent.

L'importance de la perspective du développement cognitif Comme toutes les autres théories présentées ici, la théorie du développement cognitif de Piaget fournit un cadre d'évaluation. Le rôle dans les soins infirmiers en pédiatrie n'est plus à souligner. Mais cette théorie a également de nombreuses applications dans le domaine de l'andragogie. Puisque l'enseignement dispensé aux clients est devenu l'un des aspects importants des soins infirmiers, les infirmières doivent savoir évaluer la capacité d'apprentissage des clients ainsi que leurs capacités intellectuelles. La théorie de développement cognitif fournit des critères pour une telle évaluation (voir au tableau 3-8, les applications de la perspective du développement cognitif).

La perspective psychosociale

On ne saurait parler des théories du développement de la personnalité sans rappeler le rôle considérable joué par le psychanalyste américain Erik Erikson, qui a eu le mérite d'élargir la perspective psychanalytique.

Tableau 3-8 *Application de la théorie de développement cognitif de Piaget*

Collecte des données

1. Quel est l'âge du client?

2. En fonction de son âge, dans quel période définie par Piaget pourrait-on le placer?

3. Le client est-il en mesure d'exécuter les opérations qui caractérisent la période de développement correspondant à son âge?

4. Quelles sont les caractéristiques précises de la pensée cognitive de ce client?

5. Si le client est adulte, est-il davantage orienté vers les opérations concrètes, vers les opérations formelles ou vers une combinaison des deux?

6. La maladie du client a-t-elle affecté son fonctionnement cognitif?

7. Quelles sont les meilleures stratégies d'apprentissage à adopter compte tenu de sa situation?

8. Le client profite-t-il de l'enseignement de façon à pouvoir atteindre les objectifs d'apprentissage?

Erik Erikson D'après Erikson, le développement de la personnalité ne s'arrête pas à l'adolescence mais se poursuit toute la vie. Contrairement à Freud, il pense que l'être humain peut revenir à un stade antérieur de développement pour mener à bien les tâches qu'il a été incapable d'accomplir auparavant pour une raison ou pour une autre. Selon la **théorie de développement** de la personnalité d'Erikson, on peut atteindre un niveau de développement supérieur à n'importe quel moment de la vie.

Erikson ne nie pas l'importance que la perspective psychanalytique accorde aux pulsions et aux besoins fondamentaux chez les enfants, mais il pense que le conflit entre les besoins et la culture joue un rôle plus important dans le développement de la personnalité que le conflit entre le ça, le moi et le surmoi. Sa théorie se fonde sur l'idée que les pulsions individuelles sont presque identiques chez tous les enfants mais que les cultures, elles, sont très différentes d'un pays à l'autre. À son avis, les cultures, tout comme les êtres humains, peuvent évoluer.

Pour Erikson le moi façonne davantage la personnalité que le ça ou le surmoi, idée qui découle de sa vision culturaliste de la psychologie. Le moi, pense-t-il, joue un rôle de médiateur entre l'individu et la société ; le rapport ainsi créé est au moins aussi important que les influences des pulsions fondamentales. L'observation des modifications qui interviennent au sein d'une famille ou d'un groupe, dont les membres ont des intérêts communs, a permis à Erikson de comprendre l'importance des rapports de l'individu avec le groupe social et d'élargir le champ des déterminants de la personnalité qui, d'instinctuels et biologiques, deviennent sociaux et culturels.

Sa vision du rôle de l'avenir a également enrichi les théories psychanalytiques. Alors que Freud n'accorde de l'importance qu'aux événements passés, Erikson, considère que les événements futurs sont plus importants. À son avis, la capacité d'anticiper les événements futurs peut avoir une influence sur l'action dans le présent. Nombreux sont ceux qui pensent que la théorie d'Erikson est plus optimiste et plus rassurante que celle de Freud étant donné qu'elle élargit la perspective psychanalytique en professant que le développement de l'être humain se poursuit toute la vie et qu'il peut prendre diverses formes.

Selon Erikson, chaque être humain traverse huit stades de développement : 1) le stade sensoriel ; 2) le stade musculaire ; 3) le stade locomoteur ; 4) la latence ; 5) l'adolescence ; 6) le stade du début de l'âge adulte ; 7) l'âge adulte ; 8) la maturité. Chaque stade est caractérisé par une crise qu'il faut surmonter avant de pouvoir passer au stade suivant. Erikson soutient que le développement normal est entravé si l'individu est incapable de surmonter la crise du stade précédent (voir au tableau 3-9, la description des huit stades de développement selon Erikson).

L'importance de la perspective psychosociale   La théorie du développement d'Erikson brosse un tableau dynamique de l'être humain et de son évolution toute sa vie durant. Un tel tableau donne aux infirmières un cadre leur permettant d'évaluer des critères pertinents essentiels au développement. Il leur permet aussi d'affiner leurs jugements de valeur au sujet des renseignements obtenus pendant la collecte des données. Il est toujours plus facile d'analyser et de comprendre le comportement d'un individu au moyen d'un cadre de travail, comme celui proposé par la théorie psychosociale du développement (voir au tableau 3-10, les applications de la perspective psychosociale du développement).

La perspective humaniste

Les chefs de file de l'approche humaniste sont Abraham Maslow et Carl Rogers.

Abraham Maslow   Abraham Maslow voulait créer une « troisième force » dans le domaine de la psychologie dans le but de présenter une solution de rechange aux théories psychanalytique et behavioriste. Ses idées, qui sont à la base de la théorie humaniste de la personnalité, sont très originales, mais elles ont été parfois critiquées parce qu'elles reposent sur l'étude de personnes très créatives et psychologiquement saines. D'après certains cher-

cheurs, les méthodes de Maslow ne sont pas suffisamment scientifiques étant donné que ses études, menées en dehors des laboratoires se sont limitées à des observations et à des inférences. Maslow distingue deux types de besoins humains : les besoins physiologiques fondamentaux et les besoins d'ordre supérieur. Les besoins physiologiques, tels le besoin de nourriture, d'eau et de sommeil, sont vitaux. Les besoins d'ordre supérieur sont les besoins reliés à la croissance ; il s'agit, entre autres, de la sécurité, de l'amour, de l'estime de soi et de l'actualisation de soi. En général, les besoins fondamentaux doivent être satisfaits avant les besoins d'ordre supérieur. La personne qui a faim se préoccupera moins d'amour et d'estime de soi que celle qui a pu satisfaire ce besoin fondamental. Selon Maslow, lorsque les besoins reliés à la croissance restent insatisfaits, il y a risque de perturbations psychologiques.

Maslow s'est surtout penché sur le côté sain et fort de la nature humaine. Pour lui, la santé compte plus que la maladie et le succès plus que l'échec. À son avis, les besoins physiologiques fondamentaux sont sains. Il ne les considère pas comme des pulsions malsaines que la réalité oblige à tempérer et à dominer. Maslow pense que la nature innée des gens est essentiellement bonne ou, au pis aller, neutre. Cette idée est radicalement opposée à celle de nombreux autres théoriciens qui jugent les pulsions innées mauvaises ou antisociales.

Carl Rogers   Le psychologue Carl Rogers est également un adepte de la perspective humaniste. Comme Maslow, Rogers pense que la principale motivation de l'être humain est la volonté de se développer. Il a bâti ses théories sur son expérience de psychothérapeute et sur les observations recueillies dans sa pratique.

Selon Rogers, ce n'est pas le concept de soi qui est inné mais plutôt le besoin impérieux de se réaliser. La maturité est une étape que l'être humain ne peut franchir qu'au moment où il peut établir une distinction entre lui-même et le monde extérieur. À cette étape-là de sa vie, il peut compter sur ses capacités et commencer à développer un système de valeurs qui lui permet d'être le juge de

Tableau 3-9   *Les stades du développement psychosocial selon Erikson*

Stade	*Âge*	*Crise développementale*	*Principales caractéristiques*
Sensoriel	De 0 à 18 mois	La confiance ou la méfiance	L'enfant apprend à établir des rapports basés sur la confiance.
Musculaire	De 1 à 3 ans	L'autonomie ou le doute et la honte	C'est le début du processus de séparation d'avec la mère et d'apprentissage de l'autonomie.
Locomoteur	De 3 à 6 ans	L'initiative ou la culpabilité	L'enfant fait l'apprentissage des influences du milieu et prend conscience de son identité.
Latence	De 6 à 12 ans	La compétence ou l'infériorité	L'énergie est investie dans la productivité, les activités créatives et l'apprentissage.
Adolescence	De 12 à 20 ans	L'identité ou la confusion d'identité	C'est une période de transition, pendant laquelle l'adolescent se tourne vers l'âge adulte et commence à intégrer les idées et le système de valeurs acquis précédemment.
Début de l'âge adulte	De 18 à 25 ans	L'intimité ou l'isolement	Le jeune adulte apprend à établir des rapports intimes.
Âge adulte	De 24 à 45 ans	La procréation (générativité) ou la stagnation	Le primat est donné à la consolidation des rapports intimes. Cette période est caractérisée par le désir de former une famille.
Maturité	De 45 ans à la mort	L'intégrité personnelle ou le désespoir	C'est la période d'acceptation de sa propre vie, telle qu'elle a été et des bons et des mauvais aspects du passé. La personne consolide une image positive du moi.

son propre comportement. Ces valeurs peuvent autant traduire ses propres désirs que lui être imposées par la société. Un conflit surgit lorsque les valeurs de la personne s'opposent à celles de la société.

Rogers est persuadé que le potentiel d'adaptation de l'être humain dépend de sa capacité de mettre en symboles ou de donner un nom à ses expériences, ce qui lui permet de comprendre les différents éléments de son comportement. Pour Rogers, un tel être est **entièrement fonctionnel** : il est conscient de ses limites et de ses faiblesses, il a une image de soi très positive et il peut maintenir des rapports interpersonnels.

L'importance de la perspective humaniste

Au début du chapitre, nous avons parlé de l'importance d'une approche humaniste des soins infirmiers. Étant donné que la pratique des soins ne va pas sans une vision humaniste, ces théories vont de pair avec les diverses conceptions de la profession. Les œuvres de Maslow sont étudiées dans de nombreux cours sur les soins infirmiers. On se sert constamment des théories humanistes pour établir les lignes de conduite de la pratique étant donné que leur vision de l'être humain et de son environnement est dynamique et positive (voir au tableau 3-11 les applications de la théorie humaniste).

La perspective du développement moral

Les questions liées à la vertu et à la moralité de l'être humain préoccupent les philosophes depuis

Tableau 3-10   *Application de la théorie du développement d'Erikson*

Collecte des données

1. À quel stade de développement se situe ce client?

2. Quelle crise le client est-il en train de surmonter?

3. A-t-il réussi à surmonter les crises des stades précédents?

4. Quels sont les stades où le client n'a pas réussi à surmonter la crise nécessaire à son développement?

5. Quel en est l'effet sur son développement psychosocial?

6. Quelle en est l'influence sur les problèmes qu'il doit affronter dans l'immédiat?

7. Quels sont les facteurs du milieu qui ont une influence sur ce client et sur ses problèmes actuels?

8. Quels sont les réseaux de soutien auxquels il peut faire appel?

9. Comment ces réseaux peuvent-ils modifier l'issue de sa situation actuelle?

10. Comment la culture du client peut-elle modifier l'issue de sa situation actuelle?

toujours. Nous présentons ici les travaux de deux théoriciens modernes du développement moral: Lawrence Kohlberg et Carol Gilligan.

Lawrence Kohlberg   Kohlberg est l'un des rares psychologues contemporains pour qui la moralité est une règle d'éthique et non de conduite. Le développement moral et la moralité découlent, selon lui, du principe de justice, c'est-à-dire de l'équilibre entre les obligations et les responsabilités, principe qui ne peut être suivi que si l'on respecte l'être humain plus que la loi. De son point de vue, la justice est l'aboutissement du développement moral; en d'autres termes, dans la perspective du développement moral, l'être humain, dans son développement, cherche à atteindre les niveaux de justice les plus élevés.

Kohlberg distingue six stades de développement moral, groupés, comme on l'indique au tableau 3-12, en trois niveaux. Le stade 6 constitue le niveau le plus élevé de raisonnement moral et le stade 1, le niveau le plus bas. On peut situer les individus à l'un ou à l'autre de ces stades selon leur façon de se sortir d'un certain nombre de dilemmes moraux bien définis.

Kohlberg estime qu'aux premiers stades du développement moral, là où la justice n'est ni entièrement comprise ni clairement distinguée, l'être humain se contente de raisonnements moraux sommaires qui ne sont pas nécessairement immoraux. Mais, à son avis, la personne devrait néanmoins tendre vers les stades plus élevés. Kohlberg lie la capacité de développement de la personnalité et de développement de la fonction cognitive à la capacité de traverser les six stades du développement moral. À son sens, ces trois types de développement vont de pair.

D'après Carol Gilligan, également théoricienne du développement moral, la théorie de Kohlberg ne peut pas s'appliquer universellement.

Carol Gilligan   Le féminisme a poussé les femmes vers l'exploration de nouvelles voies leur permettant d'analyser leur condition. Cette recherche de l'identité les a obligées à se poser des questions dans un grand nombre de domaines. La question qui a préoccupé Gilligan a été le développement moral des femmes.

Tableau 3-11   *Application de la théorie humaniste de Maslow*

Collecte des données

1. Les besoins physiologiques du client sont-ils satisfaits?

2. Comment le client perçoit-il ses besoins physiologiques?

3. Hormis ces besoins physiologiques, quels autres besoins ont de l'importance pour le client?

4. Quels sont les besoins d'ordre supérieur qui ont été satisfaits chez le client?

5. Comment le client exprime-t-il sa créativité?

6. Quels types de comportements indiquent que la personne s'oriente vers l'actualisation de soi?

7. Comment cette personne décrit-elle ses capacités et ses ressources?

8. Quels sont les besoins évidents qui restent actuellement insatisfaits?

9. Comment le client perçoit-il les besoins qui sont restés insatisfaits?

Tableau 3-12 *Les six stades du raisonnement moral selon Kohlberg*

Stade	Période	Principales caractéristiques
Niveau I : préconventionnel ou prémoral. On se laisse surtout guidé par des éléments venant de l'extérieur. On obéit aux normes d'autrui pour éviter une punition ou pour obtenir une récompense.	De 4 à 10 ans	Stade 1 : Orientation vers la punition et l'obéissance : « Qu'est-ce qui va m'arriver ? » L'enfant se conforme aux règles des autres pour éviter la punition.
		Stade 2 : Orientation vers le marchandage et les échanges du type « donnant, donnant ». L'enfant se conforme aux règles pour son propre intérêt et par crainte des représailles.
Niveau II : Moralité de la conformité au rôle traditionnel. L'enfant cherche désormais à plaire et peut décider que sa conduite est « bonne » si elle est conforme aux normes des personnes qui représentent l'autorité.	De 10 à 13 ans	Stade 3 : Consolidation des relations, recherche de l'approbation d'autrui, la règle par excellence étant : « Suis-je bon ? » L'enfant veut plaire et aider les autres ; il est capable d'évaluer les intentions d'autrui et de former ses propres idées sur la bonté.
		Stade 4 : Moralité de l'ordre et de la conscience sociale : « Et si tout le monde le faisait ? » Le jeune est préoccupé par son devoir, le respect de l'autorité et le maintien de l'ordre social.
Niveau III : Moralité des valeurs librement acceptées. On franchit le seuil de la véritable moralité. Pour la première fois, l'être humain devient conscient du fait qu'il peut exister un conflit entre deux normes acceptées par la société et doit décider pour laquelle opter. La décision sur la conduite à adopter, autant par rapport aux normes suivies que par rapport aux raisonnements sur le bien et le mal, revient maintenant à l'individu. Les stades 5 et 6 découlent des mêmes préceptes. On peut accéder à l'un ou à l'autre selon le niveau de raisonnement atteint.	13 ans, jeune adulte ou jamais	Stade 5 : Moralité du contrat, des droits individuels et de la loi acceptée par voie démocratique. Pensée rationnelle, qui tient compte de la volonté de la majorité et du bien-être de la société. On admet généralement que ces valeurs sont mieux protégées par le respect des lois bien qu'on puisse aussi admettre que, dans certaines circonstances, il existe un conflit entre les besoins individuels et la loi.
		Stade 6 : Moralité des principes éthiques universels. La personne s'impose les règles qui lui semblent justes, sans se préoccuper des contraintes dictées par la loi, ni de l'avis d'autrui. Son action est conforme à ses convictions et normes profondes et il se reprocherait toute dérogation.

La théorie de Kohlberg et les théories connexes du développement moral ont été élaborées en prenant comme prototype l'homme. Dans une telle perspective, l'homme constitue la norme et donne l'orientation du raisonnement moral. Gilligan se demande dans quelle mesure ces théories peuvent être représentatives pour le développement de la femme et élabore sa propre théorie du véritable développement de celle-ci.

Gilligan a remarqué que lorsqu'on pose aux jeunes filles des questions concernant les dilemmes moraux énoncés par Kohlberg, leurs réponses les situent d'habitude à un stade de développement moral inférieur à celui des garçons du même âge.

C'est la raison pour laquelle, dit-elle, on considère que les femmes manquent de logique et qu'elles sont incapables de raisonner. Gilligan (1982, p. 28), explique que, pour la femme, le monde n'est pas fait d'individus et de situations isolés mais de rapports et de liens entre les êtres humains. Pour la femme, le dilemme ne se pose pas sous la forme d'un problème de mathématiques qui prend pour objet les êtres humains mais, plutôt, sous celle d'une narration des rapports qui s'établissent entre eux dans le temps. Gilligan pense que la perspective des femmes est tout aussi valable que celle des hommes et elle demande qu'on remette en question les stades définis par Kohlberg, qu'elle estime n'être valables que pour une partie de la population.

Gilligan essaie d'établir des distinctions entre les expériences vécues par les hommes et par les femmes. Elle pense qu'il faudrait étudier davantage les expériences vécues par les deux sexes qui déterminent des comportements distincts, de façon à ce que l'on puisse mieux définir les expériences propres à chacun d'entre eux. À son avis, une telle étude est particulièrement vitale pour les femmes dont le développement a toujours été considéré comme un « échec » et auxquelles on a toujours refusé une réalité qui leur est propre (voir au tableau 3-13, les applications de la théorie de Gilligan).

Juanita Williams   Carol Gilligan n'a pas été la seule à critiquer la pertinence des théories du développement de la personnalité chez les femmes. Tout comme Gilligan, Juanita Williams affirme que, pour la plupart des théoriciens du développement de la personne, l'homme constitue la norme selon laquelle on évalue l'humanité toute entière.

D'après Williams, les femmes se développent dans un contexte bio-psycho-socio-holistique. Outre le développement moral, elle a étudié l'apprentissage, le choix de modèles, le renforcement, l'identification par rapport au rôle assigné au sexe, les stéréotypes liés au sexe ainsi que les rapports sociaux, le développement cognitif et la compétence. Williams (1977, p. 383) affirme que le com-portement humain est déterminé par un répertoire néonatal et s'organise dans le contexte social. Elle ne croit pas que le comportement des femmes soit moins normal que celui des hommes, il n'est que moins compris à cause de l'absence de recherches. Les femmes, en tant que classe, dit-elle, ont des caractéristiques, des conditions de vie et des expériences qui les distinguent des hommes. Si l'on veut comprendre leur comportement, elles devraient faire l'objet d'études distinctes.

L'importance de la perspective du développement moral   Dans l'exercice de leurs fonctions, les infirmières doivent souvent faire des jugements d'ordre moral. Kohlberg, Gilligan et Williams proposent une perspective et un cadre pour ce genre de raisonnements.

Au fur et à mesure que les chercheurs soulèveront de nouvelles questions au sujet du développement, les infirmières devront en prendre connaissance, en se tenant au courant des recherches, afin de pouvoir répondre de la façon la plus appropriée aux besoins des personnes auxquelles elles prodiguent des soins.

Tableau 3-13   *Application de la théorie de Gilligan*

Collecte des données

1. Comment la cliente se perçoit-elle ?

2. Comment perçoit-elle sa réalité intérieure ?

3. En tant que « personne ressource », avez-vous évalué vos propres valeurs et attitudes concernant les stéréotypes liés au sexe ?

4. La cliente est-elle capable de se fixer des buts ?

5. Les buts fixés visent-ils le changement ou l'adaptation ?

6. La cliente dispose-t-elle de réseaux de soutien lui permettant de raffermir sa croissance ?

7. La cliente souhaite-t-elle que la société modifie le regard qu'elle lui jette ?

RÉSUMÉ

1. Les théories organisent l'information, expliquent pourquoi certaines choses se produisent, aident à comprendre l'importance des événements passés et permettent de prévoir les événements et d'avoir sur eux une certaine emprise.

2. La démarche des soins infirmiers est structurée de façon à favoriser l'organisation systématique des données recueillies, grâce à l'utilisation d'un cadre théorique dans la pratique professionnelle.

3. Freud distingue trois niveaux de conscience : le conscient, le préconscient et l'inconscient. Les trois instances de la personnalité sont le ça (qui constitue la source de l'énergie et des pulsions), le moi (qui permet à l'individu de mettre à l'épreuve la réalité et de survivre) et le surmoi (qui dicte les règles et les valeurs).

4. Les mécanismes de défense du moi entrent en jeu pour apaiser l'angoisse par le biais de la dénégation, de la fausse interprétation ou de la déformation de la réalité.

5. Les stades psycho-sexuels du développement selon Freud sont le stade oral, le stade anal, le stade phallique, la période de latence et le stade génital.

6. La théorie interpersonnelle du développement de Sullivan est axée sur les rapports interpersonnels. Sullivan définit les stades suivants : la petite enfance, l'enfance, la jeunesse, la préadolescence, le début de l'adolescence et la fin de l'adolescence.

7. Les théories behavioristes de la personnalité examinent les causes d'un comportement donné et les facteurs de l'environnement qui renforcent ce comportement.

8. Selon la théorie du développement cognitif de Piaget, le développement intellectuel s'accomplit par le jeu d'équilibre entre l'assimilation et l'accommodation. Le développement cognitif comporte quatre périodes : la période de l'intelligence sensori-motrice, la période préopératoire, la période des opérations concrètes et la période des opérations formelles.

9. D'après la théorie d'Erikson, le conflit entre les besoins et la culture détermine davantage le développement de la personnalité que le conflit entre le ça, le moi et le surmoi. Pour lui, l'avenir est plus important que le passé.

10. Les stades du développement définis par Erikson sont : le stade sensoriel, le stade musculaire, le stade locomoteur, le stade de la latence, l'adolescence, le stade du début de l'âge adulte, l'âge adulte et la maturité.

11. L'approche humaniste s'attache plus à la santé qu'à la maladie ; elle accorde le primat au potentiel d'actualisation de chaque individu.

12. Gilligan établit une distinction entre le développement des hommes et des femmes ; elle dit que les hommes développent davantage un raisonnement moral orienté vers le principe de justice et les femmes, un raisonnement moral orienté vers la sollicitude.

EXERCICES DE RÉVISION

M. Dupont, âgé de 42 ans, a été, il y a deux semaines, victime d'un infarctus du myocarde. L'infirmière pense qu'il est peu coopératif et elle lui trouve un comportement puéril. Il semble oublier tout ce qu'on lui enseigne dans le cadre du programme d'apprentissage destiné aux clients. Bien qu'il se serve souvent de sa sonnette d'appel, lorsqu'on vient le voir, il est incapable de communiquer un besoin précis.

1. D'après les principes de la théorie psychanalytique de Freud, parmi les énoncés ci-dessous, lequel définit le mieux ce client ?

(a) M. Dupont ne s'adapte pas parce qu'il ne réussit pas à assimiler l'expérience vécue.

(b) M. Dupont ferait des progrès si l'on appliquait chez lui les principes de modification du comportement.

(c) M. Dupont recourt inconsciemment aux mécanismes de défense du moi pour se protéger contre les sentiments pénibles provoqués par l'angoisse.

(d) M. Dupont semble incapable de s'adapter parce qu'il n'a pas réussi à reconnaître son expérience.

2. L'infirmière responsable estime que M. Dupont présente des signes de régression. Parmi les énoncés ci-dessous, lequel constituerait le meilleur exemple de régression ?

(a) Un client laisse à l'infirmière le soin de lui donner son bain et de le nourrir.

(b) Une étudiante reçoit une mauvaise note pour un travail et rentre chez elle déverser sa colère sur sa famille.

(c) Un père administre une fessée à son fils puis lui rapporte un cadeau le lendemain.

(d) Un client, qui en veut terriblement à l'infirmière, se montre excessivement gentil envers elle.

3. Si l'infirmière devait évaluer le comportement de M. Dupont dans une perspective behavioriste, laquelle des questions ci-dessous devrait-elle se poser ?

(a) Quels sont les stimuli de l'environnement auxquels ce client doit faire face dans sa situation ?

(b) Qu'est-ce qui détermine un tel comportement et quels sont les facteurs de l'environnement qui le renforcent ?

(c) Quels sont les besoins physiologiques fondamentaux qui ne sont pas satisfaits ?

(d) Quels sont les mécanismes de défense du moi qui empêchent M. Dupont de se sentir mieux ?

4. Si l'infirmière applique la théorie de Skinner à la planification de son intervention, quelle devrait être sa démarche parmi celles qui suivent :

(a) mettre en œuvre des stratégies qui favorisent la satisfaction des besoins physiologiques fondamentaux.

(b) mettre en œuvre des stratégies pour établir un climat de confiance et de bons rapports.

(c) encourager M. Dupont à parler de ses maladies précédentes.

(d) récompenser M. Dupont pour des comportements qu'elle souhaite encourager.

5. Si l'infirmière évaluait le comportement de M. Dupont dans une perspective behavioriste, laquelle des questions ci-dessous devrait-elle se poser?

(a) Hormis les besoins fondamentaux, quels sont les besoins auxquels le client attache de l'importance?

(b) À quel stade du développement se situe ce client?

(c) Recourt-il de façon manifeste aux mécanismes de défense?

(d) Comment renforcer le comportement qu'il faudrait modifier?

BIBLIOGRAPHIE

Bevelas JB: *Personality: Current Theory and Research.* Brooks/Cole, 1978.

Gilligan C: *In a Different Voice: Psychological Theory and Women's Development.* Harvard University Press, 1982.

Hall CS, Lindzey G: *Theories of Personality,* 2nd ed. Wiley, 1970.

Kerlinger FH: *Foundations of Behavior Research,* 2nd ed. Holt, Rinehart, and Winston, 1973.

Kim HS: *The Nature of Theoretical Teaching in Nursing.* Appleton-Century-Crofts, 1983.

Kohlberg L: *Essays on Moral Development.* Harper & Row, 1981.

Miller JB: *Toward a New Psychology of Women.* Beacon Press, 1976.

Riehl J, Roy C: *Conceptual Models of Nursing Practice,* 2nd ed. Appleton-Century-Crofts, 1980.

Stevens B: *Nursing Theory: Analysis, Application and Evaluation.* Little, Brown, 1979.

Williams JH: *Psychology of Women.* Norton, 1977.

LECTURES COMPLÉMENTAIRES

Bee, H.L., et S. Mitchell. *Le développement humain*, Montréal, Éditions du Renouveau Pédagogique, 1986.

Erickson, E.H. *Enfance et Société*, Neuchatel, Delachaux et Niestlé, 1966.

Frank, V.E. *Découvrir un sens à sa vie avec la logothérapie*, Montréal, Éditions de l'Homme, 1988.

Gendlin, E.T. *Une théorie du changement de la personnalité*, Montréal, C.I.M, 1970.

Godefroid, J. *Psychologie, science humaine*, Montréal, HRW, 1987.

Hall, C.S. *A.B.C. de la psychologie freudienne*, Paris, Aubier-Montaigne, Coll. «La Chair et l'Esprit», 1957.

Legendre-Bergeron, M.-F., et D. Laveault. *Lexique de la psychologie du développement de Jean Piaget*, Chicoutimi, Gaëtan Morin, 1980.

Maslow, H.A. *Vers une psychologie de l'être*, Paris, Fayard, 1972.

Rogers, C.R. *Le développement de la personne*, Paris, Dunod, 1968.

Wilson, H.S., et C.R. Kneisl. *Soins infirmiers psychiatriques* (chap. 9 et 10), Montréal, Éditions du Renouveau Pédagogique, 1982.

CHAPITRE 4

Les méthodes de traitement psychiatrique

SUSAN F. MILLER

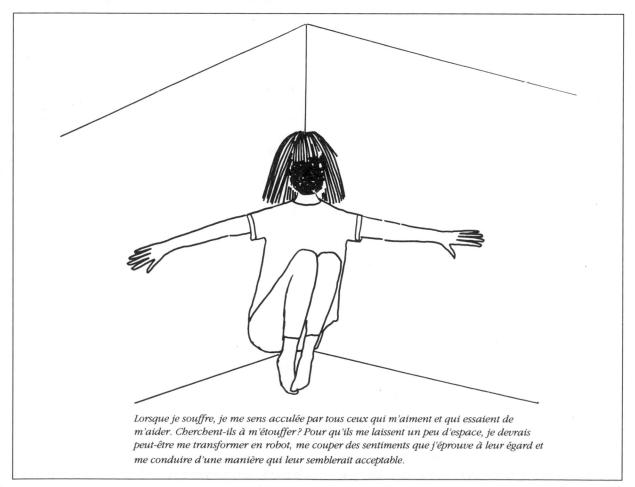

Lorsque je souffre, je me sens acculée par tous ceux qui m'aiment et qui essaient de m'aider. Cherchent-ils à m'étouffer ? Pour qu'ils me laissent un peu d'espace, je devrais peut-être me transformer en robot, me couper des sentiments que j'éprouve à leur égard et me conduire d'une manière qui leur semblerait acceptable.

■ *Objectifs*

Après avoir étudié le présent chapitre, vous devriez être en mesure de :

- décrire les circonstances qui forcent le client à faire appel au système de soins psychiatriques ;
- nommer les éléments qui composent le système de soins en santé mentale ;
- exposer les principes moraux qui régissent la solution des dilemmes qui se posent aux infirmières dans le domaine de la santé mentale ;
- expliquer la prévention primaire, secondaire et tertiaire et ses répercussions sur la pratique professionnelle ;
- expliquer les droits du malade mental ;
- distinguer les principales méthodes d'intervention en psychiatrie ;
- déterminer les conséquences de la grille d'évaluation du DSM-III-R sur l'intervention psychiatrique ;
- déterminer le rôle des examens de laboratoire dans le diagnostic et le traitement des troubles mentaux ;
- expliquer l'influence de la recherche actuelle sur le diagnostic et le traitement des troubles psychiatriques.

■ *Sommaire*

Introduction
Le mouvement de désinstitutionnalisation
L'entrée du client dans le système de soins

Les caractéristiques des clients qui font appel au système de soins psychiatriques
La vie avec la personne souffrant de maladie mentale

Aspects éthiques et juridiques des soins infirmiers en psychiatrie et en santé mentale
L'hospitalisation
La notion de capacité
Le consentement éclairé
Les types de cures
Les trois régimes de protection
Les mandats du lieutenant-gouverneur
Le refus de traitement
La contention et l'isolement
Les répercussions sur la pratique des soins infirmiers

Principales méthodes de traitement
La psychothérapie analytique
La psychothérapie brève
La thérapie de groupe
La thérapie familiale
La thérapie comportementale
La sismothérapie (traitement par électrochocs)
La psychopharmacologie
Les autres méthodes de traitement

Collecte des données, analyse et interprétation en psychiatrie
Le DSM-III : une révolution dans la classification des troubles mentaux
L'échelle d'évaluation globale du fonctionnement (EGF)
Vers la recherche de tests diagnostiques

Planification du traitement psychiatrique

Évaluation et tendances

Résumé

Introduction

Dans les années soixante, la perspective communautaire des soins en santé mentale constitue une révolution du traitement psychiatrique. Gerald Caplan propose un **modèle communautaire des soins de la santé** qui se donne comme mission de fournir à la collectivité toute une gamme de services globaux rendant par la même voie les soins

psychiatriques accessibles à l'ensemble de la population (Caplan, 1970). Nous reparlerons de ce modèle plus loin.

Le mouvement de désinstitutionnalisation

Dans le même temps, le mouvement de désinstitutionnalisation voit le jour au Québec. Ce mouvement, qui propose de vider les grands hôpitaux psychiatriques, s'est amorcé, entre autres, par suite de la dénonciation des conséquences du statut des personnes souffrant de troubles mentaux, à savoir :

- la dépersonnalisation, qui est trop souvent l'une des conséquences du diagnostic ;

- l'intervention fragmentée, centrée sur les symptômes plutôt que sur la personne globale ;

- le manque de respect du rythme d'évolution de la personne ;

- l'infantilisation et la dépendance ;

- l'insuffisance de l'information ;

- l'inaccessibilité des services, les délais et les évaluations répétées (Ricard, 1988).

La désinstitutionnalisation se fixe comme objectifs d'humaniser les conditions de vie des personnes souffrant de troubles mentaux graves et chroniques, de les réinsérer dans la communauté et de prévenir la chronicité de leur maladie. Elle a cependant donné lieu à certaines situations inattendues. Garant (1985) en relève quelques-unes :

- la concentration, dans les quartiers les plus défavorisés, d'un grand nombre de personnes sortant des hôpitaux psychiatriques et qui vivent dans la pauvreté, l'isolement et le désœuvrement ;

- l'augmentation du nombre de personnes souffrant de troubles mentaux et de jeunes, dont l'état risque de devenir chronique, qui sont venus grossir les rangs de la clientèle des refuges pour sans abri ;

- la « transinstitutionnalisation », à savoir le passage de l'hôpital psychiatrique à un autre type d'établissement, qui entretient une détérioration physique et mentale ;

- le « syndrome de la porte tournante » qui définit les nombreuses réadmissions des mêmes patients ;

- l'alourdissement du fardeau porté par les familles qui intègrent l'un de leurs membres souffrant d'une maladie mentale, ce qui remet en question l'évolution du statut social de la femme qui est souvent celle qui doit assumer la prise en charge ;

- la criminalisation de la folie, les services judiciaires étant aux prises avec une augmentation des cas psychiatriques dans leur clientèle.

Les grands perdants de la désinstitutionnalisation sont les personnes les plus gravement atteintes.

Il faut cependant souligner certains aspects positifs de ce mouvement, comme la régionalisation des services, la transformation du milieu asilaire en un milieu plus thérapeutique, la diminution de la durée du séjour, l'émergence des groupes d'entraide et de défense des droits des malades ainsi que la présence d'approches thérapeutiques autres que l'hospitalisation (Doré, 1987).

Dans le but d'améliorer « le monde de la santé mentale », le gouvernement du Québec a présenté une nouvelle politique dans ce domaine en janvier 1989. Les deux principes de base sur lesquels repose cette politique sont :

- la primauté de la personne et le respect qui lui est dû ;

- l'équité.

On propose sept orientations :

1. Le recours à une **approche globale** mettant en relation, de façon intégrée et continue, les dimensions biologique, psychologique et sociale de la santé mentale d'une personne dans le respect et l'affirmation de ses droits.

2. Les **besoins de la personne en situation** comme critère de détermination des réponses à lui offrir, en insistant sur le développement de son potentiel et en favorisant la contribution de son milieu.

3. Le développement d'un **partenariat** impliquant une mobilisation concertée de la personne, de ses proches et des intervenants, des intervenants entre eux, des ressources publiques et de celles du milieu.

4. La promotion d'une **approche communautaire** qui favorise en priorité :

• la recherche de solutions dans le milieu de vie de la personne ;

• une association étroite avec ce milieu ;

• l'adaptation aux caractéristiques spécifiques des communautés locales et de leurs membres.

5. La priorité au **maintien** et à la **réinsertion** dans le milieu de vie naturel, dans le respect de trois exigences fondamentales :

• la disponibilité d'une réponse adaptée aux besoins ;

• une qualité de vie adéquate ;

• un support approprié.

6. Le développement d'actions **intersectorielles** impliquant la contribution de différentes instances dans les secteurs d'activités qui influencent la santé mentale ou qui sont nécessaires pour fournir une réponse adaptée aux besoins.

7. La recherche de la **qualité** dans les actions et les interventions en privilégiant celles dont l'efficacité est démontrée et en stimulant l'innovation dans un contexte de rigueur (Ricard, N. « L'élaboration d'une politique québécoise en santé mentale, perspectives d'avenir et retombées pour les soins infirmiers » in *Prendre part aux défis en nursing psychiatrique et en santé mentale en 1988*, IIIe Conférence nationale du nursing psychiatrique, Montréal, du 15 au 18 juin 1988.).

Les changements reliés à la désinstitutionnalisation et à la « communautarisation » accrue des services (Bouchard, 1986), ainsi que la nouvelle orientation de la santé mentale, bouleversent les approches traditionnelles des soins infirmiers psychiatriques. Il faudrait tenir compte des objectifs reliés à la notion de qualité de vie hors des établissements psychiatriques et aborder la prévention et la réadaptation dans une perspective plus réaliste.

L'entrée du client dans le système de soins

Les soins psychiatriques sont réservés au client dont le comportement traduit la souffrance et des réactions inadéquates aux stimuli intrapsychiques, interpersonnels et environnementaux.

La personne qui se rend compte que son comportement est perturbé et qu'elle réagit inadéquatement à son entourage et à son milieu physique peut décider d'elle-même de demander des soins psychiatriques. Par ailleurs, des personnes clés de son entourage, des professionnels de la santé mentale ou des agents des services sociaux peuvent également lui recommander un traitement psychiatrique. Cette personne peut également être prise en charge par le système de soins psychiatriques après une consultation dans les services d'urgence d'un centre hospitalier général, dans un cabinet privé ou dans un CLSC (centre local de services communautaires) (voir la figure 4-1 page 118).

Marie Dupont s'est présentée à l'urgence pour demander une évaluation de son état. Elle est mégalomane, fait de l'obstruction systématique et se montre hostile. Par ailleurs, sa santé physique est défaillante. Cette jeune femme de 28 ans, rédactrice technique dans une importante entreprise d'informatique, est considérée depuis toujours comme une employée compétente et sympathique. Depuis les deux derniers mois cependant, elle est de plus en plus agressive et elle demande sans cesse qu'on lui assigne des tâches supplémentaires. Alors qu'elle parle d'elle-même dans les termes les plus élogieux, elle critique le travail de ses collègues. Elle est de plus en plus souvent absente, son rendement est inégal et elle se montre incapable de mener à terme ses travaux. Marie s'emporte dès que ses supérieurs essaient d'évaluer sa productivité. Les créanciers appellent au bureau pour se faire régler les factures restées impayées. Menacée de perdre son emploi, Marie accepte à contrecœur de prendre rendez-vous avec l'infirmière de l'entreprise. À l'issue de leur entretien, elle consent à l'accompagner au service des urgences en vue d'une évaluation plus poussée.

Les clients qui font appel au système de soins psychiatriques doivent tout d'abord se soumettre à un entretien psychiatrique et à un examen de leur état mental qui permettront de cerner le problème. L'examen physique peut révéler des troubles susceptibles d'influencer le comportement. L'analyse des données permet de comprendre le trouble mental et de mettre au point un plan de traitement.

Avant de décider s'il y a lieu de recommander l'hospitalisation, il faut :

- définir les problèmes du client ;

- évaluer sa capacité de participer au plan de traitement ;

- déterminer le degré et le type de surveillance qu'il faut assurer pendant la pharmacothérapie ;

- déterminer le niveau d'organisation exigé pour assurer la sécurité du client et sa participation, selon la méthode de traitement choisie (thérapie par le milieu, ergothérapie, thérapie individuelle ou thérapie de groupe).

Le rôle de l'infirmière dans la prestation de soins aux clients souffrant de troubles mentaux dépend de l'établissement où elle pratique et de son niveau de préparation. Toutefois, comme Lang et ses collaborateurs (1980) l'indiquent, il incombe invariablement à l'infirmière d'effectuer la collecte des données, ce qui lui permet :

- d'analyser ces données ;

- d'appliquer ses connaissances théoriques ;

- d'intégrer la connaissance des principes psychosociaux et pathophysiologiques à la démarche des soins infirmiers ;

- d'utiliser les diverses méthodes thérapeutiques ;

- d'évaluer l'intervention ;

- de collaborer à la recherche et d'utiliser les résultats les plus récents pour diffuser les nouvelles connaissances et pour promouvoir une pratique fondée sur des méthodes scientifiques.

On considère souvent l'urgence comme l'antichambre du système de soins psychiatriques. L'état d'un certain nombre de clients examinés aux services d'urgence des centres hospitaliers exige un traitement ou une consultation psychiatrique. Une intervention psychosociale se révèle également nécessaire dans la plupart des cas (Yoder et Jones, 1982).

Dans les services d'urgence des centres hospitaliers, les clients subissent un examen et reçoivent le diagnostic des troubles dont ils souffrent. Les travailleurs sociaux, les infirmières et les psychiatres jouent le rôle d'agents de liaison qui recommandent aux clients les méthodes appropriées de traitement. En période de crise, l'intervention de professionnels en milieu communautaire peut aider les clients à retrouver un équilibre et le niveau de fonctionnement antérieur.

Les lois stipulent les conditions dans lesquelles le client peut être admis de gré ou de force dans un établissement psychiatrique. L'admission du client se fait avec son consentement lorsque celui-ci demande d'être traité en milieu hospitalier. Son consentement ne peut lui être demandé si l'on a déterminé que le sujet en question constitue un danger pour lui-même et pour la société. Nous reviendrons plus loin sur la distinction à faire entre la cure fermée et la cure libre. Cependant, nous pouvons d'ores et déjà indiquer que l'hospitalisation peut se faire dans les cas suivants :

- lorsque les autres interventions ont échoué et que les symptômes ou le comportement inadéquat s'intensifient jusqu'à devenir invalidants ;

- lorsque le diagnostic ne peut être précisé ;

- lorsque les personnes de l'entourage du client (thérapeute, membres de la famille, collègues de travail) ne peuvent plus tolérer son comportement;

- lorsque l'environnement renforce sans cesse le comportement inadapté;

Où PEUT S'ADRE

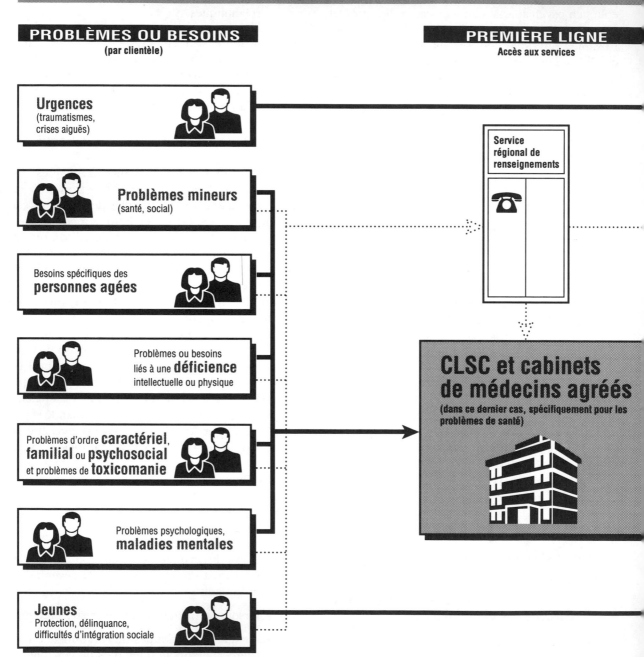

Figure 4-1   Services de consultation en santé mentale

Source : Santé société vol. 13, n° 1, 1991.

ER L'USAGER ?

DEUXIÈME ET TROISIÈME LIGNES

Établissement où l'usager peut être dirigé par un professionnel ou un établissement de première ligne

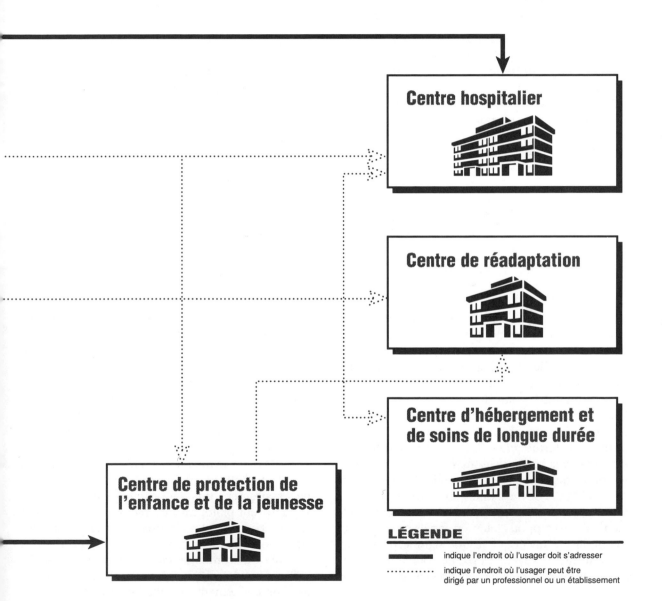

Centre hospitalier

Centre de réadaptation

Centre d'hébergement et de soins de longue durée

Centre de protection de l'enfance et de la jeunesse

LÉGENDE

———— indique l'endroit où l'usager doit s'adresser

·········· indique l'endroit où l'usager peut être dirigé par un professionnel ou un établissement

- lorsqu'on amorce une nouvelle forme de traitement pour laquelle la surveillance est impérative ;

- lorsque l'exacerbation d'une maladie chronique est provoquée par la non-observance du plan de traitement établi dans le service de consultations externes.

L'hospitalisation, qu'elle soit brève, partielle ou prolongée, dépend du délai nécessaire pour définir les troubles en présence, formuler et mettre en œuvre le plan de soins et évaluer la réaction du client ainsi que sa capacité de participer à ses propres soins dans un milieu thérapeutique plus ouvert. Si l'on souligne l'acuité du trouble psychiatrique, on aide le client et sa famille à accepter son hospitalisation.

Les caractéristiques des clients qui font appel au système de soins psychiatriques

En règle générale, le comportement de chaque personne reflète sa manière de penser, ses sentiments et ses réactions à divers facteurs intrapsychiques, interpersonnels et environnementaux qui influencent son vécu. Les perturbations du comportement étant définies par rapport à une culture donnée, si un comportement s'écarte de la norme culturelle, une intervention psychiatrique pourrait s'avérer nécessaire pour le modifier.

D'un autre point de vue, le comportement d'une personne inadaptée traduit des réactions qui nuisent à son propre bien-être ou à celui d'un groupe. Le terme *bien-être* ne se rapporte pas seulement à la survie mais aussi à la capacité de la personne de réaliser son potentiel (Coleman et coll., 1984). Pour qu'une personne puisse se développer et s'épanouir, elle doit savoir établir et maintenir des rapports interpersonnels satisfaisants, accomplir un travail qui ait une signification pour elle, affronter la réalité en pleine connaissance de ses propres forces et limites, et donner un sens à sa vie.

On peut aussi expliquer les caractéristiques qui contribuent à l'apparition des troubles psychosociaux par la théorie des systèmes. La personne psychologiquement saine est capable d'aimer, de se fixer des buts, d'apprendre, de régir son soi et de réagir à son entourage et aux événements extérieurs. Elle constitue donc un système ouvert, capable de traiter l'information lui venant de son environnement aussi bien que celle qu'elle veut lui transmettre (Mamar, 1983). Une telle personne peut recevoir, traiter et stocker les données et réagir aux expériences vécues. L'interaction entre ce système biologique, l'environnement physique et la communauté devient une source qui la nourrit mais qui provoque aussi des tensions.

Les conflits qui surgissent au sein d'un certain système peuvent bouleverser tous les autres. Ces bouleversements, ou facteurs de stress, interrompent le fonctionnement ou modifient la pensée, l'affect, la communication et les rapports.

La réaction aux facteurs de stress est un processus dynamique pendant lequel les comportements varient en fonction de divers facteurs de conditionnement, comme la personnalité du client et le soutien lui venant de son entourage. Grâce aux facteurs de conditionnement, certains problèmes peuvent trouver une solution avant que le comportement ne devienne inadapté et que le fonctionnement ne soit perturbé. Mais lorsque le comportement est perturbé et que les troubles psychologiques s'aggravent, le client doit être pris en charge par le système des soins psychiatriques. Ces caractéristiques du comportement s'accompagnent d'un symptôme douloureux ou d'une altération fonctionnelle (d'ordre comportemental, physiologique ou psychologique) et ne se limitent pas uniquement à un conflit entre le client et la société.

D'après le modèle interactionnel de troubles mentaux (Wallace, 1988), ces troubles ne sont pas nécessairement dus à une étiologie précise. Ils apparaissent plutôt lorsque plusieurs facteurs sont réunis. Le vécu est déterminé par le point d'intersection des facteurs psychobiologiques et des facteurs environnementaux. Par exemple, selon Wallace, un état dépressif n'est pas exclusivement dû à un événement extérieur, comme le décès du conjoint, ni à l'activité neurochimique ou à une série de perceptions, d'affects et d'attitudes reliés au conjoint. La dépression et les troubles de comportement qui en résultent sont causés par l'ensemble des facteurs : décès, état neurochimique du client, réactions affectives et cognitives.

> *La petite-fille de Martine Bonnaire, secrétaire retraitée âgée de 75 ans, conduit celle-ci chez le médecin, car depuis la mort de son mari il y a six mois, la mémoire de sa grand-mère flanche. Mme Bonnaire est de plus en plus renfermée et elle refuse de manger ou de sortir de chez elle. Elle ne parle que de son défunt mari, ne reconnaît plus ses amis et appelle sa petite-fille par le nom de sa fille.*

Les données démographiques concernant les clients pris en charge par le système de soins psychiatriques reflètent les changements intervenus dans la population en général. D'ici l'an 2001, le nombre des personnes âgées de plus de 65 ans augmentera de 53 p. cent, celui des personnes de plus de 75 ans, de 84 p. cent et celui des personnes de plus de 80 ans, de 107 p. cent (Gouvernement du Québec, 1985). Parmi ces personnes, celles âgées de plus de 85 ans constituent le segment de la population qui croît le plus rapidement, ce qui veut dire que le personnel soignant sera appelé à traiter de plus en souvent les troubles qui touchent davantage ce segment, notamment la démence du type Alzheimer et la dépression. Le personnel soignant aura, par conséquent, la tâche d'évaluer, de diagnostiquer et de traiter efficacement ces troubles (Rubin, Zorumski et Burke, 1988). La capacité des clients âgés de reprendre des activités optimales d'auto-soins au sein de la communauté dépendra d'un diagnostic précis, d'un traitement adéquat et du soutien de la communauté.

Les personnes âgées prennent rarement l'initiative de suivre un traitement psychiatrique. La recherche de traitement est fréquemment retardée à cause de leur difficulté à distinguer les inquiétudes causées par le processus normal de vieillissement, de la peur de la maladie mentale ou d'une incapacité fonctionnelle grave. Les sujets âgés laissent habituellement les personnes clés de leur réseau de soutien prendre des décisions quant à la nécessité de suivre un traitement. Comme dans le cas de Mme Bonnaire, c'est généralement vers le médecin généraliste que le client ou sa famille vont se tourner pour demander de l'aide.

Les modifications des habitudes, de la fonction cognitive, de l'état général de santé, de l'affect et des activités d'auto-soin sont habituellement les premiers indices de dépression ou de démence. Puisque la dépression et la démence sont souvent réversibles, il faut évaluer toutes les modifications de l'état mental et du rendement fonctionnel (Reynolds et coll., 1988).

La vie avec la personne souffrant de maladie mentale

La vie avec la personne qui souffre de troubles psychiatriques est particulièrement éprouvante pour les membres de sa famille ou pour les personnes clés de son entourage. En effet, toutes ces personnes doivent non seulement faire face aux problèmes habituels de la vie quotidienne, mais aussi adapter leur mode de vie et de communication, ainsi que leurs réactions, au comportement du malade (Hyde, 1980).

Le comportement du malade mental déçoit presque toujours sa famille, car, à cause de lui, il faut souvent annuler des sorties ou des réunions familiales ou sociales. L'anxiété engendrée par le comportement du malade peut même obliger le reste de la famille à éviter les contacts sociaux.

À cause des tensions, un climat malsain règne dans la maison. Ces tensions sont surtout dues :

- aux sentiments négatifs constants, comme la colère, le ressentiment, la culpabilité, l'irascibilité, l'anxiété et la dépression ;

- à l'agitation et au rythme trépidant de la vie familiale.

Hyde s'est surtout penché sur les effets de ce climat malsain sur les clients atteints de schizophrénie, mais ses idées peuvent s'appliquer à tous les membres de la famille.

Pour éviter les conflits, les membres de la famille suppriment systématiquement la déception, la colère et la frustration suscitées par le comportement du client. Faute de conseils, ils tendent à surprotéger le client et à tolérer longtemps un comportement inadéquat avant que la souffrance et la colère accumulées ne provoquent une explosion.

Même si la surprotection assure une brève accalmie, elle maintient le client dans une illusion de dépendance. En réalité, les clients sont très sensibles aux sentiments d'autrui et les faux-fuyants finissent par précipiter la crise. Nous résumons au tableau 4-1 les comportements que le client peut adopter et les réactions appropriées que ces comportements devraient susciter.

Les infirmières et les conseillers peuvent aider les familles à modifier leur comportement pour que leurs réactions deviennent plus adaptées et plus pertinentes en leur donnant l'occasion de déceler les problèmes de comportement, de les analyser et de les résoudre à mesure qu'ils se produisent. La franchise rend le climat plus sain et permet d'interpréter avec plus de justesse les sentiments et les réactions (Walsh, 1985).

Par ailleurs, le client et sa famille peuvent se joindre à des groupes d'entraide. Dans ces groupes, où les membres de la famille apprennent à mieux s'adapter à l'état du client, tous les participants peuvent exprimer leurs sentiments dans un climat de confiance et d'empathie et se familiariser avec de nouvelles stratégies d'adaptation. Les réunions donnent à de nombreux malades, qui ont rarement l'occasion de sortir de chez eux, la possibilité de devenir plus sociables. Les membres du groupe apprennent non seulement à s'adapter aux troubles du comportement, mais échangent aussi des renseignements au sujet de l'aide financière et juridique, de la réadaptation et de l'hébergement ainsi qu'au sujet des troubles psychiatriques et de leur traitement (Bernheim, Lewine et Beale, 1982).

Une fois la maladie et les problèmes connexes reconnus et acceptés, les membres de la famille doivent apprendre à vivre ensemble et à réagir de façon positive. L'équipe de soins a le rôle vital d'aider les membres de la famille à mettre au

Tableau 4-1 *Comportement du client et réaction appropriée de sa famille*

Comportement du client	Réaction de la famille
Des comportements provoquant la colère, l'irritation et des frustrations chez les membres de sa famille.	Exprimer honnêtement et clairement ses sentiments et ses attentes au sujet du comportement du client.
	Fournir au client les exutoires sociaux et récréatifs appropriés.
Un comportement de fuite	Aider le client à se préparer à vivre de façon autonome, dans les limites de ses capacités fonctionnelles, et à réussir ce genre de vie.
Le repli émotif et l'isolement	Analyser la tendance à surprotéger le client et réduire ce comportement ; lui réserver en même temps un espace privé dans la maison.
Des comportements reliés à la consommation d'alcool et de drogues	En interdire la consommation à la maison. Un programme structuré de réadaptation dans un établissement spécialisé peut s'avérer nécessaire.
Des périodes fréquentes et prolongées de décompensation marquées par un déficit d'auto-soin et la non-observance du traitement	Faire confiance aux efforts déployés en vue d'aider le client.
	Reconnaître son incapacité de modifier l'état du client.
	Lâcher graduellement prise jusqu'à ce que de nouvelles occasions de l'aider se présentent.

point des stratégies d'adaptation leur permettant de mieux comprendre et de résoudre plus efficacement, ensemble, les divers problèmes.

Aspects éthiques et juridiques des soins infirmiers en psychiatrie et en santé mentale

La maladie mentale est la deuxième cause d'hospitalisation au Québec. Puisque les troubles mentaux affectent la capacité de la personne de prendre des décisions au sujet de sa propre santé et de son bien-être, il faut se poser à ce sujet un grand nombre de questions déontologiques, juridiques et sociopolitiques.

La maladie mentale rend les clients vulnérables. Si les personnes qui administrent les soins négligent les dimensions morale et juridique du traitement psychiatrique, les malades peuvent souvent devenir victimes de la manipulation. Il faut donc déterminer le moyen de préserver le contrôle de soi et la liberté individuelle du client dans des situations où les intérêts fondamentaux ou le bien-être du public pourraient être menacés (Garritson, 1988).

L'infirmière qui exerce en psychiatrie, tout comme celles qui exercent dans les autres domaines des soins infirmiers, est appelée à analyser plusieurs objectifs avant de pouvoir faire un choix, à établir des priorités parmi plusieurs valeurs contradictoires, à analyser ses actes et à leur donner un sens, à déterminer la démarche qui serait appropriée et celle qui ne le serait pas et à définir objectivement ce qu'elle est en droit d'attendre de sa conduite (Jameton, 1984). Elle porte un jugement d'ordre moral chaque fois qu'elle décide d'administrer des médicaments, de prendre des mesures coercitives ou d'isoler le client. La décision d'exclure le client du processus de prise de décisions soulève également une question éthique importante.

L'infirmière qui exerce dans ce milieu est tenue de fournir des soins compatibles avec le code de déontologie des infirmières et infirmiers du Québec (voir le tableau 4-2). En outre, lorsqu'elle décide d'une ligne de conduite, elle doit systématiquement remettre en question ses choix et les analyser selon ses propres valeurs. Étant donné que l'on a si longtemps méprisé les conséquences morales des interventions psychiatriques et que les droits de l'individu entrent souvent en conflit avec ceux de la société, il serait peut-être opportun d'adopter des lois qui protègent les clients.

L'infirmière doit réfléchir à des principes tels l'autonomie, la bienfaisance et la justice pour déterminer l'intervention pertinente. L'*autonomie* désigne ici le respect de la capacité légale du client de participer à la prise de décisions concernant sa santé et son bien-être et de les suivre. La *bienfaisance*, dans ce contexte, est le devoir de faire du bien au client et de l'aider, dans le but de soulager sa douleur et sa souffrance. La *justice*, quant à elle, oblige l'infirmière à adopter un traitement ou une intervention équitables. Dans un établissement où règne la justice, tous les clients reçoivent le même traitement sauf si, pour des raisons morales pertinentes, l'un d'entre eux doit recevoir un traitement différent.

Un samedi, Anne P. fait sa garde de nuit. Elle est débordée de travail et elle se trouve seule à son poste. Marie, cliente âgée de 25 ans, qui souffre de dépression, vient lui parler alors que depuis son admission, il y a deux jours, elle refuse d'adresser la parole à qui que ce soit. Mais, l'infirmière en chef demande à Anne de se rendre auprès de Jean. L'état de ce client, qui a reçu des médicaments après une tentative de suicide, dicte une surveillance constante.

Anne est déchirée entre le devoir de réconforter Marie et celui de surveiller étroitement Jean. À cause de la pénurie d'infirmières, l'un des clients doit attendre. C'est à Anne de déterminer les raisons pour lesquelles elle devrait s'occuper de l'un plutôt que de l'autre. Pour décider à qui donner la priorité, elle doit peser les avantages et les inconvénients que présente sa démarche dans chacun des cas et choisir l'intervention la plus appropriée.

Tableau 4-2   *Code de déontologie des infirmières et infirmiers du Québec*

DEVOIRS ET OBLIGATIONS ENVERS LE PUBLIC

■ Le professionnel en soins infirmiers doit appuyer toute mesure susceptible d'améliorer la qualité et la disponibilité des services infirmiers.

■ Dans l'exercice de sa profession, le professionnel en soins infirmiers doit tenir compte de l'ensemble des conséquences que peuvent avoir ses recherches et travaux sur la société.

■ Le professionnel en soins infirmiers doit favoriser les mesures d'éducation et d'information dans son domaine. Il doit aussi, dans l'exercice de sa profession, poser les actes qui s'imposent pour que soit assurée cette fonction d'éducation et d'information.

DEVOIRS ET OBLIGATIONS ENVERS LE CLIENT

■ Dans l'exercice de sa profession, le professionnel en soins infirmiers doit tenir compte des limites de ses aptitudes, de ses connaissances ainsi que des moyens dont il dispose.

■ Le professionnel en soins infirmiers doit reconnaître en tout temps le droit du client de consulter un autre professionnel en soins infirmiers, un membre d'une autre corporation professionnelle ou une autre personne compétente.

■ Le professionnel en soins infirmiers doit s'abstenir d'exercer dans des états susceptibles de compromettre la qualité de ses services.

■ Le professionnel en soins infirmiers doit chercher à établir une relation de confiance mutuelle entre lui-même et son client. À cette fin, il doit notamment :

  a) s'abstenir d'exercer sa profession d'une façon impersonnelle ; et

  b) respecter l'échelle de valeurs et les convictions personnelles de son client.

■ Le professionnel en soins infirmiers doit s'asbtenir d'intervenir dans les affaires personnelles de son client sur des sujets qui ne relèvent pas de la compétence généralement reconnue à sa profession, afin de ne pas restreindre indûment l'autonomie de son client.

■ Le professionnel en soins infirmiers doit s'acquitter de ses devoirs professionnels avec intégrité et ne doit pas abuser de la confiance du client.

■ Le professionnel en soins infirmiers doit éviter toute fausse représentation quant à son niveau de compétence ou quant à l'efficacité de ses propres services et de ceux généralement assurés par les membres de sa profession. Si le bien du client l'exige, il doit diriger ce dernier vers un autre professionnel en soins infirmiers, un membre d'une autre corporation professionnelle ou une autre personne compétente.

■ Le professionnel en soins infirmiers doit s'abstenir d'exprimer des avis ou de donner des conseils contradictoires ou incomplets. À cette fin, il doit chercher à avoir une connaissance complète des faits avant de donner un avis ou un conseil.

■ Le professionnel en soins infirmiers doit apporter un soin raisonnable aux biens confiés à sa garde par un client.

■ Le professionnel en soins infirmiers doit faire preuve, dans l'exercice de sa profession, d'une disponibilité et d'une diligence raisonnables.

■ En plus des avis et des conseils, le professionnel en soins infirmiers doit fournir à son client les explications nécessaires à la compréhension et à l'appréciation des services qu'il lui rend.

■ Le professionel en soins infirmiers doit faire preuve d'objectivité et de désintéressement lorsque des personnes autres que ses clients lui demandent des informations.

■ Avant de cesser d'exercer ses fonctions pour le compte d'un client, le professionnel en soins infirmiers doit s'assurer que cette cessation de service n'est pas préjudiciable à son client.

■ Le professionnel en soins infirmiers doit, dans l'exercice de sa profession, engager pleinement sa responsabilité civile personnelle.

■ Le professionnel en soins infirmiers doit subordonner son intérêt personnel à celui de son client.

■ Le professionnel en soins infirmiers doit ignorer toute intervention d'un tiers qui pourrait influer sur l'exécution de ses devoirs professionnels au préjudice de son client.

■ Le professionnel en soins infirmiers doit sauvegarder en tout temps son indépendance professionnelle et éviter toute situation où il serait en conflit d'intérêts.

■ Le professionnel en soins infirmiers ne peut partager ses honoraires avec un autre professionnel en soins infirmiers que dans la mesure où ce partage correspond à une répartition réelle des services et des responsabilités.

■ Sous réserve de la rémunération à laquelle il a droit, le professionnel en soins infirmiers doit s'abstenir de verser ou de recevoir tout avantage, ristourne ou commission relatif à l'exercice de sa profession.

■ Le professionnel en soins infirmiers doit respecter le secret de tout renseignement de nature confidentielle obtenu dans l'exercice de sa profession.

■ Le professionnel en soins infirmiers ne peut être relevé du secret professionnel qu'avec l'autorisation de son client ou lorsque la loi l'ordonne.

■ Lorsque le professionnel en soins infirmiers demande à un client de lui révéler des renseignements de nature confidentielle ou lorsqu'il permet que de tels renseignements lui soient confiés, il doit s'assurer que le client en connaît les raisons et l'utilisation qui peut en être faite.

■ Le professionnel en soins infirmiers ne doit pas révéler qu'une personne a fait appel à ses services lorsque ce fait est susceptible de causer un préjudice à cette personne.

■ Le professionnel en soins infirmiers doit éviter les conversations indiscrètes au sujet d'un client et des services qui lui sont rendus.

■ Le professionnel en soins infirmiers ne doit pas faire usage de renseignements de nature confidentielle au préjudice d'un client ou en vue d'obtenir directement ou indirectement un avantage pour lui-même ou pour autrui.

Tableau 4-2 *(suite)*

- Le professionnel en soins infirmiers doit respecter le droit de son client de prendre connaissance des documents qui le concernent dans un dossier qu'il a constitué à son sujet et d'obtenir une copie de ces documents.

- Le professionnel en soins infirmiers doit demander et accepter des honoraires justes et raisonnables.

- Les honoraires sont justes et raisonnables s'ils sont justifiés par les circonstances et proportionnés aux services rendus. Le professionnel en soins infirmiers doit notamment tenir compte des facteurs suivants pour la fixation de ses honoraires :
  a) le temps consacré à l'exécution du service professionnel ;
  b) la difficulté et l'importance du service ; et
  c) la prestation de services inhabituels ou exigeant une compétence ou une célérité exceptionnelles.

- Le professionnel en soins infirmiers doit fournir à son client toutes les explications nécessaires à la compréhension de son relevé d'honoraires et des modalités de paiement.

- Le professionnel en soins infirmiers doit s'abstenir d'exiger d'avance le paiement de ses honoraires ; il doit par ailleurs prévenir son client du coût approximatif de ses services professionnels.

- Le professionnel en soins infirmiers ne peut percevoir des intérêts sur les comptes en souffrance qu'après en avoir dûment avisé son client. Les intérêts ainsi exigés doivent être d'un taux raisonnable.

- Avant de recourir à des procédures judiciaires, le professionnel en soins infirmiers doit épuiser les autres moyens dont il dispose pour obtenir le paiement de ses honoraires.

- Le professionnel en soins infirmiers doit s'abstenir de vendre ses comptes, sauf à un autre professionnel en soins infirmiers.

- Lorsque le professionnel en soins infirmiers confie à une autre personne la perception de ses honoraires, il doit s'assurer que celle-ci procède avec tact et mesure.

DEVOIRS ET OBLIGATIONS ENVERS LA PROFESSION

- En outre de ceux mentionnés aux articles 57 et 58 du Code des professions (L.R.Q., c. C-26), constitue un acte dérogatoire à la dignité de la profession le fait pour le professionnel en soins infirmiers de :
  a) consulter, collaborer ou s'entendre, dans le traitement d'un client, avec une personne n'ayant pas les connaissances scientifiques appropriées dans le domaine où elle exerce ;
  b) exercer sa profession alors qu'il est sous l'influence de boissons alcooliques, de stupéfiants, d'hallucinogènes, de préparation narcotiques ou anesthésiques, ou de toute autre substance pouvant produire l'ivresse, l'affaiblissement ou la perturbation des facultés ou l'inconscience ;

  c) s'approprier des stupéfiants, une préparation narcotique ou anesthésique, des fournitures de tout genre ou tout autre bien appartenant à son employeur ou à un client ;
  d) inciter quelqu'un de façon pressante à recourir à ses services professionnels ;
  e) permettre à qui que ce soit qui n'est pas inscrit au tableau de l'Ordre d'exercer la profession ;
  f) abandonner volontairement et sans raison suffisante un client nécessitant une surveillance ou refuser sans raison suffisante de fournir des soins et sans s'assurer d'une relève compétente dans le cas où il peut raisonnablement assurer une telle relève ;
  g) poser un acte ou avoir un comportement qui va à l'encontre de ce qui est généralement admis dans l'exercice de la profession ;
  h) inscrire des données fausses dans le dossier du client ou insérer des notes sous la signature d'autrui ;
  i) altérer dans le dossier du client des notes déjà inscrites ou en remplacer une partie quelconque dans l'intension de les falsifier ;
  j) participer ou prêter son concours à l'annonce de médicaments, panacées, produits pharmaceutiques et prothèses de tout genre ;
  k) annoncer un produit anonymement, sous son nom ou sous une raison sociale ;
  l) communiquer avec le plaignant lorsqu'il est informé d'une enquête sur sa conduite ou sa compétence professionnelle ou lorsqu'il a reçu signification d'une plainte à son endroit.

- Le professionnel en soins infirmiers à qui l'Ordre demande de participer à l'arbitrage d'un compte, à un comité de discipline ou d'inspection professionnelle doit accepter cette fonction à moins de motifs exceptionnels.

- Le professionnel en soins infirmiers doit répondre dans les plus brefs délais à toute correspondance provenant du syndic de l'Ordre, des enquêteurs ou des membres du comité d'inspection professionnelle.

- Le professionnel en soins infirmiers ne doit pas surprendre la bonne foi d'un autre professionnel en soins infirmiers ou se rendre coupable envers lui d'un abus de confiance ou de procédés déloyaux.

- Le professionnel en soins infirmiers consulté par un autre professionnel en soins infirmiers doit fournir à ce dernier son opinion et ses recommandations dans le plus bref délai possible.

- Le professionnel en soins infirmiers appelé à collaborer avec un autre professionnel en soins infirmiers doit préserver son indépendance professionnelle.

- Le professionnel en soins infirmiers doit, dans la mesure de ses possibilités, aider au développement de sa profession par l'échange de ses connaissances et de son expérience avec les autres professionnels en soins infirmiers et les étudiants, et par sa participation aux cours et aux stages de formation continue.

Source : Gouvernement du Québec, *Code de déontologie des infirmières et infirmiers*, Québec, Éditeur officiel du Québec, 1988.

L'hospitalisation

En cas d'épisodes de détresse ou de décompensation psychologique, l'hospitalisation brève est souhaitable, car elle donne le temps d'arrêter le diagnostic, de stabiliser rapidement l'état du client à l'aide de médicaments, de l'engager dans des activités thérapeutiques afin d'améliorer sa capacité fonctionnelle et d'accélérer son retour à la vie dans la communauté. Par suite du mouvement de désinstitutionnalisation des années soixante-dix, toutefois, un grand nombre de clients souffrant de troubles psychiatriques chroniques se sont trouvés incapables d'assumer leur autonomie et ils sont venus grossir les rangs des sans-abri et des vagabonds exploités que l'on retrouve dans chaque communauté. Il faut souvent que ces clients retournent à l'hôpital étant donné qu'ils sont incapables de s'intégrer à la société. Dans certains secteurs, l'hébergement collectif et la surveillance du groupe ont constitué une bonne solution de rechange à l'hospitalisation.

Avant d'hospitaliser un client, même s'il est consentant, il faut examiner deux questions importantes :

- ses besoins et son droit à la liberté ;

- les besoins et les droits du personnel, des autres clients et de la communauté.

Le devoir de l'infirmière de « ne pas nuire » et de soulager la douleur et la souffrance l'oblige à garder en constant équilibre diverses questions éthiques. Chaque fois que cela est possible, il faut favoriser l'autonomie et la liberté du client en lui permettant de retrouver un milieu de soins moins contraignant et éviter les traitements qui limitent son autonomie et sa participation à la prise de décisions d'ordre thérapeutique, comme l'administration de médicaments qui diminuent ses facultés, l'isolement ou l'utilisation de contraintes physiques.

Pour mieux répondre aux besoins des malades chroniques, on décide actuellement de les admettre, de plus en plus souvent, dans des établissements autres que les centres hospitaliers. Ces établissements sont mieux structurés et plus appropriés que les établissements traditionnels. Le client est confié à un organisme communautaire et

il doit respecter les termes d'une injonction selon laquelle il doit consentir à suivre un traitement au centre de soins désigné et à prendre les médicaments prescrits (Brooks, 1987). D'après les données préliminaires, il s'agit là d'une solution qui remplace utilement l'hospitalisation dans le cas des clients chroniques ou de ceux qui, par suite de la non-observance de la pharmacothérapie, présentent des antécédents de décompensation et de réhospitalisations fréquentes.

Marie B. a reçu le diagnostic de psychose hallucinatoire chronique à la suite de plusieurs entretiens d'ordre général avec un psychiatre. Lors de ces entrevues, Marie a répondu de façon aberrante et irrationnelle aux questions posées. Elle a des accès de délires, entend des voix et croit que le diable cherche à s'emparer d'elle. Sur des preuves révélatrices, claires et convaincantes, le tribunal a décidé qu'il faut hospitaliser Marie pour traiter le trouble mental dont elle souffre.

La notion de capacité

D'après les définitions habituelles, la *capacité* est la faculté d'acquérir et de retenir des connaissances et des impressions ; il s'agit donc, dans un certain sens, de la faculté mentale. La capacité civile est la capacité générale et durable de s'occuper de ses propres affaires, alors que la capacité légale peut ne porter que sur des situations précises, à divers moments. Le client qui est déchu de la capacité légale peut ne plus avoir le droit de signer des contrats pour obtenir des prêts bancaires mais peut conserver celui de participer aux décisions relatives à son traitement.

Il y a cinq ans, Jacques, âgé de 30 ans, a reçu un diagnostic de schizophrénie. Il vient d'être muté de l'hôpital psychiatrique à l'hôpital général où les médecins lui recommandent une dialyse étant donné que son insuffisance rénale s'est aggravée. Il est impossible de rejoindre la famille du malade. Jacques refuse le traitement et se met à évoquer le cas d'un membre de sa famille qui a suivi une cure longue et pénible de dialyse. Les médecins doivent prendre une décision.

Les clients ont le droit de refuser un traitement s'ils sont en mesure de donner un consentement éclairé (Macklin, 1987). La question est donc de savoir si, sans égard à la présence d'une maladie mentale, on a ou non le droit d'obliger une personne à accepter un traitement qui peut améliorer son état ou même sauver sa vie.

Les médecins et les infirmières tendent à adopter une attitude paternaliste lorsqu'il s'agit de prendre des décisions partant de l'idée qu'ils agissent au profit ou dans les intérêts du client. Cependant, ces intérêts devraient être plutôt pesés en termes des avantages ou d'inconvénients du traitement pour le client. Lors de la prise de décisions, il est impératif que les médecins et les infirmières admettent que, idéalement, il appartient au client de déterminer ses propres intérêts. Il est par ailleurs essentiel de peser le droit de participation du client au processus de prise de décisions, qu'elles portent sur un traitement qui doit lui sauver la vie ou qui vise à modifier son comportement. La décision de recourir à la dialyse pour sauver la vie du client ou de lui administrer un psychotrope pour modifier son comportement ne peut être prise qu'en respectant l'autonomie de la personne. On ne peut non plus prendre une telle décision sans évaluer soigneusement les avantages et les risques qu'elle comporte (Kazorowski, 1988).

La capacité de prendre des décisions peut être déterminée par rapport à leurs conséquences probables. Dans le cas de Jacques, le refus de la dialyse mènera sûrement à une issue fatale. Ses médecins décident, par conséquent, que Jacques est incapable de prendre une décision d'une telle importance. Il sera donc nécessaire de nommer un curateur. Puisque Jean n'a pas de famille, le curateur public agira en son nom.

On peut aussi déterminer la capacité en examinant le processus de prise de décisions du client, car, même si celui-ci semble incapable de prendre certaines décisions, il peut être capable d'en prendre d'autres. Lorsqu'on détermine la capacité du client, il ne faut par conséquent pas négliger ses connaissances antérieures, son expérience et ses sentiments (Hastings Center, 1987).

Le consentement éclairé

Les lois stipulent que le client a le droit de se préserver de tout acte nuisible intentionnel. Comme l'énonce l'article 19 du Code civil : « La personne humaine est inviolable. Nul ne peut porter atteinte à la personne d'autrui sans son consentement ou sans y être autorisé par la loi. »

En droit civil, comme en droit criminel, le traitement médical d'une personne n'est légalement justifié que s'il y a consentement à l'acte ou si, comme elle le fait dans certains cas rares, la loi permet d'avance que l'on administre un traitement à un individu sans demander son consentement. En droit criminel, un traitement administré à une personne, sans son consentement, constitue une voie de fait et, donc, un acte criminel. En droit civil, le même geste est une faute civile pouvant donner naissance à un recours en dommages-intérêts.

Les tribunaux exigent non seulement que le malade donne son consentement, mais aussi que ce consentement soit libre et éclairé. En vertu du droit commun, tout individu est présumé avoir la capacité légale. L'*incapacité n'est donc jamais présumée* d'une part et, d'autre part, une personne ne peut jamais être tenue pour incapable au sens de la loi faute d'une disposition légale précise ou d'un jugement la déclarant telle.

Par conséquent, en l'absence d'un consentement ou d'une autorisation, le personnel soignant peut être tenu légalement responsable de voies de fait ou de gestes blessants (Creighton, 1986). La personne qui administre les soins doit suivre les normes thérapeutiques et fournir des renseignements judicieux qui répondent aux besoins du client plutôt qu'aux siens. Il s'agit de l'explication du problème, de la nature et du but de l'intervention, des conséquences du traitement et des solutions de rechange. La maladie mentale n'enlève pas au client le droit de recevoir des explications au sujet de son traitement et d'autoriser l'intervention. Le droit de consentir à un traitement sous-entend aussi celui de le refuser, même après l'avoir autorisé au départ, le client pouvant à tout moment annuler son consentement. Les aspects juridiques du consentement éclairé doivent être clairement énoncés à cause des risques de poursuites en justice pour

manque de soins ou pour négligence professionnelle.

La dimension morale du consentement
éclairé renforce la foi en l'autonomie du client et en
son pouvoir de discernement, et oblige le médecin
et l'infirmière à fournir des renseignements exacts
et adéquats qui favorisent la prise de décisions. On
est confronté à un dilemme chaque fois qu'il faut
décider du type de renseignements à communiquer.

Les clients ont le droit de connaître le genre
de médicaments qu'ils reçoivent et leurs effets
secondaires. En énonçant clairement les effets d'un
neuroleptique ainsi que ses effets secondaires possibles, y compris la dyskinésie tardive, l'infirmière
prend le risque que le client refuse ce traitement.
Chaque fois que l'infirmière administre des médicaments à un client contre son gré ou qu'elle respecte son droit de les refuser, elle doit prendre en
considération les avantages et les inconvénients de
sa décision pour le client et pour la communauté
ainsi que les obligations professionnelles.

Voici des exemples de situations où le respect des droits des uns paraît s'opposer au respect
des droits des autres :

1) Georges qui vient d'être réadmis dans le
   service présente des comportements fortement perturbateurs pour l'entourage et
   dérange fréquemment ses pairs et le milieu
   thérapeutique. On s'interroge alors si les
   droits du groupe sont plus importantes
   que ceux de Georges.

Solution :
Sur le plan éthique, il convient de s'assurer que
la liberté d'action d'un seul client n'est jamais
préjudiciable à autrui. Dans un contexte réel,
permettre la conduite contraire serait même
antithérapeutique pour le client qui fait obstacle
au bon fonctionnement du groupe. C'est ici
que certaines mesures de contraintes prennent
tout leur sens, non seulement pour assurer
le respect des droits des autres membres du
groupe, mais aussi pour préserver une perspective thérapeutique.

2) Karine reçoit régulièrement la visite de son
   père et de ses amis. Le personnel remarque que, à cause de l'attitude de ces visiteurs, Karine change de comportement.
   Elle devient beaucoup plus ambivalente et
   anxieuse et refuse même la thérapie. Les
   membres du personnel soignant se demandent s'ils peuvent interdire les visites.

Solution :
Il est parfois nécessaire d'interdire les visites
pendant une période donnée. Cette directive
doit tenir compte des besoins précis de Karine
et faire partie des stratégies thérapeutiques
ainsi que du plan de traitement. Il est important
d'expliquer aux membres de la famille cette
nouvelle stratégie de soins. C'est parfois la
pathologie en présence qui appelle cette interdiction ou ce dosage des visites, même si les
visiteurs ont un comportement parfaitement
approprié. L'inverse peut se produire et, une
fois l'interprétation dûment effectuée, il est
évident que, dans les intérêts du client, il faut
adopter la mesure la plus thérapeutique.

Les types de cures

La cure libre équivaut légalement au traitement
volontaire. Le malade signe une formule de consentement au traitement. Dans ce contexte, le
malade peut, à tout moment, refuser en tout ou en
partie le traitement qui lui est offert, sauf dans les
situations où le médecin doit intervenir :

- situation d'urgence ;
- individu sous curatelle, auquel cas le
  curateur consent, par écrit, en son nom ;
- requête en jugement déclaratoire ou
  d'ordonnance, présentée à un juge de la
  cour supérieure.

La cure fermée
Deux situations peuvent conduire à une cure fermée :

À la suite d'un examen psychiatrique fait par
un premier psychiatre qui a évalué la nécessité
d'une cure fermée, un second psychiatre, dans un

délai de 96 heures, a également exprimé la même opinion. À la suite de son examen, la cour donne un ordre dans ce sens.

Par ordre de la cour, le malade doit subir un examen psychiatrique contre son gré.

La loi actuelle sur la protection du malade mental dit que : « Une personne ne peut être admise en cure fermée à moins que son état mental soit susceptible de mettre en danger la santé ou la sécurité de cette personne ou la santé ou la sécurité d'autrui et cela dans l'immédiat » (art. 11).

Dans les faits, la loi prévoit des examens psychiatriques afin de réévaluer la cure régulièrement :

- dans les 21 jours après la mise en cure fermée ;

- trois mois après la première ordonnance de cure fermée ;

- au moins une fois tous les six mois.

Dès qu'une personne est mise en cure fermée, elle reçoit un avis en ce sens.

La cure fermée prend fin :

- sur recommandation d'un psychiatre ;

- par jugement d'un juge d'une cour compétente ;

- lorsque la Commission des affaires sociales décide que la cure fermée doit prendre fin.

Une personne peut contester sa cure fermée en écrivant à la Commission des affaires sociales :

- dans cette lettre, elle doit expliquer les raisons de sa contestation ;

- elle doit faire parvenir cette lettre dans les 90 jours qui suivent la décision qui a conduit à cette cure fermée, aux adresses suivantes :

Québec	*Montréal*
1020, route de l'Église	440, boulevard René-Lévesque Ouest
Sainte-Foy (Québec)	Montréal (Québec)
G1V 3V9	H2Z 1V7

- avant de rendre sa décision, la commission doit rencontrer la personne ;

- lors de cette rencontre, cette dernière peut être représentée par son avocat.

Les trois régimes de protection

La curatelle

C'est le régime de protection le plus complet. Il s'applique aux personnes dont l'incapacité est jugée totale et permanente. Le curateur, privé ou public, devient donc le représentant légal du majeur à protéger, tant en ce qui concerne sa personne que ses biens. C'est le curateur qui doit approuver un traitement médical ou une intervention chirurgicale lorsque la personne est frappée d'incapacité et c'est lui qui administre aussi ses biens.

Si aucun membre de la famille ni ami ne peut agir au nom de la personne incapable, c'est le curateur public qui exerce ce rôle supplétif dans la société. Il interviendra en dernière instance chaque fois que la personne est incapable d'agir.

La tutelle

Régime moins global, la tutelle vise à protéger les personnes dont l'incapacité est partielle ou temporaire. Ce régime peut prendre plusieurs formes : la tutelle relative aux biens, limitée à la simple administration des biens ; la tutelle relative à la personne, limitée aux décisions concernant la personne physique (traitements médicaux, interventions chirurgicales et bien-être de la personne en général) ; ou encore une forme combinée de tutelle relative aux biens et à la personne.

Le conseiller du majeur

Il s'agit d'un régime partiel, destiné à toute personne capable d'administrer ses affaires courantes, mais qui a temporairement besoin d'assistance pour certaines décisions importantes.

Les mandats du lieutenant-gouverneur

On trouve parfois dans les services psychiatriques des clients qui sont « sous mandat ». Il s'agit de personnes arrêtées à la suite d'une infraction criminelle.

Lorsque le juge ou le magistrat a constaté que l'accusé était aliéné au moment de l'infraction ou que, lors du procès, il n'était pas en mesure d'assurer sa défense, il émet une ordonnance ou un mandat du lieutenant-gouverneur.

Il existe deux formes de mandats du lieutenant-gouverneur :

- les mandats d'incapacité de subir un procès ;

- les mandats d'acquittement pour cause d'aliénation.

Dans les deux situations, des accusations ont été portées contre l'individu. Dans le premier cas, on a demandé une expertise psychiatrique pour savoir si la personne est capable de subir un procès. Le médecin évalue les indications ou les contre-indications d'une comparution du sujet, fait ses recommandations et le juge rend sa décision. Il peut émettre un mandat d'incapacité de subir le procès qui place ainsi l'individu « sous garde ». Dans ce cas, il peut être transféré dans un établissement psychiatrique pour y subir un traitement jusqu'à ce que l'on juge qu'il est capable de subir un procès.

Dans la deuxième situation, lors d'un procès, la personne a été acquittée pour cause d'aliénation mentale. Contrairement à une sentence, on n'impose pas à la personne une période déterminée d'institutionnalisation, ni de période minimale d'hospitalisation, ni des délais d'un autre ordre prévus par la loi. La personne ne doit pas retourner en prison, mais elle ne recouvre pas non plus sa liberté. Elle est confiée « aux bons soins » du lieutenant-gouverneur qui, par ordonnance de garde, la confie à un établissement hospitalier. Cette ordonnance de « garde stricte » ne permet pas à la personne de bénéficier d'un congé. C'est la commission d'examen qui doit évaluer le cas et recommander au lieutenant-gouverneur la modification de l'ordonnance.

Le refus de traitement

Les situations de refus pur et simple sont les suivantes :

- un client qui a toujours accepté de prendre ses médicaments les refuse soudainement ;

- un client nouvellement admis ne veut pas être « drogué » et refuse toute médication ;

- un client « fait semblant » de prendre ses médicaments mais les dissimule dans sa bouche pour les cracher ensuite.

Lorsque le malade est en cure libre, il a le droit fondamental d'accepter ou de refuser tout traitement, même si ce refus risque de mettre sa vie ou sa santé en danger.

Qu'en est-il, toutefois, du client qui est considéré incapable par la loi et qui refuse des soins, des médicaments, etc ? La réponse n'est pas simple puisqu'elle n'est pas seulement de nature juridique, mais aussi de nature éthique. En théorie, lorsque la personne est frappée d'incapacité, seul le consentement du curateur reste valable et, par conséquent, l'individu peut être traité contre son gré. De plus, dans l'affaire Dion c. Institut Philippe-Pinel (1983), par exemple, la Cour supérieure a admis la requête d'un hôpital psychiatrique qui désirait administrer un antipsychotique à un malade qui, lors de ses crises psychotiques, refusait précisément tout traitement.

Par contre, certaines écoles de pensée comme le mouvement antipsychiatrique revendiquent la complète autonomie du client pour ce qui est de ses prises de décisions, « le droit à sa folie » et le respect de ses décisions dans tous les cas et quel que soit le régime de protection du malade.

Dans certains milieux, on a établi des critères d'administration des psychotropes en l'absence du consentement du client lorsqu'il s'agit d'une situation d'urgence. Une crise aiguë peut, par exemple, avoir des conséquences très graves pour le client ou pour son entourage. Les médecins ne doivent prescrire le médicament que pour la durée de la crise; l'infirmière doit surveiller l'apparition des effets secondaires, soutenir le client pendant cette expérience souvent effrayante et cesser l'administration du médicament dès que le malade se calme (Ayd, 1985).

Le but de l'hospitalisation est de garantir la sécurité du client et de permettre l'établissement d'un plan de traitement qui favorise la reprise de l'auto-soin. L'infirmière doit reconnaître que, en prenant la décision d'administrer des médicaments ou d'utiliser diverses autres méthodes pour apaiser le client contre son gré (comme l'isolement ou une autre mesure coercitive), elle entrave son autonomie. Lors de toutes les décisions relatives au traitement, il faut, par conséquent, peser les avantages et les inconvénients de l'intervention thérapeutique. Un bon encadrement et la surveillance de tous les traitements assurent le personnel soignant du fait que les normes thérapeutiques sont respectées et que le traitement administré est adapté au comportement du client (Kebbee, 1987).

Les tribunaux ont récemment donné des verdicts en faveur du droit du client de refuser un traitement (Applebaum, 1988). Un tel verdict renforce l'autonomie en reconnaissant aux sujets dont la capacité civile a été constatée le droit de s'opposer à des interventions exercées sur leur personne.

La contention et l'isolement

Les mesures de contention et d'isolement devraient toujours faire l'objet de règlements écrits précis et, dans un centre hospitalier, la prescription médicale devrait être de rigueur.

La contrainte physique vise la protection du client et rien d'autre. La décision d'utiliser des mesures de contention doit se prendre avec prudence, car de telles mesures compromettent la dignité et les droits de la personne.

Selon l'article 7 de la Charte canadienne des droits et libertés, « chacun a droit à la vie, à la liberté et à la sécurité de sa personne ; il ne peut être porté atteinte à ce droit qu'en conformité avec les principes de justice fondamentale ». Par ailleurs, l'article 9 dit que : « chacun a droit à la protection contre la détention ou l'emprisonnement arbitraire ».

L'article 1 de la Charte québécoise des droits et libertés de la personne stipule que : « tout être humain a droit à la vie, ainsi qu'à la sûreté, à l'intégrité et à la liberté de sa personne ». L'article 19 du Code Civil précise que : « nul ne peut porter atteinte à la personne d'autrui sans son consentement ou sans y être autorisé par la loi ».

Le Code criminel, article 24.4 et suivants, fait de l'application de la force ou de la violence contre la personne d'autrui, sans son consentement, une infraction ou un acte criminel.

La nature préventive et thérapeutique de l'isolement et des mesures de contention doit être communiquée aussi clairement que possible au client lui-même, selon sa capacité de compréhension et au curateur, au besoin.

Lorsque les parents ne sont pas curateurs de leur enfant dont l'incapacité a été constatée, il convient, pour des raisons humanitaires et éthiques, de mettre tout en œuvre pour les aider à bien saisir la nature thérapeutique des mesures prises en sa faveur.

L'infirmière qui applique l'isolement ou des mesures de contention doit : 1) noter au dossier le comportement du client avant cette prise de décision ; 2) noter l'heure de l'installation du dispositif de contention et la nature de celui-ci ; 3) aviser le médecin ; 4) surveiller les réactions du client lors de l'application ; 5) noter la fréquence de ces observations ; 6) noter l'heure du retrait de ces dispositifs ; 7) inscrire les soins donnés au client sous contention : hydratation, exercice, soins de la peau, etc.

Les répercussions sur la pratique des soins infirmiers

Chaque infirmière doit connaître les lois sur les interventions psychiatriques en vigueur dans la province où elle pratique, prodiguer ses soins selon les normes qui régissent la profession et baser toutes ses décisions thérapeutiques sur un raisonnement moral solide, sans jamais oublier que le client a le droit de prendre des décisions au sujet de sa santé et de son bien-être, que l'intervention ne doit jamais chercher à lui nuire intentionnellement et qu'elle doit être profitable au client et favoriser son bien-être. En dernier lieu, la Charte des droits et libertés de la personne doit être rigoureusement respectée et elle a préséance lorsque l'infirmière n'est pas certaine des droits civils précis.

Principales méthodes de traitement

Le comportement inadapté n'est pas un fait nouveau. On le rencontre tout au long de l'histoire de l'humanité. L'exhortation, la punition, le lavage de cerveau, les incitations de tous genres et les tentatives de guérison spirituelle comptent parmi les méthodes employées au fil des siècles pour encourager les comportements souhaitables ou adaptatifs. Toutes ces méthodes ont connu un certain succès mais ont aussi soulevé de nombreuses controverses (Coleman, 1984).

Nous examinons ici les principales méthodes de traitement utilisées de nos jours.

La psychothérapie analytique

Présentation La **psychothérapie analytique** est une forme de thérapie individuelle qui aide le client à accepter ou à modifier son comportement et qui favorise ainsi son épanouissement. Grâce à cette intervention, le client apprend à :

- réduire ses peurs ;
- rétablir des opérations de la pensée d'ordre supérieur ;
- mieux accepter la réalité ;
- apaiser son anxiété ;
- améliorer sa communication interpersonnelle.

Le médecin viennois Sigmund Freud a mis au point la « cure par la verbalisation ». Cette psychothérapie analytique, dont les principes et les techniques ont fait, par moments, l'objet de controverses, se fonde sur la prémisse de base énoncée par son fondateur : si le thérapeute réussit à créer un climat où le client se sent encouragé à parler de ses problèmes personnels, son comportement peut se modifier à mesure que son inconscient lui dévoile des événements cachés.

Les premiers travaux de Freud ont donné naissance à des théories et à des techniques qui n'ont pas toujours été couronnées de succès. Ses disciples ont proposé, par la suite, des théories qui réservaient une place de choix aux influences de l'hérédité et du milieu. Des thérapeutes comme Adler, Jung, Park, Dollard, Miller et Rogers ont contesté la méthode analytique de Freud et ont utilisé des approches qui leur permettaient d'être plus présents et plus souples dans la relation thérapeutique et d'établir des rapports plus privilégiés.

La psychothérapie analytique, qui repose sur l'observation attentive du client, aborde le comportement humain dans une perspective originale. Elle a permis aux psychologues de formuler, par induction, plusieurs théories du comportement humain et d'élaborer des stratégies d'intervention lorsque le comportement n'est pas adapté (Ford et Urban, 1963).

Application La psychothérapie analytique repose sur quatre éléments :

- Cette psychothérapie individuelle met en relation deux personnes. Une telle interaction confidentielle permet au client de dévoiler des aspects très intimes de sa vie dont il n'a jamais pu parler auparavant. Cette relation ne peut s'établir que dans un climat de confiance et de respect mutuels.

- L'interaction est verbale. Le client évoque ses pensées, ses sentiments, son expérience et ses perceptions. Le thérapeute l'écoute, l'encourage et élucide son discours. L'entretien peut éveiller chez le client des émotions vives.

- L'interaction est prolongée. Une modification importante et permanente du comportement prend du temps. Le client intègre petit à petit les nouveaux faits qu'il a découverts à son propre sujet et au sujet du monde extérieur, ce qui lui permet de modifier graduellement certains aspects de sa vie et de mener à bon port la thérapie.

- La relation thérapeute–client s'établit tout au long d'une série d'interactions délibérées et intentionnelles qui visent la modification du comportement du client.

Par convention, on appelle le psychothérapeute l'analyste et la thérapie, une analyse. La tâche de l'analyste consiste à découvrir les conflits qui minent le client et à déterminer la stratégie qui permettra de les régler. Puisque le client a longtemps refoulé ces conflits, il répète, à son insu, des comportements inadaptés jusqu'au moment où l'analyse lui permet de les conscientiser. La découverte et la verbalisation d'événements douloureux favorisent la libération de l'émotion dont ils étaient chargés. L'énergie précédemment dépensée pour garder ces souvenirs pénibles hors des frontières du conscient peut maintenant être utilisée pour trouver des solutions aux divers problèmes. Le client peut, par conséquent, choisir une ligne de conduite qu'il approuve.

Le client Pour que la psychothérapie analytique donne de bons résultats, le client doit être capable d'établir des relations interpersonnelles. Il doit, en plus, être suffisamment motivé à poursuivre une analyse souvent longue. Il doit aussi posséder la lucidité voulue pour comprendre les événements et les analyser de façon logique. Finalement, il doit respecter ses rendez-vous, qui ont lieu au moins trois fois par semaine (Ford et Urban, 1963).

L'analyste L'analyste doit bien connaître les théories psychologiques et la méthode psychanalytique. Il doit aussi bien comprendre le comportement du client afin que ses observations ne soient pas déformées par son propre comportement ou par ses opinions.

L'analyste interprète le comportement du client, le lui explique et lui propose de nouvelles façons d'aborder ses problèmes. Il doit être en mesure de transmettre au client des informations d'une manière significative pour lui.

L'environnement thérapeutique doit être suffisamment rassurant pour que le client se sente capable de parler de ses conflits douloureux et d'essayer de les résoudre. Par conséquent, l'attitude de l'analyste doit être neutre et en même temps empathique.

L'analyse Grâce à l'analyse, le client vit une *expérience émotionnelle corrective.* Avant d'arriver au but, le client peut vivre des moments pénibles et sa relation avec le thérapeute peut parfois être tendue. L'analyse progresse si le client est en mesure de traverser l'épreuve et d'intégrer les tensions. Au cours de l'analyse, le client apprend de nouvelles méthodes pour s'adapter à d'anciens conflits.

Par la méthode de la *libre association,* le client verbalise ses pensées, ses souvenirs, ses rêves et ses sentiments sans les censurer.

Le *transfert* est le phénomène par lequel le client reporte inconsciemment sur d'autres personnes certaines émotions ou adopte face à elles certains comportements qui reproduisent ses réactions vis-à-vis des personnes clés de son enfance. Puisque l'analyste joue un rôle relativement passif et effacé, une grande partie de ces émotions sont transférées sur lui. Seules les attentes irrationnelles et puériles du client constituent des réactions de transfert.

Il faut distinguer le transfert du *contrat thérapeutique.* Ce contrat, l'analyste l'établit avec l'instance saine et rationnelle de la personnalité du client, soit son moi.

Les attitudes et les sentiments issus des relations établies durant l'enfance, mais qui ne sont pas appropriés dans la relation thérapeutique, donnent naissance au phénomène de transfert, qui peut être positif (McKinnon et Michelo, 1971).

Le client tient au départ l'analyste pour omniscient, ce qui l'encourage à établir des rapports avec lui et à lui faire confiance. C'est dans cette mesure qu'on peut parler de l'aspect positif du transfert. Cependant, si le transfert se poursuit, le client finit par demander à l'analyste des conseils, tout comme un enfant, et n'arrive pas à prendre seul des décisions.

Pendant l'analyse, l'analyste peut se montrer amical ou hostile (McKinnon et Michelo, 1971), car, sans s'en rendre compte, il peut attribuer au client des qualités ou des défauts qui lui viennent de son propre vécu. Les réactions de contre-transfert sont inadéquates. L'analyste doit souvent, dans ce cas, se tourner vers un confrère pour liquider le contre-transfert de façon à ce que ses réactions ne nuisent pas au processus thérapeutique. Le contre-transfert se produit lorsque l'analyste est incapable d'interpréter le sens du comportement de l'analysé. Il pourrait se traduire par des réactions comme le manque d'attention, l'ennui, la colère et la compassion. Ces réactions ne sont pas mauvaises, mais l'analyste a le devoir professionnel de les surmonter afin que ses propres résistances ne fassent pas obstacle au déroulement de la thérapie.

Évaluation du processus Le comportement de dépendance prolongée est une forme de résistance dont le client se sert pour contourner l'analyse réelle. Pour se protéger contre l'anxiété, le client évite de faire face aux conflits. Les résistances se manifestent de plusieurs façons :

- le silence ;
- la censure des pensées ou leur refoulement ;
- un flot intarrissable de paroles creuses ;
- l'intellectualisation ;
- les généralisations ;
- la concentration sur des détails insignifiants ;
- des manifestations d'ordre affectif.

Le client peut également adopter certains comportements qui traduisent son désir inconscient d'arrêter l'analyse, par exemple :

- demandes fréquentes de remettre les rendez-vous ;
- une forte somatisation ;
- retards fréquents ou oubli des rendez-vous ;
- nombreuses tentatives de deviner les pensées de l'analyste ;
- comportements de séduction ou de manipulation.

Lors de l'*interprétation,* l'analyste décrit en détail les schèmes de comportement du client, tout comme ses mécanismes de défense et les symptômes qui en résultent. Le moment de l'interprétation est crucial pour le succès de l'analyse puisque son but est d'abattre les défenses du client. Le client doit être suffisamment fort pour pouvoir fonctionner sans ses défenses et pour recourir à de nouveaux comportements sains, adaptés à la réalité. On peut dire que l'analyse est réussie si le client peut choisir délibérément le nouveau comportement qu'il veut adopter en rompant le cycle répétitif de comportements inadaptés.

La psychothérapie brève

L'analyse classique coûte cher, dure trop longtemps et n'est pas pratique pour les clients qui ne peuvent pas se permettre le luxe de s'offrir trois séances par semaine pendant trois ou cinq ans. La demande accrue de soins abordables a mené à la modification des techniques psychanalytiques classiques et des buts qu'on se fixe.

Dans la **psychothérapie brève**, le thérapeute joue un rôle actif. Établie dans un climat de confiance et d'empathie, la relation thérapeutique est renforcée et le client est bien plus motivé à collaborer avec le thérapeute pour définir ses problèmes et pour les résoudre. Le thérapeute adopte un rôle très différent de celui, passif, du psychanalyste dont le but est de reconstruire la personnalité du client par la compréhension des interprétations qu'il reçoit au fil de l'analyse.

Le cadre thérapeutique doit être organisé de façon à ce que le client se sente suffisamment en confiance pour se débarrasser de ses mécanismes d'adaptation inadéquats, ce qui l'aide à diminuer son anxiété. Dans un tel climat, il se sent encouragé à élaborer des stratégies qui le rendront plus productif étant donné que ses symptômes seront remplacés par des comportements adaptatifs sains.

La durée de la psychothérapie brève est variable ; on a toutefois conseillé qu'elle se limite à 20 séances environ (Aguilera et Messick, 1986). Tout au long d'une série d'interactions délibérées et intentionnelles, le client réussit à régler des problèmes récents et à surmonter des expériences ayant une forte charge affective, comme la perte d'un être cher, grâce à une évaluation minutieuse des faits. Par la suite, pour assurer le retour rapide du client au niveau de fonctionnement antérieur, on peut soit recourir à la pharmacothérapie ou à une thérapie d'appoint, soit modifier l'environnement.

Pour que la psychothérapie brève puisse réussir, le rapport qui s'établit entre le thérapeute et le client doit permettre à ce dernier d'accroître l'estime de lui-même. Il doit aussi favoriser la communication et l'élaboration de modèles de comportement plus adaptatifs.

Pour les infirmières qui travaillent en milieu clinique, tout comme pour les psychiatres, les psychologues et les travailleurs sociaux, la psychothérapie brève et ses diverses variantes constituent l'une des principales méthodes de traitement, dont les buts sont les suivants (Lego et coll., 1984) :

- supprimer ou modifier les sentiments ou les symptômes douloureux ;

- favoriser l'élaboration de modèles de comportement sains ou adaptatifs ;

- favoriser l'épanouissement du client et son développement personnel.

La thérapie de groupe

Présentation La **thérapie de groupe** est une méthode de traitement qui repose sur l'apprentissage interpersonnel. Les conflits vécus par le client peuvent avoir une origine intrapsychique ou provenir de rapports interpersonnels. Le groupe devient un microcosme social qui permet au client de mettre à l'épreuve de nouveaux modèles de comportement, grâce au processus de liquidation du transfert et aux expériences émotionnelles correctives, et de profiter de la mise en commun de sa propre compréhension et de celle des autres participants (Yalom, 1984).

Tout au long de cette interaction, chaque membre du groupe peut satisfaire son besoin primordial d'établir des liens avec autrui et de gagner son approbation, corrigeant ainsi la fausse perception de soi, celle d'être solitaire et sans attaches.

En se servant de diverses notions empruntées à la psychothérapie analytique, les membres du groupe observent et décrivent leurs pensées, leurs sentiments et leurs expériences ainsi que ceux des autres par la méthode de la libre association. Le thérapeute et les clients s'engagent dans un processus de réflexion, de clarification et d'interprétation. Puisque les réactions de transfert et de contre-transfert sont abondantes, diversifiées et très riches, le groupe peut découvrir un grand nombre de comportements plus satisfaisants.

La psychothérapie de groupe est complexe mais, lorsqu'elle est utilisée par des thérapeutes dûment formés et qui sélectionnent les clients appropriés, elle comporte de nombreux avantages. Parmi les facteurs qui contribuent, selon Yalom (1984), au succès de la thérapie de groupe, citons :

- la naissance de l'espoir : les membres du groupe se trouvent souvent à des étapes différentes dans leur cheminement thérapeutique ; de ce fait certains peuvent constater que l'état d'autres participants s'est amélioré, ce qui les incite à poursuivre la thérapie ;

- l'universalité : le client se rend compte qu'il n'est pas seul à souffrir et que les autres connaissent des problèmes comparables ;

- l'enseignement : pendant les séances, les thérapeutes et les membres du groupe échangent des données sur la santé mentale, les modes de traitement et les stratégies générales de solution de problèmes ;

- l'altruisme : pendant une thérapie de groupe, les participants peuvent comprendre que la générosité et le désir de partager donnent beaucoup de satisfaction ainsi que le sentiment d'être utile, ce qui permet d'accroître l'estime de soi ;

- la vie commune : la vie en groupe aide à corriger les expériences que le client a vécu dans sa famille, les clients rapportant souvent des expériences familiales insatisfaisantes. Le groupe ressemble à une famille dont les membres assument divers rôles, ce qui engendre des réactions de transfert. Le règlement des conflits interpersonnels au sein du groupe permet aux clients de découvrir et de comprendre la manière dont les rapports familiaux affectent leur comportement et de redéfinir ces rapports dans des termes plus satisfaisants ;

- la capacité de nouer des rapports sociaux : grâce à la dynamique constante du groupe, les participants apprennent à parler avec franchise et clarté et à rester aimables et courtois. En outre, la thérapie de groupe comporte souvent des jeux de rôle qui permettent aux participants de se préparer à des expériences sociales stressantes (p.ex. : passer une entrevue pour un emploi, inviter un ami à une sortie ou faire une réclamation en cas de mauvais services) ;

- le comportement imitatif : en raison de l'intensité des rapports interpersonnels, il arrive souvent que le client modèle son comportement sur celui du thérapeute ou d'autres membres du groupe. Le fait d'intégrer dans ses propres structures un trait positif, emprunté à autrui, permet au client de tenter de nouveaux comportements ;

- l'expérience émotionnelle corrective : la thérapie de groupe expose les clients à des expériences pénibles, dans un cadre protecteur ; de telles expériences les aident à comprendre qu'un comportement peut être inadéquat. La recherche de solutions plus satisfaisantes se poursuit après une forte décharge émotive et le client ose prendre certains risques au sein d'un groupe qui le soutient dans son combat. La mise en commun des sentiments et la vérification des hypothèses par un travail en équipe facilitent les interactions avec les autres ;

- les questions existentielles : elles donnent au client l'occasion d'examiner le sens de son existence et sa place dans le monde ;

- l'apprentissage interpersonnel : en apprenant à élargir le répertoire des habiletés qui facilitent les divers échanges, le client réduit les risques de déformer les messages qu'il reçoit ;

- la cohésion du groupe : le client comprend la force du groupe et l'effet des buts collectifs sur le comportement de chacun de ses membres.

Il existe deux types de psychothérapie de groupe : les groupes d'apprentissage et les groupes de thérapie de soutien. Dans un *groupe d'apprentissage*, l'animateur présente un sujet de réflexion. Les membres de ce groupe, qui se réunit pendant une période déterminée d'avance, mettent en commun des données pertinentes ou cherchent à apprendre de nouveaux savoir-faire. L'animateur peut être une personne de métier, dûment formée, ou une personne qui a réussi à résoudre des problèmes semblables. Des exemples de ce genre de groupes sont ceux de personnes qui doivent prendre certains médicaments, ceux qui facilitent les rapports entre les parents et les enfants, ceux qui s'occupent de questions féminines et ceux qui aident les toxicomanes à se réadapter (Lego et coll. 1984).

Dans un *groupe de thérapie de soutien*, l'animateur facilite le travail des participants qui cherchent à régler des conflits et à adopter un nouveau modèle de comportement, et soutient leurs efforts dans un climat de confiance. Les groupes d'aide aux toxicomanes, les groupes d'anciens combattants et les groupes de soutien des cancéreux sont des exemples de ce genre de groupes.

Application   Dans la plupart des centres hospitaliers, la participation des clients à de petits groupes est une méthode d'appoint importante à la thérapie par le milieu. Les patients qui fréquentent les services de consultations externes participent également à des réunions de groupe qui jouent un rôle important dans le traitement de nombreux troubles. L'un des critères d'admission est la persistance d'un comportement cible, par exemple l'alcoolisme, les sévices exercés sur les enfants ou les phobies.

Sélection des membres du groupe   Les critères de sélection dépendent de la structure et de la taille du groupe ainsi que des buts fixés. Compte tenu des processus d'interaction propres à ce mode de traitement, les clients profondément perturbés ne peuvent participer que si leur comportement se modifie suffisamment pour ne pas gêner les activités du groupe. Les critères de sélection sont les suivants :

- la motivation du client ;

- des comportements sociaux acceptables ;

- l'issue positive de l'expérience thérapeutique.

Le client se sent plus réconforté par un groupe homogène. Par ailleurs, pour s'assurer que tous les membres participent et tirent profit de l'expérience, il faut essayer d'équilibrer divers facteurs hétérogènes comme le sexe, le bagage culturel, la capacité de communiquer, l'intelligence et les stratégies d'adaptation (Stuart et Sundeen, 1983 ; Sadock, 1985).

Le groupe sera ouvert ou fermé, selon les buts qu'il se fixe et selon les personnes qui en font partie. Dans un *groupe ouvert*, les nouveaux participants peuvent se joindre aux anciens membres au fur et à mesure que les réunions se poursuivent. L'avantage du groupe ouvert est que le nombre de participants reste toujours élevé mais, étant donné que le groupe est par définition très souple, sa cohésion peut en souffrir. Par ailleurs, en raison de cette souplesse, il est difficile de mener des discussions suivies sur les sujets abordés. Dans un *groupe fermé*, les réunions sont réservées aux membres qui étaient inscrits au départ et on ne cherche pas à remplacer ceux qui ont décidé de quitter.

Rôle de l'animateur En tant que fondateur du groupe et responsable des convocations, l'animateur a la charge du groupe. Stuart et Sundeen (1983) étudient le rôle joué par l'animateur ou le coanimateur tout au long de la thérapie de groupe. L'animateur doit essentiellement déterminer la mission du groupe et les critères d'adhésion. La sélection des membres se fait d'après les critères exposés plus haut et d'après les buts que le groupe se fixe.

Au départ, les membres du groupe ne se connaissent pas et l'animateur, qui joue le rôle d'intermédiaire, facilite la création de liens interpersonnels. Pour commencer, les membres sont en rapport avec l'animateur seulement, mais, graduellement, ils établissent également des rapports entre eux. Par la suite, le groupe tisse un réseau social qui définit un code de conduite acceptable et met au point des stratégies visant à régler les problèmes des retards, d'absentéisme, de refus de participation et de comportement perturbateur et malveillant.

Tout au long du processus thérapeutique, l'animateur assume deux rôles fondamentaux (Yalom, 1984) :

- le rôle de l'expert technique : par des approches non directives et directives, l'animateur oriente le groupe dans la direction souhaitée. Ses directives peuvent être explicites ou il peut se contenter de suggérer les comportements à adopter ;

- le rôle du participant exemplaire : pour façonner le comportement des participants, l'animateur peut adopter lui-même un comportement exemplaire au sein du groupe. En encourageant les comportements adaptatifs, il guide le groupe vers la guérison psychologique. L'animateur favorise l'expression franche des sentiments et crée un modèle de comportement responsable et retenu qui tempère l'honnêteté de façon à respecter les sentiments et les défenses des autres. En imitant l'attitude de l'animateur et ses réactions, les membres du groupe améliorent leurs habiletés à créer des relations interpersonnelles.

Qualifications des animateurs Un animateur doit avoir (Rosenfeld, 1984 ; Sadock, 1985) :

- une préparation théorique pertinente ;

- une expérience pratique adéquate du rôle de coanimateur et d'animateur, acquise sous supervision ;

- l'expérience d'une thérapie de groupe à titre de participant.

Évaluation du processus Le nombre de séances dépend des objectifs du groupe. Les groupes d'apprentissage, qui accordent plus d'importance aux tâches et au contenu, peuvent atteindre leurs objectifs en un nombre limité de séances. Les groupes de soutien, qui accordent plus d'importance au cheminement et dont le programme est moins structuré, continuent souvent à se réunir jusqu'à ce que les clients ou l'animateur déterminent que les objectifs du groupe ont été atteints.

Il appartient à chaque membre du groupe d'évaluer la réussite de l'expérience thérapeutique. On peut néanmoins dire qu'elle a donné de bons résultats si :

- les besoins du clients sont satisfaits et s'il a pu atteindre les objectifs thérapeutiques qu'il s'était fixés ;

- les rapports du client avec les autres membres du groupe sont devenus satisfaisants ;

- les habiletés acquises dans le contexte thérapeutique peuvent être mises en application de façon satisfaisante à l'extérieur.

L'évaluation des résultats obtenus est aussi importante que le travail thérapeutique. Pour évaluer le comportement du client, il faut mener une recherche souple et scientifique en même temps. Le thérapeute doit évaluer, dans une perspective humaniste, l'ampleur du changement, sa nature, les mécanismes par lesquels l'expérience de groupe a pu générer un changement et le rôle des facteurs environnementaux en présence. Bien que les approches traditionnelles d'évaluation de l'intervention thérapeutique ne soient pas applicables à la thérapie de groupe, les cliniciens doivent rester à l'affût de nouvelles preuves qui leur permettront, à l'avenir, de mesurer les résultats des thérapies de groupe sur une base scientifique (Yalom, 1984).

La thérapie familiale

La famille, système complexe de plusieurs personnes en interaction, assure la survie biologique et sociale de ses membres. La famille moderne favorise le développement de l'identité. Elle permet de vivre de nouvelles expériences, d'assumer le rôle typique de chacun des sexes, d'apprendre le rôle que chacun détient dans la société et d'accepter les responsabilités sociales. Elle encourage, enfin, chaque membre à se cultiver et à développer sa créativité (Ackerman, 1958). La configuration de la famille détermine le rôle que devrait jouer chacun de ses membres. Le processus d'identification au rôle reste parfois obscur, raison pour laquelle la vie de famille a été très tendue au cours des années quatre-vingts.

Présentation   Ackerman (1958), l'un des pionniers de la recherche dans le domaine de la dynamique familiale, a découvert une analogie très

intéressante lorsqu'il a examiné les pressions que doivent subir les familles modernes. Cette analogie reste toujours valable :

> On peut comparer la famille à une membrane semi-perméable, un sac poreux, adapté à des échanges sélectifs entre les membres et le monde extérieur. La réalité s'infiltre sélectivement par les pores et affecte les personnes qu'il renferme d'une manière déterminée d'avance par la qualité du sac. Cette même qualité détermine l'influence exercée par les membres de la famille sur le monde extérieur. Si des conditions difficiles règnent à l'intérieur du sac ou aux alentours, le sac peut être détruit. Dans ce cas, les membres de la famille perdent leur enveloppe protectrice. D'autre part, des conditions menaçantes, venant de l'extérieur, peuvent resserrer les pores du sac et le rétrécir. Dans ce cas, les membres vivront plus à l'étroit à l'intérieur. Un tel sac familial, comprimé et coupé du monde, ne peut plus fonctionner normalement ni survivre pendant longtemps. Si les conditions externes sont favorables, le sac se dilate et l'interaction avec le monde extérieur devient plus fluide. Par ailleurs, ce sac peut également se déformer à cause d'une tension intérieure excessive, provoquée par l'état de déséquilibre créé par les membres de la famille. Si l'équilibre n'est pas rétabli, les tensions internes accumulées finiront par faire éclater le sac.

Comme on peut le voir, il n'est pas toujours facile d'établir une distinction entre des familles psychologiquement saines et des familles minées par des troubles mentaux. Le sac protecteur permet aux membres de la famille de fonctionner dans le monde extérieur même si les rapports familiaux se détériorent. La capacité adaptative de la famille peut être vue comme un continuum ayant à l'une des extrémité un fonctionnement adaptatif sain et à l'autre, un fonctionnement perturbé.

On peut aussi se représenter l'équilibre sous la forme d'un triangle inversé (voir la figure 4-2). Dans cet exemple, les membres cherchent ensemble des approches réalistes leur permettant de définir les problèmes et de les résoudre. À la pointe du triangle, on trouve des tensions causées par la lutte engagée contre les exigences des membres de la famille et les attentes de la communauté par rapport au maintien de l'équilibre.

• Le problème est reconnu.
• Les stratégies visent la recherche d'une solution réaliste.

L'équilibre est conservé.

• Le problème est reconnu.
• Les stratégies sont inadéquates.
• Les conséquences du problème sont tolérables.

La famille a le temps de trouver une solution.

• La bonne solution est impossible à trouver.
• La tension s'élève.
• Les stratégies d'adaptation de la famille s'avèrent inadéquates.

Il peut y avoir recherche d'aide hors du milieu familial.
Le comportement inadapté se manifeste en dehors du milieu familial.

• La tension des membres de la famille atteint un niveau critique.
• L'intégrité de la famille est en danger.

Les troubles mentaux et une perturbation grave des relations sociales deviennent manifestes.

L'équilibre est précaire et difficile à préserver.

Figure 4-2 *Le continuum de l'adaptation familiale*

Nous pouvons proposer un *génogramme*, soit la représentation graphique de la structure des rôles, de la structure des rapports et des données démographiques de la famille (voir la figure 4-3). Tous les membres de la famille, qu'ils soient ou non présents, sont d'égale importance. Le génogramme nous renseigne sur les relations familiales et sur les zones problématiques (Lego et coll., 1984).

Le thérapeute observe les modes d'interaction de la famille et recueille des données à ce sujet. Selon Stuart et Sundeen (1983), pour accom-

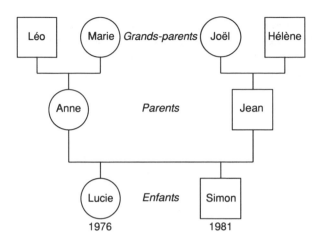

Figure 4-3 *Génogramme servant à la collecte des données sur les rapports familiaux*

plir cette tâche, il doit tenir compte des éléments suivants :

• les données qui permettent d'évaluer la famille ;

• la structure de la famille (génogramme) ;

• la description du milieu familial ;

• la santé et les facteurs connexes de développement ;

• la situation pécuniaire ;

• le stade de développement de la cellule familiale ;

• les crises de croissance ou les crises survenues dans diverses circonstances ;

• la structure des rôles adoptés au sein de la famille ;

• les influences socio-culturelles ;

• les forces et les faiblesses répertoriées par la famille et le thérapeute ;

• les problèmes reconnus.

Tous les membres de la famille doivent participer à la collecte des données. Il faut prendre des dispositions pour déterminer le nombre de séances, les membres de la famille qui devraient y participer et l'endroit où se tiendront les rendez-vous. Outre la thérapie de groupe, il peut être nécessaire de recourir à une thérapie de couple ou à une thérapie individuelle pour les membres de la famille.

Intervention auprès de la famille   L'intervention auprès de la famille est indiquée lorsque celle-ci ou le thérapeute détermine qu'un problème psychosocial ou un trouble mental chez l'un ou chez plusieurs membres perturbe la cellule familiale. Le dysfonctionnement peut également être signalé par l'école, les tribunaux ou les spécialistes qui dispensent des soins.

Lorsqu'un membre devient ce qu'on appelle client, l'intervention auprès de la famille favorise son adaptation et améliore la communication globale et les rapports interpersonnels.

Les approches thérapeutiques peuvent prendre pour modèle la thérapie de groupe analytique. Dans ce cas, les conflits sont examinés par toute la famille et par chacun des membres qui cherche à restructurer sa personnalité. On tend actuellement à considérer de plus en plus la famille comme un système qui a été désorganisé à cause de l'incapacité de communiquer et d'évaluer les rôles. À mesure que les buts sont définis, la communication s'améliore et la famille essaie de se réorganiser et de régler les conflits en empruntant des voies nouvelles et saines.

La thérapie familiale a lieu à domicile ou dans le cabinet du thérapeute. Fagin (1967) énumère les avantages du cadre familial :

- grâce à la planification des séances, on peut s'assurer de la présence de tous les membres de la famille ;
- le thérapeute devient un invité ; la famille conserve, par conséquent, une certaine latitude ;
- le cadre familier favorise la participation des membres de la famille.

Une fois que le cadre a été déterminé, l'approche thérapeutique doit s'adapter aux attributs sociaux et personnels des membres (Caplan, 1970). Une approche analytique passive et non directive peut déconcerter davantage certaines familles et entraver leur capacité de communiquer.

Lorsque la famille reconnaît qu'une crise nécessite une thérapie, une intervention active, directe et rassurante favorise la résolution des problèmes par le biais d'une communication efficace. Puisque les membres de la famille ont pris ce risque, ils regagnent confiance en se rendant compte qu'il est possible de se reprendre en mains et de régler les conflits.

La reconnaissance des forces de la cellule familiale permet à chacun des membres d'accroître l'estime de soi et de modifier son comportement. Puisque tout le monde exprime ses sentiments et ses besoins en toute confiance, il est plus facile de comprendre que chacun a ses propres besoins. De cette façon, la communication s'améliore et peut assurer l'épanouissement et la satisfaction de chacun des membres de la famille et de la cellule familiale dans son ensemble.

Évaluation du processus   Un grand nombre de spécialistes de la santé mentale ont recours à la thérapie familiale. Une telle pratique exige une connaissance approfondie de la dynamique familiale, de la théorie de la communication et des interventions thérapeutiques en général. Cette méthode de traitement est efficace, car la cellule familiale est considérée dans son ensemble. Par conséquent, les besoins étant interdépendants, l'amélioration du fonctionnement de la cellule, prise dans son ensemble, apportera des améliorations chez ses membres.

La fin de l'expérience thérapeutique peut en réalité n'être qu'un début. Une communication efficace permet aux membres de la famille de se rendre compte du fait que la souffrance éprouvée par chacun rejaillit sur la cellule familiale prise dans son ensemble. La thérapie fournit aux membres de la famille les habiletés nécessaires pour résoudre les problèmes en commun (Caplan, 1970).

La thérapie comportementale

La **thérapie comportementale** repose sur le principe que tous les comportements sont appris et que, par conséquent, un comportement peu souhaitable ou inadapté peut être remplacé par un comportement souhaitable ou adaptatif. Le thérapeute utilise une série de principes bien déterminés pour faire naître chez le client l'espoir qu'on l'aidera à calmer son anxiété. Grâce à une telle approche, le comportement inadapté est graduellement remplacé par un comportement adapté (Wolpe, 1969).

Le *conditionnement* est le processus durant lequel le client apprend à modifier son comportement. Cette modification a lieu en trois étapes :

- L'*inhibition réciproque* Le stimulus anxiogène suscite une réaction qui inhibe l'anxiété et, avec le temps, une telle réaction permet de la réduire. Le client apprend à gérer son comportement dans diverses situations en réagissant de manière à inhiber l'anxiété ou tout autre comportement inadapté.

Avant les repas, Henri est miné par l'anxiété, car il pense que ses mains sales vont contaminer les aliments. Par conséquent, il se lave les mains avant les repas, ce qui diminue son anxiété et lui permet de manger.

- Le *reconditionnement positif* permet de remplacer un comportement peu souhaitable par un comportement souhaitable. Chaque fois que le comportement souhaitable se produit, la personne est récompensée. Par ailleurs, si son comportement n'est pas souhaitable, elle est punie ou ne reçoit aucune récompense. Pour recevoir une récompense, le client apprend à réagir en adoptant le comportement souhaitable. Skinner (1953) a mis en lumière la notion de renforcement du *conditionnement opérant*. Le *renforcement positif* désigne les conséquences qui maintiennent le comportement alors que le *renforcement négatif* désigne les conséquences qui l'inhibent. Par conséquent, les agents de renforcement doivent être définis dans chaque cas particulier.

Le comportement de Marie, jeune fille de 16 ans, évoque la présence d'un trouble de l'alimentation. Après avoir commencé une thérapie où l'on se sert du conditionnement opérant, elle a pris cinq livres en une semaine. Marie adore écouter ses cassettes. À la fin de chaque repas qu'elle a consommé en entier, elle a le droit d'écouter de la musique pendant une heure. Si Marie refuse de finir son repas, elle est privée de son lecteur de cassettes jusqu'à ce qu'elle ait fini le repas suivant.

- L'*extinction expérimentale* est la disparition graduelle du comportement faute de renforcement.

Présentation Le thérapeute du comportement monte un dossier complet d'évaluation qui inclut l'étude des comportements inadaptés et les circonstances en présence avant, durant et pendant les réactions. Il doit se familiariser avec les *schémas de stimulus-réponse* du client pour chacun des comportements adopté en présence d'un événement douloureux, étant donné que le rapport entre ces schémas devient le point central de la thérapie. L'inventaire minutieux des stimuli qui suscitent le comportement adopté en présence d'un événement douloureux est essentiel pour le succès de la thérapie.

La collecte initiale des données inclut l'anamnèse, le diagnostic de l'état mental et les résultats des tests psychométriques. Toutes ces données permettront d'établir les buts de la thérapie et les stratégies à adopter. Le thérapeute évalue les troubles du client et dirige l'intervention vers les comportements qui affectent le plus celui-ci.

Application D'après Wolpe (1969), la conduite d'une thérapie comportementale devrait se fonder sur les éléments de base qui suivent :

- l'attitude du thérapeute doit être objective et impartiale ;

- le thérapeute assure au client que les réactions de douleur sont réversibles ;

- les fausses idées (par exemple : « c'est comme ça que je suis ») doivent être corrigées en premier ;

• le client doit accepter de son plein gré que son comportement soit modifié.

L'approche du thérapeute doit être holistique, c'est-à-dire qu'il doit également tenir compte des facteurs qui viennent du milieu et des expériences qui ont déterminé l'apparition des réactions du client. Il doit intervenir activement tout au long de la thérapie pour aider le client à reconnaître le comportement appris. De cette façon, le comportement inadapté peut graduellement être remplacé grâce à des tentatives d'adaptation.

Techniques de la thérapie comportementale   En répétant son comportement dans un cadre thérapeutique protecteur, le client peut extérioriser ses conflits cachés. L'acquisition de techniques d'expression verbale et corporelle lui permet de se sentir suffisamment en confiance pour essayer de réagir de manière souhaitable. Le client «sait» comment il devrait se conduire pour que ses réponses soient acceptables.

La *désensibilisation systématique* permet au client d'apprendre au départ des techniques de relaxation. Les stimuli douloureux sont introduits petit à petit, en commençant par celui dont l'intensité est la plus faible. À chaque étape, le client doit réagir après avoir pratiqué des techniques de relaxation qui lui permettront de considérer la situation comme moins menaçante et il réussira, finalement, à dominer complètement l'ancien comportement.

Le client qui a pu surmonter sa peur petit à petit se sent également capable de prendre en mains d'autres aspects de sa vie. La désensibilisation systématique s'est avérée particulièrement utile dans le traitement des phobies. Le thérapeute présente des images qui suscitent la peur chez le client et pousse en même temps ce dernier à évoquer l'événement pénible jusqu'au moment où il ressent un malaise. Le client maîtrise graduellement les techniques de relaxation et peut ainsi gérer le degré de stress qu'il peut tolérer pour réussir, finalement, à surmonter son anxiété en adoptant des comportements adaptatifs.

Le thérapeute du comportement donne la priorité à la maîtrise des techniques qui permettent au client de résoudre ses problèmes, non pas par l'analyse de la dynamique de ses réactions mais plutôt par l'abandon pur et simple de sa réaction inadaptée.

Évaluation du processus   Les thérapies du comportement ne sont efficaces que lorsque le dérèglement du comportement n'est pas trop grave et que le client est suffisamment fort pour pouvoir mobiliser ses ressources au moment où le comportement inadapté est supprimé (Beck, Rawlins et Williams, 1984). La thérapie comportementale se base sur certains principes établis par la recherche de pointe et sur les théories les plus avancées de l'apprentissage. Parmi les avantages cliniques de cette approche confirmés par des corrélations statistiques, citons :

• une disparition graduelle du comportement inadapté ;

• une meilleure productivité ;

• l'amélioration des rapports interpersonnels ;

• une meilleure capacité de résoudre les problèmes causés par les facteurs de stress venant de l'environnement ou de situations conflictuelles.

En présence de divers troubles psychosociaux, les thérapies du comportement favorisent l'adoption de comportements adaptatifs, sans égard aux capacités intellectuelles ni au degré de fonctionnement du client.

Les autres techniques de thérapie comportementale sont (Comité de la santé mentale, *L'efficacité du traitement*, 1985) :

• l'immersion, qui consiste à soumettre le client à une stimulation fortement anxiogène pendant un laps de temps assez long, sous la direction d'un thérapeute ;

• le système de jetons, qui concerne l'application des principes et des techniques de conditionnement opérant ;

• les méthodes aversives, servant à convertir les impressions agréables de plaisirs défendus en impressions négatives ou désagréables, comme pour les problèmes sexuels, l'alcoolisme ou l'autodestruction ;

- l'apprentissage par imitation ou modeling ;

- l'assertion et les habiletés sociales, où la thérapie vise à développer les réponses appropriées dans le répertoire de l'individu à l'aide de la répétition, de l'apprentissage par imitation et de la rétroaction.

La sismothérapie (traitement par électrochocs)

En 1937, Ugo Cerletti et Lucio Bini découvraient la **sismothérapie**. Sur la base de leur expérience clinique des épileptiques chez qui toute manifestation de schizophrénie était absente et s'appuyant sur la théorie selon laquelle les crises d'épilepsie sont incompatibles avec un comportement de type schizophrénique, ces médecins ont mis au point une méthode pour déclencher une crise d'épilepsie tonico-clonique chez les schizophrènes. Ce mode de traitement a été, par la suite, utilisé chez des individus de tous âges souffrant de divers troubles mentaux (Beck, Rawlins et Williams, 1984 ; Weiner, 1985).

La sismothérapie est une méthode de traitement qui consiste à provoquer des convulsions à l'aide du courant électrique. Après avoir préparé le malade, on attache solidement à ses tempes une ou deux électrodes humidifiées par lesquelles on fait passer un courant de 70 à 130 volts pendant 0,1 à 0,5 seconde (d'après certains chercheurs, on peut prolonger la durée des chocs jusqu'à une seconde) pour produire une crise d'épilepsie de 5 à 15 secondes (Beck, Rawlins et Williams, 1984 ; Weiner, 1985).

Le mode d'action de la sismothérapie reste obscur. Les modifications neurochimiques et neurohormonales provoquées par l'ictus épileptique semblent jouer un rôle important. Ces modifications ont des influences sur l'humeur et sur les symptômes dépressifs. Les autres modifications signalées sont de nature neuro-endocrinienne, ce qui veut dire que les électrodes agissent sur le noyau hypothalamique (Weiner, 1985).

Grâce à la découverte, dans les années cinquante, de traitements somatiques moins effractifs,

comme les psychotropes, l'utilisation des électrochocs dans le traitement de la schizophrénie, des états maniaques et de la dépression a fortement diminuée (Weiner, 1985). La sismothérapie reste aussi controversée aujourd'hui qu'elle l'était il y a cinquante ans. Elle a peu d'indications et son utilité est contestable. Les recherches n'ont pas pu prouver son efficacité chez les schizophrènes mais, d'après Janicak (1985), des études récentes confirment qu'elle est supérieure à un placebo et aux tricycliques dans le cas des personnes âgées pour traiter les dépressions qui menacent la vie (Meyers, 1988). Les électrochocs peuvent constituer une méthode d'appoint utile et peuvent s'avérer efficaces chez les clients très agités et confus avant que les psychotropes n'exercent leurs effets.

Présentation   Pour déterminer si les électrochocs sont ou non indiqués, il faut recueillir, au préalable, des données sur l'état physique et mental du client. La famille et autres personnes clés doivent participer à cette collecte de données, ce qui permet de s'assurer que le client consent à l'intervention et qu'il en comprend la raison, la conduite, les effets résiduels et les risques connexes.

La dépression grave, rebelle aux autres formes de thérapie, constitue la principale indication des électrochocs. En fait, on a pu observer une diminution spectaculaire des pensées suicidaires après la sismothérapie. On traite par cette méthode de 15 à 20 p. cent des schizophrènes.

La sismothérapie est devenue une méthode sûre et elle s'avère utile dans de nombreux cas. Elle peut toutefois être contre-indiquée en présence des troubles suivants (Weiner, 1985) :

- infarctus récent du myocarde ;

- pression intracrânienne accrue ;

- hypertension sous-jacente ;

- masses intracrâniennes.

Étant donné que les électrochocs peuvent provoquer une élévation passagère de la pression du liquide céphalo-rachidien, l'examen neurologique doit écarter la présence de masses ou d'une pression intracrânienne accrue. L'altération du débit cardiaque ou des antécédents d'infarctus récent du myocarde constituent des contre-indications à cause du risque d'arythmies déclenchées par le courant électrique.

L'anesthésie doit nécessairement faire partie de la sismothérapie en raison de la paralysie respiratoire associée à la relaxation musculaire. Avant d'administrer des électrochocs, il faut anesthésier le client avec des barbituriques à action rapide. On doit, par conséquent, évaluer au préalable le risque de l'anesthésie générale. Il faut, enfin, déterminer si le client est prêt à accepter l'intervention et lui offrir un maximum de soutien durant le traitement.

Intervention　Habituellement, on administre les électrochocs le matin et le client ne doit rien prendre par la bouche à partir de minuit la veille. Environ 30 minutes avant l'intervention, on lui administre de l'atropine (0,6 à 1 mg) par voie intramusculaire pour bloquer les effets cardiaques de la stimulation déclenchée par les électrochocs et pour réduire les sécrétions nasopharyngées. Les clients très anxieux ou très agités peuvent recevoir un anxiolytique, comme le diazépam (Valium), une heure avant la sismothérapie.

Pour préparer le client, l'infirmière doit :

- lui expliquer l'intervention ;

- l'assurer qu'il ne ressentira aucune douleur ;

- remplacer dans son discours le mot *électrochoc* par le mot *traitement* ;

- rester à ses côtés et l'assurer qu'on ne le laissera pas seul ;

- lui demander d'uriner ;

- lui demander d'enlever son dentier, ses épingles à cheveux et ses bijoux.

Lors de la dernière vérification avant l'intervention, l'infirmière doit s'assurer que le client n'a effectivement rien pris par la bouche depuis minuit, vérifier les signes vitaux, installer le matériel d'urgence dans la salle de soins et vérifier la présence dans le dossier du consentement signé par le client.

L'administration par voie intraveineuse d'un barbiturique à action brève, comme le méthohexital (Briétal) ou le thiopental (Pentothal), provoque l'anesthésie générale. On administre surtout du Briétal étant donné que ce médicament provoque moins fréquemment des arythmies cardiaques (Weiner, 1985).

La mesure de l'efficacité des électrochocs est donnée par la stimulation du système nerveux central et non par celle des nerfs périphériques. C'est la raison pour laquelle leur administration s'accompagne de celle d'un agent de blocage neuromusculaire comme le succinylcholine (Anectine). On peut ainsi s'assurer de l'effet souhaitable de la sismothérapie sur le système nerveux central sans les risques possibles inhérents à la stimulation des nerfs périphériques.

Avant le traitement, on administre au client de 95 à 100 p. cent d'oxygène (Shader, 1976). Une fois que la relaxation musculaire est totale, on applique les électrodes enduites d'une gelée conductrice. Dans le cas d'une application bilatérale, les électrodes sont placées juste au-dessus de la ligne qui relie le coin extérieur de l'œil au point d'attache du pavillon de l'oreille. On introduit un bâillon de sécurité dans la bouche du client après s'être assuré qu'aucune de ses dents ne bouge ni n'est cassée et que son dentier a été enlevé, le cas échéant.

Des spasmes toniques de 5 à 15 secondes se produisent immédiatement après la stimulation électrique, ce qui déclenche des convulsions cloniques périphériques de faible intensité qui durent de 10 à 60 secondes. La première série de convulsions est souvent la plus longue ; l'oxygène est administré durant la phase clonique et la phase de récupération. Le client ne ressent aucune douleur durant la crise et récupère presque immédiatement étant donné l'effet rapide du barbiturique et de l'agent de blocage neuromusculaire qui lui ont été administrés.

Évaluation　Pendant la période de récupération, il faut surveiller étroitement l'état général et, plus particulièrement, l'état neuromusculaire, cardiaque, respiratoire et mental. Il arrive fréquemment qu'un état de confusion suive l'ictus. Dans ce cas, il faut rassurer le client qui se sent angoissé. Il ne faut jamais laisser le client sans surveillance jusqu'à la stabilisation des signes vitaux.

On administre habituellement une seule série d'électrochocs, mais il n'existe aucune règle absolue quant au nombre de séances nécessaire. En général, les séances peuvent se tenir trois fois par semaine, un jour sur deux ; la fréquence est ensuite diminuée à deux fois et, finalement, à une fois par semaine, vers la fin du traitement.

En cas d'état dépressif, on obtient habituellement de bons résultats après 6 à 12 traitements ; l'amélioration du tracé de sommeil du client et de son hygiène personnelle sont des preuves d'efficacité. L'on poursuit alors le traitement à l'aide de la pharmacologie et de la thérapie de groupe.

Effets secondaires des électrochocs La perte de mémoire et la confusion sont les principaux effets nocifs.

Perte de mémoire La perte de mémoire, qui est très troublante pour le client, se traduit par une diminution de la capacité d'acquérir de nouvelles informations et par une amnésie qui touche la mémoire récente. L'amnésie n'apparaît généralement pas avant le quatrième traitement et le client retrouve d'habitude sa mémoire de un à six mois après le traitement. Toutefois, si de nombreux traitements ont été administrés, l'amnésie peut se prolonger davantage (Weiner, 1985).

Confusion Une altération du fonctionnement social et la désorientation tendent à se produire plus souvent chez les personnes âgées ; ces troubles sont proportionnels au nombre de traitements administrés.

Les points qui suivent préoccupent autant les spécialistes (Kalayam et Steinhart, 1981 ; Sheridan, Patterson et Gustafson, 1985) que le grand public :

- l'amnésie ;
- la question morale soulevée par le passage d'un courant électrique dans le cerveau humain ;
- les effets délétères sur le cœur ;
- les risques de crises épileptiques spontanées après le traitement ;

- l'apparition de lésions cérébrales en cas d'hémorragie.

Puisque, dans les premiers temps, l'utilisation des électrochocs a été hasardeuse, cette méthode de traitement est encore très redoutée de nos jours. Pourtant, les clients font maintenant l'objet d'une évaluation très poussée et ils sont soigneusement préparés à l'intervention. Grâce aux anesthésiques et aux myorelaxants, on peut éviter la plupart des complications qui risquaient de survenir il y a cinquante ans. D'après les études récentes, la sismothérapie, correctement administrée et surveillée étroitement, est un outil thérapeutique qui donne souvent des résultats spectaculaires chez les clients qui souffrent de dépression. Bien des vies ont pu être sauvées grâce à elle.

La psychopharmacologie

La modification du comportement est la cible de chacune des méthodes de traitement que nous avons décrites, mais la manière dont cette modification se produit a fait l'objet d'un grand nombre de débats. Les recherches en neurophysiologie ont fourni des renseignements importants sur le rôle joué par le système nerveux central (SNC) et les mécanismes biochimiques dans la régulation de la conscience, des émotions et du comportement. La théorie biologique de l'étiologie des troubles mentaux repose sur les méthodes mises au point pour mesurer et localiser ces activités de régulation.

Tous les comportements sont déterminés par les composantes chimiques et structurales du SNC. Une perturbation touchant n'importe quelle partie de ce système peut engendrer un comportement inadapté et l'apparition de troubles mentaux. Les substances qui peuvent corriger de tels déséquilibres peuvent aussi modifier le comportement.

Si on veut aborder la maladie mentale dans une perspective holistique, l'approche psychothérapeutique doit tenir compte de l'existence des troubles biochimiques qu'il faut non seulement comprendre, mais aussi traiter. Il faut, par conséquent, faire la part des choses : les médicaments ont le rôle de modifier les réactions biochimiques et la psychothérapie, quant à elle, celui de favoriser l'extériorisation des émotions et d'encourager des modifications de comportement.

Le fonctionnement du SNC dépend de l'action des agents neurohormonaux situés dans le cerveau et les tissus périphériques. Les neurohormones, ou **neurotransmetteurs**, sont des substances chimiques responsables de la conduction de l'influx nerveux dans le cerveau. Ces substances, une fois stimulées, sont libérées sous une forme active et provoquent un certain nombre de réactions bien définies.

Les neurotransmetteurs, sécrétés par les boutons terminaux des dendrites et des corps cellulaires des neurones, sont essentiels à la transmission des messages par la synapse, qui est le point de jonction entre l'arborisation terminale d'un neurone et la surface réceptrice du neurone suivant.

Les neurotransmetteurs sont libérés par les vésicules synaptiques au moment où le neurone présynaptique est activé.

Une fois libéré, le neurotransmetteur traverse la fente synaptique et se fixe sur le récepteur postsynaptique, déclenchant les activités caractéristiques de cette cellule.

Pour inhiber l'action des neurotransmetteurs, des enzymes les transforment en substances inactives, phénomène appelé recaptage. La glande pituitaire (hypophyse) et les glandes surrénales jouent également un rôle dans l'inhibition ou la stimulation des neurotransmetteurs. Les médicaments qui augmentent ou qui diminuent l'activité des neurotransmetteurs agiront sur le comportement du client.

Même si l'action thérapeutique des agents psychopharmacologiques, à savoir les psychotropes, reste non spécifique, ces médicaments diminuent la désorganisation des opérations de la pensée, l'anxiété, les hallucinations, le repli sur soi et les états maniaco-dépressifs. Les changements spectaculaires du comportement des clients hospitalisés, qu'on a connus dans les années cinquante grâce à l'administration de la chlorpromazine (Largactil ou Thorazine), ont été l'un des facteurs déterminants de la tendance à la désinstitutionnalisation et ont permis aux clients de bénéficier ainsi d'autres méthodes thérapeutiques.

Les chercheurs trouvent sans cesse de nouvelles preuves des liens qui existent entre le dérèglement de la neurotransmission et l'apparition des troubles du comportement. On connaît actuellement plus de 30 neurotransmetteurs et, parmi eux, ce sont l'acétylcholine, la dopamine, la noradrénaline et la sérotonine qui augmentent ou diminuent la stimulation des neurones réglant ainsi les modifications thymiques, les opérations de la pensée et les réponses psychomotrices (Anognostakos et Tortora, 1984).

Acétylcholine   La sécrétion de l'acétylcholine a lieu dans diverses régions du cerveau. Une réduction des sécrétions pourrait être la cause des modifications cognitives qui se produisent chez les clients âgés en bonne santé et déterminer le degré de gravité de la démence chez certains clients (Creasey et Rapoport, 1985). Un défaut dans l'activité ou la synthèse de l'acétylcholine pourrait être relié à la maladie d'Alzheimer.

Dopamine   La sensibilité des sites récepteurs à la dopamine, prouvée indirectement par certains essais pharmacologiques, pourrait expliquer le comportement psychotique. Les antipsychotiques qui bloquent les récepteurs dopaminergiques sont efficaces pour traiter les troubles de la pensée et les signes connexes (Hahn, Barkin et Oestreich, 1986).

Noradrénaline   La noradrénaline stimule l'apparition des sentiments de colère et d'agressivité, et maintient le profil des rythmes veille-sommeil. Elle régit la libération des substances chimiques qui déclenchent les réponses aux stimuli émotionnels, comme l'augmentation des rythmes cardiaque et respiratoire dans les états de panique. Les résultats d'une étude menée chez des clients ayant un comportement suicidaire a révélé qu'il existait, dans leur cas, un rapport noradrénaline-adrénaline faible (Ostroff et coll., 1985).

Sérotonine   Le dérèglement des concentrations de sérotonine entraîne des modifications du comportement. Plusieurs médicaments qui font chuter ces concentrations entraînent des modifications thymiques.

Présentation Comme nous l'avons déjà mentionné, les psychotropes ne guérissent pas les troubles mentaux, mais, administrés sous surveillance, à des groupes de clients bien définis, ils peuvent modifier le comportement, faciliter la conduite d'autres méthodes de traitement et la poursuite des activités de la vie quotidienne.

Lors de la collecte des données, il faut évaluer l'état physiologique avec la même attention que dans toutes les situations où une pharmacothérapie est indiquée. Compte tenu de la fréquence des effets nocifs et de la faible marge thérapeutique, il faut recueillir toutes les données qui permettent de s'assurer que le client est capable de prendre les médicaments conformément aux instructions. La famille et les autres personnes ressources qui participent à la collecte des données peuvent fournir des renseignements précieux sur la santé physique et mentale du client et sur ses antécédents pharmacologiques.

Il faut par ailleurs connaître les activités quotidiennes du client pour pouvoir établir un schéma posologique qui ne les perturbe pas. Grâce à une collecte soigneuse des données et à une bonne planification de la pharmacothérapie, on peut améliorer la fidélité du client à son traitement et les chances de réussite. D'après Shader (1976) et Hahan, Barkin et Oestreich (1986), il faut également tenir compte des facteurs suivants lors de la collecte des données :

- type et degré de dysfonctionnement du comportement ;
- antécédents de comportements adaptatifs ;
- troubles du sommeil ;
- risques de pharmacodépendance ;
- antécédents pharmacologiques ;
- réactions comportementales aux médicaments ;
- besoin de modifier l'entourage.

Une fois les médicaments sélectionnés, on doit établir, en collaboration avec le client et sa famille, un plan d'enseignement pour expliquer la raison de la pharmacothérapie, la posologie, les effets nocifs et leur traitement. Il faut aussi surveiller l'efficacité de la pharmacothérapie et ajuster, le cas échéant, les doses des médicaments administrés.

Les psychotropes, qu'il faut administrer sous une étroite surveillance, favorisent la modification du comportement du client et la reprise des activités quotidiennes, et permettent d'éviter l'hospitalisation. Toutefois, leurs effets cessent dès que le client interrompt le traitement. Les rechutes et le retour à l'hôpital sont souvent les conséquences de l'arrêt du traitement ou d'une mauvaise utilisation des médicaments (Hahn, Barkin et Oestreich, 1986). De plus, pour que les modifications du comportement soient durables, il faut agir sur l'entourage du client et améliorer ses capacités de nouer des relations interpersonnelles.

Dans le présent chapitre, nous passerons en revue les quatre principales classes de psychotropes :

- les antipsychotiques ;
- les antidépresseurs ;
- les médicaments qui traitent la psychose maniaque ;
- les anxiolytiques.

(Voir au tableau 4-3, la liste des psychotropes.)

Antipsychotiques Les **antipsychotiques**, ou neuroleptiques, constituent le premier groupe de médicaments qui modifient considérablement le comportement des clients atteints de troubles mentaux. Il a aussi été constaté que les alcaloïdes de la rauwolfia – découverts par hasard et qui ont été administrés au départ pour le traitement de l'hypertension – soulagent les troubles de la pensée chez les schizophrènes. Les études entreprises par la suite ont mené à la découverte du chlorhydrate de chlorpromazine (Largactil, Thorazine) en 1951.

Utilisés surtout pour soigner la schizophrénie et les troubles connexes, les antipsychotiques forment une famille de médicaments ayant des effets comparables sur le comportement, mais leur composition chimique étant différente, la puissance, les effets souhaitables et les effets secondaires le sont également.

Tableau 4-3   *Les psychotropes*

Classe	Dénomination commune	Nom commercial	Dose (mg) chez les adultes
Antipsychotiques			
Phénothiazines	Chlorhydrate de chlorpromazine USP	Thorazine ou Largactil	25 - 800
	Chlorhydrate de trifluoropromazine USP	Vesprin	100 -150
	Décanoate de fluphénazine	Modecate	5 - 20
	Énanthate de fluphénazine	Moditen Enanthate	12,5 -100
	Chlorhydrate de fluphénazine USP	Permitil, Prolixin	1-15
		Moditen HCL	1-10
	Chlorhydrate de thioridazine USP	Mellaril	100 -300
Thioxanthènes	Thiothixène	Navane	4 - 30
Butyrophénones	Halopéridol USP	Haldol	1-15
Dibenzoxazépine	Succinate de loxapine	Loxapac	20 - 250
Antidépresseurs			
Tricycliques	Chlorhydrate d'amitriptyline USP	Elavil	75 -100
		Asendin	200
	Chlorhydrate d'amoxapine USP	Asendin	150
	Chlorhydrate de désipramine USP	Norpramine	150
	Chlorhydrate de doxépine	Sinequan	75
	Chlorhydrate d'imipramine USP	Tofranil	150
	Chlorhydrate de nortriptyline USP	Aventyl/Pamelor	150
	Chlorhydrate de protriptyline USP	Vivactil, Triptil	30
	Maléate de trimipramine	Surmontil	100
Tétracycliques	Chlorhydrate de maprotiline USP	Ludiomil	150
Inhibiteurs de la monoamine oxydase	Isocarboxazide USP	Marplan	30
	Sulfate de phénelzine USP	Nardil	30
Nouvelles substances	Chlorhydrate de trazodone	Desyrel	400
Médicaments qui traitent la psychose maniaque	Carbonate de lithium	Carbolith, Lithane	Ajuster la posologie
	Citrate de lithium	Cibalith-S	pour maintenir un taux sérique de 1,0 à 1,5 meq/L
	Fluoxétine	Prozac	40 - 80
Anxiolytiques			
Benzodiazépines	Alprazolam	Xanax	0,75 - 4,0
	Chlorhydrate de chlordiazépoxide USP	Librium	15 -100
	Clorazépate dipotassique	Tranxene	15 - 60
	Diazépam USP	Valium	6 - 40
	Corazépam	Ativan	2 - 6
	Oxazépam	Serax	30 -120
Divers agents	Chlorhydrate de doxépine	Sinequan	75 -150
	Chlorhydrate d'hydroxyzine USP	Atarax	200 - 400
	Pamoate d'hydroxyzine USP	Vistaril	200 - 400
	Méprobamate	Equanil, Miltown	1 200 à 1 600
	Buspirone	BuSpar	15 - 60 par jour, en doses fractionnées

Ces médicaments ne causent pas de dépendance, sont liposolubles et possèdent une demi-vie de 2 à 30 heures, la moyenne étant de 6 heures chez la plupart des clients. L'absorption intestinale des antipsychotiques est presque complète et le foie élimine environ 65 p. cent du médicament lors du premier passage. Bien que le médicament soit presque complètement éliminé, on trouve encore des métabolites dans l'urine 18 heures après l'absorption. La grande affinité des antipsychotiques pour les tissus adipeux fait que 18 mois après l'interruption du traitement, on en trouve encore des traces dans la circulation. C'est une caractéristique qu'il ne faut pas négliger lorsqu'on prescrit ces médicaments aux clients âgés ou à ceux qui souffrent d'insuffisance hépatique prononcée.

Mécanisme d'action Puisque le mécanisme d'action précis des antipsychotiques n'a pas encore été élucidé, on essaie de l'expliquer par l'action de la dopamine qui, comme nous l'avons vu, transmet les stimulations et se trouve en fortes concentrations dans le cerveau. En réalité, la dopamine affecte les récepteurs, en entravant les mécanismes de recaptage et l'action des récepteurs postsynaptiques du système limbique et de l'hypothalamus. La dopamine est également le médiateur d'une voie importante de transmission de l'influx nerveux, formée des neurones du tronc cérébral supérieur et du noyau lenticulaire du corps strié, portion qui participe à la régulation centrale du mouvement. Ce mécanisme est défectueux en cas de parkinsonisme (Sheridan, Patterson et Gustafson, 1985).

Les antipsychotiques ont une forte affinité pour les sites des récepteurs dopaminergiques et inhibent par conséquent la fixation de ce neurotransmetteur. Ces médicaments exercent un effet dopaminergique antagoniste, c'est-à-dire qu'ils entrent en concurrence avec la dopamine pour occuper une place sur les sites récepteurs. En réaction aux faibles concentrations de dopamine, la synthèse peut en être accrue mais, comme le recaptage est bloqué, la substance est détruite et éliminée.

Puisque l'action des antipsychotiques est non spécifique, ces médicaments réduisent les troubles mentaux caractérisés par des délires, des hallucinations et des troubles de la pensée, mais causent des troubles moteurs semblables à ceux que l'on observe dans la maladie de Parkinson, ainsi que des modifications de la régulation de la température, de l'activité cholinergique, de la vasodilatation et du seuil épileptogène.

Voici les principaux avantages des antipsychotiques :

- comportement psychotique diminué ;

- effet calmant sans sédation excessive ;

- aucun risque de pharmacodépendance ;

- effets antihistaminiques, antiémétiques et analgésiques.

Effets secondaires Puisque les antipsychotiques bloquent le recaptage de la dopamine au niveau des sites récepteurs, leurs principaux effets secondaires sont des symptômes extrapyramidaux prévisibles causés par la diminution de l'activité dopaminergique dans le noyau lenticulaire du corps strié.

Les effets ou les symptômes extrapyramidaux peuvent apparaître aussi bien après l'absorption d'une seule dose de phénothiazine qu'après une administration prolongée. On peut résumer comme suit les quatre principales catégories d'effets extrapyramidaux :

- *Le syndrome parkinsonien secondaire* (« pseudo-parkinsonisme »), qui touche généralement les sujets âgés, se caractérise par une immobilité générale, des tremblements, un faciès figé, la rigidité, une salivation excessive, le ralentissement des mouvements volontaires, une démarche hésitante et des mouvements d'émiettement des doigts.

- *Les dystonies*, qui se produisent chez les sujets plus jeunes par suite d'une administration parentérale. Les symptômes sont la fatigue, la rigidité musculaire, des mouvements anormaux de la tête, du cou, des mâchoires, la protrusion de la langue, la dysarthrie, la dysphagie, la crise oculogyre, les spasmes musculaires des bras et des jambes et les contractions toniques anormalement prolongées de certains groupes musculaires, le torticoli et l'opisthotonos.

- *L'acathisie*, qui se manifeste surtout chez les individus d'âge mûr, se caractérise par l'agitation, une activité motrice accrue, qui peut devenir exacerbée lorsque le client essaie de réprimer les mouvements, le besoin de marcher, le piétinement sur place, les tremblements légers de la main, les mouvements saccadés, les tics de la face et l'insomnie, à cause de l'incapacité de rester immobile.

- *Les dyskinésie*, qui sont des contractions musculaires involontaires et soudaines de type clonique, entraînent des spasmes de torsion, une crise oculogyre, la déviation caractéristique de la tête, la protrusion de la langue, la déglutition difficile, les grimaces et les mouvements choréiques des bras.

La dyskinésie est le trouble le moins courant mais aussi celui qui semble probablement le plus éprouvant autant pour le client que pour l'infirmière. L'administration parentérale rapide d'un agent antiparkinsonien produira un résorption spectaculaire et rapide des symptômes. Le chlorhydrate de trihexyphénidyle (Artane) et le mésylate de benztropine (Cogentin) possèdent des propriétés antihistaminiques et anticholinergiques qui affectent la transmission synaptique des neurones cholinergiques. Ils maintiennent ainsi un équilibre en diminuant la synthèse de la dopamine et permettent de maîtriser les symptômes décrits. La dyskinésie tardive est un effet plus prononcé, et habituellement irréversible, d'un traitement prolongé aux antipsychotiques. Ce syndrome se caractérise par des mouvements involontaires rythmés de la bouche, de la face, de la langue ou des mâchoires. La protrusion de la langue, les bouffissures du visage, le plissement des lèvres et le mâchonnement incessant peuvent s'accompagner de mouvements involontaires des membres. On observe également des troubles respiratoires, des geignements expiratoires ou un trouble de l'élocution avec une déviation caractéristique de la tête et des mouvements de torsion de la tête et du cou.

Parmi les autres troubles moteurs, citons le balancement des pieds et le trépignement ou le dandinement d'un pied à l'autre en station debout. Le tremblement des doigts peut être excessif lors de la déambulation (Cole et Gardos, 1976).

Bien que le syndrome puisse se manifester différemment d'un client à l'autre, les mouvements caractéristiques des doigts et de la langue sont les symptômes précoces habituels. L'infirmière doit donc évaluer soigneusement tous les troubles moteurs (on trouve au tableau 4-4 la liste des mouvements involontaires anormaux).

Les signes extrapyramidaux aigus peuvent être rapidement enrayés grâce aux agents antiparkinsoniens. Par contre, ces médicaments sont déconseillés en cas de dyskinésie tardive puisque, en réalité, ils peuvent même l'aggraver. L'administration prolongée d'antipsychotiques peut entraîner une hypersensibilité des neurones postsynaptiques à la dopamine et une interruption soudaine du traitement ou l'ajout d'agents antiparkinsoniens peut exacerber les symptômes (Itil et coll., 1981). Le traitement d'entretien avec de faibles doses d'antipsychotiques s'est avéré utile jusqu'à un certain degré pour réduire les signes de dyskinésie tardive.

Outre l'évaluation des effets sur le SNC que nous avons décrits, il faut aussi évaluer avec soin les effets des antipsychotiques sur le système nerveux autonome.

Les clients âgés présentent un risque plus grand de réactions extrapyramidales et les antipsychotiques doivent leur être administrés à des doses très faibles (Lohr, 1988) à cause des modifications suivantes reliées au processus normal de vieillissement :

- diminution du débit cardiaque ;

- diminution du taux de filtration glomérulaire ;

- diminution de l'activité des enzymes hépatiques ;

- diminution du rapport albumine-globuline ;

- augmentation de la teneur relative en graisse ;

- sensibilité accrue des récepteurs aux neurotransmetteurs.

Tableau 4-4   *Mouvements involontaires anormaux*

Mouvements involontaires	Évaluation
Face et bouche	Muscles qui déterminent l'expression du visage à savoir, les mouvement du front, des sourcils, de la région périoculaire, des joues, le plissement du front, les clignements des yeux, le sourire, les grimaces.
	Lèvres et région péribuccale, à savoir, le plissement des lèvres, les moues, le bruit de baiser qui claque.
	Mâchoires, à savoir, la rigidité, la contraction, le mâchonnement, la bouche ouverte et les mouvements latéraux.
	Langue : il ne faut évaluer que les mouvements intensifiés de la langue à l'intérieur et à l'extérieur de la bouche.
Membres	*Supérieurs* (bras, poignets, mains, doigts) Évaluer les mouvements choréiques (à savoir, les mouvements rapides, non intentionnels, irréguliers, spontanés), les mouvements athétoïdes (à savoir, lents, irréguliers, complexes, serpentins).
	Inférieurs (jambes, genoux, chevilles, orteils) à savoir, les mouvements latéraux du genou, les battements du sol avec le pied ou le talon, l'écrasement du sol avec le pied, l'inversion et l'éversion du pied.
Tronc	Cou, épaules, hanches à savoir, les bercements, les torsions, les tortillements et le déhanchement.

L'hypotension orthostatique est un effet courant qui peut être grave dans la mesure où la sécurité du client peut être mise en danger et où les risques d'accidents sont accrus. À cause de l'effet de blocage adrénergique, le client est prédisposé au collapsus cardio-vasculaire par suite de la vasodilatation périphérique. Il peut ressentir des étourdissements en station debout, qui deviennent plus prononcés au lever du lit, le matin. La tachycardie de compensation, qui se produit en réaction à l'hypotension, contribue à l'apparition de signes subjectifs de palpitations, de vertiges, d'étourdissements et de faiblesse. Généralement, le client finit par tolérer ces effets, mais il faut lui expliquer les précautions à prendre.

Effets anticholinergiques   Ces effets sont la conséquence du blocage des récepteurs acétylcholinergiques au niveau de la synapse, entre les organes internes et les fibres nerveuses. Les antipsychotiques ont tous un certain effet anticholinergique, mais les clients finissent par les tolérer. Les symptômes sont cependant gênants et nuisent à la fidé-lité du patient à son traitement. Il faut expliquer au client la raison de ces effets et les stratégies à adopter pour réduire les malaises.

Les effets périphériques incluent la sécheresse de la bouche, la vision trouble, la constipation, la diminution de la sécrétion et de la motilité gastrique, la diminution de la sécrétion de sueur, l'enchifrènement et la rétention urinaire. Il faut surveiller l'apport hydrique du client afin d'éviter les excès.

Certains effets secondaires variables, comme la confusion, la perte de mémoire, la désorientation, l'agitation ou le délire, peuvent être confondus avec une détérioration de l'état mental du client. À l'apparition de l'un de ces symptômes, il faudrait réduire la dose ou interrompre pour un certain temps l'administration du médicament. Si l'état du client s'améliore lorsque le traitement est interrompu, on peut conclure que son comportement était dû à l'effet des médicaments (voir au tableau 4-5, les autres effets secondaires des antipsychotiques).

Tableau 4-5 *Les autres effets secondaires des antipsychotiques*

Ictère cholostatique (par obstruction)

Réactions cutanées de nature allergique comme l'eczéma de contact (maculopapules, urticaire, pétéchies)

Photosensibilité (comparable à une insolation)

Dyscrasie (agranulocytose et leucopénie)

Pigmentation anormale (pigmentation gris-bleu des régions de la peau exposées au soleil)

Seuil épileptogène réduit

Régulation altérée de la température corporelle

Troubles endocriniens (chez la femme : aménorrhée, ovulation retardée, galactorrhée) (chez l'homme : gynécomastie, glycosurie, hyperglycémie, gain pondéral)

Tératogenèse (le médicament traverse le placenta ; des métabolites ont été décelés dans le plasma fœtal)

Syndrome malin des neuroleptiques Il s'agit d'une réaction toxique rare mais souvent mortelle aux antipsychotiques. Ce syndrome se caractérise par l'hyperthermie, la rigidité musculaire et l'obscurcissement de la conscience, sans processus infectieux ni autres effets secondaires extrapyramidaux provoqués par les médicaments neuroleptiques (Caroff et Mann, 1988).

La recherche n'a pu déterminer aucune étiologie précise mais les clients qui présentent des antécédents de ce syndrome ou des symptômes connexes et qui reçoivent des doses élevées de neuroleptiques (en deçà du seuil toxique) courent davantage le risque d'une rechute. À cause de ces effets mortels, les infirmières doivent surveiller étroitement les modifications de l'état de conscience, la rigidité musculaire, la fièvre et autres altérations neuro-végétatives pendant la phase initiale de traitement (Gelenberg, 1988).

Le traitement du syndrome malin des neuroleptiques est une urgence médicale qui impose l'interruption de l'administration du médicament et un traitement d'appoint de la déshydratation, de l'hyperthermie et des troubles du rythme cardiaque. En 1988, Caroff et Mann ont révélé que sur les 256 sujets atteints de ce syndrome entre 1980 et 1987, 25 sont décédés, ce qui représente un taux de mortalité de 10 p. cent. La recherche d'interventions

pharmacologiques en cas de syndrome malin des neuroleptiques porte actuellement sur les liens qu'on a observés entre ce syndrome et la réaction de blocage dopaminergique.

Antidépresseurs Les **antidépresseurs** modifient le comportement des clients qui présentent des troubles thymiques, tels :

- la diminution de l'estime de soi ;

- un comportement d'auto-punition ;

- le repli sur soi ;

- le dérèglement de la libido, la modification des habitudes alimentaires et du cycle de sommeil-veille et la constipation ;

- une altération des activités motrices (agitation ou ralentissement moteur).

Les antidépresseurs, et dans une certaine mesure les électrochocs, peuvent enrayer ces symptômes. Une fois la dépression neutralisée, le client a plus d'énergie et se montre plus enclin à participer à d'autres formes de psychothérapie. Puisqu'il retrouve son appétit, que son humeur, son sommeil et ses capacités motrices s'améliorent, il peut mener à bien les activités de la vie quotidienne et agir sur son milieu de façon à mieux gérer les facteurs possibles de stress (Cole, 1988).

Mécanisme d'action D'après les résultats provenant des dernières recherches, les catécholamines pourraient être reliées à l'étiologie de la dépression. Les neurotransmetteurs agissent sur les troubles thymiques, caractérisés par la dépression et d'autres symptômes. D'après les études cliniques et les recherches menées en laboratoire, il existe une corrélation entre les déficits en sérotonine et en noradrénaline et la dépression, confirmée par les faibles concentrations de ces neurotransmetteurs trouvées dans les tissus du cerveau prélevés chez des suicidés. Les observations cliniques des clients soignés avec de la réserpine, dérivé de rauwolfia, semblent indiquer que la dépression est un effet secondaire de ce médicament. La réserpine entraîne la désactivation de la noradrénaline par l'enzyme monoamine oxydase (MAO). En réalité, les inhibiteurs de la MAO (IMAO), qui ont été les premiers antidépresseurs utilisés, enrayent la dépression en inhibant la synthèse de l'enzyme monoamine oxydase, ce qui diminue les concentrations intracellulaires de noradrénaline et de sérotonine.

Les IMAO maîtrisent les symptômes de la dépression mais, à cause de leur spectre d'action large et non spécifique, ils ont de nombreux effets indésirables, raison pour laquelle les cliniciens les prescrivent avec parcimonie. Ces médicaments sont efficaces pour le traitement des dépressions rebelles aux tricycliques.

Après administration par voie orale, ces médicaments sont rapidement absorbés, mais leurs effets bénéfiques ne commencent à se manifester qu'après plusieurs jours, voire quelques mois. Cependant, ils peuvent parfois persister après l'arrêt du traitement. Les antidépresseurs tricycliques augmentent les concentrations de neurotransmetteurs dans le cerveau en réduisant le recaptage de la noradrénaline et de la sérotonine à l'état libre à partir de la fente synaptique. De ce fait, la quantité d'amines augmente, ce qui améliore la transmission de l'influx nerveux. La forte action anticholinergique des antidépresseurs explique aussi leurs effets nocifs.

Les tricycliques sont absorbés rapidement par le tractus digestif et sont métabolisés par le foie. Ils se lient aux protéines plasmatiques et tissulaires. Étant donné que les concentrations plasmatiques varient considérablement d'un individu à l'autre, il faut adapter la posologie selon chaque cas particulier afin d'obtenir l'effet thérapeutique souhaité. Grâce aux progrès techniques, on peut maintenant mesurer les concentrations sériques et plasmatiques de chlorhydrate d'imipramine (Tofranil), de chlorhydrate de désipramine (Norpramine) et de chlorhydrate de nortryptyline (Aventyl). Ces mesures ont permis de déterminer que la dose thérapeutique de ces médicaments est de 200 mg/mL. L'emploi des antidépresseurs tricycliques dans le traitement de la dépression grave pose un problème dans la mesure où les effets thérapeutiques ne commencent à se manifester qu'au bout de quatre semaines alors que les effets indésirables apparaissent au bout de quelques heures.

Effets secondaires L'action anticholinergique des *antidépresseurs tricycliques* explique leurs principaux effets secondaires. Ces effets, qui ne dictent que rarement l'arrêt de la médication, sont cependant pénibles et peuvent inciter le client à abandonner son traitement. Les effets anticholinergiques, qui incluent la sécheresse des muqueuses de la bouche et du nez, la vision brouillée, la constipation, la rétention urinaire et le reflux œsophagien causé par la diminution du tonus des sphincters, se manifestent surtout chez les personnes âgées.

Parmi les clients prédisposés, certains ont présenté de l'arythmie cardiaque – comme la modification des ondes T révélée à l'électrocardiogramme, accompagnée de tachycardie –, des palpitations, de l'hypertension avec syncope, une thrombophlébite et un état de choc.

Les effets endocriniens sont la diminution de la libido, l'impuissance, l'engorgement mammaire chez la femme et la gynécomastie chez l'homme.

Généralement, une tolérance aux effet sédatifs et anticholinergiques peut apparaître mais la pratique nous enseigne que l'administration de la dose la plus forte au coucher réduit la perception des effets pénibles sans entraver pour autant les effets thérapeutiques.

Les antidépresseurs *tétracycliques* ont la même composition chimique que les tricycliques. Ces médicaments ont des effets thymiques, diminuent l'agressivité et possèdent de faibles propriétés anticholinergiques. L'emploi des tétracycliques convient particulièrement bien à certains clients car leur effet thérapeutique commence à se manifester deux semaines après l'administration de la dose orale initiale. Les effets secondaires sont semblables à ceux des tricycliques mais, en raison de leurs effets anticholinergiques moins prononcés et de leur rapidité d'action, on préfère les administrer à un type bien précis de clients. Les effets secondaires des IMAO sont l'hypotension orthostatique, l'insomnie, la fatigue et la faiblesse. D'autres signes anticholinergiques ainsi que des éruptions cutanées peuvent également se manifester. À cause des risques d'hépatotoxicité grave, les IMAO sont contre-indiqués en cas d'insuffisance hépatique diagnostiquée.

Les effets secondaires risquent surtout de se manifester lors de l'interaction des IMAO avec d'autres substances (voir, au tableau 4-6, la liste des aliments ou des médicaments à éviter lors d'un traitement avec les IMAO). L'interaction avec d'autres médicaments peut potentialiser ou modifier les effets de ces agents (McEvoy, 1988). Les médicaments qui ont une action catécholaminique en présence des IMAO causent une forte réaction de vasopression entraînant une hypertension prononcée. La crise hypertensive est non seulement redoutable mais aussi dangereuse pour le client. Elle se caractérise par l'hypertension, des céphalées occipitales, des nausées, des vomissements, de la fièvre, de la transpiration, la dilatation des pupilles et des douleurs thoraciques. L'effet toxique le plus grave des IMAO est la crise hypertensive qui peut évoluer vers une hémorragie intracrânienne et la mort.

À cause de l'effet thérapeutique retardé des antidépresseurs, l'infirmière doit poursuivre l'administration d'un traitement d'appoint et la surveillance du client pendant la durée du traitement. Elle doit aussi évaluer avec soin les tendances suicidaires même lorsque le médicament commence à modifier l'humeur et à accroître l'énergie. Un client très déprimé peut avoir du mal à mettre à exécution des projets de suicide mais, lorsqu'il regagne de l'énergie sans que le problème d'origine ait été résolu, les risques de comportement suicidaire sont accrus. La surveillance de la réaction du client au traitement est importante pour assurer sa sécurité. Dans les cas de dépression grave, l'hospitalisation brève assure la surveillance de l'efficacité du traitement et la sécurité du client.

Les médicaments qui traitent la psychose maniaque   Un tel médicament est le carbonate de lithium, sel à l'état naturel, efficace pour le traitement des épisodes maniaques et la prévention des rechutes chez les personnes qui souffrent de troubles thymiques bipolaires. Chez environ 80 p. cent des clients, le lithium permet de modifier les comportements répertoriés par le DSM-III-R, dont les épisodes d'humeur exaltée :

- l'hyperactivité ;
- l'élocution rapide ;
- la fuite des idées ;
- le délire de grandeur ;
- le besoin diminué de sommeil ;
- l'attention labile ;
- l'engagement excessif et impulsif dans de nombreuses activités sans calculer les risques qu'elles peuvent comporter.

Mécanisme d'action   Associé au sodium et au potassium, le lithium semble inhiber la libération de la noradrénaline et de la sérotonine de façon à aug-

Tableau 4-6   *Substances à éviter lors d'un traitement avec les IMAO*

Aliments	Médicaments
Fromages forts, vieillis (cheddar, camembert, stilton, fromages fondus)	Amphétamines
Crème sure	Médicaments en vente libre, contenant de l'éphédrine et de la phénylpropanolamine, administrés contre la grippe, le rhume des foins ou pour les cures d'amaigrissement.
Vin (surtout le vermouth, le chianti, le sherry, le bourgogne, le riesling)	
Bière	Chlorhydrate de mépéridine (Demerol)
Figues en conserve	Les IMAO peuvent potentialiser les effets des : médicaments qui agissent sur le SNC
Raisins secs	dépresseurs
Foie (surtout le foie de poulet)	analgésiques opiacés
Bananes	barbituriques alcool
Avocats	sédatifs
Chocolat	
Sauce soya (plus d'une cuillerée à soupe par jour)	
Extrait de levure	
Yogourt	
Papaye	
Glutamate monosodique	
Excès de caféine	
Aliments dont la préparation nécessite des bactéries ou des moisissures	

menter le recaptage de la noradrénaline ainsi que la synthèse et la vitesse de reconstitution de la sérotonine (Sheridan, Patterson et Gustafson, 1985). D'après certaines théories, en modifiant le transport du sodium dans les fibres nerveuses et musculaires, le lithium, contrairement aux IMAO, accélère la destruction présynaptique des catécholamines, empêchant la libération des médiateurs au niveau de la synapse, ce qui diminue la sensibilité des récepteurs postsynaptiques.

Les troubles bipolaires, caractérisés par des périodes maniaques et dépressives récurrentes, réagissent au lithium à cause de son effet sur le métabolisme et le transport du sodium. Durant les épisodes de dépression, la concentration de sodium dans les cellules est élevée et le lithium en facilite l'élimination; durant les épisodes maniaques, par contre, le lithium cause la rétention de sodium dans les cellules (Hahn, Barkin et Oestreich, 1986).

Le lithium se répartit uniformément dans l'eau corporelle et son absorption, après l'administration par voie orale, est rapide. Les concentrations plasmatiques maximales sont atteintes dans les 2 à 4 heures qui suivent, mais l'équilibre sérique et intracellulaire ne peut être obtenu que 6 à 8 jours après le début du traitement. Il convient de noter que le lithium traverse le placenta et que les concentrations chez le fœtus sont similaires à celles qu'on trouve chez la mère.

Aux doses thérapeutiques, le lithium ne déprime pas le SNC, mais soulage les signes d'activité motrice et mentale excessive. Il faut mesurer les concentrations sériques pour surveiller la dose et pour prévenir les effets secondaires (Klerman, 1981). Ces mesures sont nécessaires en raison de l'écart très étroit entre la dose thérapeutique et la dose toxique. Les doses nécessaires pour maîtriser les épisodes maniaques aigus vont de 1,0 meq/L à 1,5 meq/L (Rodman et coll., 1985). À des doses inférieures à 1,0 meq/L, les symptômes peuvent récidiver; les risques d'effets toxiques sont plus grands avec des doses supérieures à 1,5 meq/L. Une fois la crise maniaque enrayée, il faut ajuster la posologie de façon à ce que des doses de 300 mg de lithium, administrées trois ou quatre fois par jour, assurent le maintien de concentrations sériques de 0,8 à 1,2 meq/L.

Effets secondaires Aux doses thérapeutiques, le lithium ne cause pratiquement pas d'effets secondaires. Peu de temps après le début du traitement, les symptômes de départ, à savoir la fatigue, la faiblesse musculaire, les nausées et les vomissements, disparaissent. La soif, la polyurie et les tremblements légers persistent.

Les effets sur le SNC, incluant la confusion, la léthargie, les troubles de l'élocution et l'ataxie, se produisent lorsque les taux sériques atteignent 2,0 meq/L ; de tels symptômes indiquent qu'il est nécessaire de réduire les doses. Les convulsions, le délire et le coma constituent des réactions toxiques graves. L'hypothyroïdie, quelquefois irréversible, indique la nécessité d'une surveillance constante de la fonction thyroïdienne.

Puisque le lithium est surtout excrété par les reins, il existe un risque d'intoxication chez tous les clients et, particulièrement, chez ceux qui souffrent au départ d'insuffisance rénale.

Intervention dans les cas de toxicité du lithium L'évaluation de tous les systèmes et une intervention d'appoint pour maintenir les fonctions cardio-vasculaire, neurologique et rénale sont indiquées. Pour rétablir l'équilibre hydroélectrolytique, il faut arrêter l'administration du médicament et utiliser des méthodes qui favorisent son excrétion. L'administration intraveineuse de diurétiques osmotiques (Mannitol) et l'alcalinisation de l'urine, par administration de bicarbonate de sodium, force la diurèse et augmente la sécrétion d'ions de lithium.

Le lithium est contre-indiqué chez les clients atteints de maladies rénales ou cardiaques diagnostiquées ou chez ceux qui présentent un déficit en sodium en raison de la déshydratation, de lésions cérébrales ou de la grossesse. Chez les clients dont l'état a été stabilisé grâce au lithium, il faut maintenir un apport sodique normal par l'alimentation et augmenter la consommation de liquides jusqu'à environ trois litres par jour. Lorsque l'excrétion de sodium est accrue à cause de la transpiration, de la fièvre ou de la diarrhée, il faut augmenter l'apport de sel et de liquides pour que les concentrations de lithium ne deviennent toxiques.

Bien que Cade ait découvert les propriétés du lithium dès 1949, ce n'est qu'en 1970 que son utilisation a été approuvée aux États-Unis. Depuis, cependant, son efficacité chez la grande majorité des clients ayant des comportements maniaques n'est plus à prouver.

Anxiolytiques   L'utilité des **anxiolytiques** a été longtemps remise en question. La pharmacothérapie, lorsqu'elle est indiquée, diminue les effets invalidants de l'anxiété, trouble dont nous traiterons au chapitre 8. Le client peut ainsi s'engager dans d'autres formes de thérapie qui augmenteront sa capacité de s'adapter et de dominer la situation anxiogène.

Les benzodiazépines constituent le principal groupe d'anxiolytiques. Ces médicaments agissent sur les centres limbique, thalamique et hypothalamique du SNC. D'après certaines théories, les effets myorelaxants, anxiolytiques, sédatifs, hypnotiques et anticonvulsivants sont dus à l'inhibition du neurotransmetteur GABA (acide gamma-aminobutyrique). Les benzodiazépines inhibent la transmission synaptique et entraînent la relaxation des muscles squelettiques (Sheridan, Patterson, Gustafson, 1985). L'avantage de ces médicaments est que les effets thérapeutiques se produisent sans qu'une sédation excessive vienne perturber les activités de la vie quotidienne. Ces médicaments sont rapidement absorbés par le tractus gastro-intestinal; ils sont ensuite métabolisés par le foie et excrétés dans l'urine.

On a constaté que l'effet du buspirone, anxiolytique n'appartenant pas à la classe des benzodiazépines, est comparable à celui des benzodiazépines utilisées dans le traitement des troubles anxieux. Le début d'action de ce médicament est graduel et il n'a pas d'effet sur le complexe GABA. Le buspirone agit sur les récepteurs dopaminergiques et sérotoninergiques, en inhibant le cycle de renouvellement de la sérotonine et en augmentant celui de la dopamine (Cole, 1988). D'après les études, le buspirone (BuSpar) n'entraîne pas de dépendance.

Les effets secondaires dépendent habituellement de la dose. Ils comprennent la somnolence, la fatigue, la faiblesse, l'ataxie et les syncopes, et se manifestent plus souvent chez les clients âgés. Le surdosage provoque une dépression du SNC, y compris la somnolence, la confusion, l'affaiblissement des réflexes et le coma. Les réactions toxiques, habituellement associées à la potentialisation des autres dépresseurs du SNC comme l'alcool, sont généralement réversibles mais, dans ce cas, le soutien des fonctions respiratoires et cardiovasculaires est impératif.

Avant de commencer le traitement, il faut évaluer les risques de pharmacodépendance. L'administration prolongée de fortes doses d'anxiolytiques cause la tolérance et la dépendance physique et psychique. L'interruption brusque de la médication peut entraîner une hyperexcitation du SNC (psychose aiguë et convulsions), l'anorexie, des vomissements et la diarrhée. L'arrêt du traitement doit se faire sous étroite surveillance pour écarter tout danger.

Le rôle de l'infirmière pendant la pharmacothérapie   Pour assurer le succès de la psychopharmacothérapie, il faut diagnostiquer avec précision le type de comportement perturbé et évaluer soigneusement l'état physique et mental du client afin de s'assurer que le traitement choisi lui convient. Il faut également surveiller le client pendant toute la durée du traitement pour évaluer les effets bénéfiques et les effets nocifs du médicament compte tenu de la posologie administrée.

Dans le cas des clients âgés, l'infirmière doit déterminer la présence d'une maladie connexe et savoir si le client prend d'autres médicaments. Les clients âgés sont plus sensibles aux agents psychopharmacologiques et leurs réactions varient beaucoup à cause des modifications physiologiques normales dont nous avons parlé. Compte tenu de la longue demi-vie de ces médicaments et de leurs effets anticholinergiques, cardiaques et autres, les doses d'attaque et d'entretien doivent généralement être plus faibles que celles qu'on administre aux jeunes adultes (Jenke, 1985).

Lorsqu'elle établit son plan de soins, l'infirmière ne doit jamais oublier que les médicaments ne sont qu'une méthode d'appoint. Une pharmacothérapie réussie peut favoriser le succès d'autres méthodes de traitement qui permettent de maintenir le comportement adaptatif et la joie de vivre.

Beeber (1988) recommande aux infirmières qui administrent des psychotropes dans les hôpitaux généraux ou dans les hôpitaux psychiatriques de ne jamais oublier les faits suivants :

- les clients qui reçoivent des psychotropes ne sont pas tous psychotiques ;
- le refus de prendre les médicaments n'est pas nécessairement un signe de comportement irrationnel ;
- l'infirmière doit déterminer à qui profite l'administration du médicament ;
- aucun médicament administré comme mesure coercitive n'est efficace ;
- l'évaluation systématique des mouvements involontaires anormaux doit se prolonger au-delà de la phase initiale du traitement pharmacologique.

Les autres méthodes de traitement

Hormis les thérapies individuelles, les thérapies de groupe et les traitements pharmacologiques que nous avons exposés, de nombreuses autres méthodes de traitement ont pu voir le jour en raison du changement de la mentalité à l'égard des troubles mentaux et de nouvelles connaissances acquises dans le domaine de la santé mentale. Par conséquent, la plupart des membres de l'équipe de soins sont appelés à assumer de nouveaux rôles dans l'exercice de leurs fonctions.

Rétroaction biologique ou biofeedback Il s'agit d'un traitement qui a vu le jour en 1969, mais qui a été inspiré par la cybernétique, mise au point pendant la Seconde Guerre mondiale. En transformant un influx physiologique en un stimulus visuel ou auditif, la rétroaction biologique permet d'objectiver certains états intérieurs et d'apprendre à les contrôler volontairement (Comité de la Santé mentale, 1984). La rétroaction permet au client de contrôler certaines fonctions comme la tension artérielle, le rythme cardiaque, la température, l'activité musculaire. On peut aussi apprendre au client les techniques générales de relaxation. La rétroaction biologique a été utilisée pour traiter certaines maladies comme (Strœbel, 1985) :

- les maladies neuromusculaires ;
- l'incontinence fécale et l'énurésie ;

- la maladie de Raynaud ;
- les migraines ;
- les céphalées par tension nerveuse ;
- les arythmies cardiaques ;
- l'hypertension idiopathique et l'hypotension orthostatique ;
- les myalgies faciales ;
- les convulsions ;
- l'asthme.

Thérapie émotivo-rationnelle Cette thérapie, élaborée par Albert Ellis, se fonde sur la prémisse que la névrose survient lorsque l'esprit est noyé de pensées irrationnelles. Elle aide le client à rendre ses pensées plus rationnelles et plus logiques (Ellis et Harper, 1975).

Thérapie par le milieu Mise au point par Maxwell Jones (1953), cette thérapie repose sur l'idée que le milieu physique et l'entourage du client doivent être thérapeutiques 24 heures sur 24. Cette « communauté thérapeutique » favorise le respect et l'estime de soi ainsi que la confiance en soi. Le client est libre de prendre des décisions personnelles et d'assumer des responsabilités, ce qui l'incite à organiser diverses activités de groupe et à les planifier. Dans les réunions des communautés thérapeutiques, par exemple, les clients et le personnel élaborent ensemble des plans, discutent de leurs problèmes et verbalisent leurs sentiments (Kyes et Hofling, 1980).

Lors de ce type de thérapie, l'infirmière a plusieurs rôles à assumer pour aider le client à garder un équilibre entre son besoin de sécurité et son besoin d'autonomie (Keltner, 1985). Voici ces rôles :

- établir une relation d'aide individuelle (client-infirmière) ;
- faciliter le travail du groupe ;
- faciliter la prise en charge par le milieu (p. ex. : réunions communautaires);

- administrer les soins prévus par la démarche de soins infirmiers et coordonner l'exécution du plan de soins médicaux ;

- participer à la planification de la sortie ;

- participer aux interventions auprès de la famille ;

- prendre le leadership d'une équipe multidisciplinaire.

Analyse transactionnelle Mise au point par Eric Berne (1964), l'analyse transactionnelle est une forme de thérapie de groupe qui aide le client à améliorer ses méthodes de communications grâce à leur analyse, ce qui lui permet de prendre conscience des effets que ces méthodes exercent sur lui et sur les autres.

Toute communication est une transaction, dit Berne, où plusieurs personnes échangent des messages. Chaque personne communique à partir de trois instances potentielles du moi :

- le parent ;
- l'adulte ;
- l'enfant.

Le « parent » est l'instance qui, à l'instar des parents, envoie des messages paternalistes, autoritaires ou suggestifs (p. ex : *il faut, il ne faut pas, et pourquoi ne pas...*). L'instance « enfant » envoie et reçoit des messages basés sur des désirs puérils et des souvenirs. Les messages expriment le besoin de dépendance et la rébellion ; ils sont craintifs et geignards. Enfin, « l'adulte » recueille les données, les analyse et résout les problèmes en utilisant les informations lui venant du parent et de l'enfant.

Dans les *transactions complémentaires*, les réponses sont appropriées et prévisibles. La communication à ce niveau est plutôt superficielle et libre de toute passion. Elle se poursuit sans heurt tant que les transactions restent complémentaires.

La communication efficace se bloque lorsque les transactions s'entrechoquent, ce qui se passe lorsqu'une personne communique à partir d'une instance imprévue du moi. Un exemple de transaction adulte à adulte serait : « *Peut-être qu'on pour-* rait discuter de tes absences répétées ». Une réponse imprévue, telle : « *Tu m'épies et me critiques constamment* », empêche une discussion d'adulte à adulte. Cette réponse est donnée par l'instance enfant. La communication non verbale, ou dissimulée, entre l'émetteur et le destinataire est une barrière supplémentaire qui entrave la communication.

Dans l'analyse transactionnelle, les clients et les personnes clés apprennent à reconnaître les types de transaction et à réduire la communication négative tout en améliorant la communication claire, d'adulte à adulte. Grâce à cette reconnaissance mutuelle, à des compromis au niveau verbal et non verbal et au renforcement positif, on peut établir une communication efficace.

La thérapie rogérienne Cette approche est le meilleur exemple de la philosophie humaniste en psychologie. Carl Rogers, auteur de cette approche non interventionniste, s'appuie sur les ressources internes du client, à qui il permet d'acquérir une telle compréhension de lui-même qu'il est capable de réaliser les étapes positives qui l'amèneront à sa guérison (Arseneau, 1983, dans *La santé mentale*, 1985, Gouvernement du Québec).

La thérapie de la Gestalt Cette forme de thérapie met l'accent sur les émotions de la personne plutôt que sur la pensée. Le rôle du langage est réduit afin de favoriser l'expérience non verbale. Centrée sur le « ici et maintenant », cette thérapie considère l'organisme comme un tout et fait appel à diverses techniques telles « la chaise vide » (empty chair), la sellette (hot-seat), le coussin, la dramatisation, le jeu de rôle, l'utilisation des rêves et des fantasmes.

La bioénergie Fondée sur l'hypothèse que notre vie est essentiellement basée sur notre corps, la bioénergie soutient que les inhibitions émotionnelles peuvent être supprimées par l'attention à la respiration, à la tension musculaire et au schéma des mouvements corporels, par la stimulation de l'expression des émotions ou par la manipulation corporelle directe.

Collecte des données, analyse et interprétation en psychiatrie

La classification, les tests diagnostiques, la scintigraphie cérébrale et les épreuves neurochimiques constituent les principaux outils d'évaluation de la psychiatrie moderne.

Le DSM-III : une révolution dans la classification des troubles mentaux

Publiée pour la première fois en 1980, la troisième édition du Manuel diagnostique et statistique des troubles mentaux (DSM-III), mise à jour en 1987 (DSM-III-R), donne la nomenclature établie par des médecins, des psychologues, des travailleurs sociaux et des infirmières à la suite d'essais cliniques menés sur les critères diagnostiques.

Le DSM-III est le seul à utiliser un système multiaxial de diagnostic des troubles mentaux. Les cinq axes consignent les informations de cinq domaines importants du fonctionnement du malade, ce qui permet de diagnostiquer son trouble de façon systématique et par une approche holistique. La description clinique du comportement du client d'après des critères établis (plutôt que d'après des formules théoriques vagues, comme dans la deuxième édition) constitue une base objective de diagnostic, permet aux membres de l'équipe de soins de mieux s'entendre au sujet des informations qu'ils échangent et fournit des données exactes pour définir les buts du traitement en fonction du pronostic. L'approche multiaxiale permet une évaluation équilibrée de tous les facteurs de stress psychosociaux ainsi que des forces et des faiblesses du client. Ces données assurent une cohésion entre les membres de l'équipe des soins lors du diagnostic du trouble et de l'élaboration des stratégies d'intervention.

L'axe I inventorie les principaux syndromes cliniques ou structures de comportement qui évoquent une psychopathologie. Bien qu'on soit généralement confronté à une seule affection, souvent un second trouble – la toxicomanie par exemple – peut contribuer au comportement inadapté du client, raison pour laquelle il est également codé sur cet axe.

Dans les troubles de la personnalité (axe II), on regroupe des traits précis de la personnalité en l'absence d'un trouble défini, ce qui fournit davantage de données sur le mode d'adaptation du client et sur les raisons qui l'incitent à se faire traiter en l'absence d'un trouble mental apparent. L'examen des troubles ou des affections physiques est essentiel ; il garantit une approche holistique du comportement inadapté (axes I et II).

Une bonne compréhension des affections physiques, consignées sur l'axe III, est capitale pour la gestion globale du plan thérapeutique qui ne peut être mené à bien que si une étroite collaboration existe entre les corps médical et infirmier.

Grâce aux axe IV et axe V, on peut évaluer le degré de gravité des facteurs de stress psychosociaux et le niveau d'adaptation et de fonctionnement le plus élevé durant l'année écoulée. Cette évaluation permet d'expliquer en termes relatifs le degré de stress auquel le client a dû faire face, par l'inventaire de ses capacités d'adaptation dans des domaines tels ses relations sociales, son activité professionnelle et la gestion de ses loisirs. Grâce à ces axes, le personnel soignant et le client peuvent établir des objectifs thérapeutiques réalistes (voir aussi les tableaux 4-7 et 4-8).

L'échelle d'évaluation globale du fonctionnement (EGF)

L'échelle d'évaluation globale du fonctionnement (EGF) permet au clinicien de faire une évaluation générale du fonctionnement psychologique, social et professionnel du client (American Psychiatric Association, 1987). Le clinicien évalue l'état du client en deux temps :

- le moment présent : le niveau de fonctionnement lors de l'évaluation initiale ;

- l'année écoulée : le niveau le plus élevé de fonctionnement pendant quelques mois au cours de l'année écoulée.

Symptômes absents ou minimes (p. ex. : anxiété légère avant un examen), fonctionnement satisfaisant dans tous les domaines, intéressé et impliqué dans une grande variété d'activités, socialement efficace, en général satisfait de la vie,

Tableau 4-7 *Catégories multiaxiales de la grille d'évaluation selon le DSM-III-R*

Axe	Exemple
I : Syndromes cliniques	Abus d'alcool en rémission
II : Troubles de la personnalité, troubles spécifiques du développement Dépression grave	Personnalité dépendante
III : Troubles et affections physiques	Gastrite
IV : Gravité des facteurs de stress psychosociaux	Mort du conjoint, six mois auparavant
V : Plus haut niveau de fonctionnement adaptatif au cours de l'année écoulée	Grièvement perturbé

Tableau 4-8 *Exemple de la classification du DSM-III-R des principaux troubles mentaux et du diagnostic infirmier connexe pour un client en particulier*

Client	Diagnostic selon la grille du DSM-III-R	Diagnostic infirmier
Mme Bonnaire a 75 ans ; son cas exige un maximum de soutien pour maintenir son alimentation, son hygiène et sa sécurité	Dépression grave (Axe II)	Chagrin menant à un trouble fonctionnel Stratégies d'adaptation inefficaces : invalide Déficit nutritionnel Dysfonction des interactions sociales Risque d'accident

pas plus de problèmes ou de préoccupations que les soucis de tous les jours (p. ex. : conflits occasionnels avec des membres de la famille).

Si des symptômes sont présents, ils sont transitoires et il s'agit de réactions prévisibles à des facteurs de stress (p. ex. : difficultés de concentration après une dispute familiale) ; pas plus qu'un handicap léger du fonctionnement social, professionnel ou scolaire (p. ex. : fléchissement temporaire du travail scolaire).

Quelques symptômes légers (p. ex. : humeur dépressive et insomnie légère) OU une certaine difficulté dans le fonctionnement social, professionnel ou scolaire (p. ex. : école buissonnière épisodique ou vol en famille) mais fonctionne assez bien de façon générale et entretient plusieurs relations interpersonnelles positives.

Symptômes d'intensité moyenne (p. ex. : émoussement affectif, prolixité circonlocutoire, attaques de panique épisodiques) OU difficulté d'intensité moyenne dans le fonctionnement social, professionnel ou scolaire (p. ex. : peu d'amis, conflits avec les collègues de travail).

Symptômes graves (p. ex. : idéation suicidaire, rituels obsessionnels sévères, vol répétés dans les grands magasins) OU handicap important dans le fonctionnement social, professionnel ou scolaire (p. ex. : absence d'amis, incapacité de garder un emploi).

Existence d'une certaine altération du sens de la réalité ou de la communication (p. ex. : discours par moments illogique, obscur ou inadapté) OU handicap majeur dans plusieurs domaines tels le travail, l'école, les relations familiales, le jugement, la pensée ou l'humeur (p. ex. : un homme déprimé évite ses amis, néglige sa famille et est incapable de travailler ; un enfant bat fréquemment des enfants plus jeunes que lui, se montre provocant à la maison et échoue à l'école).

Le comportement est notablement influencé par des idées délirantes ou des hallucinations OU trouble grave de la communication ou du jugement (p. ex. : parfois incohérent, actes grossièrement inadaptés, préoccupation suicidaire) OU incapable de fonctionner dans tous les domaines (p. ex. : reste au lit toute la journée, absence de travail, de foyer ou d'amis).

Existence d'un certain danger d'auto ou d'hétéro-agression (p. ex. : tentative de suicide sans attente précise de la mort, violence fréquente, excitation maniaque) OU incapacité temporaire à maintenir une hygiène corporelle minimum (p. ex. : se barbouille d'excréments) OU altération massive de la communication (p ex. : incohérence indiscutable ou mutisme).

Danger persistant d'hétéro-agression grave (p. ex. : accès répétés de violence) OU incapacité durable à maintenir une hygiène corporelle minimum OU geste suicidaire avec attente précise de la mort (DSM-III-R, Paris, Masson, 1989, p. 12).

Vers la recherche de tests diagnostiques

En dépit des progrès apportés par la mise au point d'une nomenclature utile à tous les membres de l'équipe de soins de la santé mentale, la recherche de méthodes empiriques d'interprétation des résultats des examens diagnostiques se poursuit.

L'examen physique, d'une importance capitale pour l'évaluation multiaxiale de l'axe III, permet de diagnostiquer la présence d'affections physiques qui peuvent expliquer le comportement inadapté ou en être le facteur déclenchant. Par conséquent, l'évaluation exacte de l'état physique est impérative puisqu'elle permet de déterminer la capacité du client de tolérer certains traitements somatiques et notamment la psychopharmacologie. Les modifications du comportement se manifestent souvent avant que l'examen physique révèle des troubles organiques.

Grâce aux techniques de pointe, les méthodes de diagnostic psychiatrique ont atteint une haute précision et peuvent apporter des preuves qualitatives et quantitatives sur l'existence d'un trouble mental, avant même l'apparition des signes cliniques. Ces méthodes permettent de prévenir les troubles mentaux chez les personnes prédisposées.

Les examens de laboratoire, qui mesurent les concentrations sériques des médicaments et des neurotransmetteurs, permettent aux cliniciens d'affiner la pharmacothérapie de façon à obtenir des effets thérapeutiques optimaux sans atteindre le seuil de toxicité et sans que le client ait à en subir les effets nocifs, ce qui le rendrait, en fin de compte, insatisfait du plan de traitement.

L'imagerie cérébrale   On peut évaluer le fonctionnement mental du client par des méthodes électriques, magnétiques et radiques.

Électroencéphalographie (EEG)   Grâce à des électrodes installées sur des régions données du crâne, on peut capter une partie de l'activité électrique du cerveau; celle-ci est ensuite traduite graphiquement et inscrite sous forme de tracé électroencéphalographique sur une bande de papier. L'EEG est un outil précieux de diagnostic de l'épilepsie et des troubles neurologiques.

Imagerie par résonance magnétique (IRM)   Son rôle d'outil d'évaluation de la fonction mentale n'a pas encore été complètement arrêté. La partie du corps à examiner est installée dans un scanner, exposant les noyaux des protons d'hydrogène des cellules à un champ magnétique (on examine les protons d'hydrogène en raison de la forte teneur du corps en eau). On explore l'action des protons alignés dans la direction d'un champ magnétique. Lorsqu'on supprime ce dernier, l'énergie émise par les noyaux devient une charge électrique qu'un ordinateur peut mesurer et analyser. L'image des organes atteints et l'absence de certaines substances chimiques dans ces organes indiquent un état pathologique, avant même que les signes cliniques n'apparaissent (Kyba, Russell et Rutledge, 1987).

Cartographie de l'activité électrique du cerveau   Grâce à cette méthode non effractive, on peut mesurer et afficher l'activité électrique du cerveau sur l'écran d'un téléviseur pour comparer cette image à une image normale. Ce procédé permet de diagnostiquer la dyslexie, la schizophrénie, la démence, l'épilepsie et des tumeurs.

Tomographie par émission de positrons (TEP)   Cette tomographie, qui sert à étudier le rendement du cerveau, est un outil de diagnostic de la schizophrénie, des troubles bipolaires et de la démence sénile. On injecte au client une solution soluble contenant un isotope radioactif. À mesure que l'isotope radioactif circule dans le corps, il émet des électrons à charge positive appelés positrons. Dans les tissus, les positrons entrent en collision avec les électrons à charge négative, causant l'émission de rayons gamma qui sont captés et enregistrés par des moyens électroniques. L'ordinateur produit une image en couleurs qui désigne l'endroit où les isotopes radioactifs sont utilisés par l'organisme.

Tomographie par reconstruction d'image   Cette méthode fait appel à une série de radiographies prises après l'injection intraveineuse d'une substance de contraste, pendant 1 à 2 minutes. On prend, par la suite, une nouvelle série de tomogrammes et l'image est traduite par ordinateur sur un oscilloscope qui reproduit des coupes du cerveau. Les régions où la densité tissulaire est modifiée permettent de préciser le diagnostic, et de relier les preuves cliniques et l'anamnèse du client aux résultats anormaux de la tomographie.

Cartographie électroencéphalographique Les données d'un EEG ordinaire sont converties, par un ordinateur, en données numériques qui peuvent être analysées et affichées sous forme de carte ou de graphique en couleurs pour illustrer l'emplacement et l'étendue organique du tracé de l'EEG. Le changement des couleurs indique aux chercheurs les zones d'activité lors d'une crise d'épilepsie ou les régions du cerveau qui réagissent aux agents psychopharmacologiques.

Cartographie du flux sanguin cérébral Cette technique permet de tracer la carte du débit de sang superficiel dans le cerveau. La recherche future pourrait découvrir une méthode de diagnostic de la schizophrénie qui permettrait de localiser cette pathologie et de confirmer qu'il s'agit d'un dysfonctionnement cérébral préfrontal (Sargent, 1988).

Tomographie informatisée par émission unique de photons Il s'agit d'une solution de rechange, moins onéreuse, à la TEP ; elle permet la visualisation du débit de sang profond dans le cerveau et de l'activité des neurotransmetteurs pendant que le client effectue certaines tâches précises. D'après les recherches initiales, cette technique permet de sélectionner les clients à qui un traitement aux antidépresseurs pourrait profiter. On l'a également utilisée pour localiser les récepteurs d'acétylcholine de type muscarinique qui peuvent faciliter le diagnostic de la maladie d'Alzheimer et des troubles connexes (Sargent, 1988).

Examens neurochimiques Les examens neuroendocriniens font maintenant partie de l'évaluation des clients qui souffrent de dépression. Le principal examen neurochimique est l'*épreuve de freinage par la dexaméthasone*. Les clients qui répondent aux critères établis par le DSM-III-R reçoivent 1 mg de dexaméthasone par voie orale ; on mesure les taux de cortisol plasmatique à 8 h, à 16 h et à 23 h. Des taux supérieurs ou égaux à

$4~\mu g/dL$ à 8 h, à 16 h et à 23 h indiquent la nonfreination par la dexaméthasone. Le cortisol exogène (dexaméthasone) entraîne le freinage de la sécrétion corticosurrénale chez les clients qui ne souffrent pas de dépression. Grâce à cette épreuve, on peut confirmer le diagnostic chez environ 50 p. cent des clients qui répondent aux critères de la dépression établis par le DSM-III-R. Elle peut aussi donner une évaluation qualitative de l'efficacité de l'antidépresseur étant donné que les agents de freinage révèlent une réaction importante, ayant une signification clinique, au médicament par rapport à un placebo (Khan et coll., 1988).

Planification du traitement psychiatrique

En 1961, Caplan distingue une approche d'intervention psychiatrique à trois volets :

1. la prévention primaire ;

2. la prévention secondaire ;

3. la prévention tertiaire.

Dans une telle perspective, au niveau de la *prévention primaire*, l'intervention des infirmières vise à reconnaître les groupes d'individus qui présentent des risques de troubles psychosociaux. Les conseils et le soutien sont axés sur les forces du client de façon à améliorer sa capacité de trouver des solutions aux problèmes, et à favoriser sa santé et son bien-être. On met l'accent sur le développement du potentiel du client plutôt que sur une intervention en cas de pathologie manifeste.

Les axes IV et V orientent les soins infirmiers lors de l'évaluation des facteurs de stress sociaux et du niveau d'adaptation du client pour ce qui est des activités sociales, professionnelles et récréatives. Les modifications nécessaires de l'environnement, l'enseignement en matière de santé et l'orientation aident le client à réaliser son potentiel.

La *prévention secondaire* vise le diagnostic et l'intervention précoces en cas de troubles psychiatriques et l'élaboration de stratégies qui soutiennent les capacités intrapsychiques du client ainsi que sa capacité de maintenir des relations interpersonnelles. Selon la gravité du dysfonctionnement, on peut avoir recours à diverses méthodes d'évaluation et de traitement qui permettent de réduire la durée des soins en milieu hospitalier et communautaire.

L'intervention d'urgence peut dicter l'hospitalisation de courte durée qui facilite l'évaluation physique et psychiatrique complète. Par cette voie, on peut aussi assurer la sécurité du client et établir les stratégies d'intervention appropriées. La planification de la sortie, qui englobe le choix des moyens de soutien communautaire appropriés, permet également au client de retrouver plus rapidement le niveau de fonctionnement antérieur à la crise.

Pendant l'hospitalisation de courte durée, le milieu thérapeutique devient l'un des éléments qui aident à atteindre les objectifs fixés par le plan de traitement. Le client fait partie intégrante de l'équipe de soins et participe à l'élaboration des stratégies qui amélioreront son fonctionnement et son degré de satisfaction de la vie. Puisque les problèmes se rapportant à la vie quotidienne sont résolus en groupe, le client peut évaluer activement ses progrès. D'après Jones (1978), l'environnement social du centre hospitalier permet aux clients de mieux voir comment leur comportement est perçu par les autres, ce qui les aide à adopter des modèles de comportement plus efficaces.

L'*intervention en situation de crise* est un travail communautaire capital qui a comme but d'évaluer rapidement des situations psychosociales extrêmement labiles et de les désamorcer. Selon Aguilera et Messick (1986), ce travail doit être de très courte durée afin que le client puisse retrouver le niveau de fonctionnement précédant la crise dans les 4 à 6 semaines. L'intervention vise à établir des liens avec le client, à cerner ses problèmes et à améliorer sa capacité de les résoudre.

L'intervention en situation de crise porte sur le problème immédiat et cherche à déterminer la raison pour laquelle le client demande une consultation à ce moment précis. L'événement grave, qui déclenche la crise, se produit 10 à 14 jours avant que le client ne perçoive la tension qui le mine et qu'il ne décide de chercher des remèdes pour l'apaiser.

L'analyse approfondie du réseau de soutien dont dispose le client et de ses mécanismes antérieurs d'adaptation doit aussi porter sur ses sentiments et sur son comportement suicidaires. Si la sécurité du client est en danger, l'hospitalisation devient impérative. Dans le même temps, il faut déterminer son plus haut niveau de fonctionnement et trouver des solutions de rechange.

Pendant toute la durée de l'intervention en situation de crise, l'approche du clinicien doit être active, directive et centrée sur le présent. La modification de l'environnement et le renforcement positif aident le client à comprendre les facteurs qui ont déclenché la crise. Cette dernière lui procure, en fin de compte, l'occasion de modifier son comportement pour améliorer sa capacité de résoudre les problèmes. Le clinicien doit expliquer cet enchaînement des causes et des effets au client.

Dans un cadre thérapeutique protecteur, la décharge des émotions et des sentiments refoulés réduit la tension et favorise l'adoption de stratégies visant à reconnaître les problèmes et à les résoudre. En faisant appel aux instances saines de la personnalité du client, le clinicien l'aide à utiliser ses forces pour résoudre de nouveaux problèmes. Par ailleurs, le clinicien favorise le développement des capacités d'auto-guérison du client à mesure que ce dernier apprend à modifier les effets négatifs des facteurs de stress, à prendre des décisions le concernant et à réduire le risque de dysfonctionnement en cas de rechute.

Aguilera et Messick (1986) proposent un paradigme pour expliquer le rapport entre les événements stressants et le comportement du client. Pour mettre fin à la crise, le thérapeute doit essayer de reconnaître les facteurs d'équilibre qui permettent au client de percevoir l'événement de façon réaliste, d'utiliser les appuis dont il peut disposer et d'adopter des comportements mieux adaptés.

La *prévention tertiaire* vise à réduire les effets d'un trouble mental. Un cadre axé sur la réadaptation aide le client à retrouver le niveau de fonctionnement antérieur à l'hospitalisation. On met l'accent sur la correction des troubles qui entravent le fonctionnement et retardent la réinsertion, comme les troubles auditifs et visuels qui peuvent nourrir les pensées paranoïdes ou aggraver l'incontinence. La réadaptation vise à maintenir l'autonomie dans les activités de la vie quotidienne et à accroître le potentiel d'autonomie (voir le tableau 4.9).

D'autres solutions de rechange à l'hospitalisation – comme les soins dans les services de consultation externe, les programmes de traitement de jour, le placement dans une famille d'accueil, les résidences communautaires et les soins à domicile – assurent la surveillance, le soutien et un cadre

thérapeutique (voir la figure 4-4). Les programmes ultérieurs diminuent l'isolement du client en favorisant sa participation à des situations sociales et professionnelles qui renforceront ses habiletés interpersonnelles. La surveillance des clients qui participent à ces programmes ultérieurs permet une évaluation constante de leur niveau de fonctionnement. De cette façon, on peut intervenir rapidement en vue de prévenir les nouveaux effets invalidants du trouble mental.

Tableau 4-9   *Niveaux de prévention en santé mentale*

Niveau de prévention	Buts visés	Nature des interventions	Modes d'intervention
Primaire : *Avant* que survienne une mésadaptation	– Accroître le niveau de conscience et d'habiletés des individus à « négocier » avec leur environnement physique et social pour satisfaire leurs besoins fondamentaux. – Réduire l'incidence et/ou l'intensité des facteurs environnementaux (physiques et sociaux) qui exercent des pressions excessives chez les individus.	– Information – Prise de conscience – Éducation sanitaire – Action politique – Support – Animation et organisation de groupe – Dépistage	p. ex. : – Utilisation des médias – Groupe d'échange et discussion – Pressions politiques – Interventions éducatives auprès des individus et groupes
Secondaire : *Pendant* une situation de crise où l'individu s'adapte mal	– Développer les mécanismes individuels d'adaptation aux crises situationnelles. – Réduire l'intensité et la durée des pressions environnementales (physiques et sociales).	– Thérapeutique – Intervention sur le réseau – Support et accompagnement	p. ex. : – Rencontre individuelle ou de groupe – Création de groupes d'entraide – Approche communautaire
Tertiaire : *Après* l'avènement d'une crise situationnelle où l'individu doit récupérer d'un épisode de mésadaptation	– Réduire les séquelles de la mésadaptation. – Accroître les mécanismes individuels d'adaptation aux handicaps psychologiques.	– Thérapeutique – Encadrement physique et social	p. ex. : – Soins professionnelles variés lors de rencontre individuelle ou de groupe. – Intervention sur le réseau social et familial pour protéger, épauler et encadrer l'individu.

Tiré de Hagan L., et D. Paul. « La promotion de la santé mentale du concept à l'action », *Nursing Québec*, vol. 8 n° 1, janvier-février 1988, p. 18.

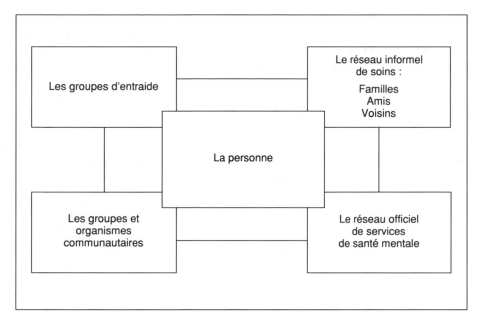

Figure 4-4 Structure des ressources communautaires. White, Jane C.M.
« Participation des usagers : témoignage », *Santé mentale au Canada*, 2-5 juin 1989.

Les soins à domicile constituent une évolution récente des soins tertiaires. Les clients souffrant d'un trouble mental, qui ne peuvent pas sortir de chez eux ou dont l'état exige des connaissances et des habiletés spécialisées, peuvent recevoir à domicile des soins administrés par une infirmière psychiatrique. Pour que les soins à domicile soient efficaces, il faut se gagner le soutien et la participation de la famille et des personnes clés qui aident à renforcer les capacités d'auto-soin du client, son autonomie et sa dignité. Pelletier (1988) fixe les objectifs d'un programme de soins psychiatriques à domicile :

- la création de rapports étroits entre les psychiatres traitants et les organismes communautaires qui dispensent des soins ;

- la prestation de soins par un personnel hautement qualifié et qui connaît les tendances nouvelles en soins infirmiers, en hygiène mentale et en psychiatrie ;

- le respect de l'intégrité de la dyade malade-famille et client-psychiatre ;

- la prestation de soins globaux et le recours aux ressources communautaires et à divers services de façon à ce que le client ne quitte pas sa communauté ;

- la transition facile entre l'hôpital et le domicile ;

- la mise au point d'un plan d'apprentissage du client, de sa famille et des personnes clés concernant les médicaments, le régime alimentaire, les rapports interpersonnels et les stratégies d'adaptation individuelle ;

- l'enseignement permanent au niveau de la communauté ;

- la définition, à l'intention de la communauté médicale, des besoins en santé mentale des clients ;

- en collaboration avec les maisons d'enseignement, la création de situations d'apprentissage pour les futurs professionnels en soins infirmiers.

Évaluation et tendances

L'intervention psychiatrique en tant qu'approche scientifique en est encore à ses débuts, et il n'est pas exclu que la nomenclature et les méthodes thérapeutiques soulèvent des controverses. Toutefois, l'approche holistique actuelle dont on se sert pour évaluer le comportement et les forces du client est renforcée par l'approche descriptive des troubles mentaux. L'approche multidisciplinaire, qui accorde une plus grande place à l'adaptation qu'au traitement, remet en question la validité du modèle médical.

En augmentant la spécificité des méthodes d'évaluation et d'intervention, on pourrait aider les personnes à risque à améliorer leurs facultés cognitives et sociales ainsi que leurs capacités de résoudre les problèmes, de réaliser leur potentiel, d'utiliser les réseaux de soutien à leur disposition et de corriger les comportements inadaptés. La recherche dans le domaine des facteurs neurochimiques qui déterminent les troubles mentaux, y compris les facteurs génétiques, pourrait modifier l'orientation du système actuel de prestation de soins psychiatriques, dont l'objectif primordial ne sera plus nécessairement celui de guérir mais plutôt d'améliorer le niveau de fonctionnement de la personne et sa qualité de vie.

En santé mentale, le défi est d'élaborer et de mettre en pratique des théories qui soient adaptées aux troubles psychiatriques dont souffre le client. La définition du diagnostic infirmier, élaborée par les théoriciens des soins infirmiers, sera utilisée simultanément à la grille d'évaluation proposée par le DSM-III-R en vue d'améliorer la communication entre les membres de l'équipe soignante et de favoriser la recherche sur les divers troubles psychiatriques dont souffrent les clients.

Les diagnostics et les traitements psychiatriques de pointe servent de plus en plus au dépistage des risques de troubles mentaux, ce qui soulève des questions morales au sujet d'une méthode de dépistage d'un trouble mental avant même que le comportement ne se manifeste. Malgré la mise au point de nouvelles techniques de prévention, de diagnostic précoce et de traitement des troubles mentaux, aussi utiles soient-elles pour

formuler un diagnostic uniforme et précis, il ne faut pas perdre de vue que l'intervention doit être centrée sur le client et que les thérapies doivent renforcer et soutenir ses processus d'adaptation psychique, interpersonnelle et environnementale.

Aux États-Unis, le groupe de travail du National Institute of Mental Health a établi un calendrier des innovations à prévoir et s'est penché sur le rôle des chercheurs en soins infirmiers psychiatriques (1987). D'après ce groupe, l'objectif de la pratique clinique et de la recherche doit être l'acquisition de nouvelles connaissances, l'établissement d'interventions thérapeutiques innovatrices et l'amélioration des capacités des clients et des personnes clés de réagir aux troubles psychiatriques manifestes ou potentiels.

RÉSUMÉ

1. Le système communautaire de soins psychiatriques s'est développé dans les années soixante, sur le modèle établi par Gerald Caplan.

2. L'admission du client dans le système de soins psychiatriques devient impérative lorsque sa réaction aux stimuli intrapsychiques, interpersonnels et environnementaux se modifie de façon radicale.

3. Un symptôme douloureux et une perturbation qui intervient dans un ou plusieurs domaines du fonctionnement (comportement, fonctionnement physiologique ou fonctionnement psychologique) déterminent la prise en charge du client par le système de soins psychiatriques; cette prise en charge n'est pas déterminée uniquement par un conflit entre le client et la société.

4. L'admission du client dans un centre hospitalier doit suivre les mêmes règles que l'hospitalisation en raison de tout autre trouble de la santé. Le client peut quitter l'établissement de son propre gré ou par consentement mutuel avec le médecin.

5. La cure fermée est indiquée lorsque l'état mental de la personne risque de mettre en danger sa santé et sa sécurité ainsi que celles d'autrui.

6. La capacité est présumée. Elle consiste à porter des jugements et à prendre des décisions appropriés au sujet du traitement et des autres soins.

7. Le consentement éclairé est stipulé par la loi pour protéger le client contre tous les sévices qui lui seraient infligés intentionnellement.

8. Il existe trois régimes de protection : la curatelle, la tutelle et le conseiller du majeur.

9. Une ordonnance de la cour peut obliger la personne à subir un examen psychiatrique contre son gré.

10. Les clients qui souffrent de troubles mentaux ont le droit de recevoir un traitement approprié et un plan de traitement écrit, adapté à chaque cas particulier ; ils ont le droit de participer à l'élaboration du plan de traitement et celui de refuser le traitement. Par ailleurs, aucun client n'est obligé à participer à une expérience s'il n'a pas donné son consentement éclairé ; le client est protégé par la loi contre l'utilisation de mesures de coercition et contre l'isolement en tant que méthodes de traitement ; il doit aussi être protégé contre tout danger et sa dignité doit être préservée ; son dossier doit rester confidentiel ; il peut recevoir des visites, peut se servir du téléphone et peut recevoir du courrier ; il peut porter plainte et il est en droit d'être dirigé, à sa sortie, vers les ressources appropriées.

11. Sigmund Freud est le père de la psychanalyse, qui constitue l'une des premières approches psychothérapeutiques. Il s'agit d'une thérapie individuelle, basée sur l'expression verbale, qui engage le client et le thérapeute.

12. La psychothérapie brève tend à remplacer la psychothérapie analytique, compte tenu du coût élevé et du temps que cette dernière exige. Les techniques varient, mais on met l'accent sur la thérapie individuelle.

13. La thérapie de groupe emprunte certaines notions de psychothérapie analytique, mais elle engage des groupes de clients. L'apprentissage et le soutien en sont des buts possibles.

14. La thérapie familiale a comme but d'aider les membres de la famille à reconnaître les rôles qu'ils adoptent et les tensions qui minent la structure familiale.

15. La thérapie comportementale part du principe que tout comportement est appris et qu'il est donc possible d'apprendre un autre comportement mieux adapté.

16. La thérapie par les électrochocs et la psychopharmacologie constituent des méthodes de traitement biologique.

17. Il existe d'autres méthodes de traitement comme la rétroaction biologique, la thérapie émotivo-rationnelle, la thérapie de la Gestalt, la bioénergie, la thérapie par le milieu, etc.

18. La troisième édition révisée du Manuel diagnostique et statistique des troubles mentaux (DSM-III-R) est une nomenclature qui permet le classement des maladies mentales en plusieurs catégories.

19. Le DSM-III-R est un système à cinq axes : l'axe I porte habituellement sur un seul trouble ou sur le trouble principal ; l'axe II inventorie les traits de personnalité particuliers qui apparaissent en présence d'un trouble ; l'axe III clarifie la compréhension des affections physiques notées ; les axes IV et V permettent d'évaluer le degré de gravité des facteurs de stress psychosociaux et du plus haut niveau de fonctionnement adaptatif au cours de l'année écoulée.

20. Des progrès ont été faits dans le domaine des tests diagnostiques. Parmi les tests utilisés citons l'électroencéphalographie, l'imagerie par résonance magnétique, la cartographie de l'activité électrique du cerveau, la tomographie par émission de positrons, la tomographie axiale assistée par ordinateur, la cartographie du flux sanguin cérébral régional, la tomographie informatisée par émission unique de photons et les examens neurochimiques.

21. Caplan distingue une approche d'intervention psychiatrique à trois volets.

22. La prévention primaire permet de reconnaître les groupes qui présentent des risques de troubles mentaux.

23. La prévention secondaire comporte le diagnostic précoce des troubles psychiatriques ainsi que le traitement et la mise au point de stratégies qui soutiennent les capacités intrapsychiques du client et ses capacités d'entretenir des relations interpersonnelles.

24. La prévention tertiaire vise à réduire les conséquences d'un trouble mental.

25. Les progrès actuels et futurs des méthodes de diagnostic et de traitement des troubles mentaux devraient associer la relation thérapeutique à la recherche scientifique pour dépister les personnes qui présentent des risques de troubles psychiatriques.

EXERCICES DE RÉVISION

1. Lorsque le client entre dans le système de soins psychiatriques, quels sont les outils qui permettent de cerner ses troubles ?

    (a) entrevue avec un psychiatre et examen de l'état mental ;

    (b) examen physique et entrevue avec un médecin ;

    (c) évaluation de l'ergothérapie ;

    (d) tests psychologiques.

2. Un client qui souffre d'un trouble mental peut être hospitalisé. Parmi les énoncés qui suivent, lequel constitue un motif d'hospitalisation ?

    (a) aucune autre intervention n'a été essayée ;

    (b) la famille sollicite le traitement ;

    (c) le traitement doit se faire sous étroite surveillance ;

(d) l'environnement doit être modifié de façon à ce que le client puisse observer d'autres personnes qui adoptent un comportement inadapté.

3. Lequel des énoncés ci-dessous décrit le climat familial où vit une personne qui souffre de maladie mentale ?

(a) relations importantes et positives ;

(b) sentiments négatifs constants, comme la colère, le ressentiment, la culpabilité et l'anxiété ;

(c) embarras en société à cause des réactions du client ;

(d) rapports familiaux serrés pour équilibrer la maladie de l'un des membres.

4. Quel est le principe moral que la cure fermée peut violer ?

(a) la bienfaisance ;

(b) la justice ;

(c) la liberté ;

(d) l'autonomie.

5. Lorsque l'attitude du thérapeute face à un client est cordiale ou hostile à cause d'éléments de sa propre vie qui surgissent pendant la thérapie, la relation thérapeutique passe par l'étape :

(a) d'établissement du contrat thérapeutique ;

(b) de l'intervention du milieu ;

(c) du contre-transfert ;

(d) de l'écoute empathique.

BIBLIOGRAPHIE

Ackerman NW: *The Psychodynamics of Family Life*. Basic Books, 1958.

Aguilera D, Messick J: *Crisis Intervention Theory and Approach,* 4th ed. Mosby, 1986.

American Psychiatric Association: *Diagnostic and Statistical Manual of Mental Disorders, Third Edition, Revised.* American Psychiatric Association, 1987.

Anognostakos NP, Tortora GJ: *Principles of Anatomy and Physiology,* 4th ed. Saunders, 1984.

Applebaum PS: The right to refuse treatment with antipsychotic medications: Retrospect and prospect. *Am J Psychiatry* (Apr) 1988; 145:413–419.

Applebaum PS, Gutheil TG: The Boston State Hospital case: Involuntary mind control or the right to rot. *Am J Psychiatry* (June) 1980; 137:720–723.

Ayd FJ: Problems with orders for medication as needed. *Am J Psychiatry* (Aug) 1985; 142:939.

Ayllon, T, Azrin NH: *The Token Economy: A Motivational System for Therapy and Rehabilitation.* Appleton-Century-Crofts, 1968.

Beck CM, Rawlins RP, Williams SR: *Mental Health-Psychiatric Nursing.* Mosby, 1984.

Beeber LS: It's on the tip of the tongue: Tardive dyskinesia. *J Psychosoc Nurs* (Aug) 1988; 26:32–33.

Beis EB: *Mental Health and the Law.* Aspen Systems, 1984.

Berne E: *Games People Play.* Grove Press, 1964.

Bernheim KA, Lewine RR, Beale CC: *The Caring Family: Living with Chronic Mental Illness.* Random House, 1982.

Black OW: Communicating with patients who have psychiatric problems. AFP (Jan) 1988; 37:161–164.

Brady JP: Behavior therapy. In: *Comprehensive Textbook of Psychiatry,* 4th ed. Vol. II. Kaplan HI, Sadock BJ (editors). Williams and Wilkins, 1985.

Brekke JS: What do we really know about community support programs? Strategies for better monitoring. *Hosp Community Psychiatry* (Sept) 1988; 39:946–951.

Brooks AD: Outpatient commitment for the chronically mentally ill: Law and policy. In: *Improving Mental Health Services: What Social Science Can Tell Us.* Mechanic, O (editor). *New Directions for Mental Health Services* (37), Jossey-Bass, 1987.

Caplan G: *An Approach to Community Mental Health.* Grune & Stratton, 1961.

Caplan G: *Community Psychiatry.* Davis, 1970.

Caroff SN, Mann SC: Neuroleptic malignant syndrome. *Psychopharmacology Bulletin* (4) 1988; 24:25–29.

Carter E et al: *Standards of Psychiatric and Mental Health Nursing Practice.* American Nurses' Association, 1982.

Church OM: From custody to community in psychiatric nursing. *Nurs Res* (Jan/Feb) 1987; 36:48–55.

Coburn KL, Sullivan CH, and Hundley J: High-tech maps of the brain. *A J Nurs* (Nov) 1988; 1500–1501.

Cole J: The drug treatment of anxiety and depression. *Medical Clinics of North America* (July) 1988; 72:815.

Cole JO, Gardos G: Tardive dyskinesia. *Pharmacology Update* 1976; 151–163.

Coleman JC et al: *Abnormal Psychology and Modern Life,* 7th ed. Scott, Foresman, 1984.

Conklin C, Whall AL: Why a psychogeriatric unit? *J Psychosoc Nurs* (May) 1985; 23:23–27.

Creasey H, Rapoport SI: The aging human brain. *Ann Neurol* (Jan) 1985; 17:2–9.

Creighton H: *Law Every Nurse Should Know,* 5th ed. Saunders, 1986.

Ellis A, Harper RA: *A New Guide to Rational Living.* Prentice-Hall, 1975.

Fagin C: Psychotherapeutic nursing. *Am J Nurs* 1967; 67:298–304.

Ford DH, Urban HB: *Systems of Psychotherapy.* Wiley, 1963.

Garritson SH: Ethical decision making patterns. *J Psychosoc Nurs* (Apr) 1988; 26:22–29.

Gelenberg AJ: A prospective survey of neuroleptic malignant syndrome in a short-term psychiatric hospital. *Am J Psychiatry* (Apr) 1988; 145:517–518.

Hahn AB, Barkin RL, Oestreich SJ: *Pharmacology in Nursing,* 15th ed. Mosby, 1986.

Harris E: Psych drugs. *Am J Nurs* (Nov) 1988; 1507–1518.

Hastings Center: *Guidelines on the Termination of Life-Sustaining Treatment and the Care of the Dying,* pp. 23–31. Wolf SM (project director). Indiana University Press, 1987.

Hyde A: *Living with Schizophrenia.* Contemporary Basic Books, 1980.

Itil TM et al: Clinical profiles of tardive dyskinesia. *Comp Psychiatry* (May/June) 1981; 22:282–289.

Jameton A: *Nursing Practice: The Ethical Issues.* Prentice-Hall, 1984.

Janicak PG et al: Efficacy of ECT: A meta-analysis. *Am J Psychiatry* 1985; 42(3):297–302.

Jenke MA: *Handbook of Geriatric Psychopharmacology,* p. 52. Littleton: PSG Pub. Co., 1985.

Jones M: *The Therapeutic Community.* Basic Books, 1953.

Jones M: Nurses can change the social systems of hospitals. *Am J Nurs* (June) 1978; 78:1012–1014.

Kalayam B, Steinhart M: A survey of attitudes on the use of electroconvulsive therapy. *Hosp Community Psychiatry* (Mar) 1981; 32:185.

Kazorowski J: Refusing life sustaining treatment. *J Psychosoc Nurs* (Mar) 1988; 26:9–12.

Kebbee P: Methods of monitoring quality in a psychiatric setting. *J Quality Assurance in Nurs* (May) 1987; 64–70.

Keckich WA, Morgan HE: The diagnosis and treatment of behavioral disturbance in the elderly. *Connecticut Medicine* (Sept) 1985; 49:578–581.

Keltner N: Psychotherapeutic management: A model for nursing practice. *Perspect Psychiatr Care* (Apr) 1985; 23:125–129.

Khan et al: DST results in nonpsychotic depressed outpatients. *A J Psychiatry* (Sept) 1988; 145:1153–1156.

Klerman G: The spectrum of mania. *Comp Psychiatry* (Jan/Feb) 1981; 22:11.

Krieger D: *Foundations for Holistic Health Nursing Practices.* Lippincott, 1981.

Kyba FN, Russell LO, Rutledge JN: Imaging:The latest in diagnostic technology. *Nurs '87* (Jan) 1987; 13:45–47.

Kyes J, Hofling CK: *Basic Psychiatric Concepts in Nursing,* 4th ed. Lippincott, 1980.

Lamb HR: Deinstitutionalization at the crossroads. *Hosp Community Psychiatry* (Sept) 1988; 39:941–945.

Lang N et al: *Nursing: A Social Policy Statement.* American Nurses' Association, 1980.

Langsley DG: Community psychiatry. In: *Comprehensive Textbook of Psychiatry,* 4th ed. Kaplan HI, Sadock BJ (editors). Williams and Wilkins, 1985.

Lego S et al: *The American Handbook of Psychiatric Nursing.* Lippincott, 1984.

Leichman AM: Legal and ethical aspects of psychiatric nursing. In: *Psychiatric Mental Health Nursing,* 2nd ed. Bocher B et al (editors). Wadsworth, 1985.

Lohr JB, Bracha, HS: *Psychiatric Clinics of North America.* Association of Psychosis and Movement Disorders in the Elderly (March) 1988; 11:1:61–81.

Macklin R: Mortal choices: Ethical dilemmas in modern medicine. Houghton Mifflin, 1987.

Malmquist CP: Can the committed patient refuse chemotherapy? *Arch Gen Psychiatr* (Mar) 1979; 36:351.

Mamar J: Systems thinking in psychiatry: Some theoretical and clinical implications. *Am J Psychiatry* (July) 1983; 140:833.

McEnvoy GK (editor): *Drug Information '88.* American Society of Pharmacists, 1988.

McKinnon RA, Michelo R: *The Psychiatric Interview in Clinical Practice.* Saunders, 1971.

Meyers BS, Alexopoulos GS: Geriatric depression. *Medical Clinics of North America* (Jul) 1988; 72:847.

National Institute of Mental Health: *Report of the Task Force on Nursing*. National Institute of Mental Health, (Sept) 1987.

Ostroff RB et al: The norepinephrine to epinephrine ratio in patients with a history of suicide attempts. *Am J Psychiatry* 1985; 142(2):224–227.

Pelletier LR: Psychiatric Home Care. *J Psychosoc Nurs* (Mar) 1988; 26:22–27.

Reynolds, OF et al: Bedside differentiation of depressive pseudodemential from demention. *A J Psychiatry* (Sept) 1988; 145:1099–1103.

Rhodes AM, Miller, RD: *Nursing and the Law,* 4th ed. Aspen Systems, 1984.

Rodman MJ et al: *Pharmacology and Drug Therapy in Nursing,* 3rd ed. Lippincott, 1985.

Rosenfeld MS: Crisis intervention: The nuclear task approach. *Am J Occup Ther* 1984; 38(6):382–385.

Rosenstock HA, McLaughlin M: On the primary prevention of critical mass: A strategy for adolescent units. *NAPPH* (Jan) 1982; 13:9–1.

Rubin EH, Zorumski CF, Burke WJ: Overlapping symptoms of geriatric depression and Alzheimer-type dementia. *Hosp Community Psychiatry* (Oct) 1988; 39:1074–1078.

Sadock BJ: Group psychotherapy, combined individual and group psychotherapy, and psychodrama. In: *Comprehensive Textbook of Psychiatry,* 4th ed. Kaplan HI, Sadock BJ (editors). Williams and Wilkins, 1985.

Sargent M: Update on brain imaging. *Hosp Community Psychiatry* (Sept) 1988; 39:933–934.

Shader RI: *Manual of Psychiatric Therapeutics.* Little, Brown, 1976.

Sheridan E, Patterson HR, Gustafson EA: *Falconers's the Drug, the Nurse, the Patient,* 7th ed. Saunders, 1985.

Skinner BF: *Science and Human Behavior.* Macmillan, 1953.

Stroebel CF: Biofeedback and behavioral medicine. In: *Comprehensive Textbook of Psychiatry,* 4th ed. Kaplan HI, Sadock BJ (editors). Williams and Wilkins, 1985.

Stuart GW, Sundeen SJ: *Principles and Practices of Psychiatric Nursing,* 2nd ed. Mosby, 1983.

Taube et al: *Utilization and Expenditures for Ambulatory Mental Health Care During 1980.* USHHS Publication No. 84–200000. US Government Printing Office, 1984.

Teicher M: Biology of anxiety. *Medical Clinics of North America* (Jul) 1988; 72:791–814.

Wallace ER: What is the truth? Some philosophical contributions to psychiatric issues. *A J Psychiatry* (Feb) 1988; 145:137–142.

Walsh ME: *Schizophrenia: Straight Talk for Family and Friend.* Warner Books Inc, 1985.

Weiner RD: Convulsive therapies. In: *Comprehensive Textbook of Psychiatry,* 4th ed. Kaplan HI, Sadock BJ (editors). Williams and Wilkins, 1985.

Wing KW: *The Law and the Public's Health,* 2nd ed. Health Administration Press, 1985.

Wolpe J: *The Practice of Behavior Therapy.* Pergamon Press, 1969.

Yalom ID: *The Theory and Practice of Group Psychotherapy,* 2nd ed. Basic Books, 1984.

Yoder L, Jones SL: The emergency room nurse and the psychiatric patient. *J Psychosoc Nurs* (June) 1982; 20:22.

Yogi MM: *The Science of Being and the Art of Living.* Signet Books, 1963.

LECTURES COMPLÉMENTAIRES

Berne, Eric. *Des jeux et des hommes*, Paris, Stock, 1975.

Blondeau, D. *De l'éthique à la bioéthique: repères en soins infirmiers*, Chicoutimi, Gaëtan Morin, 1986.

Bouchard, J.-M. «Désinstitutionnalisation, *communautarisation* des services et formation des intervenants», *Santé Mentale au Québec*, Vol. XI, n° 2, 26-36, 1986.

Comité de la politique de santé mentale. «Pour un partenariat élargi, projet de politique de santé mentale pour le Québec», Bibliothèque nationale du Québec, 1987.

Doré, M. «La désinstitutionnalisation au Québec», *Santé Mentale au Québec*, Vol. XII, (2), 144-157, 1987.

Garant, L. «La désinstitutionnalisation en santé mentale – Un tour d'horizon de la littérature», Gouvernement du Québec, Évaluation des Programmes, Série *Études et analyses*, 1985.

Gendron, L. *Curateur public du Québec* (p. 10 à 16), ministère de la Justice, 1990.

Gendlin, E. *Au centre de soi*, Montréal, Éditions du Jour, 1982.

Glasser, W. *La «reality therapy»: nouvelle approche thérapeutique par le réel*, Paris, Épi S.A., 1971.

Gouvernement du Québec. *La santé mentale, prévenir, traiter et réadapter efficacement: L'efficacité du traitement*, Québec, Direction générale des publications gouvernementales, 1985.

Gouvernement du Québec. *Un nouvel âge à partager*, Québec, ministère des Affaires sociales, 1985.

Hagan, L., et D. Paul. « La Promotion de la santé mentale – Du concept à l'action », *Nursing Québec*, Vol. 8, n° 1, 17-21, janvier/février 1988.

Kérouac, M. *Les métaphores : contes thérapeutiques*, Sherbrooke, Éditions du IIIe millénaire, 1989.

Lalonde, Grunberg et coll. *Psychiatrie clinique : approche bio-psycho-sociale*, Boucherville, Gaëtan Morin Éditeur, 1988.

Leblanc, M. *Notions de psychopharmacologie à l'intention de l'infirmière psychiatrique*, Montréal, Association québécoise des infirmières et infirmiers en psychiatrie, 1988.

Loebl-Spratto. *Précis de pharmacologie*, Montréal, Éditions du Renouveau Pédagogique, 1987.

Lowen, A. *La Bio-énergie*, Montréal, Éditions du Jour-Tchou, 1976.

Monbourquette, Jean. *Allégories thérapeutiques. Histoires pour instruire et guérir*, Ottawa (175, rue Main, Ottawa K1S 1C3), 1984.

Ordre des Infirmières et Infirmiers du Québec. *Les outils complémentaires de soins : document support*, Montréal, O.I.I.Q., 1987.

Polster, E., et M. Polster. *La Gestalt : nouvelles perspectives théoriques et choix thérapeutiques et éducatifs*, Montréal, Éditions du Jour, 1983.

Rapport du colloque juridique. « Droit et santé mentale », Université de Montréal, Faculté de droit, 1986.

Ricard, N. « L'élaboration d'une politique québécoise en santé mentale, perspectives d'avenir et retombées pour les soins infirmiers », *Prendre part aux défis en nursing psychiatrique et en santé mentale en 1988*, IIIe Conférence nationale du nursing psychiatrique, juin 1988.

Rogers, C. *La relation d'aide et la psychothérapie (2e éd.)*, Paris, E.S.F., 1971.

Santé et Bien-être social Canada. *Santé mentale du Canada*, Vol. 33, n° 3, septembre 1985.

Satir, V. *Pour retrouver l'harmonie familiale*, Montréal, France-Amérique, 1980.

Satir, V. *Thérapie du couple et de la famille : Thérapie familiale*, Paris, EPI S.A., 1971.

Simard-Lagacé, « Le milieu thérapeutique : composante vitale des infirmiers en psychiatrie », *Prendre part aux défis en nursing psychiatrique et en santé mentale en 1988*, IIIe Conférence nationale en nursing psychiatrique, Montréal, 15-16-17-18 juin 1988.

White, C.M.J. « Participation des usagers : témoignage », *Santé mentale du Canada*, 2-5 juin 1989.

Wilson, H.S., et C.R. Kneisl. *Soins infirmiers psychiatriques* (chap. 5, 19, 24, 25, 28 à 30), Montréal, Éditions du Renouveau Pédagogique, 1982.

CHAPITRE 5

L'influence de la culture sur la santé mentale et la maladie mentale

PAULA G. LEVECK

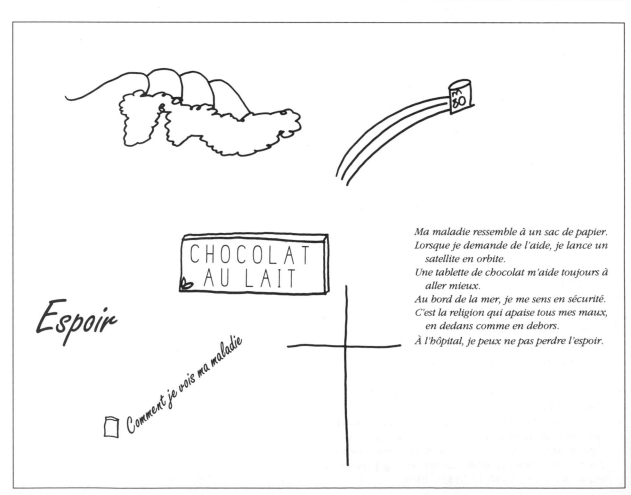

Ma maladie ressemble à un sac de papier.
Lorsque je demande de l'aide, je lance un
  satellite en orbite.
Une tablette de chocolat m'aide toujours à
  aller mieux.
Au bord de la mer, je me sens en sécurité.
C'est la religion qui apaise tous mes maux,
  en dedans comme en dehors.
À l'hôpital, je peux ne pas perdre l'espoir.

■ *Objectifs*

Après avoir étudié le présent chapitre, vous devriez être en mesure de :

- définir les notions générales de culture, de subculture, d'ethnicité, de vision du monde, d'ethnocentrisme, d'enculturation, d'acculturation, d'assimilation et de pluralisme ;
- expliquer la relation entre maladie d'origine culturelle et maladie mentale ;
- déterminer l'influence de la culture sur les soins infirmiers en psychiatrie et en santé mentale ;
- reconnaître l'importance de la communication et de la culture ;
- décrire les notions culturelles, les croyances relatives à la santé, les maladies mentales et les soins infirmiers qui caractérisent les cinq grands groupes culturels : les Amérindiens, les Nord-Américains de race noire, les Nord-Américains d'origine asiatique, les immigrants du Sud-Est asiatique et les Hispano-Américains ;
- reconnaître les variations de structure de la société américaine ;
- intégrer les aspects culturels aux bilans de santé.

■ *Sommaire*

Introduction
Notions générales
Culture et valeurs
Conflit culturel
Culture et pauvreté
Culture et maladie mentale
Répercussions sur le travail des infirmières

Les Amérindiens
Notions culturelles
Croyances relatives à la santé

Problèmes de santé mentale
Soins infirmiers

Les Nord-Américains de race noire
Notions culturelles
Croyances relatives à la santé
Problèmes de santé mentale
Soins infirmiers

Les Nord-Américains d'origine asiatique
Notions culturelles
Croyances relatives à la santé
Problèmes de santé mentale
Soins infirmiers

Les immigrants du Sud-Est asiatique
Notions culturelles
Croyances relatives à la santé
Problèmes de santé mentale
Soins infirmiers

Les Hispano-Américains
Notions culturelles
Croyances relatives à la santé
Problèmes de santé mentale
Soins infirmiers

Profil culturel et collecte des données

Variations dans la structure de la société nord-américaine
Le mouvement féministe
Le mouvement de défense des droits des homosexuels
Les familles par alliance
Les familles monoparentales

Résumé

Introduction

Les soins infirmiers, et plus particulièrement les soins en psychiatrie et en santé mentale, reposent sur des contacts interpersonnels qui subissent l'in-

fluence des différences culturelles entre les personnes en cause. Ce chapitre porte sur les notions culturelles qui aideront l'infirmière à dispenser des soins personnalisés et adaptés à chaque client. À partir d'exemples, nous verrons comment les soins infirmiers peuvent traduire la compréhension des différences culturelles. Bien que ce chapitre ait été rédigé dans le contexte américain, il fournit des connaissances essentielles à l'infirmière québécoise qui est appelée à prodiguer des soins dans une société où les appartenances culturelles sont de plus en plus multiples et variées.

Notions générales

La **culture** est un ensemble de comportements acquis et de valeurs, communes aux membres d'un groupe donné, transmis de génération en génération. Nous avons tous notre culture ; c'est l'une de nos principales caractéristiques en tant qu'êtres humains. Il existe des centaines de cultures et de subcultures comportant chacune sa propre histoire et ses propres modes de pensée, de perception et de comportement. En tant que membre d'un groupe culturel, l'être humain peut satisfaire divers besoins, tant biologiques que spirituels.

Chaque société comporte plusieurs couches socio-économiques, de même que des caractéristiques géographiques, ethniques, raciales, religieuses, comportementales et sexuelles. D'après ces distinctions, on peut diviser les diverses cultures en plusieurs sous-groupes, appelés **subcultures**. C'est la raison pour laquelle on peut distinguer au sein d'un groupe culturel donné une culture « dominante » et une culture « secondaire » ou une culture officielle et une culture autochtone.

L'**ethnicité** est l'appartenance à un groupe d'individus ayant en commun un héritage culturel, social et linguistique. D'un point de vue objectif, toutefois, cet héritage est bien plus complexe, car il fait également intervenir des choix conscients ou inconscients qui correspondent à un besoin psychologique profond de sécurité, d'identité et de continuité historique. Il se transmet au moyen d'un langage émotionnel au sein de la famille et il est renforcé par toute la communauté. L'identité ethnique établit un lien indissoluble avec un groupe donné ; c'est un héritage que rien ne peut détruire (Giordano, 1973).

Culture et valeurs

L'être humain grandit dans le groupe culturel qui l'entoure. Les enfants acquièrent une idée précise des principes culturels qu'ils doivent respecter et ces principes jouent un rôle prépondérant dans le développement de la personnalité de chaque individu. Certaines personnes tiennent tellement à leurs principes et à leur manière de vivre qu'elles rejettent et jugent de manière stéréotypée tous ceux qui suivent d'autres règles que les leurs. Une telle attitude, aussi regrettable qu'elle soit, pourrait être la conséquence inévitable du conditionnement culturel (chacun considère sa culture comme la seule valable, faute de quoi il lui est impossible de s'y conformer). De nombreux conflits entre personnes, sociétés et nations naissent de conflits culturels liés à des divergences d'opinions sur la notion de bien.

La **vision de l'univers** d'un groupe culturel, c'est-à-dire le regard qu'il porte sur le monde, est l'un des éléments qui interviennent dans l'établissement de son système de valeurs. Cette vision du monde englobe plusieurs éléments dont la perception de soi par rapport à la perception d'autrui, la perception des êtres humains, de la nature et du surnaturel, la perception des liens entre les êtres humains et la nature et, enfin, la perception du passé, du présent et de l'avenir. Par exemple, les habitants de l'Empire romain et du Céleste Empire (Chine) pensaient qu'ils vivaient au centre de l'univers et ils considéraient que les autres peuples, qui vivaient ailleurs, étaient des barbares.

Cette tendance, appelée **ethnocentrisme**, existe aussi chez certains groupes qui ont des notions de géographie plus modernes. Les professionnels de la santé peuvent aussi avoir tendance à considérer leur propre réalité ou leur propre discipline comme la seule valable et perdre de vue l'expérience du client. Le fait de considérer le client uniquement dans un contexte médical peut compromettre la communication, fausser la perception et le jugement clinique, car une telle pratique ne tient pas compte de la vision du monde de l'individu. Elle risque d'être particulièrement gênante en milieu psychiatrique, où les symptômes touchent surtout les domaines de la pensée, des sentiments, de la perception et du comportement, domaines qui sont tous fortement influencés par la culture.

Conflit culturel

La culture influe sur les valeurs de l'individu et sur son sens de la réalité. Lorsqu'il demeure dans un endroit où règne une autre culture que la sienne, l'individu peut vivre une situation conflictuelle sur le plan mental et affectif. Pour comprendre le vécu des membres des minorités culturelles, il est important de savoir comment un tel conflit peut surgir. Les notions d'enculturation, d'acculturation, d'assimilation et de pluralisme sont ici des notions fondamentales.

L'enculturation est le processus par lequel l'individu acquiert sa propre culture et sa perspective du monde. **L'acculturation** est le processus d'apprentissage d'une nouvelle culture qui permet à l'individu de remplacer ses schémas culturels (croyances, valeurs et comportement) par ceux d'un autre groupe. L'acculturation est le résultat de la relation complexe entre le désir d'une personne d'adopter une nouvelle culture, c'est-à-dire de s'assimiler, et la volonté du groupe culturel en question de l'accepter. Cette notion prend tout son sens dans le cas des immigrants en Amérique du Nord.

Il existe deux façons de changer définitivement de culture : l'assimilation et le pluralisme. Dans le cas de l'**assimilation**, qui correspond au modèle du « *melting pot* », les groupes culturels minoritaires doivent adopter les valeurs et les modes de comportement de la majorité. Par contre, dans une société pluraliste, on encourage les minorités ethniques à préserver les qualités représentatives de leur culture et à maintenir leurs traditions. D'un point de vue pluraliste, la disparition de l'identité ethnique qui résulte d'une assimilation totale engendre chez l'individu des conflits sur le plan affectif.

En fait, chez la plupart des Nord-Américains de diverses ethnies, les symptômes psychiatriques sont souvent liés au stress et au conflit engendrés par l'appartenance simultanée à deux cultures. Issus de cultures parfois moins matérialistes, moins libres sur le plan sexuel, ou moins individualistes, ces gens peuvent vivre un conflit très intense sur le plan mental ou affectif. Au sein de la famille, ce conflit engendre parfois des tensions entre générations ; sur le plan individuel, la personne se sent écartelée entre deux mondes.

Culture et pauvreté

La pauvreté influe également sur la santé mentale des groupes minoritaires. En plus de leur condition de minorité et des expériences propres à leur état, les personnes et les groupes qui vivent dans la pauvreté rencontrent des difficultés matérielles et affectives pouvant compromettre leur santé mentale.

Culture et maladie mentale

Chaque culture donne sa propre définition de la santé mentale et de la maladie mentale, du normal et de l'anormal, du bien et du mal, des états et comportements sains et malsains. La notion de **relativité culturelle** rend compte de ces différences, d'où la difficulté d'arrêter une définition absolue de la santé mentale et de la maladie mentale au sein d'une population multiculturelle. Par exemple, des valeurs nord-américaines comme l'ambition, la réussite et l'autonomie sont perçues comme des comportements déviants dans les sociétés qui prônent la non-agression, la coopération et la loyauté envers la communauté.

Il semble cependant que l'idée de trouble mental ou affectif soit présente dans toutes les cultures. La description de ces troubles varie beaucoup d'une culture à l'autre et plusieurs maladies mentales observées dans certaines cultures ne sont pas tenues pour telles par d'autres. Il existe toujours un lien entre la culture d'un groupe et les types de maladies mentales dont souffrent ses membres. Lorsque certaines caractéristiques d'une maladie varient d'une culture à l'autre, on parle de **maladie** ou de syndrome **à caractère culturel**, de psychose ethnique, de psychose hystérique ou de syndrome particulier à une culture. La psychose *windigo* observée dans certaines tribus amérindiennes, le *susto* des Hispano-Américains, la transe vaudou des Antillais et des Haïtiens et le *koro* des Chinois en sont quelques exemples (Leff, 1981).

La culture peut également fournir des moyens de lutter contre le stress et la maladie mentale. Dans certaines tribus amérindiennes, par exemple, la confession est un traitement cathartique ; les chamanistes, quant à eux, organisent de longues cérémonies de guérison auxquelles participent les proches du malade. Dans d'autres cultures, la responsabilité de s'occuper de la maladie mentale revient à l'individu, à la famille, à la communauté ou à un guérisseur.

Tout comme divers comportements peuvent être des signes de maladie mentale selon les cultures, un même comportement peut être perçu et interprété différemment ou peut se produire à des fréquences variables selon les cultures. Selon les diverses cultures, l'homosexualité peut être, par exemple, l'expression naturelle de la sexualité humaine, un péché envers la loi divine, un crime contre nature, une particularité amusante ou une maladie (Wallace, 1970). Prenons également l'exemple du suicide. Chez les Navajos, le suicide est inacceptable en raison de ses répercussions sur les membres de la famille ; dans les cultures fortement influencées par la religion catholique romaine, le suicide est un péché. Chez les Indochinois, par contre, le suicide est une décision personnelle dont les motifs peuvent être acceptables, et il peut parfois être envisagé comme une solution honorable à certains dilemmes. Chez les Chinois, la dépression est ressenti comme un spasme de la poitrine ou comme une maladie du cœur. Les hallucinations sont parfois le signe d'un don de guérisseur, comme pour le chaman chez les Amérindiens et les peuples du sud-est de l'Asie, alors qu'elles peuvent donner lieu à un diagnostic de schizophrénie dans la culture nord-américaine.

Répercussions sur le travail des infirmières

Il arrive souvent que le client n'ait pas les mêmes antécédents culturels que l'infirmière. Pour dispenser des soins efficaces en psychiatrie, l'infirmière doit comprendre les réactions typiquement culturelles et, en particulier, les signes de santé ou de maladie mentales qui sont influencés par la culture. L'infirmière perçoit la santé et la maladie mentales d'un point de vue holistique, fait une analyse exhaustive qui tient compte des facteurs culturels et prend en considération le contexte global dans lequel la personne est en bonne santé ou devient malade.

L'infirmière doit comprendre que même les clients appartenant à son propre groupe culturel peuvent ne pas présenter toutes les caractéristiques typiques de ce groupe. Par conséquent, elle doit toujours faire une collecte complète et personnalisée des données avant de planifier ses soins. Même le manuel de diagnostics *DSM-III-R* contient quelques renseignements erronés sur les caractéristiques socio-démographiques des clients (Spitzer, 1981). Des études de cas et des exposés, par ailleurs excellents, manquent souvent de données d'évaluation sociale et culturelle.

Obstacles aux soins   Il arrive que le comportement d'un client donne lieu à une erreur de diagnostic, parce que l'infirmière ne comprend pas qu'il s'agit d'une réaction normale pour le groupe culturel dont il fait partie. Ce qui paraît « anormal » à l'infirmière peut en effet être une réaction tout à fait acceptable pour ce groupe. Par exemple, l'Amérindien du film *Vol au-dessus d'un nid de coucous* illustre le cas des individus de ce groupe qui sont parfois internés par suite d'un diagnostic de psychose (schizophrénie catatonique) à cause de comportements considérés comme normaux dans leur culture.

L'infirmière doit savoir que l'ethnicité et la classe socio-économique peuvent modifier la façon dont les clients perçoivent leurs interactions avec le personnel psychiatrique et leurs attentes par rapport au traitement psychiatrique. Une étude réalisée par Link et Dohrenwend (1980) indique chez les populations minoritaires une tendance à sous-utiliser les services de santé mentale. Lorsqu'elles finissent par les utiliser, leurs symptômes sont généralement plus graves que ceux de la population dominante. Dans les classes socio-économiques les plus défavorisées, où la détresse émotionnelle est pourtant plus fréquente, la demande de traitement est plus rare. S'appuyant sur des études réalisées auprès de dix-sept centres de santé mentale, Sue (1977) signale que, dans certains de ces services, rien n'est prévu pour les clients qui ne sont pas de race blanche. De nombreux cliniciens et chercheurs en sciences sociales et en psychiatrie ont examiné les corrélations possibles entre les échecs des traitements suivis par les clients économiquement défavorisés et le fait que des thérapeutes blancs, appartenant à la bourgeoisie moyenne, ne parviennent pas à entrer en relation avec les clients pauvres ou d'origine ethnique différente. Certains groupes ethniques de race blanche, et particulièrement ceux des couches inférieures de la classe moyenne, évitent même parfois les services de santé mentale en raison de la connotation négative associée au terme « patient ».

Si l'on mesure la fréquence de la maladie mentale dans les populations ethniques d'après le nombre de traitements suivis, on constate que le taux d'admission dans les services de santé mentale est plus faible chez toutes les minorités, à l'exception des Noirs, que chez les Nord-Américains de race blanche. Cependant, si l'on se base sur les rapports subjectifs et les diagnostics psychiatriques, la psychopathologie semble plus répandue que ne le laisse croire les statistiques relatives aux traitements. De nombreux symptômes psychiatriques s'expriment sous forme de troubles somatiques et restent par conséquent non diagnostiqués. L'ignominie et la honte associées à la maladie mentale poussent également les patients à recevoir des soins à domicile. Enfin, on préfère parfois se faire soigner par un guérisseur indigène plutôt que d'avoir recours au système de santé mentale. À la suite d'une enquête réalisée auprès de guérisseurs d'un ghetto noir du sud de l'Atlanta, qui utilisent les plantes, la prière ou la magie, Hall et Bourne (1973) proposent que ces thérapeutes indigènes deviennent travailleurs communautaires de la santé mentale. Les soins dispensés aux membres des diverses cultures pourraient ainsi devenir plus homogènes et cohérents.

Les clients de culture différente peuvent réagir à l'aménagement d'un hôpital ou d'une unité psychiatrique. L'organisation matérielle du milieu, le mobilier et la façon dont il est disposé, l'hébergement dans une chambre individuelle ou dans une salle commune et la distance par rapport au poste de l'infirmière sont autant d'éléments qui peuvent rendre l'adaptation d'un client qui n'est pas de race blanche plus ou moins facile et influencer ses interactions avec le personnel (Hall, 1979).

Les stéréotypes culturels des infirmières constituent un obstacle de plus à la prestation de soins appropriés et adaptés à la culture. Le stéréotype est une idée préconçue ou un cliché relatif à un groupe ethnique, à un groupe religieux ou à une race donnée. Les stéréotypes empêchent l'infirmière de faire une collecte juste et personnalisée des données relatives au client et peuvent altérer profondément la qualité des soins qu'elle dispense. L'infirmière doit savoir que si elle qualifie le client d'hostile, de récalcitrant ou de peu coopératif, elle peut avoir inconsciemment projeté sur lui l'un de ces stéréotypes qui ont suscité chez le client des réactions négatives et l'ont poussé à conserver ses distances. Les clients perspicaces remarquent si le comportement de l'infirmière manque de cohérence et ils peuvent réagir en adoptant un comportement défensif.

Communication   L'infirmière doit communiquer avec le porte-parole de la famille, tenir compte des remarques de la famille lors de la collecte des données et faire participer celle-ci au plan de traitement. Dans de nombreux groupes ethniques, les membres de la famille souhaitent rester le plus longtemps possible auprès de la personne hospitalisée pour lui apporter leur soutien affectif, pour surveiller le traitement médical et pour satisfaire des besoins dont ne peut s'occuper le personnel soignant, par exemple donner une nourriture spéciale, des repas traditionnels, des herbes, etc. Parfois la famille peut souhaiter faire venir un guérisseur pour compléter les méthodes appliquées par le système de soins de santé en place. Même pour les clients qui n'ont pas de problèmes financiers ou qui ont accès à de nombreuses ressources communautaires, la famille au sens large joue un rôle important et représente souvent le système de soutien idéal.

Les modes de communication verbale et non verbale varient d'une culture à l'autre et la manière même dont on pose les questions pendant une entrevue doit être adaptée à la culture du client. Les principes de communication varient selon que le client préfère des questions directes ou indirectes et selon l'étape de l'interaction à laquelle il convient de poser ces questions. Certains clients attendent ou même exigent une poignée de mains et un sourire ; d'autres préfèrent limiter les contacts physiques aux seuls indispensables pour l'examen médical et gardent un air sérieux. Les Noirs et les Asiatiques gardent souvent les yeux baissés et évitent de dévisager l'infirmière. Bien que l'infirmière risque de qualifier ce comportement de paranoïaque, de suspicieux ou de fuyant, il s'agit d'une attitude normale dans ces cultures à l'égard des personnes ayant une position d'autorité. La communication peut aussi se modifier par réaction à une rencontre perçue comme dangereuse. L'infirmière doit savoir faire la distinction entre les réactions verbales et non verbales qui sont normales et celles qui traduisent la présence de certains symptômes.

Si l'on a besoin d'un interprète pour les clients qui ne parlent pas la langue officielle, on devrait, dans la mesure du possible, disposer des services de la même personne lors de toutes les entrevues, pour établir les rapports et pour faciliter la compréhension des thèmes et des modes de communication, grâce à une certaine continuité et avec une certaine cohérence. Si l'infirmière doit communiquer par l'intermédiaire d'un interprète, trois facteurs importants peuvent entraîner des distorsions et fausser la collecte des données (Marcos, 1979) :

- la compétence linguistique de l'interprète et la fidélité de sa traduction ;
- le manque de connaissances psychiatriques de l'interprète ;
- l'attitude de l'interprète à l'égard du client ou de l'infirmière.

L'étude des relations entre les barrières linguistiques et l'évaluation psychopathologique doit faire l'objet de recherches plus approfondies.

L'empathie est un élément indispensable à l'établissement d'une bonne communication dans le cadre des soins psychiatriques, et cet élément devient encore plus important lorsqu'on s'adresse à des personnes dont la langue, les valeurs, les croyances, l'apparence physique et les comportements sont différents de ceux de l'infirmière. Une attitude attentionnée peut racheter bien des erreurs d'ordre culturel, mais c'est l'infirmière, et non pas le client, qui a la responsabilité d'établir le pont entre les deux cultures.

Les Amérindiens

Au cours d'un congrès national regroupant des professionnels de la santé mentale et des chefs de tribu, l'un des chefs demanda à un jeune psychiatre de bien vouloir décrire la nature des problèmes psychiques des Amérindiens. Le psychiatre se lança alors dans une analyse approfondie de sa vision du problème et se perdit bientôt dans les méandres de sa propre rhétorique. L'assemblée resta silencieuse le temps qu'il essaie de rassembler ses idées et, au bout d'un moment, le malaise ayant fait place au silence, le chef de la tribu Miccousukee de Floride, M. Buffalo Tiger, se leva et prit la parole : « Permettez-moi de vous l'expliquer à ma façon. Aujourd'hui, les Indiens ressemblent à cet homme qui, s'étant levé de bon matin, ouvre sa porte et aperçoit au loin sur la route un objet brillant. Il veut s'approprier cet objet et il le ramasse. Mais aussitôt après l'avoir ramassé, il en voit un autre, plus loin, qu'il désire aussi s'approprier. Il continue à marcher, ramasse cet autre objet et le phénomène se répète ; il continue à longer la route et ramasse tous ces objets les uns après les autres, puis, soudainement, lorsqu'il se retourne, il s'aperçoit qu'il ne sait plus comment rentrer chez lui. » (Bergman, 1973, pp. 663-666)

Le terme d'autochtone ou d'Amérindien donne lieu à plusieurs interprétations : habitant d'une réserve, personne ayant un certain pourcentage de sang indien ou personne appartenant à un clan ou à un groupe socioculturel ; il peut aussi correspondre tout simplement à un terme de droit. Au Québec, en 1985, la population amérindienne s'élevait à environ 40 000 personnes, réparties dans 39 villages, et la population inuit à 6 000 personnes, vivant dans 14 villages. À l'heure actuelle, les Amérindiens représentent moins de 2 p. cent de la population totale du Canada. Cependant, leur histoire est unique tout comme leur relation avec la culture blanche dominante.

Tout au long de l'histoire de la colonisation de l'Amérique du Nord par les Européens, les Amérindiens ont été victimes de la violence et de la brutalité. L'assimilation n'a pas été pour eux une question aussi primordiale qu'elle l'a été pour les divers groupes d'immigrants. Ni les colonisateurs ni les autochtones n'ont pensé que l'intégration des Amérindiens à la société dominante pouvait régler les conflits qui les séparent. Les deux sociétés continuent de nos jours de vivre loin l'une de l'autre, bon nombre d'Amérindiens étant relégués dans des réserves. Certains d'entre eux essaient de s'assimiler à la culture dominante, mais ils n'ont pas toujours les compétences nécessaires et sont victimes de discrimination lorsqu'ils cherchent un emploi. À la compétition, les valeurs tribales opposent la coopération, valeur qui a du mal à survivre dans l'économie et la culture capitalistes.

Par conséquent, le concept de soi d'un bon nombre d'Amérindiens s'est fortement dégradé et leur degré de stress est élevé. Selon Henderson et Primeaux (1981), 75 p. cent des familles amérindiennes ont un revenu annuel inférieur à 4 000 dollars et le taux de chômage chez cette population est presque dix fois supérieur à la moyenne nationale. Ces mêmes auteurs affirment que le niveau d'instruction de près de 60 p. cent de la population amérindienne adulte est inférieur à celui d'une huitième année de scolarité. Ces données laissent entendre que ces individus vivent dans la pauvreté et en marge de la société dominante.

Notions culturelles

Bien que les valeurs et les normes des différentes tribus amérindiennes soient assez divergentes et parfois même opposées, on note de nombreuses ressemblances. Henderson et Primeaux (1981) ont défini des caractéristiques générales qui s'appliquent à de nombreux Amérindiens :

- la tendance à vivre dans le présent plutôt que dans le futur ;
- une conscience du temps qui est davantage liée aux activités du moment et à l'entourage immédiat qu'à l'heure donnée par la montre ;
- la coopération au lieu de la compétition ;
- le sens du partage plutôt que l'habitude de garder pour soi ;
- le respect des personnes âgées plutôt que l'idéalisation de la jeunesse.

Chez les Amérindiens qui respectent les traditions, les liens avec la famille, nucléaire ou élargie, sont très forts. C'est elle qui peut apporter le soutien économique et social. Le terme *famille* peut désigner soit les parents des deux époux, soit tout un clan sans égard aux liens du sang. La famille élargie d'un Amérindien est parfois composée de plusieurs foyers regroupant trois générations. Les femmes âgées tiennent une place importante dans de nombreuses communautés amérindiennes et il faut parfois les faire participer aux décisions concernant le traitement psychiatrique des membres de leur famille.

Croyances relatives à la santé

Chez les Amérindiens, la maladie est liée aux croyances spirituelles, et la médecine est inséparable de la religion. Le mot *médecine* lui-même a pour eux une signification mystérieuse. Cependant, toute tentative de généralisation à leur égard diminuerait la richesse et la diversité de leurs croyances et de leurs pratiques, sans parler des changements auxquels ont donné lieu la diffusion de l'information et l'acculturation. Autrefois, chaque tribu avait son propre système de soins qui formait un tout cohérent. Mais l'accès à l'enseignement officiel, l'influence de la religion chrétienne, les progrès techniques et les relations entre tribus ont remis en question la survie des moyens de guérison traditionnels. Selon la nature, les symptômes et le diagnostic de leur maladie, de nombreux Amérindiens décident d'avoir recours aux systèmes de soins modernes.

Comme c'est généralement le cas pour tous les peuples dont le mode de vie n'est pas influencé par les progrès techniques, les Amérindiens croient en l'harmonie entre l'être humain et la Terre, entre l'esprit, le corps et l'âme. À cause des liens indissolubles qui existent entre l'être humain, la société et la nature, il faut satisfaire les besoins de chacun et assurer le bien-être de tout le monde. Tous les systèmes vivants sont reliés entre eux et les actes d'agression ou les méfaits commis à un niveau donné ont des répercussions à tous les autres niveaux, de l'individu au système social, au milieu naturel et à l'univers où vit l'homme. La cause de la maladie, physique, psychologique ou mentale, est un manque d'harmonie.

Généralement, les symptômes pathologiques sont attribués, jusqu'à un certain point, à des causes surnaturelles. La peur de la sorcellerie est fréquente chez les Amérindiens: ils croient souvent que c'est elle qui peut causer la maladie (Vogel, 1970). D'autres croyances relatives aux causes des maladies sont, notamment, la violation des tabous, le fait d'être possédé par un esprit et la perte de son âme. La violation du tabou de l'inceste comporte un danger particulier et peut être punie par la folie (Kennedy, 1961). Il semble en effet que le *syndrome de la mite*, encore observé de nos jours chez les Navajos, soit une maladie de type culturel. On pense qu'il est causé par des pensées incestueuses, qui déposent un embryon de mite dans le cerveau; quand la mite grandit et bat des ailes, la personne atteinte est animée d'une force qui la pousse à courir ou à se jeter dans le feu. Le fait d'être possédé par un objet, pouvant résulter d'un acte de sorcellerie, se traite par la succion du corps étranger. En cas de possession par les mauvais esprits, il faut suivre un rituel de guérison pour s'en délivrer. Pour guérir la maladie mentale due à la perte de l'âme, il faut aider le malade à retrouver son âme, faute de quoi il est en danger de mort. L'âme peut être volée par des mauvais esprits ou des sorciers, mais on peut aussi la perdre pendant un rêve. Dans chacun des cas que nous venons de citer, il y a déséquilibre. Lorsque la personne retrouve son équilibre, les symptômes physiques, psychologiques et mentaux disparaissent.

Il n'est pas rare que des clients amérindiens cherchent à se faire traiter par des guérisseurs indigènes traditionnels avant d'avoir recours au système de soins de la santé mentale. Chez les Amérindiens, le personnage le plus important sur le plan médical est le « sorcier », souvent investi de pouvoirs considérables. On lui prête notamment le pouvoir d'intervenir entre les êtres humains et le monde spirituel.

Il existe plusieurs types de sorciers (ou de sorcières), chacun ayant une fonction particulière. Certains sont des chanteurs, d'autres des devins qui peuvent faire des diagnostics ; certains se spécialisent dans les soins de l'âme, d'autres traitent par les plantes ou par des massages, d'autres encore font des accouchements. Certains utilisent leurs pouvoirs surnaturels pour guérir uniquement, d'autres les utilisent pour faire le bien ou le mal. Les guérisseurs se servent d'objets comme les amulettes et les fétiches pour repousser les démons, mais aussi des herbes et des remèdes ayant des vertus curatives.

La grande foi des Amérindiens dans la capacité d'intervention du sorcier dans le monde spirituel, alliée à la participation de la famille élargie et de la tribu aux cérémonies de guérison, présente des avantages psychothérapeutiques qui manquent dans le système de soins de la santé mentale de l'homme blanc. À propos de la la guérison spirituelle, Carstairs (1969, p. 409) écrit que :

> même si elle s'appuie, peut-être, sur de fausses théories quant aux causes de la maladie, elle possède deux avantages très nets par rapport aux traitements médicaux dits scientifiques : premièrement, le patient ne doit pas subir les effets secondaires indésirables de la plupart des médicaments psychotropes et, deuxièmement, la guérison spirituelle ne va pas sans la participation de plusieurs autres personnes, ce qui facilite la réinsertion du malade mental dans la communauté dont il s'était écarté.

De nombreux sociologues, et en particulier des anthropologues qui ont étudié d'autres médecines que la médecine occidentale, c'est-à-dire des techniques qui ne sont pas scientifiques, croient aux avantages psychothérapeutiques des pratiques de guérison traditionnelles. L'intérêt que portent depuis vingt ans les cliniciens et les chercheurs occidentaux à la confession publique, aux réseaux de soutien social et à la thérapie tribale atteste de la découverte d'une approche holistique ou globale des symptômes présents chez une personne donnée.

Problèmes de santé mentale

L'alcoolisme est le problème qui frappe le plus gravement les communautés amérindiennes ; la morbidité et la mortalité y sont effectivement très élevées. Les statistiques gouvernementales montrent une augmentation du taux de mortalité attribuable à l'alcoolisme. Alors que l'on enregistre une tendance à la baisse pour ce qui est des maladies microbiennes, les symptômes de « malaise » social sont à la hausse (Joe, Gallerito et Pino, 1976, p.86).

Les taux de suicide, d'homicide et de décès dus à l'alcoolisme sont quatre fois plus élevé que chez l'ensemble des Nord-Américains (Bullough et Bul-lough, 1982). Il arrive souvent que des Indiens en état d'ébriété soient tués par des amis ou dans des accidents de la route, ou qu'ils finissent par succomber à une cirrhose du foie. Il existe de nombreuses explications sociologiques et psychologiques de ces décès accidentels ou violents et, généralement, elles ont toutes tendance à mettre l'accent sur les multiples obstacles qui entravent le développement de la personne et sur les facteurs qui outragent la fierté de l'individu et de l'ethnie. Les relations passées et actuelles entre la société blanche et la culture amérindienne ont engendré des attitudes de passivité et de dépendance, le sentiment d'être un citoyen de second ordre et une faible estime de soi.

Le taux élevé de suicide parmi les jeunes est particulièrement inquiétant. Il est en outre beaucoup plus élevé chez les hommes, qui ont tendance à employer des méthodes violentes, particulièrement mortelles, ainsi que dans les tribus où l'intégration sociale est faible et l'évolution socio-économique rapide (May, 1987).

Outre les comportements violents, comme le suicide et l'homicide, on observe une forte violence domestique, sous forme de viols ou de sévices infligés au conjoint ou aux enfants (Pambrun, 1980). L'adaptation des Amérindiens à une société plus avancée sur le plan de la technique, et dont dépend leur bien-être, favorise, d'une part, l'agressivité et, d'autre part, la dépression et la dévalorisation de soi. De plus, le chagrin est une caractéristique dominante de la population amérindienne, en raison du taux élevé de mortalité. Même les enfants font souvent l'expérience de plusieurs deuils.

Les Amérindiens hésitent souvent à utiliser les services de soins de la santé mentale, dominés et gérés par les Blancs. Ils ont depuis toujours fait les frais de l'attitude désobligeante du personnel de race blanche et de la mauvaise organisation des soins. Ils se sentent mal à l'aise au contact du personnel psychiatrique, et leur taciturnité et repli, dictés par leur culture en cas de rencontres généra-

trices de stress, leur vaut parfois des diagnostics psychiatriques tels que la *schizophrénie catatonique, l'hostilité, la paranoïa et la dépression*. Donald P. Jewell (1979) donne un excellent exemple d'un Navajo qui, pendant dix-huit mois, avait reçu un diagnostic de schizophrénie catatonique. En réalité, après avoir fait sa propre enquête et interrogé le patient, l'auteur put conclure que sa réaction était normale compte tenu de sa culture et des situations dans lesquelles il avait été placé.

Soins infirmiers

Lorsqu'un Amérindien est hospitalisé, les infirmières des unités psychiatriques doivent comprendre à quel point les visites fréquentes des parents peuvent lui être bénéfiques. Les plans de soins infirmiers doivent être conçus de manière à inclure les renseignements fournis par les personnes clés, en particulier celles qui ont une certaine autorité au sein de la cellule familiale amérindienne. La participation de la famille et même de la tribu aux activités thérapeutiques est, dans certains cas, une condition indispensable à l'établissement de bons rapports. Il est déjà arrivé que des clients aient quitté l'hôpital ou aient abandonné prématurément leur traitement parce qu'on n'avait pas fait participer aux soins les membres de leur famille, surtout les plus âgés.

Même s'il est rare que les Amérindiens ne parlent pas l'anglais ou le français, leurs modes d'interaction verbale et non verbale restent fortement influencés par les pratiques sociales des cultures tribales. Les modes de communication autochtones peuvent en effet être nettement différents de ceux de la société blanche dominante : les Amérindiens parlent plus lentement, à voix plus basse et ponctuent leurs phrases de silences plus longs ; leurs remarques sont intenses et pénétrantes. Ils accordent de l'importance au silence, car il leur permet de réfléchir à ce qu'ils vont dire et de communiquer les données qui conviennent. De plus, ils sont sensibles à la communication non verbale de leur interlocuteur. Pour certains clients amérindiens, le fait de soutenir le regard de l'infirmière est un manque de respect. Un regard perçant peut être interprété comme une tentative de domination de l'esprit du client. En général, les Amérindiens sont très sensibles à l'expression corporelle de leur interlocuteur. Si l'infirmière veut établir une relation thérapeutique, sa communication verbale et non verbale doivent être parfaitement harmonisées.

La collecte des données et les entrevues thérapeutiques doivent être structurées avec soin et menées sans hâte, de façon à laisser au client le temps de répondre aux questions et de réagir aux commentaires. En général, des remarques traduisant des observations sont mieux acceptées que des questions directes qui peuvent sembler déplacées. Puisque la culture amérindienne se base sur la tradition orale, ces clients préfèrent souvent que l'on ne prenne pas de notes pendant l'entrevue. Il est essentiel de trouver le rythme qui convient et l'écoute active doit impérativement faire partie de l'arsenal thérapeutique.

Pour les Amérindiens, les facteurs de stress existent à tous les niveaux : psychologique, socio-économique, culturel et spirituel. Les insertions dans le système de soins de la santé mentale ne doivent pas exacerber les conflits entre leur culture et la culture des Blancs. En respectant la relativité culturelle et en cherchant la compréhension mutuelle sur le plan culturel, l'infirmière peut jouer un rôle important et créer des interactions de soins propices à la guérison.

Les Nord-Américains de race noire

Il est extrêmement compliqué de définir le groupe des Nord-Américains de race noire, car il englobe, entre autres, des descendants d'esclaves, mais aussi des francophones dont les ancêtres sont africains et qui viennent de Haïti, des hispanophones qui viennent de Cuba et de Porto Rico et des anglophones qui viennent de la Jamaïque. Bien qu'ils aient tous des racines africaines, les Nord-Américains de race noire se distinguent les uns des autres par le pays qu'ils considèrent comme leur pays d'origine, par leur première langue, par leurs croyances spirituelles, autrement dit par leur ethnicité. Il est donc important de déterminer dans la mesure du possible le pays d'origine avec les caractéristiques qui lui sont propres. De plus, comme un grand nombre de

Noirs sont défavorisés par rapport aux Blancs sur le plan économique tout comme sur le plan de l'instruction, la situation sociale est une nouvelle variable qui rend encore plus difficile l'interprétation des facteurs que l'on croit liés à l'ethnicité ou à la race. L'appartenance à une classe sociale donnée est, dans bien des cas, un critère de distinction plus fort que l'appartenance culturelle.

De 1970 à 1980, le pourcentage de familles noires monoparentales à faible revenu est passé de 31 à 45 p. cent. Les recherches concernant les réseaux de soutien social dont bénéficient ces familles qui comptent des adolescents ou des préadolescents semblent indiquer que les familles qui disposent d'un tel réseau où le soutien est réciproque autant sur le plan affectif que matériel sont celles qui réussissent à s'adapter de la façon la plus appropriée. Dans les familles désunies, on observe une certaine inégalité dans les échanges, les mères trouvant qu'elles donnent plus qu'elles ne reçoivent (Lindblad-Goldberg et Dukes, 1985). Ces résultats viennent confirmer l'hypothèse avancée par de nombreux cliniciens, selon laquelle la façon dont la famille fonctionne dans un réseau social dépend davantage de la qualité de ce réseau que du nombre de personnes qui le composent. L'échange de biens et de services constitue une réponse adaptative aux conditions de vie des classes défavorisées.

On pense que la forte participation des Noirs aux réseaux de soutien social est liée à leurs traditions d'entraide, au besoin d'argent et aux services effectivement fournis, ainsi qu'à la qualité fonctionnelle du réseau en question. L'infirmière doit par conséquent recueillir des données sur les amis du client, sur ses grands-parents, oncles, tantes, parrain et marraine, ainsi que sur l'église et les commerces qu'il fréquente. Il se peut en effet que toutes ces personnes ou institutions aient fortement influé sur le développement psychosocial du client.

Notions culturelles

La plupart des Nord-Américains de race noire sont capables d'adopter un « comportement de Blancs » dans leurs interactions avec la culture dominante et d'avoir leur « comportement de Noirs » au sein de leur communauté. La culture afro-américaine, qui s'est développée aux États-Unis, est le résultat de la disparition de certains traits africains ainsi que de la persistance d'autres traits déterminés par l'esclavage et par la domination de la culture blanche. La culture afro-américaine a subi plusieurs transformations sous l'effet de forces historiques et psychoculturelles. Depuis l'époque de l'esclavage, pendant laquelle les Noirs étaient traités comme des biens matériels, en passant par la reconstruction des États confédérés, la période de Jim Crow, les années 50 et 60, et la période du *Black Power* des années 70, la société afro-américaine s'est efforcée de reconquérir sa fierté ethnique et de trouver son identité. Selon Nobles et Nobles (1976), le caractère unique de la psychologie afro-américaine provient des aspects positifs de la philosophie africaine, dont les principes fondamentaux sont la communion avec la nature, la survie de la tribu, le rythme naturel du temps et la mise en commun du vécu. Hill (1971) a défini les cinq qualités qui suivent et qui caractérisent les familles afro-américaines :

- souplesse des rôles exercés par les hommes et les femmes au sein de la communauté noire ;
- importance accordée aux liens du sang ;
- orientation vers de grandes réalisations ;
- orientation vers le travail ;
- orientation vers la religion.

Puisque la religion a toujours été un facteur qui a grandement influencé la qualité de la vie psychologique des Noirs d'Amérique du Nord, il est essentiel de déterminer à quelle religion appartient le client. Les organisations religieuses se placent juste après la famille élargie pour le soutien qu'elles apportent à leurs membres.

Les religions pratiquées par les Noirs sont diverses, mais une vaste majorité d'entre eux sont protestants ou catholiques. Les baptistes et plusieurs Églises protestantes fondamentalistes ont souvent des congrégations dominées par les Noirs, qui reflètent le caractère original de cette culture.

Les croyances religieuses de nombreux Noirs qui sont protestants fondamentalistes sont influencées par les conceptions africaines de l'univers et du monde spirituel tout comme par les enseignements de la religion chrétienne. Le vaudou et la guérison spirituelle les aident à comprendre les causes des maladies et à apporter les soins qui conviennent. Qui plus est, les Noirs sont de plus en plus nombreux à adhérer à l'islam, religion exigeant un mode de vie bien réglé et très particulier qui agit sur la santé et les habitudes alimentaires.

Les Noirs d'Amérique du Nord, selon leur origine, peuvent parler l'anglais ou le français et divers dialectes qui donnent lieu à plusieurs interprétations. Si l'infirmière est capable de comprendre le dialecte, elle peut surmonter les barrières qui s'opposent normalement à l'établissement de rapports entre le client de race noire et une personne de culture différente. Contrairement à ce qu'on croit, ces dialectes ne constituent pas une langue appauvrie et ne correspondent ni à une infériorité sur le plan cognitif ni à une faible capacité de communication.

Ces dialectes, fortement inspirés de la tradition orale, donnent une préférence à la communication verbale par rapport à la communication écrite. Le discours est plus spontané et il suppose la participation active de tous les interlocuteurs. L'infirmière qui tient à établir une relation thérapeutique avec des clients de race noire doit se familiariser avec leur dialecte et savoir qu'ils accordent plus d'importance aux interactions verbales. Elle doit aussi veiller à garder sa communication verbale et non verbale en harmonie.

Croyances relatives à la santé

La médecine populaire a surtout des adeptes dans les ghettos des grandes villes. Elle fait intervenir des pratiques allant de la pure magie aux méthodes empiriques ou scientifiques. Pour un grand nombre de Noirs de condition modeste, le monde est à la fois naturel et surnaturel, et leurs maladies peuvent appartenir à l'une ou à l'autre de ces catégories. D'après leurs croyances, le maintien de la santé physique et mentale ne va pas sans un équilibre entre les hommes et leur milieu naturel. Pour éviter les maladies, les Noirs doivent rester attentifs aux phénomènes naturels qui les entourent et qui leur indiquent le comportement qu'il faut adopter à chaque instant.

Comme pour beaucoup d'autres groupes culturels, la cause naturelle de la maladie est un manque d'harmonie sur le plan de l'hygiène personnelle ou du comportement. Les maladies physiques ou mentales n'ayant pas de cause naturelle sont le produit de la magie et de la sorcellerie. Plusieurs chercheurs ont remarqué que les clients de race noire atteints de troubles mentaux croient souvent qu'on leur a jeté un sort et attribuent leurs symptômes à des actes de sorcellerie perpétrés par un membre de leur famille ou de leur entourage (Snow, 1983). Les personnes qui, à cause de leurs péchés ou de mauvaises actions, ne sont plus dans la grâce de Dieu, deviennent la proie facile des mauvais esprits. La jalousie et l'envie sur le plan sexuel sont souvent les raisons pour lesquelles on devient victime d'un maléfice.

« Chez les Noirs, les croyances liées à la sorcellerie portent sur le pouvoir des racines, des décoctions et des sortilèges, et sur le vaudou, le haudou, ou le mojo, démon qui *possède* la victime. » (Snow, 1983) La peur de la sorcellerie est telle que la personne malade ou blessée doit trouver le guérisseur qui a les dons requis, faute de quoi elle risque de mourir. Les personnes capables de l'aider, comme les prêtres vaudou et les guérisseurs par les plantes, sont celles dont les pouvoirs peuvent contrecarrer les méfaits des sorciers ou des jeteurs de sort. Comme l'explique Snow (1983), ces croyances populaires semblent refléter les trois grandes conceptions du monde des Afro-Américains les plus pauvres :

- le monde est un lieu dangereux et hostile ;

- tous les êtres risquent d'être victimes d'attaques venant de l'extérieur ;

- les êtres humains sont impuissants ; ils manquent de ressources intérieures leur permettant de riposter à de telles attaques et doivent demander de l'aide à l'extérieur.

Il arrive rarement que les personnes présentant des symptômes mentaux ou psychologiques qu'elles attribuent à la sorcellerie aient recours de leur propre gré au système de santé mentale, mais la collaboration entre guérisseurs et psychiatres a donné, dans certains cas, de bons résultats lors du traitement d'un client. De nombreux Noirs semblent s'intéresser de plus en plus aux modes de traitement pouvant remplacer ceux dispensés par le système de santé officiel. Ils cherchent des explications dans l'astrologie et s'en remettent aux médiums, prophètes, devins et autres spécialistes des sciences occultes.

Problèmes de santé mentale

On trouve dans la communauté noire la gamme complète de troubles mentaux, affectifs et comportementaux. L'évaluation de toutes les minorités, mais surtout de la minorité noire, se fait souvent à partir d'un modèle de comportement « déficitaire », c'est-à-dire que leur état est comparé à la norme établie pour la classe moyenne blanche. Les Noirs, leurs familles, leur communauté, leur culture sont perçus de manière négative, et les comportements sont généralement considérés comme pathologiques. En conséquence, le pourcentage de Noirs qui reçoivent un diagnostic psychiatrique est démesuré.

Les statistiques épidémiologiques sur le pourcentage de malades mentaux parmi les Noirs portent à confusion ; établies à partir du nombre de personnes hospitalisées et de nombreuses erreurs de diagnostic, elles ont engendré le mythe que les maladies mentales sont plus fréquentes chez les Noirs que chez les Blancs. D'après les données de l'épidémiologie psychiatrique qu'on possédait autrefois, les syndromes maniaco-dépressifs étaient rares chez les Afro-Américains (et on ne les trouvait, en général, que dans les couches socio-économiques les plus défavorisées). Les recherches récentes montrent néanmoins que les troubles maniaco-dépressifs, peut-être même les troubles affectifs, sont fréquents dans cette population (Jones, Gray et Parson, 1981). Parmi les clients souffrant de dépression, les troubles somatiques frappent davantage les Noirs que les Blancs.

En raison des relations traditionnelles entre les races en Amérique du Nord, la réaction paranoïde est une stratégie d'adaptation fréquente chez les Noirs. Les psychiatres Grier et Cobbs (1968), qui ont étudié la colère chez les Afro-Américains, pensent que cette population a dû acquérir pour survivre des traits de personnalité adaptatifs. Selon eux, les Afro-Américains souffrent de paranoïa culturelle, de dépression culturelle, ainsi que de masochisme culturel et leur personnalité antisociale est également d'origine culturelle ; autrement dit, jusqu'à la preuve du contraire, le comportement est dicté par la méfiance que leur inspire les Blancs. Ainsi, avant d'avoir recours au système « professionnel », le client a parfois cherché de l'aide auprès de sa famille, de ses amis, de ses voisins ou de profanes. Si l'aide reçue s'avère insuffisante, il aura recours aux services officiels de santé mentale, non sans essayer de repousser cette démarche. Cette réticence est due à un certain fatalisme ou à un manque d'enthousiasme en raison du risque d'avoir à subir la discrimination d'un système de santé géré par les Blancs.

Soins infirmiers

Les préjugés courants des Nord-Américains de race blanche à l'égard de la communauté noire peuvent faire obstacle à la communication thérapeutique et à l'empathie qu'il faut manifester au client. Selon Bradshaw (1978), les préjugés les plus répandus sont les suivants :

- les esclaves africains n'avaient aucune culture et n'étaient pas civilisés ;

- contrairement à la famille blanche, la famille noire est malade ;

- le matriarcat règne dans toutes les familles noires ;

- l'esclavage a engendré la confusion totale dans les familles noires ;

- la psychopathologie est une conséquence inévitable des familles monoparentales dirigées par la femme ;

- sur le plan sexuel, l'homme noir est soit inférieur, soit supérieur à l'homme blanc ;

- la dépression grave et le suicide sont rares chez les Noirs.

Étant donné que ces préjugés existent depuis plusieurs siècles dans la culture blanche dominante, l'infirmière doit analyser ses propres croyances et attitudes, et veiller à ne pas en être influencée lorsqu'elle effectue la collecte des données sur le client.

Les diagnostics infirmiers peuvent être erronés, même si le client et l'infirmière ont la même origine ethnique ou raciale. La probabilité d'erreur augmente en cas d'écart culturel, et souvent social, entre l'infirmière et le client. Les recherches effectuées sur les diagnostics psychiatriques et la comparaison des dossiers médicaux révèlent des différences considérables entre clients blancs et noirs ; on a remarqué par exemple que les infirmières prennent plus de notes d'observation dans le cas des clients blancs que dans celui des clients noirs (DeHoyos et DeHoyos, 1965). Malgré des symptômes cliniques essentiellement identiques, les Noirs risquent de recevoir un diagnostic de schizophrénie plus souvent que les Blancs, chez qui un diagnostic de dépression psychotique ou de trouble affectif est plus probable (Raskin, Crook et Herman, 1975 ; Simon et coll., 1973). Ces résultats semblent indiquer que le personnel engagé dans les soins psychiatriques peut commettre des erreurs de diagnostic à cause des idées stéréotypées au sujet de la psychopathologie des Noirs. Voici quelques-uns de ces stéréotypes : les Noirs sont trop joyeux pour souffrir de dépression, trop privés de relations interpersonnelles pour connaître le chagrin dû à la perte d'un être cher, trop hostiles pour s'engager dans une relation thérapeutique et trop impulsifs pour être capables de résoudre les problèmes. Certains tests diagnostiques, comme le *Minnesota Multiphasic Personality Inventory*, confirment parfois l'existence de stéréotypes et d'erreurs cliniques ; on ne doit les utiliser qu'avec la plus grande prudence et les interpréter en tenant compte des facteurs culturels.

L'infirmière doit savoir que le prêtre ou le pasteur de l'église que fréquente le client de race noire peut être une personne clé qui pourrait travailler en collaboration avec d'autres personnes faisant partie du réseau de soutien du client ou avec l'équipe de soins psychiatriques. Les pasteurs ou les autres membres de la communauté religieuse peuvent apporter des renseignements utiles sur le concept du soi du client et sur ses relations avec autrui.

Lors de la collecte des données sur les clients qui affichent un comportement paranoïaque, il est essentiel de faire la distinction entre la méfiance saine et réaliste, ou « paranoïa culturelle », et celle qui est incontestablement engendrée par les idées délirantes. Par exemple, le client de race noire qui croit qu'un policier blanc risque de l'abattre pour la moindre faute n'est pas paranoïaque, alors que ce même sentiment peut être signe de déséquilibre mental chez un Blanc de la classe moyenne (Poussaint, 1980). Quoi qu'il en soit, l'infirmière doit comprendre le contexte dans lequel ces pensées ou ces troubles de la pensée sont apparus et se rappeler que l'hostilité n'est pas nécessairement tournée contre elle, ou peut même ne pas l'être du tout (Spurlock, 1975). En s'efforçant de faire la distinction entre les problèmes psychologiques interpersonnels ou liés à la race et ceux engendrés par les relations proches et l'entourage du client, on peut faciliter énormément l'établissement d'un contrat thérapeutique. La communication doit toujours être ouverte ; elle ne doit pas comporter des ambiguïtés et doit être accessible au client. L'hospitalisation place les clients dans une situation de stress extrême, et ils peuvent se trouver dans un état de vive anxiété qui limite leur fonctionnement cognitif et déforme leur perception.

Savoir faire la distinction entre la vraie paranoïa et «une méfiance culturelle saine, qui n'est rien d'autre qu'une réaction adaptative au racisme » (Carter, 1974), est une aptitude clinique que l'infirmière peut avoir du mal à acquérir si elle n'est pas elle-même issue de la communauté noire. Pour y parvenir, elle doit examiner ses propres préjugés et les erreurs d'interprétation qu'elle a pu faire concernant le comportement des clients de race noire.

Les réactions du client de race noire sur le plan mental, affectif et comportemental dépendent de chaque individu et correspondent à sa façon de réagir aux événements de la vie. L'infirmière doit néanmoins se souvenir que le problème réel peut être le manque d'estime de soi, un sentiment d'impuissance ou de perte, un trouble somatique ou une altération de la perception ou des opérations de la pensée. Le problème peut également être lié au racisme, qui se manifeste dans presque tous les aspects de la vie. Dans son intervention, l'infirmière devrait aussi faire appel à des stratégies axées sur les facteurs sociaux et environnementaux qui peuvent déclencher la maladie mentale, ainsi que sur la dynamique psychologique et interpersonnelle.

Une étude réalisée auprès de clients blancs et afro-américains hospitalisés dans une unité psychiatrique de la *Veterans Administration* a révélé qu'il y avait moins de violence parmi les Afro-Américains, alors que les entretiens avec les médecins et le personnel infirmier laissaient entrevoir le contraire (Lawson, Yesavage et Werner, 1984). Une autre étude, effectuée dans une unité de soins des patients qui présentaient un épisode aigu, a fait état d'un nombre disproportionné d'Afro-Américains gardés dans l'isolement, ce que l'on a interprété comme la preuve possible de préjugés raciaux de la part du personnel (Soloff et Turner, 1981).

La *Moos Ward Atmosphere Scale* est une échelle d'évaluation de la perception du milieu social ; après l'avoir utilisé chez des clients blancs et afro-américains hospitalisés dans un établissement de la *Veterans Administration*, on a pu mettre en lumière des différences de perception selon la race, notamment une perception plus négative chez les clients afro-américains. Devant ces résultats, les chercheurs se demandent si cette différence de perception est due aux modes différents de traitement administrés aux Blancs et aux Afro-Américains ou si ces derniers ont déjà une perception plus négative au moment de leur arrivée, ce qui pousserait le personnel, en majorité de race blanche, à les traiter différemment, autrement dit à leur accorder moins de privilèges et à leur imposer davantage de restrictions (Flaherty et coll., 1981). D'après cette étude, il existe sans doute un lien entre la structure sociale, l'idée assez courante que les Afro-Américains manquent de spontanéité et d'autonomie, et leur tendance plus marquée à sortir de l'hôpital malgré l'avis contraire du médecin. Les infirmières et les autres membres du personnel soignant doivent examiner les règlements, les pratiques et les conditions d'hébergement du milieu de soins pour voir dans quelle mesure ils tiennent compte des valeurs et du mode de vie de tous les groupes culturels.

Les Nord-Américains d'origine asiatique

Les Nord-Américains d'origine asiatique forment une population extrêmement hétérogène. Leurs parents, leurs ancêtres, ou eux-mêmes, sont nés aux Philippines, en Chine, au Japon, au Vietnam, au Cambodge, au Laos ou en Thaïlande. L'attitude des Blancs à l'égard des Asiatiques reflète le mélange complexe d'idées réalistes, fantaisistes et stéréotypées qu'ils se font de cette population et qui sont rarement fondées sur une connaissance réelle de leur culture. Cependant, pour les Asiatiques, on ne peut avoir une identité cohérente sans appartenir à un groupe national, ethnique ou religieux donné ; c'est la raison pour laquelle ils sont vexés si le personnel se trompe sur leurs origines.

C'est chez les immigrants et les réfugiés arrivés dernièrement que la culture d'origine est la plus pure. Ceux qui sont sur le continent nord-américain depuis deux ou trois générations ont assimilé certaines valeurs culturelles de la société dominante. Par conséquent, toute généralisation concernant les Asiatiques étant inutile, il faudrait faire des évaluations précises de chaque cas particulier. Les Nord-Américains d'origine asiatique auxquels on n'a épargné ni les conflits culturels ni le choc culturel, ont connu de nombreux changements sociaux et ont été confrontés au racisme et aux problèmes caractéristiques des minorités. Un grand nombre d'entre eux bénéficient de nombreux réseaux de soutien et ils ont rarement recours au système de soins de la santé mentale. La santé affective et mentale des Nord-Américains d'origine asiatique est un sujet très controversé, mais ils sont en général beaucoup plus réticents que les Blancs à utiliser les services de soins de la santé mentale (Brown et coll., 1973 ; Kitano, 1969 ; Sue et McKinney, 1975 ; Sue et Sue, 1974 ; Sue et Zane, 1987).

Notions culturelles

Dans toute l'Asie, les valeurs culturelles, les relations interpersonnelles, les comportements sociaux et les croyances relatives aux soins et aux pratiques médicales sont marqués par l'influence du taoïsme, du confucianisme et du bouddhisme. Selon la philosophie taoïste, l'équilibre de l'être exige une harmonie avec la nature et une modération en toute chose. Le confucianisme établit des règles de conduite au sein de la famille et de la communauté. Le bouddhisme incite ses adeptes à accumuler les bonnes actions plutôt que les biens matériels. Les Nord-Américains d'origine asiatique qui ont été les moins touchés par l'acculturation acceptent difficilement la psychothérapie occidentale axée sur l'introspection car, selon la philosophie chinoise traditionnelle, l'équilibre psychosocial et la coexistence pacifique avec autrui et la famille ne vont pas sans l'harmonie dans les relations interpersonnelles, l'interdépendance, la loyauté et les obligations morales respectées de part et d'autres (Hsu, 1971).

La notion de famille élargie, établie sur les liens du sang, est courante chez les Nord-Américains d'origine chinoise ou japonaise. Même s'ils ne vivent pas sous le même toit ou près les uns des autres, il existe entre eux des liens affectifs très serrés et des règles bien définies quant aux rôles et aux obligations de chacun. Moins la famille a été touchée par l'acculturation, plus elle est dominée par l'homme, avec des rôles rigoureusement définis pour chaque sexe et chaque génération. Les relations selon les rôles (parents-enfant, mari-femme, frère-sœur) sont tout aussi bien définies. La déférence et le respect envers l'autorité parentale sont enseignés très tôt aux enfants chinois et japonais. Les Asiatiques adultes, qui ont beaucoup d'assurance dans leur comportement à l'extérieur, peuvent paraître excessivement soumis (selon les critères des Blancs) à leurs aînés. Les femmes, sauf peut-être les belles-mères, montrent parfois des signes d'obéissance encore plus marqués, qui traduisent l'infériorité et la dépendance.

La piété filiale (*hsiao* en chinois, *kōkō* en japonais) correspond à l'obligation sociale des jeunes envers leurs aînés, à leur devoir de prendre soin de leurs parents et de leur donner autant qu'ils en ont reçu. Traditionnellement, les parents vivent chez leurs enfants, mais cette situation peut engendrer des conflits lorsqu'on essaie de suivre plus ou moins les normes de la culture dominante pour ce qui est de la conduite à adopter face aux personnes âgées. Les Asiatiques qui ne font pas leur devoir familial ou social éprouvent souvent un fort sentiment de honte et de culpabilité.

Le conditionnement social des Nord-Américains d'origine chinoise ou japonaise les porte à se sentir coupables lorsqu'ils ont un comportement inacceptable et même à éprouver de la honte, sentiment encore plus destructeur. Ils se sentent coupables de ne pas être à la hauteur de ce qu'on attend d'eux et honteux de déshonorer leur famille et leur communauté ainsi que de ternir la réputation du groupe auquel ils appartiennent. De façon traditionnelle, les familles jouent un rôle important dans les soins prodigués aux personnes atteintes de troubles physiques ou mentaux. Pour sauver la face, une famille peut parfois garder auprès d'elle pendant des années l'un de ses membres atteint de maladie mentale avant de permettre l'intervention de personnes étrangères ou de le faire hospitaliser.

Les Asiatiques ont un comportement très différent des Nord-Américains et le comportement asiatique a fait l'objet de nombreuses études (Hsu, 1971 ; Kitano, 1969). Puisqu'ils recherchent toujours l'harmonie entre les personnes, les Asiatiques vont essayer d'éviter les conflits dans la mesure du possible. La confrontation, les questions directes, l'expression de sentiments négatifs et même la participation active en présence d'une personne représentant l'autorité sont autant d'infractions au code des bonnes manières qu'ils pratiquent depuis des siècles. Les Japonais doivent respecter le principe du *enryo*, qui leur dicte un comportement social empreint d'humilité, de réserve, de politesse, de respect et d'effacement. Les Nord-Américains d'origine chinoise essaient d'être conciliants plutôt que d'affronter leur interlocuteur, et de réprimer leurs sentiments plutôt que de les exprimer (Chen-Louie, 1983). Par conséquent, les thérapies individuelles ou de groupe axées sur la catharsis et la révélation de soi pourraient être contre-indiquées chez la plupart des clients d'origine asiatique. Leur participation à ce genre de thérapie peut causer un stress supplémentaire et, du point de vue culturel, risque d'être inacceptable, voire même nocive, sur le plan psychologique et social.

Croyances relatives à la santé

En Asie, tous les systèmes de soins s'inspirent de la médecine chinoise, qui est à la fois une science et un art vieux de plus de 5 000 ans. Dans chaque pays d'Asie, la médecine chinoise a été adaptée en fonction des caractéristiques géographiques, des croyances religieuses, des herbes et des aliments régionaux et des particularités culturelles.

On considère le yin et le yang comme les deux principes ayant formé l'univers ; ils sont à la base de tous les phénomènes naturels et ont de multiples propriétés. Comme l'explique Foster (1978, p. 63) :

> Le yang représente le ciel, le soleil, le feu, la chaleur, la sécheresse, la lumière, le principe masculin, l'extérieur, le côté droit, la vie, les hauteurs, la bonté, la noblesse, la beauté, la nature, l'ordre, la joie, la prospérité, bref, tout ce qui est positif. À l'opposé, le yin représente la terre, la lune, l'eau, le froid, l'humidité, l'obscurité, le principe féminin, l'intérieur, le côté gauche, la mort, les abîmes, les turpitudes, la méchanceté, la laideur, le vice, la confusion et la pauvreté, bref, tout ce qui est négatif.

Chaque partie du corps est yin ou yang. Le cœur, les poumons, le foie, la rate et les reins sont yin, alors que l'estomac, la vésicule biliaire, la vessie, l'intestin grêle et le gros intestin sont yang. Chaque personne doit maintenir toute sa vie durant un constant équilibre entre le yin et le yang, autant dans son propre organisme que dans l'univers. La mort survient lorsque l'équilibre est complètement rompu, et la maladie correspond à une perte momentanée de cet équilibre. L'acupuncture, la méditation, la consommation de certaines herbes, pour ne citer qu'elles, permettent de rétablir l'équilibre.

La médecine chinoise traditionnelle est également fondée sur l'équilibre entre les cinq éléments existant dans le corps humain et dans l'univers : la terre, l'eau, le feu, le métal et le bois. Partant de l'idée que de nombreux phénomènes se produisent par groupes de cinq, la médecine chinoise se sert beaucoup d'un système complexe de numérologie.

Les croyances et les pratiques de guérison des Nord-Américains d'origine asiatique s'inspirent également de la pathologie humorale, théorie qu'on retrouve sous différentes formes dans le monde entier. Selon cette théorie qui semble venir de Grèce et dont Hippocrate fait mention, pour que le corps soit en bonne santé, quatre humeurs corporelles doivent être en équilibre : le sang, chaud et humide, le flegme, froid et sec, la bile noire, froide et sèche et la bile jaune, chaude et sèche (Foster, 1978). De cet ancien système subsiste la dichotomie entre le chaud et le froid, qui sert à évaluer les maladies, les aliments, les herbes et les pratiques thérapeutiques. Les symptômes et les maladies à caractère « chaud » doivent être traités par une méthode « froide » et vice-versa. Cependant, chaque culture a ses propres classifications de froid ou de chaud pour les divers aliments, remèdes, maladies ou traitements. Si le client fait mention d'un tel système de référence, l'infirmière doit découvrir ce qui, pour lui, est chaud ou froid, lorsqu'il s'agit de maladie ou de diverses substances et pratiques. Par exemple, le médicament qui est considéré comme froid devrait être administré avec une boisson chaude, et le client souffrant d'un symptôme qui est considéré comme chaud devrait se nourrir d'aliments froids.

Ce système de référence peut être profondément ancré chez les immigrants asiatiques arrivés depuis peu, alors que ceux qui sont davantage assimilés ne l'utilisent plus que dans certains cas.

« Chez les Philippins, la notion d'équilibre est au cœur des croyances relatives à la santé (Anderson, 1983, p. 815). » Il y a risque de maladie lorsque l'équilibre entre le chaud et le froid est rompu, que ce soit au niveau des humeurs, des aliments, de l'air, de l'hygiène personnelle, de l'ordre du mouvement des intestins. Les émotions négatives, comme le chagrin, l'anxiété, la peur, le stress et le manque d'estime de soi, aussi bien que les expériences déstabilisantes peuvent être causes de déséquilibre. Selon les croyances populaires des Philippins, ces déséquilibres peuvent avoir des causes naturelles ou surnaturelles (fantômes, sorciers, divinités). Chez les Philippins, tout comme chez les Asiatiques en général, on rencontre ce thème de l'équilibre non seulement sur le plan de l'hygiène et de la santé mais aussi dans les interactions sociales à tous les niveaux et dans toutes les sphères de la vie quotidienne. Pour chaque personne, la conduite sociale appropriée et, souvent, le comportement dans les relations interpersonnelles ont une grande importance.

Problèmes de santé mentale

Dans l'ensemble, chez les Chinois, la fréquence globale des maladies mentales et des troubles affectifs est à peu près équivalente à celle qui a été observée dans les autres cultures. On a signalé toutes les catégories de troubles, notamment la schizophrénie, les psychoses affectives, les psychoses séniles et la dépression. On peut toutefois mettre en doute la validité des statistiques concernant la répartition des troubles mentaux et affectifs parmi les Américains d'origine asiatique. Par rapport aux autres populations, le diagnostic de psychose est plus fréquent, le taux des névroses est élevé mais le taux de troubles du comportement est faible (Sue, 1977). Une analyse des modes de comportements de clients américains d'origine japonaise et philippine, souffrant de schizophrénie paranoïaque, a révélé que les Japonais souffrent davantage de dépression, de repli sur soi, d'altération des opérations de la pensée et d'inhibition, alors que les Philippins souffrent plutôt de délire de persécution et présentent des signes de perturbation du comportement (Enright et Jaeckle, 1963).

La dépression est peu courante, en partie à cause d'une forte tendance à somatiser, d'où la manifestation fréquente de symptômes physiques. De façon générale, les cliniciens constatent que les Asiatiques et les Nord-Américains d'origine asiatique souffrent plus souvent que les Blancs de troubles somatiques qui sont, en fait, des manifestations d'une dépression sous-jacente. Ces clients présentent des symptômes de nervosité, des migraines, une sensation d'oppression, une faiblesse et des insomnies. Les symptômes physiques traduisent probablement la croyance que le corps et l'esprit ne font qu'un, l'interdiction d'exprimer ses sentiments ou des émotions vives, et le déshonneur de souffrir d'une maladie mentale (Sue et Morishima, 1982).

Bien qu'on trouve des syndromes à spécificité culturelle chez les Asiatiques, ils sont rarement observés chez les immigrés. Ainsi, le *koro* (appelé « syndrome de dépersonnalisation » par certains chercheurs) est un trouble anxieux typiquement culturel, observé chez les Asiatiques de Hong-Kong et du Sud-Est asiatique, mais rarement chez ceux qui sont établis sur le continent nord-américain. L'homme atteint du *koro* pense que son pénis peut se ratatiner, et disparaître à l'intérieur de son corps, ce qui aboutirait à la mort. La peur de cette maladie accentue la culpabilité et l'anxiété normales liées aux abus sexuels réels ou imaginaires, notamment à la masturbation. L'*amok* est un syndrome observé surtout en Indonésie. Les individus atteints, en général des jeunes hommes sortant d'une dépression, ont un besoin irrésistible de tuer et, en quête d'une victime, ils arpentent fiévreusement le village en brandissant une machette ou une autre arme. Cet état de furie aveugle semble être provoqué par un faible seuil de tolérance à la frustration, résultant du stress engendré par les rapports interpersonnels.

En général, les Américains d'origine asiatique semblent avoir rarement recours aux services de soins psychiatriques. Dans le cadre d'une étude portant sur les Américains d'origine chinoise, Tsai, Teng et Sue (1980) précisent pourquoi les Chinois utilisent insuffisamment les services de soins de la santé mentale. Les raisons avancées, au nombre de sept, s'appliquent également aux Américains d'origine asiatique. Ce sont :

- la honte et la peur du déshonneur ;

- la préférence donnée à d'autres moyens thérapeutiques ;

- le prix élevé des traitements ;

- l'emplacement de l'établissement et le manque de connaissance des services fournis ;

- les heures d'ouverture ;

- les croyances relatives à la santé mentale ;

- la qualité de l'accueil dans les services.

La honte et la peur du déshonneur ressenties par le malade mental sont directement liées à des valeurs culturelles selon lesquelles il faut éviter les comportements et les étiquettes qui risquent d'avilir l'individu et sa famille. Or, la maladie mentale est considérée comme avilissante et embarrassante, et ce même pour les Nord-Américains de race blanche. La peur de déchoir empêche donc les individus de consulter un professionnel tant que les symptômes ne sont pas graves. Les Asiatiques refusent parfois de faire appel au système de soins de la santé mentale parce qu'ils croient que la maladie mentale est causée par des facteurs somatiques ou organiques et qu'on peut la soigner par la volonté et par la concentration, cette méthode permettant de remplacer les pensées morbides par des pensées agréables. Étant donné que la révélation de soi et l'analyse des pensées morbides sont indispensables lors de la plupart des traitements psychiatriques occidentaux, les Asiatiques préfèrent recourir aux soins médicaux non psychiatriques ou aux praticiens de la médecine douce, comme les herboristes.

Soins infirmiers

L'expression franche et libre des sentiments, prisée par les Nord-Américains, n'est pas une norme acceptée universellement. Les Asiatiques accordent plus de valeur à la maîtrise de soi et à la retenue en cas de désaccord, et désapprouvent l'expression de la colère ou du chagrin. De telles explosions, difficilement excusables, même chez les femmes, les laissent honteux et embarrassés d'avoir enfreint le code de conduite. Le Nord-Américain d'origine chinoise dont le comportement ou le discours laisserait paraître des sentiments, surtout la colère ou le ressentiment, pourrait être rejeté par sa famille et sa communauté. Bien que le refoulement des émotions entraîne des symptômes psychophysiologiques ou mentaux, de tels symptômes semblent moins pénibles que le rejet et l'absence de soutien physique et psychologique.

Pour les Nord-Américains d'origine asiatique, les phénomènes psychiques et somatiques sont indissociables bien qu'ils acceptent que le stress suscité par les relations interpersonnelles puisse causer la dépression ou des symptômes psycho-physiologiques. Mais ce n'est pas pour autant qu'ils seront prêts à révéler et à analyser ouvertement leur expérience ou leurs sentiments. Cependant, leur désir de se retrouver en harmonie avec l'ordre social est si intense qu'ils acceptent parfois de suivre leur traitement pendant longtemps. Ils prennent des médicaments pour améliorer leur état physique et ont recours à l'introspection et à la méditation pour améliorer leur état affectif. Ces méthodes, en accord avec le confucianisme et le bouddhisme, sont en nette opposition avec certaines écoles occidentales de psychiatrie et de psychothérapie qui s'attachent à la communication verbale et à l'interprétation des comportements. Les Asiatiques préfèrent souvent un traitement structuré, des conseils et une orientation plutôt que l'introspection, la catharsis ou la verbalisation (Atkinson, Maruyana et Matsui, 1978).

Puisque la culture asiatique valorise l'intégration sociale et la maîtrise de soi plutôt que l'autonomie, la relation thérapeutique entre les infirmières et les clients d'origine asiatique peut entraîner la définition d'objectifs contraires à ceux qu'on fixerait pour les clients blancs de la classe moyenne. Même les Japonais de la deuxième génération (*nisei*) et de la troisième génération (*sansei*), qui semblent fortement assimilés, gardent des liens étroits avec leur famille et avec leur groupe ethnique. D'après leurs valeurs, l'individu doit s'adapter à la structure sociale sans chercher à la changer ni à la critiquer. En se servant de ses connaissances des variables socio-culturelles et en effectuant une collecte personnalisée des données, l'infirmière pourra déterminer les caractéristiques particulières du client et du groupe culturel auquel il s'identifie.

Les Asiatiques perçoivent souvent l'usage des médicaments différemment des Occidentaux. La plupart d'entre eux ne comprennent pas la nécessité de prendre des comprimés pendant de longues périodes, surtout si les symptômes s'estompent. Les herboristes qui suivent les traditions traitent souvent avec une seule dose, l'idée étant que le remède, s'il est approprié, ne doit être administré qu'une fois. Les Asiatiques croient également que les doses prescrites par la médecine occidentale sont trop fortes pour eux et il leur arrive, par conséquent, de réduire les doses de médicaments qu'ils prennent jusqu'à un niveau qui leur semble plus sûr. L'infirmière doit donner des explications détaillées sur les médicaments, leurs effets thérapeutiques, leurs effets secondaires et leurs diverses présentations, et adapter ses explications au niveau de compréhension du client ou de sa famille et à leur système de croyances.

En général, les immigrés d'origine asiatique sont moins loquaces que les Blancs. Ainsi, les membres de la famille prouvent au malade leur attention par des gestes bien définis plutôt que par la parole. Il est essentiel de faire participer la famille aux soins infirmiers pour lui permettre d'assumer ses responsabilités envers la personne malade ou hospitalisée. L'hospitalisation aggrave le déséquilibre qui est à l'origine des symptômes psychiatriques et risque de les exacerber.

Si plusieurs clients d'origine asiatique sont en traitement dans un même endroit au même moment, l'infirmière peut envisager des activités thérapeutiques qui leur permettent d'entrer en relation les uns avec les autres, dans la mesure où elle sait qu'il n'existe pas de sentiments hostiles pouvant entraver les rapports entre les personnes en question ou entre les groupes ethniques auxquels elles appartiennent. Il est préférable de s'en tenir à un mode d'interaction formel, d'opter pour des questions et des remarques discrètes et indirectes, et de mettre l'accent sur des solutions concrètes, axées sur le comportement, plutôt que d'insister sur l'introspection et l'analyse de l'étiologie des symptômes. On doit inviter la famille (nucléaire, élargie ou composée de trois générations) à participer aux discussions et aux décisions, et traiter toutes les personnes avec respect.

Pour fournir aux Asiatiques des soins infirmiers efficaces et adaptés sur le plan culturel, il faut :

- éliminer les attitudes et les pratiques racistes ;

- disposer d'un personnel bilingue qui connaît les deux cultures ;

- connaître les antécédents culturels et l'expérience de vie des clients d'origine asiatique ;

- prendre conscience de ses propres préjugés culturels ;
- avoir le désir d'accepter ce que le client ou sa famille peuvent enseigner.

Les immigrants du Sud-Est asiatique

Pour les Hmongs, la terre n'était pas très grande et l'Homme pouvait la parcourir à pied.

Mais comment pouvaient-ils expliquer que la Chine était leur demeure ancestrale ? « Nous étions esclaves. Pour nous échapper, nous avons confectionné un grand drap sur lequel ont pris place 3 800 Hmongs. Un esprit bienveillant a fait souffler un vent puissant qui nous a tous fait passer de la Chine au Laos. »

Si l'on insiste un peu, ils admettent avoir fui à pied. Il n'en reste pas moins que l'esprit bienveillant de la légende n'est autre que leur endurance et que le vent puissant symbolise leur soif de liberté. Le peuple Hmong tient en effet à nous rappeler que son nom signifie « liberté ».

Pour atteindre cet idéal, ce peuple n'a connu pendant des siècles que la fuite et la mort.

Lorsqu'ils traversent une période difficile, les Hmongs se remémorent le passé. Autrefois, ils se disaient qu'ils trouveraient bien une autre montagne où se réfugier. Mais aujourd'hui, il n'ont plus de montagne où aller. (*The Bilinguist*, juin 1985, pp. 1-2)

Jusqu'en 1975, les réfugiés du Sud-Est asiatique (Indochine) étaient en général de jeunes Vietnamiens instruits qui venaient des villes. Ils étaient catholiques, en bonne santé et intégrés à des groupes familiaux. Depuis 1979, arrive une nouvelle vague d'immigrants comprenant notamment des Vietnamiens, des Cambodgiens, des Laotiens et des Hmongs. Ils appartiennent à différentes ethnies, nationalités et religions; ils viennent des campagnes ou des villes, et leur niveau d'instruction, leur langue et leur santé varient considérablement. Ce sont des réfugiés qui ont échappé à leur pays déchiré par la guerre, dans des conditions extrêmement dangereuses, pour venir dans un pays de culture totalement différente où ils ne se sentent pas toujours les bienvenus. Bon nombre d'entre eux ne comprennent ni l'anglais ni le français et n'ont jamais appris à utiliser les services de santé ou les autres ressources communautaires.

Notions culturelles

La plupart des Vietnamiens, Cambodgiens et Laotiens sont bouddhistes. Un faible pourcentage d'entre eux sont musulmans, chrétiens, taoïstes, confucianistes ou animistes. L'animisme, doctrine attribuant une existence spirituelle aux objets, est prédominant chez les Hmongs.

Les sociétés du Sud-Est asiatique reposent sur une solide structure familiale. Elles s'appuient sur des systèmes patrilinéaires très bien organisés, qui remontent à plusieurs générations, et dans lesquels les rôles respectifs sont parfaitement définis au sein du foyer, dominé par l'homme. La piété filiale demeure très forte, tout comme les règles de conduite dans les interactions sociales. Les personnes originaires du Sud-Est asiatique ne manifestent pas ouvertement leurs sentiments de culpabilité, de dépression et de honte. Pour elles, la souffrance la plus grande est un élément inévitable de la vie et elles se tournent de préférence vers les amis et la famille lorsqu'elles ont besoin d'aide.

Croyances relatives à la santé

Pour les Hmongs et les Miens, peuples des montagnes, la médecine et la religion ne font qu'un : les guérisseurs chamanistes sont, en effet, des prêtres-médecins qui interviennent auprès des dieux pour obtenir la guérison. Les gens des plaines croient, quant à eux, à la médecine naturelle, qui est fondée sur l'équilibre entre les éléments chauds et froids, et sur les pouvoirs de guérison de la nature. La théorie du chaud et du froid peut transparaître dans certaines croyances concernant les bains, les médicaments, les ponctions veineuses, les aliments, les méthodes d'abrasion de la peau et les hématomes. Puisque, selon la croyance, il existe un lien entre le corps et l'esprit, les maladies psychosomatiques sont acceptables. Lorsque le corps est malade, l'esprit est atteint et si l'esprit est perturbé, le corps devient malade. Cependant, tout comportement qui traduit un trouble mental est avilissant pour la personne atteinte et pour sa famille. C'est pourquoi on cherche un traitement rapide qui donne des résultats immédiats. Si son système de croyances accorde une importance primordiale aux pouvoirs surnaturels (par exemple aux mauvais esprits qui sont la cause des troubles mentaux), le malade fait appel au chaman pour exorciser l'esprit importun. Pour les bouddhistes, les troubles mentaux sont parfois le résultat de mauvaises actions antérieures, qui entraînent un mauvais karma. Les maladies mentales, qui sont pour eux particulièrement honteuses, sont très fréquentes chez les immigrants récemment arrivés du Sud-Est asiatique (Owan, 1985).

Problèmes de santé mentale

Une étude menée en 1976 chez des réfugiés d'Indochine (Robinson, 1980) a permis de répertorier un certain nombre de facteurs de stress :

- déracinement traumatisant et violent ;

- choc causé par la séparation de la famille et des amis ;

- longues périodes d'attente et d'incertitude dans les camps de réfugiés ;

- aliénation culturelle ;

- réactions mitigées de la société d'accueil ;

- incertitude quant à l'avenir ;

- difficultés d'ordre linguistique ;

- manque d'emplois, en particulier d'emplois correspondant à la formation et à l'expérience ;

- mauvaises conditions de logement ;

- conflits avec les répondants ;

- désintégration de la structure familiale traditionnelle causée par le conflit de générations.

Ces facteurs de stress provoquent de nombreux symptômes psychosomatiques, tout comme l'anxiété, la dépression et les conflits entre les généra-

tions et les conjoints. Les survivants cambodgiens des camps de concentration souffrent souvent du syndrome de stress post-traumatique qui dure parfois plusieurs années après leur libération et dont les symptômes les plus courants sont les cauchemars, les pensées intrusives, la torpeur affective et le repli sur soi, ainsi que des sursauts d'hyperactivité (Boehnlein et coll., 1984 ; Mollica, Wyshak et Lavelle, 1987).

On trouve chez les immigrés originaires du Sud-Est asiatique toute la gamme des troubles mentaux et affectifs, mais les cas qui n'ont pas de composante psychotique restent souvent cachés par la famille. De cette catégorie, l'anxiété et la dépression sont les troubles qui pousseront le plus fréquemment les réfugiés à demander de l'aide (Tung, 1985). Comme chez les Asiatiques, la dépression est souvent masquée par des troubles somatiques.

Le syndrome de survie qui frappe les réfugiés correspond à un ensemble de symptômes, dont la dépression et la culpabilité d'avoir survécu alors que les proches ont disparu. Cette réaction survient souvent une fois que les problèmes immédiats sont résolus et que la personne a eu le temps de réfléchir au passé (Ingall, 1984). Les multiples pertes subies (patrie, famille, biens matériels, sécurité, estime de soi et identité) plongent les réfugiés dans un chagrin profond et tenace, et constituent l'un des principaux problèmes auxquels ils doivent faire face. Pour pouvoir surmonter leur peine, de nombreux réfugiés du Sud-Est asiatique qui sont pris en charge par le système de soins de la santé mentale ont besoin des conseils et du soutien des infirmières.

Plus de 75 décès survenus lors de cauchemars ont été signalés parmi de jeunes Laotiens Hmongs apparemment en bonne santé. Il s'agit là d'un phénomène particulièrement grave et déroutant. « Tous sont morts pendant leur sommeil, alors qu'ils étaient en bonne santé, et tous ont souffert une agonie étrangement similaire, marquée par une respiration laborieuse, des râles et une rigidité tonique. » (Ingall, 1984, p. 370) On ignore la cause exacte de ces décès, mais on pense qu'elle peut être liée à un traumatisme psychique dû à des cauchemars répétés, suscités par la guerre, la pauvreté et l'exil.

Soins infirmiers

Dans le Sud-Est asiatique, on ne trouve pas de véritable équivalent des services de santé mentale, et la plupart des Indochinois ne savent pas comment se comporter ni à quoi s'attendre lorsqu'ils sont en présence de personnes qui travaillent dans ce milieu. L'hôpital leur fait peur car, pour beaucoup d'entre eux, il est synonyme de mouroir. Certaines méthodes de traitement violent leurs croyances relatives au corps humain et à ce qu'on peut lui faire subir sans risques ; ils peuvent donc réagir de manière vive et inquiétante à de simples examens de routine.

Il n'est pas rare pour des personnes originaires du Sud-Est asiatique d'accorder aux médecins un pouvoir presque mystique et de les tenir pour omniscients (Jacobson, 1982). En raison de leurs relations avec les médecins, les infirmières et les autres membres du personnel soignant peuvent être investis des mêmes pouvoirs. Puisque, à leur avis, l'infirmière est censée tout savoir en ce qui les concerne sans même qu'elle les interroge, ils risquent de réagir par la méfiance et l'anxiété si ses questions sont trop nombreuses ou détaillées. Ils sont prêts à prendre des médicaments, mais ils ne se conforment pas toujours à la posologie parce qu'ils pensent qu'on ne doit prendre un médicament que lorsqu'on se sent malade. Il sont aussi portés à croire que les médicaments des Occidentaux, si différents des leurs, ne leur conviennent pas. La famille, ainsi que le chef de clan dans le cas des Hmongs, joue un rôle primordial et on doit faire participer tous les membres à la prise de décisions thérapeutiques.

Les immigrés du Sud-Est asiatique prisent la capacité de réprimer les émotions et d'éviter les conflits. Il est rare qu'ils parlent ouvertement de sujets personnels ou de leurs sentiments et ils s'efforcent de sauver la face à tout prix et de rester dignes. Par ailleurs, ils évitent de critiquer ou de faire des remarques négatives. Pour les réfugiés souffrant du syndrome de stress post-traumatique, le fait de pouvoir parler des moments terrifiants qu'ils ont vécus constitue l'un des aspects les plus positifs de certains plans de traitement conçus spécialement pour les immigrés du Sud-Est asiatique (Kinsie, 1981). L'infirmière doit éviter de poser des questions directes dans la mesure du possible. Elle doit formuler ses questions de manière à laisser une certaine latitude au client et à lui permettre de choisir entre plusieurs réponses au lieu d'avoir à répondre par oui ou par non. L'objectif est, en effet, de garder la communication ouverte sans que le client puisse craindre de blesser l'infirmière par ses réponses (Armour, Knudson et Meeks, 1981).

L'infirmière doit analyser la signification et l'importance culturelles de chaque comportement. Le client qui s'adresse à un membre décédé de sa famille comme s'il était là n'est pas forcément en train d'halluciner et n'est peut-être pas psychotique. Le fait de croire qu'il est possible d'entrer en communication avec les morts n'a rien d'anormal pour une personne qui vit en relation étroite avec le surnaturel et les esprits. Dans certains cas, les guérisseurs et le personnel psychiatrique peuvent fournir des services au client et à sa famille tout en préservant la contribution de chacun au processus de guérison.

Ishisaka, Nguyen et Okimoto (1985) suggèrent aux thérapeutes et aux infirmières de tenir compte, lors de l'établissement du bilan de santé, des aspects suivants :

- la vie familiale et les expériences de l'enfance ;

- le vécu avant l'exil ;

- les raisons pour lesquelles le client a émigré, les conditions de l'émigration, les pertes subies et les attentes pendant cette période ;

- la vie du client dans les camps de réfugiés, son attitude à l'égard de la vie dans les camps, les problèmes de subsistance ;

- le parrainage dans le pays d'accueil, les attentes concernant la vie dans le nouveau pays, les expériences de conflit culturel, les problèmes de survie, les stratégies d'adaptation ;

- les modes d'adaptation de la vie familiale si la famille est arrivée depuis plusieurs années ;

- les préoccupations actuelles du client et ce qu'il attend de l'avenir ;
- la façon dont le client perçoit ses difficultés d'adaptation courantes.

Les ressortissants du Sud-Est asiatique ont un héritage culturel ancien et riche qui doit être préservé et respecté au cours de la période difficile de leur établissement en Amérique. Pour surmonter les obstacles linguistiques, l'infirmière devrait recourir aux services d'interprètes compétents et dignes de confiance. Elle doit comprendre l'énorme choc culturel de l'émigration pour pouvoir manifester de l'empathie à l'égard du réfugié et pour que l'interaction puisse progresser vers un but précis, lentement et sans accrocs.

Les Hispano-Américains

La minorité ethnique hispanophone connaît une expansion rapide. L'espagnol est leur langue première et même la seule langue parlée par un grand nombre d'entre eux. C'est un groupe hétérogène comportant des différences très nettes à plusieurs niveaux : le pays ou le lieu d'origine, la durée de résidence en terre étrangère, le degré d'acculturation ou d'assimilation, le niveau de maîtrise de la langue du pays, les possibilités d'emploi ou de formation, la situation socio-économique, l'idéologie politique, les raisons de l'émigration et, enfin, la structure familiale (Torres-Matrullo, 1981). Les Hispano-Américains viennent de Cuba, de Porto Rico, du Mexique, et de nombreux autres pays d'Amérique centrale et d'Amérique du Sud où vivent divers groupes d'origine espagnole, africaine ou indienne.

Notions culturelles

La plupart des clients hispano-américains appartiennent à des réseaux familiaux très étendus. Les liens du sang créent des entités sociales fortes et structurées qui confirment les individus dans leur identité. Au-delà de la famille nucléaire, les Hispano-Américains entretiennent des liens avec des parents de ligne collatérale ou directe appartenant à plusieurs générations. Dans le cadre du système de *compadre*, ils choisissent un parrain et une marraine qui intègrent la famille et jouent le rôle de deuxièmes parents. Cette famille élargie est un réseau de soutien social pour chacun de ses membres sa vie durant et surtout en période de crise, notamment en cas de maladie. Si cet appui disparaît par suite de la séparation causée par l'exil, l'immigrant peut ressentir une perte d'identité sociale et personnelle.

Dans les familles hispano-américaines traditionnelles, les rôles sont clairement définis. L'homme est le chef de famille. On lui doit respect et obéissance car il a le rôle dominant, comme tous les hommes en général. En raison de la distinction nette entre les rôles attribués à chacun des sexes, le comportement *macho* est le comportement normal de l'homme, tandis que la femme doit remplir les rôles de mère, d'épouse et de maîtresse de maison. Ces rôles traditionnels commencent toutefois à changer, les femmes étant obligées de travailler à l'extérieur pour apporter un deuxième salaire.

Les familles hispano-américaines tendent à être centrées sur les enfants, qui sont choyés et chez qui l'on encourage des attitudes comme la collaboration, le travail en commun et le partage plutôt que la compétition. Les enfants sont parfois élevés par plusieurs adultes au sein de la famille élargie. Dans les familles le moins touchées par l'acculturation, les hommes gardent l'attitude du phallocrate alors que les femmes sont passives et attachées à leur foyer.

Le catholicisme est la religion dominante chez les Hispano-Américains. D'après certaines évaluations, 90 p. cent d'entre eux sont catholiques bien qu'ils ne soient sans doute pas tous pratiquants. Pour ceux qui le sont, la religion a une grande influence sur plusieurs aspects de leur vie. En cas de maladie et d'hospitalisation, ils peuvent être fortement réconfortés par la religion, ainsi que par leur famille et leurs amis. Les rites font partie intégrante de la pratique religieuse et le prêtre peut apporter un grand réconfort pendant l'hospitalisation. Si le client croit que ses problèmes sont une punition de Dieu, on doit l'autoriser à participer à toute cérémonie ou service religieux pouvant l'aider à rétablir ses rapports avec la divinité.

La culture hispano-américaine est souvent en conflit direct avec la culture nord-américaine. Si ce conflit est intériorisé, il produit un sentiment d'ambivalence qui entraîne des symptômes sur le plan émotionnel et mental. L'individualisme et la concurrence, valeurs nord-américaines, s'opposent aux valeurs hispano-américaines de coopération et d'orientation collective. Les conflits entre les générations sont très fréquents chez les Hispano-Américains. Ils surgissent entre les jeunes, sûrs d'eux-mêmes et parfois peu respectueux, et les personnes plus âgées qui demandent soumission et obéissance.

Dans l'ensemble, les Hispano-Américains vivent dans le présent et font peu de projets d'avenir. On note chez eux une forte propension à fonctionner intégralement dans l'« ici et maintenant ». Ils ont une notion du temps beaucoup plus souple que celle des Nord-Américains et ils se préoccupent souvent beaucoup plus de la qualité d'une interaction que du temps consacré aux échanges. L'infirmière doit évaluer la façon dont le client perçoit le temps, car il s'agit d'un facteur très important pour élaborer les plans de soins et pour fixer les objectifs à atteindre.

Croyances relatives à la santé

La médecine populaire des Hispano-Américains est un système complexe de croyances et de pratiques relatives à la nature de la santé, à l'étiologie et aux méthodes de guérison, qui s'inspire à la fois des croyances populaires amérindiennes et hispaniques auxquelles s'ajoutent des éléments empruntés à la médecine classique. Bien que ces croyances varient beaucoup d'un pays à l'autre, et même d'une ville à l'autre, on retrouve partout la répartition en deux catégories (chaud et froid) des aliments, boissons, herbes, médicaments, symptômes et maladies (Foster et Anderson, 1978).

Cette théorie (*caliente-frio*) constitue, pour de nombreux Hispano-Américains, un cadre de référence qui leur permet de déterminer leur mode de vie, d'expliquer les causes des maladies et de trouver les traitements correspondants. Les relations interpersonnelles et les pratiques d'hygiène doivent être équilibrées, afin de rester en bonne santé et de

bien vivre. L'infirmière doit se familiariser avec la manière dont chaque client hispano-américain applique cette théorie, afin de comprendre la forme qu'elle revêt chez lui et l'importance qu'il lui accorde.

Dans toute l'Amérique du Sud, il existe un système de guérison populaire appelé *curanderismo*. Encore aujourd'hui, de nombreux Mexicains et Hispano-Américains traditionnalistes, surtout du Sud-Ouest, font appel aux *curanderos* (guérisseur) et *curanderas* (guérisseuses) pour soigner les maladies physiques ou mentales. On ne sait pas jusqu'à quel point les services de ces guérisseurs sont utilisés. Ce qui importe pour l'infirmière, c'est d'être consciente que ses clients hispano-américains ont peut-être été influencés par *le curanderismo* – pour ce qui est des causes des maladies et de leurs soins – même s'ils n'y recourent pas. Les clients hispano-américains pourraient, de ce fait, avoir certaines attentes qui risquent d'influer sur la démarche de soins et sur le processus de guérison. Maduro (1983, p. 868) donne huit principes philosophiques qui régissent le *curanderismo*.

> La maladie peut survenir : 1) par suite d'une émotion forte (fureur, peur, jalousie ou chagrin dû à une perte importante) ; 2) par suite d'un manque d'harmonie avec le milieu environnant. 3) Le patient est souvent la victime innocente de forces malveillantes. 4) L'âme peut se séparer du corps (perte de l'âme). 5) La famille entière doit participer au traitement. 6) Il n'est pas toujours possible de faire la distinction entre le monde naturel et le monde surnaturel. 7) La maladie remplit souvent une fonction sociale: elle satisfait le besoin d'attention, regroupe la famille autour du malade et rétablit le sentiment d'appartenance (resocialisation). 8) Les Latino-Américains réagissent mieux s'ils ont une relation libre avec leur guérisseur. Ces idées et attitudes relatives à la santé, à la maladie et aux soins s'organisent de façons différentes selon les cultures et peuvent être conscientes ou inconscientes (implicites).

D'après les résultats d'une étude menée par Schepler-Hughes (1983, p. 844), à cause de la vie moderne et de l'acculturation, le *curanderismo* est bien moins suivi et sa pratique est moins fréquente qu'il y a 20 ou 30 ans. Quoi qu'il en soit, on a relevé certains aspects qui subsistent : l'interprétation religieuse de la maladie, le fait de croire au caractère pathogène des émotions vives, la tendance à relier les malaises physiques ou psychologiques inexpliqués à des relations interpersonnelles difficiles ou malveillantes et le fait de croire aux effets salutaires de l'équilibre et de la modération dans les comportements, les sentiments et les relations humaines.

Les *curanderos* soignent à l'aide de plantes, de purifications (*limpias*) et de massages, dans le cadre d'une relation très personnalisée entre le client et le guérisseur. Le *curandero* agit en accord avec la perspective universelle du client : croyance en un équilibre à tous les niveaux (physique, psychologique, social et spirituel), rétablissement de l'équilibre entre le chaud et le froid, rapport étroit entre le corps et l'esprit. Lorsque la maladie est liée au monde spirituel, comme dans le cas de la perte de l'âme causée par la frayeur (*susto*), le *curandero* a le pouvoir de faire revenir l'âme égarée en intervenant auprès des esprits.

En général, les Hispano-Américains acceptent plus facilement que les Nord-Américains les comportements qui s'écartent de la norme. Ils font souvent la distinction entre le comportement névrosé et le comportement psychotique. Ce dernier, qu'ils qualifient de *loco* (fou), est considéré comme avilissant, mauvais ou dangereux. Les Hispano-Américains qui n'ont pas assimilé les traits culturels de la société dominante préfèrent parfois faire appel à des guérisseurs pour le traitement des comportements psychotiques.

Le fait d'entretenir des croyances populaires relatives aux maladies et aux guérisseurs n'empêche pas forcément les Hispano-Américains, ni d'ailleurs les autres populations minoritaires, d'accepter les soins offerts par le système de santé, mais influe sur leurs attentes à l'égard du traitement et de l'évolution de la maladie.

Problèmes de santé mentale

Comme pour les autres groupes ethniques, on rencontre chez les Hispano-Américains toute une gamme de maladies affectives et mentales, avec toutefois des variations d'incidence et de prévalence entre les différentes cultures. Une étude comparative de clients américains d'origine mexicaine et d'origine anglaise a permis de noter plusieurs différences. Chez les femmes, celles d'origine mexicaine sont plus grièvement touchées sur le plan affectif et plus nombreuses à avoir des symptômes catatoniques; elles sont davantage prédisposées aux crises de larmes, à l'hyperactivité, à l'irritabilité, à la dépression et aux sautes d'humeur. Chez les hommes, on note davantage de cas d'alcoolisme et d'agressivité chez les Mexicains, dont les symptômes traduisent une exacerbation du comportement machiste. D'après Arrendondo (1987), l'alcoolisme est peut-être le trouble de santé le plus grave chez les hommes d'origine mexicaine, surtout depuis que la consommation d'alcool est acceptée par la culture et la religion.

Il arrive souvent que des émotions déclenchent des symptômes physiques et mentaux. On considère certains sentiments ou comportements, tels la honte, la gêne, la tristesse, la colère, la débauche, la peur et le rejet comme dangereux pour la santé. Il n'est pas rare d'observer chez les Hispano-Américains des troubles psychophysiologiques et, dans une moindre mesure, des réactions de conversion, en partie parce qu'ils croient en l'unité du corps et de l'esprit. Les maladies physiques peuvent être causées par des dérèglements nerveux, et ils établissent souvent un lien entre leurs maux physiques et « *los nervios* ». Les hommes considèrent souvent la maladie comme un signe de faiblesse physique ou morale et ne l'admettent pas facilement. Tout au moins trouvent-ils les symptômes physiques plus acceptables que les symptômes mentaux.

Le *mal puesto* est une maladie provoquée, selon eux, par une sorcière agissant au nom d'une autre personne. La victime est anorexique, fébrile, se montre méfiante ou paranoïaque. La personne qui croit en la sorcellerie pense qu'un malheur peut survenir si elle a offensé Dieu d'une manière ou d'une autre ; elle est alors sous l'emprise satanique d'un sorcier (*brujo*) ou d'une sorcière (*bruja*). Un mauvais sort peut produire des symptômes tout à fait différents : douleurs physiques, difficultés interpersonnelles ou professionnelles et maladies mentales. Le recours à la sorcellerie reflète les conflits qui existent dans le réseau social.

Le *susto*, ou frayeur magique, appartient aussi aux croyances populaires et a fait l'objet d'études nombreuses par les anthropologues. Il résulte souvent d'une expérience traumatisante, en général imprévue, comme le fait de voir mourir quelqu'un, d'être témoin d'un accident, ou de découvrir que l'on est trompé par son conjoint. Bien que les causes et le traitement du *susto* soient variés, on croit généralement que la personne qui en est victime a perdu son âme pour avoir dérangé ses gardiens spirituels. Les symptômes associés au *susto* comprennent l'insomnie, l'anxiété, le manque d'appétit et des palpitations. Le *curandero* est le guérisseur idéal pour les personnes atteintes de cette maladie. Les recherches effectuées montrent d'ailleurs que les *curanderos* réussissent à guérir les troubles mentaux (Madsen, 1964).

Les Hispano-Américains sont en général relativement peu nombreux dans les établissements de santé mentale. Plutôt que de refléter une incidence moindre de la santé mentale, les chercheurs croient que cette faible représentation est due à des variables sociales et culturelles complexes qui les empêchent d'avoir recours aux services psychiatriques nord-américains. On peut citer, entre autres, la langue, l'attitude discriminatoire et les préjugés du personnel de race blanche, l'emploi de thérapies mal adaptées à la culture, le manque d'établissements de santé mentale dans les communautés hispano-américaines, et le recours à d'autres approches (Karno et Edgerton, 1969).

Soins infirmiers

Les Hispano-Américains recherchent en général davantage le rapprochement, sur le plan physique et interpersonnel, que les Nord-Américains. Ainsi, pour établir plus facilement un lien avec le client, l'infirmière pourra s'asseoir plus près de lui et lui témoigner de la chaleur humaine en lui prenant la main ou en lui touchant les épaules. Les Hispano-Américains aiment qu'on les appelle par le nom de leur mère et de leur père ; c'est pour eux un signe de respect et d'appréciation. On peut aussi commencer l'entrevue par la *platica*, conversation purement sociale qui permet de conduire les échanges à un rythme qui leur est familier. Le fait que le client baisse les yeux ne doit pas être perçu comme

un signe de résistance ou de fuite. Pour les clients hispano-américains, fixer continuellement une personne peut être un manque de respect, et c'est pourquoi ils évitent parfois de le faire.

Nombreux sont les clients hispano-américains qui évitent de parler de sujets personnels ou familiaux avec autrui, surtout avec des personnes étrangères à la famille. Même si l'infirmière et l'équipe de soins sont là pour les aider, les clients qui sont restés le plus attachés à leurs traditions mettront du temps avant de révéler des faits très personnels lors des entrevues et tout au long de la thérapie. Par ailleurs, les clients hispano-américains étant très sociables et portés à établir des contacts interpersonnels, les thérapies verbales de groupe ou individuelles peuvent très bien leur convenir si on les laisse se confier à leur propre rythme dans des conditions où ils se sentent en sécurité.

Un modèle de traitement basé sur le comportement peut donner de bons résultats avec les clients de langue espagnole, s'il comporte une entente, sorte de contrat, entre l'infirmière et le client, visant à définir les objectifs à atteindre et la façon d'y parvenir. Les chances de concordance avec les valeurs et les perceptions du client sont d'autant plus grandes que l'intervention de l'infirmière est souple et adaptée à sa culture.

Chez les Hispano-Américains, la famille joue un rôle essentiel à chaque stade de la maladie et elle prend très au sérieux la santé et le bien-être de chacun de ses membres. Il faut donc l'autoriser à participer à la planification des soins et aux interventions dans la mesure où le client et l'infirmière estiment que cette participation a une valeur thérapeutique.

Il est parfois nécessaire de faire appel à des interprètes lorsque le client parle uniquement l'espagnol. Surtout lorsqu'ils sont anxieux, tendus ou en proie à la panique, les clients hispano-américains peuvent préférer leur langue maternelle ou y revenir involontairement pour communiquer leur peur, leur détresse ou leur confusion. Dans ce cas, il est idéal d'avoir des infirmières bilingues ; autrement, l'infirmière doit demander l'aide d'un interprète qui lui convient à elle et que le client accepte.

Profil culturel et collecte des données

Tous les problèmes de santé sont étroitement et inévitablement liés à la culture. Tous les groupes humains bâtissent des théories, scientifiques ou religieuses, pour expliquer les troubles mentaux et affectifs, leurs causes, leur diagnostic, leur pronostic et leur traitement. Ces explications théoriques sont aussi diversifiées que les cultures elles-mêmes et les réactions humaines au stress et aux conflits intra-psychiques, interpersonnels ou sociaux peuvent aussi revêtir des formes très variées.

Les États-Unis et le Canada sont des sociétés de pluralisme culturel. Si elle connaît les coutumes, les croyances et les valeurs culturelles des clients, l'infirmière peut mieux s'expliquer certains comportements qui la déroutent ou sur lesquels elle pourrait porter un jugement (voir le tableau 5-1). À partir de la collecte des données culturelles, l'infirmière peut analyser et interpréter les données en tenant compte des facteurs culturels, élaborer les plans de soins en conséquence et adapter les interventions en fonction de la culture du client. La démarche de soins est ainsi holistique et personnalisée à la fois.

Le bilan de santé qui figure au chapitre 2 est établi selon un plan bien précis et organisé, et sert de guide à l'infirmière pour recueillir les données concernant le client souffrant de troubles psychiatriques. Les questions qui suivent mettent en relief les points que l'on doit tenter d'élucider et qui, avec les renseignements d'ordre sociologique, psychologique, biologique et spirituel, permettent de faire un bilan qui tienne compte des antécédents culturels.

Quelles restrictions votre religion et votre culture vous imposent-elles dans les activités quotidiennes et dans les modes de communication ?

Êtes-vous très attaché à votre culture ?

Quelles sont les valeurs culturelles de la société blanche dominante que vous avez assimilées ? Quelles sont celles que vous n'avez pas assimilées ?

Quelle(s) langue(s) savez-vous parler, lire et écrire ? Avec quel degré de facilité ?

Si vous êtes bilingue ou multilingue, dans quelle langue avez-vous l'habitude de penser ?

Quelles caractéristiques de votre langue ou de votre façon de communiquer influent sur le déroulement de l'entrevue et sur vos relations avec l'infirmière ?

Comment vous expliquez-vous la maladie en général et la maladie mentale ou psychologique en particulier ?

Quels rôles et comportements les membres de votre famille et vos proches sont-ils censés adopter face à votre guérison ?

Que signifie pour vous l'hospitalisation ou le recours au système de soins de la santé mentale ?

Quels sont les rapports entre votre religion et vos croyances relatives à la maladic ct aux pratiques thérapeutiques ?

En quoi votre religion ou votre culture influe-t-elle sur le choix de vos aliments, sur leurs modes de préparation et de consommation et sur le moment des repas ?

Quels sont les effets de votre identité ethnique, raciale et culturelle sur l'opinion que vous avez de vous-même et sur votre estime de vous-même ?

Quels sont vos modes d'adaptation culturels par rapport au stress et à l'hospitalisation ?

BILAN DE SANTÉ ET PROFIL CULTUREL

À quel groupe ethnique ou racial vous identifiez-vous ?

Quel est votre pays d'origine et où avez-vous vécu ?

Pour quelles raisons êtes-vous parti et comment avez-vous vécu ces déplacements ?

Quels rites et coutumes pratiquez-vous ? Quels sont ceux que vous souhaitez observer pendant votre séjour en milieu de soins ?

Quels sont les interdits reliés à vos croyances culturelles ou religieuses ?

Variations dans la structure de la société nord-américaine

La structure de base de la société nord-américaine a considérablement changé au cours des trente dernières années. La composition de la famille et les rôles attribués aux deux sexes ont subi des modifications à la fois profondes et controversées, dues, en majeure partie, à la montée du mouvement féministe et du mouvement de défense des droits des homosexuels.

Tableau 5-1   *Soins infirmiers et valeurs culturelles**

Groupes ethniques		Concepts clés d'aide
A. Vietnamiens	Valeurs :	• La famille • Le partage (idées et biens) • Le respect des aînés • La volonté • La retenue
	Interventions :	• Tout faire pour garder la famille intacte • Écouter, valoriser • Ne pas forcer le dévoilement • Agir comme un père
B. Indiens Autochtones	Valeurs :	• Le respect des us et coutumes • Importance de la nature • Besoin de solitude
	Interventions :	• Montrer qu'on connaît leur culture • Faire confiance • Se centrer sur l'autre • Conseiller (aide directe) • Être disponible • Ne pas exiger le dévoilement
C. Négro-Américains	Valeurs :	• La famille / le groupe • L'implication • L'aide matérielle • La présence à l'autre
	Interventions :	• Montrer qu'on est concerné, préoccupé par le bien-être de l'autre • Être présent • Réduire la distance de communication • Donner des renforcements non verbaux
D. Mexicano-Américains	Valeurs :	• Support à la famille • Donner des preuves de compétence • Ne pas se révéler personnellement
	Interventions :	• Être à l'écoute • Agir en tant qu'expert • Donner des conseils
E. Philippo-Américains	Valeurs :	• L'harmonie en famille • Le silence • Respect des aînés • Réciprocité • Générosité
	Interventions :	• Éviter les confrontations • Être calme, garder silence • Savoir donner (conseils et temps) • Empathiser
F. Anglo-Américains (de classe moyenne)	Valeurs :	• Productivité • Autonomie • Réduction du stress
	Interventions :	• Agir directement pour réduire le stress • Aider l'individu à s'aider • Donner de l'information • Empathiser (dans les approches plus introspectives)

* Il y a un certain danger à présenter des caractéristiques culturelles bien identifiées. On risque d'enfermer les individus ou les groupes dans une série de déterminismes et l'on en reste au stade descriptif. Ce type de réduction est jusqu'à un certain point contraire à toute démarche scientifique fondée sur la recherche du complexe dans le réel. En fait, selon Abdallah-Pretceille (1986), le discours interculturel ne se veut ni explicatif, ni descriptif, mais un mode d'analyse, de recherche et d'interrogation du réel à partir d'un grand nombre de données (p. 98).

Source : *Santé mentale au Québec*, Vol. XIV, n°1, juin 1989.

Le mouvement féministe

Le mouvement féministe est « peut-être le phénomène social le plus important de notre époque et celui qui aura le plus de répercussions » (Kolbenschlag, 1981, p.ix). Il a renversé le mythe de l'épouse, de la mère et de la maîtresse de maison dont rêvait la femme américaine et a changé la vision traditionnelle de la famille nucléaire qui était considérée comme un but souhaitable et naturel (Deckard, 1975). Il a permis aux femmes et à la société en général de s'apercevoir que l'union libre a souvent produit des « superfemmes » surchargées de travail et surmenées, qui assument deux emplois, l'un à l'extérieur, l'autre à la maison. À cause des rôles féminins traditionnels axés sur les services à rendre et du conflit entre les rôles qui en découle, la dépression est le trouble psychologique le plus souvent observé chez un grand nombre de clientes en psychiatrie (Chesler, 1972).

Dans *Women's Reality*, une psychothérapeute donne une description claire et succincte du « Système de l'homme blanc », qui a engendré la culture américaine et l'illusion selon laquelle ce serait la seule réalité (Schaef, 1985). Elle dit que ce système a servi de modèle de comportement à tous les autres groupes (Amérindiens, Noirs, Hispano-Américains et surtout celui des femmes). C'est aussi le système sur lequel tous ces groupes ont dû bâtir leur identité. Elle décrit le mariage parfait du point de vue de l'homme : il joue le rôle du père, et la femme, celui de l'enfant ; cette situation est vivement critiquée par le mouvement féministe, car elle empêche la femme d'évoluer.

Le féminisme est à l'origine de débats sans précédents, de toute une littérature et de bouleversements sociaux qui ont eu des effets sur les femmes, mais aussi sur les hommes, sur les enfants et sur la famille. Le mouvement féministe a réussi à convaincre de nombreux groupes et individus que le rejet des structures traditionnelles du mariage et de la famille traduit souvent le malaise de la société et non pas l'atteinte psychologique chez l'individu déviant. Les leaders féministes continuent de pousser les institutions socio-économiques, éducatives, politiques, juridiques, religieuses et médicales à revoir leurs positions relativement à l'emploi, à l'avortement, au viol, à la garde des enfants, à la famille et aux soins et services médicaux en tenant compte du principe de l'égalité des droits. D'après les féministes, les hommes doivent participer à part entière aux soins des enfants en bas âge, au même titre que la mère. Selon leurs idées, la pilule, qui donne à la femme la maîtrise biologique de son corps, fut le premier pas vers une autonomie réelle. Le mouvement féministe revendique le remplacement des rôles stéréotypés attribués aux femmes par un nouveau rôle social des femmes et des jeunes filles, et par de nouvelles relations avec les hommes, les autres femmes et les enfants. Grâce à ces changements, les mondes masculin et féminin – le raisonnement et les sentiments, le travail et la famille, la protection et la discipline – pourront peut-être se rencontrer. Bien que le mouvement de libération de la femme n'ait pas toujours engendré des pensées et des actes parfaitement cohérents ou homogènes, il a profondément modifié les mentalités grâce à la lutte pour l'égalité des sexes et a mis fin à la domination de l'homme (Segal, 1987).

Le mouvement de défense des droits des homosexuels

On s'est longtemps demandé si l'homosexualité devait être considérée comme une maladie. En 1973, l'Association américaine de psychiatrie (APA) a mis fin à la polémique en faisant voter ses membres sur la question. Sans pouvoir arriver à un consensus, l'association a cependant décidé de ne plus considérer l'homosexualité comme une maladie et d'adopter une résolution sur les droits civils des homosexuels (Bayer, 1981). La partie consacrée à l'homosexualité a été supprimée de la deuxième édition du *Manuel diagnostique et statistique des troubles mentaux*. Le mouvement de libération des homosexuels remportait une victoire et permettait à ses membres d'être reconnus comme une force politique et sociale.

La décision prise par l'APA à l'égard de l'homosexualité est le signe d'une évolution de la société américaine vers une plus grande diversité sociale pour ce qui est des modes de vie personnel et familial, de la définition de la sexualité et de l'expression de l'identité. Mais cette transformation s'accompagne de la peur et de la haine intenses qu'inspire l'homosexualité. Le rejet des stéréotypes traditionnels par les homosexuels continue d'engendrer des conflits profonds et parfois violents, mais les lesbiennes et les homosexuels, de plus en plus nombreux, de même que la grande diversité des relations homosexuelles sont de mieux en mieux acceptés (Paul et coll., 1982).

Le cas des enfants élevés par des lesbiennes célibataires ou des couples d'homosexuels soulève trois types de questions : 1) Risquent-ils de devenir homosexuels ou d'acquérir une orientation atypique à l'égard des rôles attribués aux sexes? 2) Sont-ils en danger sur le plan moral? 3) Seront-ils rejetés par leurs pairs et par leurs proches en raison du fait que la société stigmatise l'homosexualité? (Hart et Richardson, 1981). On ne dispose pas pour l'instant de données suffisantes prouvant qu'un foyer homosexuel expose l'enfant à des risques (Paul et coll., 1982). Selon les recherches, les hypothèses et les mythes courants concernant l'homosexualité, dus en grande partie à la propagande contre les homosexuels, ne sont pas fondés. L'hypothèse selon laquelle des parents homosexuels ne sont pas aptes à élever des enfants n'a pas été confirmée ; certains professionnels et chercheurs en santé mentale estiment que l'orientation et la pratique sexuelle comptent peu dans la mesure où les rôles du père et de la mère sont clairement définis et dans la mesure où chacun remplit consciencieusement le rôle qui lui incombe.

La première génération d'enfants élevés dans des foyers ouvertement homosexuels éprouvera sans doute des sentiments très complexes à l'égard de l'homosexualité de leurs parents. Dans un ouvrage intitulé *Whose Child Cries*, Gantz (1983) présente cinq des vingt-trois familles avec lesquelles il a vécu pendant trois ans pour réaliser ses entrevues. Dans son livre, il décrit avec franchise la manière dont les enfants perçoivent l'homosexualité de leurs parents, la lourde responsabilité de garder le secret de leurs pratiques sexuelles, le rejet de l'entourage, et leur sensibilité à fleur de peau à l'égard des réactions des parents et de la communauté face à l'homosexualité. Gantz conclut que la question fondamentale est une question d'amour et non pas d'orientation sexuelle.

Les familles par alliance

Dans la culture nord-américaine dominante, on observe une forte proportion de divorces, de familles monoparentales, de remariages et de familles avec enfants de mariages antérieurs. Ces structures relativement nouvelles ne peuvent suivre aucune tradition et ont à leur disposition peu de modèles pouvant leur servir de guide. On a tant fait l'éloge de la famille nucléaire traditionnelle, seule forme de famille viable, que les autres structures (familles monoparentales, parents homosexuels ou parents ayant des enfants de mariages antérieurs), qui sont fréquentes de nos jours, sont perçues comme « désavantagées sur le plan culturel ». Ces nouvelles structures ont une connotation négative, issue de la mythologie et des contes de fées : il suffit de se souvenir de la méchante marâtre (Visher et Visher, 1979). Cependant, elles sont de plus en plus nombreuses, elles ont une dynamique complexe et elles influent fortement sur le développement de l'individu et de la société.

On estime que plus de 35 millions de Nord-Américains vivent dans des familles avec enfants de mariages antérieurs. Dans une telle famille, le couple peut ou non être marié, et un ou plusieurs enfants vivent sous le même toit ou viennent en visite régulièrement. Le passage d'un mariage antérieur ou d'une famille monoparentale à une nouvelle famille, regroupant les enfants de mariages antérieurs, impose de profonds changements auxquels les membres de la famille sont rarement préparés, ce qui peut aboutir à une situation de crise sur le plan individuel ou familial. Il est souvent recommandé de consulter un conseiller avant et après la formation de la famille.

Dans une telle famille, chacun des membres arrive après avoir partiellement ou totalement rompu une relation importante ; chacun a donc à surmonter le chagrin qu'il éprouve. Les ouvrages publiés par des chercheurs, des conseillers et des personnes appartenant à ce genre de famille décrivent tous les mêmes expériences et font tous les mêmes constatations : confusion à l'égard des rôles respectifs, attentes non réalistes, culpabilité, conflits d'identité et de loyauté (Capaldi et Mc Rae, 1979). On note également des désaccords entre enfants et beaux-parents, des erreurs dues à la confusion entre les noms, un manque d'unité au sein de la famille, des problèmes d'ordre sexuel (attirance des enfants envers leur beau-père ou belle-mère ou envers leurs demi-frères ou demi-sœurs), des querelles entre demi-frères et demi-sœurs, et des problèmes de discipline (Craven, 1982). Le fait que les enfants appartiennent à deux familles à la fois rend les frontières entre les individus plus perméables que dans le cas d'une famille nucléaire. Les parents courent le danger de former des alliances conflictuelles. Les liens passés et présents entre les personnes gênent la formation de nouveaux liens qui permettraient à la nouvelle famille de se sentir unie et de fonctionner de manière à la fois autonome et ouverte. D'après les recherches effectuées jusqu'à présent, on ne peut pas conclure que le simple fait de vivre avec une belle-mère ou un beau-père ait des effets négatifs à long terme pour l'enfant. Les effets sur la croissance et le développement dépendent beaucoup plus de la façon dont la famille va résoudre les multiples problèmes auxquels elle est confrontée.

Selon le Dr Lucille Duberman, « la famille formée à partir d'un remariage deviendra la forme prédominante de famille en Amérique » (Visher et Visher, 1979, p. 207). Reste à savoir si cette prédiction deviendra réalité. Il est néanmoins évident que les familles de couples remariés deviennent de plus en plus nombreuses, complexes et visibles. Elles offrent la possibilité de créer de nouvelles structures familiales, de nouvelles relations au sein de la famille, de nouvelles façons d'établir la confiance et de développer l'amour sur des bases autres que biologiques. Il se peut que les familles de couples remariés représentent « la prochaine étape dans la réorganisation de la structure familiale » (Einstein, 1985, p.150). Les institutions sociales doivent prendre conscience du fait que ce qui était considéré autrefois comme marginal est maintenant un phénomène courant.

Familles monoparentales

Au Québec, en 1986, on comptait 252 805 familles monoparentales sur un total de 1 751 000 familles (Statistique Canada), et l'on attribue cette situation à des causes très diverses. En favorisant une prise de conscience par des discussions et la participation à des groupes de soutien, le mouvement de libération a accru chez les femmes leur désir d'accéder à l'égalité et de se réaliser sur le plan professionnel hors du foyer ; il a par ailleurs diminué la satisfaction qu'elles tirent du rôle traditionnel de maîtresse de maison et du fait de vivre à travers les autres. Ce mouvement a certainement eu une grande incidence sur le nombre de divorces et sur la décision de procréer hors du mariage (les progrès réalisés dans le domaine du contrôle des naissances ont permis aux femmes de dissocier le mariage de la maternité). Devenues capables de revoir les rôles attribués aux sexes, les femmes se sont détournées des tâches domestiques et ont opté pour une relation d'égal à égal dans un environnement où elles peuvent grandir et s'accepter. Jusqu'ici, le fait de vivre dans une famille monoparentale a des effets qui semblent dépendre de l'exercice du rôle parental, du climat culturel dans lequel vit l'enfant et de variables qui lui sont propres.

Les féministes (femmes et hommes), les homosexuels et les autres groupes de libération vont persister dans leur lutte pour apporter des changements radicaux à la culture et à la société nord-américaines. L'infirmière en psychiatrie doit être au courant de ces changements perpétuels et doit savoir qu'ils représentent des forces socioculturelles puissantes dans la culture dominante. La transition constante qui en résulte va produire, à un extrême, des victimes sur le plan psychiatrique et social, et à l'autre extrême, des individus, des familles et des groupes qui vont évoluer vers une plus grande capacité d'adaptation.

RÉSUMÉ

1. La culture est l'ensemble de tous les comportements acquis et valeurs inculquées, communs aux membres d'un groupe donné.

2. Les subcultures correspondent à des sous-groupes à l'intérieur d'une culture.

3. L'ethnicité désigne l'appartenance à un groupe ayant un héritage culturel, social et linguistique unique.

4. L'ethnocentrisme est la tendance de tous les êtres humains à considérer leur culture comme la meilleure.

5. L'enculturation est le processus par lequel on acquiert sa propre culture et sa vision de l'univers.

6. L'acculturation est le processus d'apprentissage d'une nouvelle culture.

7. L'assimilation part du principe que les groupes culturels minoritaires vont adopter les valeurs et les modes de comportement de la majorité.

8. Dans une société pluraliste, les cultures ethniques minoritaires sont perçues comme ayant des qualités uniques qui doivent être préservées.

9. La maladie mentale étant définie différemment selon les cultures, il est difficile de donner une définition « absolue » de la santé et de la maladie mentales au sein d'une population multiculturelle.

10. L'infirmière peut souvent se trouver en présence de clients dont la culture est différente de la sienne.

11. L'infirmière doit aborder la santé et la maladie mentales dans une perspective holistique et tenir compte des facteurs culturels pour établir un bilan de santé exhaustif.

12. Les obstacles aux soins comprennent les erreurs de diagnostic dues à l'ignorance ou à une mauvaise interprétation des normes culturelles, les idées et les attentes du client à l'égard du traitement psychiatrique et les stéréotypes culturels.

13. La communication est un élément particulièrement important. Les modes de communication verbale et non verbale varient selon les cultures, et un interprète peut jouer un rôle important.

Les Amérindiens

14. La plupart des Amérindiens vivent dans des réserves ou dans de petites communautés rurales.

15. Les notions culturelles varient d'une tribu à l'autre, mais la plupart des tribus amérindiennes ont en commun certaines notions, comme l'intérêt pour le présent plutôt que pour l'avenir, la coopération plutôt que la compétition, le partage des biens et le respect des personnes âgées.

16. Les liens avec la famille, nucléaire ou élargie, sont très forts.

17. La médecine et la religion sont inséparables. Chez les Amérindiens, les relations harmonieuses entre les êtres humains et la terre, d'une part, et entre l'esprit, le corps et l'âme, d'autre part, font partie des croyances relatives à la santé.

18. L'alcoolisme est le problème le plus grave et le plus répandu dans la communauté amérindienne. Les taux de suicide et d'homicide ainsi que de décès liés à l'alcoolisme sont quatre fois plus élevés chez les Amérindiens que dans la population en général.

19. Les soins infirmiers doivent tenir compte des renseignements fournis par les personnes proches du clients. La participation de la famille est essentielle pour établir un rapport avec le client. Le bilan de santé doit être établi au cours d'une entrevue détendue et il doit refléter les observations.

Les Nord-Américains de race noire

20. La culture des Nord-Américains de race noire varie selon leur origine : l'Afrique, Haïti, Cuba, Porto Rico, le Brésil ou la Jamaïque.

21. L'affiliation religieuse joue un grand rôle dans la vie des Noirs qui pratiquent une vaste gamme de religions allant du protestantisme fondamentaliste au vaudou.

22. Le pourcentage de Noirs qui reçoivent un diagnostic psychiatrique est démesuré.

23. Les obstacles aux soins dans la communauté noire sont les croyances et les attitudes de l'infirmière à l'égard du client, les stéréotypes rattachés à la psychopathologie des Noirs et l'ignorance du phénomène de « paranoïa culturelle » dont souffre cette ethnie.

Les Nord-Américains d'origine asiatique

24. Les Nord-Américains d'origine asiatique viennent des Philippines, de Chine, du Japon et du Sud-Est asiatique.

25. Selon la philosophie orientale, pour atteindre un équilibre psychosocial, une harmonie doit exister entre les relations interpersonnelles, l'interdépendance, les obligations morales mutuelles et la loyauté.

26. De nombreuses croyances et pratiques de guérison suivies par les Asiatiques s'inspirent de la pathologie humorale.

27. On pense que les Asiatiques sont sous-représentés dans le système de santé mentale en raison de la honte qu'éprouve la famille dont l'un des membres est atteint de troubles mentaux.

28. Les maladies mentales et affectives observées dans les cultures asiatiques sont à peu près équivalentes à celles observées dans les autres groupes culturels.

29. L'infirmière doit faire preuve de sensibilité pour dispenser des soins adaptés à la culture du client. Les Nord-Américains d'origine asiatique ont tendance à parler moins que les Blancs et à préférer des interactions cérémonieuses.

Les immigrants du Sud-Est asiatique

30. Les immigrants du Sud-Est asiatique récemment arrivés sont des Vietnamiens, des Cambodgiens, des Laotiens ou des Hmongs.

31. Le bouddhisme est très répandu parmi ces groupes. L'animisme est prépondérant chez les Hmongs.

32. C'est le plus souvent pour des troubles comme l'anxiété et la dépression que les personnes venant du Sud-Est asiatique cherchent de l'aide.

33. Les immigrants du Sud-Est asiatique pensent que les infirmières et les autres intervenants du système de soins de la santé mentale sont investis de pouvoirs surnaturels. Les infirmières sont donc censées connaître les réponses sans avoir à poser de questions au client, et celui-ci ne leur fait pas confiance si elles ne manifestent pas ce pouvoir.

Les Hispano-Américains

34. Les Hispano-Américains forment des réseaux familiaux vastes et élargis.

35. L'homme a le rôle dominant dans la famille, et les rôles de chacun sont rigoureusement différenciés. La famille est centrée sur les enfants.

36. La religion catholique est prédominante.

37. La médecine populaire est un ensemble complexe de croyances et de pratiques relatives à la nature de la santé, à la cause des maladies et aux techniques de guérison.

38. Les Hispano-Américains se font soigner pour des maladies mentales très diverses. En général, les hommes sont alcooliques et agressifs, tandis que les femmes souffrent de dépression et présentent des symptômes d'hystérie.

39. L'infirmière doit s'asseoir près du client et se montrer chaleureuse en lui prenant la main ou en lui touchant les épaules. La culture hispanique valorisant le toucher, ces gestes aident à établir le rapport avec le client.

40. Il faut autoriser les familles à participer aux soins.

Variations dans la structure de la société nord-américaine

41. Le mouvement de libération de la femme a entraîné des changements profonds dans la structure familiale américaine. Il a renversé le mythe d'épouse, de mère et de maîtresse de maison dont rêvaient les femmes américaines.

42. Le féminisme est à la base du mouvement de libération de la femme. Les féministes ont poussé les institutions socio-économiques, éducatives, politiques, juridiques, religieuses et médicales à revoir les principales questions concernant les femmes.

43. Le mouvement de défense des droits des homosexuels a également modifié la famille américaine.

En 1973, ce mouvement a réussi l'exploit de faire supprimer l'homosexualité des catégories pathologiques figurant dans le *Manuel diagnostique et statistique des troubles mentaux*.

44. Les familles avec enfants de mariages antérieurs sont devenues un élément important de la société américaine. Ce facteur a mis en relief un grand nombre de problèmes, tel le chagrin lié au divorce, au remariage et à la formation d'une nouvelle famille.

45. Les familles monoparentales sont l'une des conséquences du mouvement féministe. Cette structure familiale est de mieux en mieux acceptée, mais la société n'offre pas le soutien dont elle a besoin.

EXERCICES DE RÉVISION

1. Parmi les termes qui suivent, lequel désigne l'ensemble de tous les comportements acquis et des valeurs inculquées aux membres d'un groupe donné ?
   (a) Ethnicité
   (b) Vision de l'univers
   (c) Culture
   (d) Société

2. Laquelle des cultures ci-dessous est centrée sur le présent plutôt que sur l'avenir, met l'accent sur la coopération plutôt que sur la compétition et valorise le partage ?
   (a) Culture amérindienne
   (b) Culture asiatique
   (c) Culture hispano-américaine
   (d) Culture noire

3. Quelle culture regroupe les descendants de personnes venues d'Afrique, de francophones venus de Haïti, d'hispanophones venus de Porto Rico et de Cuba, et d'anglophones venant de Jamaïque ?
   (a) Culture amérindienne
   (b) Culture asiatique
   (c) Culture hispano-américaine
   (d) Culture noire

4. Lequel des groupes énumérés ci-dessous présente les caractéristiques suivantes : il constitue une subculture en croissance rapide aux États-Unis ; ses membres font partie de réseaux familiaux vastes et élargis ; il est régi par un système fondé sur les liens du sang où le *compadre* assure le soutien social de chaque membre sa vie durant.
   (a) Amérindiens
   (b) Immigrants du Sud-Est asiatique
   (c) Hispano-Américains
   (d) Nord-Américains de race noire

BIBLIOGRAPHIE

Anderson JN: Health and illness in Filipino immigrants. *West J Med* (Dec) 1983; 139:811–819.

Armour M, Knudson P, Meeks J (editors): *The Indo-Chinese: New Americans*. Brigham Young University, 1981.

Arrendondo R, et al: Alcoholism in Mexican-Americans: Intervention and treatment. *Hosp Community Psychiatry* (Feb) 1987; 38:180–183.

Atkinson DR, Maruyama M, Matsui S: The effects of counselor race and counseling approach on Asian Americans' perceptions of counselor credibility and utility. *J Couns Psychol* (Jan) 1978; 25:76–83.

Atlas SL: *Single Parenting: A Practical Resource Guide*. Prentice-Hall, 1981.

Bayer R: *Homosexuality and American Psychiatry: The Politics of Diagnosis*. Basic Books, 1981.

Bergman R: A school for medicine men. *Am J Psychiatry* (June) 1973; 130:663–666.

Boehnlein JK, et al: One-year follow-up study of post-traumatic stress disorder among survivors of Cambodian concentration camps. *Am J Psychiatry* (Aug) 1985; 142:956–959.

Bradshaw WH: Training psychiatrists for working with blacks in basic residency programs. *Am J Psychiatry* (Dec) 1978; 135:1520–1524.

Brown TR et al: Mental illness and the role of mental health facilities in Chinatown. In: *Asian Americans: Psychological Perspectives*. Sue S, Wagner N (editors). Science and Behavior Books, 1973.

Bullough VL, Bullough B: *Health Care for the Other Americans*. Appleton-Century-Crofts, 1982.

Capaldi F, McRae B: *Step-families: A Cooperative Responsibility*. Franklin Watts, 1979.

Carstairs GM: Changing perception of neurotic illness. In: *Mental Health Research in Asia and the Pacific*, pp. 405–414. Caudill W, Lin T (editors). Honolulu: East-West Center Press, 1969.

Carter JH: Recognizing psychiatric symptoms in black Americans. *Geriatrics* (Nov) 1974; 29:95–99.

Chen-Louie T: Nursing care of Chinese American patients. In: *Ethnic Nursing Care*. Orque MS, Bloch B, Monrroy LA (editors). Mosby, 1983.

Chesler P: *Women and Madness*. Doubleday, 1972.

Comas-Diaz L: Puerto Rican espiritismo and psychotherapy. *Am J Orthopsych* (Oct) 1981; 51:636–645.

Craven L: *Stepfamilies: New Patterns in Harmony*. Julian Messner, 1982.

Deckard B: *The Women's Movement: Political, Socioeconomic and Psychological Issues*. Harper & Row, 1975.

DeHoyos A, DeHoyos G: Symptomatology differentials between Negro and white schizophrenics *Int J Soc Psychiatr* (Autumn) 1965; 11:245–255.

Dillard SL: *Black English: Its History and Usage in the United States*. Vintage Books, 1972.

Einstein E: *The Stepfamily: Living, Loving and Learning*. Random House, 1985.

Enright JB, Jaeckle WR: Psychiatric symptoms and diagnosis in two subcultures. *Int J Soc Psychiatr* (Winter) 1963; 9:12–17.

Favis REL, Dunham HW: *Mental Disorders in Urban Areas: An Ecological Study of Schizophrenia and Other Psychoses*. University of Chicago Press, 1939.

Flaherty JA et al: Racial differences in perception of ward atmosphere. *Am J Psychiatry* (June) 1981; 138:815–817.

Foster G, Anderson BG: *Medical Anthropology*. Wiley, 1978.

Gantz, J: *Whose Child Cries: Children of Gay Parents Talk About Their Lives*. Jalmar Press, 1983.

Giordano J: *Ethnicity and Mental Health Research and Recommendations*. National Project on Ethnic America of the American Jewish Committee, 1973.

Grier WH, Cobbs PM: *Black Rage*. Basic Books, 1968.

Hall AL, Bourne PG: Indigenous therapists in a southern black urban community. *Arch Gen Psychiatr* (Jan) 1973; 28:137–142.

Hall ET: Proxemics: The study of man's spatial relations. In: *Culture Curers and Contagion*. Klein N (editor). Chandler & Sharp, 1979.

Hart J, Richardson D: *The Theory and Practice of Homosexuality*. Routledge and Kegan Paul, 1981.

Henderson G, Primeaux H: *Transcultural Health Care*. Addison-Wesley, 1981.

Hill R: *The Strengths of the Black Family*. Emerson Hall Publishers, 1971.

History of Hmong people: Just runnin' and dyin'. *The Bilinguist* (June) 1985; 1:1–2.

Hollingshead A, Redlich F: *Social Class and Mental Illness*. Wiley, 1958.

Hsu FL: *The Challenge of the American Dream: The Chinese in the United States*. Wadsworth, 1971.

Ingall MA: Southeast Asian refugees of Rhode Island: Psychiatric problems, cultural factors, and nightmare death. *Rhode Island Med J* (Aug) 1984; 67:369–372.

Ishisaka HA, Nguyen QT, Okimoto JT: The role of culture:

The mental health treatment of Indochinese refugees. In: *Southeast Asian Mental Health: Treatment, Prevention, Services, Training, and Research,* pp. 41–63. Owan TC (editor). DHHS Pub. No. (ADM) 85–1399. UDHHS, 1985.

Jacobson J: *A Provider's Guide for Southeast Asian Refugee Health Care.* Minnesota Dept. of Health, 1982.

Jewell DP: A case of a "psychotic" Navaho Indian male. In: *Culture Curers and Contagion,* pp. 155–165. Klein N (editor). Chandler & Sharp, 1979.

Joe J, Gallerito C, Pino J: Cultural health traditions: American Indian perspectives. In: *Providing Safe Nursing Care for Ethnic People of Color.* Branch MF, Paxton PP (editors). Appleton-Century-Crofts, 1976.

Jones BE, Gray BA, Parson EB: Manic-depressive illness among poor urban blacks. *Am J Psychiatry* (May) 1981; 138:654–657.

Karno M, Edgerton RB: Perception of mental illness in a Mexican-American community. *Arch Gen Psychiatr* (Feb) 1969; 20:233–238.

Kennedy DA: Key issues in the cross-cultural study of mental disorders. In: *Studying Personality Cross-Culturally.* Kaplan B (editor). Peterson, 1961.

Kinzie JD, et al: Posttraumatic stress disorder among survivors of Cambodian concentration camps. *Am J Psychiatry* (May) 1984; 141:645–650.

Kitano HHL: Japanese-American mental illness. In: *Changing Perspectives in Mental Illness.* Plog S, Edgerton R (editors). Holt, Rinehart and Winston, 1969.

Klein C: *The Single Parent Experience.* Avon Books, 1973.

Knight BM: *Enjoying Single Parenthood.* Van Nostrand Reinhold, 1980.

Kolbenschlag M: *Kiss Sleeping Beauty Goodbye: Breaking the Spell of Feminine Myths and Models.* Bantam, 1981.

Langner T, Michael S: *Life Stress and Mental Health.* Free Press, 1963.

Lawson WB, Yesavage JA, Werner PD: Race, violence, and psychopathology. *J Clin Psychiatr* (July) 1984; 45:7: 294–297.

Leff J: *Psychiatry Around the Globe.* Dekker, 1981.

Lindblad-Goldberg M, Dukes JL: Social support in black, low-income single-parent families. *Am J Orthopsych* (Jan) 1985; 55:1:42–58.

Link B, Dohrenwend BP: Formulation of hypotheses about the ratio of untreated to treated cases in the true prevalence studies of functional psychiatric disorders in adults in the United States. In: *Mental Illness in the United States: Epidemiological Estimates.* Dohrenwend BP et al (editors). Praeger, 1980.

Lubdhansky I, Egri G, Stokes J: Puerto Rican spiritualists view mental illness: The faith healer as a paraprofessional. *Am J Psychiatry* (Sept) 1970; 127:312–321.

Madsen W: *The Mexican-Americans of South Texas.* Holt, Rinehart and Winston, 1964.

Maduro R: Curanderismo and Latino views of disease and curing. *West J Med* (Dec) 1983; 139:6:868–874.

Marcos LR: Effects of interpreters on the evaluation of psychopathology in non-English speaking patients. *Am J Psychiatry* (Feb) 1979; 136:171–174.

May PA: Suicide among American Indian youth: A look at the issues. *Children Today* (July–Aug) 1987; 16: 22–25.

Mays VM: Identity development of Black Americans: The role of history and the importance of ethnicity. *Am J Psychother* (October) 1986; XL:582–593.

Meadow A, Stoker D: Symptomatic behavior of hospitalized patients. *Arch Gen Psychiatr* (March) 1965; 12:267–277.

Meketon MJ: Indian mental health: An orientation. *Am J Orthopsych* (Jan) 1983; 53:110–115.

Mollica RF, Wyshak G, Lavelle J: The psychosocial impact of war trauma and torture on Southeast Asian refugees. *Am J Psychiatry* (Dec) 1987; 144:1567–1572.

Nobles WW, Nobles GM: African roots in black families: The social-psychological dynamics of black family life and the implications for nursing care. In: *Black Awareness.* Luckraft D (editor). American Journal of Nursing Co., 1976.

Owan TC (editor): *Southeast Asian Mental Health: Treatment, Prevention, Services, Training, and Research.* DHHS Pub No (ADM) 85–1399. UDHHS, 1985.

Pambrun A: Birth to school age. In: *Life Cycle of the American Indian Family,* pp. 27–40. American Indian/Alaska Native Nurses Association Publishing Co., 1980.

Paul W et al (editors): *Homosexuality: Social, Psychological and Biological Issues.* Sage Publications, 1982.

Poussaint AF: Interracial Relations and Prejudice. In: *Comprehensive Textbook of Psychiatry,* Vol. III. Kaplan HI, Freedman AM, Sadock B (editors). Williams and Wilkins, 1980.

Raskin A, Crook TH, Herman KD: Psychiatric history and symptom difference in black and white depressed inpatients. *J Consult Clin Psychol* (Feb) 1975; 43:73–80.

Robinson C: Special report: Physical and emotional health care needs of Indochinese refugees. *Indochinese Refugee Action Center.* (March) 1980; 1–40.

Schaef AW: *Women's Reality: An Emerging Female System in a White Male Society.* Winston Press, 1985.

Schepler-Hughes N: Curanderismo in Taos County, New Mexico—A possible case of anthropological romanticism? *West J Med* (Dec) 1983; 139:875–884.

Segal L: *Is the Future Female? Troubled Thoughts on Contemporary Feminism*. Peter Bedrick Books, 1987.

Simon RJ et al: Depression and schizophrenia in hospitalized black and white mental patients. *Arch Gen Psychiatr* (April) 1973; 28:509–512.

Snow LF: Traditional health beliefs and practices among lower class black Americans. *West J Med* (Dec) 1983; 139:800–828.

Soloff PH, Turner SM: Patterns of seclusion: A prospective study. *J Nerv Ment Dis* (Jan) 1981; 169:37–44.

Spitzer RL et al: *DSM-III Casebook*. American Psychiatric Association, 1981.

Spurlock J: Psychiatric States. In: *Textbook of Black Related Diseases*. Williams RA (editor). McGraw-Hill, 1975.

Srole L: Measurement and classification in socio-psychiatric epidemiology: Midtown Manhattan study (1954) and midtown Manhattan restudy (1974). *J Health Soc Behav* (Dec) 1975; 16:347–364.

Srole L et al: *Mental Health in the Metropolis: The Midtown Manhattan Study*, Vol. 1. McGraw-Hill, 1962.

Sue S: Community mental health services to minority groups. Some optimism, some pessimism. *Am Psychol* (Aug) 1977; 32:616–624.

Sue S, McKinney H: Asian Americans in the community mental health care system. *Am J Orthopsych* (Jan) 1975; 45:111–118.

Sue S, Morishima JK: *The Mental Health of Asian Americans*. Jossey-Bass, 1982.

Sue S, Sue DW: MMPI comparisons between Asian American and non-Asian American students utilizing a student health psychiatric clinic. *J Couns Psychol* 1974; 21:423–427.

Sue S, Zane, N: The Role of Culture and Cultural Techniques in Psychotherapy. *Am Psychol* (Jan) 1987; 42:37–45.

Taylor C: Soul talk: A key to black cultural attitudes. In: *Black Awareness*. Luckraft D (editor). American Journal of Nursing Co., 1976.

Torres-Matrullo C: Mainland Puerto Rican communities: A psychosocial overview. In: *Institutional Racism and Community Competence*. Barbarin OA et al (editors). (ADM) 81–907. USDHEW, 1981.

Tsai M, Teng LN, Sue S: Mental status of Chinese in the United States. In: *Normal and Deviant Behavior in Chinese Culture*. Kleinman A, Lin TY (editors). Reidel, 1980.

LECTURES COMPLÉMENTAIRES

Abdallah-Pretceille, M. *Vers une pédagogie interculturelle*, Paris, Institut national de recherche pédagogique, Publications de la Sorbonne, 1986.

Brunel, M. L. «Empathie, femmes, féminisme et préférence de genre en psychothérapie», *Revue québécoise de psychologie*, 8, N° 3, 89-118, 1987.

Camilleri, C. *Anthropologie culturelle et éducation*, Lausanne, UNESCO-Delachaux et Niestlé, 1985.

Harrison, D. K. «Race as a counselor-client variable in couseling and psychotherapy : A review of the research», *The Counseling Psychologist*, 5, N° 1, 124-133, 1975.

Hector, M. A., et J. S. Fray. «The counseling process, client expectations and cultural influences : A review», *International Journal for the Advancement of Counseling*, 10, 237-247, 1987.

Ivey, A., M. Ivey et Simek-Downing. *Counseling and Psychotherapy : Integrating Skills, Theory and Practice*, 2ᵉ éd., Englewoods Cliffs, NJ, Prentice-Hall, 1987.

Ivey, E. A. «The multicultural practice of therapy : Ethics, empathy and dialectics», *Journal of Social and Clinical Psychology*, N° 2, 195-204, 1987.

Johnson, S. D. «Knowing that versus knowing how : Toward achieving expertise through multicultural training for counseling», *The Counseling Psychologist*, 15, N° 2, 320-331, 1987.

Lefley, H. P. «Culture and chronic mental illness. Hospital and Community», *Psychiatry*, 41(3), 277-286, 1990.

Leininger, M. «Transcultural caring : A different way to help people» in Pedersen, P., *Handbook of Cross-Cultural Counseling and Therapy*, Westport, Conn., Greenwood Press, 107-115, 1985.

Leininger, M. *Transcultural Nursing, Concepts, Theories and Practices*, New York, Wiley, 1978.

Ouellet, F. *Pluralisme et école : Jalons pour une approche critique de la formation interculturelle des éducateurs*, Québec, Institut québécois de recherche sur la culture, 1988.

Sterlin, C. «La référence culturelle dans une pratique psychiatrique en milieu haïtien à Montréal» in Corin, E., Tousignant, M., Lamarre, S., Migneault, P., éd., *Regards anthropologiques en psychiatrie/ Anthropological perspectives*, Montréal, Groupe de recherche inter-universitaire en anthropologie médicale et en ethno-psychiatrie, Éditions du GIRAME, 97-109, 1987.

CHAPITRE 6

Les crises développementales : conséquences et résolution

ELLEN MARIE BRATT
KAREN LEE FONTAINE

Appel à l'aide
Un enfant passant par hasard,
Des mâchoires géantes l'engloutirent,
Pour apaiser un appétit pervers,
Alléché par le goût de l'innocence volée.
Je pleure, me sentant coupable à leur
*   place.*
Je revendique mes propres larmes
*   d'agonie,*
Mais plus rien ne m'appartient.
Mes larmes amères ne sont qu'une
*   goutte dans leur océan de culpabilité.*
*   Leurs mensonges flottent inaperçus...*
Ils les gardent secrets derrière
*   l'innocence blafarde de leur regard*
*   d'enfant.*
Mais je tends la main, terrifié.
Prends-la avant qu'ils ne la voient,
*   sinon je la cache.*

■ *Objectifs*

Après avoir étudié le présent chapitre, vous devriez être en mesure de :

- décrire le rôle des soins infirmiers face aux crises développementales ;
- expliquer les principales théories portant sur le développement de l'adulte ;
- appliquer la théorie de la crise aux événements imprévisibles survenant au cours de la vie ;
- énumérer les caractéristiques comportementales, affectives, cognitives et psychosociales des crises développementales ;
- énumérer les conséquences des crises imprévisibles survenant au cours de la vie ;
- évaluer les stratégies d'adaptation du client ;
- appliquer la démarche de soins infirmiers lors des interventions auprès du client qui vit une crise développementale ;
- distinguer les solutions adéquates et inadéquates lors des crises développementales.

Introduction

Le développement est un processus continu et dynamique qui confère à chaque personne son individualité. Tous les stades de la vie apportent leur lot de difficultés, d'événements et de choix. Tout au long de l'histoire, d'éminents auteurs se sont appliqués à retracer la grande odyssée de la vie. Les optimistes la décrivent avec joie, émerveillement, humour et espoir. Les pessimistes la dépeignent avec amertume et désespoir. Quel que soit l'angle sous lequel on le considère, chaque stade de la vie est marqué par des phénomènes particuliers qui suscitent des questions fondamentales :

« Qui suis-je ? » « Quelles sont mes origines ? » « Où vais-je ? » Les réponses à ces questions reflètent les préoccupations spirituelles, philosophiques ou matérielles de chacun.

Dans le présent chapitre, nous adopterons le point de vue de la psychologie du développement humain, cette branche de la psychologie qui étudie l'évolution de la personne de la naissance jusqu'à la mort et qui cherche à décrire, à expliquer et, parfois, à modifier les événements qui surviennent tout au long de la vie (Baltes, Reese et Lipsitt, 1980). Une citation biblique (Ecclésiaste, 3, 1-2) résume ce point de vue : « Il y a un temps pour tout, il y a un moment pour chaque chose sous les cieux : un temps pour naître et un temps pour mourir ; un temps pour planter et un temps pour arracher le plant [...] »

États de crise

Tout au long de sa vie, la personne est confrontée à des événements auxquels elle doit réagir. Nombre d'entre eux sont des **changements prévisibles**, c'est-à-dire des événements que la personne s'attend à vivre à des âges donnés : fin des études, entrée sur le marché du travail, mariage et maternité ou paternité. Selon les circonstances, les changements prévisibles peuvent provoquer des **crises développementales**. Tous ne peuvent ou ne veulent pas faire l'expérience de l'ensemble des changements prévisibles. Des **changements imprévisibles** tels qu'un divorce, une maladie grave ou un décès peuvent survenir au moment même où la personne affronte des changements prévisibles. Cette conjoncture peut entraîner une **crise situationnelle**. La résolution adéquate d'une crise, quelle qu'elle soit, est source de croissance et de développement. À l'inverse, une résolution inadéquate retarde la croissance et le développement, et entraîne souvent des conséquences néfastes pour la personne, sa famille et son milieu.

Il existe de nombreuses définitions du mot **crise**, et la plupart d'entre elles décrivent le phénomène comme un tournant, un moment de la vie où les ressources et les stratégies d'adaptation habituelles n'ont plus d'efficacité. En chinois, le mot *crise* s'écrit à l'aide de deux symboles : celui qui signifie *danger* et celui qui signifie *occasion de croître*. De fait, dans le présent ouvrage, nous envisageons la crise développementale à la fois comme un danger et comme une occasion de croître (Johnson, 1986).

Chacun subit un traumatisme psychologique à un moment ou à un autre de son existence. Cependant, ni le stress ni les situations d'urgence ne correspondent nécessairement à des crises. C'est seulement lorsque la personne perçoit subjectivement qu'un événement prévisible ou imprévisible menace la satisfaction de ses besoins, sa sécurité ou le sens de sa vie qu'elle entre dans un état de crise développementale ou situationnelle. L'incapacité de préserver un équilibre émotionnel est une caractéristique importante de la crise. L'état de déséquilibre dure généralement de quatre à six semaines. Habituellement, l'intensité de l'anxiété pendant cette période force la personne à :

- s'adapter et à retrouver son niveau de fonctionnement antérieur ;

- acquérir des stratégies d'adaptation plus constructives ;

- passer à un niveau inférieur de fonctionnement.

Il est important de noter que c'est pendant les quatre à six semaines de déséquilibre que la personne en crise est la plus réceptive à l'intervention professionnelle. Comme on considère que la personne est essentiellement en bonne santé et capable de croissance, on peut provoquer rapidement des changements sur le plan comportemental, affectif, cognitif et psychosocial, en se concentrant sur le facteur de stress et en appliquant le processus de résolution des problèmes. L'état de crise impose des choix au client, et l'infirmière l'aide activement à retrouver son équilibre émotionnel au moyen de stratégies d'adaptation efficaces. L'objectif minimal de l'intervention infirmière est d'aider le client à s'adapter et à retrouver le niveau de fonctionnement antérieur à la crise. L'objectif ultime est de l'aider à acquérir des stratégies d'adaptation plus constructives et à accéder à un niveau supérieur de fonctionnement.

Le présent chapitre traite des événements imprévisibles qui, aux divers stades du développement, peuvent entraîner des crises situationnelles ou développementales. On peut essayer de comprendre ces événements à la lumière des notions de dépendance et de concept de soi.

Il y a **dépendance** dans une relation quand une des deux personnes est à la charge de l'autre ou s'en remet entièrement à elle. Par voie de conséquence, une personne très dépendante est incapable de survivre seule. Il y a aussi dépendance quand une personne a besoin d'aide pour effectuer une ou plusieurs des activités quotidiennes en raison d'un handicap mental ou physique. L'aide peut être nécessaire pour les activités élémentaires comme se laver, s'habiller, se nourrir et se déplacer, ou pour les activités domestiques ou pratiques, comme préparer les repas, faire les courses, entretenir la maison, prendre des médicaments, utiliser des véhicules de transport et gérer le budget. Contrairement à une opinion répandue, les enfants et les personnes âgées ne sont pas les seuls à connaître la dépendance. En effet, la dépendance est reliée à l'incapacité de s'individualiser, de se prendre en main et de trouver un équilibre entre la dépendance, l'indépendance et l'interdépendance.

Le **concept de soi** est un ensemble organisé de pensées relatives aux caractéristiques du « je » ou du « moi », c'est-à-dire au soi de la personne. Le concept de soi est formé des croyances que la personne entretient sur elle-même (plan intrapersonnel), sur ses relations avec autrui (plan interpersonnel) et sur son importance dans la famille et dans le monde en général (plan socioculturel). L'**estime de soi**, la part affective du soi, est la perception qu'une personne a de sa propre valeur, de sa compétence, de ses forces personnelles.

Le divorce des parents est un événement imprévisible qui peut causer une crise situationnelle pendant l'enfance. Il y a eu, au cours des 20 dernières années, une augmentation marquée du taux de divorce et du nombre de personnes touchées. Si le taux continue de s'accroître, on prévoit que 50 p. cent des premiers mariages se termineront par un divorce. De 1980 à 1990, le Service central des Régimes matrimoniaux du ministère québécois de la Justice enregistrait 13 800 divorces en 1980 et 20 468 en 1990. Le total des divorces de la décennie s'élevait à 197 917, une situation lourde de conséquences pour des milliers d'enfants. Comme un enfant peut mettre plusieurs années à s'adapter au divorce de ses parents, on compte en permanence des milliers d'enfants aux prises avec des problèmes engendrés par le lien de dépendance et par le concept de soi. Souvent, l'enfant du divorce perd le lien de *dépendance* qui l'unissait à l'un de ses parents et redoute d'être abandonné par l'autre. Comme le divorce se répercute fréquemment sur le mode de vie, il se peut que l'enfant soit rapidement tenu d'assumer un surcroît de responsabilités familiales et, par conséquent, qu'il devienne plus indépendant. Il peut aussi se sentir coupable du divorce

de ses parents, se dévaloriser et craindre pour le bonheur de sa vie conjugale future, ce qui menace son *concept de soi* (DeV.Peters et McMahon, 1988).

À l'adolescence, la personne doit, entre autres, renoncer à sa *dépendance* vis-à-vis de sa famille et commencer sa vie de jeune adulte. Le groupe de pairs devient la source principale d'identification et de soutien. Dans ce contexte, la plupart des adolescents acquièrent les habiletés sociales appropriées à leur âge. On estime que 12 à 50 p. cent des adolescents éprouvent de la gêne et de l'anxiété au sein de leur groupe de pairs. Certains n'éprouvent ces sentiments que de façon modérée et temporaire, tandis que d'autres sont incapables de s'adapter et ne s'intègrent jamais à un groupe de pairs. Ils souffrent de solitude et d'un manque d'habilités sociales ; leur vie d'adulte reste marquée par l'isolement. Quelques adolescents se joignent à des bandes, ce qui encourage grandement le lien de dépendance et empêche l'individualisation, et par conséquent retarde la croissance et le développement. Le diagnostic médical formulé à l'égard de l'adolescent qui se joint à une bande est « Trouble des conduites, type : En groupe ». L'isolement et l'adhésion à une bande peuvent entraîner une crise développementale (DSM-III-R, 1987 ; Kelly et Hansen, 1987).

La maternité ou la paternité sont des événements que l'on s'attend habituellement à vivre après l'adolescence. L'adolescence est l'époque où la personne consolide son identité et son *concept de soi*. Quand les fonctions de parent se superposent à cette tâche, une crise peut surgir. On relève annuellement, au Québec, entre 8 500 et 9 000 grossesses chez les 10 à 19 ans. (Gouvernement du Québec, *Objectif: santé*, 1984, p. 164).

Nombreux sont les adultes d'âge moyen qui aspirent à se libérer des personnes à charge. Une crise situationnelle peut apparaître quand l'adulte d'âge moyen héberge encore ses enfants, jeunes adultes, ou qu'il doit s'occuper de parents âgés. Il peut se sentir *étouffé par les personnes qui sont à sa charge,* qu'elles soient jeunes ou vieilles, à une époque où il s'attendait à plus de liberté. En outre, l'adulte d'âge moyen subit souvent une crise qui l'oblige à redéfinir son *concept de soi*. En effet, la personne doit faire face à des changements physiologiques, physiques et psychosociaux. Elle doit se redéfinir en fonction de ce qu'elle est désormais et de l'importance qu'elle a pour sa famille, ses amis, son employeur et son milieu.

La *peur de la dépendance* ou de la perte d'autonomie est l'un des thèmes dominants de la vieillesse. On estime que 20 p. cent des personnes âgées ont besoin d'une forme quelconque d'aide pour une ou plusieurs des activités quotidiennes élémentaires, et que 40 p. cent d'entre elles ont besoin d'aide pour une ou plusieurs des activités quotidiennes domestiques ou pratiques (National Center for Health Statistics, 1983). Pour se déplacer, la personne âgée, de santé fragile, est donc contrainte de faire appel à sa famille ou aux ressources d'un établissement, et une crise situationnelle peut s'ensuivre. Chez la personne âgée encore alerte, la retraite obligatoire compromet le sentiment d'interdépendance et perturbe son rôle social. L'âgisme est une des attitudes qui troublent le concept de soi de la personne âgée. Dans une société qui valorise la jeunesse, la personne âgée peut se sentir inutile et incapable. Par définition, la personne âgée est un être qui cherche un sens à l'existence et à la mort. La résolution adéquate de cette crise développementale contribue au bien-être spirituel de la personne âgée.

États de crise et soins infirmiers

Dans tous les milieux cliniques comme dans la société, l'infirmière rencontre des personnes qui vivent des événements prévisibles et imprévisibles. Dans une perspective holistique des soins, l'infirmière en pédiatrie, par exemple, doit aborder l'enfant atteint d'une maladie physique en tenant compte du contexte familial; elle doit comprendre le besoin de régression de l'enfant et l'aider à surmonter sa colère et sa peur lorsque sa maladie coïncide avec le divorce de ses parents. L'infirmière en obstétrique comprend qu'il faut adapter les soins infirmiers au stade de développement de la mère adolescente. Faute d'interventions appropriées à l'âge de la cliente, la grossesse peut avoir des conséquences tragiques pour l'adolescente. Comme un nombre grandissant de jeunes sont admis en unité psychiatrique, l'infirmière en santé mentale doit savoir comment intervenir lors des crises développe-

mentales de l'adolescence. Quant au client adulte admis en unité médico-chirurgicale, il peut entrer en crise si sa maladie physique survient pendant une période de transition. Par exemple, une personne d'âge moyen aux prises avec des problèmes reliés au concept de soi peut éprouver des difficultés d'adaptation si elle est atteinte en plus de problèmes cardiaques. Après une intervention chirurgicale, le recouvrement de la santé peut être retardé si une personne doit, en rentrant chez elle, recommencer à s'occuper de ses parents âgés. En milieu gériatrique, la prestation de soins holistiques signifie que l'infirmière doit aider le client à résoudre ses problèmes de dépendance et à chercher un sens à la vie et à la mort.

Les infirmières ne sont pas à l'abri des événements que nous venons de décrire. Elles se marient et divorcent. Leurs enfants peuvent être atteints d'anxiété ou d'un trouble des conduites. Leurs adolescentes peuvent devenir mères. Elles peuvent avoir à s'occuper à la fois de parents âgés et d'enfants tout en traversant leur propre crise de la quarantaine. Elles vieillissent et elles doivent surmonter les crises qui leur arrivent par le fait même.

Le présent chapitre a pour objet d'aider l'infirmière à prévoir et à résoudre ses crises personnelles ainsi qu'à élaborer un plan de soins et à intervenir auprès de clients en crise. Pour promouvoir la santé, l'infirmière doit participer à la prévention et au traitement des crises qui surviennent lors des différents stades de développement. Pour ce faire, elle doit comprendre pourquoi certaines personnes s'adaptent aux situations de crise et en sortent grandies tandis que d'autres n'y parviennent pas. Connaissant les caractéristiques des personnes les plus vulnérables aux problèmes d'inadaptation, l'infirmière peut les reconnaître et intervenir. À cette étape, la démarche de soins infirmiers peut contribuer à assurer pour l'avenir une meilleure santé mentale. Au moyen de l'éducation communautaire et avec l'appui des autorités, l'infirmière peut aussi contribuer à prévenir certains événements.

Théories du développement de la personne

Pour comprendre la complexité du développement humain, il faut une approche théorique qui rende compte de l'alternance des périodes de stabilité et de changement au cours de la vie. Dans ce domaine, et particulièrement en ce qui a trait au développement de l'enfant, les contributions les plus marquantes sont la théorie psychanalytique de Sigmund Freud, la théorie psychosociale ou développementale d'Erik Erikson et la théorie du développement cognitif de Jean Piaget. (Voir le chapitre 3 pour de plus amples détails sur ces théories.)

Les **théories des stades** assimilent le développement à une succession d'étapes ou ordres. Elles le divisent en périodes déterminées par l'âge, au cours desquelles la personne rencontre des problèmes particuliers et possède des habiletés spéciales. Grâce à des stratégies élaborées à partir d'habiletés acquises lors des stades précédents, la personne progresse d'un stade à un autre. Chaque personne traverse tous les stades sans exception, les commençant et les terminant à un moment particulier. Il est important de noter que l'âge chronologique n'a qu'une valeur indicative pour les théoriciens des stades.

Sans diviser le développement en stades, d'autres théories peuvent s'avérer utiles pour comprendre les tâches et les crises qui ponctuent la vie humaine. Elles définissent le développement comme un processus et s'attardent surtout sur les modes d'apprentissage et de croissance.

Ainsi, la **théorie du traitement de l'information** porte sur la manière dont la personne absorbe l'information, la traite et l'utilise, établissant une analogie avec les notions d'entrée, de traitement et de sortie propres à l'informatique. Cette théorie étudie les mécanismes de perception, de sélection, de représentation, de mémorisation et de récupération des informations au cours des différents stades de la vie. Cette approche analyse en profondeur les habiletés cognitives et l'importance de la rétroaction (Sternberg, 1985).

La **théorie behavioriste** élaborée par Watson et Skinner fait ressortir l'importance du milieu. Ses partisans estiment que le milieu détermine le comportement. Selon eux, le conditionnement classique et le conditionnement opérant sont les moteurs de l'apprentissage (voir le chapitre 3). On a reproché aux behavioristes de donner du développement humain une vue trop mécanique et de le faire paraître plus prévisible qu'il ne l'est en réalité (Rogers, 1980).

Enfin, selon la **théorie de l'apprentissage social**, l'apprentissage et le développement seraient fondés sur l'observation et l'imitation. Les partisans de cette théorie croient que, tout au long de son développement, la personne apprend en observant les autres et en imitant leur comportement. Les adversaires de cette théorie déplorent qu'elle ne tienne compte ni des effets du passage à la maturité ni des distinctions entre le comportement d'imitation de l'enfant et celui de l'adulte (Bandura, 1986 ; Thomas, 1970).

Âge adulte

Longtemps, les psychologues sont restés indifférents au développement de l'adulte, croyant qu'il n'était pas important d'élaborer un cadre théorique qui permette de le comprendre. Les travaux de Stanley Hall (1922) constituent l'une des rares exceptions à cet effet.

Aujourd'hui, le cinéma et la télévision mettent des adultes en scène. Les best-sellers comme *Franchir les obstacles de la vie* et *Les passages de la vie : les crises prévisibles de l'âge adulte* de Gail Sheehy soulignent la valeur et l'intérêt de la vie adulte. Des termes comme *yuppie, baby-boomer* et *crise de la quarantaine*, hérités plus ou moins directement pour certains de la langue américaine, font maintenant partie du vocabulaire courant.

Ce nouvel intérêt pour l'âge adulte s'explique en partie par la démographie. En effet, le groupe des personnes âgées augmente plus rapidement que tous les autres. En 1901, le Québec comptait à peine 80 000 personnes âgées. En 1986, il en comptait au-delà de 650 000. Ce nombre sera supérieur à 900 000 dès le début du XXIe siècle pour atteindre 1,5 million autour des années 2030. En pourcentage, les personnes âgées représentaient 4,8 p. cent de la population totale en 1901 ; elles en représentaient 9,9 p. cent en 1986, dépasseront les 12 p. cent au début de l'an 2000 et atteindront près de 25 p. cent vers 2030, soit au moment où la génération de « l'explosion démographique » des années 1946-1961 (les *baby-boomers*) aura rejoint le groupe des âgés (Roy, 1987).

On peut supposer que l'accroissement de la longévité et l'éducation sont les deux facteurs qui ont suscité l'intérêt pour le développement de l'adulte. Les théoriciens du développement reconnaissent maintenant, comme l'avait fait Erikson avant eux avec sa théorie psychosociale, que la vie et le développement se poursuivent au-delà de l'adolescence.

Parmi les théoriciens modernes qui se sont intéressés à l'âge adulte, il faut citer Peck, Vaillant, Levinson, Gould et Neugarten. Ces chercheurs ont souligné les caractéristiques de la vie adulte ; ils ont été les premiers à baliser l'étude de cette période de la vie. Certains reprochent cependant à ces théories de ne pas refléter la perspective du développement humain dans le cycle de vie global.

Robert Peck (1968) reprochait à la théorie de l'adaptation psychosociale d'Erikson de traiter trop superficiellement de l'adulte d'âge moyen et de la personne âgée. Il s'est donc employé à faire ressortir les tâches caractéristiques du développement de l'adulte (voir le tableau 6-1).

George Vaillant, pour sa part, a développé la théorie d'Erikson au cours de ses travaux. Il a constaté que les hommes connaissent des bouleversements au cours de la trentaine et de la cinquantaine. Au cours de la trentaine, ils sont préoccupés par leur réussite professionnelle ; ils deviennent conformistes et matérialistes. Puis, au cours de la quarantaine, ils se détachent quelque peu de leur travail et commencent à s'interroger sur eux-mêmes. Ils réexaminent alors leurs valeurs et leurs aptitudes, ce qui peut engendrer chez eux un conflit intérieur souvent désigné par l'expression « crise de la quarantaine ». Enfin, au cours de la cinquantaine, les hommes commencent à lâcher prise et à accepter l'échec (Kaplan, 1988).

Dans un ouvrage qui a beaucoup influencé la façon de voir l'âge adulte, *The Seasons of a Man's Life* (1978), Levinson divisait la vie en quatre périodes (voir le tableau 6-2). En s'intéressant aussi aux femmes, Roger Gould (1980) a comblé une lacune des théories précédentes. Il a divisé le développement de l'homme et de la femme adultes en sept phases (voir le tableau 6-3). Enfin, Bernice Neugarten (1968) a beaucoup écrit sur la quarantaine et le vieillissement, tout en soulignant l'impor-

tance de la culture, de l'histoire, et du concept d'« horloge sociale ». Ce concept semble suggérer l'idée d'un certain synchronisme entre l'évolution de la personne et les événements marquants de la société.

Tableau 6-1   *Théorie de Peck sur le développement de l'adulte*

Âge adulte moyen

Défis	Tâches
Socialiser les relations humaines plutôt que les sexualiser.	Trouver des relations interpersonnelles riches et profondes qui ne soient pas de nature sexuelle.
Valoriser la sagesse plutôt que les prouesses physiques.	Apprendre à surmonter le déclin physique manifeste et valoriser la sagesse acquise au fil des ans.
Faire preuve de flexibilité plutôt que de rigidité.	Apprendre à être spontané et réceptif aux nouvelles idées plutôt que d'adhérer rigidement aux pensées et aux actions passées.
Démontrer de la flexibilité dans les relations sociales plutôt que de s'appauvrir socialement.	Apprendre à enrichir ses relations sociales plutôt que de se concentrer sur des événements inévitables, comme le départ des enfants et le vieillissement des parents.

Vieillesse

Défis	Tâches
S'individualiser plutôt que se focaliser sur le rôle professionnel.	Apprendre à trouver une valeur à la vie en dehors du travail et de la maternité ou de la paternité, et découvrir des loisirs satisfaisants.
Viser la transcendance du corps plutôt que la préoccupation du corps.	Apprendre à mener une vie heureuse en dépit des limites physiques et des maladies chroniques associées à la vieillesse.
Viser la transcendance du moi plutôt que la préoccupation du moi.	Apprendre à accepter la fatalité de la mort en faisant le bilan de son passé : ses efforts et ses accomplissements ainsi que ceux de ses enfants.

Tableau 6-2   *Périodes de la vie selon Levinson*

Enfance, adolescence et transition vers l'âge adulte : de la naissance à 22 ans
  Période de croissance rapide dans tous les domaines de la vie.

Début de l'âge adulte : de 22 ans à 45 ans
  Période marquée par la recherche de l'identité personnelle et l'éducation des enfants.
  Vie professionnelle à son apogée. Amour, sexualité, famille et carrière prédominent, non sans obstacles cependant. Période marquée par de nombreux choix personnels.

Milieu de l'âge adulte : de 45 ans à 60 ans
  Période de transition, de réévaluation et d'adaptation au déclin des capacités physiques. Période d'introspection et de générosité.

Fin de l'âge adulte : de 60 ans à 85 ans
  Période d'acceptation du vieillissement et d'abandon du besoin de domination. Nécessité de s'adapter à la transformation des rapports avec la société et d'équilibrer les ressources intérieures.

Tableau 6-3   *Phases de l'âge adulte selon Gould*

Âges	*Événements*
De 16 ans à 18 ans	La personne forme son identité, établit son indépendance et se soustrait à l'autorité parentale.
De 19 ans à 22 ans	Le jeune adulte quitte ses parents et il est ouvert aux idées nouvelles.
De 23 ans à 28 ans	La personne valorise l'autonomie et cherche à atteindre ses objectifs. La confiance en soi et l'engagement familial sont importants.
De 29 ans à 34 ans	La personne remet en question son mariage et ses objectifs. Elle peut se sentir insatisfaite de son mode de vie et éprouver des problèmes financiers. La confusion et l'auto-évaluation sont inévitables.
De 35 ans à 43 ans	La personne remet ses valeurs en question et le temps prend une importance nouvelle devant l'idée de la mort. La personne éprouve le besoin urgent d'atteindre ses objectifs de vie.
De 44 ans à 53 ans	Cette période est marquée par une stabilité relative et par un accroissement de la satisfaction conjugale. La personne se préoccupe de sa santé.
De 54 ans à 64 ans	Cette période est marquée par un assouplissement de la personnalité et par la quête d'un sens et d'un but à la vie.

Théorie de la crise

Le stress et les situations d'urgence ne constituent pas nécessairement des crises. Plusieurs variables déterminent la vulnérabilité d'une personne aux situations de crise. Ces variables, appelées **facteurs d'équilibre**, sont :

- la perception globale de l'agent stressant ;

- les expériences antérieures face à un agent stressant similaire ;

- les mécanismes d'adaptation habituels de la personne ;

- le réseau de soutien de la personne.

La crise survient quand une situation génératrice de stress rompt l'équilibre de ces facteurs et elle persiste tant qu'un facteur manque. Dans certains cas, la personne peut avoir une perception déformée de l'événement, ou être dépourvue de soutien ou de mécanismes d'adaptation adéquats. La crise évolue tant que le problème demeure et que le déséquilibre subsiste. En revanche, la personne évite l'état de crise si elle répond de manière adéquate à un événement générateur de stress. Dans un tel cas, la personne a une perception réaliste de l'événement, des mécanismes d'adaptation adéquats et un soutien suffisant, ce qui lui permet de résoudre le problème et de retrouver l'équilibre (Aguilera et Messick, 1978).

Pour comprendre l'évolution d'un état de crise, l'infirmière doit en connaître les différentes phases. Initialement, la personne éprouve une anxiété accrue par rapport à l'événement traumatisant. À mesure que ses mécanismes d'adaptation usuels se révèlent de moins en moins efficaces, son anxiété s'intensifie. Quand ses ressources intérieures et son réseau de soutien deviennent inadéquats, la personne entre en état de crise active. Généralement, pendant cette période, la personne a une capacité d'attention réduite ; elle est improductive et impulsive ; elle cherche désespérément un sens à l'événement traumatisant ; ses relations interpersonnelles se détériorent. De plus en plus désorientée et confuse, la personne en crise se sent envahie par le sentiment de « devenir folle » ou de « perdre la raison », et elle se tourne vers les autres pour trouver une solution à son problème (Johnson, 1986).

Tâches adaptatives et stratégies d'adaptation

Grâce à des stratégies d'adaptation efficaces, beaucoup de gens parviennent à éviter l'état de crise causé par des événements traumatisants. Même en état de crise, la personne peut employer des stratégies comportementales, affectives, cognitives et psychosociales pour s'adapter à l'événement imprévisible. L'importance relative de ces stratégies varie suivant les personnes et les crises. La plupart du temps, la personne les combine à sa façon, et l'efficacité de chacune dépend de l'événement en cause.

Les *stratégies comportementales* impliquent la recherche d'information comme première étape du processus de résolution des problèmes. La personne trouve différentes solutions possibles à la crise et prédit les conséquences probables de chacune. Ensuite, elle en choisit une et entreprend une démarche concrète. Finalement, elle évalue les conséquences et, au besoin, revient à l'étape de l'inventaire des solutions possibles (voir le chapitre 1 pour de plus amples détails sur le processus de résolution des problèmes). La recherche de nouvelles sources de satisfaction des besoins de dépendance, l'autonomie et les habiletés sociales nécessaires à l'interdépendance adulte sont d'autres formes d'adaptation comportementale. Pour renforcer son estime de soi, la personne peut se découvrir des intérêts nouveaux ou même se mettre à aider des gens qui vivent une crise semblable à la sienne.

Les *stratégies affectives* permettent à la personne de faire face aux sentiments suscités par l'événement et de conserver un équilibre acceptable. Par des conversations, des pleurs ou même des cris, la personne se libère émotionnellement de sa colère, de son désespoir et de sa frustration. La capacité de discerner ses sentiments et de les exprimer est une forme d'adaptation affective. Le fait de pouvoir tolérer l'ambiguïté et garder l'espoir pendant une période de crise est en général d'un grand secours.

Les *stratégies cognitives* aident la personne à trouver un sens à un événement imprévisible et à comprendre les résonances qu'il éveille en elle. La recherche d'un sens est un processus qui se poursuit pendant et après la période de crise. Le résultat dépend de la spiritualité de la personne ou de sa philosophie. Pour certains, cette quête les amène à s'engager dans des causes qui les dépassent. D'autres croient au dessein de Dieu et y trouvent une grande consolation. Le déni peut aussi se révéler temporairement efficace ; pour éviter de se sentir submergée, il arrive que la personne nie l'événement imprévisible ou ses conséquences possibles. Par ailleurs, la capacité de redéfinir l'événement imprévisible est une autre forme d'adaptation : la personne accepte la réalité première de l'événement mais transforme la situation en quelque chose de favorable. Par exemple, la personne peut s'attarder davantage sur les conséquences potentiellement favorables de l'événement ou se comparer à plus malchanceux qu'elle. Les stratégies cognitives visent à protéger l'image que l'on a de soi et le sentiment que l'on est compétent et maître de la situation.

Les *stratégies psychosociales* permettent à la personne de maintenir ses relations avec sa famille et ses amis pendant et après la période de crise. La personne doit être disposée à accepter le réconfort et le soutien que lui offrent les autres. En lui fournissant de l'information, les parents et les amis peuvent aider la personne à prendre des décisions judicieuses. Il ne faut pas non plus négliger les ressources du milieu telles que les lignes ouvertes, les centres de santé, les groupes de soutien et les groupes d'entraide (Moos et Schaefer, 1986).

Outre les stratégies comportementales, affectives, cognitives et psychosociales, des facteurs démographiques et personnels influent sur l'issue des événements imprévisibles en déterminant la façon dont la personne définit et résout la crise. Au nombre de ces facteurs, on trouve l'âge, le sexe, l'origine ethnique, les ressources économiques, les ressources spirituelles et les expériences antérieures. De plus, des facteurs propres à l'événement lui-même influent sur ses conséquences. La nature de l'événement suscitant la crise biologique, psychologique, environnementale ou sociale va influer sur les tâches et les stratégies d'adaptation. Plus la personne maîtrise ces facteurs, plus ils ont de chances d'être adaptatifs. La résolution d'une crise favorise la croissance et la capacité d'adaptation future. Par contre, la non-résolution diminue la capacité d'adaptation et peut être une cause de problèmes ultérieurs.

Enfance

L'éducation et la socialisation des enfants est l'une des fonctions primordiales de la famille. Aux yeux des enfants, par conséquent, le divorce représente non pas la séparation d'un homme et d'une femme, mais bien l'éclatement de la famille.

Redéfinition du concept de soi et déplacement du lien de dépendance : enfants du divorce

On appelle *famille binucléaire* la famille résultant d'un divorce. Il s'agit en fait de deux ménages formés après le divorce, mais qui constituent quand même un seul système familial (Ahrons et Rodgers, 1987).

Le divorce des parents peut correspondre à la première grande perte d'un enfant. Cette perte se vit bien différemment de la séparation causée par la maladie ou le décès d'un des parents. En effet, quand un de ses parents est hospitalisé, l'enfant garde espoir de le voir bientôt revenir à la maison. Lorsqu'un de ses parents meurt, les rituels de deuil l'aident à accepter la perte et le caractère inéluctable de la séparation. Cependant, quand les parents divorcent, l'enfant oscille entre l'espoir et le désespoir. Il n'existe pas de rituel qui puisse l'aider à pleurer la perte de la structure familiale (Kaslow et Schwartz, 1987).

L'adaptation de l'enfant au divorce de ses parents varie de saine à malsaine. Au moment de la séparation, il est difficile de prévoir si des changements durables surviendront et, le cas échéant, de quel ordre ils seront. Le passage d'une famille nucléaire à une famille binucléaire engendre un stress situationnel. Initialement, le parent chargé de la garde peut se trouver submergé par ses nouvelles responsabilités et n'être pas en mesure de satisfaire les besoins émotionnels de l'enfant. L'autre parent peut s'évertuer à chercher des façons de continuer à participer à l'éducation des enfants. Ce stress situationnel engendre souvent une détresse émotionnelle temporaire chez l'enfant. Habituellement, ce problème disparaît en moins d'un an, et le fonctionnement de l'enfant revient au niveau antérieur ou s'améliore.

Caractéristiques comportementales La réaction du nourrisson de moins d'un an au divorce est reliée à celle du parent qui en a la garde. Si le parent est souvent tendu et anxieux, le nourrisson peut devenir capricieux et irritable. Si le parent est déprimé, le nourrisson peut devenir apathique et réagir moins que d'habitude aux stimuli extérieurs. De même, l'enfant d'un ou deux ans peut réagir à l'état émotionnel du parent. Il n'est pas rare que l'enfant s'accroche au parent et pleurniche jusqu'à ce qu'il se sente plus en sécurité dans sa nouvelle structure familiale.

L'enfant de trois à cinq ans réagit souvent à l'anxiété en régressant temporairement sur le plan du langage, de la maîtrise des sphincters, du jeu et du comportement social. En refusant de prêter ses jouets, par exemple, l'enfant tente d'exercer un peu d'emprise et de s'éviter d'autres pertes. S'il croit que sa « mauvaise » conduite est la cause du divorce, il aura tendance à faire preuve d'une soumission excessive. L'enfant peut aussi exprimer sa colère par un excès d'agressivité envers les autres enfants et les adultes. Les troubles du sommeil et les symptômes somatiques peuvent être des signes d'anxiété ou de dépression en réponse à la séparation.

Chez l'enfant d'âge scolaire, l'anxiété ou la dépression peuvent se traduire par des problèmes scolaires inhabituels. Certains enfants utilisent l'énergie générée par l'anxiété pour exceller dans les activités scolaires ou parascolaires. Souvent, l'enfant s'efforce de réconcilier et de réunir ses parents. Le préadolescent, lui, peut tenter d'intervenir directement dans les conflits de ses parents ou de leur procurer du réconfort. L'adaptation est malsaine quand les rôles se renversent et que l'enfant est contraint de prendre soin de ses parents. L'enfant peut aussi se soustraire aux conflits en s'enfermant dans sa chambre ou en passant le moins de temps possible à la maison. En revanche, l'enfant s'adapte sainement au conflit qui oppose ses parents quand il s'en désengage et qu'il reprend ses activités habituelles. L'enfant qui se sent trahi et furieux peut tenter de manipuler ses parents en les montant l'un contre l'autre. Il arrive souvent que l'enfant du divorce soit tenu d'assumer une plus grande part des tâches domestiques. Quand ces responsabilités sont appropriées à son âge, c'est là une conséquence favorable. Par contre, c'est une conséquence néfaste dans le cas contraire, par exemple lorsque l'aîné des enfants se voit contraint de devenir le « parent » de ses frères et sœurs cadets (Kaslow et Schwartz, 1987 ; Peck, 1989 ; Schuster et Ashburn, 1986).

Caractéristiques affectives   Les peurs multiples sont fréquentes chez les enfants du divorce. En effet, ils peuvent se sentir rejetés et abandonnés par le parent qui n'a pas la garde et craindre sans cesse le rejet et l'abandon du parent qui a la garde. Frères et sœurs peuvent redouter d'être séparés entre les parents. La perspective d'un déménagement, des fêtes, de problèmes financiers ou des vacances les rend anxieux. Les peurs multiples contribuent à donner à l'enfant un sentiment général de désorientation et d'insécurité.

Chez l'enfant du divorce, la colère est une réaction affective dominante. Elle peut être dirigée soit contre le parent qu'il juge responsable de la séparation, soit contre ses deux parents. Dans certaines situations, l'enfant se sent responsable du divorce de ses parents, se fait des reproches et éprouve beaucoup de colère envers lui-même. Quand cette colère n'est pas résolue, la culpabilité peut alors être le sentiment dominant. Même si la culpabilité n'est pas justifiée, elle est sans doute plus tolérable que l'anxiété qui naîtrait si l'enfant reconnaissait son impuissance à maîtriser la situation (Hutchinson et Spangler-Hirsch, 1989).

L'enfant du divorce subit des pertes multiples. Il perd partiellement ou complètement un de ses parents. Il arrive que ses contacts avec sa famille élargie se raréfient. Il peut perdre sa maison,

son école et ses amis. Ses habitudes changent, et les modifications de son mode de vie peuvent être abruptes et profondes. Lors des fêtes, quand l'union et la joie semblent régner dans les autres familles, la perte et la séparation sont ressenties plus péniblement encore. L'enfant qui s'adapte sainement est capable de surmonter ces sentiments intenses ; il parvient à pleurer et à accepter ses pertes (Kaslow et Schwartz, 1987 ; Wallerstein, 1986).

Caractéristiques cognitives   L'enfant se sent souvent responsable de la séparation et du divorce de ses parents. L'enfant d'âge préscolaire est très égocentrique et croit que tous les événements sont directement rattachés à lui. Le jeune enfant d'âge scolaire pense souvent, lui aussi, que son comportement, et particulièrement sa « mauvaise » conduite, a contribué au conflit qui oppose ses parents. Il croit que, s'il parvenait à être toujours « gentil », ses parents cesseraient de se quereller et demeureraient ensemble. L'enfant plus âgé tente souvent de comprendre la situation mais a l'impression d'être pris entre deux feux. Beaucoup d'enfants rêvent de la réconciliation de leurs parents et de la réunification de la cellule familiale.

Initialement, l'enfant peut se demander qui s'occupera de lui, s'il devra déménager, si l'argent viendra à manquer, s'il continuera de voir l'autre parent et si toute sa vie changera. L'enfant qui voit un de ses parents quitter la maison se met à craindre le départ ou le décès de l'autre. Les fêtes mettent l'accent sur la famille, et l'enfant du divorce trouve parfois ces périodes difficiles, car il songe à la solitude du parent dont il est séparé. Il peut envier ceux de ses amis qui célèbrent les fêtes au sein d'une cellule familiale intacte. Certains enfants sont capables de restructurer cognitivement leurs attentes et de voir dans la situation une occasion de célébrer deux fois et de recevoir plus de cadeaux.

En réaction à l'anxiété engendrée par la séparation, l'enfant peut s'identifier au parent absent, comme si le fait de le recréer en lui atténuait le sentiment d'abandon. Certains enfants attribuent à l'un des parents le rôle du méchant et à l'autre celui du héros, afin de se sentir moins coupables du divorce. Dans ce cas, la stabilité de la famille binucléaire est menacée. L'enfant du divorce juge parfois que les adultes ne sont pas dignes de confiance ; il doute alors de la valeur morale de ses parents, voire même condamne leur comportement « puéril ».

L'une des tâches cognitives pour l'enfant du divorce consiste à accepter la réalité et la permanence de la situation. C'est là un processus graduel qui se termine habituellement vers la fin de la première année suivant la séparation. Pendant cette période, l'enfant peut surmonter ses nombreuses peurs au moyen du déni. En rêvant de réunir ses parents, l'enfant oppose une impression de puissance et de maîtrise à sa vulnérabilité.

L'enfant du divorce a aussi pour tâche cognitive d'entretenir des espoirs réalistes quant à ses relations futures. La plupart du temps, ce processus se réalise pendant la préadolescence et l'adolescence. L'enfant du divorce craint souvent l'échec de sa propre vie conjugale. Si cette peur n'est pas surmontée et que l'enfant ne parvient pas à se voir comme une personne capable de donner et de recevoir de l'amour, il peut perdre son estime de soi à jamais et, à cause de sa peur de l'échec, éviter toute relation (Kaslow et Schwartz, 1987 ; Wallerstein, 1986).

Caractéristiques psychosociales Une fois prise leur décision de divorcer, les parents doivent résoudre bien des problèmes. Le moment et la manière qu'ils choisissent pour en informer leurs enfants sont de la plus haute importance. Idéalement, ils devraient le faire quand leur décision est définitive. Si possible, les deux parents devraient rassembler les enfants et leur annoncer la nouvelle. Les enfants doivent recevoir l'assurance qu'ils ne sont pas responsables du divorce de leurs parents ni d'une éventuelle réconciliation. Il est essentiel que les deux parents réaffirment sans cesse aux enfants qu'ils continueront de les aimer et de s'occuper d'eux.

L'annonce de la nouvelle à la famille élargie est une autre des difficultés qu'entraîne le divorce. Les membres de la famille peuvent donner leur approbation et se montrer désireux et impatients d'aider. Au contraire, ils peuvent se révéler désapprobateurs s'ils croient que le divorce est déshonorant ou immoral. Certaines familles élargies peuvent porter secours aux conjoints en instance de divorce en les hébergeant temporairement, en les aidant financièrement ou en gardant les enfants. D'autres familles élargies peuvent craindre de ne plus revoir les enfants. Les conjoints doivent se rappeler que les grands-parents, les tantes, les oncles, les cousines et les cousins constituent un réseau de soutien pour leurs enfants, et qu'il est bon de maintenir et de renforcer ces liens.

Pour le bien de la famille binucléaire, on encourage les conjoints à recourir aux services d'avocats sensibilisés aux conséquences du divorce sur l'ensemble du système familial. Quand les parties contestent la division des biens matériels, la garde des enfants et leur soutien financier, la détresse qui en découle se répercute sur les enfants.

En Amérique du Nord, avant 1920, l'usage en cas de divorce voulait que le père ait la garde des enfants. Habituellement, la mère quittait le foyer et les femmes de la famille du père s'occupaient des enfants. De 1920 à 1960 environ, la tendance s'est inversée, et c'est à la mère que l'on confiait les enfants ; la majorité des enfants du divorce vivaient dans des ménages dirigés par les mères. À la fin des années 1960, les tribunaux ont commencé à prendre en considération l'intérêt de l'enfant avant de statuer sur la garde. De nos jours, les tribunaux sollicitent l'avis des enfants de plus de six ans, sans toutefois les placer en situation de choix, et les juges tiennent compte de leur opinion (Guerin, 1987 ; Kaslow et Schwartz, 1987).

Conséquences et résolution La formation d'une famille binucléaire exige de tous les membres une réorganisation sur le plan psychologique, social et économique. En effet, l'image qu'ils se faisaient de l'avenir s'est évanouie, et ils doivent s'en forger une autre. Si les conflits parentaux étaient intenses avant le divorce, la nouvelle structure familiale peut soulager le stress de l'enfant. Ce dernier a droit à une éducation et à des soins adéquats. En divorçant, les parents ne se séparent pas de leurs enfants ; ils gardent l'obligation de respecter leurs droits et de satisfaire leurs besoins. L'adaptation de l'enfant à la famille binucléaire est liée à celle des parents. Quand les parents vivent dans l'instant présent et préparent leur nouvel avenir, l'enfant s'adapte mieux. Il peut aussi trouver un surcroît de soutien auprès de groupes spécialement mis sur pied à cet effet par les écoles et les congrégations religieuses. Ces groupes atténuent le sentiment d'abandon et d'isolement qu'éprouve l'enfant et l'aident à surmonter les peurs suscitées par le divorce.

Une minorité d'enfants gardent des séquelles durables du divorce de leurs parents. La plupart du temps, de telles séquelles sont dues au fait que les parents eux-mêmes sont incapables de s'adapter et restent en conflit. Certains parents tentent de soutirer de l'information à l'enfant au sujet de l'ex-conjoint, et l'enfant a alors l'impression d'être un espion infiltré dans le camp ennemi. Certains parents critiquent l'ex-conjoint devant l'enfant afin de le forcer à prendre parti. Dans une telle atmosphère, l'enfant se sent contraint et mal à l'aise avec ses deux parents. Quand l'un des parents se sert de lui pour punir son ex-conjoint, l'enfant devient une monnaie d'échange. Dans le cas où l'un des parents a la haute main sur l'enfant et l'autre parent, sur l'argent, les droits de visite et les paiements de la pension alimentaire servent d'armes défensives. Une telle situation est extrêmement perturbatrice pour l'enfant, qui se sent alors pris entre l'arbre et l'écorce. Quand le parent qui n'a pas la garde prend ses distances par rapport à l'enfant et devient indifférent, l'enfant éprouve un profond sentiment de rejet.

Les enfants qui souffrent de séquelles durables à la suite du divorce peuvent éprouver un sentiment d'incompétence, d'échec et d'indignité. La peur et le besoin de se protéger de la souffrance peuvent pousser ces enfants à n'entretenir que des relations superficielles tout au long de leur vie. Certains enfants sont surprotégés par leurs parents et adoptent un mode de vie caractérisé par une extrême dépendance. D'autres sont forcés, que ce soit par les circonstances ou par leurs parents, à mûrir prématurément et à vivre de façon extrêmement indépendante. Pour ces individus, il peut être difficile de trouver le juste équilibre entre la dépendance, l'indépendance et l'interdépendance (Walsh et Stolberg, 1989).

Les parents capables de s'adapter au divorce peuvent en limiter les conséquences néfastes.

Quand les deux parents réussissent à élever leur enfant dans une atmosphère de coopération, le stress que subit ce dernier est moindre. L'enfant parvient mieux à s'adapter quand chacun des deux parents approuve et encourage ses relations avec l'autre. Plus les parents demeurent fidèles à leurs rôles, moins le sentiment de perte est aigu chez l'enfant. Autrement dit, l'enfant doit pouvoir interagir avec ses deux parents librement et sereinement. Un horaire établi d'un commun accord par les parents donne à l'enfant un sentiment de sécurité. De même, les parents doivent prendre ensemble les décisions importantes pour l'enfant afin d'éviter de raviver d'anciens conflits. L'enfant s'adapte mieux lorsque ses parents renoncent aux reproches, à l'amertume et à la colère, lorsqu'ils vivent dans l'instant présent et qu'ils planifient l'avenir. Pour ce faire, il faut recréer des rôles, des habitudes et des rituels afin d'atténuer la désorientation qu'éprouve l'enfant après le divorce. Pour le bien de l'enfant, les fêtes, les congés et les événements importants doivent donner lieu à des négociations spéciales.

Le divorce n'a pas d'effets durables sur la plupart des enfants. À la fin de la première année, ils retrouvent généralement leur niveau normal de croissance et de développement. Ils se sentent compétents, capables de s'adapter et doués de qualités appréciables. Dans leurs relations, ils démontrent un équilibre approprié entre la dépendance, l'indépendance et l'interdépendance. Toutefois, certains enfants qui semblaient de prime abord s'adapter au divorce réagissent à l'adolescence. Au moment d'établir des relations, ils sont envahis par la peur de la trahison, de l'abandon et de l'échec (Hutchinson et Spangler-Hirsch, 1989).

Adolescence

L'une des principales tâches de l'adolescent est l'individualisation et la séparation d'avec ses parents. L'adolescent doit renoncer à sa dépendance familiale, acquérir plus d'indépendance et former des relations d'interdépendance avec son groupe de pairs.

Déplacement du lien de dépendance : formation du groupe de pairs

C'est par l'entremise du groupe de pairs que l'adolescent apprend et évalue les aptitudes comportementales, affectives, cognitives et sociales nécessaires à un comportement interpersonnel adulte et responsable. Par l'intermédiaire du groupe de pairs, l'adolescent s'adapte au monde adulte. En ce sens, le groupe de pairs est une nécessité. L'adolescent idéalise ses pairs et les substitue à ses parents. À mesure que le nombre de connaissances du jeune adolescent s'accroît, il découvre à quel point il est important d'appartenir à un groupe. Les rencontres et les événements nouveaux élargissent ses horizons, et les interactions avec ses pairs lui fournissent l'occasion de mettre son concept de soi, ses valeurs et son identité sociale à l'épreuve. Il acquiert les habiletés sociales dont il a besoin pour affronter la concurrence et l'agression dans le groupe. Certes, l'adolescent participe à la société au sens large, mais la subculture que constitue le groupe de pairs marque au plus haut point son comportement, ses croyances et ses valeurs.

La plupart des adolescents traversent cette crise développementale et entrent sans encombre dans l'âge adulte. Cependant, un petit pourcentage d'adolescents sont incapables d'établir des relations positives avec leurs pairs et deviennent de jeunes adultes solitaires. Un autre petit pourcentage d'adolescents ont une bande pour groupe de pairs et troquent une dépendance contre une autre. S'ils demeurent dans la bande, ils ne sauront pas se montrer socialement responsables ailleurs que dans le groupe de pairs (Kelly et Hansen, 1987 ; VanHasselt, 1987).

Caractéristiques comportementales
Dans l'ensemble, les adolescents passent plus de temps avec leurs pairs que seuls ou avec leurs parents. Ils emploient l'essentiel de ce temps à bavarder ; ils disent que leurs moments les plus agréables sont ceux qu'ils passent avec leurs amis. L'adolescent qui ne s'intègre pas à un groupe de pairs est privé d'une source d'interactions agréables et il passe beaucoup de temps seul. Les interactions sociales que le groupe de pairs réserve à l'adolescent l'obligent à déployer des habiletés nouvelles et des comportements différents. L'adolescent solitaire, lui, n'a pas l'occasion de développer ses habiletés à converser, celles-là mêmes qui lui permettraient d'entamer un échange verbal, d'énoncer ses opinions et de se révéler de manière appropriée. Il a alors moins de chances d'être accepté socialement et, partant, il évite les interactions. Étant donné son manque d'habiletés dans les relations sociales, il a moins de rapports avec les membres du sexe opposé. À l'extérieur d'un groupe de pairs, il est très difficile d'apprendre à s'affirmer, notamment à demander, à refuser, à réagir et à revendiquer ses droits. L'adolescent solitaire a peu d'occasions d'observer comment ses pairs vivent la colère et d'apprendre à endiguer ses propres impulsions agressives. Il a du mal à comprendre le processus d'échange inhérent aux relations interpersonnelles. L'adolescent privé d'un groupe de pairs participe rarement aux activités sociales et parascolaires organisées à son école. Souvent, il se dit lui-même très seul (Beck, 1978 ; Kelly et Hansen, 1987).

La principale raison qui amène les adolescents aux services de santé mentale est le trouble des conduites. Ce trouble est plus fréquent chez les garçons que chez les filles, et son incidence est supérieure dans la population défavorisée. On diagnostique le trouble des conduites de type « En groupe », quand le comportement problématique prend surtout la forme d'une activité avec le groupe de pairs. Certains adolescents influençables peuvent commettre des délits graves pendant la période de rébellion propre à leur âge. Les bandes, comme les autres groupes de pairs, établissent des règles de conduite pour leurs membres. L'adolescent impressionnable apprend des comportements délinquants auprès des membres de sa bande, et le groupe renforce ces comportements déviants. L'adolescent acquiert un comportement hostile, provocant et antisocial, qui lui cause des problèmes à la maison, à l'école et dans son milieu en général. Il viole les droits de ceux qui n'appartiennent pas à sa bande et transgresse les normes sociales. Sans souci pour les sentiments ou le bien-être d'autrui, les membres d'une bande emploient la contrainte physique pour combler leurs besoins et leurs désirs. Il n'est pas rare qu'ils soient chassés de l'école à cause de leur comportement. La consommation de drogues est souvent au nombre des activités de la bande, et celle-ci a recours au vol pour se procurer les substances désirées. La loyauté envers la bande entraîne des rivalités, et il arrive souvent que des adolescents soient blessés ou même tués lors d'affrontements entre bandes ennemies. Les délits violents sont fortement associés à l'appartenance à une bande (Dembo, 1988 ; Fulmer, 1988 ; McMahon et Forehand, 1988).

Caractéristiques affectives   Contrairement aux autres, les adolescents solitaires sont incapables de nouer des amitiés profondes. Certains redoutent les relations intimes, d'autres sont anxieux en groupe et d'autres, enfin, sont trop déprimés pour interagir avec autrui. Les solitaires ont peu d'occasions d'éprouver des émotions et de les partager avec d'autres personnes qui sont au même stade de développement. L'empathie, c'est-à-dire la capacité de saisir le point de vue d'un autre et d'en communiquer la substance, s'apprend par l'intermédiaire des interactions sociales. C'est pourquoi l'adolescent privé d'interactions a souvent de la difficulté à être empathique. Ce manque contribue à l'isoler davantage de ses pairs et, jeune adulte, il est souvent incapable de nourrir des relations intimes et satisfaisantes avec d'autres.

Les adolescents qui se joignent à des bandes sont souvent des êtres révoltés dont la délinquance est enracinée dans la frustration et la protestation. Ils tolèrent mal la frustration et agissent impulsivement. Incapables de gagner du prestige par des moyens légaux, ils protestent contre les normes de la classe moyenne. Cette colère et cette frustration cachent souvent des symptômes d'anxiété et de dépression. Chez les membres d'une bande, les sentiments d'appartenance et de solidarité sont extrêmement intenses. Dans les zones défavorisées sur le plan socio-économique, les bandes constituent un facteur de regroupement important. L'adolescent qui songe à quitter la bande peut en être empêché par la peur de représailles. De plus, comme il n'est pas parvenu à s'individualiser et à établir son indépendance, il peut craindre de perdre son identité personnelle loin de la bande (Dembo, 1988).

Caractéristiques cognitives   L'adolescent incapable de s'intégrer à un groupe de pairs a souvent de la difficulté à s'apprécier. Il se juge incompétent dans ses interactions sociales. Cette image de soi défavorable entrave ses relations, et son isolement entraîne de nouveaux échecs. N'ayant pas la possibilité de tester ses habiletés cognitives et ses capacités à résoudre des problèmes auprès de personnes du même âge que lui, l'adolescent solitaire n'a pas non plus l'occasion de les perfectionner. Privé de rétroaction, il peut considérer qu'il est moins intelligent que ses pairs ou, au contraire, il peut surévaluer ses habiletés cognitives. Sa dépendance continue vis-à-vis de sa famille entretient son sentiment d'incompétence et d'échec dans ses autres relations. Comme l'acceptation par les pairs est un aspect important de l'estime de soi, l'adolescent solitaire peut éprouver de la difficulté à se voir comme une personne attirante et désirable. En projetant une image de soi aussi défavorable, il élargit le fossé entre lui et ses pairs (Kelly et Hansen, 1987).

Les valeurs et les croyances des adolescents membres d'une bande sont marquées par la solidarité. En effet, la loyauté veut que les membres d'une bande partagent le même point de vue sur le comportement social, l'école et la réussite dans la vie. Ils valorisent la fidélité à la bande et bafouent les droits des autres. Souvent, ils abandonnent l'école ou en sont renvoyés. Ils accordent une grande importance au fait de se procurer de l'argent, par tous les moyens possibles. En dépit de l'image de rudesse qu'ils projettent, beaucoup de ces adolescents ont une faible estime de soi. Comme ils sont passés d'une relation de dépendance dans la famille à une autre dans la bande, ils ont du mal à se percevoir comme des individus autonomes. Ils s'identifient à ceux qu'ils perçoivent comme des modèles accomplis. Dans les zones défavorisées, les membres des bandes apparaissent parfois comme les individus les plus prospères. Il n'est pas rare que les membres d'une bande prennent des décisions contraires à leurs intérêts, voire des décisions autodestructrices et même fatales (Carter et McGoldrick, 1988).

Caractéristiques psychosociales L'adolescent solitaire peut avoir de la difficulté à se tailler une place dans la société. Pour devenir un adulte indépendant et confiant, l'adolescent doit apprendre à interagir avec des individus et des groupes divers dans des contextes variés, ce qui signifie entre autres qu'il doit apprendre à trouver un équilibre entre les droits de l'individu et ceux du groupe. Les adolescents qui n'ont pas développé ces habiletés dans un groupe de pairs peuvent éprouver de la difficulté dans leur vie d'adulte. Sans affiliation à un groupe, l'adolescent parvient difficilement à se distancier de ses parents et il est contraint de chercher dans sa famille son soutien émotionnel et social. Il risque ainsi de ne pas pouvoir supporter l'interdépendance une fois parvenu à l'âge adulte et de se confiner dans la dépendance ou l'indépendance extrêmes (VanHasselt, 1987).

Une bande ne peut subsister sans loyauté et sans cohésion. Ses membres prouvent leur loyauté en participant à des affrontements et en lançant l'« appel aux armes ». La rudesse et la rouerie sont à leurs yeux des signes de virilité, et la bande leur offre une forme de protection sociale. La subculture de la bande se développe le plus souvent dans les zones défavorisées où les adolescents ont peu d'espoir de réaliser leurs ambitions socio-économiques. Lorsque les voies d'accès légales à la prospérité et à la réussite leur sont interdites, bon nombre d'adolescents ont recours à des moyens illégaux. Il faut se rappeler que la délinquance n'est qu'une forme d'adaptation à la frustration parmi d'autres. En effet, beaucoup d'adolescents des zones défavorisées font des choix différents et ne présentent aucun comportement déviant (Dembo, 1988).

Conséquences et résolution   L'adolescent sous-socialisé et solitaire peut grandement bénéficier de l'intervention de l'infirmière. Cette dernière peut l'aider à améliorer ses aptitudes sociales au moyen du jeu de rôle et du processus de résolution des problèmes. Elle peut l'aider à étendre son réseau social par la fréquentation de sa famille élargie, les sports, les loisirs et l'adhésion à divers groupes communautaires. L'adolescent a alors l'occasion de trouver un équilibre entre ses droits individuels et ses responsabilités à l'intérieur du groupe. On doit l'encourager à se conformer suffisamment au groupe pour éviter le rejet. L'infirmière peut aider

l'adolescent dépendant à se distancier de sa famille en lui fournissant l'occasion d'affirmer ses propres idées. La remise en question des croyances et des valeurs familiales permet à l'adolescent d'élaborer un système de valeurs personnel.

La résolution positive des problèmes reliés au groupe de pairs aide l'adolescent à devenir un adulte plus productif, apte à former des relations satisfaisantes. Grâce au processus de résolution des problèmes, il pourra trouver des solutions à ses problèmes interpersonnels. À mesure qu'il parvient à prévoir les conséquences possibles de son comportement interpersonnel, sa confiance en lui et son concept de soi s'améliorent. Bénéficiant de bonnes habiletés sociales, il évitera probablement les inadaptations à l'âge adulte.

Le comportement de l'adolescent qui n'entretient que de vagues rapports avec une bande et qui ne présente qu'une forme bénigne du trouble des conduites finit souvent par s'améliorer avec le temps. Les formes les plus graves du trouble des conduites tendent à être chroniques, et ceux qui en sont atteints risquent de conserver des comportements inadaptés à l'âge adulte. Ces personnes adoptent un comportement antisocial et criminel; elles sont peu scolarisées, s'adaptent mal sur le plan professionnel et connaissent des problèmes conjugaux et familiaux (McMahon et Forehand, 1988).

Redéfinition du concept de soi : maternité et paternité à l'adolescence

Beaucoup d'adolescents sont actifs sexuellement, mais peu se soucient de contraception. À leur âge, les grossesses sont rarement planifiées ou désirées. Les adolescents ne sont pas préparés aux contraintes comportementales, affectives, cognitives et psychosociales de la maternité ou de la paternité. À l'adolescence, les conséquences d'une grossesse sont profondes pour la jeune mère, son enfant et sa famille. Il existe peu d'études sur les pères adolescents, mais les données existantes semblent infirmer le stéréotype voulant qu'ils soient absents ou détachés.

L'adolescence et la maternité ou la paternité constituent soit des crises du développement, soit des événements prévisibles. Cependant, leur conjonction inopinée entraîne des problèmes particuliers. L'adolescence est une période critique du développement durant laquelle la personne s'efforce de consolider son identité et son concept de soi. Quand le rôle de parent se superpose à cette démarche, la crise qui peut en découler rend ardue la transition à l'âge adulte.

Caractéristiques comportementales Les adolescentes et les adolescents atteignent la maturité biologique avant la maturité psychologique. L'arrivée d'un enfant comporte pour eux un grand nombre de changements imprévisibles. Comme cette situation est maintenant mieux acceptée, beaucoup d'adolescents choisissent de ne pas se marier lorsqu'une grossesse survient. Si la grossesse n'est pas interrompue, il y a de fortes chances que l'adolescente garde son enfant et l'élève seule (Byer, Shainberg et Jones, 1988).

Il est souvent difficile pour une adolescente enceinte ou pour une jeune mère de poursuivre ses études. L'abandon des études entraîne fréquemment le chômage ou des emplois faiblement rémunérés. Certaines mères adolescentes sont contraintes de demander l'aide sociale pour subsister. Après avoir quitté les camarades qu'elles avaient à l'école, quelques-unes souffrent d'isolement social à un moment de leur vie où l'influence du groupe de pairs est primordiale (Gilchrist et Schinke, 1987).

Les pères adolescents, souvent oubliés par le milieu et par les professionnels, font l'objet de stéréotypes défavorables. On a longtemps supposé qu'ils se dérobaient à leurs responsabilités. Or, on assiste actuellement à une recrudescence d'intérêt pour ce groupe, et le résultat des recherches fait maintenant l'objet de publications. Beaucoup de pères adolescents se sentent responsables et désirent ardemment participer à l'éducation de leur enfant. Il n'est pas rare qu'ils considèrent les responsabilités de père comme un aspect de leur identité masculine. Nombreux sont ceux qui assurent la subsistance de leur enfant. Le père adolescent qui abandonne ses études pour subvenir aux besoins de son enfant est souvent relégué dans des emplois faiblement rémunérés et qui offrent peu de perspectives d'avenir (Connor, 1988 ; Panzarine et Elster, 1986).

L'engagement du père adolescent est déterminé d'abord et avant tout par la volonté de la mère en ce sens. Lorsqu'on encourage sa participation, le père adolescent accepte généralement ses nouvelles responsabilités (Fulmer, 1988). Les résultats de l'étude de Barret et Robinson (1986) auprès de 400 pères adolescents qui participaient à un programme d'orientation professionnelle, de consultation et d'information sur l'éducation des enfants ont montré que ces jeunes hommes étaient hautement responsables. Au bout de deux ans, 82 p. cent d'entre eux avaient des contacts quotidiens avec leur enfant, et 74 p. cent d'entre eux lui procuraient un soutien financier. De plus, 90 p. cent des adolescents étudiés avaient conservé leur relation avec la mère de leur enfant.

Les adolescents ont besoin d'aide pour se préparer à l'arrivée d'un enfant. Ils doivent se procurer des aliments, des vêtements et d'autres produits essentiels. Ils doivent parfois se trouver un toit. Ils ont besoin qu'on les aide à établir des modes d'interaction adéquats avec leur enfant. En suivant des cours spéciaux, ils peuvent apprendre quels sont les besoins physiques et émotionnels des enfants. Bien informés sur le déroulement normal de la croissance et du développement des enfants, ils s'adaptent mieux et deviennent des parents plus efficaces (White-Traut et Pabst, 1987).

Caractéristiques affectives Les mères adolescentes doivent apprendre à maîtriser toutes les émotions que suscitent habituellement l'adolescence et la maternité de même que les émotions propres à leur situation particulière. L'adolescente qui a manqué de soins et d'affection pendant son enfance peut trouver dans la maternité l'occasion de combler ce vide. Celle qui abandonne ses études et qui s'isole de son groupe de pairs peut se sentir prise au piège et, par voie de conséquence, déprimée. La perspective de l'accouchement suscite de l'anxiété chez la plupart des adolescentes. Elles s'inquiètent de la douleur et se demandent comment cela se passera. Après l'accouchement, elles peuvent avoir besoin d'aide pour former des liens avec leur nouveau-né (Fulmer, 1988 ; Gilchrist et Schinke, 1987).

Le père adolescent à qui on a refusé toute participation se sent généralement exclu et impuissant. Par contre, celui dont on a encouragé la présence affirme habituellement que sa relation avec la mère et l'enfant est intime et attentionnée. Même quand les jeunes parents décident de ne pas se marier, le père entretient souvent des liens solides avec son amie pendant et après la grossesse. Contrairement aux idées préconçues, beaucoup de pères adolescents aiment leur amie et leur enfant, et désirent remplir leur rôle de père (Barret et Robinson, 1986).

Caractéristiques cognitives Au départ, il arrive que les parents adolescents voient dans la grossesse un événement stimulant et valorisant. Souvent, c'est pour eux une preuve de leur sexualité qui les élève au rang d'adulte. Cette soudaine promotion à la féminité ou à la masculinité est gratifiante pour certains adolescents ; pour d'autres, c'est une source d'ambivalence. Certains estiment que l'enfant confère un sens et un but à leur existence. Les parents adolescents sont forcés de réorganiser leur concept de soi et de se refaire une identité. Ils doivent être informés sur la grossesse, le travail et l'accouchement pour que tout se déroule le mieux possible. Comme de nombreux adolescents entretiennent des idées puériles et irréalistes au sujet des nourrissons, ils doivent modifier leur façon de penser conformément à la réalité. Plus les parents adolescents participent au processus décisionnel, plus ils sont actifs pendant et après la grossesse (Barret et Robinson, 1986 ; Byer, Shainberg et Jones, 1988).

Caractéristiques psychosociales La maternité ou la paternité à l'adolescence ont des conséquences profondes non seulement pour les jeunes concernés, mais aussi pour leur famille et pour leur milieu. Nier la situation de crise ou éviter de l'affronter ne fait que perpétuer et amplifier le problème. En niant la sexualité des jeunes, on contribue à l'augmentation des grossesses précoces. Le refus de reconnaître sa grossesse ou la crainte de l'annoncer à ses parents poussent l'adolescente à négliger les soins prénataux et augmenter l'incidence de complications dans le groupe des grossesses à risque élevé. En récusant la nécessité d'une nouvelle structure familiale, on intensifie les conflits entre parents et adolescents. Dans la société, la non-reconnaissance du problème se traduit par un manque de services éducatifs, par des soins inadéquats pour l'enfant et par la pauvreté pour de nombreuses familles.

À l'arrivée d'un enfant, les adolescents perdent leur belle insouciance. Un tiers seulement des mères adolescentes épousent le père de leur enfant, et ces mariages ont trois fois plus de chances que les autres d'échouer. Quand l'adolescente demeure dans la maison de ses parents avec son bébé, la famille doit se former une nouvelle identité. Ses membres doivent décider par qui et comment l'enfant sera élevé. Des conflits de rôle peuvent surgir quand les parents ont de la difficulté à voir en leur fille une mère responsable. L'atout le plus précieux d'une mère adolescente est la présence de parents capables de lui apporter le soutien émotionnel et social nécessaire. Celles qui peuvent poursuivre leurs études et se fixer des objectifs professionnels sont promises à un meilleur avenir. Toutefois, en raison d'un manque de ressources, les jeunes mères se retrouvent souvent seules à la tête de leur famille. Ces familles ont sept fois plus de chances que les autres de vivre sous le seuil de la pauvreté (Gilchrist et Schinke, 1987 ; Stark, 1988).

Conséquences et résolution Les parents adolescents ont besoin du soutien de leurs pairs, de leur famille, des professionnels et de leur milieu social. Dans divers milieux cliniques, l'infirmière est appelée à interagir avec des parents adolescents et leurs enfants. En tant que membre de la communauté, l'infirmière peut organiser des programmes de prévention de la grossesse et de soutien à la famille. À l'échelle nationale, l'infirmière peut manifester son appui aux mesures d'ordre public susceptibles d'aider les familles à risque élevé.

L'infirmière a la responsabilité d'évaluer l'interaction parent-enfant. Elle doit identifier les adolescents vulnérables afin de briser le cycle de la frustration, de l'instabilité professionnelle, de la pauvreté et des mauvais traitements infligés aux enfants. Dans les écoles, les églises, les centres hospitaliers, les cliniques et les centres communautaires, l'infirmière peut mettre sur pied des programmes visant à éduquer les jeunes parents ou à améliorer leurs habiletés. Quand l'infirmière discerne de graves problèmes chez des parents adolescents, elle se doit de diriger la jeune famille vers un organisme communautaire ou un service de santé mentale appropriés.

À l'échelle communautaire, les mesures de prévention des grossesses précoces doivent s'intensifier. Dès l'école primaire, les enfants doivent recevoir de l'information sur la reproduction et la contraception ; on doit les amener à préciser leurs valeurs vis-à-vis de la sexualité, à prendre des décisions responsables, à communiquer efficacement et à établir des relations interpersonnelles valables. Cet enseignement doit tenir compte du contexte des adolescents. Toute décision relative au comportement sexuel et à la contraception exige une certaine vision de l'avenir. De nombreux adolescents ont besoin qu'on les aide à entrevoir les conséquences lointaines de leur comportement actuel. De plus, les adolescents doivent posséder de très bonnes habiletés de communication pour refuser les sollicitations indésirées, pour résoudre leurs conflits et pour former des relations intimes responsables. Les jeunes doivent apprendre à s'affirmer afin d'obtenir des moyens contraceptifs. Les adolescents se comportent souvent de façon incohérente, car ils ne sont pas toujours capables d'appliquer concrètement leurs connaissances et de mettre en œuvre leurs projets. Nier la sexualité des jeunes n'éliminera certainement pas le problème des grossesses précoces. C'est dans les pays industrialisés où la liberté sexuelle est la plus prononcée, où les contraceptifs sont les plus accessibles et où les programmes d'éducation sexuelle sont les plus poussés que les taux de conception, d'avortement et de grossesse chez les adolescentes sont les plus bas (Connor, 1988 ; Gilchrist et Schinke, 1987 ; Murray et Park, 1988).

Le milieu scolaire doit s'efforcer de faire une place aux jeunes parents qui désirent terminer leurs études et trouver des emplois acceptables. Un tel appui favoriserait la réussite financière des adolescents. Beaucoup d'entre eux pourraient continuer leurs études s'il existait des services de garderie à prix abordables à proximité des écoles. On peut mettre sur pied des centres d'information dans les écoles ou à proximité afin que les adolescents puissent se renseigner sur la nutrition, l'accouchement, le développement des enfants et sur les soins médicaux qu'ils peuvent ou doivent se procurer. L'infirmière doit sans cesse élaborer des moyens originaux afin d'aider les parents adolescents et leurs enfants.

Âge moyen

Le quarantième anniversaire revêt une signification particulière pour la plupart des gens, car il signifie l'entrée dans l'âge moyen. La célébration de cet anniversaire est souvent marquée par un adieu humoristique à la vie de jeunesse. Les médias, quant à eux, laissent souvent entendre que des changements se produisent aux alentours de la quarantaine.

L'âge moyen réserve des défis particuliers à chaque personne. On considère généralement que l'adulte d'âge moyen est au sommet de ses facultés et de son développement. C'est la période pendant laquelle la personne est le plus productive sur le plan professionnel. Il s'ensuit souvent une période d'autoévaluation. La personne commence en effet à constater les limites de ses capacités physiques et psychologiques et s'aperçoit qu'elle ne pourra peut-être pas réaliser tous ses objectifs. Elle évalue son cheminement professionnel et remet en question sa conception de la réussite et de l'échec (Kaplan, 1988). Par le processus d'introspection, l'adulte d'âge moyen tente souvent de répondre aux questions suivantes : « Est-là *tout* ce que je vais faire de ma vie ? » « Me reste-t-il assez de *temps* pour satisfaire toutes mes aspirations ? »

L'âge moyen est également l'époque où la personne renouvelle ses relations avec ses enfants adolescents. La jeune génération jette un éclairage nouveau sur les situations, et les parents ont toujours présente à l'esprit la jeunesse de leurs enfants.

De nombreuses personnes d'âge moyen jouissent d'une respectabilité et d'un pouvoir qui leur permettent d'influencer les décisions des autres. La maturité et l'expérience sont des instruments utiles pour façonner le caractère des jeunes ou des plus âgés. Par son soutien social et financier ou par son expérience, l'adulte d'âge moyen guide les autres générations.

Redéfinition du concept de soi : crise de la quarantaine

La personne d'âge moyen vit des événements qui, prévisibles ou non, mettent ses mécanismes d'adaptation habituels à l'épreuve. L'expression *crise de la quarantaine*, maintenant répandue dans le langage courant, désigne cette crise du développement. C'est un état perceptible de détresse psychologique et physique qui s'installe quand les ressources intérieures et le réseau social de la personne ne suffisent plus aux tâches développementales qui lui incombent (Kaplan, 1988).

Il faut admettre que la crise de la quarantaine, comme toute crise, recèle un potentiel de croissance. En effet, la personne doit alors accomplir de nombreuses tâches tant sur le plan comportemental, affectif, cognitif que psychosocial. Quand des événements imprévisibles surviennent pendant cette période de transition et neutralisent les mécanismes d'adaptation que la personne utilisait jusqu'alors pour résoudre ses conflits, une crise peut survenir.

Caractéristiques comportementales   Les ouvrages spécialisés confirment la prémisse selon laquelle à 40 ans, ou autour de 40 ans, l'adulte d'âge moyen devient plus conscient de ce qui le sépare du jeune adulte (Neugarten, 1968). Pour la première fois, la personne se rend compte des effets du vieillissement et de l'inéluctabilité de la mort. Cela peut se refléter dans son comportement. La prise de conscience du caractère inéluctable de la mort peut provoquer un changement dans la façon de percevoir le temps. La personne se met à parler de plus en plus fréquemment du « temps qui lui reste ». Elle commence à planifier ses journées avec plus de sagesse.

Gould (1978) décrit la crise de la quarantaine comme une occasion de croître et désigne cette période par l'expression « crise de l'urgence ». La personne se comporte comme si elle vivait une « seconde adolescence », et sa conduite est empreinte de turbulence. Ayant l'impression que le temps lui file entre les doigts, elle canalise toutes ses énergies sur la réalisation de ses objectifs de vie. Cette étape devient alors un moteur de croissance indéniable.

Devant les limites physiologiques et les risques associés au vieillissement, la personne est contrainte de réévaluer ses capacités physiques à leur juste mesure. En effet, la personne n'a plus l'endurance physique du jeune adulte et elle doit s'adapter à une diminution de ses activités, à un ralentissement de son métabolisme et à des changements physiques manifestes. Elle analyse les effets de son mode de vie, notamment ceux de l'alimentation, de la cigarette et de l'alcool. Elle peut tenter de changer certaines habitudes « malsaines ».

L'inadaptation au déclin physique peut se traduire par de la dépression, de l'irritabilité et de l'anxiété face à l'image corporelle. Certains adultes d'âge moyen sont convaincus que leur corps ne changera pas et qu'ils garderont la même force physique qu'à 20 ans. Quand ils pratiquent des sports exténuants comme le basket ou la danse aérobique, ils se dépensent jusqu'à l'épuisement. (Même si certains adultes sont en excellente forme physique et que leur performance se mesure à celle des jeunes, ils n'en restent pas moins des exceptions.) De plus, la personne d'âge moyen peut devenir obsédée par la jeunesse et copier les modes des plus jeunes pour son habillement, sa coiffure, son maquillage et son apparence générale. Elle peut aussi refuser d'écouter les messages de son corps et passer outre aux recommandations qui lui sont faites concernant sa santé.

La crise de la quarantaine peut aussi entraîner une modification du plan de carrière. Comme elle voit la réussite et l'ambition sous un jour nouveau, la personne peut se donner de nouveaux objectifs professionnels. Elle peut alors changer fréquemment d'emploi ou entreprendre une nouvelle carrière. La phrase « Je veux faire ce que j'ai toujours eu envie de faire » revient souvent dans ses propos. Inversement, la personne peut reconnaître à contrecœur que son cheminement professionnel n'a pas suivi le cours rêvé. Les promotions, autrefois si convoitées, ne lui apportent pas les gratifications imaginées. Certaines personnes progressent sur le plan professionnel et tirent de l'atteinte de leurs objectifs des gratifications financières et émotionnelles. D'autres ne se remettent jamais de l'« échec » de leur carrière.

Le comportement de certains adultes d'âge moyen montre qu'ils exigent davantage de la vie. Ils quittent leur emploi, déménagent dans une autre ville, divorcent après des années de mariage ou ont des liaisons extraconjugales. Il n'est pas toujours facile de changer de vie, et le résultat varie d'une personne à l'autre : certains peuvent êtres déçus, d'autres satisfaits (Levinson, 1978).

Le fait qu'une personne s'emploie à satisfaire ses besoins personnels peut refléter le comportement de la « seconde adolescence ». On s'attend généralement que la personne d'âge moyen fasse preuve de **générativité**, c'est-à-dire qu'elle veille aux besoins des autres. Or, la personne qui traverse une seconde adolescence cherche à se gratifier ; elle accomplit les tâches du jeune adulte et en adopte le comportement.

Les loisirs de la personne d'âge moyen se modifient. Elle commence à attacher de l'importance à des projets créatifs et à de nouveaux passe-temps. Elle n'est plus aussi convaincue de la futilité du jeu, et elle découvre l'interaction entre les domaines physique et intellectuel. Il arrive qu'elle s'adonne au sport avec un intérêt renouvelé. Pour la première fois peut-être, elle est en mesure de faire la part entre l'aspect compulsif d'un travail ou d'un jeu et leur aspect bénéfique.

On peut dire de la personne repliée sur elle-même, résignée ou isolée, que ses réactions comportementales à la crise de la quarantaine sont non adaptatives. Cette personne peut perdre sa créativité et sa spontanéité, et son déni peut se traduire par un travail compulsif. Sa consommation de drogues ou d'alcool peut atteindre un niveau dangereux. La surcompensation peut prendre chez elle la forme de conquêtes sexuelles répétées, et la décompensation, de comportements autodestructeurs.

Caractéristiques affectives   En période de crise, la conscience de soi est exacerbée. La personne éprouve de vives inquiétudes. En fait, il est presque impossible d'être gai lorsqu'on pense aux changements de son corps, à la fuite du temps et à la mort. Certaines personnes se sentent insatisfaites et prises au piège. D'autres éprouvent de la honte et de la colère en comparant leur apparence physique aux idéaux forgés par la société. Il n'est pas rare que la jeunesse de ses propres enfants suscite chez la personne en crise jalousie et amertume. Quand l'adulte d'âge moyen ne voit que des problèmes et que l'avenir lui semble stérile, il risque de sombrer dans le désespoir. L'ennui généralisé peut le rendre indifférent à la vie et aux autres personnes ou, à l'inverse, lui faire rechercher le changement, des sensations ou des activités qui remettraient un peu de piquant dans sa vie.

Il arrive fréquemment que l'adulte d'âge moyen ait de la difficulté à établir ou à conserver des relations intimes. Plusieurs disent que leur mariage est devenu une habitude, ou leur conjoint, un étranger. Ils se plaignent de ne se sentir ni aimés ni amoureux. Leur vie sexuelle les ennuie parce qu'elle est devenue une routine.

Malgré tous ces sentiments négatifs, l'âge moyen comporte aussi des périodes d'espoir et de joie. La maîtrise des émotions conflictuelles constitue alors l'un des aspects les plus ardus de la crise. C'est une période marquée par l'ambivalence : la personne passe de la déception à la satisfaction, du désespoir à l'espoir, de la colère à l'amour, de l'hostilité à la gaieté, de la rage à l'enthousiasme, de la haine à l'amour de soi. L'issue de la crise dépend de la manière dont la personne résout ces sentiments contradictoires.

Caractéristiques cognitives   Le psychologue Klaus Riegal (1973) estime que le fonctionnement cognitif atteint son point culminant autour de la quarantaine. L'introspection devient une tâche essentielle à l'adaptation et aide la personne à jeter sur l'existence un regard réaliste. L'adulte d'âge moyen analyse tous les aspects de la vie d'un point de vue cognitif. La conscience d'être mortel peut l'amener à réorganiser son système de valeurs ou à réévaluer sa démarche spirituelle. Trouver le sens de la vie, réfléchir au passé et fixer de nouveaux objectifs pour l'avenir sont les tâches cognitives de l'âge moyen.

Face aux gageures qui l'attendent sur le plan professionnel et familial, ainsi qu'aux changements qui surviennent sur le plan physique, l'adulte d'âge moyen peut avoir à redéfinir ses priorités. Il doit fréquemment réfléchir à sa vision de la vie, à ses valeurs sur le plan professionnel, familial et personnel. Il considère avec scepticisme ce qu'il avait toujours accepté d'emblée. Il peut alors adopter un nouveau point de vue fait d'idées anciennes et nouvelles.

La capacité d'accepter les changements physiques, de regarder la réalité en face, de trouver un sens au travail, d'acquérir une identité positive et d'envisager la vie d'une façon réaliste favorise un meilleur fonctionnement de la personne après la période de crise. Lorsque ses mécanismes d'adaptation ne suffisent pas, un processus cognitif inadéquat peut se développer.

Caractéristiques psychosociales   Les tâches psychosociales de l'âge adulte sont la reconnaissance et la réévaluation des relations interpersonnelles importantes. La personne analyse le temps qu'elle consacre à ses enfants, à son conjoint, à ses parents âgés, à sa famille élargie et à ses amis tant en ce qui concerne la quantité que la qualité. Elle peut tenter de rétablir le degré d'intimité qui caractérisait autrefois sa relation conjugale. En reconnaissant sa part de responsabilité dans les problèmes conjugaux et en acceptant les défauts de son partenaire, elle démontre une réaction adaptative. Au nombre des réactions psychosociales adaptatives, on peut aussi citer la poursuite d'objectifs familiaux et communautaires, la coopération, les manifestations d'altruisme, l'appréciation des relations humaines et la participation à des activités religieuses, sociales, communautaires, culturelles, professionnelles et politiques.

Les caractéristiques de l'inadaptation psychosociale peuvent se traduire par un sentiment d'insécurité face aux interactions sociales. Il n'est pas rare que la personne d'âge moyen s'isole, se replie sur elle-même ou devienne indifférente aux besoins des autres – enfants, conjoint, parents ou amis. Son inaccessibilité révèle son incapacité de remplir ses responsabilités sociales.

Pendant la crise de la quarantaine, les relations sociales sont de la plus haute importance. Il

existe une corrélation statistique entre la satisfaction sociale et le stress. Les adultes les plus actifs sur le plan social présentent moins de stress et plus d'estime de soi que les adultes isolés. Ceux dont la vie sociale n'est pas satisfaisante font preuve de moins d'estime de soi et adoptent un comportement plus distant (Moos et Schaefer, 1986).

Conséquences et résolution   L'âge adulte moyen est une période d'introspection et d'auto-évaluation. Chaque personne l'aborde avec une personnalité unique, applique divers mécanismes d'adaptation et recourt à des ressources intérieures et extérieures particulières. La résolution de la crise de la quarantaine passe par la maîtrise de multiples tâches.

Pour s'adapter, la personne doit accepter l'idée de sa propre mort, acquérir un sentiment d'identité et d'individualité, concilier ses forces créatives et destructives, se sentir liée à son milieu et intégrer harmonieusement les composantes de sa personnalité.

La personne qui parvient à canaliser ses pulsions émotionnelles sans perdre sa spontanéité, sa vigueur, son humour, son enthousiasme et son esprit d'initiative a plus de chances de résoudre favorablement la crise de la quarantaine. Si elle peut faire des choix fondés sur une appréciation du passé et une anticipation de l'avenir, elle est en mesure de s'adapter aux bouleversements qui marquent cette période sans perdre son équilibre.

La personne qui ne parvient pas à s'adapter stagne. Elle démontre peu d'intérêt pour l'activité, et on la trouve souvent ennuyante. Incapable d'accepter ses limites physiques, ses responsabilités sociales et l'introspection qui s'impose, elle présente de nombreux déséquilibres.

L'adulte d'âge moyen qui parvient à la générativité emploie des mécanismes d'adaptation appropriés pour affronter les facteurs d'agression, et il sert de guide aux générations qui le suivent. Son comportement est empreint de souplesse et de détermination. Il a traversé avec succès les événements qu'il percevait autrefois comme des menaces.

L'infirmière qui maîtrise les habiletés de communication et de résolution des problèmes peut contribuer à faire de cette période une expérience enrichissante. Il arrive fréquemment que l'anxiété ou des troubles affectifs se superposent à la crise de la quarantaine. Par une démarche de soins pertinente, l'infirmière peut procurer à l'adulte d'âge moyen le savoir-faire dont il a besoin à cette étape de son développement.

Déplacement du lien de dépendance : conflit de générations

Un événement imprévisible touchant la structure familiale peut précipiter une autre crise pendant l'âge moyen. La recherche confirme que les conflits de générations existent bel et bien et qu'ils peuvent perturber la structure familiale. Le **conflit de générations** est dû à la disparité de l'expérience entre les groupes d'âge. Non seulement les groupes d'âge ont-ils des tâches développementales différentes, mais toutes les composantes de leur mode de vie divergent également. Typiquement, l'adulte d'âge moyen n'a pas les mêmes conceptions que l'adolescent à l'égard de l'habillement, de la musique, de l'alimentation, de la sexualité, de la prise de décisions et de la vie quotidienne. Les conflits fréquents entre les générations peuvent faire de l'adolescence des enfants la période la plus ardue de la vie des parents (Field et Widmayer, 1982 ; Mead, 1970).

Les conflits de générations s'expliquent en partie par les événements marquant la vie de chacune d'elles. Les adultes d'âge moyen d'aujourd'hui sont nés entre 1925 et 1945 et ils ont probablement subi les contrecoups de la Dépression. Beaucoup d'entre eux ont appris que la sécurité économique est vitale, et que des facteurs incontrôlables peuvent les déposséder de leurs biens matériels. Les valeurs et les comportements de ces personnes ont été grandement influencées par le manque de ressources matérielles adéquates. Puis la Deuxième Guerre mondiale a occasionné des changements sociaux et techniques rapides dans leur mode de vie. Par ailleurs, les adolescents d'aujourd'hui ont grandi dans une société caractérisée par l'abondance des vingt dernières années et la menace de la guerre nucléaire. Grâce à l'augmentation des revenus familiaux, de nombreux adolescents de la classe moyenne possèdent des biens matériels en abondance. Pour les adolescents économiquement

défavorisés, il peut être frustrant de vivre au milieu de la prospérité. Les progrès techniques et la disponibilité des drogues offrent aux adolescents d'aujourd'hui des expériences très différentes de celles qu'ont vécues leurs parents au cours de leur adolescence.

L'adulte d'âge moyen doit apprendre à composer non seulement avec la génération qui le suit mais également avec la génération qui le précède. La recherche gérontologique indique en effet que la présence de parents âgés peut obliger une famille à se restructurer. Avec l'augmentation du nombre de personnes âgées, le problème des soins à leur dispenser se posera tôt ou tard. Les personnes âgées ayant besoin de soins seront plus nombreuses et les parents pouvant dispenser ces soins plus rares. L'obligation de dispenser des soins aux parents dépendants peut susciter une crise chez l'adulte d'âge moyen (Grau, 1989 ; Troll, 1989).

Juste au moment où ils s'attendaient à profiter de leur indépendance et de leur mobilité sociale, les adultes d'âge moyen peuvent trouver que leurs parents dépendants restreignent leurs loisirs. Bien que la plupart des personnes âgées désirent être autonomes, c'est d'abord vers leurs enfants qu'elles se tournent en cas de besoin. Les personnes âgées habitent généralement à proximité d'au moins un de leurs enfants adultes et ont de fréquents contacts avec eux. Elles reçoivent d'eux (et particulièrement de leurs filles) un soutien physique, émotionnel ou financier (Moos et Schaefer, 1986).

L'adulte d'âge moyen peut donc se retrouver pris au piège entre deux générations. La crise guette celui qui, astreint à l'éducation des cadets, au soutien des jeunes adultes revenus à la maison en raison d'un divorce, de difficultés financières ou autres, et au soin des parents âgés, se sent responsable de « tout le monde ». La présence de trois générations dans le même foyer peut attiser les conflits familiaux.

Caractéristiques comportementales   La responsabilité filiale est un sentiment qui pousse la personne à protéger ses parents, à les soigner, à les réconforter et à les aider financièrement. L'influence, positive ou négative, de la responsabilité filiale sur le mode de vie dépend des personnalités, du type des relations, des ressources ainsi que des croyances culturelles ou ethniques. La dépendance des enfants et des parents âgés peut entraver les activités de la vie quotidienne, et les trois générations en cause peuvent devoir modifier leurs comportements en conséquence (Murray, 1989).

Pour bien des gens, il est difficile de se décider à prendre un parent âgé sous leur toit. Habituellement, la responsabilité incombe à la fille aînée, qui doit alors modifier sa vie sociale et ses loisirs. Il peut survenir des conflits en raison des besoins divergents des autres membres de la famille. Certains adultes d'âge moyen peuvent avoir de la difficulté à établir leurs priorités au milieu de tant de sollicitations. Le comportement adaptatif dans une telle situation consiste notamment à se trouver des loisirs. En effet, la détente, seul ou avec son conjoint, est nécessaire même lorsqu'il y a moins d'intimité.

Les conflits de rôle sont fréquents entre parents âgés et enfants adultes. Peu importe l'âge, la prospérité et le rang social d'un adulte, il demeure toujours un « enfant » aux yeux de ses parents, et de fréquentes luttes de pouvoir peuvent s'ensuivre au sein de la famille. On peut alors assister à un renversement des rôles, c'est-à-dire que l'enfant adulte devient le parent de ses propres parents. C'est là une situation fort perturbatrice, car l'enfant adulte perd l'aide et le soutien du parent âgé.

Le rôle de personne soignante comporte parfois des difficultés financières pour l'adulte d'âge moyen. Pour celui qui planifie sa propre retraite, ces difficultés peuvent devenir insurmontables. En effet, les soins à domicile et les services de garde pour personnes âgées peuvent être trop coûteux. En même temps, l'adulte d'âge mûr doit continuer de nourrir, de loger et de faire instruire ses grands enfants. Pour s'adapter, la personne peut, entre autres, procéder par tâtonnements et tirer parti d'une situation contraignante. L'adaptation familiale est grandement facilitée quand les trois générations coopèrent et apprennent à s'entendre.

Caractéristiques affectives   Face à un conflit de générations, l'adulte d'âge moyen peut verbaliser des sentiments très divers, notamment de la frustration, de l'anxiété, de l'impuissance, de la dépression et du découragement. Il peut se sentir triste de voir décliner les capacités physiques ou mentales de ses parents. La culpabilité est une réaction affective fréquente quand l'institutionnalisation représente la seule solution.

De nombreux adultes d'âge moyen éprouvent un vif attachement émotionnel envers leurs parents à cette période de leur vie. Lorsqu'il est triste, c'est vers eux que l'adulte d'âge moyen se tourne pour trouver un soutien émotionnel et pour profiter de la sagesse et des connaissances qu'ils ont acquises au fil des années. Ces sentiments sont souvent plus spontanés et fréquents lorsque les parents âgés demeurent actifs et autonomes. Pendant cette période, l'évocation des bons et des mauvais souvenirs prend de l'importance.

Inversement, il se peut que l'adulte d'âge moyen porte sur ses parents un jugement sévère et intransigeant. L'apport de soins complets à une personne âgée exigeante peut provoquer de l'anxiété, de l'hostilité et de fréquentes sautes d'humeur chez la personne soignante. Son épuisement émotionnel peut s'accroître à mesure que son temps libre et sa liberté diminuent. Envahie par la frustration et la colère, la personne soignante peut infliger de mauvais traitements à la personne âgée.

Simultanément, la personne d'âge moyen peut éprouver de la colère à l'égard de la présence de ses enfants adultes à la maison. Le manque d'intimité et les obligations financières contribuent souvent à l'accroissement des conflits familiaux. L'adulte d'âge moyen qui s'attendait à jouir de plus de liberté peut se sentir très frustré d'avoir à s'occuper de deux générations.

Caractéristiques cognitives   L'adolescence, l'âge adulte moyen et la vieillesse sont des périodes d'évaluation et de réévaluation. Les trois générations s'interrogent sur la valeur de la vie sur les plans philosophique, spirituel et social. Les échanges de vues entre générations se soldent souvent par des disputes. Il arrive qu'une alliance s'établisse entre petits-enfants et grands-parents, et que l'adulte d'âge moyen se sente exclu. La compréhension des caractéristiques du développement et des besoins de chaque génération favorise l'adaptation.

Caractéristiques psychosociales   Dans un conflit de générations, l'adulte d'âge moyen doit, pour réussir son adaptation psychosociale, préserver l'intimité sexuelle et émotionnelle avec son conjoint, maintenir des contacts avec ses enfants adultes et leurs familles, ses parents âgés, ses frères et sœurs et ses amis, ainsi que participer à des activités sociales.

Il est essentiel de comprendre le stress inhérent aux relations de soins. À mesure que s'accroît la dépendance du parent âgé, les conflits peuvent s'intensifier entre lui et l'adulte d'âge moyen. De part et d'autre, la perte d'intimité et de liberté peut augmenter le stress.

Le parent qui est capable de résoudre les conflits qui l'opposent à l'adolescent a appris à accepter le besoin d'indépendance de son enfant. Un équilibre réaliste entre la dépendance, l'indépendance et l'interdépendance constitue une réaction adaptative. Les conflits diminuent quand le parent est capable d'accepter que l'adolescent a besoin de « vivre sa vie » et de privilégier ses valeurs, ses rêves et ses ambitions.

Conséquences et résolution   La résolution des conflits entre générations dépend des expériences de vie de l'adulte d'âge moyen et de la résolution de ses crises antérieures. À cet effet, il importe que la personne sache déterminer si la situation constitue un problème, un facteur d'agression important, un tracas ou, au fond, une joie. Un même événement n'engendre pas nécessairement autant de stress pour tout le monde. Pour remédier au stress et trouver des solutions originales à ses problèmes, l'adulte d'âge moyen peut recourir à des comportements d'adaptation qu'il a déjà utilisés.

Il est nécessaire de trouver de nouvelles façons de satisfaire les besoins des trois générations afin de rendre la vie agréable pour chacun. L'adaptation implique que l'adulte d'âge moyen renonce à son autorité parentale dans certaines situations, trouve de nouvelles sources de satisfaction personnelle et s'adapte aux exigences de la prestation de soins. Comme la tendance actuelle est à la désinstitutionnalisation et aux soins à domicile, un nombre croissant d'adultes d'âge moyen s'occupent eux-mêmes de leurs parents âgés. Pour résoudre les crises qui en découlent, il est important que la personne soit consciente des facteurs d'agression en cause et qu'elle bénéficie de l'appui de ses proches.

Le conflit de générations peut engendrer une crise éprouvante pour l'adulte d'âge moyen. La stabilité aussi bien que le changement caractérisent cette période. Pour qu'il y ait résolution efficace des problèmes, l'adulte d'âge moyen doit être animé par l'esprit de générativité.

Vieillesse

Le vieillissement débute dès le moment de la conception. Cependant ce n'est généralement qu'à l'âge moyen et à la vieillesse que ses effets deviennent manifestes.

Redéfinition du concept de soi : vieillissement et âgisme

Pour comprendre le vieillissement et la crise de développement qui peut survenir en fin de vie, il faut définir le vieillissement selon l'âge biologique, social et psychologique. L'**âge biologique** est lié aux changements biologiques qui se produisent au fil du temps chez l'individu et qui conduisent ultimement à la mort. L'**âge social** correspond aux rôles et aux habitudes de la personne ainsi qu'à sa capacité d'évoluer dans une société donnée, comparativement aux personnes du même âge qu'elle. L'**âge psychologique** est déterminé par les réactions adaptatives que la personne déploie face aux nouvelles exigences du milieu (Burnside, 1988). On voit donc que vieillir ne se ramène pas simplement à ajouter chaque année un chiffre à son âge. En effet, il faut tenir compte des influences biologiques, sociales et psychologiques pour analyser les conséquences du vieillissement en fin de vie. Les changements corporels, les rencontres et les influences psychologiques qui surviennent à cette époque peuvent susciter une redéfinition du concept de soi chez la personne qui tente de s'adapter aux événements prévisibles et imprévisibles de la vieillesse.

La personne âgée doit faire preuve d'adaptabilité. Elle doit, entre autres, s'adapter au déclin de ses capacités physiques, accepter ses maladies chroniques et les traiter, pleurer le décès de ses amis et de ses parents, et admettre l'idée de sa propre mort. Or, le stress s'intensifie quand la personne âgée devient victime d'âgisme. L'**âgisme** est un ensemble de préjugés et de pratiques discriminatoires à l'encontre des personnes âgées. Il se manifeste chaque fois que l'âge est la seule justification d'une attitude ou d'une action discriminatoire. L'âgisme n'est pas un phénomène nouveau en Amérique du Nord. À travers toute son histoire, notre société a considéré les personnes âgées comme un poids inutile. Pour comprendre les causes et les conséquences de l'âgisme, on peut le comparer au sexisme et au racisme. L'âgisme se perpétue par la dévalorisation sociale de la personne âgée et par la diminution de ses contacts avec les plus jeunes (Murray, 1989).

Caractéristiques comportementales   En Amérique du Nord, on n'associe souvent la vieillesse qu'à la dépendance et à la maladie. Les films, les livres, les périodiques, la télévision et les blagues renforcent souvent les croyances et les attitudes défavorables à l'égard du comportement de la personne âgée. En fait, la société projette sa peur généralisée du vieillissement sur toutes les personnes âgées. C'est ainsi que l'on voit des jeunes, toujours pressés par le temps, s'impatienter contre les personnes âgées qui avancent plus lentement qu'eux au volant ou dans les endroits publics. Cette frustration peut s'expliquer par une ignorance des changements physiologiques propres à la vieillesse. Or, pour permettre à la personne âgée de s'adapter au vieillissement, tous les membres de la société doivent corriger ces attitudes négatives.

La personne âgée préfère généralement habiter seule plutôt qu'avec ses enfants adultes ou d'autres parents. Cependant, il peut arriver qu'une maladie ou une invalidité l'obligent à modifier ses activités quotidiennes ou à accepter de l'aide. Pendant cette période de la vie, il est essentiel d'apprendre à équilibrer la dépendance, l'indépendance et l'interdépendance (Matteson et McConnell, 1988).

Le revenu de la personne âgée peut avoir une influence sur son mode de vie et sur son comportement. On relève un nombre disproportionné de personnes âgées dans la population à faible revenu. D'après Statistique Canada, en 1988, 7,3 p. cent des familles dont le chef est un homme de 65 ans et plus ont un revenu inférieur au seuil de la pauvreté. Ce pourcentage passe à 14,2 p. cent lorsque le chef de famille est une femme de 65 ans et plus. Dans le cas des personnes âgées vivant seules, 33 p. cent d'entre elles ont un revenu en deçà du seuil de la pauvreté : 23,3 p. cent lorsqu'il s'agit d'un homme et 43,9 p. cent lorsqu'il s'agit d'une femme. La personne âgée doit donc s'habituer à une baisse de revenu ou accepter l'aide financière de ses proches. Même si la personne a économisé en vue de sa retraite, divers facteurs, comme la perte d'un conjoint, une hospitalisation, une baisse des indemnités d'assurance, peuvent expliquer la précarité de ses ressources financières (Dychtwald et Flower, 1989 ; Grau, 1989 ; Matteson et McConnell, 1988).

Le niveau d'activité et le comportement de la plupart des personnes âgées sont comparables à ceux qu'elles avaient plus jeunes. Pendant la vieillesse, l'adaptation est associée au maintien de l'activité et à la découverte de nouveaux passe-temps. De nombreuses personnes âgées entreprennent de développer leurs talents, artistiques ou sportifs.

Caractéristiques affectives   L'une des principales tâches affectives de la personne âgée consiste à dresser le bilan de sa vie. Quand la personne est satisfaite des événements qui ont marqué sa vie, elle éprouve un sentiment de satisfaction, ou d'intégrité du moi. Le bonheur, l'espoir et les projets d'avenir transparaissent dans ses propos. Au contraire, si la personne ne voit dans sa vie passée qu'une suite d'occasions manquées et d'échecs, le désespoir s'installe, avec les sentiments de frustration et d'amertume qui l'accompagnent.

Les stéréotypes voulant que la personne âgée soit asexuée, inapte à l'emploi et limitée intellectuellement et socialement sont d'origine culturelle. Quand la personne âgée y souscrit, elle est reléguée à l'impuissance, au désespoir et à la dépression. (Le tableau 6-4 présente quelques-uns des mythes perpétués par l'âgisme.)

Tableau 6-4 *La vieillesse : mythes et réalités*

Mythe : La plupart des personnes âgées vivent en établissement hospitalier.

Réalité : Seulement 5 p. cent des personnes âgées vivent en établissement hospitalier ; 65 p. cent des personnes âgées vivent en milieu familial et 30 p. cent des personnes âgées vivent seules.

Mythe : La vieillesse entraîne la sénilité.

Réalité : Seulement 5 p. cent des personnes âgées présentent des troubles mentaux graves ; seulement 10 p. cent des personnes âgées ont des pertes de mémoire de légères à modérées.

Mythe : Les personnes âgées sont incapables d'apprendre.

Réalité : La capacité d'apprentissage des personnes âgées n'est pas altérée, bien que certaines d'entre elles mettent plus de temps à réagir aux stimuli.

Mythe : Toutes les personnes âgées se ressemblent.

Réalité : Les personnes âgées sont très différentes les unes des autres aux points de vue de la motivation, des capacités physiques, du mode de vie et du revenu.

Mythe : La prochaine génération de personnes âgées sera semblable à la génération actuelle.

Réalité : La prochaine génération sera plus instruite, vivra plus sainement, paraîtra plus jeune, disposera de techniques plus avancées et s'affirmera davantage.

Sources : Dychtwald, 1986 ; Guillford, 1988 ; Murray, 1989.

Caractéristiques cognitives Les fonctions intellectuelles de la personne âgée sont souvent la cible de nombreux stéréotypes défavorables. On croit notamment que, avec l'âge, la pensée et les aptitudes à la résolution des problèmes s'immobilisent, que le jugement s'altère, que la capacité d'apprentissage s'affaiblit, que la mémoire fait défaut et que la confusion mentale grave est inévitable. Or, ces déficits ne touchent que 10 à 15 p. cent des personnes âgées. Bien que le rendement cognitif semble culminer pendant l'âge moyen, soit vers l'âge de 50 ans, le développement cognitif pendant la vieillesse fait l'objet d'une vive controverse. Il se peut fort bien que les déclins associés à cette période soient moins prononcés qu'on ne le croyait (Schuster et Ashburn, 1986).

Parmi ses tâches cognitives, la personne âgée doit accepter le caractère inéluctable de la mort, mener une vie heureuse en dépit des limites physiques et des maladies chroniques, et se définir autrement que par rapport à ses enfants et à son travail. La personne âgée qui ne parvient pas à s'adapter acquiert une mentalité rigide, étroite, négative et intolérante.

Pendant la vieillesse, il arrive que la spiritualité s'enrichisse et que la personne puise à cette source pour approfondir sa philosophie de la vie et éprouver un sentiment d'utilité. L'adaptation se caractérise alors par un juste équilibre entre spiritualité personnelle et altruisme, et ces deux traits peuvent favoriser la tolérance, le sentiment d'utilité et l'estime de soi.

Caractéristiques psychosociales Alors que le déclin de la santé et de la force physique est peu prononcé chez certaines personnes âgées, il en contraint d'autres à modifier leur mode de vie en profondeur. Les personnes âgées doivent déterminer avec leur famille où et comment elles passeront le reste de leurs jours. C'est alors que commence pour certaines familles la recherche d'une résidence ou d'un centre d'accueil. Les personnes âgées moins fortunées voient parfois leur niveau de vie diminuer. Celles qui ont consacré beaucoup de temps et d'énergie à leur travail doivent trouver d'autres centres d'intérêt. Souvent, une redéfinition des rôles et des responsabilités s'impose. Certaines personnes poursuivent ou intensifient leurs activités communautaires. Pour se sentir utiles, d'autres abordent de nouveaux domaines et notamment le bénévolat. Il importe que la personne âgée crée des liens avec des membres de son groupe d'âge et conserve en même temps ses relations avec sa famille et ses amis, faute de quoi elle s'isole.

Conséquences et résolution Il y a résolution quand la personne âgée équilibre les tâches développementales qui lui incombent et qu'elle surmonte les nombreuses difficultés sur le plan physique, émotionnel et social que lui imposent le vieillissement et l'âgisme. L'espoir et l'acceptation se manifestent quand elle emploie ses stratégies d'adaptation antérieures ou en élabore de nouvelles pour prévenir ou résoudre une crise. L'inadaptation survient quand la personne ne peut accomplir ses tâches et surmonter les difficultés rencontrées. Le cas échéant, elle peut se réfugier dans le passé, être incapable de jouir du présent, devenir dépressive et éprouver un sentiment de désespoir.

Dans tous les milieux cliniques, on encourage l'infirmière à combattre l'âgisme, qu'il soit subtil ou patent. Le premier pas en ce sens consiste à se sensibiliser à l'étendue du problème dans le domaine des soins de santé. Il faut savoir que les professionnels de la santé et les décideurs peuvent aussi faire preuve d'âgisme. Ainsi, le fait de déterminer le type de soins à fournir en fonction de l'âge chronologique ou de la contribution du client à la société est une pratique âgiste. Quand les personnes âgées elles-mêmes adhèrent aux stéréotypes véhiculés à leur égard, elles risquent de s'y conformer et de leur conférer par le fait même une validité injustifiée. L'âgisme prive la société de l'apport de ses aînés et leur refuse la pleine réalisation de leur potentiel.

Professionnellement et socialement, l'infirmière a la responsabilité d'éliminer l'âgisme et d'aider jeunes et moins jeunes à modifier leurs attentes, leurs attitudes, leurs croyances et leurs sentiments à l'égard des personnes âgées. Pour ce faire, elle peut véhiculer de l'information sur le vieillissement et présenter aux plus jeunes des personnes âgées ayant valeur de modèle. L'infirmière peut beaucoup aider la personne âgée à vivre pleinement le dernier stade de sa vie.

Déplacement du lien de dépendance : pertes multiples

La crise du concept de soi associée au vieillissement et à l'âgisme n'est pas le seul écueil qui guette la personne âgée. Les philosophes et les poètes ont amplement parlé de la vieillesse comme de la « saison des deuils ». Le renoncement aux rôles professionnels, les pertes reliées à l'image corporelle et le décès des proches constituent des événements à la fois prévisibles et imprévisibles pour la personne âgée. Les questions de la mort et de l'immortalité de l'âme représentent pour la personne âgée le pire facteur d'agression psychosocial de la vieillesse. La personne qui voit « partir » ses proches peut être envahie par des sentiments d'impuissance et de solitude. Sur l'échelle du stress élaborée par Holmes et Rahe (1967), le décès du conjoint reçoit la cote maximale de 100.

L'imminence de sa propre mort est aussi un grand facteur de stress pour la personne âgée. La mort est souvent considérée comme la perte absolue, car elle correspond non seulement à la perte de toutes les relations importantes mais aussi à la perte de soi-même. La personne âgée est plus susceptible de penser à la mort et d'en parler, mais moins susceptible de montrer qu'elle en a peur (Wass et Myers, 1982). La mort ne frappe pas seulement des personnes âgées, mais elle est plus probable pour elles que pour tout autre groupe d'âge. La société nous amène à associer mort et vieillissement. Bon nombre de personnes envisagent la mort comme l'ultime étape du développement humain.

Habituellement, la mort n'est ni soudaine ni inattendue. En général, la personne mourante et sa famille ont le temps d'en accepter peu à peu les conséquences. Mais quand la mort est inattendue, le risque de crise augmente parce que les mécanismes d'adaptation n'ont pu être élaborés.

Les personnes âgées subissent constamment des pertes. La perte de proches est occasionnée par la mort mais aussi par les déménagements. Le fait de loger un être cher en centre d'accueil ou de voir partir ses enfants peut créer un vide dans la vie de la personne âgée. Il y a aussi la perte de maîtrise et de compétence, la cessation de certaines activités, la perte de biens matériels et la perte de ses rêves. À la suite d'une perte, la personne âgée doit employer des mécanismes d'adaptation pour en comprendre la fatalité et l'accepter, et pour vivre le plus pleinement possible les années qui lui restent.

Parkes et Brown (1972, p. 5) ont dit que « la souffrance du deuil fait autant partie de la vie que la joie de l'amour. C'est peut-être le prix qu'il nous faut payer pour l'amour et l'engagement. » Le processus de deuil est nécessaire pour retrouver une activité normale. Worden (1972) a défini quatre tâches inhérentes au processus de deuil. La première consiste à admettre la réalité de la perte. Nier la mort ou sa signification peut entraîner un chagrin qui compromet la santé. Deuxièmement, la personne en deuil doit accepter que le chagrin soit douloureux. Les moyens inadaptés d'éviter la souffrance sont la consommation de drogues ou d'alcool, le refoulement des sentiments de colère, le remords, la tristesse ainsi que le travail ou l'activité sexuelle excessifs. En troisième lieu, la personne en deuil doit s'adapter à un environnement dont la personne décédée est absente. La personne en deuil qui s'efforce d'acquérir de nouvelles habiletés et de demeurer aussi autonome que possible présente une réaction adaptative. Enfin, la personne en deuil accomplit sa quatrième tâche au fil du temps en réinvestissant dans d'autres relations l'énergie émotionnelle qu'elle consacrait à la personne décédée.

Les étapes du deuil ont été maintes fois présentées dans les ouvrages spécialisés. De nombreuses personnes ont appliqué au processus de deuil les cinq étapes de la préparation à la mort dégagées par Elisabeth Kübler-Ross. La première de ces étapes est le déni, qui consiste pour la personne à refuser de croire à l'imminence de la mort. La deuxième étape est celle de la colère face à l'injustice de la mort. Le marchandage, qui représente la troisième étape, consiste pour la personne mourante à tenter de conclure un marché avec Dieu ou avec le destin pour prolonger ses jours. La quatrième étape est celle de la dépression, ou du deuil préparatoire. Enfin, à l'étape de l'acceptation, la personne se désengage de la vie et attend la mort avec sérénité.

Caractéristiques comportementales La mort du conjoint entraîne des bouleversements profonds dans la vie d'une personne. Le veuvage touche plus les femmes que les hommes. En effet, selon Nicolas Zay, l'écart entre l'espérance de vie des Québécois et des Québécoises s'accroît depuis plusieurs décennies et cette tendance devrait persister, voire s'accentuer, pendant un certain temps encore. En 1984, le taux de longévité moyen après 65 ans était de 14,21 années pour les hommes contre 19,01 années pour les femmes, soit un écart de 5 ans. Si les prévisions démographiques se réalisent, le Québec sera composé d'ici à l'an 2040 de deux personnes de plus de 65 ans pour une de moins de 65 ans, et donc majoritairement de femmes (Berger, Mailloux-Poirier, 1989). Autrefois, les veuves étaient intégrées à la famille élargie, et leur subsistance était considérée comme une responsabilité familiale. Aujourd'hui, de nombreuses femmes apprécient leur indépendance et choisissent de garder leur propre domicile, ce qui constitue sou-

vent une réaction adaptative. Toutefois, si la femme est isolée de sa famille et de ses amis, son bien-être physique, psychologique, social et financier peut en souffrir.

Le chagrin occasionné par le décès du conjoint est souvent extrême. La recherche révèle que le taux de mortalité et de suicide est plus élevé chez les veuves et qu'elles font état d'une moins bonne santé physique. La plupart des veuves vivent seules, et nombre d'entre elles trouvent cette situation problématique. Se sentant mal à l'aise ou rejetées parce qu'elles sont seules, elles restreignent souvent leurs activités sociales. La recherche indique que la plupart des veuves finissent par retrouver leur équilibre, mais qu'une sur cinq ne se remet jamais de son deuil (Kaplan, 1988).

Chaque phase du processus de deuil comporte des adaptations et des modifications de comportement particulières. Des symptômes physiques d'anxiété peuvent apparaître. Pendant la **phase du choc**, la personne peut souffrir de faiblesse, d'essoufflement, d'hyperventilation, d'anorexie, de diarrhée, de nausées, d'oppression thoracique et d'hypersensibilité au bruit, et elle peut éprouver des sentiments d'impuissance, d'incrédulité et de désorientation. Cette période dure de quelques minutes à plusieurs semaines. Deuxièmement, pendant la **phase du repli défensif**, la personne se ferme sur elle-même et se met à l'abri de ses émotions. Cette période dure de quelques heures à quelques jours. La personne peut alors nier la situation pour surmonter son anxiété ainsi que ses sentiments d'impuissance et de désorientation.

Lors de la **phase d'acceptation**, la personne commence à admettre la perte. En premier lieu, elle éprouve de la colère et traverse des périodes intermittentes de déni. Au fil du temps, elle se focalise sur sa perte. Elle peut présenter des symptômes physiques très divers, qui s'apparentent parfois à ceux dont la personne décédée était atteinte. Cette identification inconsciente peut être liée à de la colère dirigée contre le (la) défunt(e), colère qui se manifeste comme de la culpabilité. Si la culpabilité n'est pas résolue, la dépression et la haine de soi pourront épuiser la personne. Viennent ensuite la **phase d'idéalisation** et la **phase d'identification**, pendant laquelle la personne adopte consciemment des traits de la personne disparue. Après coup, le comportement revient à la normale et la personne passe finalement à la **phase de résolution** (Gioiella et Bevil, 1985).

Plusieurs facteurs influent sur la durée du processus, sur son intensité et sur son issue, notamment le degré de dépendance de la personne, ses expériences antérieures relativement à la perte, le nombre de pertes qu'elle a récemment subies, son état de santé ainsi que les sentiments de culpabilité et de colère qu'elle éprouve à l'endroit de la personne décédée.

Caractéristiques affectives   Les caractéristiques affectives du processus de deuil sont si étroitement liées au comportement que nous les avons présentées à la section précédente. La colère, la culpabilité, la dépression, le désespoir, l'impuissance et le désir de retrouver le passé atteignent différentes intensités. Les pertes associées aux changements de l'image corporelle et des rôles professionnels peuvent engendrer des sentiments similaires.

Selon Erikson, l'intégrité du moi est la dernière tâche de l'adulte âgé, et il l'accomplit en fusionnant tous les aspects des phases précédentes du cycle de vie. L'adulte âgé est adapté s'il parvient à résoudre les pertes suscitées par le vieillissement et à intégrer celles qu'il continue de subir tout en gardant espoir et en acceptant l'incertitude de l'avenir.

L'adulte âgé privé du sentiment d'intégrité du moi éprouve du désespoir et du dégoût. Il peut éprouver le désir constant de revivre ses expériences passées. Il ne parvient pas à trouver du plaisir dans l'instant présent et le désespoir s'installe.

Caractéristiques cognitives   La préparation à la mort est une importante tâche cognitive de la personne âgée. Celle-ci s'en acquitte de différentes façons, avant tout par le bilan de vie. Le bilan de vie consiste à parler des événements, des relations, des erreurs et des réussites passés. Ce processus comble un besoin et permet d'atteindre la sérénité et d'accepter la mort. La personne peut profiter de l'occasion pour réaliser un vieux rêve, pour résoudre des conflits interpersonnels ou pour faire

ses adieux aux êtres chers. La personne âgée qui est capable d'apprécier ses expériences passées a plus de chances de trouver un sens à la mort et de faire face à son ultime tâche développementale avec sérénité.

Caractéristiques psychosociales   Dans la culture nord-américaine, la mort est un tabou. Cette attitude culturelle exerce une énorme influence sur l'acceptation de la mort par les personnes âgées. La peur de la mort entraîne l'institutionnalisation des personnes âgées. En effet, les personnes âgées ne meurent plus chez elles, entourées de leurs parents et de leurs amis, mais dans un centre hospitalier ou un centre d'accueil. Les familles et les professionnels évitent de parler à cœur ouvert avec les personnes mourantes. De nombreuses personnes meurent donc dans la solitude. Ce déni culturel entrave l'acceptation de la mort chez la personne âgée, et ce qui est un processus naturel dégénère en situation de crise (Hoff, 1989).

Conséquences et résolution   Pour la personne âgée, les pertes associées au vieillissement et l'imminence de la mort sont des facteurs de stress potentiels auxquels elle peut réagir de manière adaptative ou non. Certaines personnes s'appesantissent sur les lacunes de leur vie et s'abandonnent au désespoir. Cette attitude négative a tendance à faire fuir la famille et les amis. Beaucoup d'autres, en revanche, s'attardent davantage sur leurs réussites et accomplissent leur bilan de vie dans l'humour et l'estime de soi. Leur famille et leurs amis sont alors ravis de les accompagner dans cette démarche. À ce propos, Platon écrivait dans *La République* : « [...] Je me plais à converser avec les vieillards ; car je crois qu'il faut s'informer auprès d'eux, comme auprès de gens qui nous ont devancés sur une route que nous devrons peut-être aussi parcourir, de ce qu'elle est : âpre et difficile, ou bien commode et aisée. »

Certaines infirmières ont de la difficulté à affronter la perte et la mort, car elles estiment que leur vocation est de faciliter et de prolonger la vie. En revanche, accepter la mort comme une étape de la vie permet à d'autres infirmières d'épauler leurs clients durant le dernier stade de leur croissance.

Pour être efficace, l'infirmière doit être disposée à parler ouvertement de la mort et à accepter le fait d'être mortelle. Comme l'a écrit Hoff (1989, p. 418) : « Une attitude saine à l'égard de notre propre mort est notre plus puissant atout quand vient le moment d'aider la personne mourante à traverser la dernière étape de la vie et de réconforter ses proches. »

Collecte des données

Lors de la collecte des données relative à une crise développementale potentielle, l'infirmière doit envisager la situation du point de vue du client. Les questions posées lors de l'élaboration du bilan de santé et de l'examen physique doivent viser spécifiquement l'obtention des données appropriées. L'infirmière peut s'inspirer des lignes directrices suivantes.

BILAN DE SANTÉ
Client en crise

Collecte de données sur le client

Quel est actuellement votre problème (ou votre stress) le plus important ?

Qui ce problème touche-t-il ? Vous ? Votre famille ? Votre employeur ? Votre milieu ?

Quand ce problème a-t-il commencé ?

S'agit-il d'un problème temporaire ou permanent ?

Que représente ce problème pour vous ?

Quels facteurs entretiennent ce problème ?

Avez-vous déjà eu des problèmes (ou des stress) semblables ?

Quels événements passés ont influé sur le problème actuel ?

Quels sont vos autres problèmes (ou vos autres stress) ?

Comment remplissez-vous vos rôles usuels (de conjoint, de parent, de personne au foyer, de travailleur, d'étudiant, etc.) ?

Qu'est-ce que ce problème a changé à votre mode de vie ?

Expliquez comment vous avez surmonté vos problèmes dans le passé.

Qu'avez-vous fait pour résoudre le problème jusqu'à maintenant ?

Qu'est-il arrivé alors ?

Décrivez les ressources à votre portée (famille, amis, employeur, enseignant, ressources financières ou spirituelles, etc.).

Quels sont vos attentes et vos espoirs concernant ce problème ?

Que souhaitez-vous le plus quand ce problème sera résolu ?

Quelle serait la dernière stratégie que vous adopteriez pour résoudre ce problème ?

Quel aspect du problème global doit être abordé en priorité ?

Collecte de données sur la famille

Comment percevez-vous le problème actuel ?

Quels ont été les effets du problème sur vos rôles dans la famille ?

Qu'est-ce qui a changé dans votre mode de vie depuis que le problème est apparu ?

Décrivez la communication qu'il y avait dans votre famille avant que le problème n'apparaisse.

Décrivez la communication qu'il y a dans votre famille depuis que le problème est apparu.

Généralement, comment votre famille résout-elle ses problèmes ?

Qu'est-ce que votre famille a fait pour résoudre le problème jusqu'à maintenant ?

Qu'est-ce qui est arrivé alors ?

Selon vous, est-ce que votre famille réagit bien face au problème ?

Décrivez les ressources à votre portée (famille élargie, amis, ressources financières, etc.).

Quels sont vos attentes et vos espoirs concernant ce problème ?

Quel aspect du problème global doit être abordé en priorité ?

Collecte de données sur le milieu

Quelles sont les contraintes inhérentes au milieu du client ?

Quelles sont les conditions de vie dans son quartier ?

Le système scolaire est-il adéquat ?

Y a-t-il des centres de loisirs à la portée du client ?

Y a-t-il un centre de santé mentale à la portée du client ?

Y a-t-il des groupes de soutien à la portée du client ?

Il faut noter que l'anxiété et la dépression sont les deux signes les plus répandus de l'inefficacité des stratégies d'adaptation et de l'inadaptation. Idéalement, le client reconnaît son malaise psychologique et il coopère activement avec l'infirmière à la résolution de la crise. Si le client ne peut participer à la résolution de sa crise, parce qu'il n'est pas capable de voir que ses réactions sont inadaptées en raison d'une perception déformée des événements ou d'une perte de sens de la réalité, une consultation en psychiatrie peut être indiquée.

Analyse des données et planification des soins

La planification devrait reposer sur les diagnostics infirmiers et sur des objectifs réalistes et mesurables formulés à partir de la collecte des données. (Les tableaux 6-5 à 6-12 présentent des listes de diagnostics infirmiers possibles.) La planification consiste à établir des stratégies originales visant la résolution de la crise ; elle ne saurait s'effectuer sans le concours de la famille et des proches du client. En outre, il est essentiel que toutes les personnes intéressées communiquent efficacement. En plus des stratégies d'adaptation qui se sont déjà révélées efficaces, le client peut en employer de nouvelles.

Tableau 6-5 *Diagnostics infirmiers pour l'enfant du divorce*

Anxiété, reliée à la séparation d'avec le parent qui quitte le foyer
Perte d'espoir, reliée à la perte de la structure familiale connue
Perturbation de la croissance et du développement : régression, reliée à l'adaptation à la nouvelle structure familiale
Perturbation des interactions sociales, reliée à l'expression de la colère engendrée par l'éclatement de la famille
Peur, reliée à la pensée d'être séparé de ses frères et sœurs
Peur, reliée à la pensée que le parent chargé de la garde ne l'abandonne
Peur, reliée à des pensées d'échec conjugal dans sa vie adulte
Stratégies d'adaptation familiale efficaces : potentiel de croissance, reliées à une saine adaptation à la famille binucléaire
Stratégies d'adaptation familiale inefficaces : soutien compromis, reliées à la surcharge de rôle du parent à qui la garde est confiée

Tableau 6-6 *Diagnostics infirmiers pour l'adolescent isolé socialement*

Perturbation de l'estime de soi, reliée à l'incompétence dans les interactions sociales
Perturbation de l'estime de soi, reliée au maintien de la dépendance envers la famille
Perturbation des interactions sociales, reliée à l'anxiété éprouvée dans les interactions sociales
Perturbation des interactions sociales, reliée à un manque d'empathie
Perturbation des interactions sociales, reliée à un manque d'habileté à converser

Tableau 6-7 *Diagnostics infirmiers pour l'adolescent membre d'une bande*

Perturbation dans l'exercice du rôle, reliée à l'utilisation de moyens illégaux d'obtenir de l'argent et du prestige
Perturbation de l'estime de soi, reliée à une dépendance importante envers la bande
Perturbation des interactions sociales, reliée à un comportement antisocial
Peur, reliée à l'incapacité de quitter la bande et d'établir sa propre identité
Risque de violence envers les autres, relié à des affrontements entre bandes rivales
Risque de violence envers les autres, relié au non-respect des droits d'autrui
Stratégies d'adaptation individuelle inefficaces, reliées à un comportement délinquant

Trois **modèles d'intervention en situation de crise** fournissent un cadre de référence aux stratégies d'intervention, à savoir le modèle de l'équilibre, le modèle cognitif et le modèle de la transition psychosociale.

Le *modèle de l'équilibre* décrit la crise comme un état de déséquilibre psychologique ou émotionnel, caractérisé par l'inefficacité des mécanismes d'adaptation et des habiletés à résoudre des problèmes auxquels la personne a l'habitude de recourir. Le but de ce modèle est d'aider la personne à retrouver son équilibre d'avant la crise. Ce modèle est efficace comme première intervention, au moment où la personne est perturbée et incapable de faire les choix appropriés. Il importe alors surtout de stabiliser le client jusqu'à ce qu'il retrouve quelques mécanismes d'adaptation. Par exemple, avant de dégager les facteurs sous-jacents

Tableau 6-8 *Diagnostics infirmiers pour la mère ou le père adolescents*

Anxiété, reliée à la perspective du travail et de l'accouchement

Déni non constructif, relié à la peur d'annoncer la grossesse aux parents, ce qui compromet les soins prénatals

Isolement social, relié à la séparation d'avec le groupe de pairs de l'école

Perturbation dans l'exercice du rôle, reliée à la difficulté qu'éprouvent les parents à voir en leur fille une mère responsable

Perturbation dans l'exercice du rôle, reliée au passage soudain au rang d'adulte et à la nécessité d'en assumer les responsabilités

Sentiment d'impuissance, relié à l'impression d'être pris au piège par la maternité ou la paternité précoces

Stratégies d'adaptation familiale efficaces : potentiel de croissance, reliées à la capacité des parents adolescents de terminer leurs études et de trouver un emploi

Stratégies d'adaptation familiale efficaces : potentiel de croissance, reliées à la participation du père adolescent

Stratégies d'adaptation familiale efficaces : potentiel de croissance, reliées à l'inscription des parents adolescents à des cours sur l'éducation des enfants

Stratégies d'adaptation familiale inefficaces : soutien compromis, reliées à une intensification des conflits avec les parents

Stratégies d'adaptation familiale inefficaces : soutien compromis, reliées au refus des parents de l'adolescente de laisser le père adolescent participer à l'éducation de l'enfant

Stratégies d'adaptation individuelle inefficaces, reliées à un niveau d'études inadéquat entraînant le chômage ou le sous-emploi

---

aux idées suicidaires, il convient de stabiliser la personne jusqu'à ce qu'elle reconnaisse que la vie vaut la peine d'être vécue.

Selon le *modèle cognitif*, la crise est constituée par des pensées erronées que le client entretient sur les événements ou les situations entourant la crise. Le but de ce modèle est d'aider la personne à prendre conscience de ses croyances et de ses perceptions relatives à l'événement ou à la situation critique et à les modifier. Suivant ce modèle, la personne peut changer le cours des situations de crise en changeant sa façon de penser. Les interventions visent d'abord à supprimer la part d'irrationnel dans les pensées de la personne et à ne retenir que les composantes rationnelles. L'intervention en situation de crise consiste alors à répéter des énoncés positifs au sujet de la situation jusqu'à ce que les pensées improductives disparaissent. Ce modèle peut être d'une grande utilité une fois que

le client est stabilisé et qu'il a retrouvé l'équilibre antérieur à la crise.

Selon le *modèle de la transition psychosociale*, la personne se compose d'éléments héréditaires et d'apprentissages réalisés au contact de la société. L'état de crise est alors lié à des difficultés psychologiques, sociales ou environnementales.

Tableau 6-9 *Diagnostics infirmiers pour l'adulte qui vit la crise de la quarantaine*

Anxiété, reliée à des tentatives infructueuses en vue d'utiliser le temps libre de façon créative

Anxiété, reliée à l'idée de sa propre mort

Anxiété, reliée à une incapacité d'acquérir de saines habitudes de vie

Détresse spirituelle, reliée à une incapacité de trouver un sens et un but à la vie

Dysfonctionnement sexuel, relié à une altération de l'image corporelle

Non-observance des conseils relatifs à la santé, reliée à la non-acceptation de la diminution de la force et de l'endurance

Perturbation dans l'exercice du rôle, reliée à des échecs professionnels

Perturbation de la croissance et du développement, reliée à l'insatisfaction tirée de ses choix

Perturbation de la croissance et du développement, reliée à une incapacité de relever les défis de l'avenir

Perturbation de la sexualité, reliée à une incapacité de rétablir l'intimité

Perturbation de l'estime de soi, reliée au plafonnement professionnel

Perturbation de l'image corporelle, reliée au refus des changements entraînés par le vieillissement

Perturbation des interactions sociales, reliée à l'insatisfaction tirée des relations conjugales

Peur, reliée à des tentatives infructueuses en vue d'élaborer une philosophie de la vie

Peur, reliée au vieillissement

Recherche d'un meilleur niveau de santé, reliée à une réévaluation du mode de vie

Stratégies d'adaptation défensives, reliées au maintien de l'apparence et des comportements de jeunesse

Stratégies d'adaptation familiale efficaces : potentiel de croissance, reliées à une utilisation réaliste du temps, des intérêts et de l'énergie

Stratégies d'adaptation familiale efficaces : potentiel de croissance, reliées au plaisir tiré de la générativité

Stratégies d'adaptation familiale inefficaces : absence de soutien, reliées à une incapacité d'équilibrer le travail et les autres rôles

Stratégies d'adaptation individuelle inefficaces, reliées à une incapacité de s'adapter aux changements physiques de l'âge moyen

Stratégies d'adaptation individuelles inefficaces, reliées à une modification des objectifs de vie et des ambitions

Tableau 6-10   *Diagnostics infirmiers en cas de conflit de générations*

Altération de la communication verbale, reliée à la recherche de l'indépendance chez les jeunes

Anxiété, reliée à l'insoumission des adolescents

Anxiété, reliée au fardeau financier imposé par le soutien de deux générations

Anxiété, reliée à un accroissement des responsabilités à l'égard des parents

Conflit décisionnel, relié à la disparité des valeurs entre générations

Fatigue, reliée aux contraintes physiques et émotionnelles imposées par les soins à prodiguer à un parent âgé

Isolement social, relié à l'acceptation du rôle de personne soignante

Isolement social, relié à un manque de temps à consacrer aux activités sociales ou récréatives

Manque de loisirs, relié à la diminution du temps libre et de la liberté

Perturbation dans l'exercice du rôle, reliée au renversement des rôles entre l'enfant adulte et le parent âgé

Perturbation de la dynamique familiale, reliée à des modes de vie incompatibles

Perturbation des habitudes de sommeil, reliée aux responsabilités de personne soignante

Perturbation des interactions sociales, reliée à un manque d'intimité au foyer

Risque de perturbation dans l'exercice du rôle parental, relié à une incapacité de communiquer ouvertement

Risque de violence envers les autres, relié aux exigences d'un parent âgé

Sentiment d'impuissance, relié à une incapacité de trouver des solutions acceptables au problème des soins d'un parent âgé

Stratégies d'adaptation familiale efficaces : potentiel de croissance, reliées à l'aide prodiguée par les parents pour amener les jeunes à devenir des adultes responsables et indépendants

Stratégies d'adaptation familiale efficaces : potentiel de croissance, reliées à la reconnaissance de la sagesse et de l'expérience de la personne âgée

Stratégies d'adaptation familiale efficaces : potentiel de croissance, reliées à un sentiment d'union entre les générations

Stratégies d'adaptation familiale inefficaces : absence de soutien, reliées aux contraintes de temps

Tableau 6-11   *Diagnostics infirmiers pour la personne âgée*

Anxiété, reliée à une incapacité de s'intégrer à son groupe d'âge

Constipation, reliée au sédentarisme

Détresse spirituelle, reliée à une incapacité de trouver un sens à la vie

Excès nutritionnel, relié à un ralentissement du métabolisme

Incapacité de s'adapter à un changement dans l'état de santé, reliée à la retraite

Isolement social relié à un domicile insatisfaisant

Non-observance des conseils relatifs à la santé, reliée à une incapacité d'accepter le processus de vieillissement et les soins de santé qui en découlent

Perte d'espoir, reliée à l'éloignement des proches

Perturbation dans l'exercice du rôle, reliée à une diminution de la force et de la santé

Perturbation de la sexualité, reliée au refus de l'image corporelle

Perturbation de l'estime de soi, reliée à un refus du rôle de retraité

Perturbation des interactions sociales, reliée à un déménagement consécutif à un changement de rôle

Sentiment d'impuissance, relié à des contraintes financières

Stratégies d'adaptation familiale efficaces : potentiel de croissance, reliées à l'acceptation de la sagesse et de l'expérience de la personne âgée

Stratégies d'adaptation familiale efficaces : potentiel de croissance, reliées à l'établissement de relations satisfaisantes avec les enfants et les petits-enfants

Stratégies d'adaptation individuelle inefficaces, reliées à des tentatives infructueuses en vue d'élaborer une philosophie de la vie

L'intervention proposée prend la forme d'une coopération visant à aider le client à évaluer ses difficultés intérieures et extérieures ainsi qu'à trouver des solutions à son comportement, à son attitude et à son utilisation des ressources environnementales. Le modèle de la transition psychosociale est surtout indiqué une fois que le client est stabilisé (Gilliland et James, 1988).

L'objectif premier de l'intervention en situation de crise est d'aider le client qui fait face à une situation génératrice de stress à résoudre le problème immédiat et à retrouver son équilibre émotionnel. En aidant le client à mener à bien le processus de résolution des problèmes, on espère l'amener à faire un meilleur usage de ses mécanismes d'adaptation dans l'avenir.

Lors de son intervention en situation de crise, l'infirmière se doit de participer activement à la résolution du problème. Il est important de souligner qu'elle ne doit pas se substituer au client ; elle doit le laisser prendre ses propres décisions, sauf s'il cherche à se suicider ou à commettre un meurtre. Le client doit d'abord se prendre en main, secondé en cela par l'infirmière.

Lorsqu'elle intervient en situation de crise, l'infirmière fait preuve d'altruisme, d'attention, d'écoute et de disponibilité. Le client et l'infirmière

Tableau 6-12   *Diagnostics infirmiers pour la personne âgée subissant des pertes multiples*

Altération de la communication verbale, reliée à une perturbation du processus de deuil

Altération des opérations de la pensée, reliée à une incapacité de traverser les phases du deuil

Chagrin dysfonctionnel, relié à une perturbation du processus de deuil

Déni non constructif, relié à une incapacité de terminer le processus de deuil

Détresse spirituelle, reliée à un sentiment de désespoir suscité par le bilan de vie

Isolement social, relié au décès soudain du conjoint

Perturbation de la dynamique familiale, reliée à une incapacité d'établir des relations sociales appropriées après le décès d'un proche

Perturbation de l'estime de soi, reliée à un sentiment continuel de désespoir

Perturbation de l'image corporelle, reliée à des pertes physiologiques multiples

Peur, reliée à la fatalité de la mort

Sentiment d'impuissance, relié à des mesures sociales inadéquates à l'intention des personnes âgées

Stratégies d'adaptation défensives, reliées à un sentiment aigu de culpabilité et de colère dans le processus de deuil

Stratégies d'adaptation familiale efficaces : potentiel de croissance, reliées à l'atteinte de l'intégrité du moi

Stratégies d'adaptation individuelle inefficaces, reliées à des pertes multiples et simultanées

Stratégies d'adaptation individuelle inefficaces, reliées à un manque de soutien de la part des proches

analysent les sentiments ou les pensées qui entravent l'adaptation. L'infirmière aide aussi le client à communiquer directement avec ses proches afin d'éviter qu'il se sente isolé ou qu'il se replie sur lui-même. Il se peut que la personne très indépendante doive admettre l'importance de l'interdépendance et qu'elle ait besoin d'apprendre à demander de l'aide.

L'infirmière qui intervient aide le client à acquérir des stratégies d'adaptation. Le client en état de crise est plus disposé à faire l'essai de divers comportements d'adaptation destinés à atténuer son anxiété. Parmi les mécanismes d'adaptation appropriés, on trouve l'expression des sentiments, les techniques de relaxation et l'exercice physique.

L'infirmière doit aider le client à se focaliser sur le problème et sur les objectifs qu'il s'est fixés pour les résoudre. Comme le client est très anxieux, il peut avoir de la difficulté à se concentrer sur la tâche et peut avoir besoin qu'on l'aide à éviter de s'éparpiller. L'infirmière doit veiller à insister constamment sur les forces du client en analysant l'événement critique, l'efficacité des stratégies d'adaptation et les nouvelles méthodes de résolution des problèmes apprises.

On peut employer une approche multidisciplinaire dans certaines situations de crise ; on le fait notamment dans beaucoup d'unités psychiatriques de court séjour. Généralement, l'équipe multidisciplinaire est composée d'un psychiatre, d'une infirmière en santé mentale, d'un psychologue, d'un travailleur social, d'un ministre du culte et d'un étudiant. Chaque réunion de l'équipe est présidée par une personne différente, alors qu'une même personne reste responsable des soins du client. L'approche multidisciplinaire exige que l'on veille tout particulièrement à la constance des soins et au respect des objectifs.

Certains traits aident l'infirmière à résoudre les crises et à restaurer l'équilibre. L'infirmière efficace doit :

- faire preuve de calme, d'assurance et de sang-froid dans un environnement souvent imprévisible ;

- être capable d'utiliser les techniques de communication thérapeutique ;

- avoir des réflexions, des sentiments et des actes congruents ;

- être capable d'effectuer une collecte des données précise ;

- être capable de formuler des diagnostics, d'analyser et de synthétiser les données recueillies ;

- être capable d'examiner diverses solutions aux problèmes ;

- communiquer avec assurance et maîtriser son stress.

La cohérence est un aspect important de l'intervention et, une fois le plan établi, tous les intéressés doivent être sensibilisés à sa nécessité. En effet, la cohérence aide le client à retrouver un fonctionnement adaptatif et à éviter les comportements inadaptés.

Évaluation

La dernière étape de l'intervention en situation de crise consiste à évaluer les effets des interventions. Il s'agit là d'un processus continu qui débute à l'étape de la planification et qui se poursuit tout au long de l'exécution. Lorsque l'évaluation révèle que les interventions n'ont pas donné les résultats escomptés, l'infirmière doit reprendre la collecte des données et modifier le plan en conséquence. En reconnaissant la dynamique de chaque situation de crise possible et en employant consciemment la démarche de soins infirmiers, l'infirmière concourt à faire de chaque étape de la vie une expérience profonde et enrichissante.

RÉSUMÉ

1. Les crises développementales sont des événements prévisibles survenant pendant les périodes de transition, qui marquent la croissance et le développement normaux. Les changements prévisibles sont ceux que la personne s'attend à vivre à un âge donné. Cependant, tous ne peuvent ou ne veulent pas vivre l'ensemble des changements prévisibles.

2. Les crises situationnelles sont des événements traumatisants inévitables et souvent imprévisibles. Les changements imprévisibles correspondent aux expériences que la personne ne s'est jamais attendue à vivre ou qu'elle s'attendait à vivre à d'autres stades de sa vie.

3. Les crises développementales surviennent souvent lorsque les changements imprévisibles coïncident avec les périodes de transition prévisibles.

4. Au terme d'une période de crise, l'individu peut soit s'adapter, retrouver son niveau de fonctionnement antérieur et acquérir des stratégies d'adaptation plus constructives, soit rétrograder à un niveau de fonctionnement inférieur.

5. Les théories des stades décrivent le développement comme une succession d'étapes.

6. La théorie du traitement de l'information porte sur la manière dont la personne absorbe l'information, la traite et l'utilise dans son comportement.

7. L'approche behavioriste stipule que le milieu détermine le comportement. Par conséquent, si le milieu change, le comportement change aussi.

8. Selon la théorie de l'apprentissage social, la personne apprend en observant et en imitant les autres tout au long de son développement.

9. Une crise survient quand le stress perturbe l'équilibre et quand la résolution des problèmes et l'adaptation sont déficientes.

10. Les composantes de la crise sont : un événement traumatisant, des stratégies d'adaptation inefficaces, un accroissement de l'anxiété, un besoin de demander de l'aide, des ressources intérieures et extérieures insuffisantes, un comportement improductif et impulsif, une détérioration des relations, un recours aux autres pour résoudre le problème et l'impression de « devenir fou ».

11. Les stratégies d'adaptation comportementales comprennent, entre autres, l'utilisation du processus de résolution des problèmes.

12. Les stratégies d'adaptation affectives permettent de faire face aux sentiments provoqués par l'événement.

13. Les stratégies d'adaptation cognitives aident la personne à comprendre la signification de l'événement.

14. Les stratégies d'adaptation psychosociales permettent à la personne de conserver ses relations avec sa famille et ses amis pendant et après la période de crise.

15. Le divorce des parents peut constituer la première grande perte de l'enfant. Il n'est pas rare que l'enfant manifeste des signes de régression, d'anxiété, de dépression et de colère. Certains enfants se sentent responsables du divorce de leurs parents et se demandent qui prendra soin d'eux. L'adaptation repose en partie sur la capacité des parents à former une famille binucléaire.

16. Le groupe de pairs favorise l'adaptation de l'adolescent au monde adulte. Certains adolescents sont incapables d'établir des relations soutenues avec leurs pairs ; ils deviennent de jeunes adultes isolés et solitaires. Ils n'ont pas l'occasion de développer leurs habiletés sociales, d'établir des relations intimes ni d'acquérir une image de soi positive.

17. Pour certains adolescents, le groupe de pairs prend la forme d'une bande dont ils épousent les valeurs et les croyances. Leur comportement hostile, agressif et antisocial entraîne de nombreux problèmes. Leur colère prend racine dans la frustration et la rébellion.

18. Pendant l'adolescence, la maternité ou la paternité ont des conséquences profondes. Beaucoup d'adolescentes choisissent d'élever seules leur enfant et abandonnent leurs études. Elles sont forcées de réorganiser leur concept de soi en s'identifiant au rôle de mère. De nombreux pères adolescents prennent leur situation au sérieux et désirent participer à l'éducation de leur enfant.

19. Pendant la crise de la quarantaine, l'adulte constate des changements physiques, se consacre à sa carrière professionnelle et approfondit sa philosophie de la vie. La capacité d'accepter les changements physiques et la

réalité, de trouver un sens au travail, d'acquérir une identité positive et d'envisager l'existence sereinement favorise grandement le fonctionnement de l'adulte après la période de crise.

20. À l'époque où les adultes d'âge moyen s'attendent à jouir d'une liberté accrue, beaucoup d'entre eux doivent se charger de leurs parents et de leurs enfants adultes. Il arrive que trois générations vivent alors sous le même toit. Le soutien à apporter aux enfants et les soins à fournir aux parents âgés occasionnent des changements dans le mode de vie, des conflits de rôle et des difficultés financières qui peuvent entraîner une crise.

21. L'âgisme est un ensemble de stéréotypes et de pratiques discriminatoires fondés essentiellement sur l'âge.

22. Le fait qu'une personne âgée tente de conserver son mode de vie peut susciter une redéfinition du concept de soi. Les réactions de la personne sont considérées comme non adaptatives lorsqu'elle se réfugie dans le passé, ne trouve aucun agrément au présent et perd tout espoir. En revanche, elles sont adaptatives lorsque la personne comprend son passé et vit l'instant présent dans la joie et l'espoir.

23. La personne âgée subit de multiples pertes et doit faire face à l'idée de sa propre mort. Les phases du processus de deuil sont le choc, le repli défensif, l'acceptation, l'idéalisation, l'identification et la résolution. Les quatre tâches du deuil sont l'acceptation de la réalité de la perte, l'acceptation de la souffrance, l'adaptation à un nouvel environnement et le réinvestissement dans d'autres relations.

24. Pour effectuer une collecte des données précise, l'infirmière doit comprendre la situation de crise du point de vue du client.

25. L'anxiété et la dépression sont souvent des signes d'inadaptation à une crise.

26. La collecte des données doit porter sur l'individu, sa famille et son milieu.

27. Pour formuler un plan d'intervention efficace, il est essentiel d'inclure la famille et les autres proches du client.

28. Le but de l'intervention en situation de crise est d'aider la personne et la famille en détresse à résoudre le problème immédiat et à rétablir leur équilibre émotionnel.

29. À partir des données qu'elle recueille, l'infirmière formule un diagnostic infirmier approprié et des critères d'évaluation.

30. Trois modèles fondamentaux servent de cadre de référence aux interventions : le modèle de l'équilibre, le modèle cognitif et le modèle de la transition psychosociale.

31. L'infirmière participe activement à l'intervention en situation de crise. Elle aide le client à communiquer, à acquérir des stratégies d'adaptation et à se focaliser sur le problème et sur ses objectifs.

32. L'évaluation consiste à déterminer si les interventions ont donné les résultats escomptés. Si ce n'est pas le cas, il faut réviser la collecte des données et modifier le plan de soins.

EXERCICES DE RÉVISION

Denise et Jean, tous deux âgés de 42 ans, ont entrepris une thérapie de couple auprès d'une infirmière psychothérapeute. Denise affirme que Jean est très « instable » depuis six mois et que, au cours des trois dernières semaines, il a été tantôt irritable, tantôt déprimé. Leur mariage en subit les contrecoups. Denise et Jean sont mariés depuis 15 ans et ils n'ont pas d'enfants. Jean est vice-président d'une petite entreprise prospère ; Denise est avocate dans un cabinet privé.

Depuis quelque temps, Jean est préoccupé par la « fuite du temps » et par la réalisation de son projet à long terme, soit posséder sa propre entreprise. Il a souvent parlé de laisser son emploi et de fonder une entreprise, mais il n'a pas réussi à prendre une décision définitive. Il rêve parfois de « tout laisser tomber » et de « commencer une nouvelle vie » ailleurs.

Denise soupçonne Jean d'avoir une liaison. Il y a six mois, en effet, Jean a commencé à se soucier de son corps et de sa forme physique. Il s'est inscrit à un centre de conditionnement physique et il a perdu sept kilos. Il a renouvelé sa garde-robe afin « d'avoir l'air plus jeune ». Il a eu davantage de rendez-vous d'affaires en soirée, et il répond avec colère aux questions que Denise lui pose quand il rentre à la maison.

1. D'après les théories du développement, Jean doit, en tant qu'adulte d'âge moyen, relever le défi de :
   (a) l'autonomie et de l'engagement familial ;
   (b) l'atteinte de ses objectifs de vie ;
   (c) la découverte d'un sens à son passé ;
   (d) la formation de l'identité et de l'indépendance.

2. En se fondant sur sa collecte de données initiale, l'infirmière a déterminé que Jean traverse une crise du développement. Avant d'entreprendre l'intervention en situation de crise, laquelle des questions suivantes l'infirmière doit-elle poser à Jean ?
   (a) « À quel aspect du problème faut-il s'attaquer en priorité ? »

(b) « Il est important de savoir si vous avez une liaison. Est-ce que Denise a raison de le penser ? »

(c) « Songez-vous parfois à vous faire du mal ou à vous tuer ? »

(d) « En quoi le besoin de prendre des décisions parfaites vous nuit-il ? »

3. Lors de sa collecte de données sur le couple, laquelle des questions suivantes l'infirmière doit-elle poser ?

(a) « Pensez-vous que la liaison de Jean est reliée à des problèmes sexuels entre vous deux ? »

(b) « Êtes-vous l'un et l'autre jaloux de vos cheminements professionnels respectifs ? »

(c) « Qu'avez-vous fait pour résoudre le problème jusqu'à maintenant ? »

(d) « Jean, si vous quittez votre emploi, attendez-vous de Denise qu'elle subvienne à vos besoins ? »

4. Lequel des diagnostics infirmiers suivants est le plus approprié à Jean ?

(a) Détresse spirituelle, reliée à une incapacité de trouver un sens et un but à la vie ;

(b) Stratégies d'adaptation défensives, reliées au maintien d'une apparence et d'un comportement de jeune adulte ;

(c) Stratégies d'adaptation familiale inefficaces : soutien compromis, reliées à une incapacité de concilier les rôles professionnel et familial ;

(d) Anxiété, reliée à une incapacité d'occuper ses loisirs de façon créative.

5. Le but de l'intervention en situation de crise est de :

(a) résoudre tous les problèmes qui se sont produits dans la vie du client ;

(b) continuer la thérapie de longue durée jusqu'à ce que les stratégies d'adaptation du client s'améliorent ;

(c) aider la personne à comprendre l'influence des crises de son enfance sur le problème actuel ;

(d) résoudre le problème immédiat et de rétablir le fonctionnement antérieur de la personne ou de l'améliorer.

6. Lors d'une intervention en situation de crise, le principal instrument thérapeutique de l'infirmière est :

(a) le processus de résolution des problèmes ;

(b) la défense du client ;

(c) l'enseignement au client ;

(d) la socialisation du client.

BIBLIOGRAPHIE

Aguilera DC, Messick JM: *Crisis Intervention: Theory and Methodology,* 4th ed. Mosby, 1978.

Ahrons CR, Rodgers RH: *Divorced Families.* Norton, 1987.

Allan C, Brotman H: *Chartbook on Aging in America.* Prepared for 1981 White House Conference on Aging: Government Printing Office.

American Psychiatric Association: *Diagnostic and Statistical Manual of Mental Disorders,* 3rd ed., revised. Washington DC: American Psychiatric Association, 1987.

Baltes P, Willis S: "Toward Psychological Theories of Aging and Development." In: *Handbook of the Psychology of Aging.* Birren JE, Shaie KW (editors). Van Nostrand Reinhold, 1977.

Bandura A: *Social Foundations of Thought and Action: A Social Cognitive Theory.* Prentice-Hall, 1986.

Barret RL, Robinson BE: Adolescent fathers: Often forgotten parents. *Ped Nurs* 1986; 12(4):273–277.

Beck S: Research issues. In: *Handbook of Adolescent Psychology.* VanHasselt VB, Hersen M (editors). Pergamon Press, 1987; 227–241.

Beck SH, Beck RW: The formation of extended households during middle age. *J Marr and Fam* 1984; 46:277–286.

Burnside IM: *Nursing and the Aged: A Self-Care Approach.* McGraw-Hill, 1988.

Byer C, Shainberg LW, Jones KL: *Dimensions of Human Sexuality.* St. Louis: William Brown, 1988.

Carter B, McGoldrick M (editors): *The Changing Family Life Cycle,* 2nd ed. Gardner Press, 1988.

Connor ME: Teenage fatherhood: Issues confronting young black males. In: *Young, Black and Male in America.* Gibbs JT, et al. (editors). Auburn House, 1988; 188–218.

Country Beautiful: The life of man. *Country Beautiful,* 1973.

Dembo R: Delinquency among black male youth. In: *Young, Black and Male in America.* Gibbs JT, et al. (editors). Auburn House, 1988; 129–165.

DeV.Peters R, McMahon RJ (editors): *Social Learning and Systems Approaches to Marriage and the Family.* Brunner/Mazel, 1988.

Dychtwald K: Wellness and Health Promotion for the Elderly. Aspen Publications, 1986.

Dychtwald K, Flower J: *Age Wave.* Tarcher, 1989.

Field TM, Widmayer SM: Marriage and the family. In: *Handbook of the Psychology of Aging.* Wolfman BB (editor). Prentice-Hall, 1982.

Fulmer RH: Lower-income and professional families. In:

The Changing Family Life Cycle, 2nd ed. Carter B, McGoldrick M (editors). Gardner Press, 1988; 545–578.

Gameworks, Inc.: Instructions accompanying the game Can You Survive Your Midlife Crisis? 1982.

Gilchrist LD, Schinke SP: Adolescent Pregnancy and Marriage. In: *Handbook of Adolescent Psychology.* VanHasselt VB, Hersen M (editors). Pergamon Press, 1987; 424–441.

Gilliland BE, James RK: *Crisis Intervention Strategies.* Brooks/Cole, 1988.

Gioiella EC, Bevil CW: *Nursing Care of the Aging Client— Promoting Healthy Adaptation.* Appleton-Century-Crofts, 1985.

Gould R: *Transformations: Growth and Changes in Adult Life.* Simon & Schuster, 1978.

Grau L, Susser I: *Women in the Later Years.* Haworth Press, 1989.

Greenberg JS, et al.: *Sexuality: Insights and Issues.* St. Louis: William Brown 1989.

Guerin S, et al.: *The Evaluation and Treatment of Marital Conflict.* Basic Books, 1987.

Guillford DM: *The Aging Population in the Twenty-First Century.* National Academy Press, 1988.

Hall GS: In: *Developmental Psychology.* Moshman D, Glover J, Bruning RH (editors). Little, Brown, 1987.

Hoff LA: *People in Crisis,* 3rd ed. Addison-Wesley, 1989.

Holmes T, Rahe I: "The Social Readjustment Rating Scale." *J Psychosom Res* 1967; 11(2):213–218.

Hutchinson RL, Spangler-Hirsch SL: Children of divorced & single-parent lifestyles. In: *Children of Divorce.* Everett C (editor). Haworth Press, 1989; 5–24.

Johnson BS: *Psychiatric-Mental Health Nursing Adaptation and Growth.* Lippincott, 1986.

Kalish RA: *Death, Grief, and Caring Relationships,* 2nd ed. Brooks/Cole, 1985.

Kaplan PS: *The Human Odyssey-Life Span Development.* West, 1988.

Kaslow FW, Schwartz LL: *The Dynamics of Divorce.* Brunner/Mazel, 1987.

Kelly JA, Hansen DJ: Social interactions and adjustment. In: *Handbook of Adolescent Psychology.* VanHasselt VB, Hersen M (editors). Pergamon Press, 1987; 131–146.

Kingson ER, Hirshorn BA, Cornman JM: *Ties That Bind: The Interdependence of Generations.* Seven Lock Press, 1986.

Kubey R: The aging of aquarius. *The Chicago Tribune Magazine,* October 23, 1988.

Levinson DJ: *The Seasons of a Man's Life.* Ballantine, 1978.

Lowy L: *Social Work with the Aging.* Longman, 1985.

Matteson MA, McConnell ES: *Gerontological Nursing Concepts and Practices.* Saunders, 1988.

McMahon RJ, Forehand R: Conduct disorders. In: *Behavioral Assessment of Childhood Disorders,* 2nd ed. Mash EJ, Terdal LG (editors). Guilford Press, 1988; 105–153.

Mead M: *Culture and Commitment: A Study of the Generation Gap.* Doubleday, 1970.

Moos RH, Schaefer JA: *Coping with Life Crisis: An Integrated Approach.* Plenum, 1986.

Moos RH, Schaefer JA: Life transitions and crisis. In: *Coping with Life Crisis.* Moos RH (editor). 1986; 3–28.

Murray J, Park B: New study of teenage pregnancy. In: *Human Sexuality 88/89.* Pocs O (editor). Dushkin Publishing, 1988; 78–79.

Murray RB, Zentner JP: *Nursing Assessment & Health Promotion Strategies Through the Life Span,* 4th ed. Appleton & Lange, 1989.

National Center for Health Statistics, Feller B: Americans Needing Help to Function at Home. Advance data from *Vital Health Statistics,* No. 92, Washington, DC, D.H.H.S. Pub. No. (PHS) 83–1250, 1983.

Neugarten BL: *Middle Age and Aging.* University of Chicago, 1968.

Panzarine S, Elster A: Coping in a group of expectant adolescent fathers. In: *Coping with Life Crisis.* Moos RH (cditor). 1986; 87–95.

Parkes CM, Brown R: Health after Bereavement: A Controlled Study of Young Boston Widows & Widowers. *Psychosom Med* 1972; 34:449–461.

Peck RC: Psychological development in the second half of life. In: *Middle Age and Aging.* Neugarten BL (editor). University of Chicago Press, 1968.

Peck JS: The impact of divorce on children at various stages of the family life cycle. In: *Children of Divorce.* Everett C (editor). Haworth Press, 1989; 81–106.

Riegal KF: Dialectic operations: The final period of cognitive development. *Human Development* 1973; 16:346–370.

Rogers CR: *A Way of Being.* Houghton Mifflin, 1980.

Schuster CS, Ashburn SS: *The Process of Human Development,* 2nd ed. Little, Brown, 1986.

Stark E: Young, innocent and pregnant. In: *Human Sexuality 88/89.* Pocs O (editor). Dushkin Publishing, 1988; 80–83.

Sternberg RJ: What is an information-processing approach to human abilities? In: *Human Abilities: An Information Approach.* Sternberg RJ (editor). Freeman, 1985.

Thomas A, et al.: The origins of personality. *Scientific American* (Aug) 1970; 223:102–109.

Troll LE: Myths of midlife intergenerational relationships. In: *Midlife Myths.* Hunter S, Sandel M (editors). Sage, 1989; 210–231.

VanHasselt VB, Hersen M (editors): *Handbook of Adolescent Psychology*. Pergamon Press, 1987.

Wallerstein JS: Children of divorce. In: *Coping with Life Crisis*. Moos RH (editor). 1986; 35–48.

Walsh PE, Stolberg AL: Parental and environmental determinants of children's behavioral, affective and cognitive adjustment to divorce. In: *Children of Divorce*. Everett C (editor). Haworth Press, 1989; 265–282.

Wass H, Myers JE: Psychosocial aspects of death among the elderly: A review of the literature. *Personnel and Guidance Journal* 1982; 61:131–137.

White-Traut RC, Pabst MK: Parenting of hospitalized infants by adolescent mothers. *Ped Nurs* 1987; 13(2):97–100.

Worden JW: *Grief Counseling & Grief Therapy*. Springer, 1982.

LECTURES COMPLÉMENTAIRES

Aguilera, D.C., et J.M. Missick. *Intervention en situation de crise*, Don Mills, Mosby, 1976.

Bérard, R. « Crise et transition chez l'adulte dans les recherches de Daniel Levinson et de Bernice Neugarten », *Revue des sciences de l'éducation*, IX(i), 107-126, 1983.

Berger L., et D. Mailloux-Poirier. *Personnes âgées, une approche globale*, Montréal, Études vivantes, 1989.

Goldhaber, D. *Psychologie du développement*, Montréal, Études Vivantes, 1988.

Gouvernement du Québec. *Objectif: santé*, Rapport du comité d'étude sur la promotion de la santé, Conseil des affaires sociales et de la famille, 1984.

Lecompte, Y., et Y. Lefevbre. « L'intervention en situation de crise », *Santé mentale au Québec*, IX(e), 122-142, 1986.

Sheehy, Gail. *Les Passages de la vie: Les crises prévisibles de l'âge adulte*, Ottawa, Éditions de Mortagne, 1982.

Wilson, H.S., et C.R. Kneisl. *Soins infirmiers psychiatriques* (chap. 11), Montréal, Éditions du Renouveau Pédagogique, 1982.

Deuxième partie

SOINS INFIRMIERS EN PSYCHIATRIE ET EN SANTÉ MENTALE

CHAPITRE 7

Les répercussions des facteurs psychologiques sur l'état physique

J. SUE COOK
LESLIE BONJEAN

Comment je vois ma maladie...

Parfois, tout semble grandiose
Parfois, juste quelques manies
Mais elle est très forte, presque indestructible

■ *Objectifs*

Après avoir étudié le présent chapitre, vous devrez être en mesure de :

- expliquer la notion de trouble psychophysiologique ;
- énoncer la théorie du stress ;
- définir la notion de crise ;
- énoncer les théories actuelles concernant les maladies psychophysiologiques ;
- établir à partir d'un modèle le bilan de santé de clients atteints de coronaropathie, de cancer, de troubles respiratoires, de troubles gastro-intestinaux et d'autres troubles psychophysiologiques ;
- relier les anomalies décelées lors de l'évaluation physique aux divers troubles psychophysiologiques ;
- établir les diagnostics infirmiers appropriés des clients atteints de divers troubles psychophysiologiques ;
- préparer les plans de soins infirmiers des clients atteints de coronaropathie, de cancer, de troubles respiratoires et de troubles gastro-intestinaux ;
- présenter l'évaluation des soins infirmiers dispensés à un client atteint de troubles psychophysiologiques ;
- appliquer les cinq étapes de la démarche de soins infirmiers à des situations cliniques concernant des clients atteints de troubles psychophysiologiques.

■ *Sommaire*

Introduction

On pourrait s'attendre à rencontrer les troubles décrits dans le présent chapitre en milieu médico-chirurgical plutôt qu'en milieu psychiatrique. Cependant, si on les rencontre là aussi fréquemment, c'est qu'il s'agit de troubles psychophysiologiques. Classés autrefois parmi les troubles psychosomatiques, ils sont actuellement répertoriés parmi les critères diagnostiques du DSM-III-R, sous la rubrique « Facteurs psychologiques influençant une affection physique ». Le trouble en question est en général physique et, dans certains cas, il peut se traduire par un seul symptôme, par exemple des vomissements. Les troubles physiques qui correspondent à cette catégorie comprennent notamment : l'obésité, les céphalées par tension nerveuse, les migraines, l'angine de poitrine, les menstruations douloureuses, les douleurs sacro-iliaques, la névrodermite, l'acné, la polyarthrite rhumatoïde, l'asthme, la tachycardie, les arythmies, l'ulcère gastro-duodénal, les cardiospasmes, les pylorospasmes, les nausées et les vomissements, la maladie de Crohn, la colite ulcéreuse et la pollakiurie. Les critères diagnostiques correspondant aux facteurs psychologiques qui influent sur l'état physique sont les suivants (American Psychiatric Association, 1987) :

1. les stimuli psychologiques importants qui proviennent de l'environnement sont reliés à l'apparition ou à l'exacerbation d'un symptôme ou d'une affection physique en particulier ;

2. l'affection physique comporte une pathologie organique ou un processus physiopathologique connu ;

3. l'affection ne répond pas aux critères d'un trouble somatoforme.

Le terme **trouble psychophysiologique** s'applique aux troubles physiques caractérisés par un lien étroit entre des événements importants sur le plan psychologique et les symptômes physiques. Dans le cadre des soins infirmiers, on adopte depuis longtemps une approche holistique, fondée sur le lien indissoluble entre l'esprit, le corps et l'environnement, et on connaît maintenant les effets des expériences, des pensées et des perceptions sur la vie de chacun. Chez les personnes atteintes de troubles psychophysiologiques, les problèmes se manifestent par le corps ; par exemple, la personne qui n'a jamais appris à résoudre ses problèmes est davantage prédisposée à l'ulcère.

Les troubles que l'on dit couramment psychophysiologiques sont les troubles cardiovasculaires et, en particulier, les coronaropathies et l'hypertension, le cancer, les céphalées, les troubles respiratoires, notamment l'asthme et les allergies, les troubles gastro-intestinaux comprenant l'ulcère gastro-duodénal, la colite ulcéreuse et le syndrome de l'intestin irritable, les troubles cutanés comme la dermatose et, enfin, l'arthrite. Dans le présent chapitre, nous décrirons les troubles observés le plus fréquemment dans les hôpitaux généraux.

Théories du stress

Depuis la Seconde Guerre mondiale, l'interaction entre le corps et l'esprit a fait l'objet de recherches intensives, et l'on a avancé de nombreuses théories pour expliquer les effets de la souffrance psychologique sur l'organisme. Nous décrirons ici celles qui présentent le plus d'intérêt pour les soins infirmiers. Comme toutes les théories, celles-ci constituent pour l'infirmière un point de départ lui permettant de comprendre le client et le processus pathologique en présence. Il ne faut pas oublier que, selon les recherches actuelles, les troubles psychophysiologiques n'ont souvent pas une seule cause, mais plusieurs. Autrement dit, l'infirmière doit parfois avoir recours à plusieurs théories pour parvenir à une compréhension holistique du cas.

Modèle de Selye   Considéré comme le père de la théorie du stress, Hans Selye a commencé à étudier le stress vers la fin des années trente et a publié son fameux traité sur le sujet en 1950. En 1956, il a défini le **stress** comme « la réponse non spécifique de l'organisme à toute demande qui lui est imposée », ce qui veut dire que des stimuli comme une blessure physique, une infection ou une tension psychologique peuvent être considérés comme des **facteurs d'agression** et produire une réaction aspécifique dans l'organisme.

Au syndrome de stress, Selye a donné le nom de **syndrome général d'adaptation (SGA)**. D'après ses recherches, le stress provoque la sécrétion d'hormones adaptatives qui entraînent les symptômes courants de perte de poids, de fatigue, de douleur, de malaise et de troubles gastro-intestinaux. Selon la théorie de Selye, le SGA apparaît dès que l'organisme est soumis à un stress constant, et se manifeste par :

- la stimulation des glandes surrénales et des sécrétions hormonales ;

- la formation d'ulcères gastro-intestinaux ;

- l'atrophie des tissus lymphoïdes.

Partant de l'hypothèse que le SGA fait partie intégrante du processus pathologique, Selye considère qu'une défaillance du processus d'adaptation est à l'origine de la maladie. Certaines maladies comme l'arthrite, les allergies ou l'asthme peuvent survenir si l'organisme se défend trop et s'il se produit une quantité excessive d'hormones pro-inflammatoires (Selye, 1976, 1974).

Modèle de Lazarus   Lazarus a abordé l'étude du stress par une approche cognitive-phénoménologique. Ayant remarqué que ni la théorie des stimuli ni celle des réponses ne tiennent compte des différences entre les individus, Lazarus admet que les demandes de l'environnement et les pressions qu'il exerce sont des sources de stress pour de nombreuses personnes, mais son modèle insiste sur le fait que chaque personne ou chaque groupe a ses propres vulnérabilités, tout comme ses interprétations personnelles de certains événements et ses propres réactions face à eux. Le modèle de Lazarus tient compte des processus cognitifs qui interviennent entre l'événement qui provoque le stress et la réaction qu'il suscite. Alors que Selye s'intéresse aux réactions physiologiques, Lazarus s'attache aux réactions mentales et psychologiques dues au stress (Lazarus, 1968 ; Coyne et Lazarus, 1980).

La notion d'**évaluation cognitive** est l'élément central du modèle de Lazarus. L'individu réévalue continuellement les jugements qu'il porte sur les demandes et les contraintes liées aux interactions dans son environnement. Cette évaluation détermine la réaction de l'individu face au stress, ses émotions et sa faculté d'adaptation. *L'évaluation primaire* est le processus cognitif au cours duquel l'individu évalue l'importance d'un événement et les répercussions qu'il peut avoir sur son bien-être. *L'évaluation secondaire*, qui est également un processus cognitif, met en jeu les jugements portés par l'individu sur ses propres ressources d'adaptation, ses options et les contraintes qui lui sont imposées. Cette évaluation secondaire a pour facteurs déterminants les expériences préalables de la personne dans ce genre de situation, l'opinion qu'elle a d'elle-même et de son milieu ambiant, et les ressources dont elle dispose, c'est-à-dire ses valeurs morales, son état de santé, son énergie, sa capacité de résoudre les problèmes, le réseau de soutien dont elle bénéficie et ses ressources matérielles (Coyne et Lazarus, 1980 ; Lazarus et Folkman, 1984).

Les évaluations cognitives ne sont pas statiques ; elles se modifient en réaction à des changements internes ou externes. L'adaptation est le processus par lequel l'individu gère les demandes et les conflits internes ou externes, conflits qui épuisent ses ressources. Ce processus d'adaptation a deux fonctions principales : la modification de la relation entre l'individu et son milieu, et la gestion des émotions génératrices de stress (Coyne et Lazarus, 1980 ; Lazarus et Folkman, 1984).

Selon le modèle de Lazarus, la maladie psychophysiologique peut dépendre de certaines réactions précises à des facteurs d'agression particuliers. Cette spécificité dépend de plusieurs facteurs liés à la nature et à la gravité du trouble. Il s'agit tout d'abord de ceux qui caractérisent l'environnement, ensuite, de ceux qui sont propres à l'individu et qui déterminent sa réaction émotive aux demandes et, enfin, de ceux qui mobilisent les processus d'adaptation (Monat et Lazarus, 1977).

Physiopathologie du stress   À partir de la définition du stress donnée par Selye, on peut reconnaître plusieurs sources de stress causant une perturbation de l'homéostasie cellulaire :

- *l'agression mécanique* – causée par une force ou une pression (p. ex. : fracture, lacération ou contusion) ;

- *l'agression par agent physique* – causée par des conditions anormales du milieu (p. ex. : électrocution ou irradiation) ;

- *l'agression par agent chimique* – causée par l'exposition à des agents chimiques toxiques ou par leur absorption (p. ex. : alcool, poison ou drogue) ;

- *l'agression par déficit physiologique* – causée par un apport insuffisant de substances vitales (p. ex. : oxygène ou glucose) ;

- *l'agression par infection* – causée par l'invasion de l'organisme par des agents pathogènes (p. ex. : grippe ou pneumonie).

Ces sources de stress entraînent une série de changements cellulaires non adaptatifs, appelés **changements dégénératifs**, caractérisés par une accumulation d'eau et de graisse dans la cellule, qui entraînent sa mort (**nécrose cellulaire**).

Mécanismes de compensation et stress

La réaction cellulaire au stress peut aussi être de nature adaptative grâce à des mécanismes qui compensent la rupture de l'équilibre. Il s'agit des modifications de la structure cellulaire, des réactions inflammatoires et réparatrices, et de la réponse immunitaire.

Presque toutes les cellules de l'organisme peuvent s'adapter aux demandes de l'environnement en faisant intervenir deux mécanismes principaux : l'hypertrophie cellulaire et l'hyperplasie cellulaire. On parle d'**hypertrophie cellulaire** lorsque la taille d'une cellule donnée augmente ; les biceps volumineux de l'haltérophile en sont un bon exemple. Cette hypertrophie peut survenir dans certains organes soumis à une surcharge de travail, comme le cœur et les reins. **L'hyperplasie cellulaire** est l'augmentation du nombre des cellules. Les callosités qui apparaissent sur la peau soumise à des frottements répétés sont un bon exemple de ce mécanisme de compensation.

La réaction inflammatoire est une série de réponses physiologiques à une lésion cellulaire. Bien qu'elle s'accompagne de rougeur, de chaleur et de douleur, cette réaction ne constitue pas un processus pathologique. Il s'agit plutôt d'un processus de rétablissement de l'équilibre qui favorise la réparation des tissus lésés.

La réponse immunitaire est un mécanisme de protection et d'adaptation qui sert à neutraliser des substances qui peuvent être toxiques. Cette réponse est suscitée par la présence d'un **antigène**, ou corps étranger.

Notion de crise

Bien qu'elle soit liée au stress, la crise est plus sporadique. Alors que le stress fait partie de la vie quotidienne, la crise marque la vie de manière plus spectaculaire. Selon Gerald Caplan (1961), on parle de crise « lorsqu'une personne rencontre un obstacle très important qui l'empêche d'atteindre ses objectifs et qu'elle ne peut surmonter pendant un certain temps en ayant recours à ses méthodes habituelles de résolution des problèmes ». Une crise peut être provoquée, entre autres, par la mort subite d'un membre de la famille, la perte d'un emploi, un viol, de graves conflits familiaux ou l'amputation d'un membre.

D'après Caplan (1964), la crise se déroule en quatre étapes :

1. Face à un problème sérieux ou à une menace grave, la personne devient tendue et essaie d'utiliser ses méthodes habituelles de résolution des problèmes.

2. Les mécanismes d'adaptation s'avérant insuffisants, la personne est encore plus désemparée et son déséquilibre s'accentue.

3. Elle mobilise alors toutes ses ressources internes et externes pour s'attaquer au problème pendant que la tension augmente.

4. Si le problème n'est pas résolu, les pressions subies continuent de monter et la personne tombe dans un état de confusion, d'apathie, d'anxiété ou de dépression.

La psychiatrie moderne admet que tous les systèmes de l'organisme sont étroitement reliés. Il suffit qu'un seul organe soit touché, pour que la psyché et l'organisme tout entier réagissent aux perturbations.

Comme nous l'avons expliqué ci-dessus, le stress joue un rôle important dans l'apparition de la maladie ; il est évident qu'il peut avoir des effets dévastateurs sur tous les appareils organiques. Il ne s'agit pas d'une simple relation de cause à effet ; il faut tenir compte de nombreux autres facteurs. Dans les trois sections qui suivent, nous décrivons les théories biologiques, socioculturelles et psychologiques fondamentales, afin d'expliquer davantage le lien qui existe entre le corps et l'esprit.

Théories biologiques

Les théories biologiques portent sur « l'environnement interne » de l'être humain. Il s'agit de cellules, d'organes ayant leur propre structure et leurs propres fonctions, et de systèmes organiques qui déterminent les activités, les fonctions et les perceptions. C'est l'interaction entre tous ces éléments qui fait qu'une personne reste en bonne santé ou non.

Certains théoriciens croient que la manière dont l'organisme réagit dépend des antécédents génétiques. Selon eux, chaque individu a un profil génétique qui lui confère, sur le plan biologique, des forces et des limites qui lui sont propres. C'est donc ce profil génétique qui détermine les organes ou les fonctions qui sont touchés. Autrement dit, certains organes sont plus sensibles aux agents d'agression et sont, par conséquent, les premiers atteints. D'après cette théorie, de ce point de vue, nous sommes tous différents.

D'après la recherche en psycho-immunologie portant sur l'effet modulateur du cerveau sur le système immunitaire, il existe une relation entre les réponses adrénergiques et cholinergiques et le système d'innervation autonome du thymus et des autres tissus lymphoïdes. Bien qu'on ne connaisse pas encore tous les mécanismes qui engendrent ces réponses, on sait que la perception y joue un rôle important. Les stimuli qui proviennent des environnements interne et externe sont perçus, puis transmis au cerveau, qui les interprète. Toute situation provoquant une forte réaction émotive donnera lieu à une réponse physiologique. Il est important de se rappeler que la perception du stress est différente pour chacun et qu'elle dépend des antécédents génétiques, des expériences vécues et des interactions sociales antérieures. Les réponses physiologiques sont donc particulières à chaque individu.

L'information perçue par l'individu est transmise au cerveau qui l'interprète, puis elle parvient, directement ou indirectement, au système limbique. C'est ce qui détermine la réponse physiologique déclenchée dans l'organisme. Les réponses physiologiques peuvent venir du système neuro-végétatif, du système immunitaire ou du système endocrinien. Les symptômes qui en résultent sont révélateurs de la manière dont la personne gère le stress. Nous donnerons un peu plus loin quelques exemples lors de la présentation de certains troubles psychophysiologiques particuliers (Beare et Myers, 1990 ; Thompson et coll., 1989).

Théories socioculturelles

L'être humain est influencé par le milieu social où il vit. Toute sa vie durant, l'individu est confronté à un grand nombre d'expériences auxquelles il réagit à sa façon. Les individus qui ont pu vivre des relations amoureuses, exprimer leur colère, apprendre à résoudre les problèmes et qui ont une personnalité solide semblent capables de conserver leur bien-être grâce à leurs capacités d'adaptation. Les autres, dont le vécu a été moins riche, sont plus démunis et leur capacité d'adaptation est réduite.

Plusieurs facteurs semblent déterminer la prédisposition à un trouble psychophysiologique. L'un d'entre eux est l'influence de la famille sur le comportement d'adaptation acquis. La capacité d'adaptation peut être entravée, entre autres, par la dépendance parentale, par l'anxiété causée par une séparation, par les modes de communication directe ou par des comportements qui visent à attirer l'attention. Les familles qui fonctionnent de manière inadéquate semblent incapables de fournir à l'individu le soutien dont il a besoin pour réussir à s'adapter de manière appropriée tout au long de sa vie. À cause du manque d'habiletés nécessaires pour gérer sa propre vie, une telle personne est prédisposée à des troubles qui peuvent être de nature psychologique ou psychophysiologique.

L'environnement social externe détermine également la manière dont l'individu apprend à s'adapter aux facteurs d'agression. Dans une société où la qualité de vie est bonne et où les règles, les rôles et les coutumes sont bien définis, les gens peuvent en général mieux s'adapter aux situations de stress et aux crises de la vie. Dans les sociétés qui offrent des systèmes de soutien qui aident l'individu à réaliser son potentiel, les troubles reliés à la sensibilité au stress semblent moins fréquents. Nous savons que des changements profonds de l'environnement social qui risquent de causer un sentiment d'insécurité entraînent un besoin accru d'adaptation physiologique ou psychologique. Les individus qui sont dotés de mécanismes d'adaptation bien intégrés s'adaptent plus facilement, mais on observe des réactions d'inadaptation chez ceux qui en sont dépourvus.

La recherche sur les événements marquants de la vie effectuée par Holmes et Rahe a permis d'élaborer une théorie sociologique importante mettant en relation les modifications psychosociales et la maladie physique. Au début de leurs travaux, ils se sont servis d'un questionnaire (*Schedule of Recent Experience*) que l'on a repris depuis pour établir une échelle d'évaluation de la réadaptation sociale (*Social Readjustment Rating Scale*) (voir le tableau 7-1). Cette échelle présente les événements marquants de la vie en termes de degrés de stress, la variable étant fonction du niveau de stress provoqué par chaque événement. Ces travaux ont permis de découvrir que plus le degré de stress d'un individu est élevé, plus le risque de maladie est grand (Holmes et Rahe, 1967) (voir le tableau 7-2).

Les travaux de Holmes et Rahe montrent invariablement qu'il existe un lien entre les événements qui perturbent la vie et la maladie. D'autres chercheurs ont examiné de près leurs résultats et ont établi que les différences individuelles de prédisposition à une maladie dues à des agents biochimiques, à des facteurs d'adaptation psychologiques ou aux réseaux de soutien peuvent jouer un rôle plus important que les changements majeurs de la vie. Certains chercheurs, comme Lazarus, ont fondé leur étude du stress sur le rôle des processus cognitifs (Dohrenwend et Dohrenwend, 1974 ; Sarason de Monchaux et Hunt, 1975 ; Lazarus, 1966).

La théorie des comportements du type A et du type B, proposée par Fredman et Rosenman (1974), fait également partie des théories sociologiques relatives aux troubles psychophysiologiques. Selon cette théorie, la personne de type A :

- parle rapidement et avec vivacité ;
- est expéditive (p. ex. : elle marche ou mange vite) ;
- est fortement irritée par tout retard (p. ex. : lorsqu'elle doit attendre à un feu de circulation) ;
- essaie de remplir au maximum son emploi du temps ;
- se sent coupable lorsqu'elle se détend ;
- essaie de faire deux choses à la fois ;
- est perçue comme un « bourreau de travail » par son entourage.

Par contre, la personne de type B n'a pas le même mode de comportement.

Les antécédents culturels d'une personne jouent un rôle important dans l'acquisition de ses capacités d'adaptation. Il se peut même que la façon dont l'individu apprend à gérer les problèmes dépende de sa culture et corresponde à des définitions de santé et de maladie particulières à cette culture. En effet, une situation qui peut être perçue comme stressante dans une culture peut très bien ne pas l'être dans une autre. On sait, par exemple, que de nombreuses maladies liées au stress, comme les ulcères, l'hypertension, la coronaropathie, les céphalées par tension nerveuse et l'anorexie mentale, sont inconnues dans les sociétés non industrialisées, mais qu'elles commencent à apparaître dès que ces sociétés subissent des changements.

Le Japon est un bon exemple d'un tel phénomène : les cas d'hypertension et de coronaropathie y sont devenus plus nombreux depuis la Seconde Guerre mondiale (on trouvera de plus amples détails sur les facteurs culturels au chapitre 5).

Théories psychologiques

Pour répertorier les facteurs de la personnalité qui prédisposent aux troubles psychophysiologiques,

Tableau 7-1   *Échelle d'évaluation de la réadaptation sociale de Holmes et Rahe*

Degrés de stress	Événements marquants	Degrés de stress	Événements marquants
100	Décès du conjoint	29	Nouvelles responsabilités au travail
73	Divorce	29	Départ de la fille ou du fils
65	Séparation du conjoint	29	Ennuis avec les beaux-parents
63	Emprisonnement ou institutionnalisation	28	Réalisation personnelle exceptionnelle
63	Décès d'un membre de la famille immédiate	26	Commencement ou fin de la scolarité régulière
53	Blessure ou maladie	25	Changement dans les conditions de vie
50	Mariage	24	Révision des habitudes personnelles
47	Licenciement	23	Ennuis avec le patron
45	Réconciliation avec le conjoint	20	Déménagement
45	Retraite	20	Changement d'école
44	Changement de l'état de santé d'un membre de la famille	19	Changement dans les loisirs
44	Grossesse	19	Changement dans les activités religieuses
39	Difficultés sur le plan sexuel	18	Changement dans les activités sociales
39	Réadaptation professionnelle	17	Hypothèque ou emprunt inférieur à 10 000 dollars
38	Changement dans la situation financière	16	Changement des habitudes de sommeil
37	Décès d'un ami proche	15	Changement de fréquence des réunions familiales
36	Nouveau genre de travail	15	Changement des habitudes alimentaires
35	Modification du nombre de disputes conjugales	13	Vacances
31	Hypothèque ou emprunt supérieur à 10 000 dollars	12	Noël
30	Saisie d'un bien hypothéqué ou résiliation d'un prêt	11	Infractions mineures à la loi

Source : Holmes et Rahe, « The Social Readjustment Rating Scale », *J. Psychosom Res*, 1967 ; 2 :214.

les chercheurs ont étudié la rigidité, la sensibilité aiguë aux menaces et l'hostilité. On sait que la personnalité joue un rôle dans le développement des troubles psychophysiologiques, mais on ne comprend pas très bien pourquoi, parmi des personnes ayant les mêmes traits de personnalité, certaines sont atteintes de troubles et d'autres pas.

Les risques de maladie augmentent lorsque les individus se sentent incapables de s'adapter. À l'origine de cette incapacité se trouve un ensemble complexe d'expériences passées, de traits de la personnalité et de comportements acquis. De nombreux individus dotés de mécanismes d'adaptation qui ne permettent pas de surmonter des situations de stress se sentent souvent impuissants, désespérés et sans valeur.

On a également étudié les relations interpersonnelles comme cause de troubles psychophy-

Tableau 7-2 *Correspondance entre les degrés de stress liés aux événements marquants et la maladie physique*

Degrés de stress	Lien avec l'apparition d'une maladie physique
1-149	Aucun changement important
150-199	Changement faible – risque de maladie : 33 %
200-299	Changement moyen – risque de maladie : 50 %
300 et plus	Changement important – risque de maladie : 80 %

Source : Adapté de Holmes TH et Rahe RH, « The Social Readjustment Scale », *J Psychosom Res*, 1967 ; 2 :214.

siologiques. Ces études portent surtout sur les effets des difficultés conjugales, du manque de relations positives et d'une vie familiale perturbée. On peut facilement comprendre que l'individu qui ne se sent pas maître de sa vie et qui, en plus, entretient des relations difficiles avec autrui court le risque d'une maladie liée au stress.

Les théoriciens affirment que, tout comme la régression psychologique est une réponse à la maladie ou au stress, les troubles psychophysiologiques correspondent à une régression physiologique qui constitue une tentative de résoudre des problèmes psychologiques. On croit qu'il y a régression physiologique si les mécanismes de défense habituels ne parviennent pas à maintenir l'homéostasie.

Les expériences d'apprentissage influent également sur la façon dont l'individu perçoit une situation ou un événement donné. Les événements passés ont le pouvoir singulier de déformer le présent de deux manières : premièrement, le souvenir d'expériences traumatiques peut causer une telle peur ou une telle anxiété que la personne est incapable d'utiliser les mécanismes de défense qui pourraient l'aider, ce qui provoque un stress psychologique s'exprimant à travers un organe ; deuxièmement, grâce au phénomène appelé « gain secondaire », l'individu tire certains profits d'une maladie particulière. Contrairement à ce que l'on peut penser, la personne ne choisit pas consciemment de tomber malade. Il s'agit plutôt d'un méca-

nisme de défense acquis tôt dans la vie et qui permet à l'individu de satisfaire ses besoins. Très souvent, l'enfant ou l'adulte ne peut satisfaire ses besoins que par ce seul moyen. Prenons l'exemple d'un enfant asthmatique. Si cet enfant voit systématiquement qu'il ne parvient pas à satisfaire ses besoins de façon normale, il apprend très rapidement qu'une crise d'asthme peut lui procurer l'attention qu'il souhaite. C'est le profit qu'il retire de la crise que l'on appelle un gain secondaire.

Les éléments psychodynamiques du comportement qui nous aident à comprendre l'apparition des troubles psychophysiologiques sont nombreux et variés. À l'instar des théories biologiques et socioculturelles, les théories psychologiques regroupent de nombreuses notions. D'après elles, un comportement donné est rarement attribuable à une cause unique. C'est pourquoi les théories présentées ici permettent l'interprétation de plusieurs causes à la fois.

Connaissances de base : Troubles cardiovasculaires

Les **troubles cardiovasculaires** touchent à la fois l'état psychologique et la fonction cardiaque ; ils engendrent des maladies du cœur et des vaisseaux sanguins. Les troubles cardiovasculaires sont la principale cause de décès en Amérique du Nord. Les deux troubles cardiovasculaires les plus importants sont la coronaropathie et l'hypertension, la coronaropathie étant la première cause de décès et d'invalidité. Près d'un million et demi de personnes sont victimes d'une crise cardiaque tous les ans, dont cinq cent mille de moins de 65 ans, et seulement 65 p. cent d'entre elles pourront reprendre leur travail.

Plusieurs autres facteurs peuvent accélérer l'apparition de la coronaropathie. Il s'agit d'une prédisposition génétique dans le cas d'antécédents familiaux de cette maladie, d'une personnalité du type A, et d'un niveau élevé de stress sur les plans personnel et professionnel. Les autres facteurs déclenchants sont : la forte consommation de tabac, le mode de vie sédentaire, l'alimentation riche en calories et en graisses, l'hostilité et la tension émotive.

On distingue trois formes de cardiopathie coronarienne : 1) **l'angine de poitrine**, caractérisée par des douleurs thoraciques périodiques dues à une insuffisance d'irrigation coronarienne qui entraîne une oxygénation inadéquate du myocarde ; 2) **l'athérosclérose**, caractérisée par l'accumulation de plaques de cholestérol dans les artères qui entraîne une diminution du débit sanguin ; et 3) **l'infarctus du myocarde**, également provoqué par une insuffisance du débit sanguin et qui correspond au blocage complet de l'apport de sang au cœur.

Caractéristiques comportementales

Alors que certaines personnes laissent paraître ouvertement l'anxiété et la tension qu'elles ressentent, d'autres cherchent à les dissimuler. Il est important de ne pas oublier ce fait, car, si l'on ne peut douter des pensées et des sentiments d'une personne du type A ou des raisons de son comportement, il existe d'autres personnes qui se font moins remarquer, mais dont le comportement dissimule de graves conflits intérieurs. Il faut établir une distinction entre les comportements extravertis et intravertis : les études récentes montrent que les risques de coronaropathie sont plus élevés chez les personnes plus réservées.

Ajoutons que certains éléments psychomoteurs caractérisent les personnes prédisposées à la coronaropathie : elles ont un faciès peu expressif, clignent rapidement des paupières, ont les genoux qui tremblent, tapotent des doigts, parlent, marchent et mangent rapidement et elles sont incapables de rester inactives.

Caractéristiques affectives

L'anxiété et le stress des personnes prédisposées à la coronaropathie ont fait l'objet de nombreuses études. On croit que, malgré leurs vaillants efforts, ces personnes ne sont jamais totalement satisfaites et qu'elles se fixent constamment de nouveaux buts. Cette insatisfaction chronique est souvent liée à une vie personnelle qui prédispose la personne à un excès de stress. Cette accumulation de stress expose par la suite la personne au risque de maladie. On pense en général que, sur le plan affectif, la tension interne, l'inquiétude et l'anxiété sont plus élevées chez les personnes prédisposées aux coronaropathies que chez celles qui ne le sont pas.

De 10 à 14 p. cent des personnes qui consultent un cardiologue se plaignent d'anxiété (Hackett, Rosenbaum et Cassem, 1985). Des symptômes de douleur thoracique, les palpitations, la dyspnée, la faiblesse, la fatigue, les vertiges, la syncope ou l'anxiété poussent les clients à consulter un cardiologue. L'American Heart Association a répertorié les facteurs de risque de coronaropathie et les a classés en facteurs modifiables et non modifiables (voir le tableau 7-3).

Caractéristiques cognitives

L'adaptation au stress de la vie quotidienne ne va pas sans une certaine dose d'organisation. Pour demeurer en bonne santé, l'individu doit être capable de bien gérer son temps, de maintenir un équilibre entre le travail et les loisirs, de se nourrir correctement et de suivre un programme d'exercice. Pour atteindre tous ces objectifs, il faut réfléchir et établir un plan. Or, il devient parfois difficile de se concentrer et de bien fonctionner sur le plan cognitif quand les facteurs d'agression commencent à augmenter en nombre et en intensité. Par ailleurs,

Tableau 7-3   *Facteurs de risque de coronaropathie*

Modifiables	*Non modifiables*
Obésité	Âge
Vie sédentaire	Sexe (le risque est plus élevé chez les hommes de moins de 60 ans)
Mode de vie stressant	Race (taux plus élevé chez les Blancs que chez les Noirs)
Hypertension	
Consommation de tabac	Prédisposition génétique
Forte concentration de lipides sériques	Antécédents familiaux de cardiopathie
Diabète sucré	

Source : *Heartbook*, American Heart Association, reproduction autorisée.

puisque le stress intense s'accompagne fréquemment d'anxiété, l'infirmière devrait s'attendre à ce que les facultés cognitives du client diminuent au fur et à mesure que son stress et son anxiété augmentent.

Caractéristiques physiologiques

La principale cause de coronaropathie est l'athérosclérose, maladie caractérisée par des dépôts de lipides et de cholestérol sur la paroi des artères. La maladie évolue en trois stades ; elle commence par le dépôt de stries de lipides dans les cellules des muscles lisses qui modifient graduellement la paroi artérielle. Ensuite, des lésions se forment sur la paroi artérielle. Enfin, ces lésions durcissent la paroi et la rendent rigide (Beare et Myers, 1990 ; Luckman et Sorensen, 1987).

Caractéristiques socioculturelles

On sait que la prédisposition génétique joue un rôle dans l'apparition de la maladie, mais on ne connaît pas exactement le mécanisme qui intervient. On croit que la prédisposition est liée à la présence d'anomalies congénitales de la paroi artérielle qui favorisent la formation de plaques.

Les recherches montrent que des parents travailleurs et ambitieux transmettent à leurs enfants des traits de caractère et des valeurs similaires. De plus, parents et enseignants ont tendance à inculquer très tôt aux enfants le sens de la réussite et de la compétition. Les parents d'enfants ambitieux les encourageront, surtout si ce sont des garçons, à persévérer en cas d'échec tout en les réprimandant si leurs efforts ne donnent pas de résultats. De nombreux livres pour enfants mettent la réussite en valeur.

Il existe également un rapport entre l'éducation religieuse et l'incidence de la maladie cardiaque. La religion protestante insiste sur l'autonomie et la réussite et la famille juive encourage la réussite; or, c'est chez les adeptes de ces deux religions que la coronaropathie est la plus fréquente et c'est chez les catholiques qu'elle est la moins fréquente (Arehart-Treichel, 1980). D'après Friedman et Rosenman (1974), la cardiopathie est plus fréquente chez les gens qui attachent davantage d'importance au pouvoir qu'à la foi religieuse que chez les gens qui attachent davantage d'importance à la religion qu'au pouvoir.

On trouve les mêmes caractéristiques chez les personnes prédisposées à l'angine de poitrine, à la crise cardiaque ou à l'hypertension. Toutes ces personnes ont tendance à dissimuler leur besoin de dépendance, leur insécurité et leur crainte de l'échec sous une façade agressive. Leurs conflits psychologiques refoulés se transforment en douleur angineuse (Arehart et Treichel, 1980).

Théories de la causalité

Toute émotion déclenche des réactions physiques et psychologiques. Les réactions affectives sont plus profondes que les réactions physiques et ressemblent aux effets du stress physique sur le système cardiovasculaire : tachycardie, élévation de la tension artérielle, de la consommation d'oxygène du myocarde et de la résistance périphérique, diminution du débit sanguin musculaire et rénal. On considère que les émotions sont plus dangereuses pour le cœur que l'exercice, essentiellement parce qu'elles ne font pas intervenir d'activité musculaire. Les troubles cardiaques surviennent souvent après un stress émotionnel ou des événements stressants (Hackett, Rosenbaum et Cassem, 1985).

Traitement médical

Les traitements médicaux de l'athérosclérose, de l'hypertension et de l'angine de poitrine sont décrits dans les manuels de médecine et de chirurgie. En ce qui nous concerne, nous nous intéressons ici à la prophylaxie. Pour prévenir les cardiopathies, il faut tout d'abord reconnaître, lors de l'établissement du bilan de santé, les clients chez qui les risques sont élevés. Hormis les traitements médicaux déjà mentionnés, il faut administrer au client des tranquillisants légers pour réduire son niveau de tension émotionnelle. On utilise depuis peu de temps la rétroaction biologique pour apprendre aux clients à se détendre. Une fois le risque élevé reconnu, il convient de prendre d'autres mesures prophylactiques. À ce stade, l'infirmière a le rôle important d'inciter le client à modifier les comportements à risques.

Les produits pharmaceutiques qui limitent la synthèse de lipides ou qui accroissent l'élimination des lipoprotéines peuvent s'avérer utiles chez les personnes qui ont cessé de fumer, mais chez qui la diétothérapie n'a pas donné des résultats satisfaisants. La niacine, le clofibrate (Atromide) et le probucol (Lorelco) limitent la synthèse des lipoprotéines, tandis que la cholestyramine (Questran), le chlorhydrate de colestipol (Colestid) et le gemfibrozil (Lopid) accroissent l'élimination des lipoprotéines (Gerald et O'Bannon, 1988).

Collecte des données

Bilan de santé   La collecte des données est la première étape menant à l'établissement du bilan de santé. Cette première entrevue entre l'infirmière et le client souffrant de coronaropathie a lieu à l'hôpital général ou en milieu d'intervention en période de crise. Afin de déterminer l'état du client, l'infirmière commence par établir un bilan général, ce qui lui donne l'occasion d'établir des rapports avec lui, tout en lui témoignant de l'intérêt et en lui offrant son soutien. Nous présentons au tableau 7-4 le bilan général pour un client qui souffre d'une affection physique provoquée par des facteurs psychologiques. Ce questionnaire vise à reconnaître les personnes exposées à des risques élevés et à déceler en même temps l'existence de troubles cardiaques précis. Dans le cas de facteurs psychologiques qui influencent l'état physique, l'infirmière doit, en plus, poser les questions suivantes :

- Lorsqu'on vous demande un service, êtes-vous capable de refuser ?

- Quelle est votre perception du temps ? Disposez-vous d'assez de temps pour accomplir vos tâches ?

- Portez-vous une montre ?

- Combien de rendez-vous ou de tâches essayez-vous de prévoir en l'espace d'une heure de travail ?

- En général, vous sentez-vous bousculé ?

- Comment réagissez-vous lorsque vous devez faire la queue ou attendre à un feu de circulation ?

- Que faites-vous pour soulager vos symptômes physiques ? Les maux de tête ? La sensation d'oppression ? Les douleurs thoraciques ? L'indigestion ?

L'infirmière doit prévoir suffisamment de temps pour remplir le questionnaire au complet.

Examen physique   L'examen clinique du cœur a pour but de déterminer la présence d'un malaise ou d'une douleur, mais aussi les palpitations, la dyspnée, l'orthopnée, l'œdème ou la cyanose. L'examen du cœur se fait par l'inspection, la palpation, la percussion et l'auscultation. L'**inspection** sert à vérifier la symétrie du contour thoracique. La **palpation** permet de mesurer le pouls apical. La **percussion** sert à estimer l'emplacement approximatif du cœur dans la cage thoracique ainsi qu'à noter les changements de résonance. L'**auscultation** permet d'écouter les bruits du cœur.

L'infirmière doit être à l'affût des signes cliniques correspondant aux principaux troubles cardiaques (nous résumons au tableau 7-5 les signes et les symptômes de l'hypertension, de l'angine de poitrine et de l'infarctus du myocarde). Lors de l'évaluation clinique du client atteint d'un trouble cardiaque, il faut procéder à l'examen bilatéral du pouls afin d'en déterminer la symétrie. En prenant le pouls du client, l'infirmière doit noter le rythme et l'amplitude ; elle doit mesurer la tension artérielle des deux bras ainsi que la tension orthostatique et déterminer le pouls des veines jugulaires.

Analyse des données et planification des soins

L'analyse et l'interprétation des données sur les clients qui souffrent de coronaropathie est une opération complexe, et les diagnostics sont souvent établis à partir des signes cliniques correspondant au trouble principal. Notre étude porte surtout sur les manifestations affectives et comportementales de la coronaropathie. L'infirmière doit être réceptive aux besoins physiques et émotionnels du client. (On trouvera au tableau 7-6 le résumé des diagnostics infirmiers du client souffrant de coronaropathie.)

(suite page 265)

Tableau 7-4 *Bilan de santé – client atteint d'une affection physique provoquée par des facteurs psychologiques*

Données sur le comportement et la vie sociale

Quel est votre programme habituel d'activités quotidiennes?
> Quel effet la maladie a-t-elle eu sur votre niveau de fonctionnement? Au travail? Dans les tâches domestiques? Dans les loisirs?
> Avez-vous des difficultés à effectuer certaines activités? Quelles sont celles qui vous causent le moins de problèmes? Le plus?

Quelles sont vos activités de loisirs?

Décrivez vos relations avec les autres.
> À quels moments préférez-vous être seul? En compagnie?
> Qu'est-ce qui vous pousse à rechercher la compagnie des autres?
> Qu'est-ce qui vous dérange chez les autres?
> Lorsque quelque chose vous dérange, préférez-vous ne pas exprimer vos sentiments?
> Comment réglez-vous les conflits avec autrui?
> Comment les gens réagissent-ils à votre diagnostic?
> Votre mode de comportement a-t-il changé depuis votre diagnostic?
> Quelle a été votre première réaction au diagnostic? A-t-elle changé depuis? Voulez-vous préciser?
> Pouvez-vous dire que vous êtes une personne réservée? Timide?
> Quelle est la fréquence de vos contacts avec vos parents? Avec les autres membres de la famille? Êtes-vous plus proche de votre mère ou de votre père?

Données sur l'état affectif

Quelle est votre réaction affective habituelle en cas de situation stressante?
> Décrivez vos émotions contradictoires lorsque vous êtes stressé.
> Quels genres de situations vous rendent anxieux? Vous mettent en colère?
> Comment l'anxiété agit-elle sur votre comportement?
> Comment exprimez-vous votre colère?

Que faites-vous pour limiter les situations stressantes sur le plan affectif?
> Combien de cigarettes fumez-vous par jour?
> Quelle quantité d'alcool consommez-vous en une journée?
> Avez-vous tendance à manger trop ou pas assez?
> Quel est votre niveau d'activité?
> Dans quelles situations vous sentez-vous stressé?
> Quels sont les facteurs de stress que vous cherchez à éviter? Les facteurs liés à votre environnement?

Quelles sont les personnes que vous considérez comme les plus importantes dans votre vie?
> Ces personnes vous apportent-elles un soutien affectif?
> Considérez-vous les membres de votre famille comme des amis?
> Combien d'amis intimes avez-vous en ce moment? Combien en avez-vous eu autrefois?
> Quand cherchez-vous de l'aide auprès de vos amis? Lorsque vous êtes stressé?
> Quelle est la stratégie d'adaptation qui vous a semblé la plus réussie?
> Combien de temps vous faut-il en général pour surmonter des événements stressants?

Quelle est votre humeur habituelle?
> Quel a été l'effet de votre diagnostic sur votre humeur habituelle?
> Quand vous sentez-vous déprimé? Qu'est-ce qui déclenche cet état?
> Vous sentez-vous plus déprimé depuis que l'on vous a fait part du diagnostic?
> Pensez-vous être d'humeur morose? Avez-vous des sautes d'humeur?
> En quoi votre humeur au travail est-elle différente de votre humeur à la maison?
> Si quelque chose ne va pas à la maison, avez-vous tendance à en prendre la responsabilité? Et au travail?
> Pensez-vous être sensible sur le plan émotionnel?
> Pensez-vous être quelqu'un d'agressif? D'ambitieux?
> Pensez-vous être une personne positive ou négative? Pourquoi?

(suite page suivante)

Tableau 7-4   *(suite)*

Données sur les perceptions de l'état cognitif

Vous considérez-vous comme un intellectuel ?
   Êtes-vous plus intelligent que la moyenne des gens ? Moins que la moyenne ?
   Pouvez-vous dire que dans le domaine de l'apprentissage vous réussissez mieux, moins bien
      ou tout aussi bien que les autres ? Votre diagnostic a-t-il modifié ces facultés ?
   Êtes-vous quelqu'un de déterminé ? Expliquez.
   Avez-vous tendance à vous décider rapidement ? Lentement ? Dans quelles circonstances ?
   Quelles sont les décisions que vous prenez le plus facilement ? Le moins facilement ?
   Votre diagnostic a-t-il modifié vos capacités de prise de décisions ?
   Comptez-vous sur les membres de votre famille ou sur d'autres proches pour prendre vos
      décisions ?
   Prenez-vous davantage de décisions que vos collègues ? Moins ?

Pensez-vous être perfectionniste ? Au travail ? À la maison ?
   Combien de temps consacrez-vous au travail par rapport aux loisirs ?
   Êtes-vous plus consciencieux que vos collègues vis-à-vis de votre travail ?
   Votre travail est-il de meilleure qualité que celui de vos collègues ? Êtes-vous plus productif ?
   Comment réagissez-vous lorsque votre travail est critiqué ?
   Vous souciez-vous beaucoup de votre aspect physique ?
   Le désordre et le manque de propreté ont-ils un effet sur votre niveau de stress ?

Vos perceptions ont-elles changé depuis votre diagnostic ?
   Quelles craintes votre diagnostic a-t-il suscitées ? Comment l'attitude de votre entourage
      a-t-elle changé ?
   Pensez-vous être une personne autonome ? Dépendante ? Pourquoi ?

Données sur l'état physique et sur les fonctions motrices

Quels sont les symptômes physiques qui vous inquiètent ?
   Quels sont les symptômes physiques qui vous ont poussé à demander un diagnostic ?
   Que faites-vous pour soulager (autres symptômes énumérés par le client) ?

Quels médicaments prenez-vous ?
   Quels effets ces médicaments exercent-ils sur vous ? Vous font-ils du bien ?
   Quels sont les effets secondaires des médicaments que vous prenez ?

Quelles sont vos habitudes alimentaires ? Vos aliments habituels ?
   Combien de repas prenez-vous par jour ? Combien de collations ?
   Quelle quantité de liquide consommez-vous chaque jour ? Quelles sortes de boissons ?
   Avez-vous récemment perdu ou pris du poids ? Combien ?
   Avez-vous modifié vos habitudes alimentaires depuis votre diagnostic ?
   Mangez-vous habituellement avec votre famille ? Avec vos collègues ?
   Mangez-vous souvent seul ?

Quelles sont vos habitudes de sommeil ?
   Qu'est-ce qui vous empêche de dormir ?
   Comment vous sentez-vous au réveil ?
   Dormez-vous plus ou moins que les autres membres de votre famille ? Que vos amis ?
   Combien d'oreillers utilisez-vous ?

Comment vous sentez-vous après une activité ?
   Vos activités ont-elles changé depuis votre diagnostic ?
   Quelles sont vos activités préférées ? Celles que vous aimez le moins ?
   Quelles sont les activités que vous trouvez les plus difficiles ? Les moins difficiles ?
   Quelle est la fréquence de vos rapports sexuels ?
   Votre diagnostic a-t-il modifié vos rapports sexuels ?
   Menez-vous une vie sédentaire, modérément active ou active ?
   Faites-vous régulièrement de l'exercice ?
   La douleur modifie-t-elle vos activités quotidiennes ?

(suite page suivante)

Tableau 7-4 *(suite)*

Croyez-vous que votre seuil de tolérance à la douleur est élevé ou bas ?
Comment la douleur affecte-t-elle votre bien-être général ?
Prenez-vous des médicaments pour apaiser la douleur ? Souvent ? Ont-ils des effets secondaires ?
En plus d'absorber des médicaments, que faites-vous pour calmer la douleur ?

Quel est votre état général de santé ?
Votre état général s'est-il amélioré ou dégradé depuis votre diagnostic ?
Quelles sont vos préoccupations au sujet de votre santé ?
Quelles sont les mesures habituelles de vos signes vitaux ?
Avez-vous remarqué des signes d'œdème (gonflement) sur vos mains ou sur vos pieds ?
Êtes-vous constipé ? Que faites-vous pour y remédier ?
Avez-vous des vertiges lorsque vous vous levez le matin ?
Comment se compare votre état de santé avec celui des membres de votre famille ? Avec celui de vos collègues ?
Avez-vous des nausées ? Que faites-vous pour y remédier ?

Le plan de soins d'un client atteint de coronaropathie est établi en fonction des diagnostics individuels. Il est extrêmement important que le client et l'infirmière fixent ensemble les objectifs à atteindre car, dans le cas contraire, on risque de compromettre l'observance du traitement et la modification de certaines habitudes de vie. L'infirmière choisit ensuite les interventions en fonction des objectifs ainsi définis (voir au tableau 7-7 le plan des soins infirmiers destinés au client souffrant de coronaropathie).

Évaluation

L'infirmière évalue les soins dispensés au client en comparant l'état de santé du client aux objectifs fixés dans le plan de soins (voir au tableau 7-8 l'évaluation des soins dispensés à un client souffrant de coronaropathie). Pour ces clients, on peut définir les résultats escomptés par rapport aux comportements manifestés ; en effet, l'état du client s'est amélioré :

- si la douleur disparaît et s'il peut se reposer sans éprouver de malaise ;

- si les signes vitaux sont revenus aux limites normales ;

- s'il éprouve un bien-être physique et émotionnel ;

- s'il ne donne aucun signe de fatigue à la suite des dépenses minimales d'énergie requises pendant les périodes où les symptômes physiques sont exacerbés ;

- s'il prouve qu'il connaît les causes des symptômes, qu'il sait ce qu'il doit faire si les symptômes se renouvellent, qu'il sait comment modifier son mode de vie et qu'il connaît les niveaux d'activité qui lui conviennent ;

- s'il parle des changements qu'il compte apporter à son mode de vie.

ÉTUDE DE CAS

Client souffrant de coronaropathie

Rob Mello, 40 ans, gravit les échelons hiérarchiques dans une société d'informatique. Le travail tient une place essentielle dans sa vie. Il fait de longues journées et il lui arrive souvent de manger, le soir, au bureau. Ses quelques heures de loisirs, il les passe à parler travail avec des amis. Un soir, en quittant le bureau vers 22 heures, il ressent une douleur à la poitrine. On le conduit au service des urgences, où il est traité dans l'unité de soins coronariens puis transféré au service de télémétrie pour surveillance cardiaque.

Bilan de santé

Lieu : Service de télémétrie
Nom du client : Rob Mello   Âge : 40 ans
Diagnostic à l'admission : Angine de poitrine, infarctus du myocarde à exclure.

T. = 37,1 °C, P. = 100, R. = 20, T.A. = 130/90

Données sur l'état de santé
Taille: 1,75 m
Poids: 89 kg
Prend deux repas et des collations chaque jour
Dort quatre à six heures par nuit
Fume deux paquets de cigarettes par jour
Boit deux ou trois bières par jour

Données sur la vie sociale
Divorcé depuis huit ans
Vit seul en appartement lorsqu'il n'est pas en voyage
Pas d'enfant du mariage précédent
Voyage beaucoup pour son travail

Données cliniques
Élévation S-T visible à l'électrocardiogramme
LDH: 600 UI
SGOT: 150 UI
CPK: 60 mU/mL
La radiographie thoracique montre une légère hypertrophie du cœur.
La télémétrie indique un rythme sinusal normal avec extrasystoles ventriculaires (ESV) occasionnelles.

Observations de l'infirmière
Lors de l'admission en télémétrie, M. Mello tient à savoir s'il peut rapidement quitter l'hôpital parce qu'il doit partir pour le Moyen-Orient dans une semaine. Il explique que sa vie est centrée sur son travail et que c'est la seule chose qui compte pour lui. Lorsqu'il est au bureau, il travaille de longues heures et prépare ses voyages à l'étranger. Il prend souvent ses repas au bureau et il consacre généralement très peu de temps à ses loisirs.

Diagnostics infirmiers

Anxiété
Altération de la communication verbale
Stratégies d'adaptation individuelle inefficaces
Difficulté à se maintenir en santé
Risque de non-observance

Suggestions pour la planification des soins

1. Déterminer les priorités concernant les soins à dispenser à M. Mello.

2. Déterminer les systèmes de soutien dont dispose M. Mello.

3. Interpréter les résultats de laboratoire.

4. Déterminer les aspects du développement dont il faut tenir compte lors des soins.

5. Définir les objectifs de soins.

6. Décrire ce qu'il faut enseigner au client pour l'aider à guérir.

7. Énumérer et justifier les interventions de soins.

Tableau 7-5 *Manifestations cliniques des principales maladies cardiaques*

Hypertension
Mal de tête apparaissant le matin et s'estompant au cours de la journée
Fatigue au moindre effort
Vertiges
Palpitations
Vision floue
Épistaxis

Angine de poitrine
Douleur ou gêne thoracique
Indigestion grave
Appréhension
Dyspnée
Diaphorèse
Nausées
Éructations

Infarctus du myocarde
Appréhension
Nausées et vomissements
Dyspnée
Diaphorèse
Fatigue extrême
Douleur thoracique suivie de vertiges ou d'évanouissements

Tableau 7-6 *Diagnostics infirmiers du client souffrant de coronaropathie*

Risque d'intolérance à l'activité

Anxiété

Douleur

Altération de la communication verbale

Stratégies d'adaptation individuelle inefficaces

Manque de loisirs

Perturbation de la dynamique familiale

Peur

Difficulté à se maintenir en santé

Risque de manque de connaissances

Risque de non-observance

Risque de perturbation de l'estime de soi (image corporelle, concept de soi, capacité de remplir son rôle, identité personnelle)

Risque de détresse spirituelle

Tableau 7-7 Plan des soins infirmiers destinés au client souffrant de coronaropathie

▌ **Diagnostic infirmier :** Risque d'intolérance à l'activité, relié à l'altération circulatoire.
▌ **Objectif :** Pendant le traitement, le client établit un programme de repos/activité visant à accroître sa tolérance à l'effort.

Intervention	Justification	Résultat escompté
Maintenir le repos au lit jusqu'à ce que le système cardiovasculaire puisse tolérer l'effort.	Le repos assure une dépense minimale d'énergie et la guérison du muscle cardiaque.	Le client ne ressent aucune faiblesse après une période d'activité.
Prévoir des périodes de repos entre les traitements.		Le client ne présente aucun symptôme de malaise cardiaque pendant les activités.
Mettre à portée de main du client les objets dont il a besoin (eau, mouchoirs, etc.).		
Surveiller le nombre de visites.	Le nombre limité de visites diminue l'excitation du client.	
Encourager le client à respecter le programme de réadaptation cardiaque.	Les ÉMT (équivalents métaboliques des tâches) et la mesure du stress sous surveillance aident le client à intensifier les activités pendant la guérison.	Le client participe aux activités de réadaptation.

▌ **Diagnostic infirmier :** Anxiété, reliée aux manifestations cliniques des troubles cardiaques.
▌ **Objectif :** Pendant le traitement, le client apprend de nouvelles stratégies d'adaptation pour gérer son anxiété.

Intervention	Justification	Résultat escompté
Évaluer l'anxiété : • faible • moyenne • grave • tendance à la panique.	Cette évaluation aide à déterminer les interventions nécessaires pour réduire l'anxiété.	Le client connaît une réduction de l'anxiété.
Rester auprès du client pendant les épisodes de douleur aiguë.	Une présence évite que l'anxiété ne dégénère en panique, et réconforte le client.	
Enseigner au client de nouvelles stratégies pour gérer l'anxiété (p. ex. : techniques de relaxation).	Ces stratégies aident à réduire l'anxiété ou à la gérer.	Le client fait la démonstration de nouvelles stratégies d'adaptation.
Aider le client à utiliser les réseaux de soutien (p. ex. : les membres de la famille).		
Encourager le client à verbaliser ses préoccupations.	La verbalisation permet au client de mieux comprendre les causes de son anxiété.	Le client dit qu'il comprend les causes de l'anxiété.
Administrer des anxiolytiques au besoin.	Les médicaments permettent au client de maîtriser son anxiété.	
Prendre des moyens pour réduire l'anxiété.	Ces moyens réduisent l'anxiété en produisant un effet calmant.	La réaction d'anxiété correspond à la nature des événements.
Anxiété extrême : • prodiguer des soins qui accroissent le bien-être (bain chaud, massage dorsal) ;		

(suite du diagnostic page suivante)

Tableau 7-7   *(suite)*

Diagnostic infirmier *(suite)* : Anxiété, reliée aux manifestations cliniques des troubles cardiaques.
Objectif : Pendant le traitement, le client apprend de nouvelles stratégies d'adaptation pour gérer son anxiété.

Introduction	*Justification*	*Résultat escompté*
• parler d'une voix ferme et calme à l'aide de phrases courtes et simples. Anxiété faible et moyenne : • encourager le client à exprimer son anxiété ; • encourager le client à verbaliser et à explorer ses appréhensions.		

Diagnostic infirmier : Douleur, reliée aux altérations artérielles.
Objectif : Pendant le traitement, le client participe aux mesures visant à éliminer la douleur ou à la calmer.

Intervention	*Justification*	*Résultat escompté*
Évaluer l'intensité de la douleur ressentie par le client : • lucidité ; • agitation ; • tension artérielle élevée ; • rythme cardiaque rapide ; • arythmies ; • pouls bondissant ou filiforme ; • respiration rapide et superficielle ; • taille, symétrie et réaction des pupilles ; • muscles contractés ou décontractés ; • couleur, température et degré d'humidité de la peau ; • mouvements du corps (défense musculaire, souplesse, maintien, alignement).	L'évaluation aide à déterminer le type de soins nécessaires. Les changements physiologiques dénotent une réaction de l'organisme à la douleur.	Le client ne signale aucune crise d'angine de poitrine.
Encourager le repos au lit et prendre des mesures pour accroître le bien-être du client : • réduire le bruit ; • réduire la lumière ; • installer le client dans une position confortable.	Ces mesures diminuent l'intensité de la douleur.	
Expliquer au client qu'il est important de signaler la douleur.	La détection rapide de la douleur permet de mieux la maîtriser.	Le client déclare se sentir bien, au moins toutes les demi-heures.
Administrer les traitements nécessaires en cas d'épisodes douloureux : • analgésiques conformément aux prescriptions ; • oxygène conformément aux prescriptions.	Les traitements permettent de diminuer la douleur.	Le client dit que la douleur a disparu ou diminué.
Effectuer un ECG et surveiller les signes vitaux pendant les épisodes douloureux.	Ces mesures aident à prouver l'ischémie pendant un épisode de douleur thoracique.	
Rester auprès du client pendant les périodes de douleur intense.	Une présence réduit l'appréhension du client et augmente son sentiment de bien-être.	

(suite page suivante)

Tableau 7-7 *(suite)*

▌ **Diagnostic infirmier :** Altération de la communication verbale, reliée aux difficultés à s'exprimer (p. ex. : personnalité du type A).
Objectif : Pendant le traitement, le client élabore différentes stratégies pour faire face à ses émotions refoulées.

Intervention	*Justification*	*Résultat escompté*
Établir une relation personnalisée avec le client.	Ce type de relation aide le client à exprimer directement ses sentiments.	Le client exprime le stress. Le client contrôle ses crises d'angine de poitrine.
Enseigner au client : • les techniques de communication appropriées ; • les techniques lui permettant de gagner de l'assurance ; • les techniques visant la réduction du stress.	Cet enseignement aide le client à résoudre ses difficultés de communication.	Le client utilise des techniques de communication efficaces.
Encourager le client à verbaliser le stress et la frustration.	Cette mesure aide le client à acquérir de nouvelles habiletés.	Le client se déclare satisfait de ses habiletés à communiquer.
Encourager le client à établir un réseau de soutien (p. ex. : membres de sa famille).	Le réseau de soutien fournit au client la possibilité d'exercer les habiletés de communication apprises.	

▌ **Diagnostic infirmier :** Stratégies d'adaptation individuelle inefficaces, reliées à l'incapacité de gérer efficacement son stress.
Objectif : Pendant le traitement, le client trouvera de nouvelles stratégies d'adaptation aux réactions affectives.

Intervention	*Justification*	*Résultat escompté*
Établir une relation personnalisée avec le client.	Cette relation va permettre au client d'essayer de nouvelles réponses adaptatives.	Le client reconnaît les sources de stress. Le client définit les habiletés, les connaissances et les capacités permettant de lutter contre le stress.
Enseigner au client : • les techniques d'affirmation de soi ; • l'établissement d'objectifs réalistes ; • les techniques de relaxation ; • la gestion du temps.	Les connaissances acquises aident le client à acquérir de nouvelles stratégies d'adaptation.	Le client fixe des objectifs réalistes. Le client ne manifeste aucun signe de comportement autodestructeur.
Aider le client à fixer des objectifs raisonnables concernant son mode de vie.	Ces objectifs aident le client à faire de meilleurs choix quant à son mode de vie.	Le client adopte un mode de vie productif.
Encourager le client à définir les changements à apporter à son mode de vie (p. ex. : régime, exercice).	Ces changements permettent au client d'acquérir de nouvelles stratégies d'adaptation.	

▌ **Diagnostic infirmier :** Manque de loisirs, relié à l'absence ou à l'irrégularité des activités de loisirs.
Objectif : Pendant le traitement, le client trouve une activité de loisirs satisfaisante.

Intervention	*Justification*	*Résultat escompté*
Demander au client de décrire son programme habituel d'activités de loisirs.	Cette description permet d'obtenir des renseignements pour établir le plan d'activités futures.	Le client déclare avoir du temps libre.
Évaluer la façon dont le client perçoit sa situation actuelle.	Le client ne se rend peut-être pas compte que son horaire habituel lui pose des problèmes.	

(suite du diagnostic page suivante)

Tableau 7-7   *(suite)*

Diagnostic infirmier *(suite)*: Manque de loisirs, relié à l'absence ou à l'irrégularité des activités de loisirs.
Objectif: Pendant le traitement, le client trouve une activité de loisirs satisfaisante.

Intervention	Justification	Résultat escompté
Aider le client à trouver de nouvelles activités de loisirs.	Le client doit trouver que ces activités l'intéressent.	Le client énumère les activités de loisirs auxquelles il compte participer.
Appuyer le client dans son choix de nouvelles activités de loisirs.	Cet encouragement pousse le client à participer à la nouvelle activité.	Le client prévoit faire entrer l'activité dans son emploi du temps quotidien.

Diagnostic infirmier: Perturbation de la dynamique familiale, reliée à l'insatisfaction émotionnelle de ses membres.
Objectif: Pendant le traitement, le client reconnaît les difficultés de la dynamique familiale.

Intervention	Justification	Résultat escompté
Évaluer la structure familiale.	L'évaluation aide à comprendre les relations entre les divers rôles.	Les membres de la famille communiquent efficacement, ce qui permet de satisfaire leurs besoins émotionnels.
Encourager le client à verbaliser ses perceptions des rôles familiaux.	Cette perception aide à évaluer l'interdépendance des membres de la famille.	Les membres de la famille prouvent leur respect mutuel.
Enseigner au client: • les techniques de communication; • la gestion du stress; • les techniques de résolution des problèmes.	Cet enseignement permet au client d'apprendre à établir de meilleures relations avec les membres de sa famille et de réduire les gains secondaires qu'il tire de la maladie.	Le client verbalise sa perception du soutien familial.
Encourager le client à reconnaître les facteurs de stress qui minent la structure familiale.	Le client peut mieux déterminer la capacité d'adaptation de la famille.	
Donner au client l'occasion d'utiliser les nouvelles techniques de communication avec les membres de sa famille.	Le client a ainsi la possibilité d'évaluer ses nouvelles habiletés à communiquer.	

Diagnostic infirmier: Peur, reliée à des symptômes mettant la vie en danger.
Objectif: Pendant le traitement, le client fait état de la diminution ou de la disparition de sa peur.

Intervention	Justification	Résultat escompté
Observer le client pour déceler des signes de peur: • panique; • dilatation des pupilles; • agitation accrue; • accélération du pouls, de la respiration; élévation de la tension; • diaphorèse.	Le dépistage précoce de la peur aide à atténuer la réaction.	Le client fait état de l'absence de peur. Le client fait état de la diminution de sa peur. Le client verbalise des peurs reliées à la perception de symptômes mettant sa vie en danger.
Faire part au client des observations concernant les symptômes physiques.	La reconnaissance des symptômes permet au client de mieux distinguer les réactions de peur lors des épisodes douloureux.	
Rester auprès du client pendant les périodes où il a peur.	La présence donne au client le sentiment qu'il est compris et épaulé.	

(suite du diagnostic page suivante)

Tableau 7-7 *(suite)*

Diagnostic infirmier *(suite)* : Peur, reliée à des symptômes mettant la vie en danger.
Objectif : Pendant le traitement, le client fait état de la diminution ou de la disparition de sa peur.

Intervention	*Justification*	*Résultat escompté*
Aider le client à déceler les sources de peur.	Cette reconnaissance permet d'atténuer la réaction.	
Expliquer toutes les interventions.	Le client peut mieux atténuer la réaction de peur s'il la comprend.	

Diagnostic infirmier : Difficulté à se maintenir en bonne santé, reliée à des stratégies d'adaptation inefficaces.
Objectif : À la fin du traitement, le client modifie ses stratégies d'adaptation pour adopter un mode de vie plus adéquat.

Intervention	*Justification*	*Résultats escompté*
Enseigner au client : • les pratiques d'hygiène personnelle ; • les facteurs de risque de la cardiopathie.	Les connaissances acquises permettent au client de mieux assumer sa responsabilité à l'égard de sa santé.	Le client cherche à se maintenir en bonne santé. Le client modifie les comportements inadaptés.
Utiliser les techniques de modification du comportement : • autocontrôle ; • entraînement guidé et renforcement ; • contrat thérapeutique.	Ces techniques aident le client à établir un meilleur contrôle de ses pratiques d'hygiène.	Le client utilise les ressources susceptibles de maintenir sa santé. Le client utilise les réseaux de soutien.
Avoir recours aux thérapies ou techniques de restructuration cognitive : • apprentissage de la relaxation ; • rétroaction biologique ; • méditation ; • imagerie.		Le client utilise les nouvelles stratégies d'adaptation (p. ex. : techniques de relaxation).
Informer le client des ressources communautaires et des groupes de soutien existants.	Le recours aux réseaux de soutien diminue le risque auquel le client est exposé.	

Diagnostic infirmier : Manque de connaissances, relié à des informations insuffisantes.
Objectif : Pendant le traitement, le client acquiert des connaissances sur les facteurs de risque cardiaque.

Intervention	*Justification*	*Résultat escompté*
Évaluer les connaissances du client au sujet des facteurs de risque cardiaque.	L'évaluation permet de déterminer le genre d'information qu'il faut lui donner.	Le client explique les mesures d'hygiène qu'il compte prendre.
Renseigner le client sur les facteurs de risque cardiaque.	L'information améliore les connaissances du client et l'observance des mesures d'hygiène.	Le client surveille son organisme pour déceler les signes de maladie.
Enseigner au client : • les mesures d'hygiène (p. ex. : cesser de fumer, réduire la consommation de sel) ; • les techniques permettant de lutter contre la maladie.		Le client s'occupe de son corps et prend des mesures d'hygiène.

(suite page suivante)

Tableau 7-7   *(suite)*

■ **Diagnostic infirmier :** Risque de non-observance, relié au déni.
  Objectif : Le client prouve son adhésion au plan de traitement.

Intervention	Justification	Résultat escompté
Amener le client à faire face à son comportement, en partageant les observations recueillies.	Ces renseignements permettent au client de réduire le déni.	Le client adopte des pratiques d'hygiène saines.
Discuter avec le client de la notion de gain secondaire.	Cette discussion encourage le client à trouver des moyens plus directs pour satisfaire ses besoins.	Le client manifeste une plus grande capacité d'adaptation.
Aider le client à préciser ses valeurs : • avoir recours aux questions ; • encourager l'autocontrôle ; • encourager l'analyse du comportement.	La reconnaissance des valeurs aide le client à modifier sa perception de la maladie.	Le client participe à un programme thérapeutique.

■ **Diagnostic infirmier :** Risque de perturbation de l'estime de soi, relié à une image corporelle négative, à des sentiments d'incompétence et à une modification de la perception de soi.
  Objectif : Le client préserve son estime de lui-même, tout en modifiant son mode de vie.

Intervention	Justification	Résultat escompté
Évaluer les perceptions du client : • sentiments de valeur personnelle ; • capacité de remplir son rôle ; • identité personnelle.	L'évaluation aide à déceler les perturbations du concept de soi.	Le client décrit une image corporelle réaliste.
Renforcer positivement les tentatives du client visant à améliorer son apparence physique.	Cette mesure pousse le client à se forger une image corporelle positive et à améliorer son estime de soi.	Le client exprime de façon positive ses limites physiques. Le client énonce sa valeur personnelle.
Prouver au client qu'on l'accepte et qu'on l'estime en tant qu'être humain.	Cette appréciation aide le client à maintenir l'estime de soi.	Le client démontre des habiletés de communication appropriées.
Aider le client à changer de rôle, au besoin : • clarification du rôle ; • imitation de modèles ; • mise en situation ; • jeux de rôles.	Ces interventions aident le client à adopter de nouveaux rôles.	
Encourager le client à verbaliser ses préoccupations concernant son identité personnelle.	La verbalisation aide le client à acquérir un concept de soi positif.	Le client prouve qu'il s'accepte.

■ **Diagnostic infirmier :** Risque de détresse spirituelle, relié à des symptômes mettant la vie en danger.
  Objectif : Pendant le traitement, le client exprime un sentiment de bien-être spirituel.

Intervention	Justification	Résultat escompté
Écouter les préoccupations spirituelles du client.	L'écoute aide à soulager les sentiments de solitude et de manque de soutien spirituel.	Le client expose des objets de culte sur la table de chevet.

(suite du diagnostic page suivante)

Tableau 7-7 *(suite)*

Diagnostic infirmier *(suite)*: Risque de détresse spirituelle, relié à des symptômes mettant la vie en danger.
Objectif : Pendant le traitement, le client exprime le sentiment de bien-être spirituel.

Intervention	*Justification*	*Résultat escompté*
Aider le client à préciser ses valeurs spirituelles : • encourager la prière et la méditation ; • offrir de lui trouver un directeur de conscience.		Le client exprime le sentiment de réconfort spirituel. Le client parle de la mort sans anxiété excessive.
Aider le client à donner un sens à sa maladie : • proposer des lectures religieuses ou autres ; • proposer des objets de culte ; • préparer le client à recevoir le directeur de conscience.	Ces interventions aident le client à consolider sa relation avec un être suprême.	
Proposer au client de rester à ses côtés pendant qu'il prie : • lui prendre la main si cela ne provoque pas de gêne mutuelle ; • s'asseoir près du client.	Ces gestes aident le client à mieux supporter la souffrance et à atténuer sa peur de la mort.	

Tableau 7-8 *Exemple d'évaluation des soins infirmiers dispensés au client souffrant de coronaropathie*

Plan	Évaluation
1. Le client reste alité pendant 24 heures.	Le 10 mars, le client est devenu agité et a tenté de se lever pour se rendre aux toilettes.
2. Le client utilise les techniques de relaxation au moins une fois par 24 heures.	Le 11 mars, le client a écouté des bandes de relaxation pour s'endormir.
3. Le client informe l'infirmière de tous les épisodes de douleur thoracique.	Le 11 mars, le client a eu un épisode de douleur thoracique qui s'est estompé au bout de 10 minutes grâce à un comprimé de nitroclycérine administré sous la langue.

Connaissances de base : Cancer

Le terme *cancer* ne désigne pas une seule entité pathologique, mais un ensemble de plus de cent maladies qui ont toutes en commun un défaut de croissance cellulaire. En Amérique du Nord, le cancer représente un trouble grave et il constitue la deuxième cause de décès : une personne sur quatre risque de souffrir du cancer à un moment de sa vie (Beare et Meyers, 1990 ; Brunner et Suddarth, 1988). Le cancer peut toucher n'importe quel organe, mais il n'est pas toujours mortel.

Caractéristiques comportementales

Lors d'une étude qui a duré vingt et une années et qui portait sur des personnes atteintes du cancer, LeShan (1977) a inventorié les caractéristiques communes suivantes : une piètre image de soi, l'incapacité d'exprimer ses émotions (surtout la colère et l'hostilité), la victimisation et l'adoption du comportement qui en découle, l'apitoiement sur soi et la difficulté à établir et à maintenir des relations durables.

Les personnes prédisposées au cancer agissent souvent comme si leur vie était exempte de problèmes. Elles sont coopératives et cherchent à faire plaisir. D'autres études corroborent les résultats obtenus par LeShan d'après lesquels la peur du conflit qui sous-tend cette sociabilité est reliée à l'auto-aliénation, à une image de soi négative et à la dévalorisation de ses propres réalisations. On a également remarqué que ces personnes sont généralement consciencieuses, dévouées et pratiquantes.

Caractéristiques affectives

Au cours de ses observations, LeShan (1977) a également reconnu plusieurs caractéristiques affectives communes aux clients atteints du cancer : sentiment d'impuissance, désespoir et dépression. Ces clients expriment fréquemment leur déception et leur détresse ; ils ont souvent du ressentiment qu'ils dissimulent derrière une attitude agréable et complaisante. On observe souvent chez eux un sentiment de perte, de solitude et d'abandon.

Caractéristiques cognitives

Les caractéristiques cognitives les plus importantes pour les personnes atteintes du cancer sont celles qui les aident à combattre les effets de la maladie. Par exemple, la possibilité d'être créatif et ouvert aux idées nouvelles, l'évolution intellectuelle, la recherche de nouvelles expériences et la motivation pour trouver le « meilleur » traitement médical sont autant de caractéristiques qui favorisent la rémission.

Caractéristiques physiologiques

Comme nous l'avons dit, le cancer est en fait un groupe de maladies ; on distingue cependant dans l'évolution de la maladie deux processus principaux : 1) un défaut touchant la croissance cellulaire (prolifération) et 2) un défaut de maturation cellulaire (différenciation).

Le défaut de croissance cellulaire commence dans la cellule souche, au début du cycle cellulaire. Tandis que la vitesse de croissance des cellules est différente selon les tissus, la croissance des cellules cancéreuses est anarchique. **Le défaut de maturation cellulaire** provoque la formation de cellules cancéreuses dont la morphologie diffère de celles dont elles proviennent. Ces cellules semblent immatures et on leur donne le nom de cellules non différenciées (Beare et Myers, 1990 ; Luckman et Sorensen, 1987).

Caractéristiques socioculturelles

On a démontré que les victimes du cancer ont souvent eu une enfance traumatisante et qu'ils ne se sentaient pas proches de leurs parents. L'ordre de naissance dans la famille semble également important pour ce qui est de la prédisposition. Il semble que les enfants uniques soient protégés et, à cet égard, les enfants aînés pourraient entrer dans la catégorie des enfants uniques. Il y a peut-être un lien entre la prédisposition et la durée pendant laquelle l'enfant a été le benjamin. Une relation semble également exister entre le cancer et le traumatisme lié à l'impression d'avoir perdu l'amour et l'affection des parents.

Si le cancer frappe les gens de toutes les races et de tous les âges, l'incidence de la maladie et le taux de mortalité correspondant sont plus élevés chez les Noirs (surtout les hommes) que chez les Blancs, probablement à cause de certains facteurs environnementaux et sociaux (Kneisl et Ames, 1986).

Théories de la causalité

Chacune des deux principales théories attribue au cancer une étiologie différente. Pour l'une, le cancer est génétique et pour l'autre, il ne l'est pas. Les mécanismes physiologiques ayant été expliqués ci-dessus, analysons l'hypothèse de l'**étiologie génétique** de la maladie, qui correspond au dérèglement de la prolifération cellulaire. Une mutation intervient dans l'ADN de la cellule souche ou une substance virale s'y insère. Pour ce qui est de l'**étiologie non génétique**, liée au défaut de la différenciation cellulaire, l'ADN reste intact, mais la synthèse cellulaire ou la fonction cellulaire sont altérées (Luckman et Sorensen, 1987).

Traitement médical

La prévention, le dépistage précoce et le traitement rapide sont les points essentiels dans le traitement médical du cancer. L'infirmière joue donc le rôle vital d'éduquer et de motiver le public pour qu'il abandonne ses habitudes malsaines. Une vie régulière, suffisamment de repos et de sommeil, un régime alimentaire équilibré, de l'exercice, des loisirs, la capacité de gérer le stress ou de le diminuer sont autant d'éléments favorables au maintien de la santé. Le public doit connaître toutes les substances soupçonnées d'être cancérigènes ; les femmes doivent apprendre à examiner leurs seins et les hommes leurs testicules. Les signes avant-coureurs du cancer doivent également faire l'objet d'une vaste diffusion (au tableau 7-9, nous indiquons les sept signes avant-coureurs du cancer).

Le traitement du cancer a pour principaux objectifs la guérison, la rémission et l'atténuation des symptômes. La guérison signifie qu'après le traitement et le suivi la maladie disparaît. En cas de rémission, le traitement doit être renouvelé, mais le malade connaît de longues périodes de stabilisation du cancer. Par l'atténuation des symptômes, grâce à un traitement palliatif, le malade connaît un soulagement et une qualité de vie aussi élevée que possible.

Les principales modalités de traitement du cancer sont la chirurgie, la radiothérapie, la chimiothérapie et l'immunothérapie. En général, on utilise la chirurgie de concert avec d'autres thérapies; la radiothérapie, traitement le plus utilisé, modifie la composition physique et chimique des cellules. On a recours à la chimiothérapie pour traiter les tumeurs compactes et détruire les cellules cancéreuses. L'immunothérapie est utilisée en complément des autres types de traitement (Beare et Myers, 1990 ; Luckman et Sorensen, 1987).

Collecte des données

Bilan de santé   La collecte des données est la première étape permettant de dresser le bilan de santé du client atteint du cancer. L'infirmière doit poser au client des questions sur son mode de vie, afin de déterminer les mesures de prévention et l'information dont le client a besoin. Le diagnostic de cancer suscite souvent de la peur ; il arrive même que, au simple fait d'entendre prononcer le mot *cancer*, le client soit paralysé par la peur et que l'amélioration de son état en soit compromise. Pour diminuer cet effet de peur, l'infirmière doit adopter une attitude neutre. Elle commence par établir un profil général du client pour déterminer son état de santé (voir le tableau 7-4, page 263). Chez les clients atteints du cancer, le bilan doit permettre de reconnaître les comportements à risques et les inquiétudes majeures que suscite la maladie. En plus de remplir le questionnaire du tableau 7-4, l'infirmière devra poser les questions suivantes :

- Comment les gens réagissent-ils à votre diagnostic ?

- Vous sentez-vous plus déprimé depuis que vous avez pris connaissance du diagnostic ?

- Avez-vous peur des altérations physiques ?

- Avez-vous entendu parler des sept signes avant-coureurs du cancer ?

- Souffrez-vous d'anorexie? Que faites-vous pour y remédier ?

- Votre sens du goût a-t-il changé ?

- Quels sont les aliments riches en protéines que vous mangez ?

Tableau 7-9   *Les sept signes avant-coureurs du cancer définis par l'American Cancer Society.*

Modification des évacuations fécale ou urinaire.
Présence d'une plaie qui ne cicatrise pas.
Saignements ou écoulements inhabituels.
Masse au sein ou ailleurs.
Indigestion ou difficultés à avaler.
Modification évidente d'une verrue ou d'un grain de beauté.
Toux agaçante ou enrouement.

Reproduit avec l'autorisation de l'American Cancer Society.

Examen physique   Dans ce cas, l'examen clinique a pour but de déceler les problèmes causés par le traitement ou les symptômes eux-mêmes. Le cancer du pancréas, par exemple, provoque souvent la constipation et la perte d'appétit. On mesure les signes vitaux pour déterminer les valeurs de départ du client ; elles constituent une référence qui est particulièrement importante si le client reçoit des traitements spéciaux. L'examen général commence par l'observation de la peau : la chute des cheveux (alopécie) est l'un des effets secondaires de la chimiothérapie et de la radiothérapie. Certains agents chimiothérapiques provoquent la nécrose des tissus. Il convient de noter la présence de rougeurs cutanées et tout changement d'aspect de la peau.

Lors de l'examen du thorax, l'infirmière doit noter les signes d'irritation de la paroi thoracique ou les symptômes d'insuffisance cardiaque dont se plaint le client. Le traitement du cancer peut entraîner des complications comme la péricardite, la myocardite et la cardiotoxicité. La fièvre, la toux sèche et la dyspnée peuvent indiquer une pneumopathie. Il se peut aussi que le client soit prédisposé à l'infection des voies respiratoires.

Le client atteint du cancer peut souffrir de troubles gastro-intestinaux, car la radiothérapie et la chimiothérapie perturbent la fonction gastro-intestinale. On observe parfois une sécheresse anormale des muqueuses buccales et les cas de stomatite accompagnée d'œsophagite sont assez fréquents. Le client souffre parfois de nausées et de vomissements résultant de la destruction du revêtement épithélial du tube digestif, ainsi que de diarrhée résultant de la destruction des parois de l'intestin grêle. Il peut aussi souffrir de constipation à cause du dérèglement du système neuro-végétatif ou des effets secondaires des analgésiques.

La radiothérapie peut affecter le système nerveux et augmenter la tension intracrânienne. Après la chimiothérapie, on observe parfois une neuropathie périphérique.

L'accumulation des agents chimiothérapiques peut occasionner la néphrotoxicité du système génito-urinaire ; la destruction du revêtement épithélial de la vessie peut provoquer une cystite, et l'infirmière devra noter la fréquence et l'urgence du besoin d'uriner ainsi que l'hématurie. La fonction sexuelle peut être perturbée en raison de la destruction des cellules sexuelles ou de l'accumulation de symptômes liés au traitement : fatigue, diarrhée, nausées et vomissements, douleurs, anxiété ou peur (Luckman et Sorensen, 1987 ; Brunner et Suddarth, 1988).

Analyse des données et planification des soins

Il existe de nombreux diagnostics infirmiers chez les clients atteints du cancer. Les aspects physiques de la maladie engendrent, à eux seuls, un grand nombre de ces diagnostics. Malgré leur importance indéniable, nous allons essayer d'insister ici plutôt sur les diagnostics posés sur le plan psychologiques. L'infirmière qui s'occupe de clients atteints du cancer doit se préoccuper surtout de leur qualité de vie, car une approche positive peut permettre d'améliorer la qualité de vie du client et avoir un effet favorable sur son attitude et sur celle du personnel soignant et des membres de sa famille. Nous résumons au tableau 7-10 les diagnostics infirmiers du client atteint du cancer.

Le plan de soins du client atteint du cancer est dressé à partir des diagnostics établis pour chaque cas particulier. Les soins ont pour premier objectif d'apporter au client un soutien physique et émotionnel. L'infirmière doit bien sûr s'efforcer de fixer les objectifs en compagnie du client, mais il se peut qu'il traverse de longues périodes de déni ; le cas échéant, l'infirmière doit fixer les objectifs elle-même. Pour élaborer un plan de soins adéquat, on doit surtout tenir compte de la famille du client ou de son réseau de soutien, car le cancer est une maladie qui a des répercussions sur la famille tout entière. Les interventions de l'infirmière sont fonction des facteurs étiologiques et des objectifs fixés (on trouvera au tableau 7-11 un plan de soins infirmiers destinés au client qui souffre du cancer).

Évaluation

On évalue les soins dispensés au client atteint du cancer en fonction des objectifs définis dans le plan de soins (on trouve au tableau 7-12, page 287, un exemple d'évaluation des soins infirmiers dispensés à un client qui souffre du cancer). On peut en général définir les résultats escomptés par rapport aux comportements manifestés ; en effet, l'état du client s'est amélioré :

- s'il est capable de surmonter les événements stressants ;

Tableau 7-10   *Diagnostics infirmiers du client atteint du cancer*

Intolérance à l'activité

Anxiété

Douleur

Risque d'altération de la communication verbale

Stratégies d'adaptation individuelle inefficaces

Risque de perturbation de la dynamique familiale

Peur

Chagrin par anticipation

Sentiment d'impuissance

Perturbation de l'estime de soi (image corporelle, concept de soi, capacité de remplir son rôle, identité personnelle)

Dysfonctionnement sexuel

Isolement social

Risque de détresse spirituelle

- s'il a des contacts personnels constants avec des gens qui le réconfortent et le rassurent ;
- s'il est capable d'exprimer ses sentiments et les inquiétudes que suscitent chez lui la maladie et la mort ;
- s'il est capable de parler des effets produits par la modification de son image corporelle;
- s'il est capable d'exprimer sa colère, sa peur, son découragement, sa douleur, etc.;
- s'il prouve sa confiance dans le plan de traitement ;
- s'il vit pleinement malgré ses limites physiques;
- s'il se sent moins gêné par les petits malaises.

ÉTUDE DE CAS

Client atteint du cancer du côlon

Laurent Miller a 26 ans; il avait six ans quand son père est mort. Son enfance a été solitaire, mais il a cru pouvoir se réaliser quand il a découvert à l'école secondaire des amis qui s'intéressaient comme lui à l'architecture. Cependant, comme il devait subvenir aux besoins de sa mère, il a dû commencer à travailler comme apprenti sur des chantiers au lieu de faire des études supérieures en architecture. De plus en plus seul, il a perdu peu à peu goût à la vie. Gary a été admis à l'hôpital à cause de saignements abondants du rectum. Le diagnostic de cancer du côlon a été confirmé.

Bilan de santé

Lieu: Hôpital général, service d'oncologie
Nom du client : Laurent Miller   Âge : 26 ans
Diagnostic à l'admission : Cancer du côlon
T. = 36,4 °C, P. = 90, R. = 18, T.A. = 110/60

Données sur l'état de santé
Taille : 1,80 m
Poids : 68 kg
Prend trois repas par jour
Dort six à huit heures par nuit
Dit n'avoir jamais fumé
Boit du vin ou de la bière à l'occasion

Données sur la vie sociale
N'a jamais été marié
Vit avec sa mère
N'a pas d'intérêt particulier ni de passe-temps

Données cliniques
Hématest des selles : positif
Hémoglobine : 9,0
Hématocrite : 29

Observations de l'infirmière
Lors de la première entrevue, Laurent semblait détaché. Il ne répondait que lorsqu'on lui posait des questions directes et ne donnait que des réponses succinctes même lorsqu'on lui demandait des détails. Lorsque le terme *cancer* a été prononcé, Laurent parut en état de choc et essaya de changer brusquement de sujet.

Diagnostics infirmiers

Altération de la communication verbale
Stratégies d'adaptation individuelle inefficaces
Peur
Chagrin par anticipation
Risque de sentiment d'impuissance
Perturbation du concept de soi : image corporelle, estime de soi, capacité à remplir son rôle, identité personnelle, isolement social

(suite page 287)

Tableau 7-11   Plan des soins infirmiers destinés au client atteint du cancer

▓ **Diagnostic infirmier :** Intolérance à l'activité, reliée aux effets secondaires du traitement.
▓ **Objectif :** Pendant le traitement, le client maintient un niveau optimal de mobilité.

Intervention	Justification	Résultat escompté
Encourager les activités qui respectent les limites physiques du client (p. ex. : marche à pied, autosoins).	Ces mesures favorisent la tolérance du client à l'activité.	Le client présente une mobilité optimale.
Établir l'horaire du traitement de manière à laisser au client suffisamment de temps de repos.		Le client exécute les activités d'auto-soins. Le client participe aux activités.
Encourager les visites.	Les visiteurs et la famille favorisent l'amélioration de l'estime de soi du client.	Le client reçoit des visiteurs.
Faire participer le client et sa famille à la planification des activités quotidiennes.	La participation favorise l'acceptation des incapacités.	
Encourager le client à exprimer ses sentiments à l'égard de ses limites.		
Apprendre au client à contrôler son activité : • à l'apparition des signes et des symptômes d'anoxie ; • au moment où il sent la fatigue.		

▓ **Diagnostic infirmier :** Anxiété, reliée au risque de mort.
▓ **Objectif :** Avant de sortir de l'hôpital, le client exprime ses inquiétudes à l'égard de la mort et de sa peur de mourir.

Intervention	Justification	Résultat escompté
Évaluer la phase de chagrin où se trouve le client (p. ex. : déni, colère, dépression, marchandage ou acceptation).	L'évaluation permet d'établir la phase de chagrin.	
Prendre conscience que les plaintes quotidiennes sont pour la plupart reliées à l'anxiété (p. ex. : palpitations, nausées, diarrhée, irritabilité).	La réaction de lutte ou de fuite peut être reliée à des réactions physiques précises.	
Maintenir un environnement calme et apaisant.	L'anxiété sera ainsi diminuée.	
Aider le client à se divertir si son état physique le permet : • faire sa toilette ; • marcher ; • accomplir diverses tâches reliées aux soins personnels.	Ces tâches aident à diminuer l'anxiété.	Le client présente des signes de diminution de l'anxiété.
Reconnaître l'anxiété (p. ex. : en demandant au client : « Ressentez-vous un malaise ? »).	Le client comprend mieux ce qu'est l'anxiété.	Le client dit qu'il est conscient de son anxiété.

(suite du diagnostic page suivante)

Tableau 7-11 *(suite)*

Diagnostic infirmier *(suite)*: Anxiété, reliée au risque de mort.
Objectif : Avant de sortir de l'hôpital, le client exprime ses inquiétudes à l'égard de la mort et de sa peur de mourir.

Intervention	*Justification*	*Résultat escompté*
Apprendre au client des stratégies d'adaptation : • diminution des attentes négatives ; • résolution des problèmes ; • habileté à communiquer avec assurance ; • techniques de relaxation musculaire ; • tâches concrètes simples ; • échanges avec autrui ; • humour thérapeutique (p. ex. : regarder des émissions comiques à la télévision, rire bruyamment).	Le client trouve de nouvelles stratégies d'adaptation.	Le client élabore des stratégies d'adaptation pour lutter contre l'anxiété.

Diagnostic infirmier : Douleur, reliée à la prolifération des cellules cancéreuses.
Objectif : Pendant le traitement, le client déclare que sa douleur a diminué ou disparu.

Intervention	*Justification*	*Résultat escompté*
Évaluer la nature de la douleur du client : • emplacement ; • caractéristiques (vive, rayonnante, lancinante, profonde, superficielle, etc.) ; • moment d'apparition ; • fréquence (p. ex. : constante, intermittente) ; • intensité (p. ex. : aiguë, modérée).	L'évaluation aide à définir les mesures à prendre pour améliorer le bien-être du client.	
Évaluer les réactions physiologiques à la douleur : • vigilance ; • agitation ; • tension artérielle élevée ; • accélération du rythme cardiaque ; • accélération de la respiration ; • dimension, symétrie et réactivité des pupilles.	Les changements physiologiques se produisent au fur et à mesure que l'organisme réagit à la douleur.	Les signes vitaux restent dans les limites normales.
Prendre des mesures selon le type et l'emplacement de la douleur : Crampes abdominales : • diminuer la quantité d'aliments gras ; • donner des aliments doux ; • servir de petites portions ; • appliquer des compresses chaudes sur l'abdomen ; • installer le client en position assise ; • vérifier les bruits intestinaux ; • surveiller les émissions fécales.	Ces mesures peuvent accroître le bien-être du client.	Le client signale que la douleur a été supprimée ou maîtrisée.

(suite du diagnostic page suivante)

Tableau 7-11   *(suite)*

Diagnostic infirmier *(suite)* : Douleur, reliée à la prolifération des cellules cancéreuses.
Objectif : Pendant le traitement, le client déclare que sa douleur a diminué ou disparu.

Intervention	*Justification*	*Résultat escompté*
Douleur rectale : • installer le client dans une position confortable ; • donner des bains de siège ; • appliquer des compresses chaudes et humides sur la région rectale* ; • augmenter l'absorption de liquides* ; • donner des aliments augmentant le volume du bol fécal*. * s'il n'y a aucune contre-indication		
Douleur des os : • manipuler le client avec douceur ; • l'installer dans une position confortable ; • le changer de position lentement ; • soutenir les régions douloureuses ; • donner des bains-tourbillons.		
Maux de tête : • élever la tête ; • appliquer une compresse froide et humide ; • masser délicatement ; • diminuer l'intensité de l'éclairage dans la pièce ; • maintenir un environnement calme.		
Encourager le client à bouger.	Un niveau maximum d'activité réduit la douleur.	
Administrer les médicaments appropriés en fonction de l'évaluation de la douleur.	De nombreux médicaments permettent de lutter contre la douleur (somnifères sédatifs, anesthésiques locaux, neuroleptiques, myorelaxants, tranquillisants, analgésiques et narcotiques).	Le client déclare que les médicaments soulagent la douleur.

Diagnostic infirmier : Risque d'altération de la communication verbale, relié à la réaction du client au diagnostic de cancer ou à des complications physiques associées à la maladie.
   Objectif : Pendant le traitement, le client maintient un niveau de communication efficace.

Intervention	*Justification*	*Résultat escompté*
Établir une relation personnalisée avec le client.	Une telle relation encourage le client à faire un effort pour communiquer.	Le client utilise les techniques appropriées de communication.
Être à la disposition du client pour qu'il puisse parler de ses préoccupations (p. ex. : s'asseoir de temps en temps à ses côtés).	Par sa présence, l'infirmière montre qu'elle s'intéresse au client et l'encourage à communiquer.	Le client prouve que ses perceptions sont adéquates. Le client prouve une bonne orientation spatio-temporelle et reconnaît son interlocuteur.

(suite du diagnostic page suivante)

Tableau 7-11 *(suite)*

Diagnostic infirmier *(suite)* : Risque d'altération de la communication verbale, relié à la réaction du client au diagnostic de cancer ou à des complications physiques associées à la maladie.
Objectif : Pendant le traitement, le client maintient un niveau de communication efficace.

Intervention	*Justification*	*Résultat escompté*
Faire preuve de compréhension quand le client évite de parler de la mort ou change brusquement de sujet si l'on essaie d'en parler.	Le client a besoin de temps pour accepter la réalité.	
Employer les techniques thérapeutiques de communication : • interventions non directives ; • concentration sur un sujet ; • formulation d'observations ; • exploration ; • respect du silence ; • rétroaction ; • reflet de l'image projetée.		Le client exprime des sentiments adéquats.
Encourager le client à parler de ses peurs (de la mort par exemple).	La verbalisation aide le client à accepter la réalité.	
Offrir d'autres moyens de communication si le client se montre incapable de communiquer (p. ex. : langage par signes, papier et crayon).	Le client peut ainsi exprimer ses besoins.	

Diagnostic infirmier : Stratégies d'adaptation individuelle inefficaces, reliées à l'incapacité de faire face à la menace, au déni et à d'autres réactions au diagnostic de cancer.
Objectif : Pendant le traitement, le client manifeste une prise de conscience réelle de la maladie.

Intervention	*Justification*	*Résultat escompté*
Établir une relation personnalisée avec le client.	L'infirmière peut ainsi évaluer la compréhension qu'a le client de son diagnostic.	Le client énonce correctement le diagnostic.
		Le client se fixe des objectifs réalistes.
Évaluer les réactions affectives du client au diagnostic.	L'évaluation permet la planification d'interventions efficaces.	Le client utilise ses connaissances pour faire diminuer l'anxiété et la peur.
Encourager le client à expliquer comment il comprend le diagnostic (p. ex. : où se situe le problème, pronostic, etc.).		Le client ne dénie pas sa maladie.
		Le client montre de l'objectivité dans la résolution des problèmes.
Encourager le client à parler de ce qu'il attend du traitement (p. ex. : dans le cadre des objectifs fixés ensemble).	La participation du client à la planification l'aide à atteindre les objectifs.	Le client fait état d'un sentiment d'espoir.
Enseigner au client les nouvelles habiletés dont il a besoin : • résolution de problèmes ; • prise de décisions ; • établissement d'objectifs ; • capacité d'évaluation ; • techniques de relaxation.	Ces habiletés permettent au client d'accepter le diagnostic et de vivre avec sa maladie.	

(suite du diagnostic page suivante)

Tableau 7-11   *(suite)*

Diagnostic infirmier *(suite)*: Stratégies d'adaptation individuelle inefficaces, reliées à l'incapacité de faire face à la menace, au déni et à d'autres réactions au diagnostic de cancer.
Objectif : Pendant le traitement, le client manifeste une prise de conscience réelle de la maladie.

Intervention	Justification	Résultat escompté
Aider le client à adopter des réactions d'adaptation possibles : • divertissements ; • expression constructive de sa colère ; • moyens de parvenir à la maîtrise de soi ; • prise de conscience des étapes du chagrin ; • adoption d'une attitude optimiste.	Le client peut ainsi surmonter ses réactions affectives à la maladie.	
Si le client est en phase terminale, l'aider à régler les affaires dont il doit s'occuper.	Le client est réconforté si ses affaires sont en ordre, et son sentiment de bien-être est accru.	

Diagnostic infirmier : Risque de perturbation de la dynamique familiale, relié à l'incapacité de la famille de réagir de manière constructive à une expérience traumatique.
Objectif : Pendant le traitement, le client prend conscience de la situation de sa famille et l'aide à s'adapter aux conséquences du diagnostic.

Intervention	Justification	Résultat escompté
Évaluer les réactions de la famille à cette situation de crise.	Cette évaluation aide à prendre des mesures visant à atténuer ou à surmonter la crise.	Atténuation de la crise. Résolution de la crise.
Parler avec le client des effets de la crise (diagnostic de cancer) sur les membres de la famille : • réactions négatives ; • capacité de s'adapter ; • attentes des membres de la famille; • ajustement des rôles ; • chagrin par anticipation.	Le client peut comprendre que le deuil commence dès que la famille se rend compte que la perte est inévitable et donne alors libre cours à ses émotions.	La famille résout efficacement ses problèmes. Le client participe aux séances d'assistance familiale.
Au besoin, dire aux membres de la famille de suivre une thérapie de soutien, de consulter un conseiller spirituel, etc. Leur présenter plusieurs possibilités et faire participer la famille au choix.	Ces mesures apportent un soutien supplémentaire aux membres de la famille en période de crise.	Le client et sa famille parlent ouvertement de leurs problèmes et de leurs inquiétudes.
Encourager le client à parler avec sa famille de ses sentiments à l'égard des stratégies d'adaptation.	Le sentiment de participation de la famille à la résolution de la crise sera ainsi accru.	

(suite page suivante)

Tableau 7-11 *(suite)*

▌ **Diagnostic infirmier:** Peur, reliée à la menace pour la vie que constitue un diagnostic de cancer.
▌ **Objectif:** Pendant le traitement, la peur exprimée par le client diminue.

Intervention	Justification	Résultat escompté
Observer le client pour déceler les signes de peur : • dilatation des pupilles ; • accélération du pouls et de la respiration, élévation de la tension artérielle ; • diaphorèse ; • agitation.	Le fait de prendre très tôt conscience de la peur permet d'atténuer la réaction.	Le client fait état d'une absence de peur. Le client fait état de la diminution de la peur. Le client verbalise ses peurs liées à la mort.
Écouter attentivement le client lorsqu'il exprime sa peur : • être réceptif ; • répondre honnêtement aux questions ; • être attentionné ; • rester à ses côtés ; • poser des questions ouvertes.	La présence d'une infirmière attentive et dévouée peut diminuer la peur et permettre au client de mieux comprendre ses réactions.	
Au moment opportun, encourager le client à verbaliser : • ses sentiments vis-à-vis de la mort ; • sa perception du danger ; • sa perception de ses capacités d'adaptation ; • ses questions concernant l'évolution de sa maladie ; • ses questions concernant le pronostic.	Le client peut déceler l'origine de sa peur et son mode de réaction.	

▌ **Diagnostic infirmier:** Chagrin par anticipation, relié à la perspective de pertes multiples.
▌ **Objectif:** Le client a des réactions appropriées au processus de chagrin/deuil.

Intervention	Justification	Résultat escompté
Évaluer la phase de chagrin où se trouve le client.	Les phases normales de la réaction de chagrin sont le déni, la colère, le marchandage, la dépression et l'acceptation.	Le client prouve qu'il a surmonté le chagrin. Le client verbalise l'acceptation de sa maladie.
Aider le client à surmonter la phase de déni : • adopter une attitude attentionnée ; • prendre une voix douce ; • montrer de l'empathie ; • aborder avec réalisme le sujet des pertes ; • expliquer la réaction de chagrin ; • laisser au client le temps qu'il faut pour surmonter le déni.	L'infirmière qui connaît chacune des phases du chagrin peut recourir à des interventions plus efficaces.	Le client ne manifeste aucun signe de chagrin dysfonctionnel.

(suite du diagnostic page suivante)

Tableau 7-11   *(suite)*

Diagnostic infirmier *(suite)*: Chagrin par anticipation, relié à la perspective de pertes multiples.
Objectif : Le client a des réactions appropriées au processus de chagrin/deuil.

Intervention	Justification	Résultat escompté
Aider le client à se libérer de sa colère: • être tolérante ; • se montrer compréhensive ; • ne pas prendre la colère personnellement ; • offrir au client des moyens appropriés pour exprimer sa colère ; • encourager le client à exprimer les conflits.		Le client établit des relations constructives avec autrui. Le client ne manifeste pas de réaction affective dysfonctionnelle.
Aider le client à traverser les phases du marchandage et de la dépression : • pratiquer l'écoute active ; • encourager l'expression des pensées et des sentiments ; • faire ressortir la réalité, sans l'exagérer ; • déceler les gestes ou les pensées suicidaires.		
Aider le client à parvenir à l'acceptation : • corriger toute information fausse concernant la nature de la maladie ; • encourager le recours aux stratégies d'adaptation ; • encourager l'expression des sentiments (pleurs) ; • déceler les signes de dépression ; • encourager la discussion sur les aspects positifs et négatifs du diagnostic ; • encourager les interactions sociales ; • encourager l'appui spirituel.		

Diagnostic infirmier : Sentiment d'impuissance, relié à la perception par le client de son manque de contrôle sur les conséquences de sa maladie.
Objectif : Pendant le traitement, le client dit qu'il a une certaine influence sur les conséquences de la maladie.

Intervention	Justification	Résultat escompté
Évaluer les connaissances du client relatives au traitement et sa perception à cet égard.	L'évaluation aide à atténuer le sentiment d'impuissance ressenti par le client.	
Accepter le client : • l'écouter parler de son désespoir ; • éviter de porter un jugement sur ses réactions ; • lui permettre d'exprimer sa colère, sa culpabilité et sa fureur.	L'acceptation favorise le sentiment de valeur personnelle et d'importance chez le client.	

(suite du diagnostic page suivante)

Tableau 7-11 *(suite)*

Intervention	Justification	Résultat escompté
Aider le client à contrôler le plus possible son milieu ambiant : • lui procurer un endroit où il peut être seul ; • lui laisser porter ses propres vêtements ; • encourager un comportement autonome ; • le faire participer à la prise de décisions ; • placer à portée de main ses objets personnels, la sonnette d'appel et le téléphone ; • amener le client à effectuer le plus possible lui-même ses soins personnels ; • préserver la dignité du client.	Une certaine maîtrise de la situation réduit le sentiment d'impuissance.	
Aider le client à atténuer son sentiment d'impuissance : • lui demander de décrire son sentiment d'impuissance ; • reconnaître les événements qui échappent à son contrôle ; • reconnaître les événements sur lesquels il peut exercer un contrôle ; • fixer les objectifs ensemble ; • appliquer le processus de résolution des problèmes ; • passer en revue les progrès du client ; • donner tous les renseignements nécessaires ; • encourager le client à poser des questions ; • faire participer le client à la planification des soins ; • établir une relation de confiance.		Le client verbalise une impression de maîtrise. Le client exprime un sentiment de compétence. Le client participe à la prise de décisions. Le client exprime des sentiments positifs. Le client demande l'aide de son entourage.

Diagnostic infirmier : Perturbation de l'estime de soi, reliée aux pertes multiples.

Objectif : Avant sa sortie de l'hôpital, le client commence à accepter les modifications de son image corporelle et à acquérir un concept de soi positif.

Intervention	Justification	Résultat escompté
Établir une relation personnalisée avec le client.	Une belle relation favorise l'amélioration de l'estime de soi.	Le client exprime son acceptation de lui-même.
Évaluer la perception du client de son image corporelle.	Cette évaluation permet de planifier les interventions appropriées.	Le client participe au traitement.
Encourager le client à verbaliser ses inquiétudes à l'égard de son image corporelle : • colère ; • anxiété ; • perte ; • peur.	La verbalisation aide le client à accepter les changements subis sur son corps. L'appréciation aide le client à préserver et à améliorer son estime de soi.	Le client manifeste du respect pour lui-même. Le client manifeste de la confiance en soi.

(suite du diagnostic page suivante)

Tableau 7-11 *(suite)*

Diagnostic infirmier *(suite)*: Perturbation de l'estime de soi, reliée aux pertes multiples.
Objectif : Avant sa sortie de l'hôpital, le client commence à accepter les modifications de son image corporelle et à acquérir un concept de soi positif.

Intervention	*Justification*	*Résultat escompté*
Accepter le client globalement en tant qu'être humain : • passer du temps avec lui ; • éviter de porter des jugements ; • faire des commentaires encourageants ; • être sincère ; • maintenir un cadre thérapeutique.		
Encourager le client à parler des sentiments liés à son rôle de malade.	La verbalisation aide le client à reconnaître les répercussions du diagnostic de cancer.	

Diagnostic infirmier: Dysfonctionnement sexuel, relié aux effets douloureux de la maladie ou du traitement.
Objectif: Le client reprend certaines activités sexuelles.

Intervention	*Justification*	*Résultat escompté*
Administrer les médicaments nécessaires pour atténuer la douleur.	Les médicaments permettent au client de s'engager dans des actes sexuels comportant moins de gêne physique.	Le client se dit satisfait de ses rapports sexuels.
Respecter l'intimité pour permettre les contacts sexuels.	Le respect encourage le client à exprimer ses désirs sexuels.	
Aider le client à garder une bonne hygiène personnelle.	Un environnement propre et sans odeurs fait épanouir le désir.	
Procurer des objets qui enjolivent le cadre.		

Diagnostic infirmier : Isolement social, relié aux doutes du client quant à sa possibilité de survie.
Objectif : Pendant le traitement, le client maintient des contacts sociaux.

Intervention	*Justification*	*Résultat escompté*
Évaluer les antécédents du client sur le plan social.	Les antécédents permettent de comprendre les réactions actuelles du client.	Le client diminue son isolement.
Aider le client à reconnaître les obstacles gênant ses relations avec autrui (p. ex. : honte du diagnostic).	Le client comprend mieux les réactions des autres.	Le client verbalise ses sentiments de solitude.
Encourager les visites.	Le client a ainsi l'occasion de s'engager dans des activités sociales.	Le client se réjouit des visites de sa famille et de ses amis.
Épauler le client pour l'aider à surmonter la perte : • reconnaître que le détachement fait partie de l'acceptation ; • aider la famille à comprendre le détachement du client ; • garder le silence en restant aux côtés du client ; • encourager la famille à s'asseoir aux côtés du client, en lui tenant la main.	Le client risque d'accepter la perte personnelle.	

(suite page suivante)

Tableau 7-11 *(suite)*

Diagnostic infirmier : Risque de détresse spirituelle, relié à l'absence de lien avec un être suprême avant la mort.
Objectif : Pendant le traitement, le client peut terminer tout cheminement spirituel inachevé.

Intervention	Justification	Résultat escompté
Être attentif : • si le client fait allusion à sa détresse spirituelle ; • à ses remarques concernant ses besoins spirituels ; • à sa recherche du sens de la maladie.	Le client peut ainsi alléger ses préoccupations spirituelles.	Le client exprime son bien-être spirituel. Le client réclame des lectures à contenu religieux et des objets de culte. Le client réclame un directeur de conscience.
Aider le client à supporter la souffrance : • rester aux côtés du client, lui tenir la main ; • encourager le client à prier ; • encourager la méditation ; • lui procurer des objets de culte ; • appeler l'aumônier à la demande du client ; • lui procurer des lectures à contenu religieux ou autres.	Le client peut trouver un sens à sa maladie.	

Suggestions pour la planification des soins

1. Déterminer les priorités concernant les soins à dispenser.

2. Déterminer le réseau de soutien dont dispose le client.

3. Établir la phase de chagrin où se trouve Laurent, selon les apparences.

4. Tenir compte de la réaction probable de la famille.

5. Tenir compte du type de soutien familial auquel on peut s'attendre.

6. Interpréter les résultats de laboratoire.

7. Déterminer les aspects du développement dont il faut tenir compte lors des soins à dispenser à Laurent.

8. Définir les objectifs de soins.

9. Décrire ce qu'il faut enseigner au client pour l'aider dans son traitement.

10. Énumérer et justifier les interventions de soins.

Tableau 7-12 *Exemple d'évaluation des soins infirmiers dispensés au client atteint du cancer*

Plan	Évaluation
1. Le client exprime ses inquiétudes relatives à la mort ou au fait de mourir avant sa sortie de l'hôpital.	Le 22 mai, le client se met à pleurer lorsque l'infirmière arrive pour redémarrer sa perfusion. Il déclare souhaiter mourir pour en finir.
2. Le client se dit soulagé de sa douleur au moins toutes les quatre heures.	Le 23 mai, un médicament a été administré au client quatre fois en 24 heures. Le client déclare que la dose qu'il a reçue a soulagé la douleur.
3. Le client traverse le processus de deuil pendant son hospitalisation.	Le 23 mai, le client dit à l'infirmière vouloir au moins vivre jusqu'en juin, lorsque son fils recevra son diplôme collégial et qu'après il pourra mourir.

Connaissances de base : Troubles respiratoires

De nombreuses maladies sont liées à la respiration et la plupart des comportements ou états affectifs correspondent à un changement de rythme, de régularité et d'amplitude respiratoires. Par exemple, la personne qui souffre, halète, la personne qui s'ennuie, bâille, la personne qui est amoureuse ou affligée, soupire et celle qui est anxieuse ou qui a peur souffre d'hyperventilation. De même, ce lien entre les émotions et la respiration apparaît dans de nombreuses expressions idiomatiques : « J'en ai le souffle coupé », « De peur, nous retenions notre souffle », « Elle soupira de satisfaction ».

Nous allons surtout parler ici de l'asthme, qui est l'un des troubles respiratoires les plus courants, et nous conseillons aux étudiants de revoir les fondements psychophysiologiques du syndrome d'hyperventilation et des allergies. Selon le *National Institute of Allergies and Infectious Diseases*, 8,9 millions d'Américains souffrent de l'**asthme**. Cette affection est caractérisée par un spasme des tubes bronchiques, l'engorgement des membranes muqueuses des bronches et une dyspnée paroxystique. Cinq pour cent des enfants de moins de 15 ans sont asthmatiques. Pendant l'enfance, les garçons asthmatiques sont plus nombreux que les filles, le rapport étant de 2 à 3 pour 1 ; mais à l'adolescence, ce rapport s'équilibre. Pour le groupe d'âge de 45 ans et plus, la proportion des hommes asthmatiques augmente à nouveau par rapport à celle des femmes.

Caractéristiques comportementales

Le client asthmatique a régulièrement des crises au cours desquelles sa respiration devient sifflante et difficile. Ces crises sont parfois alarmantes et peuvent entraîner la mort par suffocation. L'asthme se déclare en général assez tôt dans la vie, mais peut parfois apparaître à l'âge adulte.

La plupart des enfants ont une terrible peur de la séparation ; ce phénomène semble particulièrement vrai chez les enfants prédisposés à l'asthme. Si elle s'accompagne de mécanismes d'adaptation inadéquats, cette peur entraîne parfois

un sentiment d'impuissance et la dépression (Weiner, 1985). Le comportement régressif que l'on observe parfois chez des enfants asthmatiques est dû en partie à des aspects du développement normal et en partie à des besoins physiques et psychologiques particuliers. Dans ce cas, l'attention dont l'enfant est l'objet en raison de sa maladie peut devenir pour lui une nécessité. Il est tout à fait compréhensible qu'un enfant apprécie le réconfort qu'il reçoit lorsqu'il est malade. On peut dire la même chose des parents qui deviennent extrêmement préoccupés du bien-être de leur enfant et craignent parfois de le perdre, risquant ainsi de répondre de façon exagérée à ses besoins. Cette situation, à son tour, engendre de nouveaux problèmes.

La solitude et une insatisfaction plus ou moins profonde à l'égard des relations interpersonnelles et sociales sont des sentiments courants chez les clients asthmatiques. La perte de la figure maternelle ou toute autre épreuve peut déclencher une crise d'asthme. La personne prédisposée à l'asthme peut se sentir désespérée, surtout si elle doit faire face à des situations stressantes.

Caractéristiques affectives

Les études montrent que les personnes asthmatiques ont tendance à être plus sensibles aux émotions vives, lesquelles semblent avoir sur elles des répercussions physiques plus prononcées. On sait que les émotions ont une influence sur le déclenchement d'une crise d'asthme : la colère, l'anxiété, la peur, la culpabilité ou la jalousie augmentent la vulnérabilité de l'asthmatique.

Caractéristiques cognitives

Il est difficile de déterminer si certains modes de pensée précèdent l'installation de la maladie ou s'ils en sont le résultat. Les clients souffrant d'asthme depuis l'enfance expriment souvent le désir de conserver la protection de leurs parents et souhaitent rester dans une relation de dépendance. Leurs mécanismes de défense sont parfois immatures et leurs stratégies d'adaptation inefficaces.

Caractéristiques physiologiques

Les principaux facteurs physiques qui déclenchent une crise d'asthme sont l'infection des voies respiratoires, l'intolérance à certains médicaments comme l'aspirine, un refroidissement ou une brusque variation barométrique, l'exercice et les polluants atmosphériques.

Sous l'effet d'une stimulation ou d'une excitation, le système nerveux autonome entraîne la contraction des muscles lisses, produisant l'hypersécrétion, des spasmes et de l'œdème de la muqueuse bronchique.

On remarque également chez la personne asthmatique des réactions allergiques : en présence de certains allergènes, l'asthmatique produit de grandes quantités d'immunoglobulines (IgE) qui se fixent sur les cellules des muqueuses bronchiques et provoquent la libération de médiateurs chimiques, notamment d'histamine (Groër et Shekleton, 1979).

Dans les poumons, il y a augmentation de la résistance à la circulation d'air, comme c'est le cas lors d'une inspiration prolongée. La capacité vitale du poumon diminue et le volume d'air résiduel augmente. Le poumon est alors excessivement dilaté, car les voies respiratoires sont obstruées et le sang n'irrigue pas les poumons uniformément. Le rythme respiratoire peut être fortement accéléré à cause de l'hypoxémie et de l'acidose. Le gaz carbonique retenu dans les poumons agit sur les fonctions psychologiques et peut entraîner le délire, la stupeur et parfois la mort.

Caractéristiques socioculturelles

D'après certaines études, l'apparition de l'asthme est liée à une combinaison de facteurs environnementaux. Les relations sociales et familiales, les infections, les allergènes et polluants de tout ordre jouent un rôle important dans l'apparition de la maladie. S'ils s'ajoutent à une prédisposition génétique, ces facteurs peuvent rendre certaines personnes particulièrement vulnérables.

Knapp (1985) a également remarqué que l'asthme peut être lié à un changement de milieu. Obligée de s'adapter à de nouvelles substances et soumise au stress du changement, la personne asthmatique est davantage prédisposée aux crises.

Théories de la causalité

On distingue trois causes différentes de l'asthme : extrinsèque (allergique), intrinsèque (idiopathique ou non allergique) et mixte (à la fois allergique et non allergique).

L'asthme extrinsèque apparaît chez l'enfant ou l'adolescent ayant des antécédents familiaux de maladies atopiques (allergiques). La maladie est de nature saisonnière liée aux variations du milieu ambiant et elle disparaît souvent à la fin de l'enfance. Les crises sont déclenchées par la présence de substances allergènes comme le pollen, la poussière et les aliments. **L'asthme intrinsèque** apparaît après l'âge de 35 ans chez des personnes dont les antécédents familiaux ne font pas mention de maladie atopique particulière. Les crises sont imprévisibles, chroniques et graves ; elles sont déclenchées par les changements de temps, les infections, certains médicaments, les émotions ou l'exercice. **L'asthme mixte**, dont nous avons précédemment décrit les mécanismes physiologiques, est celui qui cause le plus de souffrance.

Traitement médical

Le traitement de l'asthme comprend essentiellement le diagnostic et le traitement de l'asthme chronique et des crises aiguës. Pour établir le diagnostic, on dresse un bilan de santé et on effectue un examen clinique incluant l'étude des fonctions pulmonaires, des radiographies du thorax, la mesure de gaz artériels, des tests cutanés et un bilan allergologique, une analyse des expectorations par coloration Gram, une culture et un dosage d'éosinophiles, ainsi que la détermination de la concentration d'éosinophiles dans le sang.

Le traitement des crises aiguës se fait par l'administration d'oxygène, au moyen d'une canule nasale. Les médicaments les plus fréquemment administrés sont l'aminophylline par voie intraveineuse, la terbutaline ou l'épinéphrine par voie sous-cutanée, et les corticostéroïdes par intraveineuse. On a également recours à l'aérosolthérapie et au drainage postural. Enfin, le sujet doit obligatoirement boire au moins trois litres de liquide par jour.

Le traitement de l'asthme chronique comprend l'élimination des agents responsables de la maladie, et la désensibilisation du sujet, si une telle démarche est indiquée. On a recours à plusieurs types de médicaments par voie orale ou par inhalation; les plus courants par voie orale sont la théophylline, les bêta-adrénergiques et les corticostéroïdes. Ces derniers sont contre-indiqués chez les enfants parce qu'ils entravent la croissance. Les produits couramment administrés par inhalation sont les bêta-adrénergiques, le chlorure de sodium et la béclométhasone. On peut montrer au client comment effectuer un drainage postural et lui demander de se rendre régulièrement à des séances d'aérosolthérapie.

Collecte des données

Bilan de santé   Pour établir le bilan de santé du client asthmatique, on commence par recueillir les données qui vont nous renseigner sur les facteurs d'agression qui déclenchent les crises. Le bilan de santé aide principalement à fixer des buts à long terme pour enrayer les crises d'asthme chronique. L'infirmière doit faciliter le contact et créer un climat de détente lors des entrevues (un bilan de santé général figure au tableau 7-4). En plus de remplir ce questionnaire, l'infirmière doit poser au client les questions suivantes :

- Quelle est la fréquence de vos contacts avec vos parents ?

- Pensez-vous être plus proche de votre mère ou de votre père ?

- Savez-vous refuser lorsqu'on vous demande quelque chose ?

- Comment se déroulent vos crises ?

- Depuis combien de temps avez-vous des crises d'asthme ?

- Vos crises sont-elles saisonnières ?

- Savez-vous ce qui déclenche vos crises ?

- Suivez-vous un régime antiallergique ?

- Quels aliments évitez-vous ?

Examen physique   L'examen physique dont il est question ici concerne uniquement l'asthmatique adulte. Le bilan respiratoire a pour objectif de vérifier la qualité de la ventilation chez le client. L'infirmière commence par observer la forme générale du thorax et le mode respiratoire du client : normalement, le thorax est symétrique et la fréquence respiratoire est de 12 à 20 respirations par minute. La poitrine doit se soulever de façon symétrique sans saillies ni rétraction entre les côtes. Normalement, la respiration ne doit pas faire intervenir les muscles accessoires. On peut aussi observer chez l'asthmatique une tachypnée et une expiration prolongée.

À l'auscultation, les clients asthmatiques émettent des **sifflements** aigus (que l'on entend uniquement au stéthoscope) à l'inspiration et à l'expiration. Ces sifflements sont dus au rétrécissement des voies respiratoires qui entraîne une obstruction partielle des bronches. On peut parfois entendre des râles et des rhonchi ; les **râles** sont des bruits de crachotements ou de bouillonnements causés par l'air en mouvement dans les alvéoles pleines de liquide. Les **rhonchi** sont des sons de basse amplitude que l'on entend habituellement à l'inspiration; certains chercheurs affirment qu'on peut les entendre à l'inspiration, à l'expiration ou pendant les deux phases (Brunner et Suddarth, 1988). Parfois le bruit diminue ou même disparaît une fois que le client tousse. Ces bruits sont dus à l'obstruction partielle des bronches par des sécrétions. On doit également vérifier si le client éprouve de la douleur lorsqu'il respire, s'il souffre de dyspnée, s'il tousse ou crache, ou s'il a des hémoptysies. Une radiographie du thorax s'impose.

Analyse des données et planification des soins

Nous étudierons essentiellement la conduite du traitement de l'asthme chronique en insistant sur les diagnostics reliés à des causes émotionnelles (nous résumons au tableau 7-13 les diagnostics infirmiers du client asthmatique).

Le plan des soins destinés au client asthmatique est dressé à partir des diagnostics établis pour chaque cas particulier. Il est essentiel de fixer les objectifs d'un commun accord avec le client afin de rétablir et de maintenir sa ventilation. Le premier souci de l'infirmière est de promouvoir et de conserver la santé du client afin de lui éviter les crises. Elle doit également enseigner au client la conduite à adopter pendant les crises aiguës.

L'infirmière doit tenir compte de l'état de panique dans lequel se trouve le client pendant les crises aiguës et l'aider à se détendre (on trouve au tableau 7-14 le plan des soins infirmiers destinés au client asthmatique).

Évaluation

On évalue les soins dispensés au client asthmatique en comparant son comportement aux objectifs qu'il a fixés de concert avec l'infirmière (on trouvera au tableau 7-15 un exemple d'évaluation des soins infirmiers dispensés au client asthmatique). On peut définir les résultats escomptés en fonction des comportements manifestés : l'état du client s'est amélioré :

- s'il n'a plus de dyspnée ;
- s'il fait état d'une sensation d'apaisement ;
- s'il a suffisamment d'énergie pour exécuter les tâches d'auto-soins ;
- s'il paraît détendu ;
- s'il est capable de reconnaître les facteurs d'agression qui déclenchent les crises ;
- s'il définit les moyens lui permettant d'éviter les infections ;
- s'il élabore un plan pour se maintenir en bonne santé.

ÉTUDE DE CAS

Client asthmatique
Charles Bélanger avait dix ans lors de sa première crise d'asthme déclenchée au cours d'un match de football. Craignant pour sa sécurité, sa mère l'a toujours gardé dans un état de dépendance extrême et l'empêchait de s'éloigner de la maison. Même à 25 ans, Charles doit encore écouter les critiques de sa mère, qui trouve que sa femme ne sait pas s'occuper de lui. Une nuit, Charles suffoque; très inquiète, sa femme l'emmène au service des urgences. De là, Charles est admis au service de soins médicaux par l'équipe de nuit.

Bilan de santé

Lieu : Hôpital général, soins médicaux
Nom du client : Charles Bélanger   Âge : 25 ans
Diagnostic à l'admission : Asthme bronchique aigu
T. = 36,4 °C, P. = 100, R. = 40, T.A. = 150/80

Données sur l'état de santé
Taille : 1,75 m
Poids : 84 kg
Prend trois repas par jour, suit un régime antiallergique
Dort six à huit heures par nuit
Ne fume pas
Ne boit pas d'alcool

Tableau 7-13 *Diagnostics infirmiers du client asthmatique*

Risque d'intolérance à l'activité

Anxiété

Stratégies d'adaptation individuelle inefficaces

Peur

Perturbation des échanges gazeux

Difficulté à se maintenir en santé

Risque de manque de connaissances

Perturbation dans l'exercice du rôle parental

Perturbation du concept de soi (image corporelle)

Dysfonctionnement sexuel

Perturbation des habitudes de sommeil

Données sur la vie sociale
Marié depuis un an
Sa femme attend un enfant
Passe ses moments libres à faire de petits travaux pour sa mère

Données cliniques
Tests cutanés positifs
Taux élevé de IgE sérique
Taux élevé d'éosinophiles
Analyse des gaz artériels
pH 7,28
pCO_2 36

Observations de l'infirmière
Charles souffrait de dyspnée et s'est montré incapable de passer la première entrevue. Après une injection d'amino-phylline par intraveineuse et l'administration d'oxygène par voie nasale, il a été capable de répondre aux questions de l'infirmière. Sa femme est à son septième mois de grossesse et Charles a peur que sa mère critique la façon dont ils élèveront leur enfant. Charles pense que le conflit émotionnel suscité par la naissance prochaine de l'enfant a un lien direct avec sa crise d'asthme.

Diagnostics infirmiers

Anxiété
Mode de respiration inefficace
Stratégies d'adaptation individuelle inefficaces
Perturbation des échanges gazeux
Perturbation dans l'exercice du rôle parental
Perturbation du concept de soi : image corporelle
Perturbation des habitudes de sommeil

Suggestions pour la planification des soins

1. Déterminer les priorités concernant les soins à dispenser.

2. Déterminer le réseau de soutien dont dispose le client.

3. Interpréter les résultats de laboratoire.

4. Déterminer les aspects du développement dont il faut tenir compte pour les soins.

5. Prendre en considération les facteurs d'agression mentionnés par Charles.

6. Définir les objectifs de soins.

7. Décrire ce qu'il faut enseigner à Charles.

8. Énumérer et justifier les interventions de soins.

Connaissances de base : Troubles gastro-intestinaux

Il existe une interaction complexe entre le tube digestif et le psychisme. On appelle les premières phases du développement humain la phase orale et la phase anale, et de nombreuses expressions courantes font référence à cette interaction : « Une fillette belle à croquer », « Ça m'est resté sur l'estomac », « Il n'a pas digéré cet affront », « Une chanson qui me remue les tripes ».

De nombreux comportements sont liés aux fonctions gastro-intestinales ; les modifications presque quotidiennes de l'appétit, de la quantité de nourriture consommée, des fonctions digestives et de l'élimination sont étroitement liées au stress émotionnel. Les perturbations portent principalement sur deux fonctions de l'appareil digestif qui sont sous le contrôle volontaire du sujet : l'alimentation et la défécation.

Étant donné la complexité de l'appareil digestif et les nombreux troubles psychophysiologiques qui peuvent l'affecter, nous nous limitons ici à la colite ulcéreuse, qui est l'un des troubles les plus courants. Voici les troubles gastro-intestinaux qui semblent être psychophysiologiques :

1. *Troubles de l'œsophage* – reflux œsophagien, cardiospasme, spasme œsophagien et ulcère de l'œsophage.

2. *Troubles gastriques* – hyperacidité et ulcère gastro-duodénal.

3. *Troubles intestinaux* – diarrhée chronique, constipation, syndrome de l'intestin irritable, côlon irritable et colite ulcéreuse.

Avant de commencer notre étude de la colite ulcéreuse, précisons que les personnes prédisposées aux troubles gastro-intestinaux ont certains traits en commun et que la plupart des remarques concernant la colite ulcéreuse sont également valables pour les autres troubles gastro-intestinaux.

La colite ulcéreuse est caractérisée par l'inflammation et l'ulcération du côlon et du rectum. Bien qu'elle puisse se déclencher à n'importe quel âge, elle est plus fréquente entre 15 et 40 ans. Elle

(suite page 298)

Tableau 7-14   **Plan des soins infirmiers destinés au client asthmatique**

Diagnostic infirmier : Risque d'intolérance à l'activité, relié à la dyspnée.
Objectif : Pendant le traitement, le client participe aux activités visant à maintenir son bien-être physiologique.

Intervention	Justification	Résultat escompté
Encourager le client à déterminer ses limites physiques à l'activité.	Cette démarche aide à déterminer les activités appropriées.	Le client présente une mobilité optimale.
Encourager le client à inventorier les facteurs qui réduisent sa tolérance à l'activité (p. ex. : traitement, médicaments, facteurs du milieu, etc.).		Le client modifie ses activités en tenant compte de ses limites physiques. Le client n'est pas essoufflé.
Adapter les soins personnels aux besoins du client : • n'aider le client qu'en cas de malaise aigu ; • proposer des loisirs qui n'exigent pas trop d'effort ; • encourager le client à accroître ses activités dans les limites thérapeutiques ; • proposer des exercices passifs.	Ces mesures permettent au client d'élaborer un programme d'activités.	Le client mène à bien les activités reliées aux soins personnels.

Diagnostic infirmier : Anxiété, reliée à l'appréhension de perturbations respiratoires.
Objectif : Pendant le traitement, le client se dit moins anxieux.

Intervention	Justification	Résultat escompté
Apprendre au client à reconnaître l'anxiété : • parler de ses pensées et de ses sentiments avant l'apparition de l'anxiété ; • parler de ses perceptions concernant l'anxiété ; • clarifier la nature de la menace.	Le client peut utiliser correctement les stratégies d'adaptation.	Le client prouve que son anxiété a diminué. Le client prend conscience de son anxiété.
Enseigner au client des stratégies d'adaptation : • respiration lente et profonde ; • utilisation de bronchodilateurs ; • prise de conscience des gains secondaires découlant des stratégies inadaptées ; • techniques de relaxation musculaire.	L'acquisition de nouvelles connaissances aide le client à mieux comprendre l'anxiété.	Le client utilise les nouvelles stratégies d'adaptation.

Diagnostic infirmier : Mode de respiration inefficace, relié à l'anxiété.
Objectif : Pendant toute la durée du traitement, le client maintient une ventilation adéquate.

Intervention	Justification	Résultat escompté
Évaluer la façon de respirer du client : • fréquence respiratoire ; • rythme respiratoire ; • amplitude de sa respiration ; • ampliation thoracique ; • présence de malaise (essoufflement) ;	Cette évaluation permet de déterminer la capacité du client de respirer correctement.	Le client présente une ventilation adéquate. Le client respire sans effort. Le client présente une fréquence respiratoire normale.

(suite du diagnostic page suivante)

Tableau 7-14   *(suite)*

Diagnostic infirmier *(suite)*: Mode de respiration inefficace, relié à l'anxiété.
Objectif: Pendant toute la durée du traitement, le client maintient une ventilation adéquate.

Intervention	Justification	Résultat escompté
• battement des ailes du nez ; • utilisation des muscles accessoires ; • expiration prolongée.		
Installer le client dans une position confortable (p. ex.: assis bien droit ou penché sur sa table de chevet)	Cette nouvelle position aide le client à respirer correctement.	Le client n'utilise pas ses muscles accessoires pour respirer.
Reconnaître les allergènes : • demander au client les agents auxquels il est allergique ; • supprimer la poussière ; • placer des taies d'oreillers sans allergène.	Les allergènes accentuent le mode de respiration inefficace.	
Ausculter les poumons.	L'auscultation permet de déceler les bruits respiratoires anormaux (sifflements, râles, rhonchi).	Le client n'est pas essoufflé.
Surveiller les gaz artériels.	La surveillance permet de vérifier si la respiration est adéquate.	L'analyse des gaz artériels révèle des résultats normaux : pH : 7,35 - 7,45 pO_2 : 80-95 mm Hg pCO_2 : 35 - 45 mm Hg saturation O_2 : 95 - 99 %
Administrer les médicaments prescrits.	Les bronchodilatateurs, antihistaminiques, anti-infectieux, expectorants et corticostéroïdes aident à atténuer les symptômes physiques.	

Diagnostic infirmier: Stratégies d'adaptation individuelle inefficaces, reliées à la perturbation des comportements adaptatifs nécessaires pour répondre aux exigences de la vie.
   Objectif: Pendant le traitement, le client élabore de nouvelles stratégies pour gérer le stress.

Intervention	Justification	Résultat escompté
Aider le client à reconnaître les facteurs d'agression : • allergènes environnementaux ; • changements stressants dans le mode de vie ; • événements provoquant une colère insurmontable.	La conscientisation des facteurs d'agression aide le client à surmonter le stress.	Le client reconnaît les sources de stress.
Aider le client à reconnaître les comportements reliés au stress.	La conscientisation des réactions de l'organisme au stress aide le client à élaborer de nouvelles stratégies d'adaptation.	Le client se fixe des objectifs réalistes pour réduire le stress.
Apprendre au client : • à se fixer des objectifs ; • à communiquer avec assurance ; • à utiliser les techniques de relaxation.	Ces apprentissages aident le client à élaborer de nouvelles stratégies d'adaptation.	Le client utilise les nouvelles stratégies d'adaptation pour réduire le stress. Le client élabore des systèmes de soutien.

(suite page suivante)

Tableau 7-14 *(suite)*

■ **Diagnostic infirmier:** Peur, reliée au danger que représente l'incapacité de s'oxygéner suffisamment.
■ **Objectif:** Au début des traitements respiratoires, le client affirme qu'il a moins peur.

Intervention	Justification	Résultat escompté
Évaluer la réaction du client à la peur (lutte ou fuite).	Cette évaluation aide à prévoir des stratégies visant à atténuer la peur.	Le client dit ne ressentir aucune peur.
Au moment opportun, encourager le client à verbaliser: • ses sentiments; • sa perception du danger; • sa capacité de s'adapter.	La verbalisation aide le client à vaincre sa peur.	Le client paraît détendu. Le client n'est pas essoufflé.
Aider le client à surmonter la peur qu'il ressent: • rester calme; • administrer promptement les traitements prescrits; • rester auprès du client durant les épisodes d'essoufflement; • encourager le client à respirer lentement et profondément; • supprimer les stimuli qui le fatiguent.		

■ **Diagnostic infirmier:** Perturbation des échanges gazeux, reliée à une phase d'expiration prolongée.
■ **Objectif:** Pendant le traitement, le client maintient une ventilation adéquate.

Intervention	Justification	Résultat escompté
Ausculter les poumons.	L'auscultation aide à évaluer la façon de respirer.	Le client présente une ampliation pulmonaire complète.
Administrer de l'oxygène humidifié, selon la prescription.	Cette mesure assure une saturation adéquate du sang en oxygène.	Le client ne présente pas de sifflements, de râles ni de rhonchi.
Encourager le client à tousser et à respirer profondément.	Ces mesures favorisent l'ampliation complète des poumons.	
Installer le client dans une position confortable: • Fowler élevée; • assis sur une chaise; • penché sur la table de chevet.		
Évaluer la couleur de la peau et des ongles.	La cyanose des lèvres et des lits des ongles est un signe d'oxygénation insuffisante	La ventilation est adéquate.
Surveiller les gaz sanguins artériels.	Une chute de pCO_2 et de pO_2 de plus de 10 mm Hg indique une irrigation insuffisante qui doit être signalée.	Les résultats des analyses des gaz artériels sont normaux.

(suite page suivante)

Tableau 7-14   *(suite)*

■ **Diagnostic infirmier :** Difficulté à se maintenir en santé, reliée à l'inefficacité des stratégies d'adaptation familiale.
■ **Objectif :** Avant sa sortie de l'hôpital, le client commence à établir des réseaux de soutien l'aidant à se maintenir en bonne santé.

Intervention	*Justification*	*Résultat escompté*
Évaluer le réseau de soutien dont dispose le client.	Cette évaluation permet de reconnaître les besoins du client pour se maintenir en bonne santé.	Le client adopte les pratiques visant le maintien de la santé.
Employer les techniques de modification du comportement : • auto-surveillance ; • contrat thérapeutique ; • entraînement guidé avec renforcement.	Ces techniques sont des moyens appropriés de se maintenir en santé.	Le client a moins de crises d'asthme.
Aider le client à reconnaître les réseaux de soutien dont il dispose (p. ex. : lui donner des renseignements sur les ressources communautaires).	Le client peut ainsi tirer parti des ressources à sa disposition.	Le client utilise les ressources communautaires.
Enseigner au client : • à résoudre les problèmes ; • à communiquer avec assurance ; • à fixer ses propres objectifs de santé.	Ces apprentissages aident le client à assumer la responsabilité de sa santé.	

■ **Diagnostic infirmier :** Risque de manque de connaissances, relié à des informations insuffisantes relatives à l'asthme et à un niveau de bien-être possible.
■ **Objectif :** Avant sa sortie de l'hôpital, le client apprend les mesures à prendre pour éviter les crises d'asthme.

Intervention	*Justification*	*Résultat escompté*
Enseigner au client : • les théories relatives à la maladie ; • la nature du diagnostic ; • les aspects physiques des soins ; • l'importance de reconnaître des facteurs d'agression ; • la suppression des allergènes de l'environnement ; • l'importance de prendre suffisamment de repos ; • l'importance d'éviter les infections secondaires ; • les effets secondaires des médicaments qui lui sont administrés.	Les informations détaillées favorisent une meilleure observance du traitement.	Le client explique les mesures préventives qu'il compte prendre. Le client décrit les avantages des mesures préventives. Le client contrôle son état affectif pour déceler les signes de stress. Le client surveille son état physique pour déceler les signes d'infection respiratoire. Le client énonce les effets secondaires des médicaments.

■ **Diagnostic infirmier :** Risque de perturbation dans l'exercice du rôle parental, relié au caractère surprotecteur de la figure maternelle.
■ **Objectif :** Avant sa sortie de l'hôpital, le client reconnaît le lien entre la maladie et la perturbation dans son rôle parental.

Intervention	*Justification*	*Résultat escompté*
Établir une relation personnalisée fondée sur la confiance.	Cette relation encourage la discussion sur le concept de soi.	Le client reconnaît des expériences de son enfance qui affectent son état.

(suite du diagnostic page suivante)

Tableau 7-14 *(suite)*

Diagnostic infirmier *(suite)* : Risque de perturbation dans l'exercice du rôle parental, relié au caractère surprotecteur de la figure maternelle.

Objectif : Avant sa sortie de l'hôpital, le client reconnaît le lien entre la maladie et la perturbation dans son rôle parental.

Intervention	Justification	Résultat escompté
Pratiquer l'écoute active.	L'écoute active aide le client à circonscrire le conflit parental.	
Encourager le client à parler de sa relation avec sa mère.	La verbalisation peut aider à résoudre les conflits vécus par le client.	Le client exprime ses sentiments à l'égard de ses parents.
Enseigner à la famille la façon d'aider le client pendant les crises d'asthme.	Cette intervention aide la famille à jouer un rôle de soutien.	

Diagnostic infirmier : Perturbation du concept de soi (image corporelle), reliée à l'expression somatique des émotions.

Objectif : Pendant le traitement, le client apprend à mieux s'accepter physiquement.

Intervention	Justification	Résultat escompté
Établir une relation personnalisée avec le client.	Cette relation montre que l'infirmière accepte le client en tant que personne.	Le nombre de crises d'asthme diminue.
Évaluer la perception qu'a le client de son corps : • est-elle positive ? • est-elle négative ? • découle-t-elle d'expériences passées avec des proches ? • accorde-t-il de l'importance à son aspect physique ?	Cette évaluation permet de définir l'image que le client a de son corps.	Le client se montre capable de communiquer avec assurance. Le client tire parti de ses points forts.
Éviter de se concentrer sur les symptômes physiques (p. ex. : accorder au client un peu de temps pour parler de ses ennuis physiques et diminuer ce temps à chaque séance).	Le client apprend à développer de nouvelles habiletés interpersonnelles qui remplacent les plaintes somatiques.	
Apprendre au client à devenir plus sûr de lui : • parler à la première personne (message en « je ») ; • indiquer clairement ses attentes envers les autres ; • négocier ; • garder une attitude, une expression et un timbre de voix adaptés aux circonstances.	Le client apprend à développer des habiletés interpersonnelles plus adaptées.	
Rechercher les avantages que le client tire de la maladie (p. ex. : notion de gain secondaire).	La compréhension des avantages qu'il tire de la maladie favorise l'atténuation des symptômes physiques.	

(suite page suivante)

Tableau 7-14   *(suite)*

Diagnostic infirmier : Dysfonctionnement sexuel, relié à la préoccupation relative aux symptômes physiques.
Objectif : Avant sa sortie de l'hôpital, le client prend conscience de l'effet de l'asthme sur son fonctionnement sexuel.

Intervention	*Justification*	*Résultat escompté*
Informer le client sur : • la maladie physique ; • l'évolution de la maladie ; • l'effet du traitement ; • les effets secondaires des médicaments ; • les changements de comportement nécessaires.	Ces renseignements permettent au client de mieux comprendre ses comportements inadaptés et d'essayer de les modifier.	Les conflits psychologiques du client diminuent.
Donner au client des conseils sur : • les attentes réalistes envers lui-même ; • les attentes réalistes envers les autres ; • les problèmes de dépendance entre les partenaires ; • les techniques sexuelles.	Ces conseils aident le client à améliorer son fonctionnement sexuel.	Le client verbalise sa compréhension des rapports existant entre la maladie et le fonctionnement sexuel.

Diagnostic infirmier : Risque de perturbation des habitudes de sommeil, relié à l'interruption du sommeil par la façon de respirer.
Objectif : Le client dort six à huit heures par nuit.

Intervention	*Justification*	*Résultat escompté*
Surveiller les facteurs d'agression de l'environnement : • allergènes ; • taie d'oreiller sans allergène ; • niveau de bruit ; • température confortable ; • planification des traitements hors des périodes de repos ; • nombre limité d'intervenants ; • faible intensité de l'éclairage.	Ces mesures favorisent le sommeil et le repos.	Le client dort six à huit heures. Le client se déclare satisfait de son sommeil. Le client se sent reposé.
Prévoir des interventions favorisant le sommeil : • installer le client dans une position confortable (semi-Fowler) ; • lui donner plusieurs oreillers ; • administrer les traitements respiratoires avant le coucher ; • administrer les médicaments selon les prescriptions (p. ex. : bronchodilatateurs, corticostéroïdes, théophylline).		

atteint les deux sexes, mais elle est légèrement plus fréquente chez les femmes. Elle touche le plus souvent les Juifs et le moins souvent les Nord-Américains de race noire (Arehart-Treichel, 1980 ; Thompson et coll., 1989 ; Brunner et Suddarth, 1988).

Caractéristiques comportementales

Les clients souffrant de colite ulcéreuse sont généralement immatures et dépendants ; ils sont souvent obsédés par la perfection, l'ordre, la propreté et la ponctualité. Ces comportements peuvent se manifester sous diverses formes pendant l'évolution de la maladie. Certains clients sont prévenants, soumis

Tableau 7-15 *Exemple d'évaluation des soins infirmiers dispensés au client asthmatique*

Plan	Évaluation
1. Le client est capable de maintenir une ventilation adéquate pendant la durée du traitement.	Le 12 avril, le client a reçu des traitements respiratoires par canule nasale, toutes les trois heures, et l'oxygène a été maintenu à un débit de 4 litres. Sa fréquence respiratoire est restée entre 20 et 24 respirations et on n'a observé aucun signe d'essoufflement. Absence de râles et de rhonchi à l'auscultation.
2. Le client dort au moins six heures sur une période de 24 heures.	Le 12 avril, le client a reçu un traitement respiratoire à 23 heures. Il a dormi jusqu'à 4 heures du matin le 13 avril.
3. Le client est capable de réduire son anxiété pendant la durée du traitement.	Le 12 avril, le client a actionné la sonnette d'appel pour réclamer un comprimé de Valium, disant qu'il se sentait anxieux.

et conciliants, alors que d'autres sont querelleurs et exigeants. Certains souffrent de violents maux de tête avant une crise, mais on a remarqué que leur comportement pendant cette période est tout à fait différent du comportement pendant la crise. Ils sont parfois plus décidés, plus actifs, plus agressifs et ils ont alors l'impression de maîtriser la situation. Ces sentiments s'accompagnent toutefois de culpabilité et favorisent peut-être un déclenchement de la crise (Oken, 1985).

Caractéristiques affectives

Les personnes prédisposées à la colite ulcéreuse sont des êtres sensibles, ayant un besoin excessif d'affection et d'amour. Elles ont souvent des difficultés à reconnaître et à exprimer leurs sentiments et ont tendance à refréner leurs émotions négatives. Elles se sentent profondément blessées si on laisse entendre que leur vie n'est pas parfaite et réagissent parfois avec beaucoup d'hostilité. Elles sont également prédisposées à la dépression.

Caractéristiques cognitives

Les personnes atteintes de colite ulcéreuse sont très exigeantes envers elles-mêmes, perfectionnistes et promptes à l'auto-critique si elles ne parviennent pas à atteindre les objectifs inaccessibles qu'elles se sont fixés. Elles sont très sensibles à la critique et ont parfois un comportement égocentrique, narcissique ou grandiloquent.

Caractéristiques physiologiques

La principale caractéristique physiologique de la colite ulcéreuse est l'inflammation diffuse des muqueuses et sous-muqueuses qui remonte jusqu'au côlon. La maladie commence dans le rectum et le côlon sigmoïde et s'étend ensuite au côlon tout entier. Les muqueuses deviennent hyperémiques et œdémateuses et elles saignent au moindre traumatisme. Des abcès se forment dans les glandes de Lieberkuhn ; certains guérissent, d'autres forment des tissus cicatriciels et le côlon peut se dénuder par endroits (Brunner et Suddarth, 1988).

Caractéristiques socioculturelles

Presque tous les experts sont d'accord pour affirmer que les personnes souffrant de colite ulcéreuse ont vécu une enfance traumatisante qui les a rendues excessivement dépendantes des autres. Le profil typique est une mère dominatrice, un père passif et un foyer où l'on réprime ses émotions. Des études portant sur ce sujet montrent que l'on retrouve chez les clients les traits de personnalité de leur mère : ils sont rigoureux, dominateurs, perfectionnistes, excessivement exigeants, protecteurs, refoulés, prudes sur le plan sexuel, excessivement préoccupés par la propreté, obéissants et conformistes.

Certaines situations peuvent déclencher les crises de colite ulcéreuse : un viol, la naissance d'un enfant anormal, une intervention chirurgicale, un déménagement, un divorce, un changement d'emploi, le décès d'un proche, ou des examens scolaires (Arehart-Treichel, 1980 ; Oken, 1985).

Théories de la causalité

On ignore la cause exacte de la colite ulcéreuse. D'après certaines théories, elle serait causée par une réaction auto-immune, une infection virale, une allergie, un excès d'enzymes ou un stress émotionnel. Les réactions affectives compromettent en effet l'apport sanguin à la muqueuse du côlon, mais on ne sait pas exactement si le stress est la cause ou le résultat de la maladie. L'apparition de la maladie semble correspondre à une tendance familiale (Brunner et Suddarth, 1988).

Traitement médical

Les traitements médicaux visent essentiellement à mettre les intestins au repos, à supprimer l'infection, à corriger la malnutrition et à réduire le stress. On a recours à divers agents pharmacologiques pour traiter la colite ulcéreuse : les anticholinergiques, comme Probanthine, servent à réduire la motilité et les sécrétions gastro-intestinales et à atténuer les spasmes des muscles lisses ; les sédatifs et les anxiolytiques, comme Dalmane et Valium, servent à calmer le système nerveux central. Les antidiarrhéiques, comme Lomotil, servent à réduire la motilité gastro-intestinale, les antimicrobiens, comme Sulfazaline, sont utilisés pour la prévention ou le traitement des infections secondaires. Les stéroïdes, comme la cortisone ou la prednisone, sont utilisés comme agents anti-inflammatoires. Les immunosuppresseurs, comme Imuran, suppriment les réponses immunitaires ; les antianémiques, comme Imferon, sont utilisés pour remédier à la déficience en fer.

Le régime alimentaire constitue un élément important du traitement; en période de crise aiguë, il est possible que le client ne puisse pas s'alimenter par voie orale et qu'il reçoive une hyperalimentation parentérale. En période de rémission, un régime hypercalorique et hyperprotidique, pauvre en résidus, est indiqué (Beare et Myers, 1990 ; Brunner et Suddarth, 1988).

Collecte des données

Bilan de santé   L'exactitude des renseignements recueillis est essentielle pour établir le bilan de santé du client qui souffre de colite ulcéreuse.

La plupart des renseignements sont bien sûr fournis par le client lui-même, mais on peut également interroger les membres de la famille. Le bilan de santé mettra en relief les facteurs d'agression qui déclenchent les crises. L'infirmière doit créer une atmosphère calme et détendue pour mener l'entrevue (le bilan de santé général figure au tableau 7-4).

En plus de ce questionnaire, l'infirmière doit poser au client les questions suivantes :

- Pensez-vous être plus proche de votre mère ou de votre père ?
- Dans votre famille, étiez-vous encouragé à exprimer vos émotions ?
- Quand vous exprimiez vos émotions, quelles étaient les conséquences ?
- Comment se déroulent vos crises de rectocolite hémorragique ?
- D'autres membres de votre famille souffrent-ils de rectocolite hémorragique ?
- À votre avis, à quoi sont dues vos crises ?
- Quel est votre régime alimentaire habituel ?
- Évitez-vous certains aliments ?

Examen physique   L'examen physique du client qui souffre de colite ulcéreuse vise surtout à écarter la possibilité d'autres troubles, comme le cancer ou la diverticulite. Puisque la maladie affaiblit beaucoup le sujet, il convient de faire un bilan général, qui peut permettre de déceler les troubles suivants : ulcères cutanés, malnutrition, anémie, abcès, rétrécissement du rectum ou fistules rectales et déséquilibre électrolytique.

Pour établir ce bilan, il faut pratiquer l'inspection, la percussion, l'auscultation et la palpation. Les bruits émis par les intestins hyperactifs sont perceptibles à l'auscultation pendant les crises de colite ulcéreuse. L'infirmière ne doit rien négliger et doit effectuer un bilan général de tous les appareils (Brunner et Suddarth, 1988).

Analyse des données et planification des soins

Les interventions de l'infirmière ont pour but de fournir un traitement de soutien. Les diagnostics

Tableau 7-16 *Diagnostics infirmiers du client souffrant de colite ulcéreuse*

Risque d'intolérance à l'activité

Anxiété

Diarrhée

Stratégies d'adaptation individuelle inefficaces

Perturbation de la dynamique familiale

Déficit nutritionnel

Perturbation du concept de soi (image corporelle, estime de soi, capacité de remplir son rôle, identité personnelle)

Dysfonctionnement sexuel

Isolement social

infirmiers établis à partir des données sur le client servent de point de départ pour fixer les objectifs thérapeutiques (on résume au tableau 7-16 les diagnostics infirmiers du client qui souffre de colite ulcéreuse).

L'infirmière planifie les soins en fonction des diagnostics établis pour chaque cas particulier. Pour établir un plan de soins qui corresponde bien à un traitement de soutien, le client devrait être d'accord avec les objectifs fixés. L'infirmière doit faire preuve d'empathie envers le client, que sa maladie rend particulièrement vulnérable (un plan des soins infirmiers destinés au client qui souffre de colite ulcéreuse figure au tableau 7-17).

Évaluation

On évalue les soins dispensés au client atteint de colite ulcéreuse en comparant les progrès réalisés par le client aux objectifs fixés (on trouvera au tableau 7-18 un exemple d'évaluation des soins dispensés au client qui souffre de colite ulcéreuse). On peut définir les résultats escomptés en fonction des comportements manifestés ; l'état du client s'est amélioré :

- s'il connaît une diminution ou l'absence de selles liquides ;

- si ses bruits intestinaux sont normaux ;

- s'il retrouve un mode normal d'élimination ;

- s'il s'alimente de manière adéquate ;

- s'il garde un poids normal ;

- s'il ne présente aucun signe de dégradation de la peau ;

- s'il adopte des mécanismes d'adaptation plus sains.

ÉTUDE DE CAS

Client souffrant de colite ulcéreuse

Diane Lemaire a 38 ans. Elle est passive, soumise, timide et dépendante. Diane se souvient que sa mère était très exigeante et que son père consacrait de longues heures à son travail d'homme à tout faire. Diane a commencé à souffrir de colite ulcéreuse à l'adolescence, mais son état est resté stable jusqu'à la mort de son père, survenue tout récemment. Depuis l'enterrement, elle a été hospitalisée à trois reprises; au cours du présent séjour, on la traite par l'hyperalimentation.

Bilan de santé

Lieu : Hôpital général, soins médicaux
Nom du client : Diane Lemaire   Âge : 38 ans
Diagnostic à l'admission : Rectocolite hémorragique
T. = 37,6 °C, P. = 110, R. = 20, T.A. = 100/60

Données sur l'état de santé
Taille : 1,60 m
Poids : 50 kg
Prend habituellement trois repas par jour, mais est incapable de manger depuis deux semaines
Dort cinq à six heures par nuit
Fume à l'occasion
Boit du vin à l'occasion

Données sur la vie sociale
Mariée depuis 12 ans
A deux enfants, un garçon de 5 ans et une fille de 7 ans
Travaille à temps partiel comme employée de banque

Données cliniques
Un lavement baryté révèle un rétrécissement de l'intestin
Diarrhée sanglante; 15 à 20 selles par jour depuis trois jours
Hb : 9,2
Ht : 27
K^+ : 3,2

Observations de l'infirmière
Madame Lemaire est une personne calme et timide. Elle se confond en excuses à propos de l'odeur « fétide » qu'elle dégage. Elle explique que son père est décédé il y a six

semaines et qu'elle pensait avoir surmonté l'épreuve. Elle n'avait pas souffert de colite depuis la naissance de son deuxième enfant, cinq ans plus tôt. Elle ajoute qu'elle a perdu sept kilos au cours des trois dernières semaines.

Diagnostics infirmiers

Anxiété
Diarrhée
Perturbation de la dynamique familiale
Déficit nutritionnel
Isolement social

Suggestions pour la planification des soins

1. Établir les priorités concernant les soins à dispenser.

2. Déterminer les principaux facteurs d'agression dans la vie de la cliente.

3. Interpréter les résultats de laboratoire.

4. Déterminer le réseau de soutien dont dispose la cliente.

5. Déterminer les aspects du développement dont il faut tenir compte pour les soins.

6. Définir les objectifs de soins.

7. Décrire ce qu'il faut enseigner à madame Lemaire.

8. Définir les besoins particuliers de Mme Lemaire pour sa réadaptation.

9. Énumérer et justifier les interventions de soins.

Autres troubles biophysiologiques

Au cours des dernières années, nous avons beaucoup appris sur les comportements reliés aux maladies physiques. Comme il n'est pas possible de voir en un seul chapitre tous ces comportements, nous résumerons brièvement certaines caractéristiques reliées à la migraine, à la polyarthrite rhumatoïde, à l'eczéma et à l'ulcère gastro-duodénal.

Migraine

La migraine, que l'on appelle aussi *céphalée vasculaire*, est causée par des conflits émotionnels ou un stress psychologique. Les femmes sont plus touchées que les hommes. On l'observe surtout chez les personnes ambitieuses qui refoulent leur agressivité et leur hostilité. Ce sont des personnes consciencieuses et perfectionnistes qui tiennent toujours à faire les choses comme il faut et à remplir leur devoir. Elles répriment souvent leurs sentiments négatifs ou les expriment de façon immature sous forme de jalousie et de fureur qui mènent à la frustration. En raison de leur attitude arrogante et de leur tendance excessive à critiquer ceux qui les entourent, les personnes prédisposées à la migraine ne sont pas d'un commerce agréable. Elles sont, en général, tendues et préoccupées ; elles manquent d'humour et ont tendance à exprimer leurs émotions de manière dramatique, vaine, égoïste ou exigeante. Lorsqu'un événement particulièrement stressant se produit, une migraine survient. Elle s'accompagne de certains phénomènes physiques : dysfonction sensorielle, dysfonction motrice, vertiges, confusion, perte de conscience occasionnelle, troubles gastro-intestinaux et modifications de l'équilibre hydrique (Arehart-Treichel, 1980 ; Luckman et Sorensen, 1987).

Polyarthrite rhumatoïde

Chez les clients souffrant de polyarthrite rhumatoïde, l'un des parents est parfois sévère et dur ; il montre une attitude de rejet et ne s'intéresse à ses enfants que pour la fierté qu'il peut en tirer, alors que l'autre parent est doux et complaisant mais effacé devant son partenaire dominateur. Ces clients sont en général ou bien des enfants uniques, ou bien l'aîné ou le cadet de la famille. Il ont souvent vécu des expériences difficiles pendant l'enfance (divorce, par exemple). Les victimes de cette maladie masquent leur nature dépendante en affichant un comportement autoritaire ou même tyrannique ; elles ont tendance à dominer leurs propres enfants et à avoir un moi faible (Arehart-Treichel, 1980).

Eczéma

Les clients qui souffrent d'eczéma ont parfois des parents qui encouragent leur dépendance et leur maladie. Ces clients ont tendance à réprimer leurs émotions négatives ; ils sont timides et sensibles, surtout lorsqu'ils perçoivent un manque d'approbation ou d'amour. L'eczéma frappe en général

(suite page 307)

Tableau 7-17   Plan des soins infirmiers destinés au client souffrant de colite ulcéreuse

Diagnostic infirmier : Risque d'intolérance à l'activité, relié à l'affaiblissement causé par des selles excessives.
Objectif : Pendant toute la durée du traitement, le client planifie un programme de repos et d'activités permettant d'accroître son niveau d'activité.

Intervention	Justification	Résultat escompté
Aider le client à reconnaître les facteurs qui réduisent sa tolérance à l'activité : • traitements ; • énergie dépensée à cause des mouvements intestinaux ; • stress lié à l'environnement.	La connaissance de ces facteurs aide à planifier des interventions plus appropriées.	
Modifier l'environnement du client : • placer la chaise d'aisance près du lit ; • utiliser le bassin hygiénique en cas de faiblesse extrême ; • placer la sonnette d'appel, le papier hygiénique, les objets personnels à portée de la main ; • faire faire des exercices passifs ; • aider le client à mener à bien les activités d'auto-soins ; • planifier l'emploi du temps en tenant compte des activités d'auto-soins.	Ces mesures aident à accroître l'énergie dont le client a besoin pour accomplir les activités physiques.	Le client ne se sent pas faible pendant les périodes d'activité. La mobilité du client est améliorée. Le client participe aux activités d'auto-soins.

Diagnostic infirmier : Anxiété, reliée à des événements stressants.
Objectif : Pendant la durée du traitement, le client apprend de nouvelles stratégies d'adaptation visant à réduire le stress.

Intervention	Justification	Résultat escompté
Aider le client à analyser les causes de l'anxiété (p. ex. : jeu de rôle)	Cette analyse aide le client à comprendre les événements qui engendrent le stress.	Le client présente des signes de réduction de l'anxiété.
Encourager le client à prendre conscience de l'anxiété : • parler de ses pensées et sentiments avant les crises d'anxiété ; • parler de ses perceptions de l'anxiété ; • clarifier la nature de la menace perçue.	La conscientisation aide le client à reconnaître les mécanismes d'adaptation inadéquats.	
Prendre des mesures pour réduire l'anxiété :	Le client peut retrouver le contrôle de soi.	
Anxiété extrême : • accroître le confort (p. ex. : bain tiède) ; • diminuer l'intensité de l'éclairage ; • réduire le bruit et les distractions ; • parler par phrases courtes et simples ; • administrer les sédatifs, les tranquillisants et les autres médicaments prescrits.	Le client connaît ainsi de nouvelles stratégies d'adaptation.	Le client utilise de nouvelles stratégies d'adaptation.

(suite du diagnostic page suivante)

Tableau 7-17   *(suite)*

Diagnostic infirmier *(suite)*: Anxiété, reliée à des événements stressants.
Objectif: Pendant la durée du traitement, le client apprend de nouvelles stratégies d'adaptation visant à réduire le stress.

Intervention	*Justification*	*Résultat escompté*
Anxiété légère à moyenne : • rester calme ; • faire participer le client à des activités divertissantes ; • encourager le client à exprimer ses sentiments ; • utiliser des techniques de relaxation. Apprendre au client : • à communiquer avec assurance ; • à utiliser des techniques de relaxation ; • à utiliser les techniques de résolution des problèmes ; • à trouver de nouveaux sujets d'intérêt ou des passe-temps.		

Diagnostic infirmier : Diarrhée, reliée à une inflammation des intestins.
Objectif: Pendant le traitement, le client a de moins en moins de selles liquides.

Intervention	*Justification*	*Résultat escompté*
Évaluer les émissions fécales : • fréquence ; • aspect ; • présence de sang.	Cette évaluation permet de planifier les interventions.	Le client connaît une diminution du nombre d'épisodes de diarrhée ; pas plus de trois émissions fécales par jour.
Informer le client sur : • l'utilisation des médicaments antidiarrhéiques ; • le changement de régime alimentaire ; • les soins de la peau périrectale ; • hygiène personnelle (p. ex. : se laver les mains).	L'acquisition de nouvelles connaissances favorise le soulagement des symptômes du client.	Le client a des selles fermes.
Surveiller : • les ingesta et les excreta ; • le poids.	Cette surveillance permet d'évaluer le déficit de volume liquidien et le déséquilibre électrolytique (p. ex. : K$^+$).	Le poids du client se stabilise.
Veiller au confort du client : • placer le bassin ou la chaise percée à proximité ; • mettre le papier hygiénique à portée de la main ; • respecter l'intimité du client pendant les émissions fécales ; • utiliser un désodorisant ; • lui offrir de l'eau tiède savonneuse après les émissions fécales.	Ces mesures permettent de soulager les symptômes provoqués par le nombre excessif de selles liquides.	

(suite page suivante)

Tableau 7-17 *(suite)*

Diagnostic infirmier : Stratégies d'adaptation individuelle inefficaces, reliées à une interprétation erronée de la source de stress.
Objectif : Pendant le traitement, le client prend conscience des réactions affectives au stress.

Intervention	Justification	Résultat escompté
Encourager le client à évaluer : • ses peurs ; • les situations qui le mettent en colère ; • la façon dont il exprime ses sentiments ; • le lien entre ses pensées et ses sentiments.	Le client comprend ainsi ses réactions au stress.	Le client désigne les sources de stress. Le client fixe des objectifs réalistes.
Informer le client sur : • les signes avant-coureurs du stress ; • les moyens de retrouver la maîtrise de soi ; • les façons d'exprimer la colère ; • la prise de décisions ; • les exutoires pour l'hostilité.	Le client peut ainsi trouver des réponses adaptatives au stress.	Le client montre qu'il est capable de s'adapter.

Diagnostic infirmier : Perturbation de la dynamique familiale, reliée à l'incapacité de la cellule familiale de répondre aux besoins affectifs de ses membres.
Objectif : Pendant la durée du traitement, le client prend conscience des perturbations de la dynamique familiale.

Intervention	Justification	Résultat escompté
Évaluer le contexte familial.	Cette évaluation permet de déceler les liens entre les relations familiales et la maladie.	Le client et sa famille reconnaissent les difficultés.
Permettre aux membres de la famille de dire ce qu'ils pensent au sujet de la maladie et des résultats escomptés.	La verbalisation favorise la compréhension de la maladie.	Les membres de la famille donnent des preuves de soutien mutuel.
Aider le client et la famille à apprendre à se soutenir mutuellement.	La famille apprend à vivre avec une personne souffrant d'une maladie chronique.	
Encourager le client et la famille à fixer des objectifs qui répondent à leurs besoins mutuels.		

Diagnostic infirmier : Déficit nutritionnel, relié à un nombre excessif d'émissions fécales.
Objectif : Pendant la durée du traitement, le client modifie son régime alimentaire pour satisfaire ses besoins nutritionnels.

Intervention	Justification	Résultat escompté
Évaluer l'état nutritionnel.	Cette évaluation permet de déterminer les besoins nutritionnels.	Le client présente une bonne hydratation de la peau.
Reconnaître les aliments qui irritent les intestins.		Le client n'a pas plus de trois selles par jour.
Fournir des suppléments nutritifs.		Le client prend du poids.

(suite du diagnostic page suivante)

Tableau 7-17   *(suite)*

Diagnostic infirmier *(suite)*: Déficit nutritionnel, relié à un nombre excessif d'émissions fécales.
Objectif: Pendant la durée du traitement, le client modifie son régime alimentaire pour satisfaire ses besoins nutritionnels.

Intervention	Justification	Résultat escompté
Surveiller : • l'anémie ; • le déséquilibre électrolytique ; • le poids quotidien. Administrer les médicaments prescrits contre la nausée (avant les repas).	La surveillance étroite permet de déceler rapidement les déficits nutritionnels.	Le client ne se sent pas fatigué.
Servir des aliments sous la forme qui convient au client : • aliments mous ; • aliments hachés ou en purée ; • alimentation parentérale totale, selon les recommandations du médecin.	Le client reçoit ainsi les éléments nutritifs appropriés.	

Diagnostic infirmier : Perturbation de l'estime de soi, reliée à l'insatisfaction causée par l'incapacité de remplir son rôle.
Objectif : Pendant la durée du traitement, le client apprend à accepter son corps.

Intervention	Justification	Résultat escompté
Encourager le client à exprimer ses sentiments (p. ex. : peur, colère, anxiété, etc.) à l'égard des changements corporels subis.	Le client améliore son image corporelle et son estime de soi.	Le client a une image positive de son corps.
Encourager le client à verbaliser ses inquiétudes liées à l'exécution des tâches d'hygiène en rapport avec l'élimination.	Le client s'accepte mieux.	Le client est capable d'exécuter les tâches en rapport avec l'élimination.
Encourager le client à participer aux activités le plus normalement possible.	La participation favorise l'amélioration de l'estime de soi.	Le client participe aux activités.

Diagnostic infirmier: Dysfonctionnement sexuel, relié à l'état pathologique.
Objectif : Pendant le traitement, le client réduit le stress lié à ses préoccupations sexuelles.

Intervention	Justification	Résultat escompté
Évaluer le profil sexuel du client.	Le client évite peut-être les relations sexuelles parce que les rapports sont douloureux.	Le client et sa partenaire s'entretiennent de leurs préoccupations sexuelles.
Donner au client et à sa partenaire l'occasion de parler de leurs sentiments, de leurs craintes, etc. à propos des rapports sexuels.	La verbalisation aide à résoudre les préoccupations à l'égard de la sexualité.	Le client a des attentes réalistes à l'égard de la sexualité.

(suite page suivante)

Tableau 7-17 *(suite)*

▐ **Diagnostic infirmier:** Isolement social, relié au caractère embarrassant de la maladie.
▐ **Objectif:** Pendant le traitement, le client réduit l'isolement social.

Intervention	Justification	Résultat escompté
Évaluer le profil social.	Cette évaluation permet de déterminer le degré d'isolement social.	Le client prévoit au moins deux nouvelles activités sociales.
Aider le client à reconnaître les obstacles à la création de relations sociales.	Le client comprend ainsi les raisons de son isolement social.	Le client compte participer à de nouvelles activités.
Aider le client à trouver des issues possibles en tenant compte de ses limites physiques.	Le client fait des projets pour établir des rapports sociaux.	Le client parle à des personnes autres que le personnel soignant.
Encourager le client à participer à des activités sociales qui ne mettent pas en cause ses handicaps physiques.		Le client participe à des activités normales.

Tableau 7-18 *Exemple d'évaluation des soins infirmiers dispensés au client souffrant de colite ulcéreuse*

Plan	Évaluation
1. Le client ne présente plus de selles liquides en l'espace de 24 heures.	Le client a eu sept selles liquides le 23 septembre et trois le 24 septembre.
2. Avant sa sortie de l'hôpital, le client prend conscience des réactions affectives au stress.	Le 25 septembre, le client a déclaré : « Il vaut mieux que je sois à l'hôpital parce que ma fille vient à la maison pour la fête d'Action de grâces avec son enfant de trois ans. »
3. Le client modifie pendant 72 heures son régime alimentaire de façon à satisfaire ses besoins nutritionnels.	Le 24 novembre, le client a reçu une alimentation parentérale totale à 83 cc par heure. La solution n'a pas entraîné de réaction indésirable.

vers la fin de la vingtaine et disparaît à la longue (Arehart-Treichel, 1980 ; Engels, 1985).

Ulcère gastro-duodénal

En général, les clients qui souffrent d'ulcères ont des sentiments ambivalents et ne savent pas s'ils veulent être dépendants ou autonomes. En plus de ce conflit, ils ont tendance à sécréter trop d'acide gastrique, caractéristique héréditaire, selon certaines études. Ce sont souvent des travailleurs acharnés, méticuleux, ambitieux, égocentriques et sensibles au stress. Ils vivent souvent des situations traumatisantes, comme la menace d'être privé de la personne dont ils sont dépendants (Arehart-Treiche, 1980 ; Oken, 1985).

RÉSUMÉ

1. Dans le cas de nombreux troubles physiques, l'anxiété semble s'exprimer par des processus physiologiques plutôt que de façon symbolique, par des mécanismes d'adaptation.

2. On pense que la coronaropathie, le cancer, les céphalées, l'asthme, la colite ulcéreuse, la dermatose et l'arthrite sont des troubles à caractère psychophysiologique.

3. D'après Selye, le syndrome général d'adaptation est la réponse adaptative de l'organisme à un stress constant.

4. Le syndrome général d'adaptation permet de comprendre les manifestations psychophysiologiques de diverses maladies.

5. Les troubles cardiovasculaires sont la première cause de décès en Amérique du Nord.

6. Les deux principaux troubles cardiovasculaires sont la coronaropathie et l'hypertension.

7. Les facteurs de risque de coronaropathie sont l'obésité, l'âge, la vie sédentaire, un mode de vie stressant, l'hypertension, le sexe, le tabac, l'ethnie et la prédisposition génétique.

8. Un changement de mode de vie est essentiel chez le client atteint de cardiopathie coronarienne.

9. La deuxième cause de décès en Amérique du Nord est le cancer.

10. Les signes avant-coureurs du cancer sont un changement des modes d'élimination fécale ou urinaire, la présence de plaies qui ne cicatrisent pas, un saignement ou un écoulement inhabituel, une masse au sein ou ailleurs, la modification certaine d'une verrue ou d'un grain de beauté, la toux ou l'enrouement persistants.

11. On pense que de nombreux troubles respiratoires sont liés au stress émotionnel; l'asthme est l'un des plus communs.

12. À cause de la résistance accrue à la ventilation, l'asthmatique panique lorsqu'il ne parvient plus à respirer.

13. Les facteurs qui déclenchent une crise d'asthme sont : une infection des voies respiratoires, l'intolérance à certains médicaments comme l'aspirine, un refroidissement, l'exercice et les polluants atmosphériques.

14. L'infirmière est chargée d'apporter son soutien au client pendant les crises d'asthme et de l'aider à éviter les facteurs qui les déclenchent.

15. L'appareil gastro-intestinal est complexe et il est touché par de nombreux troubles psychophysiologiques. Parmi eux, la colite ulcéreuse est de plus en plus fréquente.

16. La colite ulcéreuse est une maladie qui comporte l'inflammation et l'ulcération du côlon et du rectum.

17. On ignore la cause de la colite ulcéreuse, mais on peut établir un lien entre les symptômes physiques et le stress psychologique. Des chercheurs ont avancé l'idée que les réactions affectives pouvaient entraîner la diminution de l'irrigation sanguine de la muqueuse du côlon.

18. Chez le client souffrant de colite ulcéreuse, le premier objectif est un traitement de soutien.

19. Étant donné leur complexité, les troubles psychophysiologiques représentent un défi pour l'infirmière en psychiatrie.

20. L'infirmière doit tenir compte du fait que la plupart de ces clients vivent dans une grande dépendance et qu'ils ont besoin de soutien.

EXERCICES DE RÉVISION

1. Les affections physiques caractérisées par un lien étroit entre des événements qui ont une signification psychologique et des symptômes physiques qui se manifestent dans un organe donné sont appelées :
  (a) troubles psychophysiologiques ;
  (b) maladie psychopathique ;
  (c) phénomène physiopathologique ;
  (d) dysfonctions biopsychosociales.

2. Lorsque l'obstacle qui s'oppose à la réalisation des objectifs est si important que, pendant un certain temps, l'individu est incapable de le surmonter à l'aide de ses méthodes habituelles de résolution des problèmes, on dit que l'individu en question traverse une période :
  (a) de stress ;
  (b) d'anxiété ;
  (c) de crise ;
  (d) de tension.

3. Quel est le symptôme le plus fréquent chez les clients cardiaques ?
  (a) la dyspnée ;
  (b) l'anxiété ;
  (c) la fatigue ;
  (d) le vertige.

4. L'un des principaux objectifs du traitement des clients atteints du cancer est le soulagement des symptômes pour préserver au maximum leur qualité de vie. Quel est le terme qui décrit cet objectif ?
  (a) une guérison ;
  (b) une rémission ;
  (c) une rechute ;
  (d) une atténuation des symptômes.

5. Chez le client asthmatique, l'objectif est d'acquérir de nouvelles stratégies lui permettant de surmonter le stress. Quel est le diagnostic qui correspond le mieux à cet objectif ?
  (a) la peur ;
  (b) les stratégies d'adaptation individuelle inefficaces ;
  (c) le mode de respiration inefficace ;
  (d) la difficulté à se maintenir en bonne santé.

6. Dans la liste ci-dessous, quel est le trouble intestinal qui est considéré comme un trouble psychophysiologique ?
  (a) l'obésité ;
  (b) le reflux œsophagien ;
  (c) la colite ulcéreuse ;
  (d) l'anorexie mentale.

BIBLIOGRAPHIE

American Psychiatric Association: *Diagnostic and Statistical Manual of Mental Disorders,* 3rd ed. Revised. Washington DC, 1987.

Arehart-Treichel J: *Biotypes.* New York Times Book Co., 1980.

Beare PG, Myers JL: *Principles and Practice of Adult Health Nursing.* Mosby, 1990.

Brunner LS, Suddarth DS: *The Lippincott Manual of Nursing Practice,* 4th ed. Lippincott, 1988.

Caplan G: *An Approach to Community Mental Health,* Grune & Stratton, 1961.

Caplan G: *Principle of Preventive Psychiatry.* Basic Books, 1964.

Coyne JC, Lazarus RS: Cognitive style, stress perception, and coping. In: *Handbook on Stress and Anxiety,* Kutash IL et al. Jossey-Bass, 1980.

Dohrenwend BS, Dohrenwend BP (editors): *Stressful Life Events: Their Nature and Effects.* John Wiley, 1974.

Engels WD: Skin disorders. In: *Comprehensive Textbook of Psychiatry,* 4th ed. Kaplan HI, Sadock BJ (editors), Williams & Wilkins, 1985.

Friedman M, Rosenman RH: *Type A Behavior and Your Heart.* Knopf, 1974.

Gerald MC, O'Bannon FV: *Nursing Pharmacology and Therapeutics,* 2nd ed. Appleton & Lange, 1988.

Groer ME, Shekleton ME: *Basic Pathophysiology: A Conceptual Approach.* Mosby, 1979.

Hackett TP, Rosenbaum JF, Cassem NH: Cardiovascular disorders. In: *Comprehensive Textbook of Psychiatry,* 4th ed. Kaplan HI, Sadock BJ (editors). Williams & Wilkins, 1985.

Holmes TH, Rahe RH: The social readjustment rating scale. *J Psychosom Res* 1967; 11:213.

Knapp PH: Current theoretical concepts in psychosomatic medicine. In: *Comprehensive Textbook of Psychiatry,* 4th ed. Kaplan HI, Sadock BJ (editors). Williams & Wilkins, 1985.

Kneisl CR, Ames SW: *Adult Health Nursing.* Addison-Wesley, 1986.

Lazarus RS: *Psychological Stress and the Coping Process.* McGraw-Hill, 1966.

Lazarus, RS: Emotions and adaptation: Conceptual and empirical relations. In: *Nebraska Symposium on Motivation,* Arnold WJ (editor). University of Nebraska Press, 1968.

Lazarus RS, Folkman S: *Stress, Appraisal, and Coping.* Springer, 1984.

LeShan L: *You Can Fight for Your Life.* M Evan, 1977.

Luckman J, Sorensen KC: *Medical-Surgical Nursing: A Psychophysiological Approach.* Saunders, 1987.

Monat A and Lazarus RS (editors): *Stress and Coping.* Columbia University Press, 1977.

Oken D: Gastrointestinal disorders. In: *Comprehensive Textbook of Psychiatry,* 4th ed. Kaplan HI, Sadock BJ (editors). Williams & Wilkins, 1985.

Sarason IG, de Monchaux C, Hunt T: Methodological issues in the assessment of life stress. In: *Emotions: Their Parameters and Measurement.* Levi L (editor). Raven, 1975.

Selye H: *The Physiology and Pathology of Exposure to Stress: A Treatise Based on the Concepts of the General Adaptation Syndrome and the Diseases of Adaptation.* Acta, 1956.

Selye H: *Stress Without Distress.* Lippincott, 1974.

Selye H: *Stress in Health and Disease.* Butterworth, 1976.

Thompson JM, et al.: *Mosby's Manual of Clinical Nursing,* 2nd ed. Mosby, 1989.

Weiner H: Respiratory disorders. In: *Comprehensive Textbook of Psychiatry,* 4th ed. Kaplan HI, Sadock BJ (editors). Williams & Wilkins, 1985.

LECTURES COMPLÉMENTAIRES

Dutil, B., D.A. Fortin, H. Roy, et C. Bouchard. « Le stress », *Nursing Québec,* 6 (6), 1986.

Foisy, R. *Les maladies psychosomatiques,* Montréal, Éditions de l'Homme, 1971.

Haynal, A., et W. Pasini. *Abrégé de médecine psychosomatique,* Paris, Masson, 1978.

Revue de Médecine Psychosomatique, La Pensée Sauvage, Grenoble.

Selye, H. *Stress sans détresse,* Montréal, Éditions la Presse, 1974.

Wilson, H.S., et C.R. Kneisl. *Soins infirmiers psychiatriques* (chap. 17), Montréal, Éditions du Renouveau Pédagogique, 1982.

CHAPITRE 8

Les réactions psychologiques à l'anxiété

KAREN LEE FONTAINE

Comment je vois ma maladie

C'est un mur qui m'entoure et me coupe du monde extérieur. À part ce mur qui m'emprisonne, un puits se creuse sous mes pieds. Lui aussi me sépare du monde extérieur. Pourtant c'est là, dans le monde extérieur, que je veux vivre.

Introduction

L'**anxiété** est une sensation pénible qui se manifeste en réaction à la peur de souffrir ou de perdre quelque chose d'important. Certains auteurs font une distinction entre la peur et l'anxiété. Selon eux, la peur est le sentiment éprouvé face à un danger réel et concret, alors que l'anxiété est provoquée par une cause ambiguë et floue ; il peut aussi s'agir d'un sentiment disproportionné par rapport au danger. D'autres auteurs, dont ceux du présent chapitre, croient que la réalité du danger ne change rien à la peur ressentie et emploient indifféremment les mots *peur* et *anxiété*, puisque que les deux états affectifs sont aussi pénibles l'un que l'autre (Barlow et Cerny, 1988).

Jean, 20 ans, vient d'être admis à l'unité psychiatrique. Il dit qu'il est « tremblant et nerveux », qu'il « se fait beaucoup de souci

pour l'avenir » et qu'il « se sent coupable d'avoir déçu ses parents ». De plus, il affirme qu'il dort mal et qu'il a maigri. Jean a terminé ses études secondaires, puis il est allé au cégep de sa région pendant deux ans. Il habitait alors avec ses parents et l'un de ses frères. Il y a quatre semaines, Jean s'est enrôlé dans l'armée. Il dit qu'il a commencé à s'ennuyer de ses parents dès le troisième jour de son arrivée et qu'il s'est mis à avoir peur de se trouver loin de chez lui, « dans un lieu inconnu, entouré d'étrangers ». Il précise que le camp d'instruction ne répondait pas à ses attentes et que la vie y était « trop épuisante ». Il faisait des cauchemars sur le thème du combat et de la guerre. Au bout de deux semaines, il a commencé à paniquer, puis il a refusé de participer aux exercices. Ses supérieurs ont demandé une évaluation à l'unité psychiatrique ; le médecin militaire a déterminé que la vie dans l'armée causait à Jean un surcroît de stress auquel il ne pouvait s'adapter. Jean a été réformé et il est rentré chez ses parents. Il a cependant continué de souffrir de symptômes d'anxiété, et ses parents l'ont fait examiner par un psychiatre qui a décidé de l'hospitaliser. Jean dit que ses parents souhaitent qu'il réussisse dans la vie, mais qu'il a été incapable de répondre à leur attente jusqu'à ce jour. Il prétend qu'il aimerait se rétablir afin de trouver un emploi qui lui permettrait d'aider les autres au lieu de les détruire.

L'anxiété signale les dangers possibles auxquels l'individu est exposé et le met en garde contre sa vulnérabilité. Ce sentiment lui fournit l'énergie nécessaire pour éliminer ou surmonter la menace de souffrance ou de perte. Comme l'anxiété prépare la personne à l'action et constitue la force motrice de la plupart des mécanismes d'adaptation, on peut considérer qu'elle représente la première étape du processus de résolution des problèmes.

Simone est étudiante en soins infirmiers. Elle éprouve une certaine anxiété lorsqu'elle doit parler en public. Dans l'un de ses cours, elle doit faire un exposé sur la déontologie des soins infirmiers. Son anxiété la pousse à pratiquer son exposé devant sa famille afin d'obtenir une rétroaction et des encouragements. Elle parvient ainsi à posséder son sujet et se sent plus sûre d'elle. Grâce à ce comportement de résolution des problèmes, Simone se sent moins anxieuse et elle réussit son exposé.

L'anxiété n'est pas toujours facile à déceler. Souvent, elle est dévoilée par la personne qui en souffre. On peut qualifier l'anxiété de normale ou d'anormale, suivant que la menace ou la perte est réelle ou non. On peut aussi décrire l'anxiété suivant sa durée. Elle peut en effet être aiguë et passagère chez certaines personnes, ou persistante et chronique chez d'autres. On détermine son intensité au moyen d'une échelle d'évaluation comportant quatre niveaux : anxiété légère ou minime, anxiété modérée, anxiété grave et anxiété extrême

ou panique (voir au tableau 8-1 les caractéristiques comportementales, affectives et cognitives des divers niveaux d'anxiété).

Adaptation et mécanismes de défense

Consciemment et inconsciemment, la personne tente de se protéger de la souffrance émotionnelle due à l'anxiété. Les tentatives conscientes telles que l'activité physique, notamment la marche, la course, les sports de compétition, la natation ou les tâches ménagères exténuantes peuvent éliminer la tension suscitée par l'anxiété. Les comportements d'adaptation d'ordre cognitif comprennent l'analyse réaliste des forces et des limites, l'établissement d'objectifs (familiaux et individuels) à court et à long termes, et la formulation d'un plan d'action pour pallier la situation anxiogène. Les comportements d'adaptation d'ordre affectif comprennent l'expression des émotions (par le rire, la parole ou les larmes) ou la recherche d'un soutien auprès de membres de la famille, d'amis ou de professionnels. Les comportements d'adaptation d'ordre affectif englobent également les techniques de gestion du stress telles que la méditation, la relaxation progressive, la visualisation et la rétroaction biologique. Les mécanismes d'adaptation efficaces confèrent à la personne un sentiment de compétence et d'estime de soi.

Les tentatives inconscientes de gestion de l'anxiété, ou **mécanismes de défense**, évitent à la personne d'éprouver de l'anxiété ; il y a par conséquent altération de la conscience de soi. Lorsque les mécanismes de défense permettent à la personne de satisfaire ses besoins de façon acceptable, ils peuvent être adaptatifs. Cependant, s'ils ne réussissent pas à diminuer l'anxiété jusqu'à un niveau supportable, ils deviennent inadaptés (voir au chapitre 3 des exemples de mécanisme de défense). Le recours constant à des mécanismes de défense particuliers fait apparaître des traits de personnalité et des comportements caractéristiques. La façon dont la personne se protège de l'anxiété et les mécanismes de défense qu'elle utilise influent davantage sur le comportement que la source de l'anxiété. Prenons, par exemple, le besoin fondamental d'être aimé. L'anxiété engendrée par la peur

Tableau 8-1   *Caractéristiques des niveaux d'anxiété*

Niveaux d'anxiété	Caractéristiques comportementales	Caractéristiques affectives	Caractéristiques cognitives
Anxiété légère ou minime	Le client est calme et détendu. Le contenu de sa conversation est approprié, son élocution est normale et sa voix est calme. Il peut accomplir des tâches familières et s'adonner à des jeux non compétitifs.	Le client est détendu. Il se sent à l'aise et en sécurité.	Le champ de perception du client est étendu. Il peut faire des rêves éveillés ou avoir des fantasmes.
Anxiété modérée	Le client peut présenter de légers tremblements des mains. Il a quelques difficultés à rester assis calmement. Sa loquacité est accrué; le ton et le volume de sa voix sont élevés; son élocution est rapide. L'anxiété apparaît souvent pendant les jeux compétitifs.	Le client s'inquiète de ce qui pourrait advenir. Il se sent nerveux, gêné, intimidé. Il peut aimer l'idée d'avoir un défi à relever.	Le champ de perception du client rétrécit. Le client aborde le processus de résolution de problèmes. Sa concentration est accrue. Il vit une situation propice à l'apprentissage.
Anxiété grave	Le client a des mouvements brusques avec des tremblements notables des mains. Il change fréquemment de position. Sa loquacité est excessive, le ton et le volume de sa voix se sont accrus; son élocution s'est accélérée. Son discours est obscur par moments. Il peut avoir de la difficulté à dormir.	Le client craint ce qui peut arriver. Il sent le besoin de réagir. Il se sent incompétent, inefficace et menacé.	Le champ de perception du client rétrécit davantage. Ses capacités d'auto-évaluation fléchissent et il est submergé par l'idée de son incompétence. Sa concentration diminue et il perd la mémoire. Il commence à éprouver des difficultés à prendre des décisions. Il redoute le pire.
Anxiété extrême (panique)	Le client souffre de tremblements généralisés nuisant à l'accomplissement des tâches. Son comportement est irréfléchi et primaire. Le flot de ses paroles est incessant et difficile à comprendre. Sa voix est chevrotante et criarde. Il peut se replier sur lui-même ou s'en prendre aux autres.	Le client craint de ne pas survivre à l'expérience. Il craint une catastrophe imminente. Il se sent consterné, piégé, menacé, abandonné. Il éprouve de la terreur et de l'impuissance.	Le champ de perception du client est extrêmement réduit. Sa pensée devient concrète. Il a des idées décousues ou bloquées. Il est en état de confusion. Sa capacité de jugement est faible. Il est incapable de résoudre ses problèmes.

de perdre l'amour peut provoquer divers comportements. Certaines personnes sont avides d'amour et ont constamment besoin d'en avoir confirmation; elles accumulent de ce fait les aventures passagères. D'autres cherchent à établir une relation stable et intime. D'autres, enfin, ont si peur de ne trouver ni l'amour ni l'acceptation, qu'elles évitent systématiquement les relations afin d'atténuer leur anxiété. Il arrive parfois que la gestion des mécanismes de défense devienne absorbante au point de saper l'énergie dont la personne a besoin pour mener à bien les autres tâches de la vie quotidienne. Les mêmes réactions figées à l'anxiété engendrent les troubles décrits dans le présent chapitre. Voici la liste qu'on trouve dans le DSM-III-R :

1. Troubles anxieux
   A. États névrotiques anxieux
      300.01   Panique, sans agoraphobie
      300.21   Panique, avec agoraphobie
      300.02   Trouble : anxiété généralisée
      300.30   Trouble obsessionnel-
               compulsif
      309.89   État de stress post-traumatique
   B. États phobiques
      300.22   Agoraphobie sans antécédents
               de panique
      300.23   Phobie sociale
      300.29   Phobie simple
2. Troubles dissociatifs
      300.12   Amnésie psychogène
      300.13   Fugue psychogène
      300.14   Personnalité multiple

L'anxiété

Il est important que l'infirmière comprenne la signification, l'évolution et les caractéristiques de l'anxiété ainsi que les mécanismes de défense du client, afin de pouvoir intervenir efficacement en tenant compte de sa propre anxiété et de celle d'autrui. Comme tout le monde, l'infirmière ressent de l'anxiété par rapport à plusieurs aspects de sa vie personnelle. Elle peut de plus en éprouver par rapport à sa vie professionnelle, notamment si elle se sent peu sûre d'elle ou si elle se croit incompétente. Au début de leur travail dans un service

psychiatrique, les étudiantes éprouvent souvent de l'anxiété. Elles doutent de leur capacité d'intervenir et se demandent ce qu'on attend d'elles. À mesure que leurs habiletés et leur aisance se développent, leur anxiété s'atténue, et elles ont de moins en moins recours aux mécanismes de défenses habituels.

Actuellement, l'anxiété est l'un des troubles mentaux les plus répandus. Seulement 25 p. cent des personnes atteintes de troubles anxieux reçoivent des soins psychiatriques ; les 75 p. cent qui restent font appel à d'autres services de soins. On rencontre des clients qui souffrent d'anxiété à tous les niveaux, dans tous les milieux cliniques, des CLSC aux services médico-chirurgicaux en passant par les unités de soins intensifs. En raison du surcroît de stress causé par une maladie physique aiguë ou chronique, les troubles anxieux de ces clients peuvent être particulièrement prononcés. Par conséquent, toutes les infirmières doivent être préparées à intervenir auprès de clients atteints d'anxiété généralisée ou d'un quelconque trouble anxieux (Barlow, 1988 ; Dubovsky, 1987).

L'anxiété au cours de l'enfance et de l'adolescence

Les enfants éprouvent fréquemment de l'anxiété ou de la peur. Généralement, cette sensation est passagère et ne dicte pas d'intervention spécialisée. Les très jeunes enfants ont peur des étrangers, de la solitude et de l'obscurité. Les enfants d'âge préscolaire, pour leur part, ont peur de créatures imaginaires, des animaux et de l'obscurité. Quant aux enfants d'âge scolaire, il leur arrive souvent d'avoir peur des tempêtes et de s'inquiéter de leur sécurité physique. Chez l'enfant qui finit le primaire, l'anxiété est surtout liée à des problèmes d'ordre scolaire, social ou médical. Cette tendance se poursuit tout au long de la croissance de l'enfant. L'enfant plus âgé peut avoir peur de la guerre ou d'un désastre nucléaire (Barrios, 1988) (voir au chapitre 6 pour plus de détails sur les crises de développement de l'enfance et de l'adolescence).

Pendant l'enfance, les troubles anxieux sont plutôt rares et de courte durée ; ils sont caractérisés par des peurs multiples, des troubles du sommeil, des phobies, la peur des déplacements et le refus d'aller à l'école. L'anxiété devient un trouble lorsqu'elle entrave le développement normal de l'enfant, son fonctionnement ou celui de sa famille (voir, au tableau 8-2, la comparaison entre ces troubles).

Une forme légère d'angoisse de séparation est répandue chez les jeunes enfants. En effet, la plupart des enfants ont peur de perdre leurs parents. L'**angoisse de séparation** peut apparaître à tout âge. L'enfant d'âge scolaire peut contracter une phobie de l'école ou refuser d'y aller au moment de se séparer de ses parents, bien que ce refus ne soit pas toujours dû à l'angoisse de séparation. Les enfants souffrant de l'angoisse de séparation proviennent généralement de familles unies et affectueuses ; ils ont des parents empressés et surprotecteurs qui récompensent généreusement leur désir de plaire et d'obéir.

Depuis qu'il est né, Manuel a toujours connu sa mère malade. Comme elle devait souvent être hospitalisée, il a eu de nombreuses gardiennes. À l'instar de la plupart des enfants, il s'est toujours cramponné à sa mère ; mais maintenant qu'il est sur le point d'entrer à l'école, il semble se cramponner davantage à elle. Manuel a fait quelques chutes au cours des deux dernières semaines et il se plaint de maux de tête et d'estomac. C'est pour ces raisons qu'on l'amène à la clinique.

Plus fréquent chez les filles, l'**évitement** se caractérise par la timidité et par le refus anormal de faire de nouvelles rencontres. Bien que l'enfant ait des relations chaleureuses et naturelles avec les membres de sa famille, il peut également se montrer exigeant et tyrannique. Quand on l'incite à participer à des activités scolaires, il peut devenir

Tableau 8-2 *Comparaison entre les troubles anxieux de l'enfance et ceux de l'adolescence*

Caractéristiques	Angoisse de séparation	Trouble d'évitement	Hyperanxiété
Apparition	De la petite enfance à l'adolescence.	À partir de deux ans et demi.	À partir de trois ans.
Durée	Plus d'un mois.	Plus de trois mois.	Trois mois ou plus.
Facteurs d'agression	La séparation d'avec un proche, d'autres pertes.	Les incitations à participer à des activités sociales ou à se joindre à un groupe.	Les incitations excessives à la performance, la perte d'estime de soi.
Relations avec les camarades	Capacité d'établir des relations avec les camarades, mais l'enfant devient craintif hors de la maison.	Refus d'établir des relations interpersonnelles ; il est inhibé, timide et pleure facilement en public.	Désir de plaire, dépendance.
Manifestations physiologiques	Nombreuses plaintes somatiques : nausées, vomissements, maux d'estomac, maux de tête, palpitations, étourdissements.	Vasodilatation (érubescence), tension musculaire.	Détresse respiratoire, gêne gastro-intestinale, maux de gorge, palpitations, maux de tête, étourdissements, douleurs.
Traits essentiels	Stress inhabituel lorsque le sujet s'éloigne de la maison, des parents, du milieu familial.	Refus de participer aux activités sociales et de faire de nouvelles rencontres ; il peut se créer des compagnons imaginaires.	Inquiétude excessive sans rapport avec un stress récent ou une situation particulière.
	Peur morbide d'être blessé, lui ou l'un des membres de sa famille.	Risque d'inhibition de l'activité motrice.	Agitation motrice ; l'enfant ronge ses ongles, suce son pouce, tire ses cheveux.
	Phobie d'un animal ou d'un monstre.	Perfectionnisme.	Perfectionnisme et doute de soi.
	Cauchemars, sommeil difficile.	Difficultés d'élocution (sans cause physiologique) ; souvent, il ne fait que chuchoter.	Loquacité.

timide et se mettre à pleurer. Souvent, l'enfant parle à voix basse, rougit et communique avec difficulté. Il évite la compétition, bien qu'il puisse rêver secrètement de s'illustrer dans les domaines du sport, de la créativité ou des activités sociales. Il est souvent perfectionniste, mais probablement en réaction à une faible estime de soi.

L'**hyperanxiété** est aussi plus fréquente chez les filles et elle se caractérise par un fort besoin de réussite. Habituellement, l'enfant souffrant de ce trouble est l'aîné d'une famille de niveau socio-économique élevé. L'enfant s'inquiète excessivement sans que ses inquiétudes soient reliées à un événement ou à un objet précis. L'avenir et l'acceptation sociale le préoccupent beaucoup.

On dit souvent que l'adolescence est l'âge de l'anxiété. Sur le plan du développement, l'adolescence est la période pendant laquelle la personne apprend à s'adapter aux frustrations et à surmonter le stress. La compétition qui règne parmi ses camarades, les changements physiques, la peur de redevenir dépendant, l'absence d'un réseau d'adultes autres que les parents, la prise de conscience de la mort, la menace d'une guerre nucléaire ainsi que le chômage et le manque d'emploi sont souvent la cause de l'anxiété chez les adolescents. Ceux qui souffrent de troubles anxieux peuvent présenter les caractéristiques de troubles de l'enfance ou de troubles de l'âge adulte.

Le **trouble de l'identité** se caractérise par un dysfonctionnement social ou scolaire et par de nombreuses incertitudes relatives aux objectifs de vie, à l'amitié, à l'orientation sur le plan sexuel, au comportement, aux valeurs religieuses et morales et aux attaches. « Qui suis-je ? », se demandent la plupart des adolescents. Pour l'adolescent souffrant du trouble de l'identité, qui s'interroge plus qu'il n'est normal de le faire à son stade de développement, la question reste sans réponse. Le soi demeure un mystère profond.

Au moment où les autres commencent à faire des choix de carrière ou à se fixer des objectifs à long terme, cet adolescent emploie toute son énergie à se définir. L'isolement et le vide intérieur le minent. Comme il est incapable de déterminer qui il est, il ne parvient pas non plus à supporter l'intimité dans une relation. L'adolescent n'a ni valeurs ni attaches. Son identité et ses croyances sont des énigmes qui l'absorbent au point qu'il est incapable de travailler et de profiter de la vie. Pour résumer :

- il cherche désespérément son identité ;
- il est incapable de donner une orientation à sa vie, de choisir entre la réussite matérielle et le bénévolat, par exemple ;
- il est incapable de choisir une carrière ;
- il hésite entre différents types de relations amicales et ne sait pas qui choisir comme ami. Par exemple, il peut se joindre à un groupe de consommateurs de drogues ou à une secte parce qu'il peut se perdre plus facilement au sein d'un groupe.

Le **trouble de l'adaptation** chez l'adolescent se caractérise par un stress extrême qui entrave sa capacité d'adaptation. Les facteurs d'agression dans ce cas sont les attentes de la société qui exige de l'adolescent qu'il devienne plus adulte et plus autonome. Ce dernier réagit à ces attentes par des comportements régressifs : anxiété, dépression, troubles de l'alimentation et du sommeil, dépendance accrue à l'égard des parents, plaintes somatiques et actes impulsifs. On diagnostique ce trouble, en l'absence d'autres troubles mentaux. Pour accéder à la maturité, l'adolescent a absolument besoin du soutien de ses parents et de ses enseignants.

Connaissances de base

Nous décrivons ici divers troubles qui apparaissent en réaction à l'anxiété et leurs principales caractéristiques comportementales, affectives et cognitives.

Anxiété généralisée

L'**anxiété généralisée** est un trouble chronique qui touche plus de 5 p. cent de la population. Elle apparaît généralement entre la fin de l'adolescence et le début de la vingtaine et affecte deux fois plus de femmes que d'hommes. L'anxiété généralisée se manifeste par les caractéristiques comportementales, affectives, cognitives et physiologiques de l'anxiété modérée (voir les tableaux 8-1 et 8-3). Ces symptômes sont toujours présents, le plus remarquable étant l'« inquiétude » pathologique chronique qui porte habituellement sur la famille, l'argent et le travail. Persistants et incontrôlables, les symptômes peuvent engendrer des réactions de panique, l'agoraphobie ou la dépression (Barlow, 1988).

Panique

D'après certaines études menées aux États-Unis, 35 p. cent des gens vivent occasionnellement des crises de panique. La plupart du temps, ces épisodes sont reliés au fait de parler en public, à des conflits interpersonnels, à des examens ou à d'autres situations génératrices d'un stress intense. En outre, les épisodes de panique peuvent accompagner une vaste gamme de troubles affectifs et anxieux (Barlow et Cerny, 1988).

Les réactions de panique, avec ou sans agoraphobie, apparaissent généralement entre 25 et

Tableau 8-3   *Comparaison des troubles anxieux*

Troubles	Sensations d'anxiété	Facteurs anxiogènes
Anxiété généralisée	Éprouvées	Phénomènes somatiques
Panique	Éprouvées	Phénomènes somatiques
Trouble obsessionnel-compulsif	Évitées	Stimuli cognitifs internes
État de stress post-traumatique	Éprouvées	Signes environnementaux
Phobies Simple	Évitées	Objets ou événements de l'extérieur
Sociale	Évitées	Évaluation ou critique d'ordre social
Agoraphobie	Éprouvées	Anxiété par elle-même, peur de la peur
Troubles dissociatifs	Évitées	Événements ou souvenirs traumatisants

45 ans. Souvent, les crises de panique sont inopinées et peuvent durer quelques minutes et, parfois, jusqu'à une heure. Les caractéristiques comportementales, affectives, cognitives et physiologiques du trouble sont décrites aux tableaux 8-1 et 8-3. Certaines personnes ne souffrent que de crises de panique nocturnes. Ces crises réveillent la personne et se produisent habituellement entre une et quatre heures après le début du sommeil. On ne connaît pas la cause de la panique nocturne, bien que certains croient qu'elle est reliée aux apnées du sommeil. Nous présentons plus de détails sur la panique dans la section consacrée à l'agoraphobie, car ces deux troubles sont souvent coexistants (Barlow et Cerny, 1988).

> *Marthe est âgée de 32 ans. Ces derniers temps, l'anxiété ne lui laisse pas de répit. Elle est sans cesse assaillie par une peur inexplicable du « malheur ». Cette peur est survenue soudainement. Récemment, le seul événement notable de sa vie a été une biopsie du sein. La mère et la sœur de Marthe ont des antécédents de cancer de l'utérus, mais les deux sont aujourd'hui en bonne santé physique. Marthe a eu quelques épisodes de panique et elle redoute une récidive. Elle dort mal, a peur de rester seule et craint de « devenir folle ».*

Trouble obsessionnel-compulsif

Les **obsessions** et les **compulsions** sont respectivement des pensées et des actions persistantes et indépendantes de la volonté. Le comportement obsessionnel-compulsif est assez répandu dans la population. Quatre-vingts pour cent des personnes qui en souffrent ont à la fois des obsessions et des compulsions en réaction à l'anxiété ; les 20 p. cent qui restent n'ont que des obsessions. Quand les pensées et les comportements obsessionnels-compulsifs dominent la vie du client, on dit qu'il souffre du **trouble obsessionnel-compulsif**. Ce trouble apparaît généralement au début de la vingtaine, mais il peut débuter à 50 ans aussi bien qu'à 5 ans. Il touche le même pourcentage de femmes que d'hommes (Barlow, 1988 ; Emmelkamp, 1982 ; Hafner, 1988 ; Rapoport, 1989).

Le terme *trouble obsessionnel-compulsif* désigne un groupe hétérogène de troubles déclenchés par divers facteurs. Les caractéristiques du trouble obsessionnel-compulsif peuvent coïncider avec celles d'autres troubles anxieux. On pensait autrefois que le trouble obsessionnel-compulsif était une forme plus grave du trouble de la personnalité obsessionnelle-compulsive (voir le chapitre 10 pour plus de détails sur les troubles de la personnalité). Or, les recherches récentes révèlent des différences marquées entre ces troubles ; 20 p. cent seulement des personnes souffrant du trouble obsessionnel-compulsif présentent les caractéristiques du trouble de la personnalité. En bref, les personnes atteintes du trouble de la personnalité ont des modes de comportement rigides, une expression restreinte de l'affect et un penchant excessif pour la productivité. Le client qui a un trouble de la personnalité ne se sent pas tourmenté et ne considère pas que son comportement pose des problèmes (Rapoport, 1989).

Le trouble obsessionnel-compulsif peut avoir des répercussions sur la vie de la personne atteinte, répercussions qui peuvent être minimes mais aussi invalidantes. Rapoport (1989) évalue la gravité du trouble obsessionnel-compulsif selon la durée du comportement compulsif :

- *légère :* moins d'une heure par jour ;

- *modérée :* entre une et trois heures par jour ;

- *grave :* entre trois et huit heures par jour ;

- *extrême :* presque tout le temps.

Caractéristiques comportementales Presque tout le monde présente à un moment ou à un autre une forme légère du comportement obsessionnel-compulsif, appelée **folie du doute**, qui se caractérise par l'incertitude et le besoin irrépressible de vérifier le comportement antérieur. Ainsi, bien des gens règlent leur réveille-matin mais se sentent poussés à vérifier qu'ils l'ont bien fait avant de pouvoir trouver le sommeil. D'autres ferment un appareil mais reviennent sur leurs pas pour s'assurer qu'ils l'ont effectivement fermé. D'autres, encore, verrouillent leur porte mais revérifient si le verrou est bien poussé. Des incertitudes surgissent : « Ai-je bien verrouillé la porte ? » se demandent-ils. Le sentiment de compulsion subjective les incite à aller vérifier. Mais ils résistent souvent à la compulsion : « Je n'ai pas besoin de vérifier, se disent-ils, parce que je sais bien que j'ai poussé le verrou. » Les pensées obsessionnelles persistent, et l'anxiété s'accroît jusqu'à ce que la personne accomplisse l'acte compulsif.

> *Sa mère l'a souvent mise en garde contre les risques d'incendie si le fer à friser n'est pas débranché. Bien qu'elle soit devenue adulte, Nathalie ne peut pas partir le matin tant qu'elle n'a pas vérifié deux fois si elle a bien débranché son fer à friser. Les pensées obsessionnelles la poussent à vérifier le fer à friser même si elle sait qu'elle l'a rangé. Si elle refuse de céder à sa compulsion, son anxiété augmente jusqu'à ce qu'elle soit obligée de vérifier. Dès lors, son anxiété diminue et elle peut se laisser aller à d'autres pensées et à d'autres comportements. Parfois, Nathalie essaie de ne pas vérifier le fer à friser avant de sortir de chez elle, mais alors, toute la journée, un sentiment d'anxiété l'accable. Ce n'est que lorsque Nathalie rentre chez elle et vérifie le fer à friser que son anxiété se dissipe.*

Les rituels, avec leurs comportements particuliers ou stéréotypés, constituent un type de compulsion. Sous une forme bénigne, les rituels sont répandus. Comme ce sont des actes répétitifs et immuables, ils évitent à la personne de prendre des décisions et lui confèrent ainsi un sentiment de sécurité et de maîtrise d'elle-même et de son milieu.

> *Chaque matin, à son réveil, Maurice répète les mêmes gestes. Il branche la cafetière, urine, prend une douche, se rase, s'habille, lit le journal en buvant son café et s'en va travailler. Mais un matin, Maurice se réveille en retard et ne dispose plus que de quelques minutes pour se préparer. Il ne prend pas de douche, se rase en vitesse, s'habille et s'en va. Toute la journée, il éprouve un sentiment d'anxiété légère qu'il attribue au fait de s'être « levé du mauvais pied ».*

Les rituels sont nombreux dans les ordres religieux, les confréries, les écoles et l'armée. Il existe aussi des rituels dans les unités de soins, et ils portent sur la présentation des rapports, les tournées, l'administration des médicaments, la toilette des clients, les changements de draps et les traitements. Il y a même des rituels de salutation entre les clients et les infirmières. Comme l'infirmière est sans cesse confrontée à la souffrance humaine, les rituels la protègent de l'anxiété que cette situation engendre (Chapman, 1983). Au début de leur pratique, les étudiantes qui s'initient aux soins infirmiers en santé mentale sont souvent anxieuses, car elles ignorent les habitudes du milieu et doivent adapter leur comportement de façon consciente. Habituellement, leur anxiété diminue à mesure qu'elles acquièrent de l'expérience.

Toutefois, chez le client souffrant de trouble obsessionnel-compulsif, l'anxiété ne diminue pas à mesure que la confiance augmente. De plus, la personne présente souvent un comportement épuisant, voire même bizarre. Si l'on compare des personnes de diverses cultures souffrant du trouble obsessionnel-compulsif, on constate que leur comportement est remarquablement semblable. Elles affirment que leur conduite leur est dictée de l'intérieur. «Je dois le faire, disent-elles. Je ne *veux* pas, mais je *dois*.» Quatre-vingt-dix pour cent des femmes atteintes de ce trouble ont la compulsion du nettoyage et elles ont une peur déraisonnable de la contamination; elles évitent de toucher tout objet qu'elles croient sale. Elles peuvent passer chaque jour des heures et des heures à laver et à nettoyer autour d'elles. Les rituels de nettoyage et la lutte contre la contamination dissipent leur anxiété et leur redonnent un sentiment de sécurité et de maîtrise. Depuis que le public connaît l'existence du sida, un tiers des personnes atteintes du trouble obsessionnel-compulsif justifient leur compulsion du nettoyage par la peur de cette maladie.

Les hommes atteints du trouble obsessionnel-compulsif sont plus enclins à se livrer à des vérifications répétitives, comportement souvent associé à la pensée magique. Ces individus espèrent prévenir aussi une catastrophe éventuelle, même s'ils reconnaissent que leur comportement est irrationnel. Les enfants souffrant du trouble obsessionnel-compulsif peuvent avoir des difficultés d'apprentissage si leur besoin compulsif de recompter ou de revérifier fait obstacle à l'exécution de leur travail scolaire. Les comportements obsessionnels incluent aussi le fait de disposer et de redisposer des objets, ou encore de passer et de repasser le seuil d'une porte (Barlow, 1988; Hand, 1988; Rapoport, 1989).

Depuis qu'elle souffre du trouble obsessionnel-compulsif, Sylvie fonctionne de moins en moins bien. Elle a été contrainte de quitter son emploi car, le matin, ses rituels d'habillement duraient jusqu'à six heures. Elle passe huit heures chaque jour à faire le ménage de son appartement de trois pièces. Elle lave tous ses vêtements trois fois avant de les ranger dans des sacs de plastique pour éviter la contamination. La peau de ses mains et de ses bras est irritée et recouverte de croûtes du fait qu'elle les lave une cinquantaine de fois par jour avec un désinfectant fort.

Caractéristiques affectives   Souvent, les personnes atteintes du trouble obsessionnel-compulsif ont honte de leur comportement irrépressible et irrationnel, et elles essaient de le dissimuler. Certaines d'entre elles sont rongées par la peur d'être découvertes. En réaction à l'anxiété, ces personnes se sentent tendues, incompétentes et inefficaces. Pour soulager l'anxiété causée par leur désarroi et leur impuissance, elles attachent une grande importance au fait d'exercer un certain contrôle. Elles croient qu'il se produira une catastrophe si elles n'obéissent pas à leur compulsion. Ainsi, dans la plupart des cas, les compulsions servent à réduire passagèrement l'anxiété. Or, il arrive que le comportement engendre à son tour de l'anxiété qui peut être légère mais qui peut aussi devenir constante. La personne souffrant du trouble obsessionnel-compulsif risque aussi de contracter des phobies si elle est confrontée à des situations qu'elle n'arrive plus à maîtriser (Atwood, 1987; Rapoport, 1989).

Pour endiguer son comportement obsessionnel-compulsif, Jeannine a décidé de ne plus conduire son automobile. Son refus de conduire est devenu une phobie.

Auparavant, chaque fois qu'elle passait en auto sur un nid-de-poule, l'obsession d'avoir frappé quelqu'un l'envahissait. Elle se sentait forcée d'arrêter, de descendre et de regarder tout autour de l'auto. Ce comportement est devenu si prononcé qu'elle pouvait monter et descendre de l'auto une vingtaine de fois avant de poursuivre son chemin. Sa phobie de la conduite est apparue en réaction à son manque de maîtrise.

Caractéristiques cognitives   Les personnes qui souffrent d'un trouble obsessionnel-compulsif se sentent tourmentées par leurs symptômes. Elles reconnaissent l'absurdité de leur comportement et désirent y résister, tout comme elles désirent résister à leurs pensées obsessionnelles. Cependant, la compulsion a raison de leurs tentatives d'y échapper et elles se sentent souvent extrêmement affligées à cause de leurs actes.

Les préoccupations les plus courantes de ces personnes sont la saleté, la sécurité ou la sexualité. Les pensées sont violentes ou blasphématoires. Les sujets sont assaillis par des doutes incessants, ce qui provoque des problèmes de concentration et l'épuisement mental. Ils doutent de tout ce qui a trait à l'objet de leur compulsion, et leurs perceptions visuelles, tactiles, olfactives, gustatives et auditives ne les rassurent pas. « Quels que soient les efforts que je déploie, disent-ils, je n'arrive pas à chasser ces pensées. »

Yvette, âgée de 27 ans, est ingénieure-mécanicienne. Son comportement obsessionnel-compulsif s'est aggravé au cours des cinq dernières années. Comme sa productivité décline, elle risque maintenant de perdre son emploi. Elle vérifie et revérifie chaque tâche qui lui est confiée, à tel point qu'elle est incapable d'en mener une à terme. Elle est en mesure de déterminer qu'une tâche a été accomplie, mais sa peur de l'erreur la pousse à poursuivre ses vérifications et à retarder le moment de soumettre son travail à son supérieur hiérarchique. Elle reconnaît que son comportement est irrationnel et qu'elle finira probablement par être renvoyée.

Phobies

Comme le trouble obsessionnel-compulsif, les **phobies** sont des modes de comportement qui visent à combattre l'anxiété. Les deux troubles ont des caractéristiques communes : la peur de perdre la maîtrise de soi et de paraître incompétent, la nécessité de se défendre contre tout ce qui menace l'estime de soi, et le perfectionnisme (Salzman, 1982).

La plupart des gens essaient d'éviter les dangers physiques. Mais le client qui souffre de phobie évite également les situations qui ne présentent aucun danger réel. D'après les évaluations, de 20 à 45 p. cent des gens souffrent d'une phobie légère. Cependant, les troubles phobiques ne touchent que 5 à 15 p. cent de la population. Il existe de nombreux troubles phobiques, mais, comme l'expliquent Goodwin (1983) et Maxmen (1986), ils ont tous quatre caractéristiques communes :

- il s'agit de réactions *irrationnelles*, autant du point de vue du malade que de l'observateur ;

- les peurs sont *persistantes* ;

- la personne atteinte a recours à des *comportements d'évitement* ;

- le comportement finit par devenir *invalidant*.

Que l'objet ou la situation phobogènes soit ou non la cause réelle de l'anxiété sous-jacente, tous les troubles phobiques comportent la peur fondamentale de perdre la maîtrise de soi.

Une phobie simple est la peur d'un seul objet ou d'une seule situation, et elle peut apparaître à la suite d'une seule expérience désagréable. Les phobies les plus répandues concernent des dangers primitifs tels que les espaces clos, les hauteurs, les serpents et les araignées. Les dangers de la vie moderne, comme les armes à feu, les couteaux et les voitures, sont rarement des objets de phobie. Les phobies apparaissent généralement pendant l'enfance et touchent autant les femmes que les hommes. Les personnes souffrant d'une phobie simple éprouvent une angoisse d'anticipation, c'est-à-dire que la seule pensée de l'objet ou de la situation suscite l'anxiété. Le trouble n'est pas invalidant, sauf si l'objet ou la situation ne peuvent être évités (Rapoport, 1989).

> *Georges souffre d'une phobie simple qui porte sur les serpents. Comme il vit dans une grande ville et qu'il a peu de risques de rencontrer un serpent, sa phobie ne le rend pas invalide.*

> *Josiane souffre d'une phobie simple. Elle a peur de se trouver dans un ascenseur avec d'autres personnes. Sa phobie est légèrement invalidante dans la mesure où elle doit emprunter les escaliers la plupart du temps. Ses possibilités d'emploi sont quelque peu limitées, puisqu'elle ne peut pas se rendre aux étages supérieurs d'une tour de bureaux.*

Dans le cas des phobies sociales, l'anxiété est déclenchée par des situations sociales. Les phobies peuvent prendre plusieurs formes dont le trac, la peur de parler en public, d'utiliser des toilettes publiques, de manger en public, d'être le point de mire au travail ou de se trouver dans une foule. Toutes ces peurs se concentrent autour d'une éventuelle perte de maîtrise de soi qui entraînerait l'embarras ou l'humiliation. Selon la facilité avec laquelle la personne atteinte peut éviter la situation, sa phobie est plus ou moins invalidante (Barlow et Cerny, 1988).

> *Adèle souffre d'une phobie sociale qui l'empêche d'utiliser les toilettes publiques lorsque d'autres personnes s'y trouvent. Ses sorties sont donc limitées par la capacité de rétention de sa vessie.*

L'**agoraphobie**, le trouble phobique le plus envahissant et le plus grave, est la peur de se trouver à l'extérieur de chez soi et de ne pas obtenir, dans les endroits publics, le secours dont on pourrait avoir besoin. L'agoraphobe évite les foules dans la rue, dans les magasins, dans les transports en commun, à la plage, dans une salle de concert ou de cinéma. Certains agoraphobes évitent aussi les endroits confinés tels que les tunnels et les ascenseurs.

Entre 70 et 85 p. cent des personnes chez qui on a diagnostiqué l'agoraphobie sont des femmes. Trois théories tentent d'expliquer cette forte inci-dence chez les femmes. Selon la première, il y a autant d'hommes que de femmes atteints d'agoraphobie, mais le trouble n'est pas décelé chez la plupart des hommes. En effet, on apprend aux hommes à taire leur anxiété et à la surmonter par des moyens comme l'alcool. Selon la deuxième théorie, les statistiques révéleraient une différence réelle entre les deux sexes, étant donné qu'on apprend aux hommes à « vaincre » leurs peurs et aux femmes à les éviter. Selon la troisième théorie, enfin, les changements endocriniens qui se produisent chez la femme la prédisposent davantage aux réactions de panique.

L'agoraphobie est souvent déclenchée par un stress intense. Un déménagement, un changement d'emploi, un problème interpersonnel ou le décès d'un être cher peuvent en précipiter l'apparition. Le trouble apparaît habituellement entre 15 et 20 ans ou entre 30 et 40 ans. Certaines personnes ne connaissent qu'un seul bref épisode d'agoraphobie. Mais si l'agoraphobie persiste pendant plus d'un an, elle tend à devenir chronique, avec périodes de rémissions partielles et rechutes (Barlow et Cerny, 1988 ; Brehony, 1983).

Il est difficile d'estimer l'incidence des phobies dans la population, car nombreux sont ceux que leurs peurs embarrassent et qui les gardent secrètes. En outre, le diagnostic d'agoraphobie sans épisodes de panique est controversé. Les thérapeutes croient que la panique est une caractéristique essentielle de l'agoraphobie. Or, selon les rapports épidémiologiques, certains individus n'éprouvent pas de panique. À l'heure actuelle, la raison de cette divergence d'opinions demeure obscure (Barlow et Cerny, 1988).

Caractéristiques comportementales   La principale caractéristique comportementale de l'agoraphobe est l'évitement. De crainte de perdre la maîtrise de soi, la personne atteinte évite l'objet ou la situation qui intensifie son anxiété. Si la personne présente des tendances légères aux vérifications ou aux rituels, l'évitement peut prendre chez elle une allure obsessionnelle-compulsive. Bien que la personne sache que sa peur est irrationnelle, elle essaie quand même d'éviter l'objet ou la situation; si elle ne peut l'éviter aisément, son comportement peut entraver son fonctionnement global, voire même son mode de vie.

> *Huguette a la phobie de la saleté, des microbes et de la contamination. Cette peur domine sa vie au point que chaque fois qu'un visiteur entre chez elle, elle se met aussitôt à récurer le plancher «parce qu'on ne sait jamais où ils ont posé les pieds ni quels microbes ils traînent sous leurs semelles».*

Les personnes souffrant d'agoraphobie invalidante sont excessivement dépendantes, car leur comportement d'évitement détermine toutes leurs activités. Leur panique peut atteindre un point tel qu'elles en arrivent à ne plus sortir de chez elles.

> *Édith vit dans une grande ville. Son agoraphobie s'est installée il y a 10 ans, à une époque où elle vivait de graves conflits conjugaux. Au début, Édith évitait tout simplement les foules. Puis, elle a commencé à avoir peur de sortir de son quartier. Il y a cinq ans, elle a cessé de sortir et avait des réactions de panique chaque fois qu'elle essayait de mettre les pieds dehors. Il y a deux ans, la phobie d'Édith a évolué au point de la confiner au canapé du salon. Édith a donc besoin de beaucoup d'aide pour accomplir ses activités quotidiennes. Son mari et une aide ménagère veillent à ce que ses besoins fondamentaux soient satisfaits. Par ailleurs, Édith est alerte; elle continue de gérer le budget familial et elle accomplit toutes les activités qu'elle peut mener à partir de son canapé.*

Caractéristiques affectives   Les personnes qui souffrent de phobie sont dominées par la peur. En plus de redouter un objet ou une situation, elles craignent quelquefois d'être découvertes, ce qui pourrait leur valoir d'être ridiculisées, humiliées et abandonnées pendant un épisode phobique.

Confrontées à l'objet ou à la situation phobogène, ces personnes sont envahies par la panique et quelquefois par le sentiment d'une catastrophe imminente. La panique elle-même est souvent accompagnée d'autres peurs, celle de perdre la maîtrise de soi, de faire une scène, de s'évanouir,

d'avoir une crise cardiaque, de mourir, de perdre la mémoire ou de devenir fou. Ayant déjà vécu des réactions de panique imprévisibles, les personnes phobiques craignent d'en subir d'autres. Comme la première crise a été terrifiante, la peur d'en avoir une autre devient le principal facteur de stress de leur vie. Cette peur d'avoir peur, forme extrême de l'angoisse d'anticipation, peut devenir l'expérience affective dominante, particulièrement chez les agoraphobes (Hafner, 1988).

Caractéristiques cognitives   Les personnes phobiques reconnaissent que leurs réactions et leurs pensées sont irrationnelles, mais elles sont incapables de les expliquer ou de s'en débarrasser. L'angoisse d'anticipation les consume et l'avenir les inquiète. Les phobiques ont une faible estime de soi; ils croient qu'ils sont incompétents ou ratés et qu'ils ne peuvent se passer du soutien et de l'encouragement des autres. Ils se définissent comme des êtres impuissants et dépendants, et ils perdent souvent tout espoir de guérir. Ils peuvent même croire qu'ils souffrent d'une maladie mentale et craindre de finir leurs jours dans un établissement de soins.

Afin de circonscrire leur anxiété, les phobiques emploient souvent des mécanismes de défense qui les libèrent de l'anxiété tant que l'objet ou la situation phobogène peut être évité. Certains mécanismes de défense, tels que le refoulement, le déplacement, la symbolisation et l'évitement, leur permettent également d'éloigner la principale source anxiogène hors des limites de la conscience. Cependant, les mécanismes de défense sont inadéquats chez les agoraphobes. Ceux-ci vivent dans la terreur de réactions de panique futures et dans un état constant d'angoisse d'anticipation. Ils peuvent avoir du mal à assumer la responsabilité de leurs symptômes et sont enclins à imputer leurs problèmes à leurs proches.

> *Chez Johanne, la peur de manger dans les endroits publics est devenue si forte qu'elle doit maintenant prendre ses repas seule, dans sa chambre. Six mois après son mariage, lors d'une dispute particulièrement violente dans un restaurant, son mari a menacé de la quit-*

ter. La scène fut extrêmement pénible. L'anxiété causée par la peur de perdre son mari a été trop douloureuse et, incapable de la supporter, Johanne l'a refoulée. Cependant, comme le refoulement n'est jamais total, l'anxiété de Johanne s'est déplacée de sa relation conjugale aux restaurants. Ces endroits sont devenus, dès lors, le symbole de son anxiété et de sa peur, qu'elle peut dorénavant contourner en évitant de manger en public. Inconsciemment, Johanne préfère cette situation qui lui permet de ne pas affronter ses problèmes conjugaux. Sa phobie lui procure aussi le gain secondaire de pouvoir garder son mari auprès d'elle tant qu'elle demeure impuissante et dépendante.

État de stress post-traumatique

Les personnes qui ont été exposées à des situations très dangereuses peuvent être atteintes du trouble appelé **état de stress post-traumatique**. Ce trouble est dit aigu si les symptômes apparaissent peu après le traumatisme, et chronique, si les symptômes ne se manifestent que quelques mois ou quelques années plus tard. Chaque fois qu'une personne subit un traumatisme, elle est prédisposée à l'état de stress post-traumatique. Habituellement, le trouble apparaît après un combat, une catastrophe naturelle, une prise d'otages, un viol, une agression ou des sévices extrêmement cruels. L'état de stress post-traumatique est moins grave après une catastrophe naturelle, comme un séisme ou une inondation, qu'après un désastre provoqué par les hommes, comme une guerre ou un enlèvement. Il est important de comprendre que les victimes de l'état de stress post-traumatique sont des gens normaux qui ont été exposés à des événements anormaux. Ces personnes connaissent des épisodes récurrents de reviviscence de l'événement traumatique, et leurs comportements, leur affectivité et leurs processus cognitifs subissent des changements complexes (Ochberg, 1988).

La guerre est l'un des événements les plus traumatisants qui soient. On estime que 500 000 anciens combattants du Viêt-nam souffrent actuellement de ce trouble. Il ne faut pas oublier non plus

les infirmières qui ont servi au Viêt-nam entre 1964 et 1975. Cinquante pour cent d'entre elles font état de symptômes permanents de l'état de stress post-traumatique. Ces infirmières travaillaient six jours par semaine, au moins 12 heures par jour, et souvent même 24 heures sur 24. Comme le mentionnent Rogers et Nickolaus (1987, p. 13-14), la vulnérabilité des infirmières du Viêt-nam est attribuable au fait qu'elles

> se tiennent pour responsables de la mort des soldats. Elles se sentent coupables de n'avoir pas été assez compétentes et efficaces, et de ne pas avoir eu assez de connaissances. Elles croient qu'elles auraient dû surmonter l'adversité et accomplir des exploits surhumains.

Depuis quelque temps, la recherche porte sur l'incidence de l'état de stress post-traumatique chez les sauveteurs. Les infirmières, les pompiers, les policiers, les ambulanciers et les médecins semblent prédisposés à ce trouble. D'après les statistiques actuelles, quatre sauveteurs sur cinq présentent des symptômes de stress importants, et un sauveteur sur 25 finit par être victime de l'état de stress post-traumatique (Spitzer et Franklin, 1988).

Les événements traumatiques peuvent causer deux catégories de symptômes : ceux qui sont liés à un manque de maîtrise de soi et ceux qui sont liés à un excès de maîtrise de soi. Dans le premier cas, la personne atteinte revit l'événement ; on diagnostique alors l'état de stress post-traumatique. Dans le second cas, la personne atteinte présente des signes de déni et d'amnésie, et on diagnostique alors l'un des troubles dissociatifs. L'état de stress post-traumatique et les troubles dissociatifs sont donc déclenchés par les mêmes causes (Brende, 1984).

Caractéristiques comportementales   Les patients présentent souvent des signes d'hypervigilance, par suite de leur besoin de déceler sans cesse les dangers de l'environnement. L'anxiété grandissante peut engendrer des comportements inopinément agressifs ou bizarres. Les victimes de l'état de stress post-traumatique peuvent avoir recours aux drogues ou à l'alcool pour atténuer leur angoisse d'anticipation. Elles peuvent aussi se comporter comme si le traumatisme se répétait effectivement. Elles peuvent alors tenter de se défendre contre l'ennemi d'autrefois qu'elles perçoivent comme étant toujours présent. Chez la plupart de ces personnes, on observe un évitement phobique des activités ou des situations qui leur rappellent le traumatisme. Cet évitement peut devenir accaparant au point de les réduire à l'isolement (Karl, 1989 ; Ochberg, 1988 ; Solomon, 1987).

> *Micheline a été violée il y a 10 ans, alors qu'elle était âgée de 15 ans. Son agresseur est entré une nuit par la fenêtre de sa chambre. Pendant quelques années, Micheline a été incapable de regarder son corps nu dans un miroir. Quand elle prenait une douche, elle verrouillait la porte de la salle de bains et plaçait même une chaise sous le bouton de porte. Maintenant, elle a encore peur de l'obscurité, et les fenêtres de sa chambre doivent être percées dans le haut des murs. Micheline est encore envahie par une culpabilité irrationnelle, qui s'accompagne de pensées telles que: «Si je ne m'étais pas tenue devant le store, il ne m'aurait pas vue.»*

Caractéristiques affectives   Les victimes de l'état de stress post-traumatique souffrent d'une tension chronique. Nombre d'entre elles sont irritables et se sentent crispées, craintives, susceptibles et agitées. Leurs réactions affectives à l'environnement sont souvent labiles. L'anxiété est fréquente et elle varie de modérée à extrême (panique). Si quelque chose leur rappelle le traumatisme, les sentiments éprouvés alors ressurgissent avec autant d'intensité que la première fois.

La culpabilité est également l'une des caractéristiques affectives de l'état de stress post-traumatique. Dans les cas où l'événement traumatisant a causé des décès, l'individu se sent coupable d'avoir survécu alors que tant d'autres ont péri. Quant aux anciens combattants, ils se reprochent parfois les actes auxquels ils ont été contraints pour survivre (Keltner, Doggett et Johnson, 1983).

En plus de l'anxiété, de la tension, de l'irritabilité, de l'agressivité et de la culpabilité, l'état de stress post-traumatique entraîne souvent un émous-

sement de l'affect. Souvent, les personnes atteintes s'aperçoivent qu'elles ne trouvent plus d'intérêt à des activités qui leur plaisaient autrefois. Elles se sentent détachées des autres, et ce sentiment s'accompagne de l'incapacité d'éprouver des émotions telles que l'intimité ou la tendresse. Il va sans dire que ce détachement affectif entrave leurs relations interpersonnelles.

> *Pendant les quelque deux années qui ont suivi son retour du Viêt-nam, Dwight a vécu dans un état de stress post-traumatique. Il avait des sautes d'humeur : de calme et détendu, il pouvait devenir soudainement fou de rage sans raison apparente. Pendant ses accès de colère, Dwight criait, lançait des objets et il lui arrivait même de brandir des armes. Son image de soi était si dégradée qu'il demandait la permission de faire des choses qui ne nécessitaient aucune autorisation préalable. Lorsqu'on lui signalait ce comportement, il était capable de prendre lui-même ses décisions.*

Caractéristiques cognitives   Un traumatisme soudain, d'une gravité mortelle, pousse souvent les gens à l'introspection. L'imminence de la mort pulvérise le mythe de l'invulnérabilité. Face à une blessure grave ou à la mort, le mode de pensée de la victime est modifié pendant longtemps.

Les personnes qui souffrent de l'état de stress post-traumatique ont souvent des difficultés de concentration et des pertes de mémoire. Si leur trouble est de gravité moyenne, des pensées intermittentes viendront probablement leur rappeler le traumatisme. Ces pensées peuvent être instantanées et brèves ou envahissantes. Bien que l'expérience soit troublante, elle est tolérable si les souvenirs sont occasionnels. Mais, en cas d'état de stress post-traumatique grave, les pensées relatives au traumatisme sont fréquentes et douloureuses. Les souvenirs peuvent être si envahissants et si tenaces qu'ils deviennent obsessionnels. De même, il arrive souvent que ces personnes revoient l'événement à l'occasion de cauchemars répétés. Elles peuvent également craindre que le traumatisme ne se reproduise. Tous ces changements cognitifs contribuent à l'établissement d'un foyer de contrôle externe, et les personnes atteintes se sentent à la merci de leur environnement.

Pendant le traumatisme d'origine, les victimes ont souvent connu des changements perceptuels. Ainsi, les études menées sur les ex-otages indiquent que 25 p. cent d'entre eux ont des hallucinations auditives ou visuelles au nombre desquelles on trouve l'émergence de vifs souvenirs d'enfance (Lanza, 1986).

La dévalorisation de soi fait également partie des caractéristiques cognitives de l'état de stress post-traumatique. Par exemple, une femme violée peut se laisser influencer par les mythes culturels et croire qu'elle est responsable du crime dont elle a été victime. Les survivants des désastres se sentent coupables et pensent qu'ils n'ont pas mérité d'échapper à la mort qui a emporté tant d'autres individus bien plus importants qu'eux. À leur retour du Viêt-nam, de nombreux soldats ont dû affronter les reproches et l'indifférence de la société américaine. Cette dévalorisation est devenue une partie intégrante de l'image de soi de l'ancien combattant. Quand, de surcroît, la personne est aux prises avec des difficultés interpersonnelles et professionnelles, son estime de soi baisse davantage, et la dévalorisation s'accentue encore (Karl, 1989 ; Keltner, Doggett et Johnson, 1983 ; Mullis, 1984).

Troubles dissociatifs

Les **troubles dissociatifs** se traduisent par une altération de la conscience, particulièrement de la mémoire, ainsi que par une altération de l'identité, particulièrement de la cohérence de la personnalité. L'altération de l'identité peut correspondre à une perte d'identité ou à la personnalité multiple. Toutes les personnes atteintes d'un trouble dissociatif, quel qu'il soit, présentent occasionnellement un comportement qui diffère complètement de leur comportement habituel. Comme nous l'avons mentionné précédemment, les troubles dissociatifs résultent d'un excès de maîtrise de soi en présence d'un traumatisme. Lorsqu'un événement traumatisant engendre la panique, afin de protéger leur soi, certaines personnes sont capables

d'écarter de leur conscience toute pensée et tout sentiment liés à l'événement (Putnam, 1989).

L'**amnésie psychogène**, forme d'amnésie qui n'est pas engendrée par un trouble organique, est généralement reliée à un événement traumatisant. Le type le plus répandu d'amnésie psychogène est l'*amnésie circonscrite* ; dans ce cas, la perte de mémoire est limitée à la durée du traumatisme. L'amnésie psychogène peut être *sélective*, c'est-à-dire qu'elle laisse filtrer certains souvenirs des faits survenus pendant l'événement traumatisant. Les types les plus rares d'amnésie psychogène sont l'*amnésie généralisée*, qui implique une perte totale de la mémoire du passé, et l'*amnésie continue*, où la perte de mémoire commence à un moment précis et s'étend jusqu'au moment présent.

Le premier enfant d'Agnès a été emporté par le syndrome de mort subite du nourrisson il y a trois mois. Bien qu'elle se souvienne d'être entrée au service d'urgence avec son bébé, Agnès ne se rappelle pas qu'elle l'a trouvé inanimé dans son berceau, qu'elle a téléphoné aux ambulanciers et que le médecin lui a annoncé le décès.

La **fugue psychogène** est un trouble dissociatif rare dont les victimes, en conservant leur identité ou en en adoptant une nouvelle, errent sans but ou font des voyages imprévus. Ce trouble est souvent déclenché par un stress aigu et il peut durer entre quelques heures et quelques jours. Pendant leurs fugues, les personnes atteintes peuvent paraître « normales » ou, au contraire, perturbées et désorientées. Généralement, leur comportement est incompatible avec leur personnalité normale et leurs valeurs habituelles. La période de fugue prend souvent fin abruptement, et la personne en perd totalement ou partiellement le souvenir. L'amnésie et la fugue psychogènes s'observent surtout à l'occasion d'une guerre ou d'un désastre (Putnam, 1989).

La **personnalité multiple**, qui fait également partie des troubles dissociatifs, est caractérisée par la coexistence d'au moins deux personnalités simultanée chez la même personne. Chaque personnalité est intégrée et complexe, en ce sens qu'elle est dotée d'une mémoire, d'un système de valeurs, de modes de comportement et d'une affectivité qui lui sont propres. La personnalité originale n'a, dans le meilleur des cas, qu'une conscience partielle des autres personnalités. Chez les personnes souffrant de ce trouble, il y a donc altération de la conscience de l'être global. La plupart présentent entre 8 et 13 personnalités, bien qu'on fasse état de nombres plus élevés. On remarque généralement une corrélation directe entre la gravité du traumatisme et l'âge de la victime, d'une part, et le nombre de personnalités, d'autre part. C'est chez les personnes qui ont subi des sévices extrêmes en très bas âge que le nombre de personnalités est le plus élevé. Plus les personnalités sont nombreuses, plus il est vraisemblable qu'elles soient des deux sexes et d'âges différents (Kluft, 1987A ; Putnam, 1989).

À l'heure actuelle, la prévalence de la personnalité multiple est inconnue. En effet, il s'agit d'un diagnostic difficile à formuler ; de plus, les thérapeutes ont, au mieux, une expérience limitée du trouble et remettent en question jusqu'à son existence. On a découvert que les personnes atteintes peuvent passer environ sept ans dans le système de santé mentale avant que leur trouble ne soit diagnostiqué. La plupart du temps, on diagnostique à tort la schizophrénie, mais aussi, assez souvent, un trouble affectif ou un trouble de la personnalité. Le trouble pourrait même toucher jusqu'à 10 p. cent de tous les clients soignés en psychiatrie, 5 000 cas ayant déjà été diagnostiqués en Amérique du Nord.

Depuis quelque temps, les chercheurs s'accordent pour dire que des sévices graves, de nature sadique et, souvent, sexuelle, infligés pendant l'enfance sont à l'origine du trouble. Il ne faut pas en conclure que tous les enfants traumatisés en seront atteints; le trouble semble plutôt toucher les enfants qui recourent à la symbolisation, au refoulement et à la dissociation pour échapper à une réalité trop brutale, pour résoudre leurs conflits intérieurs ou pour survivre aux mauvais traitements. Certains enfants maltraités emploient d'autres mécanismes de défense pour surmonter leur anxiété et peuvent donc souffrir de troubles différents (Anderson, 1988 ; Kluft, 1987B ; Putnam, 1989).

Comme la personnalité multiple est le plus complexe des troubles dissociatifs, elle nous servira à illustrer les caractéristiques comportementales, affectives et cognitives de toute cette catégorie.

Caractéristiques comportementales   Les enfants sont incapables de se protéger adéquatement des sévices perpétrés par des adultes. Imprévisibles et souvent cruels, ces adultes chérissent et torturent leurs victimes, tour à tour. Celles-ci sont accablées par la confusion, l'anxiété, le désarroi et la rage. Afin de survivre, la personnalité originale adopte généralement un comportement passif pour tenter de calmer l'agresseur, et dissocie les pensées et les sentiments incompatibles avec la passivité. Les nouvelles personnalités se forment autour des pensées et des sentiments dissociés.

Chaque personnalité possède ses propres caractéristiques comportementales qui changent parfois du tout au tout d'une personnalité à l'autre. Un comportement intolérable pour une personnalité peut se manifester quand une autre personnalité domine. Une personnalité peut consommer des drogues, tandis qu'une autre s'en abstient totalement. Une personnalité peut se livrer à la prostitution, tandis qu'une autre reste une épouse fidèle. Une personnalité peut devenir cadre supérieur, tandis qu'une autre se contente du rôle parental. Une personnalité peut faire de nombreuses tentatives de suicide, que l'autre entrave chaque fois. Sur le plan physique, une personnalité peut être aveugle, tandis qu'une autre peut ne manifester aucune anomalie physique. Une personnalité peut être hypocondriaque, une autre boulimique et une autre encore toujours bien portante. À l'heure actuelle, on mène surtout des recherches sur le pouvoir de l'esprit de modifier la physiologie ; on constate, par exemple, que le tracé électroencéphalique est différent selon la personnalité qui est présente. Apparemment, l'influence du cerveau sur le système immunitaire est telle qu'une personnalité peut souffrir d'allergies graves tandis qu'une autre en est exempte.

Chaque personnalité a ses préférences en matière d'habillement, de comportement sexuel, de travail et de loisirs. L'une peut être droitière, et l'autre, gauchère. Chacune peut aussi posséder une voix, une démarche et des gestes différents. Les proches des personnes atteintes disent qu'il arrive souvent que celles-ci adoptent des noms autres que le leur.

Certains individus sont capables de changer de personnalité à volonté, alors que d'autres ne peuvent pas commander les changements. Les transitions peuvent se produire en quelques secondes ou durer quelques minutes. Dans certains cas, les changements sont si subtils que le diagnostic reste incertain. Dans d'autres cas, les changements sont brusques et spectaculaires. Il semble que le stress intense favorise les changements fréquents de personnalité. Même quand une personnalité donnée ne domine pas totalement, elle peut quand même modifier le comportement (Bliss, 1986 ; Kluft, 1987B ; Loewenstein, 1987).

Caractéristiques affectives La personnalité originale, qui a une conscience nulle ou limitée des autres personnalités, est à la fois atterrée et terrifiée à cause de ses « absences ». Quand on lui rapporte ce qu'elle a dit et fait pendant qu'une autre personnalité dominait, elle est souvent angoissée, voire même paniquée. Beaucoup de clients font état de sentiments qui ne semblent pas leur appartenir. Tel est le cas, si une personnalité tente d'influencer celle qui domine, à un certain moment (Marmer, 1984).

Dans 75 p. cent des cas, au moins l'une des personnalités ne connaît aucune des autres. Dans 85 p. cent des cas, au moins l'une des personnalités connaît toutes les autres. On peut diviser l'ensemble des personnalités en trois catégories suivant l'affect et le comportement dominants (voir le tableau 8-4). Certaines personnalités symbolisent le soi victime ; elles ont un affect agréable et un comportement passif. D'autres personnalités, notamment celles du *soi agressif*, tendent à dominer pendant les périodes de stress. Ainsi, une personnalité peut exprimer physiquement de la colère, une autre peut être suicidaire et une autre agressive sur le plan sexuel. Le troisième groupe de personnalités, celles du *soi protecteur*, est composé de personnalités calmes et rationnelles. Ce sont elles qui ont le plus conscience des autres. D'ailleurs, l'une d'entre elles peut connaître parfaitement toutes les autres. Les personnalités de ce groupe surmontent les nouveaux dangers extérieurs et servent de barrière contre les sentiments d'impuissance et de désespoir (Anderson, 1988 ; Fraser et Curtis, 1984 ; Kluft, 1987B ; Putnam, 1989).

> *Suzanne a 33 ans. Dans son enfance, elle a été violée à plusieurs reprises par son père. En cours de traitement, sept personnalités ont émergé. Il y a deux personnalités victimes, Suzanne et Petite Fille. Suzanne est la personnalité originale; son comportement est soumis et enfantin. Elle s'habille très sobrement et ne se maquille jamais. Suzanne est également chargée d'entretenir les fictions de la structure de la personnalité sans toutefois avoir conscience de l'existence des autres personnalités. Petite Fille demeure à l'âge de trois ans, l'âge où Suzanne a subi le premier traumatisme. On compte ensuite trois personnalités agressives. Parmi celles-ci, Barbara est celle qui se souvient du viol. Elle est colérique et agressive. Elle porte des vêtements masculins, et elle marche et parle de façon très énergique. Julie est la personnalité séductrice, qui se maquille à l'excès, porte des vêtements aguichants et accoste des partenaires d'un soir. Sara est la personnalité qui représente le soi agressif. Elle croit qu'il ne vaut pas la peine de vivre ni de lutter. Lorsque c'est Sara qui domine, Suzanne fait des tentatives de suicide. Enfin, il y a deux personnalités qui représentent le soi protecteur. Élisabeth est la mère des trois enfants que Suzanne a eus et elle est capable de les élever correctement. Ruth est la personnalité qui met Suzanne en état de transe, soit en situation de stress intense, soit pour empêcher Sara de les tuer toutes. En ce sens, elle représente également le soi protecteur et joue le rôle d'aide intérieure.*

Caractéristiques cognitives La personnalité multiple se caractérise par des périodes d'amnésie. Comme la personnalité originale n'a, au mieux, qu'une conscience partielle des autres, elle ne garde aucun souvenir des moments où celles-ci dominent. Dans certains cas, l'amnésie n'est pas manifeste, puisque la personnalité originale a appris à fabuler pour s'expliquer ses « absences ».

Tableau 8-4   *Catégories de personnalités*

Le soi victime

La personnalité originale	Souvent inconsciente des autres ; se sent impuissante.
L'enfant	Se fige à des âges donnés ; a des souvenirs et des affects reliés au traumatisme de l'enfance ; peut être autiste.
L'handicapée	Peut être aveugle, sourde ou paralysée.

Le soi agressif

La persécutrice	Possède beaucoup d'énergie ; peut essayer de blesser ou de tuer les autres.
La licencieuse	Exprime des pulsions interdites de nature souvent sexuelle.
La toxicomane	Seule cette personnalité s'adonne à la toxicomanie.

Le soi protecteur

La protectrice	Empêche les méfaits de la persécutrice ; protège la personne contre les dangers internes et externes.
L'aide intérieure	Stable sur le plan affectif ; peut fournir des renseignements sur le fonctionnement des personnalités.
La gardienne de la mémoire	Possède le plus grand nombre de souvenirs.
La transsexuelle	Chez les femmes, tend à jouer le rôle du protecteur ; chez les hommes, celui de la « bonne mère ».
La gestionnaire	Souvent, c'est cette personnalité qui gagne sa vie ; peut être très compétente sur le plan professionnel.
La personnalité talentueuse	Les talents peuvent se manifester sur le plan artistique ou sportif.

Différentes personnalités peuvent apprendre des habiletés qui ne sont pas toujours transférables de l'une à l'autre. Ainsi, la personnalité C peut dominer pendant un cours de mathématiques où l'enseignant explique une formule quelconque. Si c'est la personnalité A qui domine pendant l'examen portant sur cette formule, elle a toutes les chances d'échouer, car elle n'a rien appris à ce sujet et ne garde aucun souvenir du cours.

Il arrive souvent que les personnalités se plaignent que des inconnus essaient de les influencer ou de gouverner leur esprit. Un fort pourcentage d'individus ayant une personnalité multiple disent entendre des voix dans leur tête. Compte tenu de ces deux caractéristiques, il n'est pas étonnant que l'on puisse diagnostiquer à tort la schizophrénie chez ces personnes (Kluft, 1987B).

Un jour, Suzanne éclate en sanglots et dit à son médecin qu'elle est parfois terrorisée par des voix qui se disputent. L'une des voix (celle de Sara) dit constamment qu'elle veut la tuer et donne des détails à propos de la manière dont elle s'y prendra. Une autre voix (celle de Ruth) réplique en donnant toutes les raisons pour lesquelles il ne faut pas faire de mal à Suzanne. Cette dernière mentionne que le ton de la dispute atteint parfois un niveau effrayant.

Dans la personnalité multiple, les mécanismes de défense que sont le refoulement et la dissociation servent à surmonter l'anxiété, la rage et l'impuissance que l'enfant éprouve en réaction à des sévices graves. Pour les personnes atteintes, la seule façon de survivre à la souffrance du traumatisme est de l'éliminer de la conscience. La dissociation s'effectue au moyen de l'autohypnose, qui survient en même temps que les sévices. L'autohypnose devient rapidement le principal moyen d'affronter le stress intense, et les personnes ayant une personnalité multiple sont capables d'entrer rapidement et spontanément en état de transe hypnotique. Cette bouée de sauvetage de l'enfance devient une arme destructrice pendant l'âge adulte (Bliss, 1986 ; Marmer, 1984).

Caractéristiques physiologiques des troubles anxieux

Les attentes de la personne à l'égard d'un objet, d'une situation ou d'un événement influent sur son interprétation de ses réactions physiologiques. Placées dans la même situation, certaines personnes s'attendent à éprouver du plaisir tandis que d'autres redoutent le pire. Bien que les réactions physiologiques soient identiques, elles prennent pour l'individu qui les éprouvent des significations contraires. Ce sont donc les pensées et les attentes de la personne qui déterminent une réaction d'anxiété ou de plaisir.

> *Deux jeunes garçons, Guillaume et Sébastien, se trouvent au sommet d'une longue pente, prêts à la dévaler sur leur luge. Guillaume est excité parce qu'il s'attend à faire une descente formidable. Sébastien, lui, est terrifié; il s'attend à briser sa luge et à se blesser. Les deux enfants ont la même réaction physiologique, mais Guillaume l'interprète comme étant de l'euphorie, et Sébastien, comme étant de la terreur.*

À l'intérieur de certaines limites, l'être humain est censé pouvoir s'adapter à l'anxiété pendant un laps de temps. Toutefois, quand la cause est inconnue, l'intensité forte ou la durée indéterminée, les mécanismes physiologiques normaux ne sont plus en mesure d'opérer efficacement.

Lorsque l'anxiété est légère, la personne ressent une tension accrue qui lui est agréable. Elle peut présenter des frémissements des paupières et des lèvres, un essoufflement passager et des symptômes gastriques légers.

Lorsque l'anxiété devient modérée, la réaction de lutte ou de fuite se déclenche. Cette réaction prend naissance dans le cortex cérébral et elle est transportée par les systèmes nerveux et endocrinien. Le système nerveux sympathique et les glandes surrénales causent des changements dans l'organisme entier. La fréquence cardiaque et la tension artérielle s'élèvent afin de fournir plus de sang aux muscles. Les épisodes d'essoufflement sont fréquents. Les pupilles sont dilatées, les mains, moites et froides, et la transpiration plus abondante. On peut remarquer chez la personne des tremblements, une expression de frayeur, une tension musculaire, de l'agitation et une réaction de sursaut exagérée. Le taux de glycémie s'élève par suite d'une glycogénolyse accrue. La personne modéré-

ment anxieuse peut signaler des symptômes subjectifs : sécheresse de la bouche, maux d'estomac, anorexie, céphalées par tension nerveuse, raideur de la nuque, fatigue, incapacité de se détendre et insomnie. Elle peut éprouver un besoin urgent et fréquent d'uriner et souffrir de constipation ou de diarrhée. Sur le plan sexuel, les symptômes sont le coït douloureux, le trouble de l'érection, l'inhibition de l'orgasme, la frigidité ou la perte de la libido.

Quand l'anxiété atteint le niveau de la panique, l'organisme est soumis à un stress tel qu'il ne peut ni s'adapter ni se mobiliser pour la lutte ou la fuite. À ce niveau d'anxiété, la personne est incapable de se prendre en main ou de se défendre. À mesure que le sang passe des muscles aux organes principaux, elle peut pâlir. L'hypotension peut aussi survenir et causer un évanouissement. La voix chevrotante, l'agitation, l'absence de coordination motrice, les mouvements involontaires et les tremblements sont d'autres signes de panique. Le visage prend une expression de terreur et les pupilles sont dilatées. La personne en état de panique peut se plaindre d'étourdissements, de vertiges, d'un sentiment d'irréalité et, parfois, de nausées. La douleur thoracique ou l'oppression, les palpitations, l'essoufflement et la sensation d'étouffement ou la suffocation sont parmi les symptômes les plus terrifiants de la panique (Appenheimer et Noyes, 1987).

Les mêmes sensations physiologiques récidivent à chaque épisode d'anxiété. Certaines personnes sont particulièrement sensibles aux réactions de leurs organes internes, tandis que d'autres présentent surtout des symptômes de tension musculaire. D'autres encore ont à la fois les deux types de réactions. (Un résumé des caractéristiques physiologiques de l'anxiété est présenté au tableau 8-5).

De nombreuses affections peuvent causer une anxiété secondaire ou produire des symptômes qui simulent la panique. Il s'agit de l'hypoglycémie, de l'hyperthyroïdie, de l'hypoparathyroïdie, du syndrome de Cushing, du phéochromocytome, de l'anémie pernicieuse, de l'hypoxie, de l'hyperventilation, des troubles de l'appareil vestibulaire, de la tachycardie auriculaire paroxystique, du caféisme ainsi que du syndrome de sevrage de l'alcool ou des benzodiazépines. L'incidence du prolapsus

Tableau 8-5 *Caractéristiques physiologiques selon les niveaux d'anxiété*

Niveaux d'anxiété	Réactions physiologiques
Nulle	Respiration normale Fréquence cardiaque normale Tension artérielle normale Fonction gastro-intestinale normale Muscles détendus
Légère	Essoufflement occasionnel Légère hausse de la fréquence cardiaque et de la tension artérielle Symptômes gastriques légers, telle la sensation de trac qui noue l'estomac Tremblements du visage et des lèvres
Modérée	Essoufflement fréquent Élévation de la fréquence cardiaque ; parfois des extrasystoles Élévation de la tension artérielle Bouche sèche, malaises gastriques, anorexie, diarrhée ou constipation Tremblements du corps, expression de frayeur sur le visage, tension musculaire, agitation, réaction de sursaut exagérée, incapacité de se détendre, endormissement difficile
Extrême (panique)	Essoufflement, sensation d'étouffement ou de suffocation Hypotension, étourdissements, douleur thoracique ou oppression, palpitations Nausées Agitation, manque de coordination, mouvements involontaires, tremblements du corps entier, expression de terreur sur le visage

valvulaire mitral est de 57 p. cent chez les personnes qui traversent un épisode de panique, y compris d'agoraphobie, tandis qu'elle oscille entre 5 et 7 p. cent dans la population en général. Le lien précis entre le prolapsus valvulaire mitral et la panique reste obscur. Les symptômes du prolapsus valvulaire mitral (particulièrement la tachycardie, les palpitations et l'essoufflement) sont semblables à ceux de l'anxiété grave et de la panique. Pour la plupart des personnes prédisposées à des crises de panique, les sensations causées par le prolapsus valvulaire mitral correspondent à une anxiété accrue. L'interprétation ou l'anticipation provoque ensuite la panique (Barlow et Cerny, 1988 ; Matuzas, 1987 ; Wesner, 1987).

Troubles concomitants

Il existe une forte corrélation entre les troubles anxieux et la toxicomanie. Entre 50 et 60 p. cent des toxicomanes souffrent également d'un trouble anxieux. Habituellement, une anxiété grave précède l'apparition de la toxicomanie, bien que l'on observe également le phénomène inverse. Croyant que l'alcool atténue l'anxiété, certaines personnes en consomment en guise « d'automédication ». En fait, on pense actuellement que l'alcool a exactement l'effet contraire. L'accroissement de l'anxiété, l'accoutumance et la poursuite de l'automédication créent un cercle vicieux qui se perpétue sans fin (Barlow, 1988).

La dépression suit fréquemment l'apparition des troubles anxieux. On croit que la dépression et les troubles anxieux sont issus d'une même vulnérabilité biologique, que le stress peut activer. Cette hypothèse repose sur la similitude des résultats biologiques obtenus lors d'épreuves, comme l'épreuve de freinage par la dexaméthasone et l'ÉEG du sommeil (voir, au chapitre 11, une description détaillée de ces épreuves). Il arrive souvent qu'une réaction dépressive se produise lorsque le comportement obsessionnel ou phobique ne parvient pas à protéger la personne de l'anxiété causée par le désarroi ou l'impuissance. La dépression, qui peut varier de légère à grave, traduit en réalité une réaction à l'échec des mécanismes de défense. Quand la personne n'est plus capable de répondre à des normes perfectionnistes ou de maîtriser son comportement, le sentiment de perte devient insupportable et la dépression s'ensuit. Cette situation est habituellement précipitée par une crise ou un événement imprévisible. La dépression est alors secondaire du trouble anxieux (Appenheimer et Noyes, 1987). Chez un tel client, comme chez tous les autres, la dépression peut entraîner le suicide si elle n'est pas décelée et traitée (Barlow, 1988).

Les personnes atteintes du trouble obsessionnel-compulsif peuvent contracter une phobie simple, qui tend à influer sur la prise de décisions et qui sert à protéger des conflits intérieurs. Ces personnes tentent également de cacher leur phobie aux autres puisque celle-ci témoigne de leur incapacité de se dominer.

Environ 30 p. cent des agoraphobes sont atteints d'un trouble dépressif secondaire qui varie de léger à modéré. La dépression semble apparaître en réaction à des sentiments de désarroi et d'impuissance, à une diminution de l'estime de soi et à des changements draconiens du mode de vie. Plus de 50 p. cent des agoraphobes contractent une hypocondrie secondaire, et la majorité d'entre eux croient souffrir d'une maladie mortelle. L'abus de drogues et d'alcool peut accompagner l'agoraphobie. Il arrive fréquemment que les agoraphobes se livrent à l'automédication ou qu'ils obtiennent des médicaments pour atténuer leur anxiété et prévenir la panique. Souvent, ils augmentent leur consommation de médicaments ou d'alcool jusqu'à en devenir dépendants. En outre, les symptômes de l'agoraphobie et des troubles de la personnalité peuvent se chevaucher. En effet, entre 25 et 50 p. cent des agoraphobes ont aussi reçu un diagnostic de trouble de la personnalité. Il s'agit le plus souvent de l'un des troubles du groupe C, soit personnalité évitante, personnalité dépendante et personnalité passive-agressive (Barlow et Cerny, 1988 ; Hafner, 1988). (On trouve au chapitre 10 une explication détaillée des troubles de la personnalité.)

Les victimes de l'état de stress post-traumatique abusent parfois des drogues ou de l'alcool pour diminuer leur anxiété. Souvent, elles boivent avant de se mettre au lit afin d'éviter les cauchemars. Aux États-Unis, dans les hôpitaux de la *Veterans Administration*, 55 p. cent des clients traités dans les services de consultations externes pour toxicomanie sont des anciens combattants du Viêt-nam, chez qui la fréquence de la dépression et des pensées d'homicide ou de suicide est également élevée. Le taux de suicide est de 23 p. cent plus élevé chez les anciens combattants du Viêt-nam que chez les autres sujets du même groupe d'âge. Étant donné l'excitation physiologique prolongée créée par l'anxiété chronique, les victimes de l'état de stress post-traumatique peuvent contracter des troubles secondaires tels que les migraines, les troubles intestinaux et l'hypertension (Atwood, 1987 ; Keltner, Doggett et Johnson, 1983).

De même, les individus ayant une personnalité multiple souffrent fréquemment de maladies concomitantes. Coons (1984) a révélé que, sur 20 sujets ayant une personnalité multiple, 55 p. cent avaient reçu un diagnostic secondaire de trouble somatique. Il a aussi révélé que 45 p. cent des sujets avaient reçu un diagnostic de toxicomanie, 45 p. cent souffraient d'un trouble de conversion, 25 p. cent d'un trouble affectif secondaire et 10 p. cent avaient reçu au moins un diagnostic de personnalité antisociale.

Caractéristiques socioculturelles des troubles anxieux

Les êtres humains ne sont pas des entités isolées. Un comportement dysfonctionnel se répercute sur les relations interpersonnelles qui se tissent au sein de la famille ou de la collectivité. Les personnes qui abusent des drogues ou de l'alcool représentent un danger pour leur entourage, étant donné qu'elles peuvent blesser physiquement les autres et recourir au crime pour se procurer des substances souvent coûteuses. D'autres, incapables de travailler pour subvenir à leurs besoins, deviennent un fardeau pour leur famille ou leur entourage. En ce sens, tout le monde subit les contrecoups de la dynamique créée par les troubles anxieux laissés sans traitement.

Les personnes souffrant d'un trouble obsessionnel-compulsif érigent une muraille autour d'elles, afin de dissimuler leurs pensées ou leurs comportements irrationnels. Pour garder leur secret, ces individus gardent les membres de leur famille à distance et ils leur paraissent indifférents et préoccupés. Au milieu d'une conversation, de tels individus peuvent être distraits ou accablés par des pensées obsessionnelles, et les autres les accusent de « ne pas écouter ». Comme le comportement obsessionnel-compulsif requiert énormément de temps et d'énergie, la personne a peu d'occasions d'établir et d'entretenir des relations intimes. Elle risque deux fois plus souvent que les autres de ne jamais se marier. Si jamais elle se marie, elle risque davantage de divorcer. L'une des conséquences du trouble obsessionnel-compulsif est donc une grande solitude (Rapoport, 1989).

Les conséquences de l'agoraphobie sur la cellule familiale sont généralement graves et nombreuses. La plupart des agoraphobes capables de sortir de leur domicile ont besoin d'être accompagnés par un membre de leur famille ou un ami. Leur refus de rester seuls, même à la maison, accentue considérablement le stress et la tension dans la famille. Le trouble peut perturber considérablement les modes de comportement familiaux. En effet, la famille doit se charger de toutes les activités à l'extérieur telles que les courses et le travail, ce qui peut augmenter davantage le stress. Incapable de se joindre aux réunions familiales, de sortir avec des amis ou d'assister aux activités scolaires ou sportives de ses enfants, l'agoraphobe, bien que faible en apparence, possède en réalité, à cause de son désarroi et de son impuissance, un très grand pouvoir et domine sa famille et ses amis.

Les avantages ou les gratifications que confère la maladie sont appelés « gains secondaires ». Dans le cas de l'agoraphobie, il s'agit de l'abandon des responsabilités, de la satisfaction indirecte des besoins de dépendance qui ne peuvent être comblés directement et de la domination exercée sur les autres. Dans certains cas, le comportement phobique correspond au stéréotype extrême du comportement féminin, soit une forte dépendance et un manque d'autonomie. Le comportement phobique peut devenir le point de mire et recevoir beaucoup de renforcements positifs. Il arrive souvent que le conjoint du phobique le protège de l'anxiété et des peurs déclarées. La faiblesse, en tant que forme de domination, ne peut avoir d'effet sans la coopération d'autrui, qui trouve à son tour des gains secondaires dans cette situation. Certains conjoints satisfont ainsi leur besoin de protéger ou trouvent un sens à leur vie en devenant le principal soutien matériel ou affectif de la famille. Le conjoint forge dans ce cas son identité autour du rôle de protecteur. La cellule familiale se stabilise d'une manière qui favorise le maintien du trouble. De crainte d'être abandonné, l'agoraphobe adopte un comportement soumis et croit qu'il n'a pas d'autre choix que de demeurer avec le conjoint qui le prend en charge. Croyant aussi qu'il n'existe pas d'autre choix, ce dernier se sent obligé de prendre soin de l'agoraphobe. Les deux conjoints peuvent craindre inconsciemment qu'un changement de comportement ne marque la fin de leur relation (Hafner, 1988).

Les familles des anciens combattants du Viêt-nam, victimes de l'état de stress post-traumatique, vivent dans l'anxiété. L'un des mécanismes de défense que les anciens combattants emploient pour surmonter le traumatisme créé par une brutalité constante est le détachement affectif, ou l'anesthésie des émotions. Le processus touche par la suite la cellule familiale en entier. Les relations interpersonnelles sont poussées aux limites de la résistance à cause des sentiments de détachement, d'aliénation et de doute de l'ancien combattant. Le détachement affectif s'accompagne de la perte de la capacité de communiquer les sentiments, ce qui entraîne souvent des problèmes conjugaux et le divorce. Le comportement, les sentiments et les modes de pensée des anciens combattants sont souvent effrayants pour leur conjointe. Celles-ci peuvent se sentir écrasées sous le poids de leurs responsabilités de soutien de famille, de mère et de ménagère. Certaines se sentent coupables de ne pouvoir aider leur conjoint à se reprendre en main. Comme ces individus sont souvent en proie à des accès irrépressibles de colère, ils peuvent être portés à maltraiter physiquement leur conjointe qui, si les mauvais traitements persistent, voient leurs sentiments d'impuissance et d'indignité s'exacerber (Coughlan et Parkin, 1987 ; Verbosky et Ryan, 1988).

Théories de la causalité

Aucune théorie ne peut à elle seule expliquer adéquatement la cause et la persistance des troubles anxieux. Pour mieux les comprendre, il faut plutôt les examiner à la lumière d'un réseau complexe de théories.

Théories biologiques   L'anxiété semble avoir une composante héréditaire, mais le degré exact de prédisposition familiale demeure pour l'instant inconnu. En réalité, le taux des réactions de panique dans les familles prédisposées est de 20 p. cent, alors qu'il se chiffre à 4 p. cent dans la population en général. Certains chercheurs relient l'anxiété à une hyperactivité neurovégétative occasionnée par une dysfonction de la neurotransmission de la sérotonine et de la noradrénaline. Cette hyperactivité pourrait être la cause des caractéristiques de l'anxiété grave et de la panique. Par ailleurs, on mène actuellement des recherches pour vérifier les hypothèses suivantes : l'anomalie de certains récepteurs causerait une libération massive de noradrénaline ; certaines anomalies du SNC, particulièrement dans le locus cœruleus de la protubérance annulaire, inhiberaient la capacité de modérer les perceptions sensorielles ; une sensibilité accrue au gaz carbonique entraînerait la respiration rapide et les sensations de suffocation. On croit qu'il existe une certaine prédisposition biologique qui, conjuguée à certains événements psychologiques, sociaux et environnementaux, provoque l'apparition de troubles anxieux (Barlow et Cerny, 1988 ; Charney, 1987 ; Price, 1987).

La recherche sur le trouble obsessionnel-compulsif porte actuellement sur les facteurs biologiques. Les enfants atteints de ce trouble présentent des symptômes identiques à ceux des adultes, alors que, dans le cas de la plupart des autres troubles mentaux, les symptômes chez les enfants sont différents de ceux observés chez les adultes. De plus, 50 p. cent des adultes souffrant du trouble obsessionnel-compulsif affirment que leurs symptômes sont apparus durant l'enfance, comparativement à 5 p. cent des adultes souffrant d'autres troubles mentaux. Chez 20 p. cent des personnes souffrant du trouble obsessionel-compulsif, un parent du premier degré en souffre également. Dans ces familles, c'est la transmission père-fils qui est la plus fréquente. Il est peu probable que le comportement soit appris au sein de la famille, étant donné le secret qui entoure les rituels. En outre, enfants et parents peuvent avoir des rituels différents; par exemple, le parent peut accomplir des rituels de vérification tandis que l'enfant, lui, se livre à des rituels de nettoyage. Les épreuves révèlent une insuffisance des taux de sérotonine dans le sang et, fort probablement, dans le cerveau des personnes atteintes. Le manque de sérotonine semble lié à la régulation des comportements répétitifs. De plus, la tomographie par émission de positrons révèle des anomalies des noyaux gris centraux et de certaines portions des lobes frontaux (Rapoport, 1989).

Théories intrapersonnelles D'après les théories intrapersonnelles du comportement anxieux, la personne élabore des mécanismes de défense pour se protéger de l'anxiété provoquée par un conflit intérieur. En effet, le moi est soumis au conflit entre les exigences du ça et les réprimandes du surmoi. L'anxiété qui en résulte est éliminée de la conscience au moyen du refoulement, de la projection, du déplacement ou de la symbolisation. D'après les théories intrapersonnelles, les troubles anxieux constituent une réaction à un danger anticipé qui se fonde sur des expériences passées telles que la séparation, la perte de l'amour ou la culpabilité. Le danger peut être interne (impulsions troublantes) ou externes (menaces ou pertes). À mesure que le stress augmente, les mécanismes de défense deviennent de moins en moins efficaces, les symptômes apparaissent, et la personne répète un comportement auto-destructeur (Atwood, 1987).

La personne qui a un foyer de contrôle interne juge qu'elle maîtrise les événements de sa vie. Alors, quand survient un événement générateur de stress et qu'elle éprouve de l'anxiété, elle est capable de relier son anxiété au facteur d'agression et d'utiliser le processus de résolution des problèmes pour la gérer. Par contre, beaucoup de personnes atteintes d'un trouble anxieux ont un foyer de contrôle externe. Elles croient que les événements de leur vie leur échappent et qu'ils surviennent à cause de la chance, du hasard ou du destin. Quand surviennent des événements générateurs de stress, elles imputent leur anxiété à des sources externes, qu'elles peuvent ensuite éviter de manière phobique. Ce mécanisme, appelé « déplacement », les exempte d'affronter la situation. En raison de leur foyer de contrôle externe, elles sont forcées à demander protection aux autres et, comme leur sécurité en dépend, elles vivent souvent dans la terreur d'être abandonnées par les êtres chers (Emmelkamp, 1982). (Le foyer de contrôle est considéré dans la perspective d'une théorie sociale et d'un processus intrapsychique.)

Les personnes souffrant de troubles dissociatifs nient les événements générateurs de stress et les maintiennent hors des frontières de la conscience par le biais de l'amnésie. Ainsi, une jeune fille victime d'actes sadiques (physiques et sexuels) demeure dépendante de sa famille : l'auteur des sévices est l'un des parents, considéré naturellement comme digne de confiance ; l'autre est incapable de protéger ou de sauver la victime. À cause du traumatisme, l'enfant est terrifiée, déprimée, furieuse et culpabilisée. La dissociation des mauvais traitements, leur déplacement sur une nouvelle personnalité et le déni des événements permettent à l'enfant de rester au sein de la famille et d'éprouver le moins de souffrance possible (Blake-White et Kline, 1985).

Théories interpersonnelles   D'après ces théories, l'anxiété survient chez les personnes souffrant de troubles anxieux lorsqu'elles perçoivent ou craignent la désapprobation de leurs proches. Même si elles se sentent prises au piège dans des situations désagréables, elles se croient incapables de s'en libérer. Comme elles ont peur d'être abandonnées, elles ne parviennent pas à s'affirmer en cas de conflit. Elles déplacent sur l'entourage immédiat l'anxiété qu'elles éprouvent, ce qui leur permet de nier leurs problèmes interpersonnels. Le comportement obsessionnel-compulsif ou phobique protège le soi et les relations de la personne atteinte au cours de ses interactions avec ses proches (Emmelkamp, 1982).

Théorie cognitive   D'après cette théorie, les symptômes naissent des idées et des pensées de la personne. En se basant sur des événements de portée limitée, les personnes souffrant de troubles anxieux amplifient la signification du passé et font des généralisations excessives qu'elles appliquent à l'avenir. Elles deviennent préoccupées par une catastrophe imminente et par des énoncés autodestructeurs. Ces attentes cognitives déterminent ensuite leurs réactions et leurs comportements dans diverses situations (Atwood, 1987 ; Barlow et Cerny, 1988).

La théorie cognitive délimite trois étapes dans l'apparition des troubles phobiques. Premièrement, la personne phobique a des pensées pessimistes qui augmentent son anxiété et qui précèdent en réalité le sentiment de peur dans la situation phobogène. La personne phobique entretient aussi des pensées irrationnelles et des attentes irréalistes

quant à ce qui pourrait survenir si la situation phobogène se présentait. Deuxièmement, les pensées et les sentiments d'anticipation augmentent l'excitation physiologique avant même que la situation phobique ne se présente. Troisièmement, l'interprétation de l'excitation physiologique est erronée. Bien que la personne la croit causée par un objet ou une situation de l'extérieur, l'excitation est causée par ses pensées pessimistes et ses attentes irrationnelles. Cette erreur sur ses sentiments conduit la personne phobique à les déplacer sur des objets ou des situations évitables (Emmelkamp, 1982).

Théorie de l'apprentissage   Les phobies peuvent faire l'objet d'un apprentissage indirect. Si un enfant voit l'un de ses parents devenir anxieux dans certaines situations, il peut apprendre que l'anxiété est la réaction appropriée. Par exemple, si la mère a un évitement phobique des ascenseurs, son enfant apprend vite à les craindre. L'un des parents peut aussi transmettre ses peurs à son enfant par l'intermédiaire des renseignements qu'il lui livre. Par exemple, un enfant qui entend son père parler des dangers de sortir quand il fait noir peut souffrir d'agoraphobie la nuit (Emmelkamp, 1982).

Les personnes atteintes d'un trouble dissociatif pensent souvent qu'elles sont passives et impuissantes. Elles craignent la colère et l'agressivité des autres. Comme elles sont incapables de faire preuve d'assurance ou d'agressivité, elles apprennent à fuir ou à éviter les situations anxiogènes. Par conséquent, elles apprennent à éviter la souffrance en devenant amnésiques ou en se créant une personnalité multiple.

Théorie behavioriste   La théorie behavioriste de l'apparition des phobies est apparentée à la théorie de l'apprentissage. Ses partisans croient que les phobies sont des réactions apprises et conditionnées. Selon eux, il se produit un conditionnement classique quand un stimulus engendre l'anxiété ou la douleur. La personne acquiert ensuite une peur du stimulus en question. L'exemple le plus commun est celui de la personne qui contracte une phobie des chiens après avoir été mordue. Pour ce qui est de l'apprentissage, d'après la théorie behavioriste, la réduction de l'anxiété renforce négativement l'évitement de l'objet ou de la situation phobique. Comme l'anxiété de la personne décroît quand elle évite l'objet ou la situation, l'évitement devient sa réaction habituelle.

Théorie des rôles sexuels   On a essayé d'expliquer le nombre disproportionné de femmes atteintes d'agoraphobie par la théorie des rôles sexuels. Selon cette théorie, on a renforcé chez les femmes la dépendance, la passivité et la soumission. Par conséquent, beaucoup de femmes adultes sont incapables de se prendre en charge et se croient incompétentes et impuissantes. Souvent, leurs symptômes sont renforcés par les membres de leur famille, qui ont aussi appris à voir les femmes de cette manière. La tendance au repli sur soi s'aggrave parfois jusqu'au point où la femme se cloître chez elle (Berlin, 1987 ; Brehony, 1983).

Traitement médical

Pour aider les clients à surmonter leurs troubles anxieux, on administre souvent des médicaments pendant une courte période (voir au tableau 8-6 les médicaments prescrits pour le traitement de ces troubles).

En cas d'anxiété généralisée, on administre des anxiolytiques pour limiter les symptômes désagréables afin d'aider la personne à retrouver un niveau élevé de fonctionnement. L'efficacité des benzodiazépines chez les personnes souffrant d'anxiété généralisée est controversée. D'après Appenheimer (1987), les benzodiazépines soulagent les symptômes chez 70 p. cent des clients, tandis que Barlow (1988) affirme que leur effet thérapeutique est limité à quelques semaines. Il convient également de noter que ces médicaments ont des propriétés sédatives, qu'ils engendrent l'accoutumance ainsi que des réactions de sevrage qui provoquent une anxiété rebond plus grave.

Un nouvel anxiolytique, le chlorhydrate de buspirone (BuSpar), peut se révéler plus efficace que les benzodiazépines pour le traitement de l'anxiété généralisée. Le chlorhydrate de buspirone bloque les récepteurs de la sérotonine et cause peu de sédation. Ce médicament convient mieux aux personnes prédisposées à l'accoutumance, étant

Tableau 8-6 *Médicaments couramment administrés pour le traitement des troubles anxieux*

Anxiété généralisée
Anxiolytiques
chlorhydrate de buspirone	BuSpar
diazépam	Valium
alprazolam	Xanax
clorazépate	Tranxene

Antidépresseur tricyclique
imipramine	Tofranil

Épisodes de panique
Anxiolytiques
chlorhydrate de buspirone	BuSpar
alprazolam	Xanax

Antidépresseurs tricycliques
trazodone	Tofranil
imipramine	Desyrel

IMAO
phénelzine	Nardil

Phobie sociale
Bêta-bloquants
propranolol	Inderal
aténolol	Tenormin

Agoraphobie
Anxiolytiques
chlorhydrate de buspirone	BuSpar

Antidépresseur tricyclique
imipramine	Tofranil

IMAO
phénelzine	Nardil

Trouble obsessionnel-compulsif
Antidépresseurs tricycliques
clomipramine	Anafranil
fluoxétine	Prozac

IMAO
phénelzine	Nardil

État de stress post-traumatique
Bêta-bloquants
propranolol	Inderal

Antiadrénergique
clonidine	Catapres

Anxiolytiques
chlorhydrate de buspirone	BuSpar
alprazolam	Xanax

donné que les augmentations de dose causent une sensation de malaise général. De plus, les interactions avec l'alcool, comme avec les autres dépresseurs du SNC, sont très faibles. Toutefois, il faut avertir les clients de ne pas s'attendre à un effet immédiat (Dubovsky, 1987).

Puisque l'anxiété peut être reliée à une anomalie sérotoninergique et noradrénalinergique, les antidépresseurs tricycliques peuvent également s'avérer utiles dans le traitement de l'anxiété généralisée. L'imipramine (Tofranil) semble le médicament le plus efficace de ce groupe (Appenheimer, 1987).

On administre pour le traitement des réactions de panique et de l'agoraphobie diverses classes de médicaments. Comme dans le cas de l'anxiété généralisée, le chlorhydrate de buspirone (BuSpar) s'est révélé efficace. L'alprazolam (Xanax) peut réduire considérablement les épisodes de panique après six à huit semaines de traitement. Toutefois, l'accoutumance et les fortes réactions de sevrage qui s'ensuivent en limitent l'utilité. Les antidépresseurs tricycliques, dont l'imipramine (Tofranil), le trazodone (Desyrel) et la phénelzine (Nardil), inhibiteur de la monoamine-oxydase, semblent prévenir les épisodes de panique. La plupart du temps, l'effet thérapeutique du médicament ne se fait pas sentir avant huit semaines. Grâce à leurs propriétés anxiolytiques, ils soulagent l'anxiété tout comme la dépression secondaire qui résulte des crises de panique et de l'agoraphobie (Barlow, 1988 ; Mavissakalian, 1987).

Les phobies sociales assez graves pour perturber le fonctionnement professionnel peuvent être traitées avec des bêta-bloquants comme le propranolol (Indéral) ou l'aténolol (Tenormin). Ces médicaments sont particulièrement efficaces lorsque les symptômes cardio-vasculaires de l'anxiété sont invalidants. Comme les bêta-bloquants ne traversent pas la barrière hémato-encéphalique, ils n'ont aucun effet sur la neurotransmission ni ne provoquent la somnolence ou la perte de la motricité fine (Barlow, 1988 ; Mavissakalian, 1987).

Parmi tous les troubles mentaux, c'est l'anxiété généralisée qui est la plus rebelle au traitement. En se fondant sur la théorie de l'anomalie sérotoninergique, on prescrit actuellement des antidépresseurs. Lors des études cliniques, les inhibiteurs de la monoamine-oxydase se sont révélés efficaces seulement chez les personnes qui souffrent aussi d'épisodes de panique. On n'a rapporté qu'un petit nombre de cas de réactions favorables à la fluoxétine (Prozac), antidépresseur tricyclique. Un nouveau médicament de ce groupe, la clomipramine (Anafranil), semble des plus prometteurs

pour le traitement de l'anxiété généralisée. Le médicament prévient efficacement le recaptage de la sérotonine, ce qui favorise une élévation des concentrations de ce neurotransmetteur. Soixante-dix pour cent des sujets ayant fait l'objet de vastes études cliniques éprouvent un certain soulagement, dans la mesure où le traitement les aide à mieux résister aux symptômes obsessionnels-compulsifs. Si aucune amélioration ne survient après huit semaines de traitement, le médicament ne sera probablement pas efficace (DeVeaugh-Geiss, Landau et Katz, 1989 ; Rapoport, 1989).

En cas d'état de stress post-traumatique, l'administration des médicaments doit se faire avec circonspection. On réserve la pharmacothérapie aux individus dont les réactions perturbent le fonctionnement général. Le propranolol (Inderal) et la clonidine (Catapres) se sont révélés efficaces pour atténuer les symptômes somatiques de l'anxiété, amoindrir les réactions de sursaut et diminuer la fréquence des cauchemars (Roth, 1988).

Chez les clients âgés, les doses initiales d'antidépresseurs doivent être plus faibles que chez les adultes jeunes. Dans leur cas, la posologie maximale d'imipramine (Tofranil) est de 100 mg par jour, et celle de phénelzine (Nardil), de 60 mg par jour. Pour ce qui est des anxiolytiques, les doses initiales ne devraient pas excéder la moitié des doses les plus faibles administrées aux adultes plus jeunes.

Bien que les médicaments jouent un rôle important dans le traitement médical de ces troubles, les aspects intrapsychiques et interpersonnels ne doivent pas être négligés. Les clients et leur famille doivent surmonter les divers symptômes de l'anxiété, et apprendre à devenir autonomes et à gérer le stress familial grâce à une psychothérapie individuelle, familiale ou de groupe.

Les autres formes d'intervention sont les suivantes :

- *la désensibilisation systématique :* le client est graduellement mis en contact avec l'objet ou la situation phobogènes, jusqu'à ce que la réaction phobique disparaisse et qu'il soit capable de rester détendu ;

- *l'exposition au stimulus et la prévention de la réaction :* le client est graduellement mis en contact avec le stimulus qui déclenche le comportement inadapté, puis on l'incite à retenir sa réaction compulsive (p. ex. : les lavages répétés ou les vérifications incessantes) ;

- *l'immersion imaginaire :* cette intervention permet au client d'affronter sa peur en pensée plutôt qu'en réalité ;

- *l'immersion in vivo :* le client est mis en présence de l'objet ou de la situation qui créent la panique, jusqu'à ce que la réaction de peur diminue. (Cette intervention n'est pas efficace en cas d'agoraphobie.)

Collecte des données

La collecte des données doit reposer sur les connaissances de base que vous venez d'acquérir. L'infirmière doit structurer sa collecte des données de façon à toucher tous les aspects, soit les caractéristiques comportementales, affectives, cognitives et socioculturelles (voir ci-après un exemple de collecte des données sous forme de questionnaire).

Lors de la collecte des données physiologiques, on doit distinguer la réaction anxieuse des divers troubles organiques comme l'hypoglycémie, le phéochromocytome, l'hyperthyroïdie et le prolapsus valvulaire mitral. Des symptômes semblables à ceux de l'anxiété peuvent aussi se manifester lors des réactions de sevrage des barbituriques et d'intoxication à des substances telles que la caféine et les amphétamines. L'anxiété fait souvent partie des symptômes décelés chez les clients qui ont reçu un diagnostic de schizophrénie, de trouble affectif grave ou de trouble de l'alimentation.

BILAN DE SANTÉ
Client souffrant de trouble obsessionnel-compulsif

Données sur le comportement
Quels sont les objets ou les situations qui suscitent chez vous le besoin de vérifier ou de revérifier fréquemment ?

Combien de temps passez-vous chaque jour à vérifier vos gestes ?
Décrivez vos activités quotidiennes, au travail et à la maison.

Données sur l'état affectif
Décrivez votre sentiment d'anxiété.
Qu'est-ce qui vous arrive quand vous sentez que vous perdez la maîtrise de vous-même ?
Décrivez vos relations avec vos proches.
Quelle est leur attitude envers vous ?
Quelles sont vos peurs les plus grandes ?

Données sur l'état cognitif
Décrivez vos qualités.
Décrivez vos défauts.
Que pensez-vous de votre comportement compulsif ?
Aimeriez-vous que votre comportement compulsif change ?
Combien de temps passez-vous chaque jour à douter de vos actes ?

Données sur la vie socioculturelle
En quoi vos habitudes ou vos pensées nuisent-elles à votre travail ? à votre vie sociale ? à votre vie personnelle ?
Décrivez les situations où vous vous sentez bien avec les membres de votre famille.
En quoi vous sentez-vous dépendant de votre famille ?

BILAN DE SANTÉ
Client souffrant de phobie

Données sur le comportement
Quels sont les objets ou les situations que vous essayez d'éviter ?
Que faites-vous pour éviter ces objets ou ces situations ?
Dans quelle mesure ces peurs entravent-elles vos activités quotidiennes ?
Est-ce que vos activités sociales ou professionnelles sont limitées dans l'espace ?
À quelle fréquence et dans quelles circonstances êtes-vous capable de sortir de chez vous ?

Données sur l'état affectif
Quelles sont vos peurs les plus grandes ?
Avez-vous peur que les autres se moquent de vous ? Avez-vous peur d'être humilié ? Avez-vous peur d'être abandonné ? Avez-vous peur de vous trouver seul dans une situation inhabituelle ?

Quels sentiments éprouvez-vous quand vous êtes en présence de l'objet ou de la situation que vous redoutez ?

Que vous arrive-t-il d'autre à ce moment ?

Jusqu'à quel point craignez-vous d'avoir de nouveaux épisodes de panique ?

Données sur l'état cognitif

Vous est-il pénible d'être dominé par vos peurs ?

Comment envisagez-vous l'avenir ?

Décrivez vos qualités.

Décrivez vos défauts.

Dans quelle mesure avez-vous besoin du soutien des autres pour vivre ?

Dans quelle mesure vous sentez-vous impuissant et dépendant des autres ?

Données sur la vie socioculturelle

Qui peut vous aider à éviter les objets ou les situations que vous redoutez ?

Décrivez les changements qui se sont produits dans votre vie familiale à cause de vos peurs.

Dans quelles circonstances êtes-vous capable de voir vos amis ?

BILAN DE SANTÉ
Client en état de stress post-traumatique

Données sur le comportement

Dans quelles circonstances avez-vous un comportement agressif ou des crises de colère ?

De quelle façon revivez-vous le traumatisme d'origine ?

Comment essayez-vous d'éviter les situations ou les activités qui peuvent vous rappeler le traumatisme ?

À quelle fréquence participez-vous à des activités sociales ?

Avez-vous eu des difficultés professionnelles depuis le traumatisme ?

Données sur l'état affectif

Pendant combien de temps, chaque jour, vous sentez-vous tendu ou irritable ?

Avez-vous eu des épisodes de panique ?

Décrivez vos sentiments de culpabilité par rapport au traumatisme.

Quelles sont les activités qui vous plaisent ?

Quelles sont vos sources de plaisir dans la vie ?

Données sur l'état cognitif

Décrivez vos difficultés de concentration.

Décrivez vos pertes de mémoire.

Combien de fois par jour pensez-vous au traumatisme que vous avez subi ?

Estimez-vous exercer un pouvoir sur ces pensées ?

Décrivez vos cauchemars.

Décrivez vos qualités.

Décrivez vos défauts.

Données sur la vie socioculturelle

Les membres de votre famille et vos amis vous disent-ils que vous êtes distant ou froid avec eux ?

Décrivez vos modes de communication avec les membres de votre famille et vos amis.

Décrivez ce qui se produit lorsque vous êtes incapable de maîtriser votre colère.

Comment réagit-on à la violence dans votre famille ?

Êtes-vous divorcé ou vous sentez-vous menacé à ce propos ?

BILAN DE SANTÉ
*Client ayant une personnalité multiple**

Données sur le comportement

Le client adopte-t-il des modes de comportement fortement divergents ? Par exemple, se montre-t-il soumis et tranquille à certains moments et colérique et bruyant à d'autres ?

Est-ce que le client s'habille différemment selon le comportement qu'il adopte ?

Est-ce que les habiletés professionnelles et personnelles du client sont incohérentes ? Autrement dit, est-ce que ses habiletés sont manifestes à certains moments et absentes à d'autres ?

Est-ce que les préférences du client sur le plan de la sexualité changent ?

Données sur l'état affectif

Est-ce que le client se montre angoissé par ses « trous de mémoire » ?

Dans quelle mesure le client est-il passif et soumis ?

Dans quelle mesure le client est-il colérique et agressif ?

Le client a-t-il fait des tentatives de suicide ?

Données sur l'état cognitif

Quelle est la fréquence des périodes d'amnésie ?

Dans quelles circonstances l'amnésie semble-t-elle apparaître ?

Y a-t-il des moments où le client se rappelle certains
    événements précis et d'autres moments où il n'en a
    aucun souvenir?

Données sur la vie socioculturelle

Est-ce que la famille du client dirait qu'il a plusieurs
    personnalités?

Comment la famille du client s'est-elle adaptée à la
    situation jusqu'à maintenant?

Le client a-t-il subi des mauvais traitements durant
    l'enfance?

Quelle relation le client avait-il avec ses parents quand
    il était enfant?

* Puisque le client n'a pas conscience de ses changements de person-
    nalités, la collecte des données repose sur les observations de l'infir-
    mière et sur les comptes rendus de la famille.

Analyse des données et planification des soins

L'étape suivante consiste à analyser et à interpréter
les données recueillies afin de formuler les diagnostics infirmiers. L'infirmière doit recueillir des
données sur le niveau d'anxiété du client ainsi que
sur ses réactions comportementales, affectives et
cognitives. Elle doit également recueillir des données sur l'auto-évaluation du client, sur son degré
de connaissance de soi, sur ses comportements
d'adaptation, sur ses mécanismes de défense et sur
sa vie familiale. L'infirmière doit intégrer toutes ces
données dans ses diagnostics. Les diagnostics lui
permettront de formuler des objectifs, de définir les
résultats escomptés et d'orienter ses soins. Les plans
de soins infirmiers présentés ici s'appliquent, dans
les grandes lignes, à tous les clients souffrant de
troubles anxieux et, de ce fait, les facteurs déclenchants n'ont pas été individualisés. Il est entendu
que l'infirmière doit adapter le processus de soins
à chaque cas particulier.

Les objectifs relient les diagnostics infirmiers
aux interventions. Par ailleurs, étant donné que
l'évaluation se fonde sur les résultats escomptés, il
faut formuler ces derniers en termes de comportements ou de réactions mesurables. Ensuite, l'infirmière planifie et individualise ses interventions en
se fondant sur les diagnostics, les objectifs et les
résultats escomptés (voir le tableau 8-7).

Le client doit participer à l'étape de la planification, et l'infirmière doit vérifier auprès de lui les
résultats escomptés. Si les attentes du client et de
l'infirmière sont très différentes, le plan de soins
infirmiers ne portera pas fruit et pourrait même être
saboté par le client. L'objectif global est d'aider
le client à améliorer ses réactions à l'anxiété et à
acquérir des comportements plus constructifs lui
permettant de la surmonter.

L'exécution du plan de soins fait également
appel à la participation active du client. Si le client
ne se sent pas partenaire de l'infirmière, il peut
saboter également l'étape d'exécution.

La thérapie de groupe constitue souvent une
approche efficace, particulièrement chez le client
phobique ou victime de l'état de stress post-
traumatique. Dans un groupe de personnes aux
prises avec un problème semblable au sien, le
client se sent en confiance et s'ouvre plus facilement. Les progrès sont souvent plus marqués qu'en
thérapie individuelle. Au sein du groupe, les membres sont capables de reconnaître les sentiments de
colère, de peur, de culpabilité et d'isolement res-
sentis par les autres, ce qui favorise la participation
et le soutien (Hafner, 1988).

Il est peu probable que les infirmières débutantes se voient confier les soins des clients ayant
une personnalité multiple, étant donné la complexité du diagnostic. Il se peut que les membres
du personnel soignant ne s'entendent même pas
sur ce diagnostic. De plus, les diverses personnalités du client peuvent nouer des relations différentes avec les membres du personnel, ce qui laisse
croire à chacun qu'il est le seul à comprendre le
client. Pour prévenir la manipulation de la part du
client, il est essentiel que les membres du personnel soignant communiquent ouvertement et se réu-
nissent fréquemment. Entre autres interventions
générales, il faut assurer au client un milieu sûr où
il se sent en confiance et l'aider à surmonter les
difficultés de la vie quotidienne. Il est extrêmement
utile de dresser un tableau qui révélerait le nom,
l'âge, les fonctions et le degré d'influence des diverses personnalités connues. Le personnel soignant pourrait ainsi mieux organiser les données et

Tableau 8-7   Plan des soins infirmiers destinés au client anxieux

▌**Diagnostic infirmier :** Anxiété légère, reliée à une menace pour le concept de soi due à la peur de ne plus être capable de se maîtriser.
Objectif : Le client affirme que son niveau d'anxiété est supportable.

Intervention	Justification	Résultat escompté
Déterminer le niveau d'anxiété.	Si l'anxiété est modérée ou grave, le client est incapable d'utiliser le processus de résolution de problèmes.	
Aider le client à reconnaître que le sentiment qu'il éprouve est de l'anxiété.	La reconnaissance de l'anxiété est la première étape du processus de résolution de problèmes.	Le client emploie le processus de résolution de problèmes pour diminuer l'anxiété éprouvée dans une situation donnée, puis l'applique à d'autres situations.
Amener le client à définir la situation anxiogène.	L'anxiété diffuse, limitée à une situation unique et surmontable, est plus facile à gérer.	
Amener le client à discerner sa perception de la notion de maîtrise de soi.	Les problèmes relatifs à la maîtrise de soi doivent être reconnus comme tels avant que le client puisse les aborder.	
Aider le client à discerner ses anticipations négatives.	Des pensées négatives peuvent être la source de l'anxiété.	Le client discerne ses anticipations négatives.
Aider le client à analyser sa peur de perdre la maîtrise de soi et à faire le lien entre sa peur et l'intensification de son anxiété.	L'établissement d'un lien entre ses pensées et ses sentiments favorise le maintien de la maîtrise de soi.	
Discuter avec le client des risques réels de la perte de maîtrise de soi dans la situation en question.	Le client doit pouvoir distinguer ses fantasmes de la réalité.	Le client reconnaît ce que sa peur comporte de réel.
Amener le client à analyser la façon dont il a surmonté l'anxiété dans le passé.	Le client peut déterminer la portée et l'efficacité des comportements d'adaptation passés, ce qui fait partie du processus de résolution de problèmes.	Le client emploie divers comportements d'adaptation quand il se trouve dans des situations génératrices de stress.
Expliquer comment l'anxiété légère peut favoriser une modification du comportement et l'autonomie.	Le client peut ainsi transformer un sentiment désagréable en un message positif, ce qui favorise la modification de son comportement.	
Aider le client à transformer les sensations d'anxiété en sensations d'excitation.	Le client est moins désemparé si ses attentes sont optimistes plutôt que pessimistes.	Le client discerne une sensation d'excitation dans certaines situations.
Offrir au client d'autres moyens thérapeutiques, p. ex. : des cours de gestion du stress, des techniques de relaxation ou la rétroaction biologique.	Ces habiletés aideront le client à sentir qu'il maîtrise mieux sa vie et son anxiété.	
Pratiquer des exercices de relaxation avec le client.	Les techniques de relaxation aident le client à maîtriser ses réactions physiologiques.	Le client emploie des techniques de relaxation.

(suite du diagnostic page suivante)

Tableau 8-7   *(suite)*

Intervention	Justification	Résultat escompté
Administrer les anxiolytiques, selon la prescription.	Ces médicaments abaissent l'anxiété à un niveau supportable et permettent d'utiliser le processus de résolution de problèmes	Le client prend les médicaments appropriés, sans abus ni accoutumance.

Diagnostic infirmier : Anxiété, reliée à la séparation d'avec la mère.
Objectif : Le client adopte des comportements qui prouvent qu'il est moins anxieux, que son estime de soi s'améliore et qu'il acquiert des mécanismes d'adaptation.

Intervention	Justification	Résultat escompté
Encourager la mère et l'enfant à exprimer les sentiments suscités par la séparation.	La mère et l'enfant peuvent ainsi verbaliser leur vécu.	La mère et l'enfant verbalisent leurs sentiments.
Présenter à l'enfant une autre personne responsable (par ex. : organiser la première visite d'une gardienne à la maison et lui confier l'enfant pendant que la mère est dans une autre pièce) ; prolonger graduellement le temps passé avec cette personne.	La peur que la mère ne revienne pas augmente l'anxiété de l'enfant.	L'enfant est capable de passer une courte période avec une gardienne sans que son anxiété augmente.
Avant la rentrée scolaire, organiser à l'intention de la mère et de l'enfant une visite de l'école et une rencontre avec l'enseignante. Demander à cette dernière de montrer la classe à l'enfant et, notamment, son pupitre, pendant que la mère est dans la pièce.	L'anxiété s'intensifie dans un environnement inconnu. L'enfant voit en l'enseignante un substitut temporaire de la mère. Le sentiment de propriété accroît le sentiment de sécurité.	L'enfant est capable de passer des demi-journées à l'école sans montrer de signes d'anxiété accrue.
Répéter les visites de l'école et de la cour de récréation avant la rentrée.	L'enfant acquiert un sentiment de sécurité s'il se familiarise avec les lieux et s'il constate qu'ils ne changent pas.	
Mettre en valeur les talents de l'enfant, mentionner ses forces et l'encourager à poursuivre les activités qui l'intéressent.	L'autonomie et la conscientisation de ses propres talents facilitent la séparation d'avec la mère.	L'enfant est fier de son travail. Il est capable de formuler des énoncés à la première personne sans mentionner sa mère.
Pendant l'hospitalisation : • Si possible, prolonger ou assouplir les heures de visite.	La maladie et un cadre étranger intensifient l'anxiété.	L'enfant prouve que son niveau d'anxiété pendant l'hospitalisation est faible.
• Expliquer les interventions lentement et aussi souvent qu'il le faut en utilisant des mots simples.	L'anxiété entrave la capacité d'assimiler les nouvelles données.	L'enfant suit des consignes simples avec un minimum d'encadrement.
• Donner les renseignements par tranches ; ne pas surcharger l'enfant.	Les interventions doivent tenir compte du niveau de compréhension de l'enfant.	
• Si possible, laisser l'enfant manipuler le matériel.	La manipulation d'objets atténue la peur de l'inconnu.	

(suite du diagnostic page suivante)

Tableau 8-7   *(suite)*

Diagnostic infirmier *(suite)*: Anxiété, reliée à la séparation d'avec la mère.
Objectif: Le client adopte des comportements qui prouvent qu'il est moins anxieux, que son estime de soi s'améliore et qu'il acquiert des mécanismes d'adaptation.

Intervention	Justification	Résultat escompté
• Encourager l'enfant à simuler les interventions (par ex. : donner des injections à une poupée).	Le jeu de rôle aide l'enfant à surmonter ses peurs.	
• Confier les soins de l'enfant à la même infirmière dans la mesure du possible ; prévenir l'enfant à l'avance des changements de personnel.	La stabilité favorise la confiance et diminue l'anxiété. (L'enfant peut croire qu'un malheur est arrivé à un membre du personnel qui ne revient pas au travail.)	
Explorer les moyens de surmonter l'anxiété au moment où elle survient.		L'enfant discute des moyens lui permettant de surmonter l'anxiété.
Renforcer les comportements d'adaptation, par exemple: • expression des sentiments et des peurs ; • respiration profonde ; • techniques de relaxation ; • retrait de la personne des situations anxiogènes au moment propice.	L'enfant peut ainsi apprendre des comportements d'adaptation.	L'enfant adopte des comportements d'adaptation au moins à deux reprises.

Diagnostic infirmier: Mode de respiration inefficace, relié aux sensations de suffocation ou d'étouffement, à l'essoufflement et à l'hyperventilation provoqués par la panique.
Objectif: Le client retrouve son rythme respiratoire normal.

Intervention	Justification	Résultat escompté
Rester avec le client ; garder une approche calme et directe.	Le client a besoin qu'on le soutienne et qu'on lui affirme qu'il n'est pas sur le point de mourir.	Le client signale que sa peur de suffoquer a diminué.
Desserrer les vêtements du client.	Le geste soulage la sensation de suffocation.	La respiration du client retrouve un rythme normal.
Évaluer la fonction respiratoire.	Cette évaluation permet de s'assurer que le client reçoit suffisamment d'oxygène.	
Dire au client de respirer lentement et profondément, et respirer avec lui en lui indiquant la méthode appropriée.	Une démonstration de la méthode peut être plus efficace que des consignes verbales, étant donné que le champ de perception du client est très réduit.	
Faire respirer le client dans un sac de papier.	Le taux de CO_2 en est ainsi accru, ce qui prévient l'acidose causée par l'hyperventilation.	

(suite page suivante)

Tableau 8-7 *(suite)*

▌**Diagnostic infirmier :** Altération de la perception sensorielle, reliée au rétrécissement du champ de perception en cas d'anxiété grave ou extrême (panique).
    Objectif : Le client se sent en sécurité pendant les épisodes d'anxiété aiguë.

Intervention	Justification	Résultat escompté
Rester avec le client.	La présence de l'infirmière atténue la peur de l'abandon dans une situation effrayante.	
Rassurer le client d'un ton calme ; lui dire qu'on reste à ses côtés et que la crise est passagère.	Le client a ainsi moins peur d'être abandonné et de voir se poursuivre indéfiniment l'épisode de panique.	
Rassurer le client quant à sa sécurité.	Les paroles de réconfort atténuent la peur de mourir pendant l'épisode de panique.	
Employer des mots simples et clairs (par ex. : « Je reste avec vous », « Asseyez-vous », « Je vais vous aider »).	Le champ de perception du client est extrêmement rétréci et il ne peut comprendre des idées ou des phrases complexes.	Le client réagit à des consignes brèves et claires.
Parler lentement et d'une voix douce.	Le ton de la voix ainsi que les paroles de réconfort permettent de créer une ambiance calme.	
Diminuer les stimuli de l'environnement et les interactions en installant le client dans un endroit plus calme.	L'anxiété que le client peut transmettre ou recevoir est réduite au minimum.	
Dire au client d'imaginer qu'il inspire et expire par la plante des pieds.	Pendant une attaque de panique, le client se sent détaché de l'environnement ; ce processus imaginatif l'aide à se sentir plus ancré et, par conséquent, plus en sécurité.	Le client suit les consignes.
Administrer les anxiolytiques à prendre au besoin.	Les médicaments préviennent ou atténuent la sensation de panique.	Le client dit que son anxiété a diminué.

▌**Diagnostic infirmier :** Altération des opérations de la pensée, reliée à la modification de la concentration et de la pensée concrète pendant un épisode d'anxiété grave.
    Objectif : Le client montre que sa pensée est appropriée et cohérente.

Intervention	Justification	Résultat escompté
Parler au client en utilisant des mots simples et concrets (par ex. : « Asseyez-vous, je reste auprès de vous »).	Le champ de perception est si rétréci que le client ne peut comprendre des idées complexes.	Le client réagit de façon appropriée à des consignes simples.
Proposer au client des activités simples.	Le client ne peut pas être attentif assez longtemps pour participer à des activités complexes.	Le client participe à des activités simples.
Rester avec le client pendant ses activités et rediriger doucement son attention.	Le client réussit mieux dans ses activités en présence de l'infirmière.	

(suite du diagnostic page suivante)

Tableau 8-7   *(suite)*

Diagnostic infirmier *(suite)*: Altération des opérations de la pensée, reliée à la modification de la concentration et de la pensée concrète pendant un épisode d'anxiété grave.
Objectif: Le client montre que sa pensée est appropriée et cohérente.

Intervention	Justification	Résultat escompté
Proposer au client de noter les moments de la semaine où son anxiété augmente.	Le client peut ainsi mieux discerner la menace ou la peur et comprendre l'évolution de l'anxiété.	Le client note l'évolution de son anxiété.
Analyser la peur ou la menace pour déterminer : • si elle est passée ou présente ; • comment la souffrance ou la perte pourrait se produire (par ex. : la perte d'une amitié, la menace de perdre l'estime de soi, etc.).	La plupart des « dangers » sont des dangers passés et n'ont aucun rapport avec le « ici et maintenant » ; le fait de concentrer son attention sur la menace de souffrance ou de perte aide le client à trouver plus facilement des moyens lui permettant de surmonter son anxiété.	Le client discerne les peurs ou les menaces.

Diagnostic infirmier: Stratégies d'adaptation individuelle inefficaces, reliées à l'incapacité de demander de l'aide.
Objectif: Le client demande de l'aide dans les situations appropriées.

Intervention	Justification	Résultat escompté
Demander au client ce qui se produirait, selon lui, s'il demandait de l'aide.	Le client doit pouvoir reconnaître que la peur du rejet l'empêche de demander de l'aide.	Le client verbalise sa peur de demander de l'aide.
Se révéler de manière appropriée, c'est-à-dire à des fins thérapeutiques, au sujet de situations où l'on a demandé de l'aide.	La révélation de soi permet au client de reconnaître qu'une demande d'aide n'entraîne pas nécessairement le rejet.	
Organiser un jeu de rôle pendant lequel le client doit demander de l'aide dans une situation particulière.	Le jeu de rôle favorise l'utilisation de nouvelles habiletés.	Le client simule une situation où il demande de l'aide.
Inciter le client à analyser les sentiments qu'il a éprouvés lorsqu'il a demandé de l'aide et à évaluer la réaction des autres.	Le client doit évaluer tout changement de comportement de même que la réalité de ses peurs.	Le client demande de l'aide dans une situation donnée.

Diagnostic infirmier: Stratégies d'adaptation individuelle inefficaces, reliées à des vérifications incessantes ou à un rituel.
Objectif: Le client abandonne graduellement le rituel.

Intervention	Justification	Résultat escompté
Ne pas dire au client que son comportement est insensé et inutile.	Le client étant conscient de son comportement, cela ne servirait qu'à intensifier ses sentiments d'incompétence et d'échec.	
Travailler avec le client à la modification de son environnement et de son horaire, afin qu'il puisse accomplir son rituel ; respecter le programme de sa journée.	Le client doit pouvoir employer ses mécanismes de défense jusqu'à ce qu'il puisse adopter d'autres comportements d'adaptation.	

(suite du diagnostic page suivante)

Tableau 8-7 *(suite)*

Diagnostic infirmier *(suite)* : Stratégies d'adaptation individuelle inefficaces, reliées à des vérifications incessantes ou à un rituel.
Objectif : Le client abandonne graduellement le rituel.

Intervention	Justification	Résultat escompté
Mettre en place les mesures de sécurité dictées par le rituel (par ex. : fournir des serviettes sèches et de la lotion au client qui se lave les mains de manière compulsive).	Ces mesures permettent de prévenir les complications physiques provoquées par le rituel.	Le rituel n'entraîne pas de complications physiques.
Imposer des limites aux comportements destructeurs.	L'établissement de certaines limites favorise le maintien de la sécurité du client.	
Indiquer au client l'horaire des activités du centre hospitalier.	L'anxiété du client dans un milieu étranger est ainsi atténuée.	
Respecter les horaires et les engagements pris à l'égard du client.	Le respect de l'horaire et des engagements est un témoignage de bonne volonté qui favorise l'épanouissement de la confiance chez un client plutôt rigide.	
Aider le client à voir en quoi son comportement nuit à ses activités quotidiennes.	Le client se sent ainsi encouragé à adopter des comportements adaptatifs plus efficaces.	Le client reconnaît les problèmes causés par son comportement compulsif.
Se révéler de manière appropriée, c'est-à-dire à des fins thérapeutiques, au sujet de situations où l'on a commis des erreurs.	La révélation de ses propres erreurs aide le client à reconnaître que les erreurs n'entraînent pas nécessairement l'humiliation.	
Analyser le but visé par la vérification ou le rituel.	Le client peut ainsi reconnaître que son comportement vise à atténuer son anxiété.	
Employer le processus de résolution de problèmes afin de trouver des comportements plus efficaces pour atténuer l'anxiété.	Le comportement compulsif diminue à mesure que le client apprend de nouveaux moyens de surmonter son anxiété.	Le client adopte de nouveaux comportements pour surmonter son anxiété.

Diagnostic infirmier : Perturbation de la dynamique familiale, reliée au détachement et à l'incapacité d'exprimer les sentiments.
Objectif : La famille signale une intensification des sentiments d'intimité.

Intervention	Justification	Résultat escompté
Aider les membres de la famille à définir et à analyser leurs relations.	Une meilleure connaissance de la dynamique familiale aide tous les membres à analyser et à redéfinir continuellement la nature de leurs relations.	Les membres de la famille analysent leurs relations.
Aider les membres de la famille à découvrir que la peur de se perdre dans une relation intime entraîne une réaction de détachement et d'aliénation.	La reconnaissance de cette peur améliore la compréhension du comportement et favorise l'autonomie des membres de la famille.	

(suite du diagnostic page suivante)

Tableau 8-7   *(suite)*

Diagnostic infirmier *(suite)*: Perturbation de la dynamique familiale, reliée au détachement et à l'incapacité d'exprimer les sentiments.
Objectif : La famille signale une intensification des sentiments d'intimité.

Intervention	Justification	Résultat escompté
Expliquer aux membres de la famille qu'il est important qu'ils reconnaissent leurs sentiments et qu'ils les expriment.	Cette question doit être abordée puisque la dimension émotionnelle des relations a beaucoup d'influence sur tous les autres aspects des relations.	Les membres de la famille reconnaissent les sentiments qu'ils éprouvent.
Apprendre aux membres de la famille à s'exprimer à la première personne.	Chaque membre de la famille doit assumer ses propres sentiments plutôt que de blâmer les autres (par ex. : «C'est à cause de toi que… »).	Les membres de la famille communiquent leurs sentiments.
Inciter les membres de la famille à nommer les comportements qu'ils attendent les uns des autres pour se sentir aimés et unis.	L'intimité et la tendresse sont des besoins fondamentaux qu'on peut plus facilement satisfaire au sein de la famille.	Les membres de la famille donnent des exemples de situations où ils peuvent se témoigner de l'affection.

Diagnostic infirmier : Perturbation de la dynamique familiale, reliée à l'incapacité de satisfaire les besoins de sécurité.
Objectif : Le client prend davantage en charge la satisfaction de ses besoins.

Intervention	Justification	Résultat escompté
Amener le client à comprendre à quel point un sentiment d'impuissance excessif perturbe ses relations familiales.	Une meilleure compréhension de la dynamique familiale aide le client à modifier son comportement.	Le client détermine l'effet de sa dépendance excessive sur la cellule familiale.
Amener le client à comprendre à quel point une dépendance excessive accroît le pouvoir qu'il exerce sur sa famille (par ex. : chacun doit organiser son horaire et ses activités en fonction de lui).	Le client doit comprendre la manière dont son sentiment d'impuissance accroît son pouvoir au sein de la famille.	
Inciter la famille à encourager l'autonomie du client, et inciter le client à satisfaire ses besoins de dépendance de manière plus directe.	Ces nouveaux comportements favorisent l'épanouissement d'une interdépendance saine plutôt que les oscillations incessantes entre la dépendance et l'autonomie.	Le client adopte un comportement plus autonome.

Diagnostic infirmier : Perturbation de la dynamique familiale, reliée aux gains secondaires que tire le conjoint de la phobie du client.
Objectif : Le conjoint du client phobique diminue ses comportements protecteurs.

Intervention	Justification	Résultat escompté
Amener le conjoint à analyser les gains secondaires qui lui permettent de satisfaire ses propres besoins (par ex. : le besoin de protéger ou de dominer).	L'analyse permet de mieux comprendre ses comportements et en quoi ils assurent le maintien des peurs et de l'évitement.	Le conjoint reconnaît son besoin de protéger ou de dominer.
Aider la famille à s'adapter aux modifications que le client apporte à son comportement.	La famille peut se sentir inutile ou menacée.	Le conjoint maîtrise les sentiments qu'il éprouve pendant le traitement.

(suite du diagnostic page suivante)

Tableau 8-7 *(suite)*

Diagnostic infirmier *(suite)*: Perturbation de la dynamique familiale, reliée aux gains secondaires que tire le conjoint de la phobie du client.
Objectif : Le conjoint du client phobique diminue ses comportements protecteurs.

Intervention	*Justification*	*Résultat escompté*
Enseigner le processus de résolution de problèmes au conjoint pour qu'il trouve des moyens plus sains de satisfaire ses besoins.	La résolution de problèmes offre de nouveaux choix et permet au client de satisfaire ses besoins d'une manière plus directe	Le conjoint trouve des moyens mieux adaptés lui permettant de satisfaire ses besoins.

Diagnostic infirmier : Peur, reliée à l'objet ou à la situation phobogènes.
Objectif : Le client affirme que sa peur a diminué.

Intervention	*Justification*	*Résultat escompté*
Amener le client à nommer l'objet ou la situation phobogènes et à modifier son environnement en conséquence.	Cette mesure permet de limiter les situations où le client est mis en présence de l'objet ou de la situation phobogènes.	Le client discerne la source première de menace ou de perte.
Laisser le client s'exprimer librement à propos de ses peurs.	Le client a ainsi l'occasion de parler de ses peurs sans être jugé.	
Aider le client à chercher la source première de son anxiété.	L'anxiété du client s'est déplacée sur des objets extérieurs; il doit faire face à la source première et la surmonter.	
Analyser une à une chaque situation nouvelle.	L'évaluation du présent ne doit pas se faire en fonction du passé.	
Passer en revue divers comportements d'adaptation : • apprendre l'enchaînement des réactions physiologiques ; • imaginer l'événement étape par étape ; • imaginer qu'on s'adapte efficacement ; • employer des techniques de relaxation pendant l'événement ou en situation de rétroaction biologique.	Le client a ainsi l'occasion d'aborder les domaines de la vie qu'il a évités. La pratique mentale d'un comportement favorise le sentiment de maîtrise et l'adoption ultérieure du comportement en question. Le client se perçoit peu à peu comme une personne capable de surmonter la peur. La visualisation aide le client à cheminer vers ses objectifs. Les techniques de relaxation permettent au client de combattre l'anxiété.	Le client est capable de faire face à l'objet ou à la situation phobogènes avec un minimum de malaise.
Apprendre au client à s'affirmer afin qu'il puisse éviter les réactions de peur et de soumission.	Les possibilités d'adaptation sont ainsi accrues.	Le client s'affirme davantage.
Administrer les antidépresseurs tricycliques ou les IMAO prescrits.	Les médicaments permettent de soulager les réactions de panique provoquées par l'agoraphobie.	

Diagnostic infirmier : Sentiment d'impuissance, relié à un mode de vie marqué par le désarroi ou le sentiment d'être démuni.
Objectif : Le client affirme qu'il maîtrise mieux son mode de vie.

Intervention	*Justification*	*Résultat escompté*
Ne pas imposer au client des situations qu'il ne peut affronter.	Les mécanismes de défense sont nécessaires tant que le client en a besoin pour se protéger.	Le client prend conscience de son désarroi.

(suite du diagnostic page suivante)

Tableau 8-7   *(suite)*

Diagnostic infirmier *(suite)*: Sentiment d'impuissance, relié à un mode de vie marqué par le désarroi ou le sentiment d'être démuni.
Objectif : Le client affirme qu'il maîtrise mieux son mode de vie.

Intervention	Justification	Résultat escompté
Ne pas essayer de raisonner le client.	Le client doit adopter le comportement en question pour maîtriser son anxiété.	
Ne donner au client que l'aide dont il a vraiment besoin.	Le client peut ainsi acquérir graduellement plus d'autonomie.	Le client prend graduellement la responsabilité de la gestion de ses peurs et de son comportement.
Ne pas se concentrer sur le comportement phobique. Suggérer d'autres activités au client.	Le comportement inadapté ne doit pas être renforcé.	
Faire vivre au client des situations où il se sent à l'aise.	L'absence de malaise augmente la confiance en soi.	
Analyser les croyances qui perpétuent le désarroi.	Le client doit se rendre compte que ses croyances culturelles sont rigides.	
Déterminer les gains secondaires du trouble, notamment des responsabilités moindres et une dépendance accrue.	Le client qui comprend mieux son comportement peut le modifier de manière appropriée.	
Analyser d'autres moyens de satisfaire ses besoins.	L'autonomie du client est ainsi accrue.	

Diagnostic infirmier: Perturbation de l'estime de soi, reliée à des sentiments d'impuissance et d'incompétence ainsi qu'à un foyer de contrôle externe.
  Objectif: Le client dit qu'il se sent plus compétent.

Intervention	Justification	Résultat escompté
Être empathique, c'est-à-dire comprendre les sentiments du client et lui communiquer cette compréhension.	Cette mesure favorise la compréhension et l'acceptation des sentiments du client envers lui-même.	
Aider le client à centrer son attention sur le lien entre l'estime de soi et l'anxiété.	Le client reconnaît que l'anxiété est un signal d'alarme et que le comportement qui en résulte est une manière de se protéger.	
Faire vivre au client des expériences où il pourra réussir.	La réussite accroît la confiance en soi.	
Employer le processus de résolution de problèmes pour aider le client à définir et à adopter un comportement qui lui confère le sentiment d'une plus grande compétence.	Le processus de résolution de problèmes aide le client à établir un foyer de contrôle interne et lui donne un sentiment de plus grande compétence.	Le client affirme qu'il a plus confiance en sa capacité d'adaptation.
Analyser les limites du client et l'aider à formuler des objectifs réalistes.	Le client peut ainsi utiliser son énergie de façon constructive et travailler sur ce qui peut être changé.	Le client formule des objectifs réalistes.

(suite du diagnostic page suivante)

Tableau 8-7 *(suite)*

Diagnostic infirmier *(suite)* : Perturbation de l'estime de soi, reliée à des sentiments d'impuissance et d'incompétence ainsi qu'à un foyer de contrôle externe.
Objectif : Le client dit qu'il se sent plus compétent.

Intervention	Justification	Résultat escompté
Amener le client à trouver des activités agréables et à s'y adonner.	Ces activités donnent au client le sentiment de maîtrise de soi et de réussite.	Le client participe à des activités.

Diagnostic infirmier : Perturbation de l'estime de soi, reliée au sentiment de culpabilité du survivant et à des sentiments de culpabilité engendrés par des actes de guerre.
Objectif : Le client affirme que ses sentiments de culpabilité se sont atténués.

Intervention	Justification	Résultat escompté
Analyser ses propres sentiments et croyances par rapport à la guerre.	Cette analyse permet d'éviter de porter inconsciemment un jugement pendant l'interaction.	
Aider le client à discerner et à nommer ses sentiments.	Le client affronte ainsi ses sentiments d'une manière plus directe.	
Aider le client à trouver les moyens d'exprimer directement ses sentiments.	Le client n'a peut-être jamais eu l'occasion de parler de son sentiment de culpabilité.	Le client exprime ses sentiments directement.
Adresser le client à un ministre du culte, si le besoin se fait sentir.	Le sentiment de culpabilité comporte une dimension spirituelle et il peut être allégé par le pardon de la religion.	
Conseiller au client de participer à des rencontres d'anciens combattants.	Cette forme de thérapie de groupe est l'une des plus efficaces pour soulager le sentiment de culpabilité des anciens combattants.	Le client participe à des rencontres.

Diagnostic infirmier : Perturbation des habitudes de sommeil, reliée à des cauchemars récurrents.
Objectif : Le client dort paisiblement pendant un plus grand nombre d'heures.

Intervention	Justification	Résultat escompté
Laisser une veilleuse allumée dans la chambre du client.	Le client aura ainsi moins peur et pourra mieux s'orienter après un cauchemar.	
Enseigner des techniques de relaxation et de visualisation.	Ces techniques favorisent la diminution de la fréquence des cauchemars.	Le client dit qu'il a moins de cauchemars.
Si le client est hospitalisé, rester à ses côtés après un cauchemar.	Le client sent le besoin d'être rassuré. Le fait de rester auprès de lui après un cauchemar l'aide à revenir à la réalité.	
Conseiller au client des rencontres avec des personnes ayant vécu le même traumatisme.	Le fait de pouvoir parler de ses cauchemars dans un cadre chaleureux, où il se sent compris, atténue chez le client le sentiment d'isolement qui accompagne ce symptôme.	

(suite page suivante)

Tableau 8-7   *(suite)*

Diagnostic infirmier: Perturbation des habitudes de sommeil, reliée à l'incapacité de se détendre suffisamment pour s'endormir.
Objectif: Le client dort de six à huit heures par nuit.

Intervention	Justification	Résultat escompté
Discuter avec le client de ses peurs reliées à l'endormissement (par ex. : peur de perdre la maîtrise de soi, d'avoir des cauchemars, de mourir). Enseigner au client comment diminuer les stimuli avant de se coucher.	Le fait de discerner la source première de l'anxiété et d'y faire face permet au client de mieux comprendre l'évolution de l'anxiété. Le ralentissement graduel des fonctions corporelles et mentales est ainsi favorisé.	
Expliquer les diverses méthodes de relaxation (par ex. : un bain chaud, une tasse de lait chaud, un massage du dos, des exercices réguliers pendant la journée).	Le client doit connaître plusieurs méthodes qui l'aident à s'endormir.	Le client s'endort plus rapidement.
Enseigner la relaxation progressive et demander au client de la pratiquer trois fois par jour (dont une fois avant le coucher).	La relaxation progressive atténue la tension et l'anxiété.	Le client fait des exercices de relaxation.

Diagnostic infirmier: Perturbation des interactions sociales, reliée à l'échec des relations interpersonnelles.
Objectif: Le client prolonge le temps de ses interactions avec autrui.

Intervention	Justification	Résultat escompté
Permettre au client de se révéler à son rythme.	Le client doit se sentir en confiance pour pouvoir exprimer ses sentiments et ses peurs.	
Rester accessible sur les plans physique et affectif.	Le client se sent moins isolé s'il peut faire appel à l'infirmière.	
Respecter les engagements pris envers le client.	La confiance est essentielle à l'établissement de relations interpersonnelles satisfaisantes.	
Une fois que le client se sent en sécurité en présence de l'infirmière, prolonger graduellement ses contacts avec ses pairs.	Le client doit prolonger progressivement ses contacts sociaux et se sentir plus compétent dans ses interactions.	Le client dit qu'il se sent de plus en plus à l'aise lorsqu'il établit des rapports avec autrui.
Discuter avec le client du fait que l'isolement accroît l'anxiété.	Le client doit établir des relations interpersonnelles pour intensifier ses sentiments de sécurité et d'appartenance.	Le client discerne les conséquences de l'isolement social.
Enseigner au client qu'il est acceptable d'éprouver de la colère et de la haine envers les êtres chers, à condition d'exprimer adéquatement ces sentiments.	Le client doit apprendre à mieux gérer l'ambivalence de ses sentiments plutôt que d'en faire le prétexte de son retrait.	Le client dit qu'il se sent plus proche des membres de sa famille.
Employer à bon escient l'humour et le rire.	Le fait de rire ensemble rapproche les êtres.	

(suite du diagnostic page suivante)

Tableau 8-7 *(suite)*

Diagnostic infirmier *(suite)*: Perturbation des interactions sociales, reliée à l'échec des relations interpersonnelles.
Objectif : Le client prolonge le temps de ses interactions avec autrui.

Intervention	Justification	Résultat escompté
Aider le client à prendre part à des thérapies de groupe (par ex. : les thérapies par les arts plastiques, la danse, la cuisine, l'artisanat, l'exercice physique ou le psychodrame).	Ces thérapies visent notamment à multiplier les interactions sociales entre les participants.	Le client suit une thérapie.

Diagnostic infirmier : Isolement social, relié à la peur de quitter le quartier ou le domicile.
Objectif : Le client élargit son rayon d'action sans aggraver son sentiment de malaise.

Intervention	Justification	Résultat escompté
Aider le client à chercher la source première de son anxiété.	L'anxiété a été déplacée ; le client doit faire face à la situation et surmonter la source première de son anxiété.	Le client reconnaît la source première de menace ou de perte.
Analyser avec le client les gains secondaires de sa phobie, notamment la domination qu'elle lui permet d'exercer sur les autres.	Si le client discerne et comprend les gains secondaires de sa phobie, il peut satisfaire ses besoins d'une manière plus directe.	Le client comprend les gains secondaires de sa phobie.
Faire un remue-méninges pour trouver de nouveaux moyens de faire face aux situations difficiles.	Si le client sait qu'il dispose de plusieurs moyens, il peut modifier ses attentes et acquérir une plus grande maîtrise de lui-même.	Le client établit la liste d'autres comportements possibles.
Proposer au client un programme de modification du comportement ou une thérapie de désensibilisation systématique.	L'état du client peut dicter le besoin d'entreprendre une thérapie spécialisée soutenue.	Le client entreprend une démarche thérapeutique.

Diagnostic infirmier : Altération des opérations de la pensée, reliée à l'égocentrisme et aux idées de grandeur visant à combattre l'anxiété.
Objectif : Le client fait état de moins d'égocentrisme et d'idées de grandeur.

Intervention	Justification	Résultat escompté
Quand le client manifeste des idées de grandeur, lui suggérer une autre activité ou un autre sujet de conversation.	La diversification empêche le client d'être constamment centré sur un comportement inadapté.	Le client se livre à d'autres activités.
Aider le client à s'intéresser aux autres et à ce qui se passe autour de lui.	Cette mesure permet de réduire l'égocentrisme et d'améliorer les interactions	Le client interagit de manière appropriée.
Ne pas contester directement les idées de grandeur.	Une telle confrontation ébranlerait les mécanismes de défense du client et augmenterait son anxiété.	
Se révéler de manière appropriée pour montrer au client que le fait d'être humain et faillible n'entraîne pas nécessairement le rejet ou l'humiliation.	Une meilleure connaissance de soi permet au client de remplacer ses mécanismes de défense par des comportements d'adaptation plus efficaces.	

(suite du diagnostic page suivante)

Tableau 8-7   *(suite)*

Diagnostic infirmier *(suite)*: Altération des opérations de la pensée, reliée à l'égocentrisme et aux idées de grandeur visant à combattre l'anxiété.
Objectif: Le client fait état de moins d'égocentrisme et d'idées de grandeur.

Intervention	*Justification*	*Résultat escompté*
Aider le client à faire l'inventaire de ses forces et de ses limites, et à verbaliser les doutes qu'il entretient à son propre égard.	L'auto-évaluation réaliste aide le client à renoncer à son égocentrisme à mesure que son anxiété s'atténue.	Le client dit que ses doutes suscitent moins d'anxiété.

Diagnostic infirmier: Risque de violence envers soi-même ou envers les autres, relié à l'incapacité de verbaliser les sentiments.
　　Objectif: Le client cesse d'être violent envers lui-même et envers les autres.

Intervention	*Justification*	*Résultat escompté*
Reconnaître sa propre anxiété.	L'infirmière doit éviter de projeter sa propre anxiété sur le client.	
Aider le client à faire le tri de ses sentiments (par ex.: anxiété, frustration, culpabilité, hostilité).	Le client doit pouvoir nommer ses sentiments pour mieux comprendre les diverses émotions qu'il ressent.	Le client nomme divers sentiments de façon précise.
Discuter avec le client des moyens adéquats d'expression des sentiments.	Le client doit pouvoir exprimer ses sentiments autrement que par la violence.	Le client trouve des moyens adéquats d'exprimer ses sentiments.
Encourager l'expression adéquate des sentiments.	Le client doit reconnaître qu'il est épuisant de réprimer ses sentiments.	
Encourager l'expression verbale directe de sentiments négatifs.	Le client redoute la force des sentiments négatifs et craint d'être rejeté s'il les exprime.	Le client exprime directement ses sentiments négatifs.
Analyser la relation entre l'anxiété intense et un comportement destructeur envers soi ou envers les autres.	L'anxiété peut causer de l'hostilité et, lorsqu'elle s'intensifie, le client peut perdre la maîtrise de lui-même; le comportement destructeur est la manifestation concrète de l'hostilité.	
Fournir au client des exutoires physiques sans danger pour qu'il puisse se décharger de ses sentiments négatifs (par ex.: l'exercice physique ou la manipulation d'argile).	Le fait d'utiliser l'énergie engendrée par les sentiments réprimés permet au client d'éviter l'intensification des comportements violents.	Le client investit son énergie dans des activités physiques appropriées.

Diagnostic infirmier: Risque de violence envers soi-même ou envers les autres, relié à un manque de maîtrise des impulsions.
　　Objectif: Le client cesse d'être violent envers lui-même et envers les autres.

Intervention	*Justification*	*Résultat escompté*
Discerner dans le comportement du client les signes d'une anxiété grandissante: • verbaux: contenu des remarques, ton de la voix;	Le fait de discerner rapidement ces signes permet de prévenir la violence engendrée par la perte de maîtrise.	

(suite du diagnostic page suivante)

Tableau 8-7 *(suite)*

Diagnostic infirmier *(suite)* : Risque de violence envers soi-même ou envers les autres, relié à un manque de maîtrise des impulsions.

Objectif : Le client cesse d'être violent envers lui-même et envers les autres.

Intervention	Justification	Résultat escompté
• non verbaux : tremblements, sueurs, allées et venues, forte réaction de sursaut, poings serrés, expression de colère.		
Essayer de trouver la cause du comportement et de l'éliminer dans la mesure du possible.	Cette mesure permet de prévenir l'intensification de l'anxiété, de la frustration ou de la colère.	
Rester calme et disponible.	L'anxiété est contagieuse et peut intensifier les peurs; l'évitement accroît l'anxiété.	
Fournir au client des exutoires immédiats (par ex. : frapper dans des oreillers, poncer du bois, marcher d'un bon pas, faire de l'exercice, frapper dans un sac de sable).	Le client doit employer son énergie de manière constructive.	Le client surmonte le stress et l'anxiété en adoptant un comportement approprié.
Ne pas se sentir personnellement visée par le comportement agressif.	La perte d'objectivité entraîne une lutte de pouvoir qui intensifie l'anxiété.	
Évaluer la gravité de la situation et éliminer les objets dangereux, ou installer le client dans un lieu sûr, comme une chambre isolée.	L'infirmière doit empêcher le client de s'en prendre à lui-même ou à d'autres personnes.	
Faire garder le client par des membres du personnel jusqu'à ce qu'il puisse se dominer mieux.	Les membres du personnel assurent la sécurité du client jusqu'à ce que le risque de violence diminue.	
Donner des choix limités au client (par ex. : « Vous pouvez vous asseoir dans le fauteuil ou vous coucher dans le lit, mais vous devez rester dans cette pièce »).	Le client peut ainsi avoir une certaine emprise sur la situation, ce qui calme son anxiété.	Le client se conforme aux choix dont il dispose.
Lorsque le client s'est calmé, discuter avec lui des moyens de prévenir la perte de maîtrise de soi (par ex. : la pratique de sports qui permettent d'abaisser la tension physique et émotionnelle).	Le client doit apprendre à atténuer la tension engendrée par l'anxiété autrement que par la perte de la maîtrise de soi.	Le client trouve de nouveaux exutoires.
Discuter avec le client des effets autodestructeurs de la violence dont il se sert pour éliminer le stress.	Pour se maîtriser, le client doit comprendre les conséquences de son comportement et en prendre la responsabilité.	Le client reconnaît les effets destructeurs de la violence.

(suite page suivante)

Tableau 8-7   *(suite)*

Diagnostic infirmier : Détresse spirituelle, reliée au fait de percevoir le monde et les êtres comme une menace après un événement traumatisant.
Objectif : Le client exprime plus d'espoir et une meilleure gestion de ses peurs.

Intervention	Justification	Résultat escompté
Aider le client à trouver le sens de l'événement traumatisant.	Cette compréhension permettra au client de trouver une orientation dans la vie.	Le client trouve un certain sens à sa vie et l'exprime.
Aider le client à se créer un réseau de soutien.	Le client doit se sentir plus proche des autres.	Le client se met à la recherche de personnes importantes.
Encourager le client à exprimer ses sentiments à l'égard de l'événement traumatisant.	La verbalisation aide le client à se libérer de ses sentiments plutôt qu'à les réprimer.	Le client exprime ses sentiments.
Employer le processus de résolution de problèmes pour permettre au client de mieux se protéger à l'avenir.	En modifiant des comportements précis, le client peut gagner plus de maîtrise dans certaines situations.	Le client modifie des comportements précis.
Si le besoin s'en fait sentir, adresser le client à un ministre du culte.	Le fait de parler de l'événement en question peut atténuer les sentiments de culpabilité déplacés.	Le client se confie à un ministre du culte.

réagir adéquatement aux diverses personnalités (Anderson, 1988).

Les séances de groupe sans visée thérapeutique pourraient être profitables pour le client ayant une personnalité multiple. Par ailleurs, il ne tirera probablement aucun profit des thérapies de groupe et pourra même perturber les séances (Putnam, 1989). Il pourrait aussi effrayer ou déconcentrer les autres clients. Ces derniers pourraient se lier d'amitié avec l'une des personnalités pour ensuite écoper la colère ou le rejet d'une autre.

En cours d'exécution du plan de soins de tous les types de troubles anxieux, l'infirmière doit diriger le client vers des groupes de soutien ou des programmes thérapeutiques précis.

Évaluation

La quatrième étape de la démarche de soins infirmiers, l'évaluation, sert de base aux modifications du plan de soins infirmiers. Elle doit également être accomplie conjointement par l'infirmière et le client en fonction des résultats escomptés. Si ces derniers sont satisfaisants, l'infirmière s'assure que les problèmes sont résolus et que le client s'adapte efficacement. Si les problèmes ne sont résolus qu'en partie, il faut formuler de nouveaux critères. Lorsque l'infirmière et le client concluent qu'aucun des résultats escomptés n'a été obtenu, ils emploient le processus de résolution des problèmes pour en trouver la raison. Il se peut, par exemple, que le temps ait manqué ou que les attentes aient été inadéquates ou trop ambitieuses. Si, par contre, les résultats escomptés ne sont pas en cause, l'infirmière et le client doivent évaluer les interventions. Il se peut qu'elles aient été inadéquates ou qu'elles n'aient pas été adaptées au client ; peut-être aussi n'ont-elles pas été exécutées de façon systématique. Une fois les lacunes de la démarche de soins infirmiers décelées, l'infirmière et le client doivent les corriger en se fondant sur l'évaluation afin de s'assurer que, dorénavant, le client s'adaptera plus sainement à l'anxiété.

RÉSUMÉ

1. L'échelle de l'anxiété comprend quatre niveaux : l'anxiété légère, l'anxiété modérée, l'anxiété grave et la panique.

2. Les mécanismes de défense par lesquels le client essaie inconsciemment de combattre l'anxiété ne s'avèrent pas toujours efficaces.

3. Les troubles anxieux sont plutôt rares pendant l'enfance, bien que la plupart des enfants aient des peurs propres à leur stade de développement.

4. Les enfants souffrant de l'angoisse de séparation ont de nombreux malaises somatiques, des peurs morbides, des phobies et des troubles du sommeil.

5. On diagnostique le trouble d'évitement chez les enfants qui sont inhibés, timides, qui pleurent facilement et qui ont beaucoup de difficulté à parler ou à se conduire adéquatement dans les situations sociales.

6. L'adolescent atteint du trouble de l'identité a des difficultés sociales ou scolaires et de nombreuses incertitudes quant à ses objectifs de vie, à ses amitiés, à son orientation sur le plan sexuel et à son système de valeurs.

7. Chez l'adolescent, le trouble de l'adaptation apparaît pendant la transition à l'âge adulte. Il se caractérise par des comportements régressifs qui visent à atténuer l'anxiété causée par l'adoption d'un rôle d'adulte plus autonome.

8. L'anxiété généralisée correspond à la manifestation chronique des caractéristiques de l'anxiété modérée.

9. Les épisodes de panique peuvent survenir inopinément et même pendant le sommeil. Après un premier épisode, la personne vit dans la terreur d'une récidive.

10. La personne atteinte de trouble obsessionnel-compulsif présente des comportements marqués et parfois bizarres, qui se traduisent le plus souvent par des rituels de lavage, de vérification ou de répétition.

11. Les personnes souffrant de trouble obsessionnel-compulsif reconnaissent que leurs comportements compulsifs et leurs pensées obsessionnelles sont irrationnels.

12. La personne phobique souffre de peurs persistantes et déraisonnables qui engendrent un comportement d'évitement souvent invalidant. Quand la personne est mise en présence de l'objet ou de la situation phobogènes, elle est prise de panique.

13. Les principaux mécanismes de défense employés par les personnes phobiques sont le refoulement, le déplacement, la symbolisation et l'évitement.

14. Quand un traumatisme grave et inattendu survient, certaines personnes perdent la maîtrise d'elles-mêmes, et on diagnostique alors un état de stress post-traumatique. D'autres personnes réagissent par un excès de maîtrise, et on diagnostique un trouble dissociatif.

15. Les personnes qui souffrent de stress post-traumatique revivent souvent l'événement traumatisant et réagissent aux stimuli externes par une irritabilité et une agressivité imprévisibles. Étant donné leur besoin de

maintenir entre elles et les autres une distance sur le plan affectif, elles ont des difficultés à entretenir des relations intimes.

16. Les personnes qui présentent un trouble dissociatif, comme l'amnésie psychogène, la fugue psychogène ou la personnalité multiple, bloquent l'accès à la conscience des pensées et des sentiments associés à un traumatisme grave.

17. Les principaux mécanismes de défense employés par les personnes atteintes de troubles dissociatifs sont le refoulement et la dissociation.

18. Il arrive fréquemment que les personnes souffrant de troubles anxieux contractent des maladies concomitantes tels que la dépression ou la toxicomanie.

19. Les personnes souffrant de troubles anxieux peuvent avoir beaucoup d'emprise sur leur système familial. Elles s'attendent parfois à ce que les membres de la famille prennent toutes les responsabilités à l'extérieur ou fassent preuve de détachement sur le plan affectif.

20. Divers facteurs sont reliés à l'apparition des troubles anxieux : vulnérabilité sur le plan biologique, foyer de contrôle externe, peur de la désapprobation et de la critique, sentiments d'échec, intériorisation d'une discipline rigide, réactions d'évitement acquises et attentes rigides à l'égard des rôles.

21. Le traitement des troubles anxieux comprend l'administration d'anxiolytiques et d'antidépresseurs de même qu'une psychothérapie individuelle, familiale ou de groupe.

22. Le client doit participer activement à la planification et à l'exécution du plan de soins infirmiers. En effet, le client qu'on ne consulte pas risque de saboter le plan de soins infirmiers.

23. La majorité des diagnostics infirmiers dont il est question dans le présent chapitre s'appliquent à de nombreux individus, quelle que soit la catégorie de leur diagnostic médical. C'est en tenant compte des aspects et des problèmes les plus importants pour chaque client que l'infirmière formule et exécute les plans de soins.

EXERCICES DE RÉVISION

Pauline, cliente de l'unité psychiatrique pour adultes, a des antécédents d'épisodes de crise de panique. Un jour, l'infirmière responsable la trouve au bout du corridor. Elle sanglote, dit d'une voix chevrotante qu'elle est « morte de peur » et tourne en rond. Elle dit qu'elle est étourdie et essoufflée.

1. Sachant que Pauline est en proie à une crise de panique, quelle serait l'intervention infirmière la plus appropriée?

    (a) La laisser seule afin qu'elle puisse retrouver son sang-froid.

    (b) Rester avec elle pour la rassurer.

    (c) Lui demander de se joindre à un groupe de clients pour qu'elle se sente mieux.

    (d) Lui mettre une ceinture de contention jusqu'à ce qu'elle se calme.

2. Voici une liste de médicaments à administrer au besoin. Lequel serait le plus approprié aux circonstances?

    (a) Imipramine (Tofranil)

    (b) Phénelzine (Nardil)

    (c) Mésylate de benztropine (Cogentin)

    (d) Alprazolam (Xanax)

Un an après la fin de ses études en soins infirmiers, Lucie a passé une année au Viêt-nam à titre d'infirmière militaire. Récemment, elle a entrepris une consultation en raison de symptômes d'état de stress post-traumatique.

3. Parmi les facteurs suivants, lequel a le plus vraisemblablement contribué à l'apparition de l'état de stress post-traumatique dont souffre Lucie, à la suite de son séjour au Viêt-nam?

    (a) Elle était jeune et impressionnable au moment de son départ.

    (b) Elle se considère comme responsable de la mort des soldats.

    (c) Elle n'avait pas assez d'expérience avant de partir.

    (d) Elle pensait que la vie dans les forces armées était plus prestigieuse qu'elle ne l'est en réalité.

4. Lorsqu'elle recueillera des données sur les caractéristiques affectives de Lucie, l'infirmière découvrira probablement que sa cliente:

    (a) traverse des périodes d'irritabilité et de détachement affectif.

    (b) se sent honteuse de son comportement irrationnel et parfois bizarre.

    (c) se sent honteuse et étonnée de ses «trous de mémoire».

    (d) présente un affect plat et une apathie totale par rapport aux changements qui surviennent dans son milieu.

5. Lequel des diagnostics infirmiers suivants est le plus approprié dans le cas de Lucie?

    (a) Stratégies d'adaptation individuelle inefficaces, reliées au besoin d'avoir toujours raison.

    (b) Stratégies d'adaptation individuelle inefficaces, reliées à des vérifications et revérifications incessantes.

    (c) Perturbation de l'estime de soi, reliée au sentiment de culpabilité du survivant.

    (d) Sentiment d'impuissance, relié à un mode de vie marqué par le désarroi.

BIBLIOGRAPHIE

Anderson G: Understanding multiple personality disorder. *J Psychosoc Nurs* 1988; 26(7):26–30.

Appenheimer T, Noyes R: Generalized anxiety disorders. In: *Psychiatric Illnesses, Primary Care*. Yates WR (editor). Saunders, 1987.

Atwood JD, Chester R: *Treatment Techniques for Common Mental Disorders*. Aronson, 1987.

Barlow DH: *Anxiety and Its Disorders*. Guilford Press, 1988.

Barlow DH, Cerny JA: *Psychological Treatment of Panic*. Guilford Press, 1988.

Barrios BA, Hartmann DP: Fears and anxieties. In: *Behavioral Assessment of Childhood Disorders*. Mash EJ, Terdal LG (editors). Guilford Press, 1988.

Berlin S: Women and mental health. In: *The Woman Client*. Burden DS, Gottlieb N (editors). Tavistock, 1987.

Blake-White J, Kline CM: Treating the dissociative process in adult victims of childhood incest. *J Contemp Soc Work* 1985; 65(9):394–402.

Bliss EL: *Multiple Personality, Allied Disorders and Hypnosis*. Oxford University, 1986.

Brehony KA: Women and agoraphobia. In: *The Stereotyping of Women*. Franks U, Rothblum E (editors). Springer, 1983.

Brende JO: Multiple personality: A post-traumatic stress disorder. In: *Dissociative Disorders: 1984. Proceedings of the First International Conference on Multiple Personality Dissociative States*. Braun BG (editor). Chicago: Department of Psychiatry, Rush University, 1984.

Chapman GE: Ritual and rational action in hospitals. *Adv Nurs* 1983; 8(1):13–20.

Charney DS, et al.: Neurobiological mechanisms of panic anxiety. *Am J Psychiatry* 1987; 144(8):1030–1036.

Coons PM: A comprehensive study and followup of 20 multiple personality patients. In: *Dissociative Disorders: 1984. Proceedings of the First International Conference on Multiple Personality Dissociative States*. Braun BG (editor). Chicago: Department of Psychiatry, Rush University, 1984.

Coughlan K, Parkin C: Women partners of Vietnam vets. *J Psychosoc Nurs* 1987; 25(10):25–27.

DeVeaugh-Geiss J, Landau P, Katz R: Treatment of obsessive compulsive disorder with clomipramine. *Psych Annals* 1989; 19(2):97–101.

Dubovsky SL, et al.: Anxiolytics: When? Why? Which one? *Patient Care* 1987; 21(17):60–81.

Emmelkamp P: *Phobic and Obsessive-Compulsive Disorders.* Plenum, 1982.

Fraser GA, Curtis JC: A subpersonality theory of multiple personality. In: *Dissociative Disorders: 1984. Proceedings of the First International Conference on Multiple Personality Dissociative States.* Braun BG (editor). Chicago: Department of Psychiatry, Rush University, 1984.

Goodwin DW: *Phobia: The Facts.* Oxford, 1983.

Guzzetta C, Forsyth G: Nursing diagnostic pilot study: Psychophysiologic stress. *ANS* 1979; 2(1):27–44.

Hafner RJ: Anxiety disorders. In: *Handbook of Behavioral Family Therapy.* Fallon IRH (editor). Guilford Press, 1988.

Hand I: Obsessive-compulsive patients and their families. In: *Handbook of Behavioral Family Therapy.* Fallon IRH (editor). Guilford Press, 1988.

Karl GT: Survival skills for psychic trauma. *J. Psychosoc Nurs* 1989; 27(4):15–19.

Keltner N, Doggett R, Johnson R: For the Viet Nam veteran the war goes on. *Perspect Psychiatr Care* 1983; 21(3):108–113.

Kluft RP: Making the diagnosis of multiple personality disorder. In: *Diagnostics and Psychopathology.* Flack F (editor). Norton, 1987A.

Kluft RP: First-rank symptoms as a diagnostic clue to multiple personality disorder. In: *Diagnostics and Psychopathology.* Flack F (editor). Norton, 1987B.

Lanza ML: Victims of international terrorism. *Issues Ment Health* 1986; 8(2):95–107.

Liebowitz MR, Klein DF: Agoraphobia: clinical features, pathophysiology and treatment. In: *Agoraphobia: Multiple Perspectives on Theory and Treatment.* Chambless DL, Goldstein AJ (editors). Wiley, 1982.

Loewenstein RJ, et al.: Experiential sampling in the study of multiple personality. *Am J Psychiatry* 1987; 144(1):19–24.

Longo D, Williams R: *Clinical Practice in Psychosocial Nursing.* Appleton-Century-Crofts, 1978.

Marmer SS: The "window of vulnerability" in multiple personality. In: *Dissociative Disorders: 1984. Proceedings of the First International Conference on Multiple Personality Dissociative States.* Braun BG (editor). Chicago: Department of Psychiatry, Rush University, 1984.

Matuzas W, et al.: Mitral valve prolapse and thyroid abnormalities in patients with panic attacks. *Am J Psychiatry* 1987; 144(4):493–496.

Mavissakalian M, et al.: Trazodone in the treatment of panic disorder. *Am J Psychiatry* 1987; 144(6):785–787.

Maxmen JS: *Essential Psychopathology.* Norton, 1986.

Millon T: *Disorders of Personality: DSM III: Axis II.* Wiley, 1981.

Mullis M: Viet Nam: The human fallout. *J Psychiatr Nurs* 1984; 22(2):27–31.

Ochberg FM: Post-traumatic therapy and victims of violence. In: *Post-Traumatic Therapy and Victims of Violence.* Ochberg FM (editor). Brunner/Mazel, 1988.

Peplau H: A working definition of anxiety. In: *Some Clinical Approaches to Psychiatric Nursing.* Burd S, Marshall M (editors). Macmillan, 1963.

Price L, et al.: Treatment of severe obsessive-compulsive disorder with fluvoxamine. *Am J Psychiatry* 1987; 144(8):1059–1061.

Putnam, FW: *Multiple Personality Disorder.* Guilford Press, 1989.

Rapoport JL: *The Boy Who Couldn't Stop Washing: The Experience and Treatment of Obsessive-Compulsive Disorder.* Dutton, 1989.

Rogers B, Nickolaus J: Vietnam nurses. *J Psychosoc Nurs* 1987. 25(4):10–15.

Roth WT: The role of medication in post-traumatic therapy. In: *Post Traumatic Therapy and Victims of Violence.* Ochberg FM (editor). Brunner/Mazel, 1988.

Salzman L: Obsessions and agoraphobia. In: *Agoraphobia: Multiple Perspectives on Theory and Treatment.* Chambless DL, Goldstein AJ (editors). Wiley, 1982.

Solomon Z, et al.: Reactivation of combat-related post-traumatic stress disorder. *Am J Psychiatry* 1987; 144(1):51–55.

Spitzer C, Franklin J: Hero burnout. *Chicago Tribune.* July 24, 1988; p. 6.

Verbosky SJ, Ryan DA: Female partners of Vietnam veterans. *Issues Ment Health* 1988; 9(1):95–104.

Wesner R: Panic disorder and agoraphobia. In: *Psychiatric Illnesses, Primary Care.* Yates WR (editor). Saunders, 1987.

LECTURES COMPLÉMENTAIRES

Adler, A. *Le tempérament nerveux*, Paris, Payot, 1976.

Dubos, R. *L'homme et l'adaptation au milieu*, Paris, Payot, 1973.

Emickel, O. *Théorie psychanalytique des névrosés*, Paris, P.U.F., 1974.

Lalonde, Grundberg et coll. *Psychiatrie clinique – approche bio-psycho-sociale* (chap. 7 et 9), Boucherville, Gaëtan Morin Éditeur, 1988.

Saxtan, D.F., et P.W. Haring. *Soins aux malades souffrant de problèmes émotionnels*, Saint-Hyacinthe, Édisem, 1980.

Schreiber, F.R. *Sybil*, Paris, P.U.F. (Coll. « J'ai lu »), 1970.

Wilson, H.S., et C.R. Kneisl. *Soins infirmiers psychiatriques* (chap. 14), Montréal, Éditions du Renouveau Pédagogique, 1982.

CHAPITRE 9

Les réactions physiologiques à l'anxiété

KAREN LEE FONTAINE

Comment je vois ma maladie

Je traverse bien chaque étape de ma croissance, mais savez-vous ce que cette croissance me coûte!
Il y a les hauts: c'est l'euphorie et je me sens si fort, si plein d'énergie! Mais cela ne dure que
quelques instants et je me trouve ensuite nez à nez avec la réalité. Je m'aperçois alors que
j'ai dû payer cher ces rares moments de bien-être. Ils m'ont coûté non seulement ma santé,
mais aussi mes rapports avec ma famille et parfois avec un ami. Le tort que ma
maladie leur cause
pourrait être
irréparable. Ils ne
semblent pas compren-
dre qu'au-delà d'un
certain point tout
m'échappe. C'est alors
que la déprime me
terrasse. Je suis pourtant
un être assez joyeux.
Mais il est parfois si
difficile de sourire.

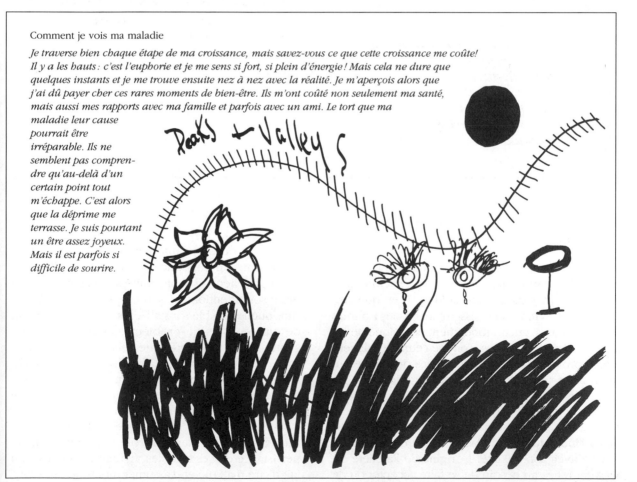

■ *Objectifs*

Après avoir étudié le présent chapitre, vous devriez être en mesure de :

- nommer les caractéristiques des divers troubles somatoformes ;
- faire la distinction entre l'anorexie et la boulimie ;
- analyser les facteurs socioculturels qui favorisent les troubles somatoformes et les troubles de l'alimentation ;
- mettre en pratique la démarche de soins infirmiers lors des interventions auprès de clients qui présentent des réactions physiologiques à l'anxiété.

■ *Sommaire*

Introduction

Certains troubles mentaux se manifestent sous la forme de symptômes physiques, généralement mieux acceptés dans notre culture. Bien que certains de ces symptômes ressemblent à des troubles physiologiques, aucun fondement organique ne les justifie. D'autres troubles, comme ceux de l'alimentation, provoquent des modifications organiques au fur et à mesure que le processus évolue.

Les clients atteints de ces troubles répriment et nient leur anxiété qu'ils remplacent par des ennuis de santé. Cette somatisation, inconsciente, permet à l'individu de se préserver de la confrontation directe avec son anxiété. L'origine de l'anxiété est souvent reliée au besoin de se faire accepter ou de réussir, au besoin d'autonomie, à un conflit, à un sentiment d'impuissance ou de vulnérabilité. Au début, le client se sent moins menacé s'il reporte toute son attention sur son corps. Au fur et à mesure que le trouble s'installe, les symptômes créent de plus en plus de problèmes et entraînent une souffrance plus grande que celle provenant de la cause initiale. En outre, le client dépense beaucoup d'énergie à constamment réprimer, renier et reporter ses sentiments, si bien qu'il est moins capable de réagir à d'autres formes de stress.

Les gains secondaires que le client peut retirer de son état jouent un rôle important dans la persistance de ces troubles. Il s'agit notamment du fait d'être materné et d'assumer moins de responsabilités, de se punir soi-même par culpabilité ou de punir les autres pour leur manque d'attention. Les obsessions concernant la santé, la nourriture ou le poids que le client verbalise inlassablement sont parfois des moyens qu'il prend inconsciemment pour se garder loin de ses émotions. L'entourage se lasse rapidement de ce type de comportement et finit par chercher à éviter le client.

Les troubles décrits ici correspondent aux diagnostics suivants répertoriés dans le DSM-III-R :

300.81 Trouble : Somatisation
300.11 Trouble de conversion
307.80 Trouble somatoforme douloureux
300.70 Hypocondrie
307.10 Anorexie mentale
307.51 Boulimie

Troubles somatoformes

Les troubles somatoformes (somatisation, conversion, douleur somatoforme et hypocondrie) font tous intervenir des symptômes physiques n'ayant aucune cause organique sous-jacente. Les clients atteints d'un **trouble de somatisation** se plaignent d'ennuis physiques multiples touchant n'importe quelle partie du corps. Il s'agit d'un trouble chronique qui apparaît, en général, à l'adolescence et que l'on observe plus fréquemment chez les femmes que chez les hommes. Le **trouble de conversion**, qui fait intervenir des symptômes sensorimoteurs, peut apparaître à n'importe quel âge, mais survient en général brutalement et disparaît de la même façon. Il est habituellement déclenché par un traumatisme grave, comme une guerre, et les symptômes sensoriels vont de la paresthésie et de l'anesthésie à la cécité et à la surdité. Les symptômes moteurs peuvent aller des tics nerveux aux convulsions ou à la paralysie. Contrairement à la personne qui souffre d'un trouble de somatisation, la personne atteinte d'un trouble de conversion ne présente souvent qu'un seul symptôme. Le symptôme principal d'un **trouble somatoforme douloureux** est une douleur qui ne peut s'expliquer par une cause organique. On pense qu'elle est liée à des conflits inconscients et à l'anxiété. Les personnes

hypocondriaques croient souffrir d'une maladie grave touchant une ou plusieurs parties du corps, alors que les données médicales ne prouvent rien de tel. Ces personnes sont extrêmement sensibles à leurs sensations internes, qu'elles interprètent à tort comme des signes de maladie. Ce trouble apparaît en général chez des personnes d'âge mûr ou plus âgées, et touche aussi bien les hommes que les femmes (Black, 1987).

En Amérique du Nord, les dépenses médicales engagées pour le traitement de ces troubles, à l'exception des troubles de conversion, qui sont rares, sont considérables : on estime que de 4 à 18 p. cent de toutes les consultations chez le médecin sont le fait de « malades imaginaires ». Cependant, les clients atteints de ces troubles souffrent réellement ; il ne faut les prendre ni pour des simulateurs ni pour des manipulateurs. Les infirmières doivent souvent entretenir avec ces clients une relation thérapeutique durable ; grâce à l'attention qu'elles leur accordent, elles peuvent leur éviter des tests, des médicaments et des interventions chirurgicales inutiles. En effet, lorsqu'ils ont l'impression que personne ne les écoute, ces clients consultent souvent un médecin après l'autre, ce qui risque d'entraîner une répétition des épreuves diagnostiques et des interventions médicales. Une infirmière compétente et perspicace peut protéger les clients de ce genre en les persuadant de rester dans le même milieu de soins (Baur, 1988).

Connaissances de base : Troubles somatoformes

Caractéristiques comportementales

Très souvent, les personnes souffrant de troubles somatoformes qui cherchent désespérément à guérir s'adressent à plusieurs médecins ou chiropraticiens et sont dirigées vers des spécialistes, ce qui donne lieu à des examens diagnostiques complexes et coûteux. Elles achètent aussi, souvent, des médicaments en vente libre dans le but d'atténuer leurs symptômes ou leur douleur. Elles peuvent même devenir toxicomanes, malgré elles, si plusieurs médecins leur prescrivent des médicaments pendant de longues périodes. La dépendance à des sédatifs ou à des anxiolytiques est d'ailleurs l'une des complications fréquentes de ces troubles.

Ces clients parlent inlassablement de leurs symptômes et de leur maladie. La plupart d'entre eux adaptent leur comportement et leur mode de vie en fonction de leurs troubles, ce qui peut se traduire, selon le cas, par un certain ralentissement des activités ou par une invalidité totale.

> *Au cours de l'année qui vient de s'écouler, Dorothée a vu huit professionnels de la santé : son médecin de famille, un cardiologue, un interniste, un orthopédiste, un chiropraticien, un pneumologue, un naturopathe, un cancérologue. Malgré des tests complexes et répétés, on n'a pu trouver aucun indice de maladie organique. Dorothée ne cesse de se plaindre de l'incompétence de tous ces spécialistes et continue d'en chercher d'autres.*

Caractéristiques affectives

En raison de la souffrance qu'ils provoquent, les troubles somatoformes permettent au client de passer sous silence ses conflits et de taire son anxiété. Les personnes atteintes de ces troubles sont en général incapables d'exprimer ouvertement la colère et l'hostilité qu'elles ressentent à l'égard d'autrui par peur d'être abandonnées et d'être moins aimées. Elles évitent sciemment les situations risquant de provoquer la colère de leur entourage et se servent inconsciemment des symptômes physiques pour faire face à l'anxiété engendrée par les questions conflictuelles (Baur, 1988).

Souvent, si la personne ne parvient pas à soulager ses symptômes physiques, l'anxiété grandit et peut se manifester par un état anxieux, des obsessions de maladie, une dépression ou une phobie qui la poussent à éviter toute activité susceptible de provoquer l'exacerbation de la maladie.

Caractéristiques cognitives

Les personnes souffrant de troubles somatoformes s'intéressent de manière obsessionnelle aux processus organiques, aux problèmes de santé et aux maladies. Elles concentrent presque toute leur attention sur les malaises qu'elles ressentent et sont tellement hantées par leur propre corps qu'elles remarquent le moindre changement, la plus légère affection qui passent inaperçus chez les autres. Pour les hypocondriaques, ces changements sont des preuves concrètes de maladie.

> *Lise est persuadée qu'elle souffre d'un cancer des intestins même si toutes les épreuves diagnostiques sont négatives. Elle est extrêmement attentive à tous les bruits ou tiraillements intestinaux et le moindre changement d'aspect de ses selles l'inquiète. Pour elle, ces sensations et phénomènes normaux sont des preuves indéniables de cancer.*

Le déni est un mécanisme de défense largement utilisé par ces clients. Ils nient tout d'abord la cause de l'anxiété ou du conflit et gaspillent leur énergie à se lamenter, tout en rejetant l'idée que ces symptômes physiques puissent être de nature psychologique. Dès qu'on essaie de leur faire admettre la possibilité d'une cause psychologique, ils changent de spécialiste afin de préserver leur système de déni. Par ailleurs, il est rare qu'ils acceptent de consulter un psychothérapeute si on leur conseille de le faire.

Certains clients qui souffrent de troubles de conversion affichent une « belle indifférence » à l'égard de leurs symptômes physiques. Ainsi, des personnes chez qui apparaissent subitement des symptômes graves, comme la paralysie ou la cécité, peuvent se montrer assez nonchalantes vis-à-vis de leur état. Cette réaction est fréquente chez les clients qui ne veulent pas se faire remarquer. D'autres clients sont, au contraire, très loquaces et parlent inlassablement du malaise suscité par l'apparition soudaine des symptômes. Cette réaction est plus fréquente chez les individus qui ont besoin d'attention et de sympathie.

Caractéristiques physiologiques

Les personnes atteintes de troubles somatiques ont des symptômes multiples touchant divers organes. Ces symptômes sont parfois flous et mal définis et ne correspondent à aucune pathologie en particulier. Le symptôme principal d'un trouble somatoforme douloureux est une douleur intense et persistante qui ne suit généralement pas les voies de transmission de l'influx nerveux. Les symptômes peuvent toucher n'importe quel organe sensoriel ou moteur. Le client peut devenir subitement aveugle ou sourd. Il peut souffrir d'une laryngite persistante et devenir aphone ou même muet. Il peut aussi ressentir des fourmillements ou un engourdissement de certaines parties du corps. Les symptômes moteurs peuvent aller des spasmes ou des tics à la paralysie des mains, des bras ou des jambes.

Dans le cas de l'hypocondrie, les symptômes se limitent parfois à un ou plusieurs organes et touchent le plus fréquemment la tête et le cou. Ces symptômes comprennent des vertiges, la surdité, une perception accrue des battements de son propre cœur, la sensation d'avoir une boule dans la gorge ou la toux chronique. Les symptômes abdominaux et thoraciques sont fréquents. Il s'agit d'indigestion, de troubles intestinaux, de palpitations, d'extrasystoles et de douleurs thoraciques du côté gauche. Certains clients peuvent également souffrir de troubles cutanés, d'insomnies ou de troubles de la libido (Baur, 1988).

Il y a six mois, Olivia a entrepris de s'occuper de ses parents âgés. Elle a rapidement commencé à souffrir de plusieurs malaises physiques et s'est mise à consulter plusieurs médecins. Il y a trois mois, les symptômes se sont aggravés et elle a dû arrêter de travailler. Elle ressent en permanence une raideur dans le cou, a souvent des vertiges et se plaint d'une sensation de pesanteur dans la poitrine qui l'empêche de rester allongée. Elle affirme avoir l'impression que sa poitrine va exploser et que son œsophage s'est «affaissé», ce qui l'empêche de s'alimenter normalement. Ses symptômes et sa perte de poids la terrifient mais elle se montre réticente à l'idée de se *soumettre à l'examen psychiatrique qui lui a été recommandé.*

Caractéristiques socioculturelles

Si, dans son milieu culturel, on comprend ou on accepte mal les problèmes ou les maladies psychologiques, le client peut transformer le malaise affectif en symptôme physique. La maladie physique est, en effet, souvent mieux acceptée que la maladie mentale. Si les symptômes physiques engendrent la sympathie, le soutien et l'attention des personnes clés, les symptômes psychologiques engendrent la frustration, la colère et le rejet. C'est la raison pour laquelle les valeurs sociales expliquent souvent la fréquence des troubles somatoformes.

Il faut également admettre que les médias font partie des facteurs qui favorisent l'apparition de ce genre de trouble. Les magazines, la radio et la télévision nous assaillent de messages publicitaires louant les bienfaits de « remèdes » en vente libre, censés guérir tous les malaises imaginables et nous rappellent sans cesse que l'on doit rester en forme, au point où les messages traduisent en fin de compte une peur maladive de la mort. L'obsession du sida et la peur souvent non fondée d'attraper cette maladie viennent s'ajouter aux causes psychologiques des troubles somatoformes. Les centres qui accueillent les sidatiques reçoivent de plus en plus d'appels de personnes à faible risque qui sont terrifiées à l'idée d'avoir contracté le virus. Étant donné l'intérêt accordé par les médias à cette maladie, il n'est pas surprenant de voir cette hantise gagner certaines personnes (Baur, 1988).

Il arrive que les troubles somatoformes bouleversent complètement la vie d'une personne. Les clients changent parfois de carrière pour choisir une profession qui convient mieux à leur symptômes ; d'autres se sentent incapables de travailler chez eux ou à l'extérieur. À cause de la nature chronique de ces troubles, ils deviennent parfois pour la famille un véritable fardeau financier et émotif. Le fardeau émotionnel que doivent porter le client et sa famille augmente le stress et intensifie les conflits interpersonnels, surtout si l'état physique du client ne s'améliore pas. Cette aggravation des conflits favorise la persistance du trouble et un cercle vicieux finit par s'établir.

Théories de la causalité

Selon les théories qui portent sur les phénomènes intrapsychiques, l'anxiété est la cause principale des troubles somatoformes. Le client est incapable de prendre conscience de l'origine de son anxiété et ressent son malaise sous la forme de symptômes ou de troubles physiques. Les personnes qui manquent d'estime de soi peuvent percevoir leurs symptômes physiques comme le signe de leur incompétence, leurs maux et leur douleur les punissant pour leur incapacité. Les troubles somatoformes peuvent également être la façon inconsciente d'exprimer la colère chez ceux qui sont incapables de verbaliser ouvertement des sentiments hostiles. Puisque les malaises physiques constituent une bonne excuse pour éviter certaines activités ou situations, les personnes qui sont perfectionnistes se servent inconsciemment de leurs limites physiques pour justifier leurs défauts et leur incompétence. Les troubles somatoformes peuvent donc servir à excuser les imperfections (Baur, 1988 ; Black, 1987).

Les théories du développement interpersonnel s'intéressent surtout aux gains secondaires que les personnes atteintes de troubles somatoformes peuvent retirer de leur état. Les clients très dépendants ont tendance à se servir de leurs symptômes physiques pour attirer l'attention et obtenir le soutien des personnes clés de leur entourage. La sympathie et les soins qu'ils reçoivent peuvent être l'un des principaux facteurs qui favorisent le maintien du trouble. L'attention de leur entourage est un signe rassurant d'amour et d'intérêt ; étant donné que la maladie ou la faiblesse donnent souvent beaucoup de pouvoir, elles peuvent devenir un moyen inconscient d'acquérir du pouvoir et de dominer.

Puisque les gains secondaires sont des facteurs qui favorisent grandement le maintien des troubles somatoformes, l'infirmière doit être capable de les reconnaître afin d'aider le client à satisfaire ses besoins de manière plus adaptative. Selon les théories behavioristes, les troubles somatoformes sont des réactions somatiques apprises. On considère que les individus qui en souffrent sont habituellement incapables d'affronter directement le stress et ne peuvent y réagir que par des sensations ou des symptômes physiques.

Collecte des données : Troubles somatoformes

La majorité des clients souffrant de troubles somatoformes se cherchent un traitement dans les centres de soins communautaires, les cliniques, les cabinets médicaux, les services d'urgences et les unités médicochirurgicales. Comme ces clients ont souvent des antécédents médicaux assez complexes et détaillés, une évaluation physique approfondie est impérative. L'infirmière doit se souvenir que le client atteint d'un trouble somatoforme peut, à tout moment, contracter une maladie organique. Par conséquent, l'évaluation physique doit constamment faire partie des soins. Comme toujours, on doit adapter les questions selon les capacités cognitives du client, son niveau d'instruction et sa maîtrise de la langue. (Voir le questionnaire ci-dessous destiné aux clients atteints de troubles somatoformes).

 BILAN DE SANTÉ
Clients atteints de troubles somatoformes

Données sur le comportement
Quels médicaments en vente libre prenez-vous actuellement ?
Ces médicaments sont-ils efficaces ?
Quels médicaments sur ordonnance prenez-vous actuellement ?
Ces médicaments sont-ils efficaces ?
Quels médicaments avez-vous pris dans le passé ?
Quels résultats avez-vous obtenus avec ces médicaments ?
Quels spécialistes avez-vous consultés à cause de votre maladie, au cours des cinq dernières années ?
Quelles épreuves diagnostiques vous a-t-on recommandées ?
Quelles interventions chirurgicales avez-vous subies ?
Votre maladie a-t-elle eu un effet sur votre mode de vie ? Sur votre travail ? Sur vos responsabilités familiales ? Sur vos activités sociales ? Sur vos activités de loisirs ?

Données sur l'état affectif
Dans quelles circonstances vous mettez-vous en colère ?
Dans quelles circonstances vous sentez-vous anxieux ?

Comment communiquez-vous vos sentiments à autrui?

Comment réagissez-vous lorsque les autres sont en colère contre vous?

Comment réagissez-vous lorsque vous êtes en colère contre les autres?

Comment réglez-vous vos conflits avec les autres?

Vous sentez-vous triste ou déprimé?

Données sur l'état cognitif

Combien de fois par jour ressentez-vous vos symptômes physiques?

Avez-vous conscience de vos sensations physiologiques?

Pensez-vous avoir une maladie grave?

Cette maladie a-t-elle été diagnostiquée par un professionnel de la santé?

Quelqu'un vous a-t-il parlé des éléments psychologiques de la maladie physique?

Vous a-t-on déjà envoyé chez un conseiller psychologique?

Décrivez les inquiétudes que votre santé vous inspire.

Décrivez vos qualités.

Sentez-vous le besoin de faire les choses aussi parfaitement que possible?

Que vous arrive-t-il lorsque vous faites une erreur?

Données sur la vie socioculturelle

Comment votre famille vit-elle votre maladie?

Qui vous offre son soutien?

Qui prend soin de vous lorsque vous ne pouvez pas le faire vous-même?

Qui se sent frustré par le manque d'amélioration de votre état physique?

Quel est l'effet de votre maladie sur la situation matérielle de votre famille?

Analyse des données et planification des soins: Troubles somatoformes

À l'exception des troubles de conversion, les troubles somatoformes ont tendance à devenir chroniques et à durer toute la vie. Le traitement a pour principal but d'éviter les examens diagnostiques multiples, les interventions chirurgicales inutiles et l'abus de médicaments. La principale intervention est l'établissement d'une relation chaleureuse et attentionnée pour que le client ne change pas de milieu thérapeutique, ce qui permet d'assurer une certaine continuité des soins qui lui sont dispensés. Une psychothérapie ou une thérapie familiale simultanées peuvent réduire chez le client le besoin inconscient de recourir aux symptômes physiques, comme le peut une relation empathique durable qui lui procure toute l'attention et le soutien dont il a besoin. Le malaise physique du client va décroître s'il parvient à satisfaire ses besoins de façon plus adaptative qu'en ayant recours aux gains secondaires (voir au tableau 9-1 le plan de soins standard des clients atteints de troubles somatoformes).

Évaluation: Troubles somatoformes

Ces troubles étant généralement chroniques, les infirmières doivent rechercher dans le mode de fonctionnement du client les petits gains qu'il peut en retirer. Si une relation de confiance s'établit, le client devient capable de formuler avec plus d'assurance ce qu'il attend des autres, d'élargir ses contacts sociaux, de régler de manière plus directe les situations de conflit et d'être moins obsédé par ses fonctions organiques. On peut dire que les interventions de l'infirmière ont des résultats positifs si elle parvient à garder le client dans le même milieu thérapeutique et à assurer ainsi la continuité des soins dispensés.

Troubles de l'alimentation

L'anorexie mentale et la **boulimie névrotique** ne sont pas des maladies isolées mais plutôt des syndromes à caractéristiques diverses, déclenchés par plusieurs facteurs prédisposants. Le symptôme le plus évident est un problème d'alimentation en réaction à l'anxiété liée à la valeur personnelle, à la compétence, au rejet et à la dynamique familiale. Pour éviter la conscientisation de la cause de son malaise, le client transforme son anxiété en obsession concernant la nourriture et le poids.

Pour perdre du poids, les **anorexiques** diminuent fortement la quantité d'aliments ingérés tout en intensifiant de manière spectaculaire les

(suite page 367)

Tableau 9-1 Plan des soins infirmiers destinés aux clients atteints de troubles somatoformes

Diagnostic infirmier : Stratégies d'adaptation individuelle inefficaces, reliées à l'incapacité de régler les conflits.
Objectif : Le client règle les conflits directement et présente moins de symptômes physiques.

Intervention	Justification	Résultat escompté
Aider le client à reconnaître sa rancune et sa colère.	La conscientisation des émotions négatives diminue leur expression inconsciente par des symptômes physiques.	Le client définit correctement ses sentiments de colère et de rancune.
Utiliser des jeux de rôle qui permettent au client d'exprimer directement ses sentiments.	La pratique de plusieurs comportements permet au client d'en adopter de nouveaux.	Le client utilise de nouveaux moyens pour régler les conflits.
Apprendre au client à s'affirmer.	L'affirmation de soi incite le client à moins recourir aux symptômes physiques pour éviter les conflits.	Le client adopte des techniques d'affirmation de soi.

Diagnostic infirmier : Isolement social, relié aux symptômes physiques et à l'invalidité.
Objectif : Le client devient plus actif sur le plan social.

Intervention	Justification	Résultat escompté
Prévoir des activités divertissantes (ergothérapie, thérapie par la musique, par les arts plastiques ou par les exercices physiques).	Les activités divertissantes laissent au client moins de temps pour se préoccuper des symptômes physiques.	Le client parle moins de ses symptômes.
Discuter des moyens d'élargir les contacts sociaux en tenant compte des limites physiques.	Grâce aux contacts avec autrui, le client trouve de nouvelles sources de soutien et d'attention.	Le client crée des liens avec les autres.
Aider le client à trouver des groupes pouvant lui apporter un soutien (groupes d'entraide ou de bénévolat).	En se joignant à un groupe, le client est moins isolé.	Le client trouve des groupes de soutien qui pourraient lui convenir.

Diagnostic infirmier : Stratégies d'adaptation individuelle inefficaces, reliées à un besoin marqué d'approbation et d'acceptation.
Objectif : Le client s'accepte mieux et peut se passer plus facilement de l'acceptation d'autrui.

Intervention	Justification	Résultat escompté
Aider le client à reconnaître ses propres qualités.	L'acceptation de soi diminue la dépendance du client.	Le client reconnaît ses propres qualités.
Aider le client à trouver des moyens d'accroître son autonomie et sa confiance en soi.	En se sentant plus sûr de sa propre compétence, le client peut mieux se passer de l'approbation d'autrui.	Le client dit qu'il a une plus grande confiance en lui-même.
Apprendre au client à s'affirmer lorsqu'il réclame l'attention, le soutien et les soins dont il a besoin.	En réclamant sans détour ce dont il a besoin, le client recourt moins souvent aux symptômes physiques pour satisfaire ses besoins affectifs.	Le client demande clairement ce dont il a besoin (p. ex. : «J'ai besoin de vous parler»).

(suite page suivante)

Tableau 9-1 *(suite)*

Diagnostic infirmier : Stratégies d'adaptation familiale inefficaces : soutien compromis, reliées à un besoin de contrôle et de domination.

Objectif : La cellule familiale recourt moins souvent aux symptômes physiques.

Intervention	Justification	Résultat escompté
Aider la famille à définir la façon dont la maladie préserve la cellule familiale.	En changeant d'optique, la famille cesse de considérer le client comme « le malade ».	Le client dit qu'il comprend la dynamique familiale.
Discuter des moyens de déléguer les pouvoirs sans faire pour autant appel aux symptômes physiques.	Si la vie familiale devient plus démocratique, le client doit faire moins souvent appel à la maladie pour essayer de manipuler les autres	Le client dit qu'il comprend le rapport qui existe entre son besoin de contrôle et ses symptômes physiques.

exercices physiques. Certaines personnes gardent ce modèle de comportement pendant toute la durée de la maladie, alors que d'autres deviennent boulimiques. Les **boulimiques** passent successivement par des accès de « grande bouffe » et de purgation et gardent le plus souvent ce mode de fonctionnement. La gravité du trouble dépend de la fréquence des épisodes de frénésie alimentaire (Orleans et Barnett, 1984).

Il faut faire la distinction entre le modèle de comportement du boulimique et les excès alimentaires des obèses. Les obèses ont tendance à adopter un ou deux modèles de comportement, sans jamais chercher à purger leur organisme après un épisode de frénésie alimentaire. Le premier modèle de comportement est celui des individus qui ont tendance à trop manger après avoir enfreint un régime amaigrissant. Bien que les régimes les fassent maigrir, ces personnes reprennent du poids dès qu'elles arrêtent de les suivre. Le second modèle de comportement est celui des individus qui mangent trop à cause du plaisir que leur procure la nourriture. Puisqu'ils essaient rarement de suivre un régime, ils n'ont pas l'impression de perdre le contrôle et ils acceptent mieux leur corpulence, qui est, à leurs yeux, la conséquence des plaisirs de la table (Gormally, 1984).

Étant donné la diversité des définitions qui existent, il est difficile d'évaluer la fréquence des troubles de l'alimentation. Il est certain que cette fréquence est plus élevée de nos jours, mais le phénomène peut s'expliquer en partie par l'augmenta-

tion du nombre de cas signalés. On estime que les troubles de l'alimentation touchent de 8 à 20 p. cent de la population, et que 90 à 95 p. cent des victimes sont des femmes. Les troubles apparaissent généralement pendant l'adolescence, entre 13 et 17 ans pour les anorexiques et entre 17 et 23 ans, pour les boulimiques. Autrefois, ces troubles touchaient surtout les classes les plus aisées de la société, mais à l'heure actuelle, ils se répartissent plus uniformément à tous les niveaux socio-économiques. On pense que les valeurs qu'on attribue au poids, à la maîtrise de soi et à la réussite dans la vie sont devenues plus communes, ce qui explique l'augmentation de la fréquence des troubles de l'alimentation dans toutes les couches de la société. On a remarqué que ni la taille de la famille ni l'ordre des naissances, pas plus que la stabilité de la relation conjugale des parents, ne sont des facteurs qui déterminent l'apparition des troubles de l'alimentation (Coburn et Ganong, 1989 ; Dippel et Becknal, 1987).

Les infirmières rencontrent les clients atteints de troubles de l'alimentation dans des milieux cliniques divers : écoles, colonies de vacances, centres de soins communautaires, services de pédiatrie, services médicochirurgicaux et services de soins intensifs. Elles doivent toujours rester à l'affût des caractéristiques des troubles de l'alimentation de manière à pouvoir accorder rapidement leur attention aux jeunes qui en souffrent. Le taux de mortalité de ces troubles atteint les 22 p. cent ; il serait donc extrêmement dangereux de les négliger (Torem, 1986).

Connaissances de base : Obésité

L'obésité est la forme la plus courante de la malnutrition en Amérique du Nord. Le taux d'obésité dans la population québécoise âgée de 15 ans et plus se situe à 8,7 p. cent et le taux d'excès de poids à 27,5 p. cent. Plus d'une personne sur trois (36,2 p. cent) dépasse donc le poids normal (Gouvernement du Québec, 1988). Mais comme la santé mentale des personnes obèses est comparable à celle de la population en général, l'obésité n'est pas considérée comme un trouble mental. Le seul point commun entre l'obésité et l'anorexie mentale et la boulimie névrotique est l'insatisfaction que le client éprouve par rapport à son poids et à sa taille (Polivy, 1988). C'est la raison pour laquelle nous allons décrire brièvement l'obésité, tout en encourageant le lecteur à se procurer par ailleurs une description plus détaillée.

On pense que l'obésité est le résultat de plusieurs combinaisons de facteurs physiologiques et psychologiques. La maladie n'ayant pas de cause universelle, il n'existe pas d'approche thérapeutique unique. Par ailleurs, on devient obèse et on conserve cet état de plusieurs manières.

En effet, plusieurs facteurs psychologiques peuvent contribuer à l'apparition et à la persistance de l'obésité. Les habitudes alimentaires sont essentiellement des modèles de comportement acquis en réponse à la faim (sensation physiologique) et à l'appétit (stimuli sociaux et psychologiques). Certains individus sont portés à faire des excès de table lorsqu'ils sont confrontés à des sentiments négatifs, comme l'anxiété, la colère, la solitude. Pour d'autres, manger est une récompense. De tels modèles de comportement ont pu être acquis durant l'enfance si les parents utilisaient la nourriture comme un moyen d'atténuer le stress ou de récompenser une bonne conduite. Comme les activités sociales sont fréquemment associées à la nourriture, l'individu a tendance à établir un lien entre le manger et le plaisir, ce qui peut le prédisposer à des excès de table. Il ne faut pas sous-estimer les répercussions sociales de l'obésité : en Amérique du Nord, les personnes obèses sont victimes d'un grand nombre de préjugés (Balfour, 1988).

Selon de nombreux chercheurs, dans le cas de l'obésité, les facteurs physiologiques sont plus importants que les facteurs psychologiques. Chez 11 p. cent des obèses, il semble exister un élément génétique, dont le mécanisme exact reste pour le moment obscur. Il peut s'agir d'un dysfonctionnement du système de régulation, qui entraîne une production excessive de lipides et une accumulation de tissus adipeux. Chez tous, obèses ou non, la quantité de tissus adipeux semble contrôlée et maintenue avec précision, ce qui explique pourquoi il est souvent difficile de la modifier. L'une des explications du phénomène de l'obésité est le volume élevé de la masse adipeuse que l'organisme essaie de garder. Une théorie connexe fait intervenir l'équilibre énergétique : l'obésité serait le résultat d'une absorption d'énergie supérieure à l'énergie consommée. On remarque en effet que la quantité de nourriture ingérée par les obèses n'est pas très différente de celle consommée par les personnes qui ne le sont pas. Le dérèglement se situerait donc au niveau des besoins énergétiques et de la consommation d'énergie. Il existe, en effet, des différences considérables à cet égard et certaines personnes peuvent avoir tendance à devenir obèses parce qu'elles ont de faibles besoins énergétiques ou qu'elles ne consomment que peu d'énergie pour répondre aux demandes de leur métabolisme (Bennett, 1987 ; Woods, 1988).

Les clients dont le poids est d'au moins 30 p. cent supérieur au poids idéal sont fortement prédisposés à un certain nombre de maladies, notamment le diabète sucré, l'hypertension, les maladies cardio-vasculaires, l'hyperlipidémie, les troubles de la vésicule biliaire, l'arthrite et les complications de la grossesse. Le taux de mortalité est plus élevé chez les femmes que chez les hommes et chez les jeunes que chez les personnes âgées (Bennett, 1987).

On a essayé plusieurs approches thérapeutiques, mais on note chaque fois que le sujet présente une tendance générale à reprendre le poids perdu. À ce stade, la prévention de l'obésité semble plus efficace que son traitement. Les interventions comprennent le jeûne sous surveillance médicale, le régime amaigrissant, l'administration d'anorexigènes, les réunions de groupe, les exercices physiques en groupes et, pour les cas extrêmes d'obésité, la dérivation jéjuno-iléale. Quelle que soit l'intervention choisie, il est utile que la famille ou des amis du client participent au programme thérapeutique puisqu'ils peuvent être les alliés ou les adversaires de la personne qui essaie de perdre du poids.

Connaissances de base : Anorexie et boulimie

Caractéristiques comportementales

Anorexie   Dans la plupart des cas, l'anorexie mentale est déclenchée par un événement particulier. Les victimes ont tendance à être vulnérables face au rejet et à se sentir coupables d'être rejetées par leurs amis. Elles commencent parfois un régime pour chercher à plaire et à attirer les garçons (Boskind-Lodahl, 1985). D'autres événements peuvent déclencher la maladie, comme une séparation (départ en colonie de vacances ou à l'école, divorce des parents, décès), les difficultés scolaires, ou une maladie physique (Garfinkel et Garner, 1982).

Les jeunes femmes anorexiques cherchent désespérément à plaire et leurs sentiments à l'égard de leur valeur personnelle dépend plus de la réaction de leur entourage que de leur propre perception. Elles ont par conséquent un comportement excessivement complaisant et s'empressent toujours de répondre aux attentes des autres pour se faire accepter. Elles réussissent particulièrement bien dans leurs études et dans les activités parascolaires, mais leurs exploits leur donnent souvent peu de satisfaction puisqu'elles cherchent surtout à plaire à leurs parents.

Pour garder une maîtrise de soi et de leur entourage, elles obéissent à des règles strictes et à des principes moralistes gouvernant tous les aspects de leur vie. Puisqu'elles tiennent à prendre chaque fois des décisions absolument correctes, elles tergiversent souvent. À cause de la rigidité qui caractérise leur comportement, elles suivent parfois jusqu'à l'obsession de véritables rituels portant surtout sur l'alimentation et l'exercice physique : elles coupent leurs aliments en morceaux de taille déterminée, elles les mâchent un certain nombre de fois, elles ne se permettent que certaines combinaisons d'aliments lors d'un même repas et font un nombre bien défini d'exercices en suivant un programme immuable. Ces règles et ces rituels leur permettent de chasser l'anxiété hors des frontières du conscient. Cependant, cette anxiété devient intolérable si les rituels sont perturbés. De façon paradoxale, tous les efforts qui visent à garder une maîtrise des événements mènent à des comportements qui traduisent une perte de contrôle (Landau, 1983 ; Lilly et Sanders, 1987).

Les anorexiques sont souvent désespérés, ils se sentent impuissants et incompétents. Leur attitude excessivement soumise et leur manque d'assurance envers leurs parents les portent à croire qu'ils sont toujours dominés par les autres. Leur refus de manger peut correspondre à une forme d'affirmation de leur personnalité tout comme au désir d'acquérir plus de pouvoir et de contrôle au sein de leur famille (Burch et Pearson, 1986).

Les phobies sont assez courantes chez les anorexiques. Au départ, la phobie initiale de gain de poids se transforme en phobie secondaire ayant comme objet la nourriture. Le mécanisme d'évitement phobique chez les anorexiques est différent de celui observé chez les autres sujets pour qui la phobie est liée à un stimulus externe, comme un animal, un objet, un endroit ou une situation. Dans leur cas, l'évitement empêche l'émergence de l'anxiété, mais la personne n'en retire aucun plaisir. Chez les anorexiques, la phobie est liée à un stimulus interne, par exemple la peur de grossir ; l'évitement leur donne une sensation de contrôle et de plaisir, le fait de ne pas manger leur permettant de perdre du poids (Agras, 1987).

Diane a 17 ans. C'est une excellente élève. Elle est représentante de classe et membre du conseil des étudiants. Au cours des six derniers mois, son poids a chuté de 60 kg à 48 kg. Elle a pris l'habitude de ne prendre qu'un seul petit repas par jour, composé d'aliments qu'elle consomme par séries de 10 : 10 petits pois, 10 grains de maïs, 10 petits morceaux de viande, 10 gorgées de lait, etc. Elle est engagée dans un programme d'exercices très stricte qu'elle suit religieusement entre 5 h et 7 h 30 et entre 19 h et 22 h. Elle évite de rester assise ou immobile, car elle croit que cela risque de la faire grossir.

Boulimie névrotique   Contrairement aux anorexiques, les personnes dont les troubles de l'alimentation se manifestent au départ par la boulimie souffrent souvent d'embonpoint avant même l'apparition du trouble et, en général, ont déjà connu des problèmes de poids. Le fait de s'engager dans des activités athlétiques ou d'être l'objet de moqueries au sujet du poids sont des événements qui peuvent déclencher la maladie. Andersen (1988) a constaté que les jeunes hommes qui deviennent boulimiques cherchent souvent à atteindre un certain poids pour pouvoir faire de la lutte ou pour réussir des exploits sportifs. En général, ils ne cherchent à modifier que certaines parties de leur corps dans le but de supprimer les zones flasques et de faire grossir leurs muscles. Les boulimiques apprennent souvent ce comportement mal adapté de camarades qui ont eu recours à la purge pour maigrir. Cette sorte de boulimie peut passer inaperçue pendant des années puisqu'elle s'accompagne rarement d'une perte pondérale importante. Chez les hommes comme chez les femmes, ce comportement devient vite compulsif ; la fréquence et la gravité des symptômes tendent à augmenter.

La boulimie fait intervenir un modèle de comportement cyclique. Au début du cycle, le boulimique saute des repas de façon sporadique et il jeûne ou suit un régime excessivement strict. Pour s'empêcher de manger, il a parfois recours à des amphétamines et se retrouve alors dans un état de faim extrême, de grande fatigue et d'hypoglycémie. Pendant la phase suivante du cycle, il mange avec frénésie et peut alors absorber d'énormes quantités de nourriture (près de 14 700 kilojoules) en peu de temps (environ une heure). On a déjà signalé des périodes d'alimentation frénétique qui ont duré huit heures avec une consommation de 50 400 kilojoules. Elles ont lieu généralement lorsque la personne est seule chez elle, le plus souvent le soir. De tels cycles peuvent se produire une ou deux fois par mois, chez certains, de cinq à dix fois par jour, chez d'autres. L'épisode de frénésie alimentaire peut être déclenché par l'ingestion de certains aliments, mais il ne s'agit pas d'une règle générale. Au cours de ces épisodes, les boulimiques peuvent absorber n'importe quel type de nourriture, mais se limitent souvent à des aliments sans valeur nutritive, des aliments de consommation rapide ou des aliments hypercaloriques.

La dernière phase du cycle se caractérise pas un désir de purgation. Après avoir trop mangé, ces individus se font vomir et abusent souvent de laxatifs et de diurétiques pour essayer de nettoyer leur organisme. On a vu des boulimiques prendre jusqu'à 50 à 100 laxatifs par jour. Certains peuvent aussi prendre du sirop d'ipéca pour se faire vomir. Après la phase de purgation, le cycle reprend et le boulimique recommence à jeûner ou à suivre un régime excessivement strict.

Certains boulimiques font de l'exercice de manière irrégulière et excessive mais, habituellement, ils ne suivent pas compulsivement un programme d'exercices. Il est plus fréquent de les voir abuser de drogues pour réduire leur appétit ou de boire de l'alcool pour diminuer leur anxiété. Comme leurs épisodes de grande bouffe leur coûtent cher, parfois près de 100 dollars par jour, ils sont souvent réduits à voler leur nourriture ou l'argent pour se la procurer (Dippel et Becknal, 1987). Ces épisodes de grande bouffe et de purgation peuvent devenir si prenants qu'ils perturbent les activités et mènent à la rupture des relations. Pour garder son secret, l'individu doit souvent trouver des excuses ou avoir recours au mensonge.

Caroline est étudiante en dernière année de soins infirmiers ; elle a 23 ans et elle réussit depuis trois ans à cacher sa boulimie. Régulièrement après ses cours, elle achète deux livres de biscuits qu'elle mange avant de se rendre chez le marchand de crème glacée, où elle avale jusqu'à 4 litres de glace. Elle va ensuite au restaurant où elle prend trois hamburgers au fromage, des frites et deux lait frappés. Avant de rentrer chez elle, elle arrête encore à la pharmacie où elle s'achète un paquet de gomme à mâcher et vole une boîte de laxatifs, de peur que la caissière ne devine qu'elle souffre d'un trouble de l'alimentation. Le cycle reprend dans la soirée, où Caroline mange tout ce qui lui tombe sous la main.

Caractéristiques affectives

Anorexie mentale   Les anorexiques sont souvent des personnes accablées par la peur. Certains adolescents ont peur de devenir adultes et d'assumer leurs responsabilités ; d'autres, qui essaient d'inspirer l'amour par l'excellence de leurs résultats, ont peur de ne pas réussir suffisamment bien. Ils sont presque tous terrorisés par l'idée de prendre du poids et de grossir. En cas de gain pondéral (réel ou imaginaire), leur anxiété remonte au niveau conscient et ils la perçoivent comme une menace qui plane sur leur être tout entier. Les anorexiques ont également peur que la maîtrise leur échappe, peur généralement liée à celle de perdre le contrôle de leur alimentation, mais elle peut porter également sur d'autres processus physiologiques, comme le sommeil, la miction ou l'élimination des matières fécales. Le fait de perdre régulièrement du poids devient pour eux un signe de pouvoir qui leur permet de se dominer et de dominer l'entourage. Ils se sentent toutefois coupables s'ils perdent le contrôle et mangent plus qu'il ne leur semble approprié (Garfinkel et Garner, 1982).

Boulimie névrotique   De nombreuses femmes boulimiques ont une attitude caractéristique face au rôle stéréotypé attribué à leur sexe. Leur désir de rester dépendantes des autres et de se gagner l'approbation de leurs amis et de leur famille est souvent en contradiction avec leur réussite exceptionnelle sur le plan professionnel, qui risque d'être perçue comme un manque de féminité. Ce conflit interne entre la dépendance et l'indépendance augmente l'anxiété et peut entraîner l'apparition d'un trouble de l'alimentation. Une autre explication possible est que les femmes qui réussissent dans des domaines réservés par tradition aux hommes ploient sous les tensions suscitées par leur succès. Dans une culture où réussite et féminité sont synonymes de minceur, elles risquent de se sentir poussées à surveiller leur poids (Orleans et Barnett, 1984).

Puisqu'il a besoin de se sentir accepté et approuvé, le boulimique refoule ses frustrations et sa colère envers les autres pour éviter les conflits et pour ne pas risquer le rejet. Il devient alors de moins en moins capable de reconnaître ses véritables sentiments et il lui arrive de confondre une émotion négative avec la sensation de faim. La nourriture devient alors une source de réconfort et un moyen de se défendre contre la colère et la frustration (Loro, 1984).

Comme les anorexiques, les boulimiques sont la proie de peurs multiples. Ils craignent de perdre le contrôle, non seulement de leur mode d'alimentation mais aussi de leurs émotions. Ils redoutent par-dessus tout le gain pondéral et la moindre variation de poids, réelle ou imaginaire, les affole. Leur comportement est fortement motivé par la peur du rejet (Loro, 1984).

Le caractère cyclique du syndrome peut s'expliquer du point de vue affectif comme du point de vue comportemental. L'anxiété augmente jusqu'à ce que la personne se mette à manger avec excès pour la réduire. Après avoir trop mangé, elle se dégoûte et se sent coupable d'avoir perdu la maîtrise de soi. Ce sentiment de dégoût et de culpabilité augmente son anxiété, qu'elle essaie d'atténuer par la purgation en se faisant vomir ou en utilisant d'autres méthodes. Puisqu'il s'agit d'une méthode indirecte et inefficace de lutte contre l'anxiété, celle-ci augmente de nouveau et le cycle reprend (Dippel et Becknal, 1987).

Caractéristiques cognitives

Anorexie mentale   Chez le client anorexique, le désir d'être mince et de garder le contrôle de l'alimentation correspond à un **comportement égosyntonique**, c'est-à-dire à un comportement qui concorde avec ses propres idées, désirs et valeurs. Pour les anorexiques, leur obsession concernant la nourriture et l'alimentation constitue un comportement normal. Les principaux mécanismes de défense qui entrent en jeu dans un comportement égosyntonique sont le déni de la faim, de l'épuisement physique et de la présence d'un trouble ou d'une maladie.

On observe chez les personnes souffrant d'anorexie des distorsions du processus de la pensée analogues à celles observées chez les personnes qui souffrent d'autres troubles anxieux. Ces distorsions portent sur la nourriture, l'image corporelle, la perte de maîtrise et la réussite dans la vie. L'une de ces distorsions est la *perception sélective*. Dans ce cas, le client est porté à se concentrer uniquement sur un certain genre de données et à laisser de côté toutes les données contradictoires. *La généralisation excessive* est un autre type de distorsion. Dans ce cas, la personne est portée à s'attacher à une impression ou à une information provenant d'un événement donné et à l'appliquer à un grand nombre de situations. On observe également chez les anorexiques une certaine tendance à l'*exagération*, qui les pousse à accorder beaucoup d'importance aux événements désagréables, ainsi qu'à la *personnalisation*, qui leur fait établir un lien entre eux-mêmes et ce qui se produit dans leur environnement, même en l'absence de tout lien évident. Ils ont aussi tendance à s'attacher aux *superstitions* et, si leur processus de pensée est plus perturbé, à raisonner selon un *mode dichotomique*. Le processus dichotomique est un mode de raisonnement du type tout-ou-rien qui perturbe la perception réaliste que les gens ont de leur propre personne et qui fait intervenir des catégories opposées, s'excluant mutuellement, comme la nourriture ou le jeûne, le bien ou le mal, le célibat ou la promiscuité (voir, au tableau 9-2, des exemples de distorsions du processus de pensée).

Les anorexiques ont une perception très déformée et parfois totalement illusoire de leur image corporelle. Incapables de voir à quel point leur corps est émacié, ils continuent de se croire trop gros. Certains anorexiques trouvent que tout leur corps est obèse, tandis que d'autres ne s'attachent qu'à une seule partie (hanches, ventre, cuisses ou visage) qu'ils trouvent trop grosse. Alors que leur entourage les voit dépérir et littéralement mourir de faim, ils se voient forts et sur le point de se bâtir une nouvelle personnalité. Les anorexiques croient qu'ils sont en pleine possession de leurs moyens et qu'ils maîtrisent parfaitement leur vie.

Tableau 9-2   *Exemples de distorsions du mode de pensée*

Perception sélective
« Je suis encore trop gros ! Regardez combien mes mains et mes pieds sont épais. »
Généralisation excessive
« On ne voit jamais personnes de gros à la télévision. Cela prouve qu'il faut être mince pour réussir dans la vie. »

Exagération
« Si je prends un kilo, je sais que tout le monde va le remarquer. »

Personnalisation
« J'ai vu Jacques et Robert en train de parler en riant. Je suis sûr qu'ils se moquaient de mon embonpoint. »

Superstition
« Si je prends du poids, je ne réussirai jamais dans la vie. »
« Si je prends du poids, c'est que je n'arrive pas à me dominer et que je suis un incapable. »

Pensée dichotomique
« Si je prends ne serait-ce qu'un demi-kilo, cela signifie que j'ai complètement perdu le contrôle et que je peux tout aussi bien prendre 25 kg. »
« Si j'avale une seule bouchée, je vais continuer de manger jusqu'à peser 150 kg. »
« Si je ne suis pas mince, je suis trop gros. »

Les anorexiques ne considèrent pas la nourriture comme une nécessité pour la survie mais plutôt comme une menace qui met leur vie en péril. Au niveau cognitif, tout ce qui est rattaché à la graisse est synonyme de servitude et de perte de contrôle alors que la minceur est synonyme de force et de maîtrise de soi. Ces personnes cherchent souvent à dissimuler leur comportement plutôt pour se protéger que pour manipuler leur entourage. De leur point de vue, l'anorexie n'est pas un problème mais, au contraire, une solution (Orbach, 1985).

On observe aussi chez les anorexiques une distorsion des sensations physiques internes. Ils ne ressentent pas la faim pour ce qu'elle est et se plaignent d'être rassasiés ou d'avoir l'estomac surchargé dès qu'ils mangent la plus petite quantité d'aliments. On remarque également une diminution de la perception de la fatigue, de sorte qu'ils poussent souvent leur organisme aux limites de la résistance physique. Ils semblent ne ressentir aucune fatigue même après un exercice prolongé et épuisant.

Les jeunes anorexiques se montrent excessivement préoccupés par la façon dont les autres les perçoivent; la plupart d'entre eux sont persuadés que les autres les connaissent mieux qu'ils ne se connaissent eux-mêmes. Parce qu'ils se dévalorisent et ont peur de perdre leur identité, ils se sentent dominés par les autres ou craignent de l'être. Croyant qu'ils n'ont aucun pouvoir sur leurs relations interpersonnelles, les anorexiques essaient de plaire et d'être conciliants envers les personnes clés de leur entourage qu'ils perçoivent comme plus fortes qu'eux-mêmes (Garfinkel et Garner, 1982).

Les anorexiques se fixent des normes de conduite qui visent la perfection qu'ils veulent absolument respecter; ils sont tellement hantés par le risque de perdre la maîtrise de la situation qu'ils s'imposent une discipline extrêmement rigoureuse. Tant qu'ils sont capables de garder cette maîtrise, leur perfectionnisme et leur mode de pensée dichotomique les portent à croire qu'ils valent mieux que les autres. Mais ces normes de conduite ont un effet dévastateur si l'anorexique échoue constamment dans ses efforts (Landau, 1983).

Mélanie a 18 ans et le médecin vient de lui annoncer qu'elle est anorexique. Elle mesure 1,72 m et pèse 46 kg, mais elle ne se trouve pas trop maigre pour sa taille. Au contraire, elle pense qu'elle sera beaucoup plus belle quand elle atteindra 39 kg. Elle tient à faire partie du conseil des étudiants dès qu'elle entrera au collège et prétend que les gens trop gros ne sont jamais élus. Sa superstition porte sur les vêtements blancs qui, à son avis, coupent la faim.

Boulimie Contrairement aux anorexiques, les boulimiques sont mécontents de leur comportement. Par conséquent, leur comportement est du type **égodystonique**, c'est-à-dire qu'il ne correspond ni à leurs idées, ni à leurs désirs, ni à leurs valeurs. Les symptômes égodystoniques se caractérisent aussi par le fait que la victime pense n'avoir aucun moyen de les maîtriser. Le client se sent poussé à manger avec frénésie, puis à se purger et à se priver de nourriture; il se sent incapable de

modifier son comportement et, à force de répéter le cycle, il finit par éprouver un véritable dégoût de lui-même (Andersen, 1987).

Très souvent, les personnes boulimiques sont mal informées au sujet de la nutrition. Elles sont nombreuses à penser que certains aliments se transforment instantanément en graisse et que d'autres n'ont aucun effet sur le poids. Certaines croient qu'il existe plusieurs sortes de kilojoules et qu'il y a une nette différence entre 840 kilojoules de crème glacée et 840 kilojoules de viande. Lorsqu'elles abordent la phase du régime amaigrissant, la plupart de ces personnes se donnent des règles excessivement strictes et ont du mal à comprendre la nécessité d'une alimentation équilibrée (Agras, 1987).

Bien que les boulimiques ne soient pas satisfaits de leur corps, on n'observe pas chez eux les mêmes distorsions hallucinatoires que chez les anorexiques. Il existe une corrélation directe entre la fréquence d'apparition et la gravité du trouble, d'une part, et le degré de distorsion par rapport au corps, d'autre part. Dans bien des cas, le client souffrait d'embonpoint avant l'apparition du trouble et il est donc obsédé par l'idée qu'il pourrait reprendre les kilos perdus. Mais il lui est par ailleurs difficile de penser à autre chose qu'à la nourriture. Puisqu'il mange pour satisfaire sa faim ou son appétit ou encore par réaction à des pensées liées à la nourriture, il est également obsédé par l'idée qu'il doit se débarrasser de la nourriture ingérée afin d'annuler l'effet des kilojoules accumulées pendant l'épisode de frénésie alimentaire (Garfinkel et Garner, 1984).

Les boulimiques ont aussi un mode de pensée dichotomique et ont tendance à établir un lien entre leurs problèmes et leur poids ou leurs excès de table. Leur fantasme est que s'ils étaient minces et réussissaient à ne pas faire des excès, tous leurs autres problèmes seraient résolus. L'idée que la moindre bouchée mène à la gloutonnerie traduit également ce mode de pensée du type «tout-ou-rien». Le client se dit souvent: «Si je mange un biscuit, j'ai déjà échoué. Je peux donc tout aussi bien manger tout le paquet au complet» (Orleans et Barnett, 1984).

Le boulimique se fixe également des normes de conduite qui visent la perfection. Même s'il réussit particulièrement bien sur le plan professionnel, il reste extrêmement critique envers lui-même et se sent souvent incompétent et incapable. Il se choisit un régime alimentaire impossible à suivre et se sent dévalorisé s'il ne parvient pas à le respecter. Or, la dévalorisation de soi-même est un facteur qui le pousse vers la phase de grande bouffe. Après la phase de purgation, le boulimique se promet d'être plus ferme et plus discipliné, mais comme ses résolutions ne sont pas réalistes, il se prépare à essuyer un nouvel échec (Loro, 1984 ; Orleans et Barnett, 1984).

Caractéristiques physiologiques

La privation et la purgation ont de nombreuses répercussions physiologiques. Les vomissements et les abus de diurétiques et de laxatifs provoquent une déplétion du potassium et de l'acide chlorhydrique, qui peut occasionner une alcalose hypokaliémique ou hypochlorémique. Le déséquilibre devient encore plus marqué à cause de la déplétion sodique entraînée par les reins qui essaient de conserver le potassium. On observe une diminution du volume sanguin et une chute de la tension artérielle, avec hypotension posturale. Le rythme cardiaque ralentit et l'hypokaliémie peut occasionner de graves arythmies. L'hypoplasie de la moelle osseuse entraîne une légère anémie. Au niveau respiratoire, on note une bradypnée ainsi qu'une hypoxie due à l'anémie. Si, pour tromper sa faim, la personne boit de grandes quantités d'eau, l'intoxication par l'eau peut entraîner une déplétion sodique. Le déséquilibre électrolytique peut causer la faiblesse musculaire, des convulsions, des arythmies et même la mort (Dippel et Becknal, 1987 ; Yates et Sieleni, 1987 ; Zucker, 1989).

Les personnes atteintes de troubles de l'alimentation présentent parfois un taux élevé d'azote uréique sanguin. Si l'apport protidique est normal, le taux élevé d'azote uréique sanguin indique la déshydratation avec une diminution du débit sanguin rénal, qui réduit le taux de filtration glomérulaire. L'altération de la fonction rénale prédispose à la formation d'œdème. Chez les personnes extrêmement sous-alimentées, la présence de cétones dans les urines indique qu'il reste encore des réserves de graisse ; mais, en l'absence de cétones dans les urines, toutes les réserves de graisse ont été épuisées et il y a risque de mort imminente (Garfinkel et Garner, 1982 ; Spack, 1985).

Les troubles de l'alimentation peuvent aussi entraîner des complications gastro-intestinales. La constipation est l'un des premiers symptômes liés à la réduction de la quantité d'aliments et de liquides absorbés. Les victimes peuvent alors abuser de laxatifs, non seulement pour se purger, mais aussi pour soulager leur constipation. Or, l'abus de laxatifs peut mener à la dépendance et rendre le côlon irritable. Ces personnes se sentent ballonnées la plupart du temps, sensation due à un apport alimentaire extrêmement réduit qui entraîne un ralentissement du péristaltisme. Les vomissements fréquents peuvent causer une œsophagite avec sténose et formation de cicatrices. En cas de perforation ou de rupture de l'œsophage, le taux de mortalité est de 20 p. cent, même si le traitement est immédiat. En cas de rupture gastro-intestinale, complication fort heureusement assez rare, le taux de mortalité est de 85 p. cent (Spack, 1985 ; Zucker, 1989).

L'aménorrhée est très fréquente chez les femmes atteintes de troubles de l'alimentation. Dans près de 6 p. cent des cas, il s'agit d'une aménorrhée primaire. Dans environ 80 p. cent des cas, l'aménorrhée précède la perte de poids et, dans le reste des cas, elle apparaît peu après le début de la perte pondérale. Bien que le mécanisme précis reste obscur, on pense que l'aménorrhée est liée au degré de stress que subit la personne, au pourcentage de graisse perdue et à la dysfonction hypothalamique (Spack, 1985).

Les personnes atteintes de troubles de l'alimentation présentent une anomalie de la fonction hypothalamique. L'origine en est inconnue, mais on a avancé trois hypothèses : 1) la malnutrition peut avoir par elle-même un effet délétère sur la fonction hypothalamique ; 2) les anomalies peuvent être causées par le stress ; 3) l'anomalie de la fonction hypothalamique constitue le trouble principal, la réaction émotionnelle étant le trouble secondaire.

Il existe une corrélation entre des cycles menstruels normaux et l'intégrité de l'axe hypophyso-gonadique. Plus la perte de poids est importante, plus les sécrétions de lutéostimuline (LH) sont réduites. Par ailleurs, les sécrétions de folliculostimuline (FSH) peuvent également être légèrement diminuées. Ces modifications entraînent une diminution des taux d'œstrogènes.

On observe une élévation des taux d'hormones de croissance et de corticotrophine en cas de carence alimentaire ou de diminution marquée de l'apport alimentaire. La diminution énergétique et la réduction de l'apport de glucides d'origine alimentaire entraînent une diminution des taux de triiodothyronine (T3). Un faible taux de T3, signe de carence alimentaire, indique que l'organisme essaie de réduire la vitesse de son métabolisme pour conserver ses kilojoules. Les vomissements stimulent la production d'arginine-vasopressine (AVP) qui détermine la capacité de l'organisme de retenir l'eau. La production d'hormone antidiurétique (ADH) diminue, de sorte que la concentration des urines ne peut plus atteindre les valeurs normales. En général, le taux de calcium sérique reste normal, sauf en cas d'usage abusif de laxatifs. Le risque de fractures augmente au fur et à mesure que les os perdent leur calcium (ostéoporose). Sur le plan neurologique, on note une augmentation des risques de convulsions due à l'hypocalcémie ou à l'hyponatrémie (Zucker, 1989).

Les anorexiques perdent en général 25 p. cent de leur poids, mais ces pertes peuvent aller parfois jusqu'à 50 p. cent. Les boulimiques ne perdent pas autant de poids que les anorexiques et peuvent, en réalité, garder un poids normal. Comme l'estomac se vide plus rapidement après ingestion d'une grande quantité de nourriture, l'absorption des kilojoules est plus forte avant le début de la phase de purgation. Chez les personnes qui perdent beaucoup de poids, la régulation de la température corporelle en fonction des réchauffements et des refroidissements du milieu environnant reste aléatoire (Zucker, 1989).

Chez les personnes souffrant de malnutrition, les cheveux deviennent friables ou ont tendance à tomber, les ongles se cassent et le corps se couvre de lanugo. Les pieds et les mains sont froids et bleuâtres. En cas de déshydratation, par suite d'une consommation insuffisante de liquide, ou de purges répétées, la peau se dessèche et se flétrit. S'il y a forte consommation d'eau pour tromper la faim, l'œdème peut apparaître.

Les vomissements fréquents affectent également la cavité buccale. L'acide gastrique attaque l'émail des dents et favorise les caries, avec perte éventuelle des dents. Les vomissements peuvent aussi donner des maux de gorge chroniques et provoquer une irritation de l'œsophage. Les glandes salivaires sont habituellement engorgées et sensibles. Certains boulimiques peuvent souffrir du syndrome de Russel, caractérisé par la présence de callosités sur le dos de la main. Ce traumatisme cutané est dû à la friction violente des dents pendant que le boulimique se fait vomir (Spack, 1985 ; Yates et Sieleni, 1987).

La malnutrition et les vomissements touchent tous les systèmes et appareils organiques et les altérations peuvent parfois entraîner la mort.

Caractéristiques socioculturelles

Dans la société américaine, la minceur est généralement synonyme de séduction. La minceur extrême des mannequins et des actrices est devenue, avec l'aide des médias, symbole de réussite et de bonheur. Dans une étude réalisée auprès d'étudiants du secondaire, Garfinkel et Garner (1982) ont constaté que 70 à 80 p. cent des filles ne se trouvent pas séduisantes et veulent maigrir, alors que ce n'est le cas que pour 20 p. cent des garçons. Un sondage réalisé auprès de 33 000 femmes a montré que 80 p. cent d'entre elles pensent qu'il faut être mince pour plaire aux hommes. Alors que 25 p. cent d'entre elles seulement souffraient d'embonpoint, elles étaient 41 p. cent à ne pas être satisfaites de leur corps (Boskind-White, 1985). De plus, les magazines destinés aux adolescentes présentent souvent les régimes amaigrissants comme une solution aux crises qu'on traverse à cet âge. Le corps devient aussi le point de mire de leur existence et l'estime de soi dépend de leur capacité de contrôler le poids et l'alimentation.

On a admis jusqu'à présent que les jeunes femmes atteintes de troubles de l'alimentation refusaient les stéréotypes féminins et s'efforçaient de garder leur corps de fillette parce qu'elles n'acceptaient pas de mûrir sexuellement. On pense maintenant qu'il s'agit en réalité d'une acceptation exagérée des stéréotypes féminins, selon lesquels les femmes se définissent et se valorisent en fonction de leur aptitude à plaire et à se faire aimer des hommes. On encourage les femmes à dépendre du regard des hommes, seul capable de confirmer leur valeur personnelle et on les décourage de devenir autonomes et de ne compter que sur elles-mêmes. Par conséquent, les normes culturelles de beauté peuvent rendre extrêmement vulnérables certaines jeunes femmes ayant une identité fragile et peu de confiance en leurs propres qualités. La première préoccupation de ces femmes devient alors la surveillance de leur poids dans le but de plaire (Boskind-Lodahl, 1985).

Les troubles de l'alimentation peuvent aussi donner indirectement une impression de pouvoir et de domination. Le rôle de subordination impose une double contrainte : la femme est censée être passive et manquer d'assurance mais satisfaire dans le même temps les besoins de chacun. Puisqu'elle est la seule à pouvoir contrôler ce qu'elle mange ou décider des moyens de se purger, les troubles de l'alimentation peuvent lui donner un pouvoir illusoire (Schwartz et Barrett, (1987).

Le rôle que joue la famille dans l'apparition du trouble de l'alimentation n'est pas encore parfaitement connu. Il est difficile de déterminer les facteurs familiaux qui favorisent le trouble et ceux qui sont la conséquence de la vie avec l'anorexique, car, dans la plupart des cas, la famille n'a fait l'objet d'un examen que lorsque le trouble est devenu assez sérieux pour susciter l'attention et nécessiter une intervention. Très souvent, la famille est aux prises avec des problèmes de dépendance et d'hostilité, et met au point divers mécanismes pour tenter de régler ces difficultés interpersonnelles (Garfinkel et Garner, 1982).

La vie familiale des anorexiques est parfois très encombrante, le territoire de chaque membre de la famille étant mal défini. Dans ce cas, les interactions sont fortes, les membres de la famille dépendent les uns des autres et ils sont peu autonomes. Chacun se sent concerné par les soucis des autres et les membres de la famille se sentent très unis. Dans un tel contexte, on laisse peu de place à l'intimité de chacun. Dans une famille où les liens

sont si serrés, on a tendance à surprotéger ses enfants et à se préoccuper énormément de leurs fonctions organiques. Les recherches actuelles indiquent, par contre, que la vie familiale des boulimiques est nettement moins encombrante ; les membres de la famille ont tendance à s'isoler les uns des autres et cherchent parfois à lutter contre l'ennui et la solitude par leur comportement alimentaire (Coburn et Ganong, 1989 ; Stierlin et Weber, 1989).

Les familles des clients atteints de troubles de l'alimentation ont souvent des difficultés à régler les conflits et cherchent donc à les éviter, parfois à cause de principes moraux ou religieux qui condamnent tout désaccord. Lorsqu'on nie les problèmes au nom de l'harmonie familiale, on ne peut les résoudre et la croissance de la cellule familiale s'en trouve compromise. Il est fréquent que l'enfant anorexique protège et cherche à préserver l'unité familiale. Chez certains parents, l'inquiétude qu'ils partagent à l'égard du bien-être de leur enfant les unit et leur permet d'éviter les conflits conjugaux. Chez d'autres parents, la mésentente ne s'exprime qu'au sujet de la façon de traiter l'enfant anorexique. On assiste, dans les deux cas, à un camouflage des problèmes conjugaux pour éviter la destruction de la cellule familiale (Schwartz et Barett, 1987).

Les familles de clients atteints de troubles de l'alimentation sont souvent axées sur la réussite et l'accomplissement, et leurs membres sont très ambitieux. Dans de telles familles, la réussite dépend du physique et on donne la priorité au corps et au maintien de la forme. La réussite professionnelle, la nourriture, les régimes, l'exercice physique et le contrôle du poids deviennent parfois de véritables hantises (Root, Fallon et Friedrich, 1986).

Habituellement, les jeunes femmes anorexiques s'aperçoivent que le régime, aussi strict qu'il soit, ne donne pas forcément le résultat escompté, qui est celui de plaire davantage aux hommes. À cause de ce rejet réel ou perçu, elles se sentent encore moins séduisantes et désirables. Pour se protéger, elles commencent alors à perdre tout intérêt pour les activités sociales et à s'éloigner de leurs camarades. Elles ne sortent pratiquement plus, n'acceptent pas de rendez-vous et prétendent ne plus s'intéresser aux relations sexuelles. Leur réussite scolaire est parfois le moyen de compenser leur absence de relations (Boskind-Lodahl, 1985).

Comme le boulimique a honte de son comportement et qu'il se sent coupable, il va essayer de s'isoler pour dissimuler son problème ; de plus, il ne peut s'adonner en public à ses excès alimentaires et doit aussi se cacher pendant la phase de purgation du cycle, ce qui accroît davantage son isolement. Plus il s'isole, plus son comportement s'accentue, car la nourriture lui sert à combler un vide et lui donne du réconfort. En général, les boulimiques s'isolent cependant moins que les anorexiques. Bien qu'ils soient actifs sur le plan sexuel, ils en tirent peu de plaisir parce qu'ils ont peur de perdre la maîtrise de la situation. Ils se sentent incompétents et redoutent l'intimité d'une relation durable (Boskind-Lodahl, 1985 ; Garfinkel et Garner, 1984 ; Loro, 1984).

Le tableau 9-3 résume les caractéristiques des clients souffrant d'anorexie ou de boulimie.

Théories de la causalité

Les causes de l'anorexie et de la boulimie sont multiples, autant chez un même client que si l'on compare son cas à plusieurs autres. Le fait de connaître les principales théories relatives à ces troubles permet à l'infirmière d'aborder chaque client sous divers angles, ce qui l'aide à personnaliser sa démarche.

D'après la théorie *psychodynamique*, la mère est si dominatrice que la jeune fille est incapable de devenir autonome. Elle ressent inconsciemment beaucoup d'hostilité envers sa mère, dont elle refuse la féminité et la sexualité. Le fait de vouloir garder son corps d'enfant est un signe de rébellion passive-agressive contre la domination exercée par la mère : sa seule façon d'affirmer son autonomie est d'essayer de maîtriser son propre corps. Certains théoriciens pensent par ailleurs que la prise de poids symbolise la grossesse et que l'anorexie est une défense contre des fantasmes liés à la maturité sexuelle et à la procréation. D'autres théoriciens pensent que ces jeunes filles transforment toute anxiété, quelle qu'en soit l'origine, en obsessions par rapport à la nourriture et à leur corps. Le com-

portement obsessionnel et compulsif du trouble de l'alimentation est alors une défense contre la prise de conscience de l'anxiété (Boskind-Lodahl, 1985).

On estime que ce qui pousse la cliente à maigrir dépend de la façon dont elle se perçoit par rapport aux autres. Certaines adolescentes sont motivées par un besoin d'attention de la part de leurs parents, de leurs frères et sœurs ou de leurs amis. D'autres cherchent, au contraire, à établir une distance et à éviter toute identification possible avec un parent qu'elles n'aiment pas. D'autres encore ressentent beaucoup d'hostilité envers les gens; le comportement alimentaire devient alors un moyen d'exprimer la colère et de s'opposer au comportement des parents (Andersen, 1988).

Le *modèle behavioriste* des troubles de l'alimentation examine le but plutôt que la cause du comportement. On considère ces troubles comme des phobies envers la nourriture : l'anxiété augmente en mangeant et diminue en jeûnant ou en se purgeant. La réduction de l'anxiété est l'agent renforçateur aussi bien pour les anorexiques que pour les boulimiques (Minchin, 1978).

Selon la *perspective féministe*, les troubles de l'alimentation surviennent à cause du conflit qui existe entre le développement de la femme et les théories traditionnelles du développement. Dans la culture occidentale, le développement de l'homme est pris comme norme et, dans une telle perspective, l'autonomie est le contraire de la dépendance. Pour les femmes, le contraire de la dépendance est l'isolement. Il y a donc conflit lorsque les femmes croient que, pour devenir autonomes, elles doivent restreindre leurs relations. À leur avis, c'est ainsi et ainsi seulement qu'elles peuvent être reconnues comme des personnes mûres et adultes. Chez certaines, ce conflit s'exprime sous forme de comportement alimentaire auto-destructeur (Steiner-Adair, 1989).

Les stéréotypes culturels constituent également pour la femme un sujet de préoccupation concernant son corps. Le pouvoir de séduction des femmes étant évalué en fonction d'un idéal de minceur déterminé par la société, leur identité et leur estime de soi dépendent de leur physique. Le dégoût qu'inspire à la femme sa propre chair et sa propre graisse est le signe d'une relation hostile

Tableau 9-3   *Caractéristiques des clients atteints de troubles de l'alimentation*

Caractéristique	Anorexiques	Boulimiques
Évaluation personnelle	Dépendent des réactions des autres, se dévalorisent.	Sont critiques envers eux-mêmes, se croient incompétents.
Prise de décisions	Veulent toujours prendre des décisions parfaites.	Veulent toujours prendre des décisions parfaites.
Rituels	Sont obsédés par la nourriture et l'exercice physique.	Perpétuent un cycle de jeûne, de frénésie alimentaire et de purgation.
Besoin de dominer	Ont l'impression de dominer et de s'accomplir en refusant de manger.	Se fixent des normes de conduite peu réalistes ; ne se sentent pas maîtres de la situation.
Phobie	Transforment en phobie de la nourriture la peur de prendre du poids.	N'ont pas de phobie particulière.
Exercice	Suivent des programmes d'exercice de manière obsessionnelle.	Font de l'exercice de façon sporadique.
Peurs	Ont peur de ne pas être parfaits, de prendre du poids, de perdre le contrôle.	Ont peur de perdre le contrôle, de prendre du poids, d'être rejetés.
Culpabilité	Se sentent coupables s'ils mangent plus qu'ils ne jugent approprié.	Se sentent coupables lorsqu'ils mangent avec excès et se purgent.
Mécanismes de défense	Nient la faim, la fatigue et la maladie.	Ne nient pas la faim.
Compréhension de la maladie	Sont égosyntoniques (ne croient pas être malades) ; pour eux, l'anorexie est une solution et non pas un problème.	Sont égodystoniques (dégoûtés d'eux-mêmes, mais incapables de changer).
Pensée déformée	Pratiquent la perception sélective, la généralisation excessive, l'exagération, la personnalisation ; leur pensée peut aussi être dichotomique.	Pratiquent la pensée dichotomique.
Image corporelle	Gardent d'eux-mêmes une image illusoire.	Se voient légèrement plus gros qu'ils ne le sont.
Relations	Cherchent à faire plaisir et sont conciliants avec les autres.	Se sentent déchirés entre la dépendance et l'autonomie.
Isolement social	Ont tendance à s'isoler pour se protéger contre le rejet ; sont plus introvertis.	S'isolent pendant leurs épisodes de frénésie alimentaires et de purgation ; ont tendance à être extravertis.
Perte pondérale	Perdent entre 25 et 50 p. cent de leur poids.	Gardent un poids normal ou perdent un peu de poids.
Mort	Par carence alimentaire, lorsque le taux de protéines chute jusqu'à 50 p. cent du niveau normal.	Souvent par hypokaliémie (cause majeure) et suicide (deuxième cause fréquente).

avec son propre corps, relation qui aboutit souvent à des troubles de l'alimentation (Worman, 1989).

Il existe également un certain nombre de théories *biologiques* des troubles de l'alimentation. La recherche actuelle s'intéresse surtout aux rapports existant entre ces troubles et les troubles affectifs. Le taux de dépression est nettement plus élevé chez les personnes atteintes de troubles de l'alimentation que dans la population en général et les études réalisées à ce sujet montrent qu'il se situe entre 20 et 70 p. cent, avec une fréquence plus élevée chez les boulimiques que chez les anorexiques. Le lien existant entre ces troubles n'a pas encore été bien défini, mais il se peut qu'il existe une anomalie sous-jacente commune; les troubles de l'alimentation sont peut-être une manifestation atypique de la dépression, ou la dépression est peut-être un trouble secondaire des troubles de l'alimentation. On observe chez les personnes boulimiques des troubles du sommeil analogues à ceux des clients déprimés. Dans les deux cas, on trouve un raccourcissement du délai d'apparition du sommeil paradoxal qui est aussi plus profond ; le sommeil à ondes lentes est, quant à lui, plus bref (Kennedy et Walsh, 1987).

Les anomalies de l'axe hypothalamo-hypophyso-surrénalien semblent être identiques chez les personnes atteintes de troubles de l'alimentation, chez les personnes déprimées et chez les alcooliques. Dans les trois cas, l'épreuve de freinage par la dexaméthasone donne des résultats positifs, ce qui est un signe d'hypercorticisme. (Cette épreuve est décrite au chapitre 11.) Les clients boulimiques et les clients déprimés présentent aussi plus de risques de réaction positive à l'épreuve de stimulation par thyréolibérine (Pope, 1986).

Il se peut également qu'il existe une anomalie dans le mécanisme de rétroaction de certains neurotransmetteurs, comme la norépinephrine (noradrénaline) et la sérotonine. On ne sait pas encore avec certitude si ce sont les modifications chimiques qui prédisposent la personne aux troubles de l'alimentation ou si c'est le jeûne qu'elle s'impose qui entraîne des modifications neurochimiques. Les glucides jouent un rôle dans la synthèse de la sérotonine en provoquant une élévation des concentrations de tryptophane, précurseur de la sérotonine. Une faible concentration de sérotonine peut donc créer le besoin adaptatif d'augmenter la consommation de glucides ; c'est pourquoi les boulimiques ont très souvent tendance à se jeter sur les aliments riches en glucides. Puisque l'on sait que la sérotonine a pour effet de supprimer la sensation de faim déclenchée par l'hypothalamus, un faible taux de sérotonine va accroître la faim et l'appétit (Goldbloom, 1987).

On ignore à l'heure actuelle quel est le rôle exact des facteurs génétiques dans l'apparition des troubles de l'alimentation. Le taux de concordance est de 55 p. cent pour les jumeaux monozygotes et de 7 p. cent seulement pour les jumeaux dizygotes. De plus, 43 p. cent des boulimiques et 27 p. cent des anorexiques ont des parents du premier degré (père, mère, enfants, frères ou sœurs) alcooliques ou atteints de troubles affectifs (Agras, 1987 ; Dippel et Becknal, 1987).

Traitement médical : Anorexie et boulimie

Les essais cliniques qu'on mène chez des clients atteints de troubles de l'alimentation révèlent qu'à l'heure actuelle les médicaments semblent plus efficaces pour le traitement de la boulimie que pour celui de l'anorexie. L'imipramine, par exemple, est un antidépresseur tricyclique (Tofranil) qui réduit de 70 p. cent la fréquence des épisodes de frénésie alimentaire ; il atténue également de façon notable l'obsession de nourriture et les symptômes d'anxiété et de dépression. Un autre antidépresseur tricyclique, la désipramine (Norpramine), semble réduire la frénésie alimentaire chez des clients qui ne présentent aucun symptôme courant de dépression ; la fluoxétine (Prozac) donne des résultats prometteurs dans le traitement des troubles de l'alimentation. Le traitement initial avec les antidépresseurs tricycliques doit commencer à de très faibles doses (10 à 25 mg par jour), qu'on augmente graduellement pendant trois à quatre semaines pour atteindre 3 mg par kilogramme de masse corporelle. En général, on poursuit le traitement pendant six mois après la disparition des symptômes. Lors de certaines études, l'administration de lithium, seul ou en association avec les antidépresseurs tricycliques, a donné des résultats satisfaisants. On doit toutefois prescrire avec prudence le lithium à un client qui se purge, car les vomissements diminuent le taux de potassium intracellulaire et le lithium risque d'accentuer cet effet. Des effets similaires ont été signalés avec l'emploi d'inhibiteurs de la monoamine-oxydase, comme la phénelzine (Nardil) et l'isocarboxazide (Marplan). L'administration des inhibiteurs de la MAO peut présenter un danger chez les clients qui mangent beaucoup d'aliments riches en tyramine, l'interaction pouvant provoquer une crise hypertensive (Herzog et Brot-man, 1987 ; Kennedy et Walsh, 1987 ; Pope, 1986) (voir, au chapitre 4, les explications détaillées concernant les médicaments).

Collecte des données : Anorexie et boulimie

On doit soumettre les clients atteints de troubles de l'alimentation à une évaluation physique complète. On trouve au tableau 9-4 un exemple de formulaire d'évaluation physique.

Si l'infirmière sait se montrer attentionnée et capable de ne porter aucun jugement moral, le client boulimique peut saisir l'occasion et parler de ses problèmes. Il faut aussi préciser que le fait de s'apercevoir qu'il n'est pas seul à en souffrir peut atténuer son anxiété et son malaise. Par contre, les clients anorexiques parlent en général moins facilement de leur trouble et ont tendance à nier l'existence de tout problème ou maladie, ce qui risque d'empêcher l'infirmière de recueillir les données avec précision. Une fois le contact établi, le client pourrait se montrer plus désireux de se confier, surtout s'il quête l'acceptation et l'approbation de l'infirmière.

 BILAN DE SANTÉ
Clients atteints de troubles de l'alimentation

Données sur le comportement
À votre avis, étiez-vous un enfant obéissant ou rebelle ?
Est-il important pour vous de faire plaisir à vos parents ? Faites-vous des efforts dans ce sens ?
Quels sont vos résultats scolaires ?
À quels types d'activités parascolaires participez-vous ?
Quelles règles suivez-vous lorsque vous prenez des décisions ?
Quelles sont les autres règles de conduite que vous suivez ? Quelles règles régissent vos interactions avec les autres ?
Avec qui mangez-vous d'habitude ?
Dans quelles circonstances préférez-vous manger seul ?
Quelles sont vos habitudes alimentaires ?

Avez-vous des principes sur le plan alimentaire, concernant l'endroit où vous mangez, les types d'aliments qu'on peut ou non associer, la fréquence des repas ? Coupez-vous vos aliments en un certain nombre de morceaux ou en morceaux de grosseur donnée ? Mâchez-vous chaque bouchée un certain nombre de fois ?
Vous arrive-t-il de sauter des repas ?
Décrivez les échecs que vous avez essuyés lors de vos tentatives de suivre des régimes.
Lorsque vous décidez de transgresser votre régime, avez-vous tendance à manger beaucoup ?
À quelle heure de la journée ont lieu d'habitude vos épisodes de frénésie alimentaire ?
Quel est l'endroit où ces épisodes ont habituellement lieu ?
Quelle est la fréquence de ces épisodes ?
Combien de temps durent-ils ?
L'épisode de frénésie alimentaire est-il déclenché par certains aliments ?
Quels sont les aliments que vous préférez consommer pendant ces épisodes ?
Comment vous procurez-vous les aliments que vous consommez pendant ces épisodes ?
Après un tel épisode, avez-vous l'habitude de vous faire vomir pour débarrasser votre organisme de la nourriture absorbée ?
À votre avis, comment les laxatifs ou les diurétiques aident-ils votre organisme à se débarrasser de ce qu'il a absorbé ?
Comment avez-vous découvert que vous pouviez vous purger pour perdre du poids ?
Combien de temps consacrez-vous chaque jour aux exercices physiques ?
Suivez-vous un programme rigoureux d'exercices ?
À votre avis, que va-t-il vous arriver si vous ne faites plus d'exercices ?
Combien d'exercice pouvez-vous faire avant de vous sentir fatigué ?
La consommation d'alcool vous aide-t-elle à surmonter vos problèmes ?
Les drogues vous-aident-elles à surmonter vos problèmes ?

Données sur l'état affectif
Parlez-moi de vos peurs.
Avez-vous peur de prendre du poids ?
D'être gros ?
De ne pas réussir dans la vie ?
D'être rejeté par les autres ?
De perdre votre maîtrise sur la nourriture ?

Avez-vous peur que d'autres choses vous fassent perdre cette maîtrise ?

Quels sont les choses dont vous vous sentez coupable ?

De quels comportements avez-vous honte ?

Dans quels genres de situations vous sentez-vous gagné par l'anxiété ?

Dans quels genres de situations vous sentez-vous frustré ?

Dans quels genres de situations vous sentez-vous démuni ?

Que faites-vous pour lutter contre l'anxiété ?

Que ressentez-vous lorsque vous mangez plus que ne l'autorise votre régime ?

Quelle importance accordez-vous au fait de plaire aux autres ?

De quelle manière les autres vous approuvent-ils ?

Quelle importance accordez-vous à la réussite dans la vie ?

Données sur l'état cognitif

À votre avis, vos habitudes alimentaires ont-elles quelque chose d'anormal ?

Souhaitez-vous modifier votre comportement alimentaire ?

Voulez-vous me décrire votre corps.

Que voudriez-vous changer en ce qui concerne votre corps ?

À votre avis, à quoi ressemble une personne séduisante ?

Décrivez-moi le rapport que vous voyez entre la minceur et la réussite dans la vie.

Quelle vie auriez-vous si vous étiez aussi mince que vous le souhaitez ?

Que va-t-il vous arriver si vous prenez du poids ?

À quels moments avez-vous faim ?

Dans quels cas vous sentez-vous ballonné ?

Qu'est-ce qui vous plaît le plus en vous ?

Qu'est-ce que les autres aiment chez vous ?

Quelles règles de conduite vous êtes-vous fixées ?

Êtes-vous capable d'autodiscipline ?

Quels genres de promesses vous faites-vous à propos de la nourriture ?

Pensez-vous que ces objectifs soient réalistes ?

Quels types d'aliments font grossir plus vite ?

Que savez-vous sur les calories contenues dans les aliments ?

Décrivez-moi un régime équilibré.

Données sur la vie socioculturelle

Parlez-moi de vos amis.

Voyez-vous souvent vos amis ?

Refusez-vous souvent de participer à des activités sociales ?

Les autres vous trouvent-ils séduisant ?

Sortez-vous avec quelqu'un ?

Quelle importance accordez-vous aux rapports sexuels ?

Qu'est-ce que vous aimez le plus dans la sexualité ?

Qu'est-ce que vous aimez le moins dans la sexualité ?

Diriez-vous que votre famille est unie ?

Dans quelle mesure dépendez-vous les uns des autres ?

Comment chacun peut-il préserver son intimité au sein de la famille ?

Les membres de votre famille s'entendent-ils bien entre eux ?

Quelles sont les règles de conduite en cas de désaccord ?

Comment les conflits familiaux sont-ils réglés ?

Dans votre famille, qui se dispute avec qui ?

Quels sont les sujets de discorde dans votre famille ?

Le climat familial changerait-il si votre comportement alimentaire s'améliorait ?

La réussite dans la vie est-elle importante pour chacun des membres de votre famille ?

Décrivez les normes familiales concernant l'aspect physique.

Décrivez les normes familiales concernant la forme physique.

Comment les autres membres de la famille contrôlent-ils leur poids ?

Quels sont les membres de la famille qui prennent leurs repas ensemble ?

Comment les membres de la famille considèrent-ils le moment des repas ?

Décrivez les habitudes alimentaires de votre famille.

Analyse des données et planification des soins : Anorexie et boulimie

Le premier devoir de l'infirmière est d'expliquer au client et à sa famille les troubles de l'alimentation, car le grand public est mal informé à ce sujet, ce qui peut compromettre l'efficacité du traitement. Le client et sa famille doivent comprendre que ces troubles sont graves et que, faute de traitement, des complications non moins graves risquent d'apparaître. Si les membres de la famille reçoivent des informations justes, ils peuvent essayer de résoudre

Tableau 9-4 *Évaluation physique du client atteint de troubles de l'alimentation*

Données d'évaluation physique

Âge _____ Taille _____ Poids _____

Poids avant l'apparition du trouble _____ Température _____

Tension artérielle (couché, assis, debout) _____

Aspect physique général _____

Pouls à l'apex _____	Arythmies?
Signes d'anémie?	État de la chevelure?
Respiration?	État des ongles des mains et des orteils?
Sensation de ballonnement?	Couleur de la peau? Turgescence?
Crampes abdominales?	Présence d'œdème?
Constipation?	Maux de gorge?
Fréquence des selles?	Hygiène buccale?
Âge aux premières règles?	Caries dentaires?
Dernières règles?	Perte de dents?
Fréquence des règles?	Glandes salivaires engorgées?
Faiblesse ou crampes musculaires?	Syndrome de Russell?

Données de laboratoire

Résultat des analyses hormonales?	Cétones dans les urines?
Résultats des analyses électrolytiques?	Glycémie?
Azote uréique sanguin?	Épreuve de freinage par la dexaméthasone?

ensemble les problèmes familiaux plutôt que de se rejeter la faute et de s'accuser mutuellement de l'existence de la maladie.

L'infirmière doit faire preuve de fermeté, de patience et d'intérêt sincère avec ces clients pour lesquels les membres du personnel peuvent devenir des figures parentales et qui craignent aussi que les infirmières, de connivence avec leurs parents, ne les forcent à prendre du poids. Les anorexiques refusent en général d'admettre qu'ils sont atteints d'un trouble de l'alimentation et s'opposent à toute intervention visant leur comportement alimentaire. Ils peuvent, par contre, accepter de l'aide pour résoudre d'autres problèmes (isolement social, règlement de conflits, peur du rejet, peur de perdre la maîtrise). Les interventions visant à aider le client à surmonter ces autres difficultés vont cependant occuper une place de choix dans le plan de traitement global (Deering, 1987).

L'objectif fondamental du traitement est d'aider le client à se créer un environnement où le trouble de l'alimentation ne lui est plus nécessaire. Dans ce but, l'infirmière doit l'aider à déterminer ce que le trouble lui apporte dans la vie. Le trouble peut, en effet, servir plusieurs causes, qu'il est important de bien reconnaître pour que les interventions soient efficaces. Pour certains, l'objectif est un corps idéal qui, à leur avis, les protégera de toute douleur à venir. Pour d'autres, les troubles de l'alimentation sont une manière d'acquérir un certain contrôle et de s'affirmer comme personne en se démarquant ainsi des parents. Les troubles de l'alimentation peuvent aussi servir d'arme dans le cas où l'adolescent est en concurrence avec ses frères et sœurs pour attirer l'attention des parents, ou bien, encore, constituer une réaction à des sentiments de dépression. Lorsqu'ils coïncident avec la crise d'identité de l'adolescence, les troubles de l'alimentation peuvent représenter une régression vers une période de l'enfance qui était plus sécurisante. Il est donc vital de circonscrire avec précision le rôle joué par le trouble pour pouvoir planifier des interventions qui permettront aux clients de satisfaire leurs besoins de façon saine et constructive (Andersen, 1988).

L'approche multidisciplinaire donne de bons résultats dans la planification du traitement des clients atteints de troubles de l'alimentation. Le traitement médical peut comprendre l'établissement d'un horaire de repas, l'alimentation par sonde gastrique ou par voie intraveineuses, le gavage par voie parentérale, l'administration de stimulants de l'appétit ou de suppléments de potassium et le repos au lit. (On trouve au tableau 9-5, la liste des diagnostics infirmiers pouvant s'appliquer à ces clients.) Le traitement psychiatrique peut inclure une thérapie familiale, une thérapie basée sur le développement cognitif et une désensibilisation systématique. Dans la majorité des centres qui soignent les troubles de l'alimentation, on tente la modification du comportement parallèlement à une thérapie individuelle et familiale. La thérapie du comportement doit être adaptée selon chaque cas particulier, en fonction des facteurs qui favorisent le comportement problématique et qui l'entretiennent. Pour un maximum d'efficacité, le plan individualisé doit être élaboré et exécuté par une équipe multi-disciplinaire (Garfinkel et Garner, 1982 ; Orleans et Barnett, 1984) (voir le tableau 9-6).

Évaluation : Anorexie et boulimie

On évalue le plan de soins infirmiers par rapport aux résultats escomptés. Comme les changements s'installent lentement, le personnel infirmier et le client doivent se montrer particulièrement patients. On ne peut s'attendre à beaucoup de résultats si le client ne participe pas activement à la planification des soins, à leur exécution et à l'évaluation. Lorsque le client est seul à être traité, le taux de guéri-son se situe entre 40 et 60 p. cent. Si toute la famille participe à la thérapie, le taux de guérison peut atteindre 86 p. cent (Minchin, Rosman et Baker, 1978). Malheureusement, ces chiffres indiquent que les modèles thérapeutiques actuels ne parviennent pas à aider de 14 à 60 p. cent des jeunes qui sont atteints de ces troubles. Les spécialistes doivent donc poursuivre leurs efforts pour trouver des inter-ventions efficaces pour ces clients.

RÉSUMÉ

Troubles somatoformes

1. Les troubles somatoformes se manifestent par des symptômes physiques n'ayant aucun fondement orga-nique.

2. Les personnes atteintes d'un trouble somatoforme, obsédées par les processus biologiques et les maladies, dépensent beaucoup d'argent pour des consultations paramédicales et des médicaments en vente libre. Pour transformer leur anxiété en symptômes physiques, elles ont tendance à la nier.

3. Elles peuvent interpréter leurs symptômes physi-ques comme la punition de leur incompétence qu'elles jugent manifeste, un prétexte pour éviter des activités auxquelles elles ne souhaitent pas participer ou une façon d'obtenir des gains secondaires, comme celui de se faire materner ou d'acquérir un certain pouvoir ou maîtrise.

4. Les principaux objectifs infirmiers établis pour ces clients sont de les garder dans un même milieu de soins, de leur éviter les diagnostics inutiles ou l'abus de médi-caments et de les aider à obtenir les gains secondaires par des moyens plus adaptés.

Troubles de l'alimentation

5. L'obésité, forme courante de malnutrition, est le résultat d'une association de facteurs physiologiques et psychologiques.

6. Les troubles de l'alimentation sont la réaction de l'individu à l'anxiété suscitée par sa valeur personnelle, sa compétence, le rejet des autres et la dynamique familiale.

7. Les comportements typiques des troubles de l'alimentation se caractérisent par des compulsions et des rituels en rapport avec la nourriture et l'exercice phy-sique, des phobies, des épisodes de frénésie alimentaire, des périodes de jeûne et l'abus de laxatifs et de diuré-tiques.

Tableau 9-5 *Diagnostics infirmiers reliés à l'état physique du client atteint de troubles de l'alimentation*

Constipation, reliée à l'abus chronique de laxatifs ou à la diminution de la quantité d'aliments consommés

Diminution du débit cardiaque, reliée à une diminution du volume sanguin

Diminution du débit cardiaque, reliée à l'hypokaliémie

Excès de volume liquidien, relié à l'augmentation de la quantité d'eau absorbée

Déficit de volume liquidien, relié à l'abus de diurétiques ou de laxatifs

Déficit réel de volume liquidien, relié à l'incapacité de concentrer l'urine

Perturbation des échanges gazeux, reliée à l'anémie

Atteinte de la muqueuse buccale, reliée à des vomissements fréquents

(suite page 391)

Tableau 9-6   Plan des soins infirmiers destinés aux clients atteints de troubles de l'alimentation

■ **Diagnostic infirmier :** Anxiété, reliée à la peur de prendre du poids et de perdre la maîtrise de la situation.
■ **Objectif :** Le client parle moins de ses peurs et dit qu'il ressent moins d'anxiété.

Intervention	Justification	Résultat escompté
Parler de la peur de prendre du poids et de perdre la maîtrise de la situation.	Le client doit parler ouvertement de ses peurs avant de pouvoir les surmonter.	Le client parle de ses peurs.
Discuter de la manière dont le client se protège par le biais des obsessions à l'égard de la nourriture et du poids.	Les obsessions diminuent l'anxiété et dissimulent les sentiments négatifs et les problèmes.	Le client explique le rôle joué par ses obsessions.
Peser le client une ou deux fois par semaine seulement.	L'espacement des pesées peut réduire l'obsession à l'égard du poids.	Le client montre qu'il se préoccupe moins de son poids.
Discuter de la manière dont le client se protège du rejet anticipé en réprimant ses sentiments.	La peur du rejet s'est transformée en peur de prendre du poids.	Le client parle de sa peur d'être rejeté.
Discuter de la façon dont le client confond ses sentiments avec la sensation de faim.	Le boulimique utilise la nourriture pour se réconforter et pour se défendre contre l'anxiété.	Le client fait la distinction entre la faim et les émotions.
Aider le client à reconnaître et à nommer ses sentiments.	En identifiant correctement ses sentiments, le client est moins porté à les déformer et gagne de la confiance en ses propres expériences.	Le client reconnaît ses sentiments pour ce qu'ils sont.
Aider le client à reconnaître ses sentiments lorsqu'il transgresse un régime strict.	Il faudrait que le client rattache ses sentiments de honte et de culpabilité aux normes strictes qu'il se fixe plutôt qu'à son incompétence.	Le client lie sa honte et sa culpabilité aux normes strictes qu'il se fixe.
Parler de la perte de poids qui est pour le client symbole de maîtrise de soi et de son entourage.	S'il saisit le sens symbolique de son comportement, le client peut se montrer capable d'adopter un comportement plus adaptatif.	Le client reconnaît son besoin de maîtrise.
Discuter de mesures autres que la perte de poids qui peuvent aider le client à prendre sa vie en main.	En participant activement au processus de résolution de problèmes, le client pourra adopter un comportement plus adaptatif.	Le client met en place de nouveaux moyens lui permettant de gouverner sa vie.
Définir des modes appropriés de communication des sentiments aux autres.	Le client ne sait peut-être pas verbaliser ses émotions de façon directe.	
Aider le client à exprimer ouvertement ses sentiments.	En communiquant ouvertement ses sentiments, le client peut mieux gérer ses émotions refoulées et a moins tendance à être obsédé par la nourriture.	Le client communique ouvertement ses émotions.
Apprendre au client de nouvelles méthodes lui permettant de surmonter ses peurs (techniques de relaxation, auto-hypnose, techniques d'affirmation de soi).	Si le client réussit à atténuer son anxiété par des méthodes saines, il sera moins porté à attribuer un rôle malsain à la nourriture.	Le client prend de nouvelles mesures lui permettant de surmonter ses peurs.

(suite page suivante)

Tableau 9-6 *(suite)*

▮ **Diagnostic infirmier :** Déficit nutritionnel, relié à une ingestion réduite.
▮ **Objectif :** Le client augmente la quantité de nourriture ingérée pour répondre aux besoins de son organisme.

Intervention	Justification	Résultat escompté
Définir avec le client le poids cible, qui se situe en général à 90 p. cent du poids moyen pour son âge et sa taille.	L'établissement d'un objectif raisonnable rassure le client sur le fait qu'on ne va pas le forcer à prendre de l'embonpoint.	Le client se fixe comme cible un poids adéquat.
Prévoir une marge de 2 à 3 kg plutôt qu'un poids précis.	Le client peut mieux accepter une certaine fluctuation de son poids.	Le client explique que les fluctuations de poids sont normales.
Utiliser le terme *rétablissement du poids*.	Le terme *gain de poids* a une charge émotive qui peut accroître la peur.	
Peser le client 3 fois par semaine, le matin, en lui demandant de monter sur la balance, le dos tourné au cadran.	Pour que le client ne sabote pas le plan, on ne lui dévoile son poids qu'une fois qu'il a atteint l'objectif visé.	Le client prend environ 1,5 kg par semaine.
Lors de la pesée du client, veiller à ce qu'il ne triche pas sur son poids (en cachant des objets lourds dans ses poches ou en buvant beaucoup d'eau).	La peur de prendre du poids peut déclencher des comportements inhabituels.	Le client n'essaie pas d'augmenter artificiellement son poids.
Veiller à ce que le client ne jette pas discrètement sa nourriture.	Le client peut essayer de se débarrasser de la nourriture pour ne pas la manger.	Le client mange ses repas.
Mettre en place un plan de modification du comportement alimentaire.	Le conditionnement est fréquemment utilisé pour faire participer le client au traitement.	Le client se comporte conformément au plan.
Récompenser le client lorsqu'il mange (lui permettre d'utiliser le téléphone, de rester dans la salle de séjour); augmenter les récompenses au fur et à mesure qu'il prend du poids.	Ces méthodes renforcent les changements positifs.	Le client réagit aux récompenses.
Commencer par un régime pauvre en gras et en produits laitiers.	La carence alimentaire provoque la perte des enzymes intestinales qui servent à la digestion de ces aliments.	
Régulariser le comportement alimentaire avec fermeté tout en encourageant le client dans ses efforts.	Le fait de fixer des étapes diminue l'attitude défaitiste du client.	Le client accepte de se conformer aux étapes.

▮ **Diagnostic infirmier :** Risque d'excès nutritionnel, relié à des épisodes d'alimentation excessive.
▮ **Objectif :** Le client s'alimente de manière équilibrée sans épisodes d'excès.

Intervention	Justification	Résultat escompté
Aider le client à faire la distinction entre ses émotions et la sensation de faim.	La mauvaise interprétation des émotions favorise les épisodes de frénésie alimentaire.	Le client peut distinguer ses émotions de la sensation de faim.
Aider le client à reconnaître les aliments qui déclenchent les épisodes de frénésie alimentaire.	En inventoriant les aliments qui déclenchent sa frénésie alimentaire, le client peut éviter de succomber.	Le client reconnaît les aliments qui déclenchent sa frénésie alimentaire.

(suite du diagnostic page suivante)

Tableau 9-6 *(suite)*

Diagnostic infirmier *(suite)*: Risque d'excès nutritionnel, relié à des épisodes d'alimentation excessive.
Objectif: Le client s'alimente de manière équilibrée sans épisodes d'excès.

Intervention	Justification	Résultat escompté
Aider le client à analyser les situations qui précèdent les épisodes de frénésie alimentaire et à adopter un comportement lui permettant de résoudre ses problèmes d'une manière plus appropriée.	La compréhension des situations où il risque de succomber à sa frénésie alimentaire permet au client de mieux se dominer.	Le client reconnaît les situations stressantes ; il définit de nouvelles méthodes pour lutter contre le stress.
Encourager le client à retarder les épisodes de frénésie alimentaire en essayant des comportements plus adaptés (par ex.: parler au personnel, téléphoner à un ami, appliquer des techniques de relaxation).	Le fait de retarder la réponse à une impulsion permet de briser le cycle de comportements inadaptés.	Le client établit un plan d'action qui l'aide à ne pas succomber.
Lorsque le client risque de succomber à la tentation de manger avec excès, lui fournir des aliments aigres (citron, limette, cornichon).	Le goût aigre peut réduire l'envie de manger des sucreries.	Le client dit qu'il a moins envie de manger.
Conseiller au client de tenir un journal où il note tout ce qui concerne son alimentation, les heures, les circonstances, son état affectif, les aliments consommés et les démarches entreprises pour se purger.	Ce journal donne des détails sur les liens entre les modifications thymiques et l'alimentation déréglée	Le client tient son journal et le montre à l'infirmière.
Aider le client à trouver des moyens lui permettant de ne pas être seul aux moments où il est habituellement porté à faire des excès.	Les épisodes de frénésie alimentaire surviennent souvent dans les moments de solitude ; la présence des autres en diminue les risques.	Le client élabore un plan d'action pour ne pas rester seul.
Aider le client à adopter des attitudes positives (éviter les restaurants du type «fast-food», dresser une liste d'aliments conseillés, acheter la nourriture avec un ami).	Ces activités découragent le comportement glouton.	Le client met en place un plan de démarches positives.
Expliquer au client la nécessité de prendre trois repas par jour et prévoir une ration de glucides à chaque repas.	La phase du jeûne du cycle est ainsi supprimée ; la suppression totale des glucides peut déclencher la frénésie alimentaire.	Le client prend trois repas par jour.

Diagnostic infirmier: Déficit nutritionnel, relié au fait de prendre des mesures purgatives.
Objectif: Le client n'a plus recours aux méthodes purgatives pour perdre du poids.

Intervention	Justification	Résultat escompté
Discuter avec le client de la façon dont son besoin de purgation lui permet de masquer ses émotions.	Le client parvient à mieux se dominer s'il comprend que ce besoin lui permet de diminuer son anxiété, sa culpabilité et son dégoût de soi.	Le client fait le lien entre la purgation et une façon inefficace de gérer ses émotions.

(suite du diagnostic page suivante)

Tableau 9-6 *(suite)*

Intervention	Justification	Résultat escompté
Si le client continue à vomir, lui interdire l'accès aux toilettes pendant une heure ou deux après les repas, à moins de le faire accompagner par un membre du personnel.	Le personnel doit refréner le comportement inadapté du client jusqu'à ce que celui-ci soit capable de le faire lui-même.	Le client ne vomit plus après les repas.
Encourager le client à parler au personnel infirmier lorsqu'il se sent poussé à se faire vomir.	La verbalisation des sentiments permet au client de mieux contenir son comportement impulsif.	Le client parle avec le personnel pour diminuer son envie de se faire vomir.
Fouiller le client à son admission ou lorsqu'il rentre après une sortie libre pour s'assurer qu'il ne possède pas de laxatifs, de diurétiques, ou d'anorexigènes.	Le besoin compulsif de se purger peut pousser le client à dissimuler ses actes.	Le client ne prend pas de médicaments pour se purger.

■ **Diagnostic infirmier :** Altération des opérations de la pensée, reliée à un mode de pensée dichotomique, à la généralisation excessive, à la personnalisation, aux obsessions et aux superstitions.
Objectif : Le client montre un mode de pensée réaliste et logique.

Intervention	Justification	Résultat escompté
Aider le client à comprendre que la perte de poids est devenue le symbole d'autres problèmes qui doivent être reconnus et résolus.	La généralisation excessive permet au client de penser qu'il va résoudre ses problèmes s'il perd suffisamment de poids.	Le client reconnaît les problèmes qu'il doit résoudre.
Aider le client à éviter de penser qu'un « corps parfait » est la solution de tous les problèmes.	Le client pense que tous ses problèmes sont liés à son corps.	Le client fait la distinction entre les problèmes interpersonnels et les problèmes physiques.
Parler de sujets autres que la nourriture et le poids.	Le client a besoin d'oublier son obsession de nourriture.	Le client se montre moins obsédé par la nourriture.
Remettre en question les modes de pensée du type tout-ou-rien.	Le client peut acquérir une perception plus réaliste s'il abandonne la pensée dichotomique.	Le discours du client reflète un mode de pensée plus nuancé.
Discuter de l'influence du perfectionnisme sur la perception de la réalité.	Le client doit comprendre le lien entre le perfectionnisme et la distorsion cognitive.	Le client reconnaît les pensées liées au perfectionnisme.
Discuter avec le client de ses objectifs chimériques et des promesses rigides qu'il se fait.	Les objectifs chimériques et les promesses rigides favorisent le recours aux superstitions.	Le client reconnaît la rigidité de ses objectifs et les pensées qui le portent à croire aux superstitions.
Aider le client à formuler des objectifs réalistes.	Les objectifs réalistes aident le client à garder une emprise sur la réalité et à diminuer son sentiment d'impuissance.	Le client se fixe des objectifs raisonnables.

■ **Diagnostic infirmier :** Manque de connaissances, relié à une insuffisance d'informations sur la valeur nutritive des aliments.
Objectif : Le client met en pratique les principes d'une nutrition saine.

Intervention	Justification	Résultat escompté
Renseigner le client sur la nutrition, les calories, la valeur nutritive des aliments et les régimes équilibrés.	Des données justes permettent de dissiper les fausses croyances concernant la nourriture.	Le client verbalise des connaissances nutritionnelles justes.

(suite du diagnostic page suivante)

Tableau 9-6 *(suite)*

Diagnostic infirmier *(suite)* : Manque de connaissances, relié à une insuffisance d'informations sur la valeur nutritive des aliments.
Objectif : Le client met en pratique les principes d'une nutrition saine.

Intervention	Justification	Résultat escompté
Renseigner le client sur les aliments qui favorisent un fonctionnement normal des intestins.	Le client fait peut-être un usage abusif de laxatifs pour stimuler ses intestins.	Le client consomme les aliments appropriés et non des laxatifs pour normaliser son péristaltisme.
Enseigner au client les principes d'une alimentation saine.	En supprimant les jeûnes et les régimes excessifs, le client peut mieux combattre l'envie de manger avec excès.	Le client reconnaît qu'il a besoin d'au moins trois repas par jour.
Demander au client de planifier ses repas.	La participation active du client à la planification des repas raffermit son impression de garder une emprise sur sa situation.	Le client planifie des repas équilibrés.

Diagnostic infirmier : Perturbation de l'image corporelle, reliée à une perception illusoire de son propre corps.
Objectif : Le client verbalise une perception réaliste de son corps.

Intervention	Justification	Résultat escompté
Parler avec le client de la façon dont il perçoit son corps.	L'infirmière doit connaître les distorsions particulières du client.	Le client verbalise des distorsions de la perception.
Ne pas contester les perceptions du client.	La contestation ne peut que pousser le client à rester sur la défensive et à garder ses illusions.	
Faire remarquer au client des perceptions personnelles et des éléments objectifs concernant son propre corps.	Le rappel à la réalité peut aider le client à se forger une image corporelle plus réaliste et à être moins critique envers lui-même.	Le client écoute l'infirmière lorsque celle-ci lui fait part de ses propres perceptions.
Discuter des stéréotypes culturels liés à la minceur et à la séduction.	Le client est plus apte à se fixer des objectifs réalistes s'il est capable de percevoir la nature chimérique des stéréotypes culturels.	Le client reconnaît les stéréotypes culturels qui influent sur ses perceptions.
Discuter de la façon dont le client perçoit le corps des autres.	La capacité de percevoir correctement le corps des autres peut aider le client à devenir plus objectif lorsqu'il s'agit de son propre corps.	Le client verbalise une perception objective du corps des autres.
Faire le moins de commentaires possible à propos du gain pondéral réel.	Ce genre de commentaires risque d'aggraver la phobie de la prise de poids.	

Diagnostic infirmier : Perturbation de l'estime de soi, reliée au besoin de plaire aux autres pour se faire accepter.
Objectif : Le client verbalise une plus grande estime de soi.

Intervention	Justification	Résultat escompté
Aider le client à trouver ses propres centres d'intérêt (loisirs, activités agréables, intérêts professionnels).	En trouvant ses propres centres d'intérêt, le client sera capable de mieux se définir et de se maîtriser ; il se sentira aussi moins démuni.	Le client dresse la liste de ses centres d'intérêt à partir desquels il formule un plan d'action.

(suite du diagnostic page suivante)

Tableau 9-6 *(suite)*

Intervention	Justification	Résultat escompté
Demander au client de décrire ses propres qualités.	S'il s'accepte mieux, le client devient moins dépendant des autres.	Le client énumère les qualités qui lui sont propres.
Aider le client à nommer les personnes dont il veut se gagner l'acceptation et à trouver des moyens sains pour se faire accepter.	En se concentrant sur les personnes clés, le client se montre moins désireux de se gagner les faveurs de tout le monde.	Le client reconnaît les personnes clés de son entourage et élabore un plan qui lui permet de se faire accepter sans avoir besoin de se dévaloriser.

Diagnostic infirmier : Perturbation des interactions sociales, reliée au repli sur soi et à la peur d'être rejeté.
Objectif : Le client consacre plus de temps aux activités sociales.

Intervention	Justification	Résultat escompté
Enseigner les techniques de communication interpersonnelle et sociale au moyen de données théoriques et du jeu de rôles.	L'isolement social peut être dû à la peur de ne pas être doué pour les relations interpersonnelles.	Le client dit qu'il se sent à l'aise en société.
Aider le client à trouver des solutions lui permettant d'élargir ses contacts sociaux avec des personnes qui lui conviennent.	En choisissant certaines personnes ou certaines situations, le client se sentira moins submergé lors de ses tentatives de modifier son comportement.	Le client met en place un plan lui permettant de devenir plus sociable.
Aider le client à trouver des moyens de passer ses moments libres sans éprouver le besoin d'être nécessairement productif.	Le client doit être capable de se détendre sans se sentir constamment obligé d'être productif et d'accomplir une quelconque tâche.	Le client passe ses moments libres à se détendre et exprime le plaisir qu'il en tire.
Indiquer au client des groupe locaux d'entraide.	Le client diminue ainsi son isolement social et découvre le sentiment d'appartenance.	Le client se joint à un groupe.

Diagnostic infirmier : Manque de connaissances, relié à une insuffisance d'informations concernant les exercices physiques.
Objectif : Le client applique des principes sûrs lorsqu'il fait des exercices physiques.

Intervention	Justification	Résultat escompté
Discuter des conséquences physiologiques de l'excès d'exercice.	Le client est peut-être mal informé à propos de la physiologie et des effets de l'exercice physique trop vigoureux.	Le discours du client montre qu'il a compris l'information.
Fixer des limites d'effort ; surveiller le client lorsqu'il est seul dans la salle de sports.	On doit protéger le client jusqu'à ce qu'il puisse se protéger lui-même.	Le client ne pousse pas l'effort jusqu'à l'extrême.
Aider le client à planifier un programme d'exercices approprié.	Des objectifs et un programme réalistes diminuent le risque d'accident.	Le client s'engage dans un programme d'exercice réaliste et sans danger.
Aider le client à trouver d'autres activités lorsqu'il sent le besoin de faire de l'exercice.	Ces activités peuvent réduire les occasions et l'envie de faire trop d'exercice.	Le client s'engage dans d'autres activités.

(suite page suivante)

Tableau 9-6 *(suite)*

Diagnostic infirmier : Perturbation de la dynamique familiale, reliée à une vie familiale favorisant la dépendance.
Objectif : La famille aide le client à acquérir son autonomie.

Intervention	Justification	Résultat escompté
Discuter des désavantages de la dépendance du client de sa famille.	Une dépendance exagérée empêche la séparation normale et compromet l'autonomie des adolescents et des jeunes adultes.	Le client donne des exemples qui montrent à quel point sa dépendance est exagérée.
Aider le client à trouver des moyens d'accroître son autonomie, selon son âge.	Une plus grande autonomie diminue l'usage de la nourriture comme moyen de rébellion passive-agressive.	Le client élabore un plan visant à accroître son autonomie par rapport à sa famille.
Aider le client à trouver des moyens lui permettant de préserver son intimité au sein de la famille.	En diminuant le rôle excessif que la famille entend jouer dans la vie du client, on augmente son sentiment de maîtrise de soi.	Le client élabore un plan pour améliorer sa vie privée au sein de la famille.
Analyser les comportements familiaux qui encouragent le comportement du client.	La famille peut, sans le savoir, favoriser la persistance du trouble de l'alimentation.	Le client reconnaît les comportements inadaptés de la famille.
Analyser les gains secondaires pour chacun des membres de la famille lorsque le client garde de mauvaises habitudes alimentaires.	La famille peut ainsi trouver d'autres moyens de satisfaire ses besoins.	Le client formule des mesures différentes pour satisfaire ses besoins et ceux de la famille.

Diagnostic infirmier : Stratégies d'adaptation familiale inefficaces : soutien compromis, reliées à l'incapacité de régler les conflits.
Objectif : La famille règle les conflits de manière constructive.

Intervention	Justification	Résultat escompté
Aider la famille à reconnaître que les désaccords familiaux sont inévitables et normaux.	Les clients évitent de nier les émotions négatives s'ils comprennent que la colère est normale.	Les membres de la famille verbalisent la colère qu'ils ressentent les uns contre les autres.
Enseigner à la famille les techniques de communication interpersonnelle.	L'amélioration des modes de communication diminue la tendance à nier les problèmes.	Les membres de la famille communiquent directement et ouvertement les uns avec les autres.
Apprendre aux membres de la famille comment s'affirmer.	La communication directe des pensées, des sentiments et des besoins augmente les capacités d'adaptation de la famille.	Le comportement de chacun dénote plus d'assurance.
Enseigner des méthodes constructives permettant de surmonter la colère et la frustration.	Si les conflits sont réglés directement, on a moins tendance à nier les conflits familiaux.	Les membres de la famille élaborent un plan leur permettant de régler les conflits familiaux.

Diagnostic infirmier : Sentiment d'impuissance, relié à la perte de maîtrise du comportement boulimique.
Objectif : Le client dit qu'il est capable de maîtriser son comportement.

Intervention	Justification	Résultat escompté
Faire comprendre au client que les épisodes de frénésie alimentaire et de purgation lui ont servi d'armes pour exercer un contrôle sur sa vie, armes qui maintenant lui échappent.	S'il comprend le caractère paradoxal de son comportement, le client peut se trouver plus facilement de nouvelles méthodes lui permettant de mieux se maîtriser.	Le client formule de nouvelles méthodes lui permettant de se dominer.

(suite du diagnostic page suivante)

Tableau 9-6 *(suite)*

Intervention	Justification	Résultat escompté
Faire état des qualités du client.	À force de se concentrer sur ses symptômes, le client se sent souvent démuni.	Le client reconnaît ses propres qualités.
Enseigner au client la pratique des habiletés sociales (par ex. : affirmation de soi, communication efficace).	Dans ses relations avec autrui, le client a souvent l'impression qu'il se laisse dominer.	Le client affirme que les interactions avec les autres deviennent plus satisfaisantes.

Diagnostic infirmier : Déni non constructif, relié au manque de perception des risques que le trouble comporte et à la résistance aux interventions.

Objectif : Le client participe au plan de traitement.

Intervention	Justification	Résultat escompté
Permettre au client d'extérioriser la colère suscitée par l'obligation de suivre un traitement.	La colère permet au client d'extérioriser ses sentiments et de les trouver valables.	Le client exprime sa colère de façon appropriée.
Fixer des limites.	L'établissement de limites favorise la cohérence, diminue la manipulation et encourage la confiance.	Le client respecte les limites fixées.
Éviter les approches autoritaires.	Le client risque de percevoir l'infirmière comme une ennemie, complice de ses parents.	
Se concentrer sur les problèmes que le client considère comme étant prioritaires.	Le client peut accepter de se faire aider pour des problèmes indirectement liés à l'alimentation.	Le client participe au processus de résolution de problèmes.

8. Les caractéristiques de l'état affectif sont les peurs multiples, la dépendance ainsi qu'un besoin marqué d'être accepté par les autres et de recevoir leur approbation.

9. Les caractéristiques cognitives comprennent l'abstraction sélective, l'exagération, la personnalisation, la pensée dichotomique, une image de soi déformée, la dévalorisation de soi et des normes de comportement qui visent la perfection.

10. Les troubles de l'alimentation touchent le système cardio-vasculaire, détruisent l'équilibre hydroélectrolytique, provoquent des complications gastro-intestinales et l'aménorrhée et entraînent une perte de poids de 25 à 50 p. cent.

11. La cellule familiale d'une personne atteinte de troubles de l'alimentation peut être très soudée, connaître des difficultés pour ce qui est des règlements des conflits et nourrir de fortes ambitions de réalisation et de réussite.

12. Il existe plusieurs théories sur les causes des troubles de l'alimentation. Le trouble peut correspondre à une recherche d'autonomie, à un moyen de réduire l'anxiété ou de maintenir l'unité familiale, ou encore il peut être lié à des modifications chimiques au niveau cérébral.

13. Le traitement des personnes atteintes de troubles de l'alimentation doit être planifié dans une perspective multidisciplinaire comprenant des interventions médicales pour parer aux complications organiques, une thérapie familiale et une modification du comportement individuel.

14. Avec ces clients, la conduite la plus efficace à adopter est la fermeté associée à la patience et à l'intérêt sincère.

15. Les objectifs de l'infirmière sont d'aider les clients à sortir de leur isolement, à régler les conflits, à surmonter leurs peurs multiples, à corriger leur mode de pensée déformé et à maintenir une alimentation appropriée.

EXERCICES DE RÉVISION

En l'espace d'une année, Dorothée a consulté huit spécialistes des soins de la santé. Toutes les épreuves diagnostiques qu'elle a passées ont donné des résultats normaux, mais Dorothée continue de se plaindre de troubles physiques touchant plusieurs parties de son corps. Ses symptômes sont flous et mal définis ; ils ne correspondent à aucun type de maladie en particulier.

1. Dorothée a reçu un certain nombre d'ordonnances d'analgésiques et d'anxiolytiques. Elle court les risques suivants :

    (a) Les médicaments peuvent dissimuler ses symptômes.

    (b) Les médicaments vont probablement gêner son rendement au travail.

    (c) Elle risque de devenir dépendante des médicaments.

    (d) Elle risque d'utiliser ses médicaments pour tenter de se suicider.

2. L'un des premiers objectifs est d'établir une relation réconfortante et chaleureuse avec la cliente pour l'aider à rester dans le même milieu de soins. La meilleure justification d'un tel objectif est :

    (a) de la convaincre qu'elle a besoin de soins psychiatriques ;

    (b) d'assurer la continuité des soins pour éviter des épreuves diagnostiques inutiles ;

    (c) de soulager la famille du fardeau que représentent les besoins émotionnels de Dorothée ;

    (d) de s'assurer que la compagnie d'assurance va continuer à effectuer les paiements.

Caroline, âgée de 23 ans, est boulimique depuis trois ans et a réussi à cacher sa maladie à sa famille et à ses amis.

3. Caroline prend 50 laxatifs par jour. Physiquement, elle court les risques suivants :

    (a) aménorrhée primaire ;

    (b) hypoplasie de la moelle osseuse ;

    (c) acidose hypochlorémique ;

    (d) alcalose hypokaliémique.

4. Caroline a été admise à l'unité de traitement des troubles de l'alimentation. En recueillant les données sur son comportement, l'infirmière va probablement s'apercevoir:

    (a) qu'elle suit un cycle de jeûne, de frénésie alimentaire et de purgation ;

    (b) qu'elle refuse de s'alimenter dans le but de s'affirmer ;

    (c) qu'elle suit un programme d'exercices strict et excessif ;

    (d) qu'elle s'isole par crainte d'être rejetée par les autres.

5. Lorsque Caroline revient à l'unité après une journée de sortie, l'infirmière met sur pied les interventions mentionnées ci-dessous. Laquelle est la plus importante sur le plan de la sécurité ?

    (a) Demander à Caroline comment elle a surmonté son envie de se purger.

    (b) Parler avec Caroline des sentiments qu'elle a éprouvés par rapport à sa sortie libre.

    (c) Vérifier si Caroline a des laxatifs sur elle ou dans ses affaires.

    (d) Vérifier le journal alimentaire de Caroline pour voir si elle a succombé à des épisodes de frénésie alimentaire.

BIBLIOGRAPHIE

Agras WS: *Eating Disorders*. Pergamon Press, 1987.

Andersen AE: Anorexia nervosa, bulimia, and depression. In: *Diagnostics and Psychopathology*. Flack F (editor). Norton, 1987. 131–139.

Andersen AE: Anorexia nervosa and bulimia nervosa in males. In: *Diagnostic Issues in Anorexia Nervosa and Bulimia Nervosa*. Garner DM, Garfinkel PE (editors). Brunner/Mazel, 1988. 166–207.

Balfour JD, et al.: Behavioral and cognitive-behavioral assessment. In: *Assessment of Addictive Behaviors*. Donovan DM, Marlatt GA (editors). Guilford Press, 1988. 239–273.

Baur S: *Hypochondria*. University of Calif Press, 1988.

Bennett GA: Behavior therapy in the treatment of obesity. In: *Eating Habits*. Boakes RA, Popplewell DA, Burton MJ (editors). Wiley, 1987. 45–74.

Black DW: Somatoform disorders. In: *Psychiatric Illness, Primary Care*. Yates WR (editor). Saunders, 1987. 711–723.

Boskind-Lodahl M: Cinderella's stepsisters, a feminist perspective on anorexia and bulimia. In: *Psychology of Women: Selected Readings*, 2nd ed. Williams J (editor). Norton, 1985.

Boskind-White M: Bulimarexia: A sociocultural perspective. In: *Theory and Treatment of Anorexia Nervosa and Bulimia*. Emmett SW (editor). Brunner/Mazel, 1985. 113–126.

Burch GW, Pearson PH: Anorexia, bulimia and obesity in adolescence. In: *Eating Disorders: Effective Care and Treatment*. Larocca FEF (editor). Euro American, 1986. 183–195.

Coburn J, Ganong L: Bulimic and non-bulimic college females' perceptions of family adaptability and family cohesion. *J Adv Nurs* 1989; 14:27–33.

Deering CG: Developing a therapeutic alliance with the anorexia nervosa client. *J Psychosoc Nur* 1987; 25(3): 10–17.

Dippel NM, Becknal B: Bulimia. *J Psychosoc Nurs* 1987; 25(9):12–17.

Garfinkel PE, Garner DM: *Anorexia Nervosa: A Multidimensional Perspective*. Brunner/Mazel, 1982.

Garfinkel PE, Garner DM: Bulimia in anorexia nervosa. In: *The Binge-Purge Syndrome*. Hawkins RC et al. (editors). Springer, 1984.

Goldbloom DS: Serotonin in eating disorders. In: *The Role of Drug Treatment for Eating Disorders*. Garfinkel PE, Garner DM (editors). Brunner/Mazel, 1987. 124–149.

Gormally J: The obese binge eater. In: *The Binge-Purge Syndrome*. Hawkins RC et al. (editors). Springer, 1984.

Herzog DB, Brotman AW: Use of tricyclic antidepressants in anorexia nervosa and bulimia nervosa. In: *The Role of Drug Treatment for Eating Disorders*. Garfinkel PE, Garner DM (editors). Brunner/Mazel, 1987. 36–58.

Kennedy S, Walsh BT: Drug therapies for eating disorders. In: *The Role of Drug Treatment for Eating Disorders*. Garfinkel PE, Garner DM (editors). Brunner/Mazel, 1987. 3–35.

Landau E: *Why Are They Starving Themselves?* Julian Messner, 1983.

Lilly GE, Sanders JB: Nursing management of anorexic adolescents. *J Psychosoc Nurs* 1987; 25(11):30–33.

Loro AJ: Binge eating: A cognitive-behavioral treatment approach. In: *The Binge-Purge Syndrome*. Hawkins RC et al. (editors). Springer, 1984.

Minchin S, Rosman B, Baker L: *Psychosomatic Families: Anorexia Nervosa in Context*. Harvard, 1978.

Miner DC: The physiology of eating and starvation. *Holistic Nurs Pract* 1988; 3(1):67–74.

Orbach S: Visbility/invisibility. In: *Theory and Treatment of Anorexia Nervosa and Bulimia Nervosa*. Emmett SW (editor). Brunner/Mazel, 1985. 127–138.

Orleans CT, Barnett LR: Bulimarexia: Guidelines for behavioral assessment and treatment. In: *The Binge-Purge Syndrome*. Hawkins RC et al. (editors). Springer, 1984.

Polivy J, et al.: Cognitive assessment. In: *Assessment of Addictive Behaviors*. Donovan DM, Marlatt GA (editors). Guilford Press, 1988. 274–295.

Pope HG, et al.: Treatment of bulimia with thymoleptic medications. In: *Eating Disorders: Effective Care and Treatment*. Larocca FEF (editor). Euro American, 1986. 151–172.

Powers PS, et al.: Perceptual and cognitive abnormalities in bulimia. *Am J Psychiatry* 1987; 144(11):1456–1460.

Rau JH, Green RS: Neurological factors affecting binge eating: Body over mind. In: *The Binge-Purge Syndrome*. Hawkins RC et al. (editors). Springer, 1984.

Root M, Fallon P, Friedrich WN: *Bulimia: A Systems Approach to Treatment*. Norton, 1986.

Schwartz RC, Barrett MJ: Women and eating disorders. In: *Women, Feminism and Family Therapy*. Braverman L (editor). *J Psychother and Family* 1987; 3(4):131–144.

Spack NP: Medical complications of anorexia nervosa. In: *Theory and Treatment of Anorexia Nervosa and Bulimia*. Emmett SW (editor). Brunner/Mazel, 1985. 5–19.

Steiner-Adair C: Developing the voice of the wise woman. In: *The Bulimic College Student*. Whitaker L, Davis WN (editors). Haworth Press, 1989. 151–165.

Stierlin H, Weber G: *Unlocking the Family Door*. Brunner/Mazel, 1989.

Torem MS: Eating disorders and dissociative states. In: *Eating Disorders: Effective Care and Treatment*. Larocca FEF (editor). Euro American, 1986. 11141–50.

Woods SC, Brief DJ: Physiological factors. In: *Assessment of Addictive Behaviors*. Donovan DM, Marlatt GA (editors). Guilford Press, 1988. 296–322.

Worman V: A feminist interpretation of college student bulimia. In: *The Bulimic College Student*. Whitaker L, Davis WN (editors). Haworth Press, 1989. 167–180.

Yates WR, Sieleni B: Anorexia and bulimia. In: *Psychiatric Illness, Primary Care*. Yates WR (editor). Saunders, 1987. 737–744.

Zucker P: Medical complications of bulimia. In: *The Bulimic College Student*. Whitaker L, Davis WN (editors). Haworth Press, 1989. 27–40.

LECTURES COMPLÉMENTAIRES

L'Anorexie mentale aujourd'hui, Grenoble, La Pensée Sauvage, 1985.

Lebrun, H. « Le traitement de l'obésité », *Nursing Québec*, 4(1), 1983.

Martin, F.E. « The relevance of a systemic model for the study and treatment of anorexia nervosa in adolescents », *Canadian Journal of Psychiatry*, 35, 1990.

Moore, A., et G. Dunne. « Unhappy families », *Nursing Times*, 84, (35), 67-68, 1988.

Prieur, B. *L'anorexique, le toxicomane et leur famille*, Paris, E.S.F., 1989.

Selvini-Pabazzoli, M. « Anorexia nervosa : a syndrome of the affluent society », *Journal of Strategic and Systemic Therapies*, 8, (1), 12-16, 1989.

Stierlin, H., et G. Weber. « Anorexia Nervosa : lessons from a follow-up study », *Family System Medecine*, 7, (2), 120-157, 1989.

Wilson, H.S., et C.R. Kneisl. *Soins infirmiers psychiatriques* (chap. 17), Montréal, Éditions du Renouveau Pédagogique, 1982.

CHAPITRE 10

Les troubles de la personnalité

J. SUE COOK et
KAREN LEE FONTAINE

Comment je vois ma maladie

Me voilà transformé en monstre. Ma tête et mon cœur éclatent et un grand feu me dévore. Je suis soudainement projeté au milieu des flammes et mes frontières partent en fumée. Un puits tout noir et qui n'a pas de fond m'avale.

■ *Objectifs*

Après avoir étudié le présent chapitre, vous devriez être en mesure de :

- définir la notion de trouble de la personnalité ;
- décrire les caractéristiques comportementales, affectives, cognitives et socioculturelles du client atteint d'un trouble de la personnalité ;
- expliquer les théories de la causalité des troubles de la personnalité ;
- nommer les troubles de la personnalité ;
- adapter la collecte des données à l'état du client atteint d'un trouble de la personnalité ;
- formuler les diagnostics infirmiers appropriés chez les clients atteints de troubles de la personnalité ;
- préparer des plans de soins infirmiers à l'intention de clients atteints des divers troubles de la personnalité ;
- évaluer les soins infirmiers prodigués aux clients atteints des divers troubles de la personnalité.

■ *Sommaire*

Introduction
Incidence des troubles de la personnalité
Troubles de la personnalité et soins infirmiers

Connaissances de base
Caractéristiques comportementales
Caractéristiques affectives
Caractéristiques cognitives
Caractéristiques socioculturelles
Les divers groupes de troubles de la personnalité
Théories de la causalité
Traitement médical

Collecte des données
Bilan de santé
Réactions affectives de l'infirmière face au client
Perceptions subjectives du client
Relations interpersonnelles avec le client
Examen physique

Analyse des données et planification des soins

Évaluation

Résumé

Introduction

Les troubles mentaux classés dans la catégorie des troubles de la personnalité sont parmi les plus difficiles à traiter. La plupart des gens atteints ne sont jamais hospitalisés dans un centre de soins de la santé mentale ni traités dans un service des consultations externes ; ils ne se soumettent jamais non plus à des examens diagnostiques. Quant à ceux qui abordent le système des soins de la santé mentale, ils mettent à rude épreuve le savoir-faire des professionnels. On leur doit, en effet, une bonne part des échecs thérapeutiques. Il arrive fréquemment qu'ils interrompent leur traitement et qu'ils accumulent les demandes de consultation auprès d'autres organismes.

Pour comprendre la nature des troubles de la personnalité, il est utile de réviser la notion de per-sonnalité. Selon la plupart des définitions, il s'agit d'un ensemble de caractères appelés *traits de personnalité*. Ces traits, ou comportements, correspondent aux modes de perception du milieu, de relation avec l'entourage et de réflexion sur la vie que la personne adopte depuis longtemps. Si le trait de personnalité est inadapté et rigide, s'il cause une souffrance subjective ou s'il altère le fonctionnement social ou professionnel, il devient un *trouble de la personnalité*. Les troubles de la personnalité ont de nombreuses caractéristiques communes et la plupart des clients présentent des traits propres à plusieurs troubles. De façon typique, les troubles de la personnalité apparaissent avant ou pendant l'adolescence et persistent tout au long de la vie. Dans certains cas, les symptômes deviennent moins manifestes chez les personnes d'âge mûr ou chez les sujets âgés (Gunderson, 1988).

Incidence des troubles de la personnalité

Il est extrêmement difficile d'estimer l'incidence des troubles de la personnalité. Un bon nombre des gens qui en sont atteints ne s'insèrent jamais dans le système de soins de la santé mentale. Selon l'estimation la plus fiable, 15 p. cent des gens souffrent d'un dysfonctionnement suffisamment grave pour qu'on puisse poser un diagnostic de trouble de la personnalité (Gunderson, 1988).

Puisque les personnes atteintes refusent généralement toute forme de traitement, il est difficile de déterminer le nombre de sujets ayant une personnalité paranoïaque, schizotypique, histrionique, narcissique, évitante, dépendante ou passive-agressive. On peut dire qu'environ 2 p. cent des sujets ont une personnalité schizoïde, 3 p. cent, une personnalité antisociale, 2 à 4 p. cent, une personnalité limite (« borderline ») et 2 p. cent, une personnalité obsessionnelle-compulsive. La personnalité paranoïaque, schizoïde ou antisociale est plus fréquente chez les hommes et la personnalité limite ou histrionique, chez les femmes. (Gunderson, 1988 ; Reid, 1989).

Troubles de la personnalité et soins infirmiers

L'infirmière a souvent l'occasion de rencontrer des clients qui présentent des traits de personnalité rigides et non adaptés, bien qu'il soit improbable qu'ils aient reçu un diagnostic psychiatrique correspondant. Toute personne soumise à un stress suffisamment prononcé peut recourir à des mécanismes de défense primitifs et rigides pour surmonter l'anxiété. Comme les rapports que le personnel établit habituellement avec le client sont de courte durée, il est rare qu'on puisse savoir s'il a déjà connu des épisodes graves. Faute de tels renseignements, on ne peut poser de diagnostic de trouble de la personnalité.

On soigne rarement les troubles de la personnalité dans un hôpital psychiatrique, mais l'infirmière peut rencontrer des clients qui en sont atteints dans tous les autres milieux de soins de la santé. Le plus souvent, on soigne dans un hôpital psychiatrique les clients ayant reçu un diagnostic de personnalité limite, antisociale ou schizotypique.

Connaissances de base

Caractéristiques comportementales

Il est important de se rappeler que les troubles de la personnalité sont non seulement persistants mais aussi inextricablement mêlés à la personnalité. Un *mode* de comportement et de réaction signale invariablement un trouble de la personnalité. Par conséquent, aucun comportement unique, qu'il soit isolé ou qu'il constitue une réaction passagère, ne peut caractériser cette catégorie diagnostique. Nous résumons au tableau 10-1, par groupe, les principales caractéristiques du comportement des clients atteints d'un trouble de la personnalité.

On retrouve dans les diverses manifestations du **narcissisme** les principales caractéristiques du comportement de l'ensemble des troubles de la personnalité et aussi celles qui sont les plus répandues. Que le sujet soit égocentrique ou vaniteux, qu'il ait des idées de grandeur ou des exigences excessives, son comportement reste toujours narcissique. C'est le cas, par exemple, des gens dont les paroles et les actes dénotent en toute circonstance une survalorisation de leurs propres intérêts et, en même temps, une dévalorisation d'autrui.

La deuxième caractéristique des individus atteints de troubles de la personnalité est un comportement particulièrement ennuyeux et irritant. Ils ont le talent de « taper sur les nerfs » des autres. En fait, de nombreux thérapeutes trouvent ces clients si exaspérants qu'ils ne les acceptent pas en thérapie individuelle. Et, s'ils finissent par les accepter, ils deviennent, pour la plupart, victimes de fortes réactions de contre-transfert. Contrairement à leur thérapeute et à leurs proches, ces clients ne paraissent généralement pas troublés par leur propre comportement (Vaillant et Perry, 1985).

La troisième caractéristique du comportement des individus atteints d'un trouble de la personnalité est le mode de réactions rigide et mal adapté qu'ils opposent à la plupart des situations interpersonnelles. Ces réactions sont non seulement

Tableau 10-1 *Caractéristiques comportementales du client atteint d'un trouble de la personnalité*

	Traits dominants	Comportement	Fonctionnement professionnel	Déficits psychologiques
Troubles du groupe A				
Personnalité paranoïaque	Recherche de la solitude	Soupçonneux, incapable de se détendre	Recherche de cadres rigides	Tendance à discuter
Personnalité schizoïde	Recherche de la solitude	Distant	Difficulté d'adaptation aux circonstances	Anxiété suscitée par les activités sociales
Personnalité schizotypique	Recherche de la solitude	Excentrique	Difficulté d'adaptation aux circonstances	Bizarrerie dans la communication
Troubles du groupe B				
Personnalité antisociale	Recherche de l'excitation, d'une gratification immédiate	Impulsif, irresponsable	Changements fréquents d'emploi	Manque de maîtrise, propension patholo-gique au mensonge, relations sexuelles impersonnelles, mode de vie instable
Personnalité limite (« borderline »)	Oscillation entre la solitude et un besoin intense de relations sociales ; fréquents épisodes de lassitude	Impulsif	Incertitudes quant à l'orientation professionnelle, faible rendement au travail ou dans les études	Automutilation, tentatives de suicide fréquentes, comporte-ment sexuel impulsif
Personnalité histrionique	Recherche de l'excitation, d'une gratification immédiate	Théâtral ; réactions exagérées	Difficulté d'adaptation aux circonstances	Propension à jouer de la séduction
Personnalité narcissique	Fréquents épisodes de lassitude	Égocentrique	Recherche du pouvoir et du succès	Tendance à exploiter autrui
Troubles du groupe C				
Personnalité évitante	Tendance à éviter les activités de groupe, besoin de routine rigide	Rigide	Recherche d'un travail solitaire avec peu de contacts interpersonnels	Hypersensibilité à la critique
Personnalité dépendante	Difficulté à agir de façon autonome	Subordonné ; besoin constant de conseils et de réconfort	Incapacité d'occuper un poste qui demande un minimum d'autonomie	Incapacité de prendre des décisions
Personnalité obsessionnelle-compulsive	Incapacité de mener à bien une tâche, tendance à privilégier le travail et la productivité	Dominateur	Incapacité de prendre des décisions et de respecter des échéances	Rigidité, tendances perfectionnistes
Personnalité passive-agressive	Résistance passive aux demandes ; dépendance	Passif et délibérément inefficace	Inefficacité professionnelle	Obstination

répétitives, mais elles détruisent, en plus, les relations interpersonnelles du sujet en question.

Caractéristiques affectives

On a longtemps cru que les clients atteints de troubles de la personnalité ne ressentaient ni souffrance ni anxiété. De ce fait, ces troubles ont été longtemps considérés comme **égosyntoniques**, c'est-à-dire que les sujets atteints ne semblent pas perturbés par leur comportement. Or, on sait aujourd'hui que beaucoup de ces personnes sont en réalité minées par l'anxiété.

La caractéristique affective, commune à tous les troubles de la personnalité, est celle qui marque davantage par son absence que par sa présence. En effet, beaucoup de clients atteints d'un trouble de la personnalité ne peuvent appréhender le monde d'un autre point de vue que le leur ; autrement dit, ils sont incapables d'empathie.

Nous résumons au tableau 10-2 les caractéristiques affectives des clients atteints d'un trouble de la personnalité, par groupe. Il est essentiel de se rappeler que les caractéristiques affectives des clients atteints sont très variées et que chaque trouble de la personnalité présente des caractéristiques très précises. Ainsi, les clients ayant une personnalité paranoïaque sont plutôt froids, susceptibles et dénués d'humour. Ceux ayant une personnalité histrionique, quant à eux, éprouvent souvent des sentiments d'impuissance et d'insécurité. Il est donc évident que les généralisations sont impossibles dans ce domaine.

Caractéristiques cognitives

Tous les troubles de la personnalité ont en commun un certain nombre de caractéristiques des fonctions cognitives, directement reliées aux réactions rigides typiques de ces sujets.

Pour trouver des solutions créatives aux problèmes engendrés par les aléas de la vie quotidienne, il faut être souple et savoir s'adapter. Il est, dès lors, évident que les personnes dont les perceptions et les réactions sont rigides ne peuvent fonctionner efficacement. Beaucoup de ces clients interprètent les situations de leur propre point de vue et se montrent incapables d'en envisager aucun autre. Par voie de conséquence, la mise à l'épreuve de la réalité, tout comme la résolution des problèmes, leur est inaccessible.

Bien que ces clients puissent avoir un quotient intellectuel normal ou, même, très élevé, leur incapacité d'envisager ou d'accepter des solutions originales entrave leur réussite professionnelle. On dit souvent qu'ils sont rigides et intraitables et qu'ils sont incapables d'avoir une vision d'ensemble. À cause de leur rigidité, ils commettent fréquemment des erreurs de jugement, ce qui les expose à des problèmes professionnels et à de nombreuses autres difficultés. Nous résumons au tableau 10-3, par groupe, les principales caractéristiques des fonctions cognitives des clients atteints d'un trouble de la personnalité.

Caractéristiques socioculturelles

Plutôt que de s'interroger sur sa part de responsabilité, le client atteint d'un trouble de la personnalité croit souvent que le reste du monde est dans l'erreur. Par conséquent, toutes ses relations interpersonnelles, y compris ses relations familiales, sont pour le moins difficiles. Cependant, comme ce mode de comportement est persistant et typique, il arrive fréquemment que les membres de la famille du sujet atteint se disent qu'il est tout simplement « ainsi fait ».

Les familles tolérantes finissent par accepter celui de leurs membres qui présente des modes de pensée et d'action pathologiques. Par contre, d'autres familles excluent ou isolent le parent dont le comportement est continuellement irritant. Les antécédents des relations d'un tel client avec ses frères et sœurs ou même avec son père ou sa mère font souvent état de tensions et de ruptures. Du reste, une telle personne est incapable de vivre en couple ou de lier des rapports interpersonnels durables. Nous résumons au tableau 10-4, les caractéristiques socioculturelles du client atteint d'un trouble de la personnalité.

Tableau 10-2 *Caractéristiques affectives du client atteint d'un trouble de la personnalité*

	Expression des affects	*Stabilité de l'affect*	*Réactions d'ordre affective*
Troubles du groupe A			
Personnalité paranoïaque	Affectivité restreinte	Affect stable	Impulsivité ; incapacité d'éprouver la moindre culpabilité, peur de perdre le pouvoir
Personnalité schizoïde	Affectivité restreinte : affect aplati ou émoussé	Affect stable	Indifférence face à la critique, peur de contacts, méfiance
Personnalité schizotypique	Inadéquation ou pauvreté de l'affect	Affect appauvri	Anxiété suscitée par les activités sociales
Troubles du groupe B			
Personnalité antisociale	Affect superficiel qui change rapidement	Affect labile surtout face à la frustration	Impulsivité, incapacité d'éprouver la moindre culpabilité
Personnalité limite (« borderline »)	Affect intense	Affect labile : accès de rage ; incapacité de tolérer à la frustration	Accès de colère intense, méfiance, anxiété et dépression fréquentes
Personnalité histrionique	Exagération des émotions ; labilité masquée de l'affect	Affect stable	Bonne capacité de maîtriser la colère
Personnalité narcissique	Affect qui change rapidement	Affect parfois labile	Incapacité d'accepter la critique ou les reproches et d'éprouver des sentiments de culpabilité, peur de l'impuissance et de l'humiliation, dépression fréquente, tendance à éprouver des sentiments de panique
Troubles du groupe C			
Personnalité évitante	Absence d'expression affective	Affect stable	Retournement de la colère contre soi, sentiment d'être rejeté et désapprouvé, tendance à la dépression et, souvent, à l'anxiété
Personnalité dépendante	Passivité de l'affect	Affect stable	Peur de l'abandon et du rejet, dépression fréquente, anxiété suscitée par la désapprobation
Personnalité obsessionnelle-compulsive	Restriction de l'expression de l'affectivité	Affect stable	Bonne capacité de maîtriser la colère, dépression fréquente, peur de la désapprobation et de la critique, peur de perdre le contrôle
Personnalité passive-agressive	Passivité de l'affect	Affect stable	Peur du conflit et de la colère d'autrui, dépression et anxiété fréquentes

Tableau 10-3 *Caractéristiques des fonctions cognitives du client atteint d'un trouble de la personnalité*

	Image de soi	*Confiance en soi*	*Prise de décisions*	*Déficits psychologiques*
Trouble du groupe A				
Personnalité paranoïaque	Retenue	Tendance à éviter l'intimité	Tendance à être secret	Idées transitoires de référence
Personnalité schizoïde	Égocentrisme	Recherche de la solitude	Indécision ; projets d'avenir vagues	Distraction
Personnalité schizotypique	Retenue	Anxiété suscitée par les activités sociales	Tendance à prendre les mauvaises décisions	Idées de référence, pensée magique, bizarreries de perception inhabituelles, illusions
Troubles du groupe B				
Personnalité antisociale	Idées de grandeur	Égocentrisme, confiance exagérée en soi	Absence de projets à long terme	Égo-syntonie, absence de remords
Personnalité limite	Perception confuse de l'identité, instabilité de l'image corporelle	Égocentrisme	Absence de projets à long terme	Pensée dichotomique, dissociation
Personnalité histrionique	Égocentrisme	Égocentrisme	Recherche de l'approbation d'autrui	Souci exagéré de la perception d'autrui
Personnalité narcissique	Sens grandiose de sa propre importance	Confiance en soi en surface, égocentrisme	Manque d'empathie	Pensée dichotomique, perfectionnisme, incapacité d'accepter un échec
Troubles du groupe C				
Personnalité évitante	Timidité	Tendance à éviter les contacts sociaux	Besoin de cadres rigides	Peur d'être jugé défavorablement
Personnalité dépendante	Tendance à se dévaloriser	Recherche constante de l'approbation d'autrui	Tendance à abandonner à autrui la prise de la plupart des décisions	Passivité, dépendance
Personnalité obsessionnelle-compulsive	Maîtrise de soi	Recherche de la domination dans tous les rapports	Prise de décisions évitée ou repoussée par crainte excessive de commettre une erreur	Dévotion excessive pour le travail, rigidité sur les questions morales, perfectionnisme
Personnalité passive-agressive	Obstination	Manque de confiance en soi	Tendance à la procrastination	Tendance à la discussion, ressentiment contre l'autorité

Les divers groupes de troubles de la personnalité

Le DSM-III-R classe onze des douze troubles de la personnalité en trois groupes :

Groupe A

Personnalité paranoïaque
Personnalité schizoïde
Personnalité schizotypique

Tableau 10-4 *Caractéristiques socioculturelles du client atteint d'un trouble de la personnalité*

	Caractéristiques des relations	*Perception d'autrui*	*Besoin d'autrui*
Troubles du groupe A			
Personnalité paranoïaque	Jalousie pathologique, tendance à éviter l'intimité	Tendance à considérer les autres comme une menace, à penser qu'ils veulent exploiter et blesser ; tendance à critiquer autrui, à s'en méfier	Besoin prononcé d'être autosuffisant
Personnalité schizoïde	Rejet des relations et de l'intimité	Tendance à se méfier d'autrui	Indifférence face aux éloges et à la critique
Personnalité schizotypique	Relations perturbées, tendance à éviter l'intimité	Tendance à se méfier d'autrui	Rejet des liens interpersonnels
Troubles du groupe B			
Personnalité antisociale	Tendance à la manipulation, détachement, besoin de prendre des distances, propension à la grossièreté	Absence d'égards pour les droits et les sentiments d'autrui	Utilisation d'autrui pour sa propre gratification
Personnalité limite (« borderline »)	Recherche de relations intenses et houleuses, tendance à la manipulation	Tendance à se méfier d'autrui, idéalisation, puis dévalorisation d'autrui	Oscillation entre la dépendance et l'affirmation de soi
Personnalité histrionique	Tendance à la manipulation	Tendance à se soucier exagérément des perceptions d'autrui	Besoin d'attention, de réconfort, d'éloges
Personnalité narcissique	Tendance à la manipulation	Tendance à traiter autrui comme un objet ; idéalisation puis dévalorisation d'autrui	Sentiment d'avoir droit : les autres doivent satisfaire tous ses besoins et être constamment disponibles ; besoin d'attention et d'éloges
Troubles du groupe C			
Personnalité évitante	Tendance à éviter les contacts sociaux malgré le désir d'en avoir	Sensibilité extrême aux réactions d'autrui	Besoin d'amour constant et inconditionnel
Personnalité dépendante	Dépendance	Sensibilité extrême aux réactions d'autrui	Besoin constant de compagnie et d'affection
Personnalité obsessionnelle-compulsive	Tendance à s'attacher aux formalités	Tendance à dominer en appliquant des règles, en s'attachant aux procédures	Exigence déraisonnable que les autres se soumettent scrupuleusement à sa manière de faire
Personnalité passive-agressive	Résistance passive aux demandes des autres	Agressivité dissimulée ; refus des figures d'autorité	Absence d'attentes

Groupe B

Personnalité antisociale
Personnalité limite (« borderline »)
Personnalité histrionique
Personnalité narcissique

Groupe C

Personnalité évitante
Personnalité dépendante
Personnalité obsessionnelle-compulsive
Personnalité passive-agressive

Le terme « trouble de la personnalité non spécifié » désigne un trouble mixte.

Les personnes atteintes de l'un des troubles du **groupe A** sont généralement excentriques. Celles atteintes d'un trouble du **groupe B** manifestent souvent une tendance à dramatiser ; elles sont hyperémotives ou instables. Celles atteintes d'un trouble du **groupe C** sont, quant à elles, anxieuses ou craintives (American Psychiatric Association, 1987).

Groupe A Les caractéristiques communes des troubles de la personnalité du groupe A sont le comportement bizarre et excentrique, la suspicion et l'isolement social.

Personnalité paranoïaque. Sur le plan du *comportement*, les personnalités paranoïaques entourent leur existence entière d'un voile de mystère. À leurs sens, on ne doit jamais faire confiance à personne et ces individus se montrent réticents à se confier même à leur famille. Ils se sentent constamment menacés, accusent les autres de malveillance et ont tendance à discuter sans cesse, comportements qui leur permettent de garder de bonnes distances par rapport aux autres. De tels sujets consultent rarement un médecin, car leur trouble ne semble nullement les gêner et leur état dicte d'ailleurs peu souvent l'hospitalisation.

Sur le plan *affectif*, les personnalités paranoïaques évitent d'exprimer leurs sentiments sauf, très brièvement, leur colère. Elles peuvent ne jamais pardonner les affronts dont elles se croient victimes et nourrissent des rancunes pendant très longtemps. La peur de perdre le pouvoir ou de céder le contrôle est profondément enracinée chez de telles personnes, qui présentent en outre un état de tension chronique et sont rarement capables de se détendre.

Sur le plan *cognitif*, les personnalités paranoïaques sont renfermées et secrètes. Elles se croient en permanence exploitées ou harcelées. Dans chaque situation nouvelle, elles discernent des significations cachées, des intentions malveillantes ou menaçantes et, même lorsque les remarques ou les événements sont anodins, elles contre-attaquent par des critiques. Par exemple, si elles découvrent une erreur dans leur relevé bancaire,

elles peuvent soupçonner que la banque a délibérément fait une erreur pour porter atteinte à leur réputation.

Sur le plan *socioculturel*, les personnalités paranoïaques tendent à fuir toute possibilité d'intimité. Elles se montrent froides et détachées, afin de se préserver du danger que l'intimité représente pour elles. Comme ces sujets perçoivent chez autrui des intentions blessantes, ils doutent de la loyauté ou de l'honnêteté de leurs proches. Il arrive fréquemment que ces individus fassent preuve d'une jalousie pathologique, mettant en doute la fidélité de leur conjoint ou de leur partenaire sexuel (American Psychiatric Association, 1987 ; Gunderson, 1988).

> *Jean-Claude, célibataire de 40 ans, a rencontré Estelle le jour où il est allé chez elle pour réparer un téléviseur. Estelle lui a offert une tasse de café et il en a conclu qu'elle lui faisait des avances. En partant, Jean-Claude a décidé d'inviter Estelle à dîner. Lorsque celle-ci lui a répondu qu'elle était mariée, il s'est mis en colère et l'a accusée de «vouloir le faire marcher». Plus tard, dans la même journée, Jean-Claude a appelé Estelle pour lui dire qu'il ne croyait pas qu'elle était mariée et pour lui demander pourquoi elle refusait de sortir avec lui. Estelle a raccroché, mais Jean-Claude l'a rappelée. Estelle a dû menacer d'appeler la police pour que Jean-Claude cesse de lui téléphoner.*

Personnalité schizoïde. Sur le plan du *comportement*, les personnalités schizoïdes sont solitaires, car les situations et les interactions sociales ne font qu'accroître leur anxiété. Elles ne peuvent pas réussir sur le plan professionnel si, dans le poste qu'elles occupent, elles doivent faire preuve d'habileté dans les relations interpersonnelles. En revanche, si elles ont la possibilité de s'acquitter de leurs tâches dans la solitude, si elles ont, par exemple, un emploi de gardien de nuit, elles peuvent travailler de façon satisfaisante.

La gamme d'expression de l'affectivité des personnes schizoïdes est stable mais restreinte et leur affect est émoussé ou aplati. Ces personnes éprouvent rarement des émotions fortes telles la colère ou la joie. Comme elles se méfient des autres, elles redoutent les relations intimes.

Sur le plan *socioculturel*, les personnalités schizoïdes se montrent froides et détachées, elles n'ont pas d'amis intimes et préfèrent éviter toute relation. Elles manifestent de l'indifférence face à l'attitude et aux sentiments d'autrui et, par conséquent, elles sont imperméables aux éloges comme à la critique. Les hommes ayant une personnalité schizoïde ont beaucoup de difficulté à trouver des partenaires et rares sont ceux qui se marient. Quant aux femmes, elles acceptent passivement qu'on leur fasse la cour et tout aussi passivement qu'on les demande en mariage (American Psychiatric Association, 1987 ; Gunderson, 1988).

> *Georges, 34 ans, est plongeur dans le même restaurant depuis 18 ans, soit depuis sa sortie de l'école secondaire. Il ne veut pas travailler en équipe et, d'ailleurs, il peut abattre à lui seul le travail de trois personnes. Il préfère travailler en fin d'après-midi ou le soir et il se tient à l'écart de ses compagnons de travail. Son patron est le seul à savoir que Georges est célibataire et qu'il vit dans un meublé. Georges prend ses repas au restaurant et, pour manger, il s'installe au fond de la cuisine, loin des autres.*

Personnalité schizotypique. Les personnalités schizotypiques présentent un dysfonctionnement grave, mais la bizarrerie de leur idéation, de leur aspect et de leur comportement n'est pas assez prononcée pour justifier un diagnostic de schizophrénie. Soumises à un stress et à une anxiété extrêmes, ces personnes peuvent présenter des symptômes psychotiques qui ne durent cependant pas assez longtemps pour donner lieu à un diagnostic supplémentaire.

Sur le plan du *comportement,* on note chez les personnalités schizoïdes un discours bizarre et des attitudes ou des comportements excentriques. Elles préfèrent les activités solitaires et connaissent souvent des difficultés d'ordre professionnel.

L'affect de ces personnes est généralement appauvri et rarement adapté aux circonstances. Les activités sociales les rendent habituellement anxieuses.

Sur le plan *cognitif*, on observe chez ces sujets des idées de persécution, la méfiance, des idées de référence, des croyances bizarres et un mode de pensée magique. Le discours peut être appauvri, digressif, vague ou très abstraite. Ces sujets ont beaucoup de difficultés à prendre des décisions.

Sur le plan *socioculturel*, ces individus redoutent l'intimité et se montrent peu désireux de nouer des relations familiales ou amicales. Par conséquent, ils sont très solitaires et les autres les évitent généralement (American Psychiatric Association, 1987 ; Gunderson, 1988).

> *Carole, 24 ans, est célibataire. Elle n'a pas d'emploi et vit dans une chambre meublée. Elle est très secrète et la plupart des locataires la trouvent excentrique. Carole est convaincue que son père décédé était une étoile du cinéma et qu'il lui a légué une fortune que son tuteur lui a dérobée. Carole a l'habitude de dire des choses bizarres comme « Ainsi va la vie ». La plupart des locataires évitent Carole à cause de sa conduite étrange.*

Groupe B   Les caractéristiques communes aux troubles de la personnalité du groupe B sont le comportement impulsif et théâtral, le manque total d'acceptation de toute frustration et la tendance à exploiter autrui. On peut difficilement distinguer les uns des autres les trois types de personnalités instables, soit les personnalités limite (« borderline »), narcissique et histrionique. Plus encore que dans les autres cas de troubles de la personnalité, le diagnostic peut être influencé par les préjugés et par les préférences culturelles du professionnel (Kroll, 1988).

Personnalité antisociale. Le diagnostic de personnalité antisociale n'est justifié que si les caractéristiques essentielles apparaissent avant l'âge de 15 ans. Typiquement, le comportement commence à se manifester dans l'enfance, chez les garçons, et aux alentours de la puberté, chez les filles. Sur le plan du *comportement*, les manifestations prédominantes du trouble pendant l'enfance sont le mensonge, le vol, l'école buissonnière, le vandalisme, les bagarres et les fugues. À l'âge adulte, la personne se montre incapable de respecter ses obligations financières et d'assumer le rôle de parent responsable. Elle montre une propension pathologique au mensonge et une instabilité prononcée sur le plan professionnel. La personnalité antisociale ne se conforme aux règles que dans la mesure où elles lui sont utiles et elle commet des actes illégaux.

Il existe une forte corrélation entre la toxicomanie et la personnalité antisociale. Plusieurs études ont montré que chez les opiomanes et les alcooliques de sexe masculin le taux de prévalence de la personnalité antisociale peut atteindre 50 p. cent. Il est cependant parfois difficile de distinguer ce trouble, car la toxicomanie est en elle-même un comportement antisocial qui cause des problèmes semblables à ceux engendrés par le trouble de la personnalité. Par conséquent, on peut diviser les toxicomanes en deux catégories : les *toxicomanes antisociaux primaires*, dont le comportement antisocial n'est pas tributaire du besoin de se procurer des drogues et les *toxicomanes antisociaux secondaires*, dont le comportement antisocial est le résultat direct de la consommation de drogues (Gerstley, 1990).

Sur le plan *affectif*, les personnes antisociales peuvent exprimer leurs émotions rapidement et aisément, mais elles s'engagent le moins possible. Elles peuvent donc rompre immédiatement après avoir juré un amour éternel. De plus, ces sujets sont très irritables et agressifs. Ils n'ont aucun égard pour les autres et n'éprouvent pas de sentiment de culpabilité au moment où ils transgressent les règles de la société.

Sur le plan *cognitif*, les personnes antisociales sont égocentriques et ont des idées de grandeur. Elles sont persuadées que les choses tourneront toujours en leur faveur parce qu'elles se croient plus intelligentes que les autres. Ce trouble est égosyntonique et les personnes atteintes ne désirent aucunement changer. Elles ne font pas de projets d'avenir.

Sur le plan *socioculturel*, les personnalités antisociales sont généralement incapables de nouer des relations durables, intimes et chaleureuses et d'avoir un comportement responsable. Leur vie sexuelle est impersonnelle et impulsive. Ces personnes ne respectent pas les sentiments et les droits d'autrui. Par leur propension à la colère, leur incapacité d'accepter la frustration et leur absence de remords, les personnalités antisociales ont souvent tendance à abuser d'autrui affectivement, physiquement et sexuellement (American Psychiatric Association, 1987 ; Gunderson, 1988).

Stéphane, 20 ans, est divorcé. Il est depuis peu aide-serveur dans une pizzeria, mais il change d'emploi tous les mois. Il a un casier judiciaire chargé depuis qu'il était au secondaire. Il faisait souvent l'école buissonnière et il a été arrêté plusieurs fois pour recel et usage de marijuana. Stéphane avait l'habitude de prendre de l'argent dans le sac à main de sa mère et il a même vendu l'argenterie de la famille pour se procurer de la drogue. Il s'est marié à l'âge de 18 ans, mais cette union n'a duré que six mois, car Stéphane avait des aventures extraconjugales que son épouse ne pouvait tolérer. Lorsqu'elle lui reprochait ses sorties, Stéphane la battait. À l'heure actuelle, Stéphane fait des économies pour se lancer dans la culture de la marijuana. Il veut se mettre à son compte dès qu'il aura assez d'argent pour acheter quelques plants.

Personnalité limite (« borderline »). Les caractéristiques cliniques de la personnalité limite qui, du reste, apparaissent également dans les autres troubles de la personnalité sont extrêmement variées, voire même contradictoires. Les comportements dramatiques et le mode de vie chaotique peuvent évoquer d'autres troubles mentaux, ce qui complique le diagnostic et le traitement. Les symptômes de la personnalité limite et ceux de l'état de stress post-traumatique (voir le chapitre 8) se confondent souvent. Ces symptômes peuvent apparaître et disparaître rapidement et ils peuvent osciller entre légers et graves. Même si la majorité des études sur les troubles de la personnalité ont porté sur la personnalité limite, ce type de personnalité est probablement le moins bien compris.

La caractéristique prédominante du *comportement* est l'impulsivité, qui se manifeste surtout par le désir d'autodestruction physique. Un grand nombre de personnes atteintes conduisent dangereusement, consomment des drogues et de l'alcool, ont des accès boulimiques, commettent des vols à l'étalage, s'engagent dans des bagarres, ont un comportement suicidaire ou encore des tendances à l'automutilation pour échapper probablement à des sentiments d'une intensité intolérable. Il s'agit du seul trouble de la personnalité dont les victimes ont des comportements délibérés d'autodestruction. Elles peuvent manipuler les autres pour provoquer chez eux une conduite nuisible ou agressive. À d'autres moments, elles semblent démunies et incompétentes. Ces sujets oscillent entre des périodes d'isolement et des périodes où ils font des efforts désespérés pour éviter les abandons réels ou imaginés.

Le trait le plus remarquable de la personnalité limite est l'intensité et la labilité de l'affect. Ces personnes passent de l'anxiété à la dépression, ne tolèrent pas la frustration et expriment leurs sentiments de manière intense et dramatique. Elles dominent mal leur colère et ont de brusques accès de rage. Elles sont parfois capables d'exprimer leur sentiment de solitude et de vide.

Ce trouble comporte des difficultés *cognitives* notables dont la plupart peuvent être reliées à des expériences traumatiques. Bon nombre de personnes atteintes souffrent d'amnésie partielle et changent d'identité. Elles ont aussi une image corporelle et une orientation sexuelle incertaines. Tous ces symptômes peuvent être révélateurs d'états dissociatifs transitoires. Il peut s'agir d'une forme de personnalité multiple avec des antécédents de sévices sexuels dans l'enfance (voir le chapitre 8). La personnalité limite se caractérise aussi par un mode de pensée dichotomique, c'est-à-dire que, pour elle, les choses ne peuvent être qu'entièrement bonnes ou entièrement mauvaises. Par exemple, ce type de personnalité est incapable de voir en même temps les aspects positifs et négatifs chez une même personne. Il s'agit d'un processus de clivage où le bon et le mauvais sont rigoureusement séparés. Ainsi, l'équipe des soins se verra partagée en deux camps, les « bons » et les « mauvais ». Il est facile à comprendre que des situations de ce genre puissent engendrer des conflits et des tensions au sein de l'équipe. À cause de cette classification en bons et en mauvais, les membres de l'équipe peuvent réagir soit par la tolérance et la surprotection

excessive, soit par la peur, l'hostilité ou la rigidité (Fontaine, 1988).

Sur le plan *socioculturel*, les personnalités limites ont des antécédents de relations intenses et instables. Dans une telle relation, elles sont souvent manipulatrices et passent subitement de la dépendance extrême à un besoin effréné d'autonomie. Il n'est pas rare qu'une telle personne arrive à vivre avec quelqu'un dans la plus grande intimité pour abandonner ensuite brusquement son partenaire ou se sentir elle-même abandonnée. Cette oscillation entre l'idéalisation et la dévalorisation suscite chez les amis et les parents des sentiments et des réactions négatives (Everett, 1989 ; Zanarini, 1990).

> *Julie, 25 ans, suit des études collégiales à temps partiel. Elle dit souvent à ses amis que ses parents ne s'occupent pas d'elle « comme ils le devraient » mais que, par ailleurs elle souffre terriblement de ne pas pouvoir vivre seule. À certains moments, elle manipule ses amis de façon à ce qu'ils lui rendent service et, à d'autres, elle les ignore complètement. Deux semaines après avoir connu Antoine, elle a crié sur tous les toits que c'était un modèle de perfection et qu'ils étaient « follement amoureux » l'un de l'autre. Mais l'après-midi où Antoine annonce qu'il ne pourra pas voir Julie dans la soirée parce qu'il doit préparer un examen, celle-ci sort de ses gonds, saute dans sa voiture et entre dans un bar. Elle y rencontre un étranger avec lequel elle engage des rapports sexuels à la sauvette. Rentrée chez elle, elle s'ouvre les poignets avec un tesson de verre et appelle Antoine pour le rendre responsable de sa mort.*

Personnalité histrionique. La caractéristique prédominante du *comportement* de la personnalité histrionique est la recherche de la stimulation et de l'excitation. Par leur comportement et leur apparence, ces personnes veulent constamment attirer l'attention afin de capter et de conserver l'intérêt de leur entourage. On les perçoit comme des êtres originaux, extravertis et séduisants qui veulent toujours être le centre d'intérêt.

« Excessivement dramatique » est le qualificatif qui décrit avec le plus de justesse l'*affect* des personnes histrioniques. En effet, les stimuli les plus faibles provoquent chez elles une excitation affective et une expression exagérée des sentiments. Ces personnes semblent osciller sans cesse entre l'euphorie et le désespoir.

Sur le plan *cognitif*, les personnalités histrioniques sont très égocentriques. Elles se préoccupent énormément de ce que les autres pensent d'elles et ont un besoin pressant d'approbation. Leur pensée est floue et imaginative et elle se traduit par un langage pittoresque mais pauvre en détails.

Sur le plan *socioculturel*, les personnalités histrioniques cherchent à être rassurées et approuvées par leurs parents et leurs amis et recevoir leurs éloges. Leurs relations interpersonnelles sont souvent marquées par l'exagération et elles ne peuvent assumer que le rôle de victime ou celui de diva. Elles s'évadent souvent dans des fantaisies romanesques, bien que la nature réelle de leurs relations sexuelles soit variable. Ces personnes peuvent être excessivement confiantes et réagir très favorablement à des figures d'autorité qui peuvent, espèrent-elles, apporter une solution magique à leurs problèmes (American Psychiatric Association, 1987 ; Gunderson, 1988).

> *Laura, coiffeuse de 25 ans, est très aimée par sa clientèle. Elle a de longs cheveux noirs, des ongles soignés et elle est très séduisante. Laura porte toujours des robes à la mode et beaucoup de bijoux. Elle aime entretenir ses clients de ses nombreux exploits amoureux. Récemment, elle leur racontait qu'elle a rencontré un coureur automobile dans un bar et qu'elle a passé un week-end avec lui. Elle a ajouté qu'il a loué une limousine avec chauffeur, qu'ils ont fait un dîner aux chandelles et ont dansé jusqu'à l'aube, bref, qu'il l'avait traitée comme une reine. Cependant, Laura ne compte pas revoir le jeune homme parce que, dit-elle : « Il y a tant d'hommes et la vie est si courte ! »*

Personnalité narcissique. La principale caractéristique du *comportement* de la personnalité narcissique est la quête du pouvoir et du succès. Étant donné que ces personnes sont perfectionnistes, l'échec leur est intolérable. Leurs objectifs irréalistes ou leur soif inextinguible de succès peuvent entraver leur fonctionnement professionnel.

Sur le plan *affectif*, les personnalités narcissiques présentent généralement un affect labile. Elles peuvent avoir des accès de rage si elles sont critiquées. Elles peuvent aussi éprouver de l'anxiété et de la panique et traverser de courtes périodes de dépression. Elles ne veulent jamais être prises en défaut car elles craignent par-dessus tout l'humiliation. Lorsqu'elles sont insatisfaites, elles ont des réactions de rage ou de honte, mais elles dissimulent ces sentiments derrière un halo d'indifférence tranquille. À cause de leur obsession de la réussite, elles jalousent constamment ceux qui semblent connaître plus de succès.

Sur le plan *cognitif*, les personnalités narcissiques sont arrogantes et égotistes. Leurs idées de grandeur sont encore plus prononcées que celles des personnalités histrioniques. Elles ont tendance à exagérer leurs accomplissement et leurs talents et s'attendent à être remarquées et à recevoir un traitement de faveur, qu'il soit ou non mérité. Elles oscillent entre des sentiments exagérés de leur importance et des sentiments d'indignité. Elles sont absorbées par des fantaisies de succès sans bornes, de pouvoir, d'éclat, de beauté et d'amour idéal. Sous des dehors de confiance, leur estime de soi est très fragile.

Sur le plan *socioculturel*, les personnes narcissiques ont des relations houleuses. Contre toute logique, elles s'attendent à bénéficier de faveurs spéciales et elles exploitent les autres pour parvenir à leurs fins. Leurs amitiés sont conditionnées par les avantages qu'elles peuvent en retirer. Dans les rapports amoureux, les partenaires sont des instruments dont elles se servent pour rehausser leur estime de soi. Elles sont incapables d'établir une relation fondée sur la réciprocité (American Psychiatric Association, 1987 ; Gunderson, 1988).

> *Michel, courtier en immobilier de 28 ans, ne s'est jamais marié. Il habite dans un appartement cossu et conduit des voitures sport de marque étrangère. Michel cherche à afficher sa réussite professionnelle et à étaler sa vie luxueuse chaque fois qu'il le peut. Il sort avec*

des femmes séduisantes, mais les quitte aussitôt qu'elles commencent à s'attacher. Il organise des fêtes somptueuses et s'attend à ce que ses invités s'extasient devant son appartement. «Tout le monde m'aime», affirme-t-il. Dernièrement, il a failli s'emporter, car l'un de ses collègues est resté indifférent devant une sculpture italienne que Michel venait d'acheter. Mais plutôt que d'exprimer sa colère, Michel a dit d'un ton détaché: «De toute évidence, tu ne connais rien à la sculpture italienne». Puis il s'est tourné vers un autre invité et a continué de vanter sa trouvaille.

Groupe C   Les caractéristiques communes des troubles de la personnalité du groupe C sont l'anxiété et la peur exagérée.

Personnalité évitante. Le malaise en situation sociale est la principale caractéristique du *comportement* des personnalités évitantes. Elles évitent toute activité sociale ou professionnelle qui entraîne des contacts importants avec autrui et établissent une routine très stricte qui leur permet d'échapper au sentiment d'échec ou de rejet.

Sur le plan *affectif*, les personnes évitantes sont peureuses et timides. La critique les blesse et le moindre reproche les terrasse. Leur incapacité d'interaction les perturbe et provoque chez elles la dépression, l'anxiété et la colère.

Sur le plan *cognitif*, les personnes évitantes sont excessivement sensibles à l'opinion d'autrui et elles ont un fort besoin d'être acceptées. Leur routine menée à l'excès leur permet d'écarter le risque d'échec et les protège contre la désapprobation.

Sur le plan *socioculturel*, les personnalités évitantes se montrent réticentes à se lier à moins d'être assurées d'une acceptation inconditionnelle. Comme de telles relations sont rares, ces personnes ont peu d'amis proches ou de confidents. Dans les situations sociales, les personnalités évitantes restent réservées de peur de paraître stupides ou d'être incapables de répondre à une question. Elles craignent d'être embarrassées par le fait de rougir, de pleurer ou de montrer des signes d'anxiété en public (Reid, 1989).

Éric, étudiant de 22 ans, passe pour un jeune homme timide. Il reste chez lui à étudier ou à regarder la télévision, et il ne participe pas aux fêtes de la faculté. On ne lui connaît aucun ami intime. Éric trouve certains cours difficiles, particulièrement ceux où il doit prendre la parole devant le groupe. Il ressasse pendant des heures des scénarios où il se voit commettre une bourde ridicule. Dans les salles de cours, Éric ne s'assied jamais deux fois à côté de la même personne, pour ne pas se sentir obligé à engager la conversation. Il est attiré par une jeune fille de son cours de philosophie, mais il n'a jamais osé lui adresser la parole. Bien qu'il cherche un moyen de l'inviter à sortir, tout ce qu'il pense à dire lui semble niais. Éric a peur qu'elle refuse son invitation.

Personnalité dépendante. Sur le plan du *comportement*, la dépendance et la soumission sont les principales caractéristiques de la personnalité dépendante. Ces personnes ne peuvent agir de manière autonome. Elles évitent par tous les moyens de rester seules et se montrent toujours d'accord avec les autres par peur d'être rejetées. Parce qu'elles ont un besoin intense d'être aimées et acceptées, ces personnes se portent volontaires pour des tâches désagréables ou dévalorisantes. Elles évitent les emplois où il faut faire preuve d'autonomie et d'initiative.

Sur le plan *affectif*, les personnes dépendantes gravitent autour de leur peur du rejet et de l'abandon. Elles se sentent totalement démunies lorsqu'elles sont seules. La critique et la désapprobation les touchent profondément et les ruptures les laissent désemparées. Leurs peurs entretiennent chez elles un sentiment d'anxiété chronique et les prédisposent à la dépression.

Sur le plan *cognitif*, les personnalités dépendantes manquent totalement de confiance en elles-mêmes et elles ont tendance à déprécier leurs qualités et leurs capacités. Elles sont incapables de prendre la moindre décision et ont constamment besoin d'être rassurées ou conseillées. Elles laissent les autres prendre la plupart des décisions importantes les concernant.

Sur le plan *socioculturel*, les personnalités dépendantes sont toujours désireuses de compagnie, car la solitude leur donne un fort sentiment d'impuissance. Comme elles refusent de prendre des décisions, elles laissent souvent leur conjoint choisir un domicile, leur trouver un emploi, un groupe d'amis ou des activités (Gunderson, 1988).

> *Alice, 39 ans, est femme au foyer. Elle appelle sa mère tous les jours au téléphone. Comme elles habitent très près l'une de l'autre, elles passent souvent la journée à regarder ensemble la télévision. Alice ne prend jamais de décisions et elle s'en remet totalement à son mari, Grégoire. Alice ne va nulle part sans Grégoire ou sa mère. Cette dernière choisit ses vêtements et ceux de ses enfants. Alice estime qu'elle n'a pas de goût et qu'elle est trop stupide pour acheter des vêtements qui plaisent à ses enfants.*

Personnalité obsessionnelle-compulsive. Le perfectionnisme et la rigidité sont les principales caractéristiques du *comportement* des personnalités obsessionnelles-compulsives. Le besoin constant de tout vérifier et de revérifier les accapare et les dévore. Ces personnes sont très industrieuses, mais leur besoin de routine étouffe leur créativité et leur perfectionnisme les empêche de mener à bien leurs tâches. Aucun accomplissement ne leur semble satisfaisant.

Dans les situations sociales, les personnalités obsessionnelles-compulsives sont polies et guindées, ce qui leur permet de prendre des distances par rapport à autrui. Elles gardent jalousement leur statut social et leurs biens matériels et elles se montrent rarement généreuses.

Sur le plan *affectif*, la principale caractéristique de ce trouble est l'incapacité d'exprimer les émotions. Pour atténuer l'anxiété causée par l'impuissance et le désarroi, ces personnes ont besoin de se sentir en position de force, ce qui les oblige à réprimer ou à nier leurs émotions, qu'elles soient tendres ou hostiles. Pour cette raison, elles préfèrent se priver d'expériences affectives. Les personnes obsessionnelles-compulsives sont portées à l'intellectualisation dans la vie en général et dans les relations interpersonnelles en particulier. La rete-

nue et les distances sont pour elles des garde-fous contre la perte de maîtrise de soi ou de l'entourage.

Comme leurs mécanismes de défense suffisent rarement à juguler l'anxiété, les personnalités obsessionnelles-compulsives sont minées par des peurs multiples. Elles redoutent la désapprobation et la condamnation et évitent donc de prendre des risques. Elles ont peur de commettre des erreurs et, si cela leur arrive, elles se culpabilisent et se critiquent sans pitié. Ces individus établissent des lois et des règlements pour rester toujours maître de la situation. Ils inventent des rituels pour satisfaire leur besoin de routine et de sécurité. Or, ce souci minutieux des détails a pour effet d'intensifier davantage leur besoin d'ordre et d'organisation.

Sur le plan *cognitif*, les personnalités obsessionnelles-compulsives évitent de prendre des décisions. La procrastination et l'indécision sont fréquentes, car ces individus préfèrent renoncer à un engagement plutôt que de risquer un échec. Avant de prendre une décision, ils accumulent les données et tentent de prévoir toutes les conséquences possibles de leur choix. Quand ils parviennent finalement à prendre une décision, ils se mettent à douter du bien fondé de leur action. Comme ils recherchent constamment la perfection, ils préfèrent souvent l'inaction à un résultat imparfait.

Les personnalités obsessionnelles-compulsives se disent consciencieuses, loyales, fiables et responsables, ce qui contredit leurs sentiments sous-jacents d'indignité et d'incompétence.

Sur le plan *socioculturel*, le besoin de domination se manifeste aussi dans les relations interpersonnelles. Se considérant comme omnipotentes et omniscientes, ces personnes veulent que leurs opinions et leurs projets soient acceptés à l'unanimité et elles consentent rarement au compromis. Dans le cercle familial, leurs règles rigides et leurs routines élaborées détruisent toute possibilité d'intimité. Ces personnes ne peuvent pas comprendre que les autres ont des besoins et des comportements qui leur sont propres, voire même complètement différents des leurs. Comme les personnalités obsessionnelles-compulsives associent la dépendance à une perte de maîtrise et à la subordination, elles ont tendance à exploiter ou à opprimer leur partenaire pour sauvegarder l'illusion de leur pouvoir.

Le discours de ces personnes est très intellectuel, précieux et précis. Elles manient inconsciemment le langage pour dérouter l'interlocuteur. En accumulant les digressions et en s'attardant sur les détails, elles s'éloignent du sujet de conversation, ce qui peut être très frustrant pour l'interlocuteur (Reid, 1989).

Jacques, 42 ans, est cadre dans une usine d'aliments. Il est toujours en conflit avec le directeur de l'usine parce qu'il ne remet jamais ses rapports à temps. Jacques en impute la faute à sa secrétaire: «Je ne peux compter sur personne d'autre que sur moi-même», dit-il. Or, la secrétaire de Jacques dactylographie promptement tous les travaux qui lui sont confiés. Mais Jacques ne cesse d'ajouter des détails et de réécrire ses rapports, ce qui oblige sa secrétaire à reprendre tout le travail. Jacques conserve tous les brouillons de ses rapports et note le temps que sa secrétaire met à les dactylographier. Il range toutes ces données dans un tiroir qu'il est seul en droit d'ouvrir. Un matin, Jacques a égaré une liste où il avait inscrit les choses à faire et sa secrétaire a dû l'aider à la chercher pendant plus d'une demi-heure. Jacques s'est mis en colère contre elle quand elle lui a suggéré d'essayer plutôt de se rappeler ce que sa liste contenait.

Personnalité passive-agressive. La principale caractéristique du *comportement* des personnalités passives-agressives est la résistance passive aux demandes des autres. Dans les relations interpersonnelles, ces individus ont un comportement très manipulateur. Sous des airs d'obéissance se dissimulent la colère et l'insoumission.

L'agressivité passive peut revêtir diverses formes et notamment l'oubli. Les «distraits» chroniques sont incapables d'opposer ouvertement un refus. Ils acceptent passivement toutes les demandes, puis oublient de s'en occuper. Leurs oublis ne concernent que les choses peu importantes pour eux mais importantes pour les autres. Par ailleurs,

l'agressivité passive peut se manifester sous forme de méprise que la personne exprime en feignant la sincérité. «Oh! Je croyais que tu voulais dire...», répondent les personnes passives-agressives à leurs interlocuteurs frustrés. La procrastination est une forme très courante d'agressivité passive: les personnes passives-agressives refusent de fixer des délais ou refusent passivement d'accomplir ce qu'elles se sont engagées à faire. Par ailleurs, elles essaient de culpabiliser autrui en rétorquant par exemple: «Doucement! Tu es trop pressé. Tu ne vivras pas vieux à ce rythme-là». Les gens qui sont toujours en retard expriment indirectement leur hostilité à ceux qui les attendent. Le message manifeste est le suivant: «Je suis plus important que toi, tu n'as qu'à attendre». Mais, elles vont le cacher par des excuses très imaginatives. Certaines personnalités passives-agressives expriment leur hostilité par le refus de tirer des leçons de leur expérience. Un tel individu oblige les autres à demander encore et toujours la même chose. Par exemple, bien qu'il sache qu'il faut sortir les poubelles chaque jour, il force passivement son partenaire à lui en faire chaque fois la demande. La frustration de celui-ci ne fait qu'augmenter quand il entend toujours la même réplique: «Du calme! Si tu veux que je le fasse, tu n'as qu'à me le demander!»

Toutes les formes de comportement passif-agressif se manifestent verbalement par l'obéissance ou l'accord. Or, les personnalités passives-agressives ne sont satisfaites que si elles ne répondent pas aux demandes des autres et si elles suscitent l'irritation ou la frustration.

Sur le plan *affectif*, les personnalités passives-agressives semblent empressées, intéressées et empathiques, mais ce ne sont que des apparences qui cachent l'hostilité. Le comportement passif est le seul moyen d'expression de l'hostilité qui soit connu à ce genre de personnes. Elles redoutent l'expression directe de la colère et de la révolte qui entraîne, à leur sens, le rejet et l'isolement.

Sur le plan *cognitif*, les personnalités passives-agressives manquent de confiance en elles-mêmes. Elles perçoivent mal leur propre comportement et croient généralement qu'elles travaillent mieux que les autres ne semblent vouloir en convenir. Elles n'admettent pas que leur comportement soit la cause des difficultés qu'elles connaissent dans les relations interpersonnelles.

Sur le plan *socioculturel*, les personnalités passives-agressives sont très habiles à se bâtir une façade d'innocence et de bonne volonté. Par conséquent, leurs victimes finissent pas se sentir coupables et hésitent à les confondre de peur de se faire reprocher leur insistance. Les parents et les amis des personnes passives-agressives doivent imposer des limites à ce comportement irritant et en souligner les conséquences (Reid, 1989).

> *Marie-Lise, 45 ans, enseigne dans un collège. Sa procrastination irrite ses collègues. Le libraire doit l'appeler plusieurs fois par semestre pour prendre sa commande de livres. Marie-Lise apporte ses examens au service de dactylographie l'après-midi même où elle compte les distribuer à ses étudiants. Elles oublie les réunions du département. Lorsqu'on lui a confié un cours qu'elle n'aime pas donner, Marie-Lise n'a pas adressé la parole au chef du département pendant des semaines. «Je suis l'une des meilleures professeures de la boîte, a-t-elle dit à l'une de ses collègues, et cette vieille peau me confie un cours que je déteste! Je vais lui montrer de quel bois je me chauffe. Je me présenterai en classe quand ça me chantera. Qu'elle trouve un suppléant!»*

Troubles de la personnalité non spécifiés
On porte le diagnostic de «**trouble de la personnalité non spécifié**» quand les traits de la personnalité ne répondent pas à la totalité des critères d'aucun autre trouble de cette catégorie, mais qu'ils entravent de façon marquée, le fonctionnement social ou professionnel ou qu'ils lui causent une souffrance subjective (American Psychiatric Association, 1987).

Théories de la causalité

Comme dans le cas des autres troubles psychiatriques, on a élaboré un grand nombre de théories des causes des troubles de la personnalité. Étant donné que les critères des diagnostics des divers troubles de la personnalité se raffinent de jour en

jour, on pourra bientôt mener des études précises sur des populations spécifiques ayant reçu des diagnostics exacts. Autrefois, les divers diagnostics variaient trop pour qu'on puisse recueillir des données fiables. Comme les chercheurs ne s'entendaient pas sur les catégories de classement, on comprend aisément pourquoi la recherche de facteurs communs (facteurs génétiques, premières expériences, tendances familiales, etc.) n'a pas donné des résultats concluants.

Par ailleurs, d'autres obstacles subsistent, notamment le refus de traitement de la part du client et le besoin peu fréquent d'hospitaliser ce genre de clients. De ce fait, la recherche s'est limitée aux personnes qui suivent des thérapies (comme c'est souvent le cas des personnalités limites) ou à celles que la justice portait à l'attention des professionnels de la santé (comme c'est le cas des personnalités antisociales).

Théorie génétique L'hypothèse suivant laquelle les comportements aberrants auraient une origine biologique ou génétique a été vérifiée pour l'ensemble des troubles de la personnalité. L'étude la plus pertinente a été réalisée aux États-Unis (Vaillant et Perry 1985). Les chercheurs ont divisé 15 000 couples de jumeaux en deux groupes : un de jumeaux homozygotes et un de jumeaux hétérozygotes. Tous avaient été élevés par leurs parents, de sorte que tous les jumeaux avaient vécu dans le même milieu, avec la même éducation. En contrôlant les variables reliées au milieu et à l'éducation, les chercheurs pouvaient examiner de plus près la variable de l'hérédité. Dans le groupe de jumeaux homozygotes, l'incidence d'un trouble de la personnalité touchant les deux enfants était considérablement plus élevée que dans le groupe de jumeaux hétérozygotes. Cette incidence, qu'on appelle *taux de concordance*, révèle l'existence possible d'un facteur génétique qui pourrait déterminer les troubles de la personnalité. Bien que, d'après cette recherche, l'hérédité puisse jouer un rôle dans les troubles de la personnalité, il faudrait mener plus d'études à ce sujet avant de pouvoir généraliser les résultats.

Les études portant sur les jumeaux adoptés indiquent qu'il pourrait exister une prédisposition génétique à la personnalité antisociale. En effet, la personnalité antisociale et l'alcoolisme sont plus fréquents chez les parents biologiques que dans la population en général. De même, d'après les études menées sur des sujets adoptés, la personnalité antisociale est plus fréquente chez les enfants de criminels que chez les enfants du groupe témoin. À l'heure actuelle, il est difficile de distinguer les facteurs génétiques des facteurs familiaux et environnementaux (Gerstley, 1990 ; Gunderson, 1988 ; Reid, 1986).

Théorie psychanalytique Les troubles de la personnalité du groupe A (personnalités paranoïaque, schizoïde et schizotypique) ont été peu étudiés du fait que les sujets atteints ne sont généralement pas portés à suivre un traitement. D'après la théorie psychanalytique, le principal mécanisme de défense de ces personnes est la projection, c'est-à-dire qu'elles projettent leur hostilité sur autrui et que leur manière de réagir est inspirée par la peur et la méfiance. On croit également que ces sujets prennent des distances par peur d'être blessées (Gunderson, 1988).

Les troubles du groupe B (personnalités narcissique et histrionique) s'expliqueraient, quant à eux, par la relation parent-enfant. Johnson (1987, p. 52) décrit en ces termes le message que le parent transmet à l'enfant : « Ne sois pas toi-même, sois celui que je veux que tu sois. Tel que tu es, tu me déçois, tu me menaces, tu me mets en colère, tu m'exaspères. Sois celui que je souhaite que tu sois et je t'aimerai. » Ainsi, dit Johnson, l'enfant est forcé à se défaire de son soi réel et à se fabriquer un soi factice. L'individuation devient impossible si l'enfant est contraint de devenir l'être parfait dont les parents rêvent. Parvenue à l'âge adulte, une telle personne devient mégalomane pour essayer encore de répondre aux attentes exagérées du parent. Pour soutenir son soi factice devant les autres et pour compenser le soi réel abandonné, le mégalomane n'a d'autre but que de s'offrir les vêtements, la maison, la voiture et la carrière qui lui conviennent. Ses normes perfectionnistes constituent son mécanisme de défense contre des attentes irréalistes.

D'après la théorie psychanalytique, la personnalité antisociale est le résultat d'un retard ou d'une anomalie du développement. Selon cette théorie, le surmoi de la personnalité antisociale est sous-développé, en ce sens qu'une telle personne n'a pas intériorisé l'autorité et les normes morales et culturelles. C'est pourquoi elle répond aux attentes culturelles de manière sporadique superficielle et qu'elle n'éprouve pas de remords lorsqu'elle enfreint les règles (Kegan, 1986).

La personnalité limite (« borderline ») découle d'une anomalie du développement du soi survenue pendant le stade de la séparation et de l'individuation de la petite enfance. Pendant le stade symbiotique, entre l'âge de deux et de six mois, le nourrisson ne fait aucune distinction entre le parent et lui-même. À partir de six mois et jusqu'à l'âge de trois ans, le nourrisson traverse le stade de l'individuation, c'est-à-dire qu'il établit des limites entre ses parents et lui-même. Ses parents deviennent pour lui source de gratification en même temps que de frustration et il apprend à vivre avec ces émotions contradictoires. On croit que les parents des individus ayant une personnalité limite ont un comportement inconstant, c'est-à-dire qu'ils se sont accrochés à leur enfant et s'en sont éloignés tour à tour. Devenue adulte, une telle personne a peur de s'égarer dans une relation intime, tout en cherchant dans un même temps à se faire protéger. Pour atténuer son anxiété et sa honte, la personne projette sur autrui des sentiments d'inutilité, d'indignité et d'hostilité (Everett, 1989 ; Fine, 1989).

Théorie environnementale Les troubles de la personnalité du groupe B (personnalités antisociale, limite, histrionique et narcissique) pourraient être imputés à une société dont la complexité ne cesse de croître. D'après certains, l'industrialisation, par exemple, a contribué à une modification du système de valeurs. Ainsi, nous estimons aujourd'hui que les besoins personnels priment les besoins collectifs, que l'efficacité prime la moralité et que l'apparence prime l'esprit. À cause des scandales politiques et religieux et de la menace de guerre nucléaire ou chimique, certaines personnes apprennent, par ailleurs, à se méfier des figures d'autorité et à s'attacher uniquement à leur survie. Les individus atteints d'un trouble de la personnalité du groupe B croient que leur survie ne dépend que d'eux et ils s'élaborent un système de valeurs qui se résume par les devises « Chacun pour soi » et « Moi d'abord » (Gunderson, 1988 ; Reid, 1986).

Depuis quelque temps, la recherche sur les causes de la personnalité limite porte sur les sévices affectifs, physiques ou sexuels infligés aux enfants. Les premières données laissent croire que les sévices ont été bien plus fréquents chez les personnes ayant reçu un diagnostic de personnalité limite que dans la population dans son ensemble. Le fait que les filles soient plus souvent victimes de sévices que les garçons expliquerait le nombre disproportionné de femmes ayant reçu le diagnostic de personnalité limite. En réalité, la symptomatologie est très semblable à celle présentée par les adultes ayant été victimes de sévices pendant l'enfance (voir le chapitre 16) et par ceux ayant subi un état de stress post-traumatique (voir le chapitre 8). Il faudrait mener davantage de recherches pour déterminer les éléments qui prédisposent à l'apparition des traits propres à la personnalité limite ou qui protègent l'individu contre ce trouble. Il peut s'agir de l'âge de l'enfant au moment où il a été brutalisé, de la durée des actes de violence, du nombre de malfaiteurs, de la relation avec le malfaiteur, des relations avec les pairs, des interactions familiales et des réseaux de soutien dans le milieu. Si l'on ignore le fait que les personnes atteintes sont des adultes ayant été victimes de sévices sexuels infligés pendant l'enfance, on ne peut trouver de traitement efficace à leur trouble (Kroll, 1988 ; Shearer, 1990).

Théorie des facteurs familiaux   On croit que les personnalités antisociales viennent de familles où le rôle parental mal assumé a provoqué une carence affective. Il se peut qu'à cause de leurs propres problèmes de personnalité ou de toxicomanie ces parents aient été incapables de surveiller leurs enfants et de leur inculquer une discipline ou que ces parents aient été des modèles de comportement antisocial (Gunderson, 1988 ; Reid, 1986).

La personnalité passive-agressive semble imputable aux attitudes que les parents ont adoptées face à la colère et au conflit. La croissance et le développement ne peuvent se poursuivre normalement si l'enfant n'apprend pas à régler adéquatement les conflits. Dans une famille où les parents interdisent l'expression de la colère, les enfants sont réduits à exprimer leur hostilité par un comportement qui traduit une révolte voilée.

D'après la théorie des facteurs familiaux, la personnalité limite (« borderline ») reflète la dysfonction de toute la cellule familiale sur plusieurs générations. Dans une telle famille, les limites entre les générations sont floues et la dynamique est semblable à celle de la famille incestueuse (voir le chapitre 16). La personnalité limite se manifeste généralement dans une cellule familiale dont les membres vivent en symbiose. Dans les familles où l'on valorise fortement la loyauté des enfants envers les parents, les enfants adultes se cramponnent à leurs parents même après leur mariage. Par conséquent, les conjoints sont incapables de s'attacher l'un à l'autre. Ils encouragent cependant leurs propres enfants à rester accrochés, ce qui rend impossibles les comportements normaux de séparation. Il arrive souvent que de tels enfants soient obligés de prendre leurs parents en charge et d'assumer de nombreuses responsabilités familiales. À la fin de l'adolescence, ils sont incapables de se séparer de leurs parents parce qu'ils ont intégré l'idée que la séparation et la perte sont intolérables. C'est à la troisième ou à la quatrième génération que les traits de la personnalité limite se transforment en trouble de la personnalité. Les enfants de sexe masculin ayant une personnalité limite ne se marient généralement pas et restent très proches de leur famille. En revanche, beaucoup de filles se marient, mais elles ont tendance à choisir des conjoints passifs et distants qui sont, eux aussi, fortement attachés à leur famille (Everett, 1989).

Traitement médical

Il n'est pas rare que les troubles de la personnalité s'accompagnent d'un trouble mental concomitant tel que la dépression, un trouble anxieux ou la toxicomanie. Le traitement de ces troubles est décrit ailleurs dans le présent ouvrage.

À l'heure actuelle, aucun médicament ne peut traiter efficacement les troubles de la personnalité. Les traitements courants sont la psychothérapie, la thérapie familiale, la thérapie conjugale, la thérapie du comportement et la thérapie poursuivie dans les groupes d'entraide. Rares sont les personnes atteintes de troubles de la personnalité qui puissent connaître des changements profonds et durables.

Collecte des données

La collecte des données représente le point de départ de la démarche de soins infirmiers chez le client atteint d'un trouble de la personnalité comme, d'ailleurs, chez tous les clients souffrant de troubles mentaux.

Lorsque l'infirmière soupçonne la présence d'un trouble de la personnalité, les antécédents du client deviennent une partie essentielle des connaissances nécessaires. Quel que soit le trouble de la personnalité, la collecte des données doit confirmer la persistance des modes de comportement décelés. L'infirmière qui comprend ces modes est capable de poser les diagnostics infirmiers appropriés et d'établir le plan de soins qui convient. Voici le genre de données qu'il faudrait rassembler dans le cas du client chez qui l'on soupçonne l'existence d'un trouble de la personnalité.

BILAN DE SANTÉ
Client atteint d'un trouble de la personnalité

Données sur le comportement et sur la vie sociale
Quelles sont vos activités quotidiennes habituelles?
Ces activités suscitent-elles votre anxiété? Veuillez préciser.
À votre avis, dans quelle mesure êtes-vous responsable de votre comportement?
Est-ce qu'on vous a déjà dit que votre comportement pose des problèmes? Si oui, que vous a-t-on dit à ce sujet?
Habituellement, comment vous comportez-vous avec les autres?
À quels moments préférez-vous être seul?
À quels moments préférez-vous être en compagnie?
Qu'est-ce qui vous met en colère contre les autres?
Comment réglez-vous vos conflits avec les autres?
Décrivez tout comportement qui vous posait des problèmes à l'adolescence.

Décrivez vos tentatives de modifier vos modes de comportement.

Données sur l'état affectif
Est-ce que les autres disent parfois que vous êtes détaché, froid ou indifférent? Si oui, qu'est-ce qu'ils vous disent au juste?
Qu'est-ce qui distingue vos relations d'affaires de vos relations sociales?
Vous considérez-vous sensible? Êtes-vous affectueux, empathique, etc.?
Comment réagissez-vous à la critique?
Avez-vous des amis intimes ou proches? Décrivez ce genre de relations.
Êtes-vous souvent rejeté ou vous sentez-vous souvent rejeté par les autres?
Décrivez les sentiments que vous éprouvez lorsque vous vous trouvez dans un groupe. Vous sentez-vous anxieux?
Quelle est votre humeur habituelle?
Avez-vous souvent l'impression que les gens se moquent de vous?
Diriez-vous que vous êtes une personne dépendante ou autonome?

Données sur l'état cognitif et sur les perceptions
Est-ce que vos amis ou d'autres personnes vous ont déjà dit que vos idées étaient illogiques? Si oui, quels étaient leurs commentaires.
Avez-vous déjà entendu des voix? Si oui, décrivez-les.
Avez-vous déjà eu peur d'être blessé par les autres? Si oui, dans quel contexte.
Décrivez la façon dont vous vous percevez. Êtes-vous meilleur, pareil ou pire que les autres?
Avez-vous souvent peur de faire des erreurs?
Quelle importance accordez-vous aux détails dans votre travail ou dans vos études?
Êtes-vous plus efficace, aussi efficace ou moins efficace que les autres?
Si quelqu'un vous rend un service, est-ce qu'il vous semble important de lui rendre la pareille?

Données sur l'état physique et sur les fonctions motrices
Quels sont les symptômes physiques qui vous inquiètent?
Que faites-vous quand vous avez mal à la tête?
Que faites-vous quand vous avez des douleurs musculaires?
Que faites-vous quand vous avez (autres symptômes énumérés par le client)?
Quels médicaments prenez-vous régulièrement? Ces médicaments vous aident-ils?

À quels moments mangez-vous habituellement ?
Combien prenez-vous de repas par jour ? Combien
de collations ? Quelles boissons buvez-vous et en
quelle quantité ?

Combien d'heures de sommeil vous accordez-vous sur
une période de 24 heures ? À quels moments
dormez-vous ? Faites-vous des siestes ? Comment
vous sentez-vous en vous réveillant ?

Combien d'exercice faites-vous par semaine ? Quelles
sont vos activités physiques préférées ? Quelles sont
celles que vous aimez le moins ?

Quelle est la fréquence de vos rapports sexuels ?

Avez-vous déjà reçu un diagnostic d'épilepsie ? Si oui,
de quel type d'épilepsie s'agit-il ?

Décrivez votre état général de santé.

Réactions affectives de l'infirmière face au client

Puisque les clients qui pensent que leur personnalité pose des problèmes sont rares, les premiers indices dont l'infirmière pourrait se saisir sont les émotions qu'elle ressent face au client. En analysant soigneusement ce qu'elle ressent pendant et après ses contacts avec le client, elle peut envisager la possibilité que le comportement de ce dernier puisse susciter le même genre de réactions chez d'autres personnes également. Il est cependant essentiel que l'infirmière possède une bonne connaissance de soi afin de ne pas donner au problème une fausse interprétation. En effet, il se peut que l'infirmière ait été en colère, frustrée ou irritée avant son entrevue avec le client et que l'entrevue n'ait fait que précipiter ses réactions.

Perceptions subjectives du client

L'infirmière doit également recueillir des données sur les perceptions, les sentiments et les comportements du client. Le principal obstacle qu'elle puisse rencontrer est celui-ci : que le client ne perçoive l'existence d'aucun problème. En analysant la façon du client de percevoir ses rapports avec son entourage, l'infirmière peut déterminer tout d'abord si celui-ci a des relations intimes et, le cas échéant, leur durée et leur qualité. Ces renseignements permettent de savoir jusqu'à quel point le client est capable de nouer des relations importantes et durables d'adulte à adulte.

Pour préserver ses liens avec le client, l'infirmière doit veiller à ce que celui-ci ne reste pas sur la défensive pendant l'entrevue. Elle doit envisager les relations du client sous tous les aspects de sa vie présente et passée afin de découvrir les problèmes liés à la confiance, à la dépendance, à l'isolement, à l'impulsivité, à l'exploitation et à la domination d'autrui. La sphère d'activité du client renseigne l'infirmière sur les personnes dont elle doit tenir compte : les membres de la famille, le conjoint, les amis, les collègues de travail, etc.

Les deux grands thèmes que l'infirmière doit dégager et comprendre lorsqu'elle examine l'ensemble des relations du client sont : 1) ce que le client attend de ses relations et pour quelle raison ; 2) ce que le client tire comme avantage de ses relations et par quels moyens. Bien entendu, l'infirmière ne peut interroger le client directement et c'est pourquoi elle doit écouter attentivement ses propos.

Élise, 23 ans, est hospitalisée à cause d'une rupture de trompe par suite d'une grossesse ectopique. Depuis son admission, elle se montre de plus en plus exigeante. Trois jours se sont écoulés depuis son intervention et elle accapare une infirmière pendant la majeure partie de la matinée. Elle décrit son expérience de manière dramatique aux autres clientes et aux amis qui viennent lui rendre visite. Son histoire devient plus tragique chaque fois qu'elle la raconte. Deux aspects attirent l'attention de l'infirmière : le temps et l'attention que la cliente réclame et le ton théâtral qu'elle prend pour décrire son expérience.

Après avoir analysé ses propres sentiments, l'infirmière conclut que les comportements de la cliente sont atypiques et qu'ils nécessitent une étude plus approfondie. L'infirmière passe 30 minutes avec la cliente pour recueillir des données sur sa relation avec son conjoint, sa mère, certains des amis dont elle a parlé, ses enfants et ses voisins. Pour ce faire, ses remarques doivent être assez générales

(p. ex. : « Vous semblez avoir beaucoup d'amis ») pour que la cliente se sente encouragée à s'étendre davantage. Pour obtenir de plus amples renseignements, l'infirmière invite aussi la cliente à dire ce qu'elle pense de ses amis. Elle lui demande, par exemple, si ses amis sont attentionnés, s'ils sont sensibles à ses besoins et si ses relations sont satisfaisantes. Il est essentiel de découvrir ce que la cliente pense investir dans ces amitiés.

L'analyse permet à l'infirmière de conclure que la cliente a constamment besoin d'être rassurée par ses amis, qu'elle semble accaparer considérablement l'attention des autres, qu'elle cherche systématiquement à devenir le point de mire de son entourage et qu'elle ne semble pas s'intéresser aux besoins d'autrui. Bien que ces données soient restreintes, elles confirment à l'infirmière que son hypothèse était juste et que les comportements de la cliente représentent effectivement un mode bien ancré de relations à problèmes.

Relations interpersonnelles avec le client

Le quatrième volet de la collecte des données porte sur les perceptions et l'expérience des personnes qui font partie du cercle intime du client. Il peut s'agir de personnes plus ou moins proches, comme le conjoint, un parent, un ami ou l'employeur. Ces personnes ne sont pas toujours accessibles et l'infirmière a rarement l'occasion de les rencontrer pour cueillir systématiquement les données les concernant. Cependant, dans certaines situations cliniques, elle peut avoir la possibilité d'organiser des entrevues avec une ou deux personnes proches du client. La plupart du temps, elle peut profiter de la visite d'un parent ou d'un ami pour lui parler. Il est essentiel que l'infirmière fasse appel à son bon sens lorsqu'elle interroge ces personnes à propos de leurs relations avec le client. Bien que son objectif soit d'obtenir une description de son fonctionnement dans le contexte familial et social, elle doit s'assurer qu'elle respecte les droits du client. Elle doit veiller à préserver la confidentialité afin de ne pas dépasser les limites juridiques et éthiques fixées par la profession. Une question comme « À votre avis, comment votre femme vit-elle cette situation ? » lui permet d'obtenir des réponses utiles. Pour avoir une vue plus globale des stratégies d'adaptation de cette cliente, l'infirmière peut demander à un parent ou à un ami de celle-ci de comparer le point de vue du conjoint aux stratégies d'adaptation que la cliente en question adopte habituellement.

Examen physique

Dans le cadre de sa collecte des données sur le client atteint d'un trouble de la personnalité, l'infirmière ne doit pas négliger la possibilité que le sujet en question soit alcoolique ou toxicomane. Les personnalités antisociales, histrioniques ou passives-agressives sont particulièrement prédisposées à ce problème, qu'on attribue souvent aux stratégies d'adaptation que ces clients ont adoptées au fil du temps.

Les personnalités passives-agressives ou histrioniques deviennent alcooliques du fait que l'alcoolisme constitue souvent une complication de leur trouble. Il arrive fréquemment que le client entre dans le système de soins de la santé mentale à cause de problèmes associés à la consommation d'alcool et que le trouble de la personnalité ne soit diagnostiqué qu'ultérieurement.

Le nombre de sujets ayant reçu un diagnostic de personnalité antisociale parmi les détenus et les prévenus est très élevé. D'ailleurs, ce ne sont jamais ces personnes qui demandent des soins, mais les tribunaux qui les dirigent vers des organismes de santé mentale. Presque 70 p. cent des personnes du groupe ayant reçu un tel diagnostic ont des antécédents de consommation excessive d'alcool (Kaplan, 1986). De fait, la consommation de drogue ou d'alcool est souvent à l'origine du comportement qui a provoqué leur arrestation (voies de fait, vandalisme, conduite en état d'ébriété). Les antécédents de consommation de plusieurs drogues sont également fréquents dans ce groupe.

L'infirmière doit recueillir toutes les données sur les antécédents de consommation de drogue ou d'alcool chez ces clients (voir aux chapitres 12 et 13 les instruments de collecte des données). Si l'infirmière décèle des signes d'intoxication aiguë ou des effets des drogues ou de l'alcool, elle devrait obtenir des renseignements de la part des parents et des amis du client ou de la police, le cas échéant. Si, lors de l'arrestation, on a soupçonné une intoxication à l'alcool, on a probablement effectué une épreuve d'alcoolémie, dont le résultat permet à l'infirmière d'évaluer la quantité d'alcool consommée avant l'arrestation.

Les modifications du fonctionnement neurologique constituent des signes manifestes de consommation récente de drogue ou d'alcool. Ils se traduisent par des troubles d'élocution, de coordination, de perception et de cognition. La présence de capsules, de poudres, de comprimés ou de divers accessoires doit inciter l'infirmière à s'enquérir de la quantité de drogue consommée et des habitudes de consommation.

Il est plus difficile de discerner les habitudes de consommation de drogue ou d'alcool du client en l'absence de signes manifestes. L'infirmière a alors la tâche délicate d'aborder le sujet de manière à ne provoquer ni le déni ni une attitude défensive. Elle pourrait, par exemple, demander au client depuis combien de temps il boit (ou consomme des drogues) plutôt que de lui demander s'il s'adonne à de telles pratiques. Il est beaucoup plus facile pour le client de répondre par la négative à une question du type « Buvez-vous régulièrement ? » plutôt qu'à une question du type « Depuis combien de temps buvez-vous ? » (voir aux chapitres 12 et 13 tous les détails concernant les stratégies de collecte des données en cas de toxicomanie).

Par ailleurs, la collecte des données sur l'état physique doit porter sur les antécédents possibles d'épilepsie qui touche le lobe temporal, puisque cette maladie entre dans la catégorie des diagnostics généraux des troubles de la personnalité et qu'elle semble influer sur la gravité des troubles du comportement et des troubles affectifs.

Analyse des données et planification des soins

Les diagnostics infirmiers définissent les risques et les problèmes potentiels qui accompagnent chacun des troubles de la personnalité. L'infirmière doit se rappeler qu'aucun client ne correspond jamais parfaitement à une catégorie diagnostique définie en théorie et qu'il n'existe ni liste ni tableau normalisés qui puisse fournir la description exhaustive des troubles d'un client donné. Les diagnostics présentés au tableau 10-5 peuvent servir de cadre de référence pour les soins infirmiers, mais ils ne sauraient se substituer à une collecte des données complète et individualisée.

Les clients dont les symptômes appartiennent à la catégorie de diagnostics généraux des troubles de la personnalité présentent des déficits divers sur le plan du comportement et de l'état affectif. Aucun plan de soins standard ne peut tenir compte de la totalité des problèmes potentiels. Par conséquent, nous résumons, au tableau 10-6, les diagnostics infirmiers qu'on pose couramment en cas de trouble de la personnalité.

L'infirmière doit aborder la personne atteinte d'un trouble de la personnalité du groupe A (personnalités paranoïaque, schizoïde et schizotypique) de manière délicate et attentionnée et respecter son besoin de distance et de solitude. Les groupes de travail et les programmes de travail protégé peuvent aider ce type de clients à apprendre des habiletés sociales et à établir des relations.

Dans le cas du client atteint d'un trouble de la personnalité du groupe B (personnalités antisociale, limite, histrionique et narcissique), l'infirmière doit faire preuve de beaucoup plus de patience et de rigueur. Le milieu thérapeutique doit assurer des soins uniformes. Il faut, d'une part, définir clairement le rôle du client et du personnel et, d'autre part, les règles relatives au comportement approprié et à ses conséquences. Dans un tel milieu thérapeutique, le client apprendra à retarder ses actes impulsifs et, par conséquent, à améliorer son fonctionnement habituel. Il faut encourager le client à parler de ses sentiments plutôt que de passer impulsivement à l'acte. L'infirmière doit analyser les relations du client avec ses semblables et l'aider à comprendre que son comportement dérange les autres; elle doit aussi l'aider à modifier ses modes de relations interpersonnelles mal adaptés. Elle doit l'encourager à mettre à l'essai de nouveaux comportements lui permettant de satisfaire ses besoins d'une façon plus acceptable. Les réunions de groupe structurées sont bénéfiques pour ce type de client. On y traite souvent des aspects pratiques de la vie,

Tableau 10-5 *Diagnostics infirmiers selon le type de trouble de la personnalité*

Groupe A

Personnalité paranoïaque

Stratégies d'adaptation individuelle inefficaces, reliées à l'incapacité de faire confiance à autrui

Peur, reliée à la perception de menaces provenant de l'entourage ou du milieu

Risque de non-observance, relié au déni du problème

Personnalité schizoïde

Stratégies d'adaptation individuelle inefficaces, reliées à l'égocentrisme

Isolement social, relié à une incapacité d'établir des relations

Peur, reliée à l'anxiété suscitée par la vie sociale

Personnalité schizotypique

Stratégies d'adaptation individuelle inefficaces, reliées à des perceptions et à une communication inhabituelles

Isolement social, relié à un manque d'empathie

Altération des opérations de la pensée, reliée à des interprétations singulières des stimuli

Perturbation des interactions sociales

Groupe B

Personnalité antisociale

Stratégies d'adaptation individuelle inefficaces, reliées au refus des normes sociales ou à la manipulation des autres

Risque de violence envers les autres, relié à l'absence de domination des impulsions

Risque de perturbation dans l'exercice du rôle parental, relié à des besoins restés insatisfaits pendant le développement

Personnalité limite

Stratégies d'adaptation individuelle inefficaces, reliées à une instabilité thymique

Perturbation de l'identité personnelle, reliée au clivage

Risque de violence envers soi, relié à une analyse erronée de la réalité

Personnalité histrionique

Stratégies d'adaptation individuelle inefficaces, reliées à des réactions émotives exagérées

Sentiment d'impuissance, relié à des sentiments de désarroi

Risque de dysfonctionnement sexuel, relié à l'adoption d'un rôle sexuel stéréotypé

Personnalité narcissique

Stratégies d'adaptation individuelle inefficaces, reliées à un égocentrisme extrême

Isolement social, relié à un manque d'empathie

Risque de non-observance, relié au déni du problème

Groupe C

Personnalité évitante

Stratégies d'adaptation individuelle inefficaces, reliées à une hypersensibilité dans les relations interpersonnelles

Perturbation de l'estime de soi, reliée à la dévalorisation des accomplissements personnels

Perturbation des interactions sociales, reliée au repli sur soi et à la peur de la critique

Isolement social, relié au besoin de recevoir l'approbation d'autrui

Personnalité dépendante

Stratégies d'adaptation individuelle inefficaces, reliées à l'incapacité de fonctionner de façon autonome

Perturbation de l'estime de soi, reliée au manque de confiance en soi

Peur, reliée à des sentiments d'abandon

Personnalité obsessionnelle-compulsive

Stratégies d'adaptation individuelle inefficaces, reliées à la rigidité

Perturbation de l'estime de soi, reliée à la peur de faire des erreurs

Risque d'accident, relié à une dépression réactionnelle

Personnalité passive-agressive

Stratégies d'adaptation individuelles inefficaces, reliées à des perturbations dans l'exercice du rôle

Risque d'accident, relié à une dépression réactionnelle

tels la nutrition, le logement, le budget, le travail et les relations, afin de favoriser l'adaptation du client en dehors du milieu hospitalier.

Diverses approches sont indiquées pour le client atteint d'un trouble de la personnalité du groupe C (personnalités évitante, dépendante, obsessionnelle-compulsive et passive-agressive). La

thérapie de groupe aide ce type de client à exprimer ses sentiments et ses opinions ouvertement. Au sein du groupe, ses interactions se multiplient et il apprend à devenir empathique et à aider les autres. La thérapie individuelle permet au client d'affronter, dans un milieu protégé, les problèmes reliés à l'évitement et d'apprendre à déceler ce qu'il « gagne »

Tableau 10-6　Plan des soins infirmiers destinés au client atteint d'un trouble de la personnalité

Diagnostic infirmier : Stratégies d'adaptation individuelle inefficaces, reliées à l'incapacité de fonctionner de façon autonome.
Objectif : Pendant le traitement, le client définit et met en application des comportements autonomes.

Intervention	Justification	Résultat escompté
Reconnaître les sentiments de désarroi du client.	La reconnaissance des sentiments favorise l'établissement d'une bonne relation de travail entre l'infirmière et le client et entraîne l'empathie.	Le client énonce ses souhaits et ses préférences.
Fixer des limites, en précisant le temps qui sera consacré au client.	Le client comprendra que l'infirmière sera disponible suivant un horaire régulier et prévisible, dans le cadre d'une relation structurée.	
Aider le client à apprendre à choisir entre deux situations.	La prise de décisions est une habileté essentielle à l'autonomie.	Le client exprime ses opinions dans les situations appropriées.
Organiser des jeux de rôles pour permettre au client de s'affirmer dans une situation donnée.	La mise en situation dans un cadre sécurisant favorise la confiance en soi et incite le client à essayer de nouveaux comportements.	Le client montre des modes de fonctionnement efficaces.
Réserver du temps pour mettre à l'épreuve les nouveaux comportements.	La mise en pratique de l'apprentissage favorise également le renforcement de l'esprit de collaboration.	
Rester auprès du client pendant et après la mise en œuvre des nouvelles méthodes.	Le départ de l'infirmière amènerait le client à conclure, à tort, que l'autonomie entraîne nécessairement l'abandon.	
Aider le client à améliorer ses habiletés dans des situations pratiques : • fixer des objectifs quotidiens ; • travailler avec le client à déterminer les tâches qu'il souhaite accomplir chaque jour ; • demander au client de faire part du travail accompli.	L'amélioration de son efficacité permet au client de prendre plaisir au fait qu'il sait ce qu'il veut et qu'il peut l'obtenir ; la croissance de son autonomie permet au client de modifier son comportement.	Le client s'affirme de façon appropriée lorsqu'il cherche à satisfaire ses besoins.

Diagnostic infirmier : Stratégies d'adaptation individuelle inefficaces, reliées au refus des normes sociales ou à la manipulation d'autrui.
Objectif : Pendant le traitement, le client se conforme aux normes sociales définies au sein de l'établissement.

Intervention	Justification	Résultat escompté
Établir une relation privilégiée avec le client.	Le client apprend ainsi à nouer des relation avec autrui.	Le client fait des tentatives de participation au traitement.
Communiquer de façon claire et : • expliquer simplement et directement les manières d'agir et les attentes auxquelles le client devrait répondre ; • se concentrer constamment sur les comportements du client ; • fixer des limites aux comportements ; • obliger le client à assumer ses comportements ; • prouver au client le véritable sens de la réalité ;	Le client apprend ainsi à se conduire de façon à ne pas dépasser les limites admises.	Le client n'essaie pas de semer la discorde entre les membres du personnel.

(suite du diagnostic page suivante)

Tableau 10-6 *(suite)*

Intervention	Justification	Résultat escompté
• demander au client de discuter directement avec le membre du personnel concerné des problèmes qu'il croit avoir avec cette personne.		
Fixer des limites au comportement manipulateur : • énoncer clairement les attentes en matière de comportement ; • empêcher le client de nuire à autrui ; • expliquer au client que les règles sont immuables ; • rester ferme et cohérente ; • éviter les disputes avec le client ; • vérifier l'information si le client dit avoir obtenu l'autorisation de la part d'un autre membre du personnel ; • adresser le client au membre du personnel qui a autorité en la matière.	L'établissement de limites réduit les occasions où le client peut manipuler le personnel.	Le client essaie de respecter les règles établies dans l'unité.

Diagnostic infirmier : Perturbation des interactions sociales, reliée à un manque de maîtrise des impulsions.
Objectif : Pendant le traitement, le client se montre moins agressif et moins manipulateur.

Intervention	Justification	Résultat escompté
Évaluer les comportements d'agressivité et de manipulation.	Le client peut discerner les situations où il devrait modifier son comportement.	Le client discerne les actes qui sont agressifs et manipulateurs.
Obliger le client à assumer les comportements agressifs et manipulateurs.	Le client peut reconnaître plus facilement les comportements inadaptés.	Le client énonce les conséquences d'un comportement agressif et manipulateur.
Dégager les conséquences d'un comportement qui est en permanence agressif et manipulateur.	Le client se rend compte des effets que son comportement peut avoir sur lui-même et sur les autres.	Le client essaie d'adopter des méthodes constructives pour modifier son comportement.
Explorer des moyens constructifs, qui permettent au client de fonctionner en société autrement que d'une manière agressive et manipulatrice.	Le client apprend de nouvelles stratégies d'adaptation qui lui permettront de modifier ses comportements inadaptés.	
Reconnaître les comportements plus adaptés que le client tente d'adopter en société et lui en souligner les conséquences.	Le client apprend ainsi à adopter des comportements efficaces ; sa conduite socialement acceptable en sera renforcée.	

Diagnostic infirmier : Perturbation des interactions sociales, reliée à une absence d'estime de soi.
Objectif : Pendant le traitement, le client modifie sa conduite en société et améliore ses relations interpersonnelles.

Intervention	Justification	Résultat escompté
Évaluer les modes d'interaction du client en société.	Le client qui comprend les modes d'adaptation dont il se sert habituellement peut en acquérir de nouveaux.	Le client définit verbalement ses modes d'interaction sociale.
Aider le client à discerner les modes de comportement qui suscitent son malaise.	Le client découvre les comportements qu'il devrait modifier.	Le client verbalise les sentiments suscités par ses modes d'interaction sociale.

(suite du diagnostic page suivante)

Tableau 10-6 *(suite)*

Diagnostic infirmier *(suite)*: Perturbation des interactions sociales, reliée à une absence d'estime de soi.
Objectif : Pendant le traitement, le client modifie sa conduite en société et améliore ses relations interpersonnelles.

Intervention	Justification	Résultat escompté
Se servir du jeu de rôles pour aider le client à apprendre de nouveaux modes d'interaction.	La pratique de nouveaux comportements permet au client de les adopter avec plus de facilité.	Le client participe à des activités en vue d'apprendre de nouveaux modes d'interaction.
Discerner les aspects négatifs du concept de soi.	Le client discerne ainsi plus facilement les aspects du concept de soi qu'il devrait changer.	
Souligner les aspects positifs du concept de soi.		Le client discerne les aspects positifs de son concept de soi.
Organiser des activités valorisantes pour le client.		

Diagnostic infirmier : Isolement social, relié à l'incapacité d'établir des relations.
Objectif : Pendant le traitement, le client établit au moins une nouvelle relation.

Intervention	Justification	Résultat escompté
Évaluer les modes d'interaction sociale du client.	L'infirmière peut ainsi garder à l'esprit que les problèmes de longue date sont difficiles à déraciner.	Le client affirme qu'il prend plaisir aux interactions.
Proposer au client d'établir une relation avec lui.	L'infirmière peut être une interlocutrice objective, fiable et désintéressée.	Le client recherche de lui-même la compagnie d'une autre personne.
Consacrer chaque jour un certain temps au client.	La consolidation de la confiance permet au client de prendre des risques pour établir un contact.	Le client fait des projets pour établir de nouvelles relations.
Commencer au point où le client se trouve ; ne pas exiger un niveau d'interaction auquel le client n'est pas prêt.	Les interactions complexes, qui dépassent le niveau des habiletés sociales du client, vont à l'encontre de l'objectif proposé.	
Inviter une autre personne à participer à une activité qui ne comporte aucune menace ni aucune lutte pour le pouvoir (par exemple, lecture d'une revue, visionnement d'une émission à la télévision), lorsque le client est prêt.	Le soutien de l'infirmière favorise l'élargissement du groupe.	

Diagnostic infirmier : Risque de violence envers les autres, relié à l'absence de maîtrise des impulsions.
Objectif : Pendant le traitement, le client ne dépasse pas les limites de conduite fixées au sein de l'établissement.

Intervention	Justification	Résultat escompté
Définir les règles de conduite, les conséquences des infractions et les façons de négocier certaines modifications (p. ex. : lors des réunions hebdomadaires du personnel seulement).	Le risque de violence est moindre dans un milieu bien structuré.	Le client énonce les règles de conduite.

(suite du diagnostic page suivante)

Tableau 10-6 *(suite)*

Intervention	Justification	Résultat escompté
S'assurer que tous les membres du personnel connaissent et acceptent les règles, les conséquences des infractions et les modifications permises.	La cohésion du personnel empêche le client de semer la confusion.	Le client affirme qu'il se sent en sécurité dans un milieu rassurant et stable.
Informer le client des règles ; établir un contrat par écrit.	Le client ne peut pas ignorer les règles et les conséquences des infractions.	Le comportement du client ne dépasse pas les limites fixées.
Renforcer les limites avec fermeté, chaleur et cohérence, en suivant les critères déterminés d'avance.	La cohérence favorise la sécurité et la stabilité et oblige le client de subir les conséquences de ses actes.	
Évaluer les signes précurseurs de violence.	La détection des signes permet d'éviter l'escalade possible.	Le client maîtrise ses gestes violents.
Si le comportement du client devient violent : • faire appel à plusieurs infirmières si la situation l'exige ; • installer le client dans un endroit tranquille ; • parler au client de ses sentiments ; • faire comprendre au client que l'on reste maître de la situation ; • rester auprès du client, garder son calme.	L'imposition de structures et le savoir-faire du personnel favorisent la réduction de la violence.	

Diagnostic infirmier : Perturbation de l'estime de soi, reliée à un manque de confiance en soi.
Objectif : Pendant le traitement, le client essaie d'acquérir une perception réaliste de sa valeur personnelle.

Intervention	Justification	Résultat escompté
Reconnaître que les comportements dits « difficiles » sont souvent la conséquence d'une perturbation chronique de l'estime de soi.	L'infirmière pourrait être tentée d'éviter le client « difficile » ou s'indigner de sa conduite si elle ne reconnaît pas la cause de certains comportements.	Le client présente un comportement plus acceptable en société.
Passer du temps avec le client en dehors des occasions où le client demande de l'attention.	L'infirmière manifeste ainsi sa reconnaissance de la valeur du client ; le client ne se sent pas ignoré ni dévalorisé.	Le client affirme qu'il se sent valorisé.
Prévoir les besoins du client et les satisfaire avant qu'il n'en fasse la demande.	La reconnaissance de sa valeur consolide l'estime de soi du client.	Le client affirme qu'il s'accepte mieux.
Montrer du respect au client en l'écoutant, en l'encourageant et en le soutenant.		
Planifier des activités qui permettent au client d'accomplir des tâches et de prouver ses aptitudes (p. ex. : une promenade).	Le client a ainsi l'occasion de réussir dans l'accomplissement d'une tâche.	Le client démontre une amélioration de l'estime de soi.
Reconnaître les accomplissements du client et le féliciter pour leur juste valeur.	Les éloges sincères et mérités peuvent avoir des répercussions concrètes.	

(suite page suivante)

Tableau 10-6   *(suite)*

Diagnostic infirmier : Stratégies d'adaptation individuelle inefficaces, reliées à l'incapacité de faire confiance aux autres.
Objectif : Pendant son hospitalisation, le client verbalise son sentiment de sécurité.

Intervention	Justification	Résultat escompté
Informer le client des règlements du centre hospitalier (p. ex. : l'horaire des visites et des repas).	Le climat d'ouverture ainsi établi augmente le sentiment de sécurité du client.	Le client se montre moins méfiant.
Présenter les membres du personnel au client en indiquant leur titre et leurs fonctions.	Le client n'a plus de raison de douter.	
Être ponctuelle et respecter les engagements pris à l'égard du client.	La stabilité de la relation avec l'infirmière permet au client d'être plus confiant.	Le client fait état de son sentiment de sécurité.
Toujours communiquer de manière claire, directe et ouverte.	Les risques de fausse interprétation sont moindres.	
Éviter les comportements que le client pourrait interpréter comme étant dissimulateurs ou mensongers : • parler en termes concrets ; • donner des réponses honnêtes ; • être cohérente ; • ne pas faire de promesses qu'on ne peut tenir.	L'anxiété suscitée par la méfiance est ainsi réduite.	
Satisfaire les demandes du client dans la mesure du possible ; en cas de refus, le faire avec honnêteté.	L'infirmière manifeste ainsi son respect pour le client.	

Diagnostic infirmier : Stratégies d'adaptation individuelle inefficaces, reliées à l'incapacité d'exercer son rôle.
Objectif : Tout au long du traitement, le client fonctionne de façon à répondre aux attentes reliées à son rôle.

Intervention	Justification	Résultat escompté
Établir avec le client une relation chaleureuse, basée sur la confiance.	Les comportements du client sont irritants et peuvent engendrer la frustration et la colère chez les membres du personnel si une bonne relation ne peut s'établir.	Le client répond aux attentes en faisant preuve de moins de résistance.
Comprendre que la résistance du client aux actions qu'on lui recommande est un signe du problème et non de l'entêtement.	Seule une relation positive peut mener le client vers l'adoption d'un comportement qui traduit plus de maturité.	Le client se montre satisfait de remplir son rôle.
Définir les attentes en termes précis (p. ex. : assister à des réunions de groupe trois fois par semaine, pendant une heure).	L'établissement de limites claires offre au client une certaine stabilité.	
Élaborer un système de récompenses à distribuer chaque fois que le client répond aux attentes définies.	Le client peut ainsi comprendre qu'il a plus à gagner s'il répond aux attentes.	
Être objective et neutre lorsqu'on énonce les limites ou qu'on demande au client de les respecter.	Le client doit comprendre qu'on ne lui impose pas des limites dans le but de le punir ; la coercition ne fait qu'intensifier la résistance.	

(suite page suivante)

Tableau 10-6   *(suite)*

▓ **Diagnostic infirmier :** Stratégies d'adaptation individuelle inefficaces, reliées à l'incapacité de demander de l'aide.
▓ **Objectif :** Le client demande de l'aide dans des situations appropriées.

Intervention	*Justification*	*Résultat escompté*
Demander au client ce qui pourrait se produire s'il demandait de l'aide.	Le client a besoin de reconnaître que la peur du rejet l'empêche de demander de l'aide.	Le client verbalise sa peur de demander de l'aide.
Utiliser à bon escient la révélation de soi lorsque le client demande de l'aide.	La révélation de soi permet au client de comprendre que la demande d'aide n'entraîne pas nécessairement le rejet.	
Organiser un jeu de rôles où le client demande de l'aide dans une situation particulière.	Le jeu de rôles favorise l'utilisation d'habiletés nouvellement acquises.	Le client joue le rôle d'une personne qui doit demander de l'aide.
Demander au client d'analyser les sentiments qu'il a éprouvés quand il a demandé de l'aide et d'évaluer la réaction d'autrui.	Le client doit pouvoir évaluer la modification de son comportement et admettre l'existence de sa peur.	Le client demande de l'aide dans une situation donnée.

▓ **Diagnostic infirmier :** Stratégies d'adaptation individuelle inefficaces, reliées au besoin de se montrer toujours à la hauteur, ce qui éloigne les autres.
▓ **Objectif :** Le client adopte un comportement moins perfectionniste.

Intervention	*Justification*	*Résultat escompté*
Amorcer le processus d'apprentissage et de changement sans se laisser prendre au piège d'une lutte acharnée pour le pouvoir engagée contre le client.	La lutte pour le pouvoir renforce le comportement inadapté du client.	Dans une situation donnée, le client admet ses erreurs à leur juste valeur.
Aider le client à assumer la responsabilité de son comportement et à analyser ses effets sur les réactions d'autrui.	Une perception plus réaliste de soi par rapport aux autres permet au client d'adopter un comportement plus adapté sur le plan social.	Le client discerne les effets de son comportement sur les autres.
Soulager la tension et l'anxiété, aux moments propices, par le rire et l'humour, comme moyens de contrer les tendances perfectionnistes du client.	Le client apprend que l'humour lui permet de parler de son besoin d'être toujours parfait, d'une manière plus acceptable sur le plan social et sans se couvrir de ridicule.	Le client prouve son sens de l'humour à propos de fautes sans importance.
Expliquer que l'humour est une qualité très appréciée par notre culture s'il est adéquatement utilisé.	L'humour plaît aux autres et réduit les distances affectives, tout en rendant le client content de lui-même.	

▓ **Diagnostic infirmier :** Stratégies d'adaptation individuelle inefficaces, reliées à la manipulation verbale : superficialité, digressions, changements de sujet.
▓ **Objectif :** Pendant une séance individuelle, le client réussit à se concentrer sur le sujet de la discussion et sur les objectifs poursuivis.

Intervention	*Justification*	*Résultat escompté*
Passer graduellement de sujets qui ne menacent pas le client à des sujets qui suscitent son anxiété.	Une transition trop rapide menace le client et l'oblige à s'engager davantage dans la manipulation verbale.	

(suite du diagnostic page suivante)

Tableau 10-6   *(suite)*

Diagnostic infirmier *(suite)*: Stratégies d'adaptation individuelle inefficaces, reliées à la manipulation verbale : superficialité, digressions, changements de sujet.
Objectif : Pendant une séance individuelle, le client réussit à se concentrer sur le sujet de la discussion et sur les objectifs poursuivis.

Intervention	Justification	Résultat escompté
Noter immédiatement toute digression; signaler ce comportement au client et le relier à l'anxiété.	Le client doit comprendre clairement ses réactions verbales à l'intensification de son anxiété.	Le client constate que la superficialité et les digressions sont des réactions à l'anxiété.
Ramener le client au sujet de discussion et ne permettre aucune digression sauf si l'anxiété devient trop intense.	Le client peut surmonter plus efficacement son anxiété s'il accepte de lui faire face sans avoir recours à la manipulation verbale.	Le client reste plus longtemps concentré sur les objectifs.

Diagnostic infirmier : Stratégies d'adaptation individuelle inefficaces, reliées à des vérifications incessantes ou à un rituel.
Objectif : Le client développe des comportements plus adaptés pour gérer son anxiété.

Intervention	Justification	Résultat escompté
Ne pas dire au client que son comportement est insensé et inutile.	Le client est conscient de son comportement et des explications ne serviraient qu'à intensifier son sentiment d'incompétence et d'échec.	
Modifier l'environnement et les horaires afin que le client puisse accomplir les tâches sans abandonner son rituel.	Le recours aux mécanisme de défense doit être accepté jusqu'à ce que le client puisse adopter d'autres comportements mieux adaptés.	
Mettre en place les mesures de sécurité que le comportement peut rendre nécessaires (p. ex. : fournir des serviettes sèches et de la lotion au client qui se lave compulsivement les mains).	Les complications physiques entraînées par le rituel sont ainsi prévenues.	Le comportement n'entraîne pas de complications physiques.
Imposer des restrictions si le rituel est destructeur.	La sécurité du client est sauvegardée.	
Indiquer au client l'horaire des activités du centre hospitalier.	L'anxiété du client face à un environnement inconnu s'apaise.	
Respecter les horaires et les engagements pris à l'égard du client.	Témoignage de bonne volonté à l'égard du client et consolidation de sa confiance.	
Aider le client à voir en quoi son comportement entrave ses activités quotidiennes.	Le client se sent encouragé à adopter des comportements adaptatifs plus efficaces.	Le client discerne les problèmes causés par son comportement compulsif.
Utiliser la révélation de soi de manière appropriée dans les situations où on a commis des erreurs.	Le client comprend que ce n'est pas nécessairement humiliant de reconnaître ses erreurs.	
Analyser le but poursuivi par les vérifications incessantes ou le rituel.	Le client peut ainsi comprendre que son comportement vise à atténuer son anxiété.	

(suite du diagnostic page suivante)

Tableau 10-6 *(suite)*

Intervention	Justification	Résultat escompté
Employer les techniques de résolution des problèmes pour trouver des comportements qui réussissent à atténuer davantage l'anxiété.	Le comportement compulsif diminue à mesure que le client apprend de nouvelles méthodes qui l'aident à surmonter son anxiété.	Le client adopte de nouveaux comportements lui permettant de surmonter son anxiété.

■ **Diagnostic infirmier :** Stratégies d'adaptation individuelle inefficaces, reliées au besoin de préserver la stabilité de l'environnement au moyen de règles et de routines.
   Objectif : Le client affirme qu'il tolère de mieux en mieux les ambiguïtés qu'il discerne dans l'environnement.

Intervention	Justification	Résultat escompté
Accepter le client tel qu'il est et respecter ses droits.	La confiance en soi et en sa propre valeur est ainsi accrue et le client réussit à acquérir un concept de soi adéquat.	
Garder l'environnement stable et conserver les routines.	L'anxiété reste ainsi à des niveaux tolérables.	
Éviter au client la prise de décisions jusqu'au moment où il se sent plus capable de le faire.	La prise de décisions accroît l'anxiété et le client s'en protège au moyen de mécanismes de défense.	Le client prend des décisions mineures après une réflexion logique.
Introduire les changements graduellement et aider le client à traverser chaque nouvelle expérience.	Les mécanismes de défense permettent au client d'éviter l'anxiété et le changement.	Le client tolère des changements mineurs sans que son anxiété s'intensifie.
Expliquer au client qu'il renoncera aux règles et aux routines dès que son besoin de contrôle diminuera et que son estime de soi augmentera.	Le client a peur d'être rejeté s'il enfreint les règles; la désobéissance accroît son sentiment de culpabilité et son anxiété.	
Évaluer les nouvelles expériences « ici et maintenant » plutôt qu'en faisant référence au vécu.	Les expériences vécues peuvent envahir à tel point la pensée du client qu'il ne peut évaluer son nouveau comportement que par rapport au passé.	
Établir des plans d'action pour permettre au client de mettre à l'essai les nouveaux moyens d'atténuer l'anxiété.	L'infirmière ne peut garantir le succès des solutions nouvelles et ne doit pas assumer la responsabilité des comportements du client.	

■ **Diagnostic infirmier :** Sentiment d'impuissance, relié à un comportement perfectionniste visant à réprimer le sentiment d'infériorité.
   Objectif : Le client est apte à critiquer avec plus de réalisme ses compétences.

Intervention	Justification	Résultat escompté
Relier le comportement perfectionniste aux sentiments d'anxiété et d'impuissance.	Le client comprend ainsi mieux le besoin que son comportement permet de combler.	Le client verbalise son anxiété.
Analyser la peur du client d'être jugé défavorablement par les autres.	Le client peut ainsi déterminer s'il évalue avec réalisme les réactions d'autrui.	
Analyser les expériences de l'enfance du client qui ont donné naissance à son sentiment d'incompétence.	Le client comprend plus facilement le lien entre les expériences qu'il a vécu durant l'enfance et son comportement dans le présent.	

(suite du diagnostic page suivante)

Tableau 10-6   *(suite)*

Diagnostic infirmier : Sentiment d'impuissance, relié à un comportement perfectionniste visant à réprimer le sentiment d'infériorité.

Objectif : Le client est apte à critiquer avec plus de réalisme ses compétences.

Intervention	Justification	Résultat escompté
Adopter une attitude de révélation de soi face à ses propres erreurs.	Le client peut ainsi comprendre qu'il n'est pas humiliant de reconnaître ses erreurs.	
Proposer au client de commettre volontairement trois erreurs par jour et de noter les sentiments qu'il éprouve à leur égard (p. ex. : mal dresser la table, donner de mauvaises indications, coller un timbre-poste sans dessus dessous).	Le client a ainsi le sentiment qu'il peut maîtriser ses erreurs et peut reconnaître que beaucoup d'erreurs sont anodines.	Le client commet des erreurs dans un environnement protégé.
Signaler au client tout changement accompli.	Le comportement est ainsi renforcé et le client peut s'évaluer de manière plus juste.	
Aider le client à reconnaître que l'anxiété est parfois inévitable.	Le client doit renoncer à sa quête de la perfection.	

Diagnostic infirmier : Sentiment d'impuissance, relié à une intellectualisation excessive et au refoulement des émotions en vue de préserver une impression de maîtrise.

Objectif : Le client démontre son habileté à exprimer ses émotions.

Intervention	Justification	Résultat escompté
Passer graduellement du monde concret au monde des émotions.	La confrontation avec ses sentiments suscite l'anxiété du client; avant de renoncer au déni, celui-ci doit se sentir en sécurité.	
Se centrer sur l'« ici et maintenant ».	Les risques de distorsion sont moindres ; les réactions émotionnelles peuvent être mieux ressenties dans l'immédiat.	Le client exprime ses sentiments à mesure qu'ils surgissent.
Aider le client à discerner et à nommer ses sentiments à mesure qu'ils surgissent.	Le client se sent plus capable de renoncer au déni.	Le client fait état d'une diminution de son anxiété au moment où il doit affronter ses émotions.
Aider le client à relier ses émotions à la description intellectuelle des événements.	Le client se sent moins poussé à recourir à l'intellectualisation comme mécanisme de défense s'il comprend le processus.	
Organiser un jeu de rôles qui permet au client d'exprimer ses sentiments.	Le client se sent encouragé à modifier son comportement défensif dans une situation où il ne se sent pas menacé.	
Discuter de l'aspect émotif de la prise des décisions.	Le client comprend mieux qu'un nombre considérable de décisions se fondent plus sur les goûts et les préférences que sur des faits précis.	Le client tient compte de ses émotions au cours du processus de prise de décisions.
Avoir recours à l'humour et au rire aux moments propices.	L'humour permet au client d'être plus spontané et lui procure des moments agréables.	

(suite du diagnostic page suivante)

Tableau 10-6 *(suite)*

Intervention	*Justification*	*Résultat escompté*
Attirer l'attention du client chaque fois qu'il parle comme s'il comprenait ses émotions tout en continuant à les nier.	Le client bénéficie ainsi d'une rétroaction immédiate, ce qui favorise la modification de son comportement.	

Diagnostic infirmier : Altération des opérations de la pensée, reliée à l'égocentrisme et aux idées de grandeur visant à combattre l'anxiété.
Objectif : Le client exprime des pensées réalistes.

Intervention	*Justification*	*Résultat escompté*
Suggérer au client une autre activité ou changer de sujet de discussion dès qu'il exprime des idées de grandeur.	La nouvelle orientation des activités ou de la discussion détournera l'attention du client du comportement qui lui pose des problèmes.	Le client se livre à d'autres activités.
Aider le client à s'intéresser aux autres et à des situations qui ne le concernent pas directement.	L'égocentrisme est ainsi affaibli et les interactions avec autrui gagnent en qualité.	Les interactions du client sont plus appropriées.
Ne pas contester ouvertement les idées de grandeur.	Le conflit ébranlerait les mécanismes de défense du client et augmenterait son anxiété.	
Montrer au client par la révélation de soi que le fait d'être humain et faillible n'entraîne pas nécessairement le rejet ou l'humiliation.	La meilleure connaissance de soi permet au client de substituer des comportements adaptatifs plus efficaces à ses mécanismes de défense.	
Aider le client à inventorier ses qualités et ses limites et à verbaliser ses doutes.	Le client pourrait s'apprécier à sa juste valeur et renoncer à son égocentrisme à mesure que son anxiété s'atténue.	Le client dit que ses doutes suscitent moins d'anxiété.

Diagnostic infirmier : Altération des opérations de la pensée, reliée à l'indécision et au doute face aux moyens que le client prend pour éviter l'anxiété causée par l'échec.
Objectif : Le client affirme qu'il prend ses décisions de plus en plus facilement.

Intervention	*Justification*	*Résultat escompté*
Ne pas prendre inutilement de décisions à la place du client.	Les sentiments d'incompétence du client pourraient être renforcés.	
Souligner les effets destructeurs de l'indécision.	Le client comprend mieux qu'une décision imparfaite peut être préférable à l'absence de toute décision.	Le client discerne les effets nuisibles de l'indécision.
Aider le client à admettre qu'il n'existe pas de garanties absolues pour l'avenir.	Le besoin de garanties absolues entrave le processus de prise de décisions.	Le client comprend que l'avenir n'est jamais garanti.
Voir avec le client le nombre de décisions qu'on peut modifier dans la vie.	Le client croit que les décisions sont toujours sans appel et, par conséquent, craint l'échec s'il ne prend pas la décision « parfaite ».	
Enseigner le processus de résolution des problèmes.	La capacité de prise de décisions se trouve améliorée et le client peut voir qu'il est capable de faire des choix, de les vérifier et de les évaluer.	

(suite du diagnostic page suivante)

Tableau 10-6   *(suite)*

Diagnostic infirmier *(suite)*: Altération des opérations de la pensée, reliée à l'indécision et au doute face aux moyens que le client prend pour éviter l'anxiété causée par l'échec.
Objectif: Le client affirme qu'il prend ses décisions de plus en plus facilement.

Intervention	*Justification*	*Résultat escompté*
Donner des exemples de prise de décisions.	Les exemples permettent au client de comprendre le déroulement du processus.	
Encourager le client à prendre des décisions.	Le client doit mettre à l'essai le nouveau comportement dans un environnement rassurant.	Le client se sert du processus de résolution des problèmes pour prendre des décisions.
Fournir au client une rétroaction chaque fois qu'il prend une décision.	Les modifications positives du comportement doivent être renforcées.	

Diagnostic infirmier: Perturbation de la dynamique familiale, reliée à la rigidité des fonctions et des rôles exercés.
Objectif: La famille fait preuve de plus de souplesse dans l'exercice des rôles.

Intervention	*Justification*	*Résultat escompté*
Aider les membres de la famille à reconnaître les peurs et les inquiétudes contre lesquelles ils cherchent à se protéger en adoptant des règles rigides.	Les membres de la famille doivent distinguer leurs perceptions et leurs croyances avant de modifier leurs règles.	Les membres de la famille expriment leurs peurs et leurs inquiétudes.
Aider les membres de la famille à analyser l'effet de la rigidité sur les relations.	Les membres de la famille restent attachés à des rôles trop étroitement définis, à cause de leur rigidité et de leur manque de spontanéité.	Les membres de la famille expliquent l'influence des règles rigides sur la cellule familiale.
Dégager les rôles et les fonctions de chaque membre de la famille.	Les membres de la famille doivent distinguer leurs rôles et leurs fonctions avant de les modifier.	
Faire participer les membres de la famille à la planification de la modification des rôles et des fonctions.	La famille peut mieux fonctionner si elle dispose de plus de choix et si elle peut renégocier les contrats de relation.	La famille planifie des modifications raisonnables des rôles et des fonctions.

lorsqu'il évite l'anxiété, la colère ou le conflit ouvert. Enfin, parmi les interventions de l'infirmière, on peut citer l'enseignement des habiletés sociales et des techniques de résolution de problèmes et d'affirmation de soi.

Évaluation

Les objectifs précis permettent de prévoir les résultats des interventions infirmières. Il est important que l'infirmière détermine le temps nécessaire à l'intervention avant d'évaluer son efficacité.

Comme les problèmes associés aux troubles de la personnalité existent depuis longtemps, ils risquent de ne pas céder facilement aux stratégies d'intervention. L'infirmière devrait prévoir des étapes progressives d'amélioration. Cependant, elle ne doit pas abandonner une intervention valable avant de lui avoir laissé tout le temps nécessaire pour apporter un changement.

En l'absence d'amélioration, l'infirmière doit déterminer si la cause relève de l'intervention ou du diagnostic infirmier. Pour ce faire, elle devrait discuter avec les autres professionnels qui s'occupent du client et envisager des solutions de rechange en collaboration avec eux.

ÉTUDE DE CAS

Cliente ayant une personnalité limite (« borderline »)

Carole Létourneau, 35 ans, est divorcée. Elle a été admise au centre hospitalier à cause de l'absorption d'une dose excessive de phénobarbital. Carole n'est pas à sa première tentative de suicide et, lors de chacune de ses hospitalisations, elle se montre très exigeante envers le personnel. Elle semble toujours en colère. Si son petit déjeuner lui arrive à l'heure, elle se plaint d'« avoir trop à manger » ou reproche à « ces préposés stupides » d'avoir mal compris sa commande. Carole semble avoir constamment besoin de la présence d'une infirmière à ses côtés.

Bilan de santé

Service : soins généraux
Nom de la cliente : Carole Létourneau
Âge : 35 ans
Diagnostic à l'admission : Absorption d'une dose excessive de médicament chez une cliente ayant une personnalité limite.
T.=37 °C,   P.=100,   R.=18,   T.A.=140/80

Données sur l'état de santé
Taille : 1,57 m
Poids : 46,7 kg, mais 79,3 kg, six mois auparavant
Allergies : aucune
Médicaments : aucun

Données cliniques
Aucune pour le moment

Observations de l'infirmière
Carole s'est mariée et a divorcé trois fois. Elle a eu un enfant de chacun de ses maris. Le plus jeune de ses fils, âgé de 9 ans, souffre d'arriération mentale et d'épilepsie. Carole a été admise au centre hospitalier après avoir avalé le phénobarbital prescrit à son fils. Lors de la collecte des données servant à l'établissement du diagnostic, on a décelé une confusion d'identité, prouvée de plusieurs façons. Premièrement, Carole a parlé de sa perte de poids au cours des dix derniers mois. Interrogée à ce sujet, elle a dit qu'elle suivait fréquemment des régimes amaigrissants parce qu'elle ne savait pas « si elle s'aimait maigre ou grosse ». Ses problèmes d'identité semblent également reliés au décès récent de son beau-père. Carole a dit que, à la disparition de son beau-père, elle ne savait plus si c'était lui ou elle qui était mort. Carole a alors songé au suicide et a pris plusieurs pilules qu'elle a trouvées chez elle. Après les funérailles, elle ne savait toujours pas « qui était mort ». Cette confusion s'est répétée à

plusieurs reprises. Le comportement de Carole dans l'unité de soins a été très labile et imprévisible. Elle n'a pas arrêté de critiquer le personnel et s'emportait fortement chaque fois que ses souhaits n'étaient pas exaucés. En même temps, elle évoquait des sentiments de solitude, d'isolement et de dépression. On a observé que Carole s'était brûlée à plusieurs endroits les bras et les jambes avec une cigarette.

Diagnostics infirmiers

Altération de la communication verbale
Stratégies d'adaptation individuelle inefficaces
Perturbation de l'identité
Isolement social
Stratégies d'adaptation familiale inefficaces : absence de soutien
Chagrin dysfonctionnel
Risques d'accident : traumatismes

Suggestions pour la planification des soins

1. Déterminer les soins prioritaires à prodiguer à Carole.
2. Déterminer si Carole peut bénéficier d'un réseau de soutien.
3. Déterminer les aspects de développement possibles.
4. Établir les objectifs des soins infirmiers.
5. Déterminer les besoins particuliers qui, une fois satisfaits, permettraient à Carole de reprendre une vie normale.
6. Suggérer des techniques de communication thérapeutique qui peuvent faciliter les rapports avec Carole.
7. Fournir les justifications des interventions à mettre en place dans ce cas.

RÉSUMÉ

1. En termes simples, on peut décrire les troubles de la personnalité comme des déficits du comportement, de l'humeur et de la perception, anciens et profondément enracinés dans la personnalité.

2. L'infirmière peut rencontrer des clients souffrant de troubles de la personnalité dans tous les milieux de soins de santé.

3. Sur le plan du comportement, les diverses manifestations de narcissisme caractérisent les troubles de la personnalité dans leur ensemble.

4. Les clients souffrant d'un trouble de la personnalité ont le talent de « taper sur les nerfs » de leur entourage.

5. Les clients atteints de troubles de la personnalité réagissent de manière rigide et inadaptée dans la plupart des situations interpersonnelles.

6. Les troubles de la personnalité sont égosyntoniques, c'est-à-dire qu'ils ne dérangent nullement les

personnes qui en sont atteintes. Celles-ci ne sont pas perturbées par leurs comportements et sont incapables d'empathie.

7. Sur le plan cognitif, les clients atteints de troubles de la personnalité réagissent de manière intransigeante. On dit d'eux qu'ils sont incapables d'avoir une vue d'ensemble des choses.

8. Les causes des troubles de la personnalité sont inconnues. L'hypothèse d'une origine génétique n'a pas encore donné des résultats concluants. La théorie psychanalytique se base sur les relations parent-enfant qui affectent le développement du moi et du surmoi. Les sévices sexuels infligés pendant l'enfance ainsi que le dysfonctionnement de la cellule familiale sur plusieurs générations semblent des facteurs qui déterminent la personnalité limite.

9. Les traitements les plus courants des troubles de la personnalité sont la psychothérapie, la thérapie familiale, la thérapie béhavioriste et la thérapie poursuivie au sein des groupes d'entraide.

10. Les troubles de la personnalité se divisent en trois groupes. Le groupe A englobe les personnalités paranoïaque, schizoïde et schizotypique. Le groupe B englobe les personnalités antisociale, limite, histrionique et narcissique. Le groupe C englobe les personnalités évitante, dépendante, obsessionnelle-compulsive et passive-agressive.

11. Le client ayant une *personnalité paranoïaque* est suspicieux, secret et d'une jalousie pathologique.

12. Le client ayant une *personnalité schizoïde* est plutôt froid et distant et n'a que peu d'amis.

13. Le client ayant une *personnalité schizotypique* a des pensées, des perceptions, un discours et un comportement bizarres.

14. Le client ayant une *personnalité antisociale* ne tient jamais compte des droits des autres et enfreint constamment les lois de la société.

15. Le client ayant une *personnalité limite* a une image de soi labile ; ses relations interpersonnelles et son humeur sont instables.

16. Le client ayant une *personnalité histrionique* a un comportement théâtral ; il est excessivement sensible et très expressif.

17. Le client ayant une *personnalité narcissique* surestime ses accomplissements et ses talents et accorde une importance exagérée à ses problèmes personnels.

18. Le client ayant une *personnalité évitante* est timide, introverti, peu sûr de lui et extrêmement sensible au rejet.

19. Le client ayant une *personnalité dépendante* se plie aux jugements, aux désirs et aux décisions des autres.

20. Le client ayant une *personnalité obsessionnelle-compulsive* est considéré par les autres comme une personne froide, méthodique, entêtée et dominatrice.

21. Le client ayant une *personnalité passive-agressive* remet tout au lendemain, critique, fait de la résistance passive et a un rendement inadéquat.

22. Le client ayant un *trouble de la personnalité non spécifié* satisfait aux critères généraux de la catégorie des troubles de la personnalité, mais non pas à ceux d'un trouble en particulier.

23. La collecte des données doit se fonder sur la persistance des modes de comportement décelés.

24. L'infirmière peut éprouver diverses émotions lors de ses rapports avec ces clients, car les relations avec eux sont difficiles.

25. De façon générale, le client ne perçoit pas l'existence de son trouble.

26. L'infirmière doit faire preuve de sensibilité tout au long de l'entrevue afin que le client n'adopte pas une attitude défensive.

27. Il est important de recueillir des données sur les perceptions et l'expérience des personnes qui ont un certain degré d'intimité avec le client, tout en s'assurant que les droits du client n'ont pas été bafoués.

28. Les clients atteints d'un trouble de la personnalité, particulièrement ceux ayant une personnalité antisociale, histrionique ou passive-agressive, sont prédisposés à la toxicomanie.

29. Le diagnostic infirmier commun pour tous les types de troubles de la personnalité est celui de : stratégies d'adaptation individuelle inefficaces.

30. Lorsque l'infirmière évalue les soins apportés au client atteint d'un trouble de la personnalité, elle doit se rappeler que le trouble existe depuis longtemps et qu'il risque de ne pas céder facilement aux stratégies d'intervention. Elle doit par conséquent laisser au client suffisamment de temps pour modifier son comportement.

EXERCICES DE RÉVISION

1. La caractéristique du comportement commune aux personnes atteintes d'un trouble de la personnalité du groupe A est :

    (a) l'isolement social ;

    (b) la manipulation narcissique ;

    (c) une grande sociabilité ;

    (d) des actes antisociaux impulsifs.

2. La caractéristique de l'état affectif commune aux personnes atteintes d'un trouble de la personnalité du groupe B est :

    (a) l'affect plat ou émoussé ;

    (b) l'expression intense et labile de l'affect ;

(c) l'affect passif ;

(d) l'expression minimale des affects.

3. La caractéristique des fonctions cognitives commune aux personnes atteintes d'un trouble de la personnalité du groupe C est :

(a) l'indécision ou la prise de mauvaises décisions ;

(b) l'absence de projets à long terme ;

(c) la remise à plus tard des décisions ;

(d) le mystère entourant la prise de décisions.

4. Quel est le trouble de la personnalité de la personne qui a tendance à percevoir les actes d'autrui comme étant délibérément menaçants ou avilissants ?

(a) personnalité antisociale ;

(b) personnalité dépendante ;

(c) personnalité obsessionnelle-compulsive ;

(d) personnalité paranoïaque.

5. Quel est le trouble de la personnalité caractérisé par une identité diffuse modifiant les aspects fondamentaux de la vie du client comme l'image de soi, l'orientation sexuelle, les projets à long terme, le choix de carrière, les types d'amis ou de partenaires sexuels et les valeurs ?

(a) personnalité schizoïde ;

(b) personnalité évitante ;

(c) personnalité limite (« borderline ») ;

(d) personnalité passive-agressive.

6. Lequel des diagnostics infirmiers suivants s'applique au client ayant une personnalité limite ?

(a) peur, reliée à des menaces perçues venant de l'entourage ou du milieu ;

(b) isolement social, relié à un manque d'empathie ;

(c) risque de non-observance, relié au déni du problème ;

(d) stratégies d'adaptation inefficaces, reliées à une humeur labile.

BIBLIOGRAPHIE

American Psychiatric Association: *Diagnostic and Statistical Manual of Mental Disorders,* 3rd ed., revised. American Psychiatric Association, 1987.

Everett C et al.: *Treating the Borderline Family.* Harcourt Brace Jovanovich, 1989.

Fine, R: *Current and Historical Perspectives on the Borderline Patient.* Brunner/Mazel, 1989.

Gerstley LJ et al.: Antisocial personality disorder in patients with substance abuse disorders. *Am J Psychiatry,* 1990. 147(2):173–77.

Gunderson JG: *New Harvard Guide to Psychiatry.* Harvard University Press, 1988.

Johnson SM: *Humanizing the Narcissistic Style.* WW Norton, 1987.

Kaplan CA: The challenge of working with patients diagnosed as having a borderline personality disorder. *Nurs Clin North Am,* 1986. 21(8):429–38.

Kegan RG: The child behind the mask: Sociopathy. In: *Unmasking the Psychopath: Antisocial Personality and Related Syndromes.* Reid WH et al. (editors). WW Norton, 1986. 45–77.

Kroll J: *The Challenge of the Borderline Patient.* WW Norton, 1988.

Reid WH et al.: *Unmasking the Psychopath: Antisocial Personality and Related Syndromes.* WW Norton, 1986.

Reid WH: *The Treatment of Psychiatric Disorders.* Brunner/Mazel, 1989.

Shearer SL et al.: Frequency and correlates of childhood sexual and physical abuse histories in adult female borderline inpatients. *Am J Psychiatry,* 1990. 147(2): 214–16.

Vaillant GE, Perry, JC: Personality disorders. In: *Comprehensive Textbook of Psychiatry,* 7th ed. Vol 1. Kaplan HI, Sadock BJ (editors). Williams & Wilkins, 1985.

Zanarini MC, et al.: Discriminating borderline personality disorder from other anix II disorders. *Am J Psychiatry,* 1990. 147(2):161–67.

LECTURES COMPLÉMENTAIRES

Fontaine, F. « Pour une approche clinique globale du syndrome borderline », *Prendre part aux défis en nursing psychiatrique et en santé mentale en 1988,* IIIe conférence nationale du nursing psychiatrique, Montréal, juin 1987.

Goulet-Chabot, P., et C. Lajeunesse. « Les 'borderlines', les enfants dans des corps d'adultes », *Nursing Québec, 8* (4), 1988.

Guillibert-Gabail. « La personnalité narcissique et borderline », *Soins : Psychiatrie, 40,* 19-23, 1984.

Kaplan, C.A. « The challenge of working with patients diagnosed as having a borderline personnality disorder », *Nursing Clinics of North America, 21* (3), 429-438, 1986.

Lalonde, Grunberg et coll. *Psychiatrie clinique : approche bio-psycho-sociale,* Boucherville, Gaëtan Morin Éd., 1988.

Massirman, J. *La Psychothérapie et les troubles de la personnalité,* Montréal, HRW, Collection « Multi-Choix », 1975.

Wilson, H.S., et C.R. Kneisl. *Soins infirmiers psychiatriques* (chap. 15), Montréal, Éditions du Renouveau Pédagogique, 1982.

CHAPITRE 11

Les troubles affectifs (troubles thymiques)

KAREN LEE FONTAINE

Une molécule dans une banquise

Lorsque la dépression me pétrifie, mes pensées sont si lentes qu'il m'arrive de les égarer. C'est comme si j'étais pris dans une banquise; je ne trouve aucun moyen de m'échapper des ténèbres glacées.

Introduction

L'**affect** traduit l'état émotionnel d'une personne dont les sentiments se manifestent par l'expression verbale et non verbale. Pour décrire ces sentiments, on peut se servir de certains mots (p. ex. : exaltation, joie, plaisir, frustration, colère ou hostilité) et d'indices non verbaux comme la physionomie (p. ex. : visage illuminé, animé, rembruni, sombre, inexpressif). D'autres moyens d'expression non verbale sont l'activité motrice (p. ex. : le fait de rester confortablement et calmement assis, de se frotter les mains ou de balancer constamment le pied) et les réactions physiologiques (sueur, rythme cardiaque et respiration accélérée). Même si l'expression verbale des sentiments peut être réprimée, il est pratiquement impossible d'en réprimer l'expression non verbale.

Les qualificatifs des affects

Les qualificatifs qu'on donne aux affects servent à faciliter la communication entre les professionnels de la santé. On parle d'**affect syntone** lorsque l'humeur est en harmonie avec les circonstances. Si, au contraire, l'état émotif du client ne convient pas aux circonstances, on parle d'**affect inadéquat**. L'**affect stable** ne change pas abruptement en l'absence d'une provocation venant de l'extérieur. L'**affect instable,** ou **labile,** correspond à des sautes brusques d'humeur qui ne sont pas justifiées par les événements. Contrairement à l'**affect exalté**, qui traduit l'euphorie, l'**affect déprimé** correspond à des sentiments de mélancolie et de tristesse. Un **affect hyperréactif** correspond à un état émotionnel qui convient aux circonstances, mais qui est disproportionné par rapport au stimulus extérieur. L'**affect émoussé** traduit une réaction affective affaiblie dans une situation donnée et l'**affect plat** ne donne aucune indication des sentiments de la personne (voir le tableau 11-1).

On peut également décrire l'affect comme une gamme d'humeurs allant de la dépression à la manie en passant par les états normaux, qui sont stables et en harmonie avec la situation. Les personnes atteintes de l'un des troubles affectifs suivants, répertoriés dans le DSM-III-R (1987), présentent des perturbations thymiques à divers points de ce continuum.

> 296.2 Dépression majeure, épisode isolé
>
> 296.3 Dépression majeure récurrente
>
> 296.6 Trouble bipolaire mixte
>
> 296.4 Trouble bipolaire maniaque
>
> 296.5 Trouble bipolaire dépressif
>
> 301.13 Trouble cyclothymique
>
> 300.40 Trouble dysthymique

On pose un diagnostic de **dépression majeure** (appelée également **dépression unipolaire**) lorsque la personne présente une perte d'intérêt pour la vie, accompagnée d'une insensibilité thymique qui peut varier de légère à modérée, l'épisode de dépression grave persistant pendant deux semaines au moins. Le **trouble dysthymique** a des caractéristiques similaires mais, dans ce cas, la dépression légère à modérée dure moins longtemps. On pose un diagnostic de **trouble bipolaire** lorsque les variations thymiques couvrent toute la gamme des états émotionnels pendant une période donnée. Il existe trois types de troubles bipolaires :

- *mixte :* la personne oscille entre des cycles de dépression et des cycles maniaques en l'espace de quelques jours ;

- *maniaque :* la personne se trouve dans la phase maniaque ;

- *dépressif :* la personne se trouve dans la phase dépressive, mais présente des antécédents d'épisodes maniaques.

En cas de trouble bipolaire, la phase maniaque commence soudainement et la phase dépressive est plus courte qu'en cas de dépression majeure. Entre les phases pathologiques, les personnes atteintes de troubles bipolaires passent souvent par des périodes où l'affect reste normal. Le **trouble cyclothymique** est un trouble chronique faisant intervenir toute une gamme d'humeurs allant du trouble dépressif modéré au trouble hypomaniaque et pouvant ou non inclure des périodes où l'humeur reste normale (voir la figure 11-1).

Tableau 11-1   *Exemples de comportements correspondant aux différents qualificatifs de l'affect*

Affect	Comportement
Syntone	En apprenant la mort de son père, Jean fond en larmes.
Inadéquat	Lorsqu'elle apprend que sa fille a été reçue avec mention, Suzanne se met à hurler et à jurer.
Stable	Au cours d'une partie de bridge, Daniel rit aux blagues de ses partenaires.
Labile	Pendant une partie d'échec avec un ami, Dorothée se met à rire, puis, en s'emportant, tape tout à coup sur le damier et le renverse. Elle se remet ensuite à rire et se dit prête à continuer la partie.
Exalté	Dans la salle commune, Serge commence à bondir de joie; il chante, il rit et annonce à la ronde que tout est merveilleux.
Déprimé	Léon est affalé dans son fauteuil, le visage défait, les yeux en larmes et le corps pratiquement immobile.
Hyperréactif	Nicole se met à crier et à jurer lorsque son petit garçon renverse le verre de lait sur le plancher.
Émoussé	En apprenant qu'il va recevoir une bourse couvrant la totalité de ses frais de scolarité, Thomas se contente de sourire faiblement.
Plat	Lorsqu'on lui apprend le décès de sa meilleure amie, Josiane ne montre aucun signe d'émotion.

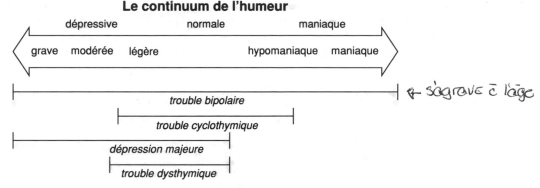

Figure 11-1 *Troubles affectifs et gamme d'humeurs*

Incidence des troubles

D'après les évaluations actuelles, la dépression majeure, ou unipolaire, est 10 fois plus fréquente que le trouble bipolaire. D'après une enquête menée en 1987 par Santé-Québec, les troubles que les répondants ont qualifiés de « dépression » semblent toucher plus souvent les femmes de plus de 25 ans (voir le tableau 11-2).

Les femmes connaissent fréquemment des épisodes dépressifs. On estime que 25 à 50 p. cent seulement des personnes atteintes reçoivent un traitement. En l'absence de traitement, une dépression majeure dure de six mois à un an ; une guérison complète intervient dans 80 p. cent des cas, mais chez les 20 p. cent des cas qui restent, la dépression devient chronique (Haas et Clarkin, 1988 ; McBride, 1988 ; Yapko, 1988).

L'incidence de la dépression chez les enfants dont les parents souffrent de ce même trouble va de 14 à presque 50 p. cent. Avant la puberté, les symptômes dépressifs sont deux fois plus fréquents chez les garçons et, après, deux fois plus fréquents chez les filles. De plus, le taux de dépressions doubles entre la préadolescence et l'adolescence. Chez les adolescents de 14 à 16 ans, Kashani (1987) signale un taux de prévalence de 4,7 p. cent pour la dépression majeure et de 3,3 p. cent pour les troubles dysthymiques, ce qui élève le taux global à 8 p. cent. Chez les personnes de plus de 65 ans, on estime que le taux est de 10 à 15 p. cent, pour la dépression majeure et de 30 p. cent, pour la dépression légère. Dans un grand nombre de ces cas, des erreurs de diagnostic sont possibles car, chez les personnes âgées, la dépression ressemble souvent à la démence. À cause de ce diagnostic de pseudodémence, les personnes âgées risquent davantage l'institutionnalisation étant donné que leurs symptômes les empêchent de mener à bien les activités de la vie quotidienne (Ronsman, 1987 ; Rutter, 1986 ; Trad, 1987).

Plusieurs études révèlent qu'au moins 10 p. cent de la population souffrira d'une dépression grave au cours de la vie ; parfois, ce taux peut s'élever jusqu'à 25 p. cent (Lamontagne et Delage, 1986). Si un parent de premier degré (père, mère, enfant, frère ou sœur) est atteint de dépression, le facteur de risque s'élève à 20 p. cent. Si les deux parents souffrent de dépression, le risque peut monter jusqu'à 74 p. cent (Cytryn, 1986).

La situation familiale est également un facteur de risque : les femmes séparées, divorcées ou veuves, suivies par les hommes qui n'ont jamais été

Tableau 11-2 *Prévalence de la dépression selon le sexe, Québec, 1987*

Sexe	Prévalence pour 100 personnes	Population estimée	Intervalle de confiance ($\alpha = 0,01$)
Hommes	0,9	29 362	0,59-1,25
Femmes	1,7	54 007	1,23-2,09
Total	**1,3**	**83 369**	**1,02-1,56**

Note : Les intervalles de confiance indexés du même exposant sont significativement différents.
Source : Gouvernement du Québec (1988) « Et la Santé, ça va ? », rapport de l'enquête Santé-Québec, 1987. Les publications du Québec, tome I.

mariés ou qui sont veufs ou divorcés, sont le plus fortement prédisposées. Le risque est moins élevé chez les femmes mariées et il est minime chez les femmes n'ayant jamais été mariées et chez les hommes mariés. En ce qui concerne le mariage, la dépression est moins fréquente chez les hommes mariés que chez les célibataires alors qu'elle est plus fréquente chez les femmes mariées que chez les femmes qui ne l'ont jamais été (Gove, 1987).

Pour ce qui est du trouble affectif bipolaire, le rapport entre les hommes et les femmes est assez équilibré et le risque est à peu près le même pour les personnes des deux sexes. En général, le trouble bipolaire est diagnostiqué chez les personnes ayant entre trente et trente-cinq ans et ce trouble touche près de 1,2 p. cent de la population adulte. La phase maniaque apparaît rarement avant la puberté. Faute de traitement, la phase dépressive peut durer de six à neuf mois et la phase maniaque de deux à six semaines. Il est difficile de prédire l'évolution du trouble, certaines personnes pouvant connaître un seul épisode tous les dix ans et d'autres, au moins trois épisodes par année. Près de 15 p. cent des personnes atteintes de troubles bipolaires souffrent de la forme à cycle court, c'est-à-dire que les perturbations thymiques sont fréquentes et presque constantes. Pour des raisons que l'on ignore, ce trouble touche plus souvent les femmes. La plupart des personnes atteintes de troubles bipolaires connaissent en moyenne 11 épisodes au cours de leur existence. Le facteur génétique élève le risque de 20 à 50 p. cent chez les parents de premier degré (Cytryn, 1986 ; Davenport et Adland, 1988 ; Haas et Clarkin, 1988 ; Wehr, 1988).

Étant donné la fréquence élevée des troubles affectifs, ils sont très préoccupants pour les infirmières. On peut prendre des mesures préventives chez les personnes et les familles qui présentent des risque élevés par suite de leurs antécédents familiaux ou de circonstances particulièrement stressantes. Comme la majorité des personnes déprimées ne font pas appel aux professionnels de la santé, en tant que membres de la communauté, les infirmières doivent faire preuve de vigilance et recommander aux membres de leur famille, à leurs amis ou à leurs voisins les services dont ils pourraient avoir besoin. On trouve des clients déprimés dans tous les milieux cliniques. Il est impératif que les infirmières soient à l'affût de ce genre de troubles, car le suicide est fréquent en cas de dépression non traitée. On estime que près de 15 p. cent des personnes atteintes de troubles affectifs font des tentatives de suicide (Haas et Clarkin, 1988).

Connaissances de base

Les signes et les symptômes des troubles affectifs varient d'une personne à l'autre.

La dépression chez les enfants et les adolescents

Dans le DSM-III-R, on ne fait pas de distinction nette entre la dépression chez les enfants et les adolescents et la dépression chez les adultes, ce qui indique qu'il y a plus de similitudes que de différences entre les manifestations. D'autres auteurs ne sont pas d'accord sur ce point et définissent des caractéristiques différentes pour des âges et des niveaux de développement différents. Les caractéristiques de la dépression deviennent de plus en plus complexes au cours du développement. Chez les nourrissons, la dépression peut se manifester par un faciès triste, l'immobilité, la perte d'appétit et une affliction qui est inconsolable. Les enfants d'âge préscolaire souffrant de dépression sont parfois irritables en public mais assez calmes et peu exigeants lorsqu'ils sont seuls. Les autres symptômes sont le manque d'appétit, les troubles du sommeil et les troubles somatiques. Chez les enfants d'âge scolaire, on observe des modifications d'ordre général qui évoquent la dépression ou un autre trouble. Ces modifications peuvent se traduire par des disputes avec leurs camarades, des mauvais résultats scolaires et un faible niveau d'accomplissement, une mauvaise conduite et des crises de colère. L'indice le plus important est la modification du comportement accompagnée d'un affect triste ou déprimé (Emde, 1986 ; Kashani et Carlson, 1987 ; Kazdin, 1988).

Chez les adolescents atteints de dépression, la conduite est également caractéristique pour cet âge ; il s'agit d'un comportement antisocial ou agressif, de sautes d'humeur, de difficultés scolaires, d'isolement, de refus de participation aux activités familiales, de fatigue et d'hypersomnie. Dans leurs relations amoureuses, les adolescents sont extrêmement sensibles au rejet. On trouve chez eux une prédisposition moindre aux hallucinations, aux sentiments de culpabilité ou de persécution illégitimes que chez les adultes, mais ils se plaignent souvent d'être mal compris. Lors d'une étude menée en 1987, Kashani a observé que 75 p. cent des adolescents déprimés souffraient également d'anxiété, 25 p. cent faisaient une consommation abusive d'alcool et 25 p. cent se droguaient. L'usage abusif de substances chimiques leur permet souvent d'atténuer la souffrance causée par la dépression et de connaître un sentiment de bien-être. Il n'est pas rare que la dépression chez les adolescents soit masquée par l'abus de substances chimiques, la phobie de l'école, les troubles de l'alimentation ou les troubles du comportement (ces troubles sont décrits en détail aux chapitres 6, 8, 9, 12 et 13). Le premier épisode maniaque d'un trouble bipolaire peut se produire pendant l'adolescence et se caractérise par une instabilité marquée du comportement et une agitation intense (Kashani, 1987 ; Petti et Larson, 1987).

Bien que les signes et les symptômes d'un trouble affectif varient d'une personne à l'autre, ils ont tendance à rester assez constants chez la même personne. Ainsi, les clients peuvent apprendre à reconnaître les signes avant-coureurs du trouble et chercher sans délai un traitement. Bien que certaines modifications varient selon les individus, la dépression grave influence tous les aspects de la vie. Chez le client déprimé ou maniaque, on observe des modifications du comportement, de l'état affectif, des fonctions cognitives et physiologiques et de la vie socioculturelle. Pour déterminer les difficultés précises qui submergent le client, l'infirmière doit faire une collecte approfondie des données sur tous ces plans.

Caractéristiques comportementales

L'un des changements observés en cas de troubles affectifs se produit sur le plan *de la volonté ou du désir de participer à des activités*. Les individus souffrant de dépression légère refusent de s'enga-ger dans des activités qui leur semblent difficiles à accomplir ou de participer à des activités qui n'apportent pas de gratification immédiate. Au fur et à mesure que la dépression s'aggrave, le désir de participation diminue. Une étude menée par Rothblum en 1983 a révélé que le niveau de productivité était plus faible chez les chômeuses déprimées que chez les femmes déprimées qui travaillaient. On a constaté que les femmes au foyer ne s'intéressaient pas aux travaux ménagers et avaient besoin d'aide pour accomplir les tâches normales alors que les femmes qui travaillaient continuaient à assumer leurs responsabilités professionnelles à l'extérieur. Lorsque le niveau et la qualité de leurs activités diminuent, les gens se sentent incompétents et inutiles, ce qui augmente leur découragement et, en cas de dépression aiguë, entraîne une stupeur dépressive avec arrêt total de toute activité au point qu'ils se sentent incapables d'accomplir les activités de la vie quotidienne les plus simples. À toute incitation, le client répond souvent : « À quoi cela me sert-il d'essayer, puisque je n'y arriverai pas. »

Au cours des premiers stades d'un épisode d'exaltation, les gens souffrant de troubles bipolaires augmentent leur productivité au travail, ce qui leur vaut des compliments de la part de leurs employés ou des membres de leur famille et contribue à améliorer leur estime de soi. Mais, pendant l'épisode maniaque, leur productivité baisse parce qu'ils n'arrivent pas à concentrer leur attention suffisamment longtemps. Les clients maniaques s'engagent dans toutes les activités qui se présentent à eux et sont persuadés de pouvoir les accomplir toutes à la perfection.

Les interactions avec autrui se modifient également. Au début d'un épisode dépressif, le client évite parfois les activités sociales qui ne lui semblent pas très intéressantes ou stimulantes. Au fur et à mesure que la dépression s'aggrave, le repli social s'accentue étant donné que la plupart des interactions sociales demandent trop d'efforts. En même temps, le client se laisse aller à des fantasmes de vie en ermite où tout besoin d'interaction avec autrui cesse. Les personnes déprimées disent qu'elles se sentent seules, mais aussi qu'elles se sentent incapables de sortir de leur isolement. La famille et les amis, frustrés par ce repli, réagissent souvent par la critique et la colère, ce qui intensifie l'insatisfaction de soi du déprimé et accentue son isolement (Yapko, 1988). Pendant les épisodes de dépression, les interactions avec la famille et les amis engendrent plus de frictions, de tensions et de conflits que d'habitude. À cause des difficultés de communication, les querelles sont constantes et le climat familial hostile rend parfois les interactions si pénibles que certains clients préfèrent s'enfermer dans le mutisme pour éviter les échanges déplaisants.

> *Voici comment Hélène décrit les rapports avec son fils : «Mon fils a trois ans et je voudrais m'en occuper correctement. Mais, dernièrement, je me suis montrée tellement impatiente. Je me sens incapable de garder mon sang froid et je me sens épuisée. Je sais que je suis injuste avec lui.»*

Pendant l'épisode maniaque, le client est anormalement loquace et sociable. Il montre beaucoup d'effusion dans ses interactions et se sent poussé par le désir de communiquer avec tous ceux qui l'entourent. Il passe énormément de temps au téléphone et écrit de nombreuses lettres. Par ailleurs, il fait fi des convenances et s'immisce dans les conversations les plus intimes. Pendant un tel épisode, il peut confier des détails sur sa vie privée à qui veut l'entendre. Quand son humeur se normalise, il se sent souvent gêné de s'être ainsi ouvert au premier venu.

Les troubles affectifs s'accompagnent aussi d'une modification du *besoin d'appartenance*: incapable de s'aimer et de prendre soin de lui-même, le client est accablé par son sentiment d'indignité et essaie de gagner l'amour des autres. Pour se sentir en sécurité avec les membres de sa famille et ses amis, il essaie de répondre à tous les besoins des personnes clés de son entourage. Ayant du mal à se définir en tant qu'individu, il a besoin de la présence des autres pour recevoir une confirmation de sa propre valeur. Selon la gravité de la dépression, une personne normalement autosuffisante peut devenir plus dépendante. Au début, elle cherche à entraîner ses proches dans certaines activités ; au fur et à mesure que la dépression évolue, elle commence à demander l'avis des autres et des conseils

pour mener à bien ses tâches professionnelles ou ses activités de loisirs. Les besoins d'appartenance s'expriment souvent sous forme de supplications geignardes. Si les autres refusent de satisfaire ces demandes, tout irréalistes qu'elles soient, le déprimé prend ce refus comme une confirmation de son indignité et du peu d'amour qu'il peut inspirer à sa famille et à ses amis. Par ailleurs, s'il est exagérément épaulé, ses besoins de dépendance s'accentuent, ce qui intensifie son manque de confiance en soi. Les personnes souffrant d'une dépression marquée se cramponnent avec obstination aux personnes clés de leur entourage et ne se contentent plus de demander tout simplement leur avis ; elles réclament continuellement leur attention et cherchent à être l'unique objet de leurs préoccupations. Si on les quitte un moment, elles se perdent dans des conjectures larmoyantes sur la signification et la durée de cette séparation. Lorsque le besoin de se cramponner aux autres devient incessant et extrême, l'agoraphobie est fréquente (Yapko, 1988).

Chez les clients dont l'affect devient exalté, le besoin d'appartenance diminue. À ce moment-là, ils ne demandent plus d'avis ou n'en tiennent pas compte. Ils se sentent autonomes et complètement autosuffisants; ils sont persuadés qu'ils peuvent se suffire à eux-mêmes et pensent que leur présence est bénéfique pour les autres.

Caractéristiques affectives

En début de dépression, *l'humeur* est marquée par une tristesse intermittente ou du vague à l'âme. On entend souvent des phrases du genre : «Je n'ai pas le moral» ou «J'ai le cafard». La stimulation venant de la part de la famille, d'un ami ou un événement agréable peut parfois remonter le moral, mais au fur et à mesure que la dépression s'aggrave, la personne devient de plus en plus maussade, mélancolique et abattue et elle perd graduellement la capacité de réagir aux événements agréables. On entend souvent ce genre de réflexion : «J'ai perdu ma joie de vivre» ou «Je me sens réellement malheureux». Lors d'un épisode dépressif majeur, le sentiment de détresse devient très marqué. Le passé, le présent et l'avenir semblent tous aussi désolants et la personne se sent misérable. Certains indices permettent de mesurer la profondeur du malaise. Le déprimé pourrait répéter inlassablement : « Je me sens si malheureux » ou « Je me sens si mal dans ma peau ».

À l'autre extrémité, on trouve la manie qui se caractérise par une humeur labile. La gaieté du début se transforme en euphorie. Le maniaque est exubérant, plein d'énergie et excité. On l'entend souvent s'exclamer « Tout est merveilleux ! », « Je me sens si heureux, je suis dans une forme extraordinaire ! ». On remarque le caractère labile de son humeur lorsqu'il devient subitement irritable et querelleur et qu'il s'emporte au moindre stimulus de l'extérieur. À cause de son arrogance, il est incapable de tolérer la critique, qui éveille son agressivité. Mais, dès que le stimulus disparaît, il redevient euphorique.

La *culpabilité* est aussi fréquente chez les déprimés. Pour certains, la cause de cette culpabilité est floue, mais pour d'autres, elle est bien définie. Les perfectionnistes ont du mal à admettre qu'ils ont besoin d'attention et de soutien et se sentent coupables dès qu'ils reconnaissent ce besoin. En l'absence de problèmes concrets, la culpabilité peut être suscitée par la dépression. Elle se traduit par des commentaires du genre : « J'ai un mari affectueux, de bons enfants et une belle maison. Je n'ai pas de soucis d'argent non plus, mais je ne suis pas heureuse. J'ai honte de me sentir si misérable. » La culpabilité apparaît aussi chez les gens qui se reprochent toutes les difficultés qu'ils rencontrent dans la vie. Ce type de culpabilité transparaît dans des phrases du genre : « C'est ma faute, si je suis si déprimée. Si j'étais une bonne épouse, mon mari ne me battrait pas. » Le déprimé rumine les incidents dont il se sent coupable et il est difficile de l'en distraire.

Marc, 27 ans, a été hospitalisé plusieurs fois au cours des neuf dernières années. Il vient tout juste d'être admis à l'hôpital après une tentative de suicide. Il y a trois ans, son père a eu un pontage aortocoronarien et il se porte bien. Sa mère est décédée par suite d'un cancer, il y deux ans. Lorsqu'il parle de ses deux parents, la culpabilité de Marc ne fait pas de doute. Il dit : « Mon père est très malade et je me sens coupable de le laisser seul à la maison pendant que je suis à l'hôpital. » Et aussi : « J'ai rabroué ma mère la veille de sa mort et je ne peux plus lui dire combien je le regrette. Ce n'est qu'en me tuant que je pourrais le lui dire. » Il rumine toute la journée ces deux idées.

Pendant un épisode maniaque, le client est incapable de ressentir une quelconque culpabilité. Si on lui dit que son comportement a pu blesser quelqu'un, il se montre indifférent, il en rit ou il s'emporte, comme si sa conscience s'obscurcissait pendant la phase d'exaltation. Il redevient capable de ressentir la culpabilité lorsque son affect se normalise.

Pendant un épisode dépressif, les *crises de larmes* sont fréquentes ; si la dépression est légère ou modérée, la personne pourrait fondre en larmes dans des situations où, normalement, elle ne pleurerait pas. Si sa culture interdit à un homme de pleurer, le déprimé aura honte de verser des larmes. En cas de dépression grave, le client ne pleure pas même s'il en a envie, comme si l'énergie lui manquait. La profondeur de son désespoir se traduit par certains commentaires du genre : « Pourquoi je n'arrive pas à pleurer ? Je voudrais pleurer, mais les larmes ne viennent pas. » Pendant la phase maniaque, on peut observer des crises de larmes subites et imprévisibles qui peuvent durer de 20 à 30 secondes et dont l'entourage ignore probablement le stimulus. Souvent, l'individu retrouve très rapidement son humeur euphorique.

Les troubles affectifs modifient également les sentiments de *gratification*. Si la dépression est légère, le client restreint l'éventail des activités agréables qui l'intéressent et peut passer de la participation active à une participation passive. Au fur et à mesure que la dépression s'accentue, le client se livre parfois à des activités qui lui apportent une satisfaction immédiate, comme les excès alimentaires, l'abus de boisson ou de drogues. À ce stade, on observe une diminution des activités considérées normalement comme agréables et on peut entendre des remarques telles que : « Je n'aime plus jouer du piano, cela ne m'apporte rien. Je reste assis toute la journée à regarder la télévision. » ou bien : « Ma collection de timbres ne m'intéresse plus alors qu'avant je pouvais passer une heure par jour à m'en occuper. » Dans les cas de dépression grave, le client peut souffrir d'*anhédonie*, c'est-à-dire qu'il est incapable de ressentir du plaisir (Yapko, 1988). Certaines remarques de sa part peuvent traduire son état : « Je ne me souviens de rien qui ait été agréable. » et « Je ne mérite pas d'éprouver du plaisir pour quoi que ce soit. »

Les clients maniaques essaient, par contre, de participer à toutes les activités qui peuvent se présenter à eux, sans égard à leurs aptitudes et ils en retirent du plaisir quel qu'en soit le résultat. Ils ont un besoin constant de stimulation, de plaisir et d'excitation.

L'état dépressif s'accompagne d'une dissolution des *liens affectifs*. On note d'abord une baisse de l'affection à l'égard les membres de la famille et des amis et ces relations deviennent insatisfaisantes. Si la dépression est modérée, le client se montre souvent indifférent aux autres et peut faire des remarques du genre : « Je ne pense même pas à mon foyer, à ma femme ou à mes enfants ; ils ne m'intéresse plus. » Si la dépression s'intensifie, le client peut se détacher des membres de sa famille et répudier toutes ses relations importantes. On pourra alors l'entendre dire : « Je n'ai plus de famille. Nous nous détestons. » ou « Je déteste les adolescents ! J'espère que je ne verrai plus jamais mes enfants. »

Dans la phase maniaque, les clients créent rapidement des liens affectifs intenses. Lorsqu'ils sont d'humeur euphorique, ils éprouvent de l'affection pour tous ceux qui les entourent. Ils peuvent tomber amoureux en quelques minutes et de plusieurs personnes à la fois. Par ailleurs, la sexualité commence à les préoccuper et il ne leur semble pas inconvenant d'entretenir plusieurs relations amoureuses à la fois. Les valeurs et les principes moraux qui les guident lorsqu'ils sont à l'état normal ne semblent plus affecter leur comportement pendant l'épisode maniaque.

Les modifications qui surviennent dans la vie affective des personnes déprimées et maniaques sont à la fois variées et profondes. Durant la phase dépressive, le client perd tout espoir de connaître un changement sur le plan de l'humeur, du plaisir ou des relations amoureuses. Durant la phase maniaque, il a du mal à admettre qu'il n'a pas toujours ressenti autant d'euphorie et de gaieté à cet égard.

Voici comment Carla parle de ses sautes d'humeur : « Je me demande ce qui m'arrive. Je ne sentais pas cet engourdissement il y a un mois. Je pourrais très bien être ici en train de mourir sans même m'en apercevoir. Je ne ressens plus aucune émotion. »

Daniel dit : « Je me sens si bien depuis que j'ai arrêté de prendre du lithium. Je ne suis pas malade et, d'ailleurs, je n'en ai jamais eu besoin. Vous connaissez Suzanne ? Elle a été hospitalisée hier. Eh bien, c'est le coup de foudre et nous allons nous marier dès notre sortie. »

Caractéristiques cognitives

Ce qu'une personne pense de sa compétence et de sa valeur personnelle influence son estime globale de soi. Or, les troubles affectifs s'accompagnent d'une altération de la capacité d'*auto-évaluation*. En cas de dépression légère, le client peut réagir excessivement à ses propres erreurs et se faire des reproches pour les fautes les plus insignifiantes. Cependant, il reste encore assez souple dans son auto-évaluation, car il est encore capable de se reconnaître certaines qualités. Mais au fur et à mesure que la dépression s'aggrave, le client concentre son attention sur ses échecs passés et présents et la plupart de ses pensées vont tourner autour de l'auto-accusation et de la dévalorisation de soi. Il se reproche sa dépression et l'attribue à une faute personnelle ou à son incompétence. Cette exagération des échecs est appelé **catastrophisme**. De telles pensées négatives aggravent la dépression et diminuent davantage l'estime de soi. Le client pense alors que son état prouve qu'il est faible et son sentiment d'infériorité s'intensifie. Chez les personnes grièvement déprimées, l'image globale de soi est négative et elle se traduit par des affirmations du genre : « Je suis totalement incompétent » ou « J'échoue dans tout ce que j'entreprends. » À ce stade, il arrive souvent que le client s'éloigne de sa famille et de ses amis parce qu'il croit qu'il est devenu un fardeau. Il assume, à tort, la responsabilité de tous les événements fâcheux et il se reproche sans aucune raison chaque fait désagréable. Ce type de distorsion de la pensée s'appelle **personnalisation** (Dreyfus, 1988).

> Pierre, 29 ans, a été hospitalisé après avoir fait une tentative de suicide en absorbant une dose excessive de Xanax. Il dit: «Je sais que ma femme ne m'aime plus. Même mes enfants ne se soucient plus de moi. J'ai voulu me suicider parce que je me suis disputé avec ma mère. Je suis mauvais père, mauvais époux et fils indigne.»

Durant la phase maniaque, la personne atteinte a une perception exagérée d'elle-même. Elle se fait des idées grandioses de ses talents physiques et intellectuels. Elle a une extrême confiance en soi dans tout ce qu'elle entreprend. Durant ces épisodes, son comportement ne lui semble pas inadapté et elle ne se rend pas compte qu'elle a besoin de l'aide d'un professionnel.

> Claire, qui traverse une phase maniaque, dit à l'infirmière stagiaire qui s'occupe d'elle: «J'écris des poèmes et des chansons que je vais faire publier. Je vais aussi devenir professeur de gymnastique aérobique. C'est ma façon de m'exprimer. Non, je ne suis pas folle. Je vais même suffisamment bien pour rentrer chez moi et ouvrir mon propre cabinet de psychothérapie en mettant à profit mes dons spirituels.»

Les troubles affectifs modifient les *attentes* que les gens nourrissent à leur propre égard, à l'égard des autres et de l'avenir. Des attentes constamment négatives favorisent les comportements dépressifs. Au début d'une dépression, le client a tendance à envisager l'avenir avec pessimisme, surtout dans les situations ambiguës. Il ignore souvent les expériences positives ou leur donne à tort une interprétation négative. Cette **généralisation excessive** correspond à une distorsion des opérations de la pensée. Au fur et à mesure que la dépression évolue, la perception du présent et du futur s'assombrit et la persistance des attentes négatives renforce le comportement dépressif. À cause du mode de pensée **dichotomique**, toute expérience est considérée comme entièrement bonne ou, ce qui est plus probable, comme entièrement mauvaise. Le client peut dire dans ce cas: «Je suis incapable de le faire.», «De toute façon, je n'y arriverai pas.» ou «Cela ne sert à rien.» Si la dépression est grave, le client pense qu'il n'a plus rien à espérer du présent ou de l'avenir. Les objectifs les plus simples lui semblent impossibles à atteindre parce qu'il se croit totalement incompétent. Les événements passés lui servent à se prouver que l'avenir est sans espoir et que les choses ne changeront jamais. Il ne voit aucune raison de faire le moindre effort puisque la vie ne vaut pas la peine d'être vécue et la mort lui semble la seule issue possible. Son incapacité d'adaptation est le signe de l'incapacité de prendre sa vie en main.

> Julie est une jeune femme qui souffre de dépression grave. Voici comment elle exprime ses attentes négatives: «Le Dr Legrand ne fait rien pour me soigner. Les antidépresseurs n'ont aucun effet; je vais de plus en plus mal et cette fois-ci je n'arriverai plus à guérir. Personne ne peut rien pour moi. J'aimerais mourir.»

Par contre, les maniaques ont des attentes démesurées à leur propre égard, à l'égard des autres et de l'avenir et s'engagent dans toutes les activités qui se présentent à eux sans tenir compte de la possibilité d'un échec. Par exemple, ayant la certitude que tous les placements rapportent, ils sont prêts à s'engager dans n'importe quelle entreprise commerciale ou font souvent des achats inconsidérés sans songer qu'ils risquent de s'endetter fortement.

> Georges et Anne sont mariés depuis 12 ans et leur vie de couple est ruinée par les problèmes d'argent. Georges a traversé plusieurs épisodes d'un trouble bipolaire. Il y a 18 mois, ils ont dû prendre une hypothèque de 10 000 dollars sur leur maison pour payer toutes les dettes accumulées par Georges au cours d'un épisode maniaque. À ce moment-là, ils se sont mis d'accord pour utiliser leurs cartes de crédit uniquement en cas d'urgence. Il y a deux semaines, Anne, qui voulait utiliser sa carte pour acheter des médicaments, s'aperçut que la marge de crédit de 5 000 dollars était atteinte. Au cours de la dispute qui

éclata à ce sujet, Anne apprit que Georges avait reçu deux autres cartes de crédit et qu'il avait pris une avance de 5 000 dollars sur chacune d'entre elles. Il fut incapable d'expliquer ce qu'il avait fait des 15 000 dollars.

L'*autocritique*, qui se manifeste au départ par des normes perfectionnistes impossibles à respecter, révèle également la modification des fonctions cognitives. Face à l'échec, le client se sent incompétent, coupable et honteux au lieu de remettre en question les normes excessivement élevées qu'il s'impose. Le sens critique s'intensifie au fur et à mesure que la dépression s'aggrave et le déprimé se met à épier les actes ou les remarques des autres qu'il interprète comme des signes de désapprobation ou d'indifférence qui le confirment dans son sentiment d'être rejeté par autrui (Dreyfus, 1988).

Durant les épisodes maniaques bipolaires, le client perd tout sens critique à l'égard de son propre comportement. À ce moment-là, il se met à exagérer ses accomplissements passés et présents et à nourrir des idées grandioses à propos de son avenir. Son estime de soi exaltée le porte à approuver inconditionnellement son propre comportement. Il devient en même temps très sensible à toute critique extérieure et il s'emporte dès qu'il se sent désapprouvé.

Les troubles affectifs altèrent aussi la capacité de *prendre des décisions*. En cas de dépression légère, la prise de décision revêt un caractère obsessionnel; le client éprouve le besoin d'examiner au préalable tous les choix possibles et toutes les issues imaginables. Pour lui, il est essentiel de «faire ce qu'il faut», et il demande souvent l'avis des autres et leur confirmation avant de prendre une décision. Cette difficulté à prendre des décisions s'accentue au fur et à mesure que la dépression s'aggrave. Le client devient de moins en moins capable de se concentrer suffisamment longtemps sur un sujet pour arrêter une décision; il peut par exemple rester pendant 20 minutes devant son placard pour choisir les vêtements qu'il va porter pour aller travailler. Il lui est tout aussi difficile de planifier des repas, de faire les courses ou de se concentrer sur n'importe quelle autre tâche. En cas de dépression grave, le client devient incapable de

prendre la moindre décision et, à cause de l'impossibilité de se concentrer, il ne parvient pas à se remémorer certaines données qui pourraient l'aider. Ce manque de concentration entrave la capacité de comparer diverses solutions possibles et leurs résultats éventuels (Yapko, 1988).

Les clients ont tout autant des difficultés à prendre des décisions lorsqu'ils traversent un épisode maniaque. Ils se laissent si facilement distraire par les stimuli extérieurs qu'ils sont incapables de se concentrer assez longtemps pour se rendre jusqu'au bout du processus de résolution des problèmes. Étant donné leurs difficultés de concentration, ils ont tendance à réagir impulsivement aux stimuli. Par ailleurs, puisqu'ils sont incapables de réfléchir aux conséquences de leurs actes avant de s'y engager impulsivement, les clients maniaques font souvent preuve d'un faible pouvoir de discernement et d'une perte de maîtrise de soi.

Depuis le début de l'épisode maniaque qu'il traverse, Mario se dispute de plus en plus souvent avec sa femme, Gina. Un soir, Gina refuse de conduire son mari à la station-service pour reprendre sa voiture qu'il vient de faire réparer. Elle lui dit: «Tu as été désagréable toute la journée; je n'ai pas envie de t'emmener. Tu peux prendre l'autobus ou demander à un voisin de te conduire.» Trente minutes plus tard, une limousine avec chauffeur vient chercher Mario. Le manque de discernement de son mari et son comportement impulsif mettent Gina en colère, car ils ne peuvent pas se permettre ce genre de dépenses.

Les troubles affectifs perturbent également les *opérations de la pensée*. Au fur et à mesure que le trouble s'aggrave, les pensées ralentissent et s'appauvrissent, ce qui se traduit par une élocution lente et l'incapacité de trouver certains mots ou de terminer ses phrases. La communication se détériore surtout si l'interlocuteur, pressé, a la réaction de compléter les phrases du déprimé. En cas de dépression grave, le client peut parfois mettre plusieurs minutes avant de répondre à une question ou même s'enfermer dans le mutisme.

Au cours des épisodes maniaques, on observe des fuites des idées, le cours de sa pensée pouvant être interrompu par le moindre stimulus externe. Les idées se succèdent si rapidement que la personne n'a pas le temps de les exprimer entièrement. Ses pensées peuvent être reliées entre elles par un thème commun ou par des assonances, des rimes ou des calembours. L'exemple qui suit illustre un tel cas.

« Je n'ai tué personne. Je ne veux pas faire du mal. Je suis contrarié ; je suis inquiet à cause des gens qui prennent des drogues, des gens qui gâchent la vie des autres. J'ai une maladie cardiaque parce que je suis né avec un trou dans le cœur. J'ai vu des gens mourir après une opération du cœur et je voulais les aider, mais je n'ai pas pu. Je fume de la marijuana depuis l'âge de 19 ans. La marijuana me fait le même effet que le Lanoxin et le lithium et c'est pour cela que je ne prends pas mes médicaments. Je crois en Dieu et je sais qu'Il peut m'aider. Je suis croyant ; j'aime bien regarder les images religieuses. J'ai peur d'être attaqué par les mauvais esprits. Les mauvais esprits peuvent tuer les gens et même leur infliger des maladies cardiaques. »

Les troubles affectifs modifient également l'*image corporelle*. En cas de dépression légère ou modérée, le client peut devenir préoccupé jusqu'à obsession de son apparence physique et, en particulier, des parties de son corps qu'il n'aime pas. La dépression s'aggravant, il se met à croire que son corps change réellement et qu'il devient moins séduisant. Pendant un épisode dépressif majeur, le client peut avoir l'impression qu'il est défiguré ou que son corps est déformé.

Le maniaque a également une fausse perception de son image corporelle. Son estime de soi démesurée lui fait croire qu'il ressemble à certaines célébrités ou à une reine de beauté. Si son entourage essaie de corriger cette perception, il s'emporte souvent.

Véronique mesure 1,50 m et pèse 75 kg. Elle a des cheveux longs et crépus qui sont teints en diverses nuances de blond et de châtain. Elle s'approche de l'infirmière et lui dit : « Ne trouvez-vous pas que je ressemble à Marylin Monroe ? Regardez mes cheveux, je viens de les laver. N'est-ce pas qu'ils sont d'un beau blond ? Regardez comme je lui ressemble. Je pense que je vais faire du cinéma. Je pourrais peut-être devenir le sosie de Marylin. »

La fausse perception de l'image corporelle observée lors des troubles affectifs peut aller jusqu'au *délire*. La dépression peut comporter des idées délirantes de nature somatique qui amènent le client à penser qu'il souffre d'une maladie incurable. Il peut croire qu'une partie de son corps est déformée ou que son corps a été infecté ou contaminé par des agents extérieurs. Les idées de grandeur sont fréquentes. De nombreux clients se croient célèbres ou s'imaginent entretenir des rapports avec des gens illustres. Il n'est pas rare que ces délires s'accompagnent d'idées de persécution.

Suite à des épisodes violents survenus récemment à la maison, le mari de Mélanie s'est vu obligé de la conduire à l'hôpital. Voici ce que Mélanie confie à l'infirmière : « Je suis stressée et incomprise. Mon mari fait tout pour me contrarier et il est en train de monter un coup contre moi. Il a fait mettre le téléphone sur table d'écoute. Je sais qu'il m'a trompée. Je n'arrive même plus à penser, car il contrôle mes pensées. »

Chez 15 à 25 p. cent des clients atteints de troubles affectifs unipolaires et bipolaires, on observe des *hallucinations* dues au manque de sommeil. Ces clients ont en général des hallucinations auditives et entendent des voix qui les condamnent ou qui les conseillent. Selon Brenners, Harris et Weston (1987), les clients atteints de troubles affectifs qui ont des hallucinations croient souvent parler avec Dieu ou avec des célébrités.

Voici les hallucinations de Sarah : « J'entends des voix qui me disent que je dois me tuer. Je les entends sans arrêt et j'ai l'impression de devenir folle. Ces voix se font de plus en plus nettes ; elles me disent que si je mets fin à mes jours, je serai en paix. » Le lendemain, Sarah dit : « Je vais plus mal. Maintenant, je vois la personne en plus d'entendre sa voix. C'est un homme et il s'est présenté à moi hier soir pour la première fois. »

Il arrive fréquemment que les clients *perdent leur foi* durant les épisodes dépressifs. Ils perdent la foi en leur capacité d'agir, de retrouver la joie de vivre, de changer leurs pensées négatives ; ils perdent aussi la foi en Dieu ou en l'Être suprême. Cette perte de la foi plonge les clients dans une détresse spirituelle insurmontable.

Caractéristiques physiologiques

Chez les personnes âgées, les seuls symptômes de la dépression sont parfois quelques malaises physiques et des manifestations somatiques floues. Chez certaines personnes âgées, on peut aussi observer des modifications de l'appétit, du sommeil et des fonctions d'élimination ainsi qu'une perte d'énergie (Ronsman, 1987).

Chez les clients plus jeunes, les symptômes de la dépression et des troubles affectifs sont nombreux. Les troubles affectifs s'accompagnent d'une modification de l'*appétit*; si la dépression est légère ou modérée, l'appétit diminue, le client se plaint que les aliments sont insipides et il peut sauter un repas sans ressentir aucune faim. Si la dépression est grave, la nourriture provoque parfois une véritable répulsion et le client doit se forcer à manger. Chez certaines personnes déprimées, l'appétit augmente et, à cause de leurs habitudes alimentaires, elles prennent du poids tout au long des épisodes pathologiques, phénomène qui est plus fréquent chez les femmes que chez les hommes. Il se peut aussi que le client mange avec excès et qu'il grossisse si sa dépression est légère et qu'il manque d'appétit et qu'il maigrisse si elle devient grave. Dans de telles circonstances, le client peut dire : « Je n'ai même plus envie de manger. », « Rien ne me semble bon », ou « Je n'arrive pas à avaler. C'est comme si j'avais un nœud dans la gorge. » Le maniaque risque souvent de ne pas consommer assez de nourriture ni de liquide, car il n'arrive pas à rester assez longtemps assis pour prendre un repas et son incapacité de se concentrer est si marquée qu'il oublie de terminer ses plats. Les répercussions de la modification de l'appétit dépendent du degré de diminution ou d'augmentation des quantités ingérées ; de telles modifications risquent parfois de mettre la vie en danger (Frank, 1988).

Les troubles affectifs unipolaires et bipolaires perturbent les *habitudes de sommeil*. En cas de dépression légère, le client dort parfois plus que d'habitude ou se réveille plus tôt le matin. Au fur et à mesure que le trouble s'aggrave, certaines personnes dorment jusqu'à 12 heures par jour alors que d'autres se réveillent une ou deux heures plus tôt le matin. En cas de dépression majeure, les clients ont en général du mal à s'endormir, leur sommeil est morcelé et les éveils fréquents. Il leur arrive souvent de se réveiller au petit matin et de ne plus pouvoir se rendormir. De plus, le manque de sommeil devient pour eux une obsession et ils croient avoir besoin de plus de sommeil qu'il ne leur en faut en réalité (Beck, 1979). On entend souvent les remarques suivantes : « J'ai des insomnies. Je n'arrive pas à dormir et pourtant j'en ai tellement besoin. Je suis constamment fatigué et, pourtant, je ne peux pas dormir. » Ces troubles du sommeil se traduisent par des modifications du sommeil paradoxal (sommeil à activité rapide) ; chez les personnes qui ne souffrent pas de dépression, l'activité rapide s'intensifie vers la fin de la période de sommeil, alors que, chez les personnes déprimées, l'activité rapide s'intensifie vers le début de cette période. De plus, chez les personnes déprimées, le sommeil à ondes lentes diminue au cours de la nuit. Ces modifications du rythme du sommeil peuvent ne pas se manifester chez les enfants, mais elles s'installent à l'adolescence (Emslie, 1987 ; Kazdin, 1988).

Pendant la phase dépressive d'un trouble bipolaire, le client a tendance à dormir plus de huit heures par jour et son sommeil est réparateur. Durant la phase maniaque, le nombre d'heures de sommeil diminue de manière spectaculaire ; même s'il ne dort qu'une ou deux heures par nuit, le client semble reposé et plein d'énergie le lendemain matin. Il ne peut faire de sieste ni se détendre pendant la journée pour compenser son manque de sommeil.

Les troubles affectifs modifient également la *libido*. En cas de dépression, cette modification se manifeste au départ par une légère perte d'intérêt pour les pratiques sexuelles (masturbation ou rapports avec un partenaire). Le déprimé prend moins souvent l'initiative de l'acte sexuel mais continue de donner et de recevoir du plaisir à sa manière habituelle. Au fur et à mesure que la dépression s'aggrave, les modifications de la libido s'accentuent. Certaines personnes cherchent du réconfort en sollicitant plus souvent leur partenaire ; d'autres changent leurs habitudes et adoptent un comportement qui leur demande moins de dépense énergétique, comme les étreintes ou la fellation. Faute d'une communication claire et ouverte, le partenaire qui n'est pas déprimé peut interpréter ces modifications comme une intensification de la libido et non pas comme un besoin de réconfort ou un manque d'énergie. En cas de dépression grave, on observe le plus souvent une inhibition totale du désir et de la satisfaction. Le partenaire doit comprendre que cette inhibition du désir est un symptôme de la dépression et ne reflète pas forcément un problème de relation.

Chez les maniaques, la libido est exagérée et ces personnes cherchent souvent la satisfaction avec des partenaires différents. Durant un tel épisode d'humeur exaltée, le maniaque n'a plus de restrictions ni de principes moraux pour ce qui concerne les rapports sexuels. On observe alors une intensification des comportements de séduction et une augmentation de la fréquence des rapports et du nombre de partenaires. C'est parfois ce comportement débridé qui décide la famille, qui en est offusquée et choquée, à faire hospitaliser le client. Au pic de l'épisode maniaque, on peut assister à une chute paradoxale du comportement sexuel, car le client essaie de séduire toutes les personnes de son entourage sans plus se donner le temps de consommer l'acte sexuel. Mais, lorsque son humeur revient à la normale, il est souvent embarrassé et coupable de son comportement.

Les troubles affectifs se caractérisent également par une modification du niveau d'activité. Au début, le client se fatigue plus rapidement, puis, peu à peu, n'importe quelle activité devient épuisante. Au pic de la dépression, le client se sent trop fatigué pour accomplir même les activités normales de la vie quotidienne. Chez certains déprimés, on observe un ralentissement de l'activité motrice ; ils

se déplacent lentement et leur démarche est lourde. Lorsqu'ils parlent, un minimum de gestes accompagnent leur propos ; le timbre de la voix s'affaiblit et les inflexions deviennent molles. Chez certains d'entre eux, l'immobilité est si marquée qu'ils paraissent catatoniques. Chez certains déprimés, cependant, l'activité motrice peut s'accroître. Ces personnes peuvent bouger constamment et sans but, se frotter les mains, se tripoter la peau, s'agiter en marchant (Yapko, 1988).

Durant la phase maniaque, on observe une hyperactivité et le sujet semble ne ressentir aucune fatigue. Il bouge constamment et a beaucoup de mal à rester assis pendant plusieurs minutes. En général, lorsqu'il est assis, il balance constamment les jambes. Il parle bruyamment et le ton de sa voix est plus élevé que d'habitude ; il accompagne ses paroles de gestes expressifs et de jeux de physionomie continuels. Insensible à la fatigue, il risque l'épuisement physique total.

Le péristaltisme peut poser des problèmes en cas de troubles unipolaires ou bipolaires. En cas de dépression, la diminution de la consommation d'aliments et de liquides et le ralentissement des fonctions organiques dû à la diminution des activités physiques peuvent provoquer la constipation. Lors des épisodes maniaques, la constipation est due à la distraction du sujet qui néglige les messages de son corps ou qui refuse de prendre le temps nécessaire à la défécation.

Les personnes déprimées ont davantage tendance que les autres à contracter des *maladies physiques secondaires*, causées par l'altération du système immunitaire. On pense actuellement que le système immunitaire est l'une des voies de transformation des signaux psychologiques en effets somatiques. Les neurotransmetteurs adrénaline, noradrénaline et sérotonine suppriment la fonction lymphocytaire alors que l'acétylcholine et la vasopressine la stimulent. Les endorphines agissent comme suppresseurs ou comme stimulateurs, suivant un certain nombre de facteurs. On ne sait pas avec certitude si les modifications de la réponse immunitaire sont une conséquence directe de la dépression ou si elles sont dues aux comportements connexes, comme la diminution de la consommation d'aliments, le manque de sommeil ou la forte consommation de tabac ou de boissons alcoolisées (Levy et Krueger, 1988).

Les perturbations thymiques se révèlent souvent dans l'*apparence physique*. Les personnes déprimées ont tendance à porter des vêtements de couleur terne et souvent mal ajustés à cause du poids qu'elles ont gagné ou perdu. Il leur arrive de porter les mêmes vêtements plusieurs jours de suite sans les laver. Leur hygiène personnelle est parfois insuffisante du fait qu'elles n'ont pas le désir ni l'énergie de se brosser les dents, de prendre une douche, de se donner un shampooing. Elles n'ont pas non plus suffisamment d'énergie pour se raser ou se maquiller. Durant la phase maniaque, elles portent, par contre, des vêtements voyants, de couleurs vives et mal agencées, choisis davantage pour leurs teintes criardes que par souci d'élégance. Certains maniaques peuvent changer de tenue toutes les heures. Leur hygiène personnelle laisse à désirer si l'agitation et la distraction les empêchent d'accomplir les tâches de la vie quotidiennes. Pendant cette phase d'exaltation, les femmes qui portent du maquillage et des bijoux affichent des goûts extravagants ; elles choisissent des produits cosmétiques de teintes très vives et les appliquent de manière peu soignée. Il est relativement courant de les voir porter cinq ou six bagues et plusieurs colliers et boucles d'oreilles (voir au tableau 11-3 le résumé de ces caractéristiques).

> *Patricia a reçu le diagnostic de phase maniaque du trouble bipolaire. Depuis son admission, il y a cinq jours, elle ne dort que deux heures par nuit et passe le reste du temps à sillonner les couloirs et à parler au personnel. Elle est constamment en mouvement et se vante d'avoir beaucoup d'énergie. Elle porte des mini-jupes de couleurs criardes, des chemisiers très décolletés et des souliers à hauts talons. Elle change de tenue pratiquement toutes les heures et refait son maquillage pour l'assortir à ses vêtements.*

Caractéristiques socioculturelles

Les sentiments dépressifs d'impuissance et de désespoir et la perte d'estime de soi peuvent s'intensifier dans de nombreuses circonstances. De nos jours, les trois facteurs socioculturels qui prédominent dans ce contexte sont *le racisme, le sexisme et les préjugés concernant l'âge*. Les groupes minoritaires, de quelque origine qu'ils soient, connaissent la discrimination sur le plan psychologique et économique tout autant que sur le plan de l'éducation ou de la profession. Lorsqu'on devient victime de stéréotypes culturels qui se manifestent par les remarques désobligeantes ou les blagues de l'entourage, il est difficile de ne pas se sentir marginal et méprisable. En plus, si le niveau d'instruction est inférieur à la moyenne, on ne peut espérer réussir sans devoir combler les lacunes. Il est par ailleurs difficile d'espérer avancer dans une carrière lorsque les promotions dépendent de la race, du sexe ou de l'âge, tout comme il est difficile de ne pas se sentir démuni lorsqu'on touche un salaire nettement inférieur par rapport à l'échelle qui correspond au poste occupé.

La dépression est beaucoup plus fréquente chez les femmes que chez les hommes. Cette différence peut être attribuée au stress ressenti par les mères célibataires. En effet, à cause du taux élevé de divorces, les parents célibataires sont de plus en plus nombreux et, dans 85 p. cent des cas, il s'agit de femmes. Ces femmes doivent faire face aux problèmes financiers, aux difficultés d'exercer le rôle de parent unique, à la solitude et à l'absence du soutien qui viendrait d'une relation avec un adulte. L'un des facteurs importants qui peuvent déclencher la dépression chez les femmes est la charge d'au moins trois enfants de moins de 14 ans. Le taux de dépression diminue lorsque les enfants grandissent et quittent la maison, ce qui est contraire à la théorie selon laquelle la dépression serait due au vide laissé par le départ des grands enfants. Il semblerait que le fait d'avoir des enfants à charge soit une source de stress qui favorise la dépression (McBride, 1988 ; Rothblum, 1983).

> *Julie, 49 ans, est mariée et mère de six enfants âgés de 17 à 27 ans. Elle dit qu'elle est très proche de ses enfants et continue de s'en sentir responsable. Voici comment elle décrit sa situation : «Je ne sais pas ce que c'est que d'être heureuse. Mon stress est dû en grande partie à mes enfants ; ils me sollicitent chaque fois qu'ils ont besoin d'aide ou*

Tableau 11-3 *Caractéristiques des clients atteints de troubles affectifs*

Caractéristique	Client déprimé	Client maniaque
Désir de participer à des activités	Réduit ou absent	Très intense ; le client s'intéresse à toutes les activités
Interaction avec autrui	Restreinte ; le client s'isole	Loquace ; le client devient très sociable
Besoins d'appartenance	Accrus ; dépendance	Diminués ; autonomie, autosuffisance
Humeur	Dépressive ; désespoir, désarroi	Instable, exaltée et irritable
Culpabilité	Très forte	Absente ; le client est incapable de ressentir la culpabilité
Crises de larmes	Fréquentes ou impossibles	Brèves, passagères
Recherche de gratification	Nulle ; manque d'intérêt pour les activités divertissantes	Exacerbée ; recherche constante de plaisir et de distractions
Liens affectifs	Lâches ; indifférence envers les autres	Intenses et rapidement établis
Auto-évaluation	Négative ; le client insiste sur ses échecs, se sent incompétent ; tendance au catastrophisme et à la personnalisation	Démesurée ; idées de grandeur
Attentes	Pessimistes ; le client trouve le présent et l'avenir sans espoir ; généralisation excessive du vécu	Démesurées ; le client est incapable d'envisager la possibilité d'un échec
Autocritique	Extrêmement critique envers soi-même ; perfectionnisme, anticipation de la désapprobation d'autrui	Inexistante ; le client approuve son propre comportement ; s'irrite s'il est critiqué par les autres
Capacité de prendre des décisions	Réduite ou nulle	Altérée, à cause de la distraction et d'un comportement impulsif
Pensées	Plus lentes et moins nombreuses	Incohérentes
Image corporelle	Détériorée ; le client se croit peu séduisant ou laid	Surfaite ; le client se croit d'une beauté inhabituelle
Idéation	Délirante portant sur des maladies physiques	Délirante ; portant sur des idées de grandeur
Hallucinations	15 à 25 p. cent	15 à 25 p. cent
Appétit	Accru ou diminué en cas de dépression légère ou modérée, diminué en cas de dépression grave	Diminué ; difficulté à se nourrir due à l'incapacité de rester en place
Besoin de sommeil	Accru ou diminué en cas de dépression légère ou modérée, diminué en cas de dépression grave	Réduit ; le client ne dort qu'une heure ou deux par nuit
Libido	Diminuée ; absence de désir	Accrue ; recherche effrénée de rapports et de partenaires
Niveau d'activité	Ralenti surtout pour ce qui est de l'activité motrice	Très élevé ; hyperactivité
Péristaltisme	Ralenti ; constipation	Ralenti ; constipation
Apparence physique	Négligée ; hygiène insuffisante	Bizarre ; le client recherche des vêtements de couleurs vives ; il change souvent de tenue

d'argent ou qu'ils ont des problèmes. Je ne peux pas refuser. Je me sens trop coupable. Je ne peux plus lutter, je suis si fatiguée d'être mère. »

Certaines femmes se sentent poussées par la société à jouer le double rôle de l'épouse exemplaire et de la mère irréprochable. Elles consacrent une grande partie de leur temps et de leur énergie au bien-être de leur famille et de la communauté. Si, dans ce travail, elles négligent leurs propres besoins et désirs, elles deviennent davantage prédisposées à un épisode dépressif. Les femmes au foyer ont des dépressions plus graves et plus longues que celles qui ont un emploi. On pense que l'emploi est un facteur bénéfique parce qu'il améliore la situation financière, augmente les contacts sociaux, permet de lutter contre l'ennui et renforce le sentiment d'accomplissement et l'estime de soi (McBride, 1988).

Les *événements importants de l'existence* constituent également un facteur socioculturel qui peut favoriser l'installation de la dépression (voir la description des situations de crise, au chapitre 6). Il peut s'agir de l'élargissement de la cellule familiale à cause d'un mariage, d'une naissance, d'une adoption ou de l'accueil de nouveaux venus. Il peut aussi s'agir d'une diminution de la famille provoquée par le départ des enfants, de la séparation des époux, d'un divorce ou d'un décès. Il peut enfin s'agir de circonstances menaçantes, comme des problèmes au travail, des démêlés avec la police ou une maladie. Certains autres événements, éprouvants sur le plan affectif, peuvent également constituer des facteurs favorisant la dépression, comme les périodes de fête, un déménagement ou des querelles avec la famille ou les amis. Lors d'une étude menée en 1988, Hume a montré que les personnes atteintes de troubles affectifs ont connu, au cours de leur existence, un nombre d'événements importants plus élevé que n'en a connu la population en général. Ces événements ont atteint leur paroxysme environ un mois avant le déclenchement du trouble. Chez les femmes, les difficultés conjugales sont le facteur le plus fréquemment signalé ; par rapport à celles qui ne souffrent pas de dépression, les femmes qui font face à des difficultés conjugales connaissent un plus grand nombre de problèmes de *communication* et sont davantage affligées par le manque d'intimité. On pense que les réactions physiologiques à ce genre de stress peuvent prédisposer à la dépression.

Un certain nombre de facteurs affectent le degré de stress qui accompagne les événements importants de l'existence. La présence d'un réseau social de soutien peut atténuer les conséquences d'un événement fâcheux. Les personnes qui ne bénéficient pas de tels appuis sont davantage prédisposées aux réactions dépressives. L'apprentissage de stratégies d'adaptation, telles la résolution de problèmes, la communication directe ou l'utilisation des ressources, favorise le maintien de la gamme d'états affectifs normaux. Les personnes qui ont l'impression d'avoir perdu le contrôle, qui sont incapables de résoudre les problèmes ou qui ne connaissent pas les ressources dont elles peuvent disposer sont davantage prédisposées à la dépression. La perception et l'interprétation personnelles des événements importants peuvent, par conséquent, contribuer à l'apparition de la dépression.

La prédisposition à certaines maladies, notamment à la dépression, varie selon les individus. L'appareil organique sur lequel le stress exerce son influence dépend de la constitution génétique, des anomalies enzymatiques, des carences hormonales et du terrain. En réaction à des événements importants, certaines personnes souffriront d'ulcère, d'autres de troubles cardiaques, et d'autres encore de dépression (Hume, 1988).

Michelle, qui souffre de dépression modérée, est divorcée depuis 6 mois et fait tout ce qu'elle peut pour élever ses trois enfants avec un minimum de soutien financier ou affectif de la part de son ex-mari. Elle a dû reprendre un emploi de coiffeuse après être restée au foyer pendant 10 ans. Elle consacre la plus grande partie de son temps libre à des activités sportives et culturelles intéressant ses enfants. Il lui reste donc très peu de temps pour nouer des contacts sociaux et elle se sent isolée, à l'écart de tout réseau de soutien.

Il ne faut pas sous-estimer l'effet des troubles affectifs sur la vie de famille. Les réactions de frustration, de consternation et d'hostilité suscitées par les multiples changements occasionnés par ces troubles ne surprendront personne. Au début, les membres de la famille pourraient s'inquiéter et chercher à réconforter le déprimé. Dans certaines familles, cependant, si l'état du déprimé ne s'améliore pas, le désir d'aider se transforme en frustration et en colère et un cycle vicieux risque alors de s'établir. L'intensification des conflits entraîne une aggravation des symptômes, accentue le sentiment de rejet et plonge le client dans la dépression. D'autres familles montrent une sollicitude excessive et prennent totalement en charge la personne déprimée, ce qui entraîne une exacerbation des symptômes, car le déprimé se sent démuni et redevable.

Durant les épisodes maniaques, la famille doit parfois subir des comportements bizarres, hostiles et même destructeurs. Il n'est pas rare que la famille appelle la police pour demander la protection physique ou matérielle. Faute de traitement, les troubles bipolaires causent souvent une chute du fonctionnement sur le plan interpersonnel, matériel et professionnel.

Les problèmes conjugaux peuvent mener à une séparation ou au divorce. Une enquête réalisée auprès de couples divorcés depuis peu de temps (Garvey, 1985) a révélé que 40 p. cent des femmes et 34 p. cent des hommes souffraient de dépression majeure. Dans 40 p. cent de ces cas, la dépression a été l'un des facteurs qui ont mené au divorce et non pas sa conséquence. Une autre étude (Henker, 1985) a révélé que le taux de divorce était de 57 p. cent chez les couples dont l'un des partenaires souffrait d'un trouble bipolaire et que le risque de divorce augmentait lors de chaque récidive de l'épisode maniaque.

Théories de la causalité

Un grand nombre de théories essaient d'expliquer la cause des troubles affectifs. On pense à l'heure actuelle que ces troubles correspondent en grande partie à un syndrome clinique et que leurs caractéristiques communes sont dues à divers facteurs. Pour essayer de comprendre l'état de chaque client dans la perspective de ces théories, l'étudiante doit examiner l'interaction de ces facteurs autant dans le passé du client que dans le présent. On peut, par exemple, trouver chez une personne une prédisposition génétique aux modifications de la neurotransmission. Il se peut que ces changements interviennent seulement en présence de certains mécanismes psychologiques et que ces mécanismes n'agissent qu'en présence d'interactions sociales précises. De nombreux facteurs liés à l'individu et à l'environnement peuvent augmenter ou réduire le risque d'apparition de troubles affectifs. C'est en mettant en pratique les théories biologiques, intrapsychiques et cognitives ainsi que les théories de l'apprentissage et du statut social que l'infirmière peut aborder le client dans une perspective holistique.

Théories biologiques D'après certaines recherches, les personnes souffrant de troubles affectifs peuvent présenter une *prédisposition génétique.* On observe une incidence plus élevée de ce syndrome parmi les parents du premier degré des personnes ayant reçu un diagnostic de troubles unipolaires ou bipolaires que dans la population en général, le risque pour les parents du premier degré étant 10 à 20 fois plus élevé. Les parents de personnes atteintes de trouble bipolaire peuvent souffrir de troubles unipolaire ou bipolaire alors que les parents de personnes atteintes de trouble unipolaire souffrent surtout de trouble unipolaire. Des études portant sur l'incidence des troubles unipolaires et bipolaires qui affectent les jumeaux ont montré que chez 75 p. cent des jumeaux homozygotes, les deux enfants souffraient d'un trouble affectif alors que seulement 20 p. cent des jumeaux hétérozygotes en étaient atteints. Bien que le marqueur génétique exact soit inconnu pour l'instant, les études récentes menées chez la population Amish indiquent qu'il existe un lien entre le trouble bipolaire et une anomalie du chromosome 11 (Targum, 1988 ; Yates, 1987). Le mécanisme génétique n'a toutefois pas été élucidé.

D'après l'une des hypothèses, les sécrétions cérébrales de monoamine-oxydase pourraient être déterminées génétiquement. Selon une autre hypothèse, il pourrait exister une prédisposition génétique à un seuil de stress plus faible que la normale. Les personnes dont le seuil est faible seraient par conséquent davantage prédisposées aux modifications chimiques qui se produisent dans l'organisme lors d'événements stressants.

L'*hypothèse des amines* s'attache tout particulièrement aux concentrations de noradrénaline, de sérotonine et de dopamine du système nerveux central. Lors de la transmission des impulsions électriques vers les extrémités nerveuses, les amines accumulées sont libérées au niveau de la jonction synaptique. Elles se lient brièvement aux récepteurs des neurones, ce qui permet à l'impulsion de passer à la cellule nerveuse suivante. D'après cette hypothèse, ces amines sont insuffisantes pendant un épisode dépressif et trop abondantes pendant un épisode maniaque (voir la figure 11-2).

Ce déséquilibre peut être produit par l'action de la monoamine-oxydase (MAO), enzyme qui inactive les amines libérées en vue d'assurer la conduction de l'impulsion nerveuse. Un excès de MAO entraîne donc une faible concentration d'amines et une transmission insuffisante des impulsions. Si, par contre, la concentration de MAO n'est pas suffisante pour inactiver les amines, elles vont s'accumuler au niveau de la synapse et accélérer la transmission des impulsions (Janowsky, 1987).

Cette théorie permet d'expliquer pourquoi la dépression est plus fréquente chez les femmes et chez les personnes âgées. Chez les femmes, les concentrations de MAO sont plus élevées que chez les hommes tout au long de la vie, ce qui pourrait entraîner une diminution de la quantité de neurotransmetteurs. Les concentrations de MAO augmentent avec l'âge, ce qui expliquerait le risque plus élevé de dépression chez les personnes âgées.

L'hypothèse des amines permet également d'expliquer la sensibilité des récepteurs à ces substances. En cas de dépression, les récepteurs semblent moins sensibles, de sorte que la transmission des impulsions est ralentie. Durant la phase maniaque, les récepteurs pourraient être hypersensibles aux amines, ce qui accélère la transmission des impulsions. La sensibilité du récepteur est influencée par l'hormone triiodothyronine (T_3). Ainsi, le risque d'épisode dépressif est plus élevé chez les personnes souffrant d'hypothyroïdie et le risque d'épisode maniaque est plus élevé chez celles souffrant d'hyperthyroïdie (Green, 1988).

Chez certains déprimés, on observe une hyperactivité de l'axe hypothalamo-hypophyso-surrénalien qui semble reliée à l'hypersécrétion de l'hormone de libération de la corticotropine à partir des neurones situés dans diverses régions du système nerveux central.

La phényléthylamine (PEA) est une amphétamine endogène agissant sur l'humeur et sur la capacité de se concentrer. Lors de certains troubles unipolaires, la production de PEA diminue ; lors d'un trouble bipolaire, elle augmente (Gold, 1987 ; Fawcett et Kravitz, 1985).

Les amines du cerveau jouent un rôle important dans la régulation du comportement moteur, du sommeil, de l'appétit, de la volonté, du plaisir, des émotions et de la libido. Un déficit ou un excès au niveau des amines modifie la capacité de réagir aux stimuli internes et externes. Les recherches portant sur le lien entre le stress et les troubles affectifs indiquent que le système limbique du cerveau est le principal siège qui régit l'adaptation au stress. Le stress provoque une augmentation de production des amines du système limbique. Si le stress se prolonge ou se reproduit trop souvent, l'organisme ne peut plus s'adapter autant, ce qui entraîne un déficit en amines cérébrales. Lors d'un épisode maniaque, l'un des mécanismes de rétroaction du système limbique pourrait être défectueux. Même si le stress disparaît, le système limbique poursuit la surproduction d'amines et la transmission des impulsions continue de s'accélérer. Diverses régions du système limbique jouent un rôle essentiel dans la régulation de certaines émotions, comme la peur, la fureur, l'enthousiasme et l'euphorie. Les signes et les symptômes d'une dysfonction limbique sont en corrélation avec les caractéristiques des troubles affectifs, c'est-à-dire l'altération des mécanismes régissant le plaisir, l'humeur et le niveau d'activité (Risch, 1987).

Une autre hypothèse porte sur les *rythmes biologiques*. Les **rythmes circadiens** sont les fluctuations régulières de diverses mesures physiologiques pendant 24 heures. L'horloge biologique, située dans l'hypothalamus, peut être déréglée par certains facteurs exogènes ou endogènes. Le décalage horaire est un exemple de dérèglement à cause d'un facteur exogène, c'est-à-dire que le changement rapide de fuseaux horaires qui provoque une baisse du niveau d'énergie et de la capacité de concentration, ainsi que des sautes de

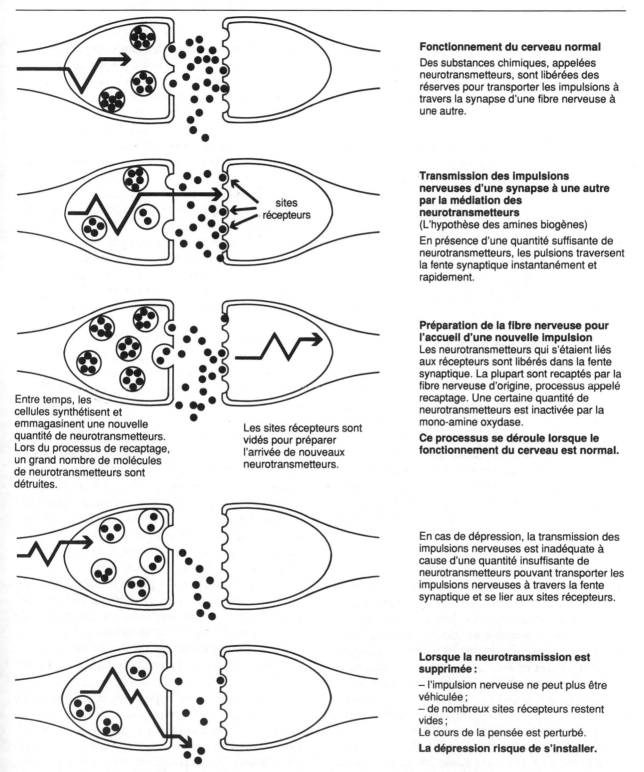

Fonctionnement du cerveau normal

Des substances chimiques, appelées neurotransmetteurs, sont libérées des réserves pour transporter les impulsions à travers la synapse d'une fibre nerveuse à une autre.

Transmission des impulsions nerveuses d'une synapse à une autre par la médiation des neurotransmetteurs
(L'hypothèse des amines biogènes)

En présence d'une quantité suffisante de neurotransmetteurs, les pulsions traversent la fente synaptique instantanément et rapidement.

Préparation de la fibre nerveuse pour l'accueil d'une nouvelle impulsion
Les neurotransmetteurs qui s'étaient liés aux récepteurs sont libérés dans la fente synaptique. La plupart sont recaptés par la fibre nerveuse d'origine, processus appelé recaptage. Une certaine quantité de neurotransmetteurs est inactivée par la mono-amine oxydase.

Ce processus se déroule lorsque le fonctionnement du cerveau est normal.

En cas de dépression, la transmission des impulsions nerveuses est inadéquate à cause d'une quantité insuffisante de neurotransmetteurs pouvant transporter les impulsions nerveuses à travers la fente synaptique et se lier aux sites récepteurs.

Lorsque la neurotransmission est supprimée :

– l'impulsion nerveuse ne peut plus être véhiculée ;
– de nombreux sites récepteurs restent vides ;
Le cours de la pensée est perturbé.

La dépression risque de s'installer.

sites récepteurs

Entre temps, les cellules synthétisent et emmagasinent une nouvelle quantité de neurotransmetteurs. Lors du processus de recaptage, un grand nombre de molécules de neurotransmetteurs sont détruites.

Les sites récepteurs sont vidés pour préparer l'arrivée de nouveaux neurotransmetteurs.

Figure 11-2   *L'apparition de la dépression selon l'hypothèse des amines, in* The Chemical Origin of Depression ; *adaptation avec l'aimable autorisation des Laboratoires Merrel Dow*

l'humeur. Chez certaines personnes, un dérèglement provoqué par un facteur endogène peut causer la dépression.

On peut mesurer ce dérèglement par les
changements qui interviennent dans le rythme
surrénalien. Le cortex surrénal produit le cortisol
qui influence l'activité diurne. Lors de la phase
dépressive, les concentrations de cortisol ne diminuent pas jusqu'au niveau normal pour la fin de la
soirée et la première phase du sommeil. On peut
également mesurer les variations du rythme biologique à l'aide des rythmes des températures et des
rythmes du sommeil. Chez le déprimé, la sensation
de fatigue apparaît quatre à six heures avant que sa
température corporelle ne change et le sommeil
paradoxal dure plus longtemps au début du cycle
du sommeil qu'à la fin. Au cours de la phase maniaque, il n'y a pas de corrélation entre les rythmes
de températures et d'activités. Si le rythme des températures reste de 24 heures, celui des activités
devient de 50 heures. En cas de dépression, les
concentrations maximales de tyrotropine ne se
produisent pas au petit matin et la synthèse globale
de cette hormone diminue. En cas de troubles unipolaires et bipolaires, la production d'hormone de
croissance s'intensifie pendant les périodes d'éveil.
On ne sait pas exactement si les variations des
rythmes circadiens provoquent les troubles thymiques ou si ce sont les troubles thymiques qui
modifient les rythmes circadiens (Beck-Frils et Wetterberg, 1987 ; Groos, 1988 ; Mendelwicz, 1987 ;
Monk, 1988).

Certaines formes de dépression sont liées
aux saisons et au nombre d'*heures d'ensoleille-
ment*. Il s'agit des **troubles affectifs saisonniers**,
qui se caractérisent par une phase dépressive qui
survient chaque année entre octobre et mars et par
une humeur normale ou une phase hypomaniaque
au printemps et en été. La dépression semble, dans
ce cas, directement liée à la lumière puisque les
symptômes disparaissent dès que la personne s'expose aux rayons du soleil ou à des éclairages spéciaux simulant la lumière solaire. Ces troubles ont
surtout fait l'objet d'études menées chez les adultes,
mais jusqu'à un tiers des sujets atteints affirment
que les perturbations s'étaient installées durant
l'enfance ou l'adolescence. La majorité des victimes

sont des femmes ayant des antécédents familiaux
de troubles affectifs. Alors que les symptômes présentés par les enfants et par les adultes diffèrent
dans le cas des troubles unipolaires, ils sont similaires dans le cas des troubles affectifs saisonniers :
fatigue, baisse d'activité, irritabilité, tristesse, crises
de larmes, inquiétude et difficultés de concentration. On remarque toutefois que, pendant la phase
dépressive de l'hiver, les adultes ont tendance à
dormir plus et les enfants, moins. Dans 70 à 85 p.
cent des cas de troubles affectifs saisonniers, les
victimes connaissent un gain d'appétit, font des excès glucidiques et prennent du poids, alors que ces
mêmes symptômes ne surviennent que dans 15 à
30 p. cent des cas de dépression unipolaire ou bipolaire. Pendant l'été, les adultes et les enfants
atteints de troubles affectifs saisonniers connaissent
un regain d'énergie et deviennent loquaces (Jacobsen et Rosenthal, 1988 ; Trad, 1987 ; Wehr, 1987).

D'après l'une des hypothèses, on pourrait
expliquer les troubles affectifs saisonniers par un
dérèglement de la glande pinéale, ou épiphyse cérébrale, située dans le mésencéphale. Les signaux
lumineux suivent le nerf optique et influencent les
sécrétions pinéales de mélatonine. Pendant les périodes d'obscurité, la glande pinéale sécrète davantage de mélatonine, les sécrétions maximales normales se produisant entre 1 h et 3 h du matin. La
lumière inhibe les sécrétions de mélatonine, effet
prouvé par des études menées chez des personne
aveugles qui ne semblent pas présenter ce rythme
circadien typique. Les concentrations élevées de
mélatonine influencent l'humeur, la sensation de
fatigue et le sommeil. On pense que les personnes
qui souffrent de troubles affectifs saisonniers sont
très sensibles à l'élévation des concentrations de
mélatonine. Par conséquent, en hiver, lorsque les
expositions à la lumière sont plus brèves, ces personnes manifestent une réaction dépressive (Wehr,
1987).

Selon une autre hypothèse, la diminution de
lumière solaire influence les concentrations de
calcium et de vitamine D. La concentration de calcium dans l'organisme suit également un cycle
circadien de 24 heures. Chez certaines personnes,
la diminution des concentrations de calcium provoque une élévation de la tension et des sautes

d'humeur, qui peuvent favoriser l'apparition de la dépression. La synthèse de la vitamine D, nécessaire pour l'absorption du calcium alimentaire, est accrue par l'exposition aux rayons du soleil. En hiver, beaucoup de gens prennent des suppléments de vitamine D synthétique. Bien qu'elle soit utile, cette forme synthétique est moins efficace que la vitamine D naturelle pour ce qui est de l'absorption du calcium. Si les personnes âgées sont particulièrement prédisposées à la dépression, c'est peut-être parce qu'elles ne veulent ou ne peuvent pas sortir en hiver et profiter du peu de soleil.

Les troubles affectifs sont hétérogènes et ils peuvent être dus à divers facteurs neurologiques et endocrinologiques ainsi qu'à toute une gamme de facteurs psychologiques.

Théorie intrapsychique   La théorie intrapsychique s'attache à la notion de perte, réelle ou symbolique. Il peut s'agir de la perte d'un être cher, d'un ami, d'un objet, de l'estime de soi ou de la sécurité. Le chagrin ne dure qu'un temps limité, mais chez la personne ayant subi la perte, un concept de soi comportant un minimum d'autocritique peut se maintenir. Un chagrin qui n'est pas reconnu ou qui n'est pas surmonté favorise l'installation de la dépression. Le chagrin s'accompagne normalement d'un sentiment de colère, mais les personnes à qui l'on a appris qu'il ne convient pas de ressentir ou d'exprimer la colère s'efforcent de la refouler et la retournent contre soi. D'après cette théorie, la colère réprimée et l'agressivité envers soi-même sont à l'origine de l'épisode dépressif. Par ailleurs, le surmoi du déprimé est très critique, ce qui se traduit par une forte tendance à culpabiliser et à se montrer extrêmement critique envers soi-même. De plus, ces personnes sont très narcissiques à cause de l'instance « ça » de leur personnalité, instance qui est débridée. Elles ont par conséquent tendance à se préoccuper uniquement d'elles-mêmes. Mais, selon d'autres théories, la principale cause de la dépression n'est pas la colère mais plutôt l'incapacité du client à atteindre les objectifs souhaités, la perte de ces objectifs et un sentiment de perte de la maîtrise de sa propre vie (Yapko, 1988).

Selon la théorie intrapsychique, il existe un lien entre la prédisposition familiale aux troubles affectifs et une perturbation de l'exercice du rôle parental. Lorsque l'un des parents ou les deux sont atteints de dépression, ils deviennent faibles et indifférents et ils se détachent de leurs enfants. De ce fait, ces derniers ont du mal à acquérir un sentiment de maîtrise et de compétence et risquent de souffrir de dépression plus tard dans la vie (Trad, 1987).

Grâce à la théorie intrapsychique, on peut aussi expliquer l'incidence élevée de dépression chez les femmes et les personnes âgées. On a longtemps enseigné aux femmes qu'elles ne pouvaient se forger ni garder leur propre identité et l'estime de soi sans tenir compte de l'opinion des autres et sans gagner leur approbation. Lorsque la valeur personnelle est définie par rapport à des facteurs extérieurs, l'individu a une faible maîtrise de soi et se sent impuissant, ce qui le rend plus vulnérable en cas de perte. Les pertes ont un effet invalidant plus marqué lorsque la personne les perçoit comme une menace qui plane sur son identité et son estime de soi. Chez les personnes âgées, le risque de dépression est également plus élevé à cause des nombreuses pertes qu'elles ont subies: perte d'emploi, d'amis, d'êtres chers, perte de leur rôle, de la sécurité matérielle et même de leur domicile. À cause de toutes ces pertes, les stratégies d'adaptation finissent par s'avérer insuffisantes et la dépression peut s'installer (Gove, 1987).

Théorie de l'apprentissage   Selon cette théorie, la dépression est une réaction apprise qui permet à l'individu de se protéger contre toute tentative de domination venant de l'extérieur lorsqu'il a l'impression que le contrôle de son vécu lui échappe. Dans sa vie, le déprimé a rarement connu la gratification et le renforcement positif lors de ses tentatives pour surmonter les incidents. Ces échecs répétés lui apprennent que ses actes n'ont aucune influence sur le résultat final. Plus le nombre de situations de stress est grand, plus il se sent impuissant. Lorsqu'il arrive au point où il croit qu'il n'a plus aucune emprise sur sa vie, le déprimé n'a plus ni la volonté ni l'énergie de lutter et, impuissant, il s'abandonne à la maladie. L'impuissance apprise est en fin de compte l'incapacité de s'adapter aux autres et à l'environnement (Yapko, 1988).

À cause des stéréotypes sociaux, on a enseigné aux femmes qu'elles devaient être passives, douces et peu ambitieuses. On pense souvent, que les femmes n'ont pas besoin d'apprendre les stratégies d'adaptation étant donné qu'elles vont passer de la dépendance parentale à la dépendance conjugale. De telles attentes renforcent chez la femme le sentiment d'impuissance. Si l'homme est considéré comme le chef de famille, la femme a l'impression de n'avoir aucun pouvoir et elle craint de s'affirmer, ce qui la prédispose davantage à la dépression (McBride, 1988). Les personnes âgées sont parfois obligées de faire face à des situations de stress à un moment où elles sont moins armées pour les surmonter. Les risques d'échec sont par conséquent plus grands et aggravent chez elles le sentiment de perte de maîtrise et les réactions dépressives.

Théorie cognitive   Beck (1979) a élaboré un modèle cognitif de la dépression, selon lequel le vécu active les pensées négatives. Ce modèle comprend trois éléments interreliés. Le premier de ces éléments est la triade cognitive qui porte sur la perception de soi, du présent et du futur. Le déprimé a appris à se considérer comme incompétent, méprisable et indigne d'amour. Les événements présents sont pour lui des expériences négatives et l'avenir lui paraît désespérant. Le deuxième élément porte sur les modes cognitifs, c'est-à-dire les modes d'interprétation des données. Le déprimé s'attache aux messages négatifs qu'il reçoit de l'extérieur et ignore les expériences positives. Ce mode négatif de pensée le mène au troisième élément, celui des erreurs cognitives. Le déprimé a tendance à porter des jugements globaux et à personnaliser les incidents négatifs. À cause de son mode de pensée dichotomique, chaque situation lui semble entièrement bonne ou entièrement mauvaise, chaque chose propre ou d'une saleté répugnante, et la vie toute entière une réussite absolue ou un échec total. Dans sa façon de voir le monde, il n'existe pas de juste milieu et il se place toujours du côté négatif. D'après cette théorie, cette distorsion des opérations de la pensée serait à l'origine des caractéristiques affectives de la dépression.

Théorie du statut social   Cette théorie s'appuie sur la théorie intrapsychique, la théorie de l'apprentissage et la théorie cognitive, mais elle accorde une plus grande importance à la société et à la culture. Il s'agit d'une théorie globale dans la mesure où elle tient compte des aspects psychologiques, sociologiques et matériels de la dépression. Bien qu'elle s'applique surtout aux femmes et aux personnes âgées, elle peut également être valable chez les hommes et les adolescents.

Autrefois, la santé mentale n'était pas définie de la même manière chez les femmes et chez les hommes. La femme en bonne santé devait être consentante, soumise, dépendante et hyperémotive. L'homme en bonne santé devait, par contre, être logique, rationnel, autonome, agressif et détaché. Ces stéréotypes ont eu des conséquences fâcheuses chez les deux sexes et on observe actuellement une tendance vers une définition de la santé mentale qui met en relief les qualités humaines telles l'affirmation de soi, la confiance en soi, l'empathie, la capacité de nouer des relations intimes et la communication directe, qualités qui appartiennent incontestablement aux deux sexes.

Dans la société occidentale, les règles du savoir-vivre ont imposé aux femmes des valeurs traditionnellement féminines. On leur a enseigné que la femme idéale ne devait pas exprimer sa colère ni s'affirmer, mais plutôt se montrer soumise, faible et passive dans ses rapports avec les autres adultes. Les femmes qui ont accepté inconsciemment ces attentes mettent au point peu de stratégies d'adaptation qui leur permettent de surmonter le stress et sont davantage prédisposées à la dépression. Lorsque la vie réelle fait du Prince charmant un personnage fictif, un grand nombre de femmes se laissent dévorées par la souffrance, la culpabilité, les frustrations, la colère et, éventuellement, même par la dépression.

Encore aujourd'hui, lorsqu'il s'agit des rôles que chacun des sexes devrait exercer, les attentes restent rigides et cette rigidité explique en partie le taux plus élevé de dépressions chez les femmes. Les femmes au foyer risquent de ne connaître aucune autre identité du moi que celle de mère et d'épouse. Les innombrables travaux ménagers passent souvent inaperçus et ne sont certainement pas considérés comme prestigieux. Les femmes au foyer reçoivent rarement une gratification ou des renforcements positifs sous forme de compliments ou de salaire. Et, qui plus est, il s'agit d'un poste permanent, exigeant une présence 24 heures sur 24. Lorsqu'on vit sur les lieux du travail, on ne bénéficie pas de la stimulation qu'apporte le changement de milieu. Dans notre société, le métier de femme au foyer est certainement l'un de ceux qui aliène le plus la personne.

Les femmes qui travaillent à l'extérieur n'ont pas forcément une meilleure part, car elles doivent souvent cumuler les responsabilités professionnelles et domestiques, comme si elles avaient deux emplois à plein temps, sans recevoir pratiquement de soutien de la part des autres membres de la famille. Certaines familles s'adaptent au partage des responsabilités, mais, même dans ce cas, le conflit entre le nouveau rôle et le rôle traditionnel de la femme mariée peut favoriser l'apparition de la dépression. Les données montrent que les femmes mariées sont plus déprimées que les hommes mariés et que les femmes célibataires sont moins déprimées que les hommes célibataires. D'après les données actuelles, la dépression frappe plus souvent les femmes mariées que les hommes mariés et moins souvent les femmes célibataires que les hommes célibataires (Gove, 1987).

Outre ce conflit lié à leur condition, les femmes qui travaillent doivent souvent accepter un salaire plus bas et un emploi subalterne. Leurs chances d'avancement dans une carrière sont également moindres. Les pouvoirs judiciaires n'ont pas encore réussi à abolir complètement le sexisme dans l'emploi, fait qui augmente la frustration, la colère et la détresse des femmes. Dans ce contexte, certaines femmes commencent à croire qu'elles sont ratées et incompétentes. Pour elles, leur situation sera toujours désespérante et une telle perception de l'avenir favorise la dépression.

La théorie du statut social peut également s'appliquer chez un certain nombre de personnes âgées. Dans une société qui valorise essentiellement les qualités de la jeunesse, les vieux se sentent inutiles, insignifiants, incapables et parfois même repoussants. Les pertes subies et le changement de leur rôle mettent en péril l'estime de soi.

Les modifications physiologiques dues au vieillissement peuvent forcer ces personnes à se sentir faibles, état qui engendre des sentiments d'inefficacité et d'infériorité. Tous ces changements les poussent parfois à jeter un regard désespéré sur leur vie tout entière et à se sentir impuissants face à un avenir qui est limité dans le temps. Si l'on tient compte de tous ces effets, il n'est pas surprenant que le taux de dépressions soit plus élevé chez les personnes âgées (voir au tableau 11-4 le résumé des théories de la dépression qui ont été présentées dans ce chapitre).

Traitement médical

La phase initiale de l'intervention médicale en cas de trouble affectif est la collecte approfondie de toutes les données concernant le client. Le médecin doit déterminer si l'usage de médicaments ou de drogues a pu favoriser ou provoquer la dépression. Il s'agit le plus souvent d'alcool, de barbituriques, de tranquillisants ou de certains antihypertenseurs. En même temps, le médecin doit traiter les maladies somatiques, car la dépression clinique risque de s'aggraver si le client est en mauvais état physique (Akiskal, 1985).

On prescrit souvent aux clients atteints de troubles affectifs des médicaments antidépresseurs et des agents pour traiter la manie. Le plus souvent, les médicaments antidépresseurs sont administrés en doses fractionnées pendant une semaine ou deux, puis en une seule dose, au coucher. Le traitement d'entretien doit se poursuivre jusqu'à la rémission des symptômes, soit pendant quatre mois à un an. Ensuite, on diminue progressivement la dose. Les antidépresseurs administrés seuls n'ont pas d'effet chez environ 30 p. cent des clients, mais ils deviennent efficaces si on les associe à 600 mg de lithium par jour ou à 25 µg de triiodothyronine (T_3). Un épisode maniaque aigu constitue une urgence médicale, car le client risque d'atteindre un niveau dangereux d'épuisement. En cas d'épisode maniaque aigu, on peut calmer rapidement le client en lui administrant des antipsychotiques, étant donné que les effets cliniques du lithium ne se font sentir qu'au bout d'une dizaine de jours. Dans certains cas, les antidépresseurs risquent de déclencher

Tableau 11-4   *Les théories de la dépression chez les femmes et les personnes âgées*

Théorie	Points essentiels	Pertinence dans le cas des femmes et des personnes âgées
génétique	• Sensibilité accrue aux modifications chimiques liées au stress.	
des amines	Perturbation de la neurotransmission : dysfonction limbique.	Concentrations accrues de la monoamine-oxydase chez les femmes et les personnes âgées.
des rythmes biologiques	Dérèglement des rythmes circadiens à cause d'un facteur endogène.	
de l'ensoleillement	Le manque d'ensoleillement augmente la production de mélatonine et diminuela production de vitamine D.	Les personnes âgées sortent moins en hiver ; leur organisme produit donc moins de vitamine D et absorbe moins de calcium, ce qui provoque les sautes d'humeur.
intrapsychique	Perte d'un être, d'un objet, de l'estime de soi ; l'hostilité est tournée envers soi-même ; les objectifs restent hors d'atteinte.	Chez les femmes, l'estime de soi dépend davantage du regard d'autrui ; les personnes âgées subissent de nombreuses pertes.
de l'apprentissage	Perte de contrôle du vécu ; apprentissage de l'impuissance, incapacité d'adaptation.	La dépendance qu'on impose à la femme renforce son impuissance ; les personnes âgées sont soumises à un stress accru et ont moins de ressources, ce qui favorise la perte de maîtrise de soi.
cognitive	Perception négative de soi, du présent et de l'avenir ; attention portée sur les messages négatifs, erreurs cognitives.	
du statut social	Acceptation inconsciente des normes de comportement dictées par la culture ; attentes rigides par rapport aux rôles que doit jouer chacun des sexes et au vieillissement.	L'identité de la femme est parfois définie seulement d'après le rôle de femme au foyer ; emploi moins prestigieux, souvent deux emplois à plein temps. Les personnes âgées souffrent de la valorisation culturelle de la jeunesse ; nombreux changements de rôles et nombreuses pertes.

un trouble bipolaire à cycle court. Dans ce cas, on cesse d'administrer ces médicaments et on prescrit uniquement du lithium (Dreyfus, 1988 ; Garbutt, 1988 ; Reid, 1989 ; Wehr, 1988).

Les clients qui continuent leur traitement pharmacologique à domicile peuvent connaître un dysfonctionnement sexuel secondaire. On rencontre fréquemment des problèmes d'éjaculation chez l'homme et l'anorgasmie chez la femme. Ce genre de trouble pousse parfois le client à décider de son propre chef de ne plus prendre ses médicaments (Nurnberg et Levine, 1987).

On détermine avec plus de précision la réaction thérapeutique aux antidépresseurs tricycliques par la détermination des concentrations plasmatiques que par le calcul des doses. La nortriptyline (Aventyl) et l'amitriptyline (Elavil) sont plus efficaces à une concentration plasmatique qui se situe entre 0,45 et 0,90 µmol/L ; toute concentration plus élevée devient toxique. Pour la désipramine

(Norpramin), la concentration plasmatique est de 0,56 à 1,1 μmol/L et pour l'imipramine (Tofranil), de 0,53 à 1,1 μmol/L chez les adultes. Dans le cas de la fluoxetine (Prozac), il n'est pas nécessaire de mesurer la concentration plasmatique puisque ce médicament est normalement efficace à des doses de 20 à 40 mg par jour (Harris, 1988, Trad, 1987) (voir, au chapitre 4, les explications détaillées sur le mode d'action de ces médicaments).

Il convient d'être particulièrement prudent lorsqu'on prescrit des antidépresseurs tricycliques à des clients âgés, et ce, pour plusieurs raisons. Chez les personnes âgées, le métabolisme des médicaments tricycliques est plus lent à cause d'une diminution de l'activité des enzymes hépatiques. Avec l'âge, le pourcentage de tissus adipeux par rapport à la masse corporelle totale augmente. Étant donné que les médicaments tricycliques s'accumulent dans les tissus adipeux, leur durée d'action est prolongée. De plus, le système nerveux central de la personne âgée est plus sensible aux médicaments psychoactifs.

Le médecin doit déterminer si les bienfaits du traitement avec des agents tricycliques dépassent les risques auxquels il expose le client âgé. Les propriétés anticholinergiques de ces médicaments peuvent entraîner de brèves pertes de mémoire, la désorientation ou une altération des fonctions cognitives. Ces effets secondaires risquent d'être pris pour un trouble cérébral organique chez le client âgé (pseudodémence). Grâce à l'administration par voie intramusculaire de 1 à 2 mg de physostigmine, le médecin peut déterminer si la confusion du client est due au traitement tricyclique. La physostigmine augmente les concentrations d'acétylcholine aux sites qui assurent la transmission cholinergique et les symptômes disparaissent passagèrement s'ils sont dus aux effets secondaires du traitement.

Les propriétés anticholinergiques de ces médicaments posent également d'autres problèmes. Si le client porte un dentier, la sécheresse extrême de la bouche peut provoquer l'érosion de la gencive. En cas d'hypertrophie de la prostate chez l'homme âgé, l'effet anticholinergique de la rétention urinaire risque de poser de sérieux problèmes. Les propriétés anticholinergiques peuvent aussi exacerber

un glaucome latent et provoquer une élévation de la tension intra-oculaire. Chez de nombreuses personnes âgées, l'hypotension orthostatique fait partie des symptômes du vieillissement ; or, les médicaments tricycliques peuvent provoquer l'hypotension orthostatique et élever ainsi, chez le client âgé, les risques de vertiges et de chutes.

Dans le cas de clients âgés, les médicaments tricycliques sont administrés au début du traitement à des doses plus faibles que chez les adultes plus jeunes, doses qu'on augmente progressivement jusqu'à la limite inférieure de la dose maximale. Chez les clients âgés, la dose maximale d'imipramine (Tofranil) et d'amitriptyline (Elavil) est de 100 mg par jour. Pour la désipramine (Pertofrane, Norpramin), elle est de 150 à 200 mg par jour.

L'amitriptyline (Elavil) est l'antidépresseur tricyclique qui a les propriétés anticholinergiques les plus prononcées du groupe des tricycliques, alors que la désipramine (Pertofrane, Norpramin) et la maprotiline (Ludiomil) ont les propriétés anticholinergiques les moins prononcées. Elles ont aussi les effets les moins sédatifs et leur administration entraîne les risques d'hypotension orthostatique les plus faibles. Ces agents sont, par conséquent, les médicaments de choix chez les personnes âgées. Le trazadone (Desyrel) convient également aux clients âgés, étant donné qu'il n'a pas de propriétés anticholinergiques et que son effet hypotenseur est faible. Il a par ailleurs des effets sédatifs qui peuvent s'avérer nocifs. La fluoxétine (Prozac) est peut-être le médicament qui convient le mieux aux personnes âgées, car elle a peu d'effets secondaires anticholinergiques.

Étant donné que la production de monoamine-oxydase augmente avec l'âge, les inhibiteurs de la monoamine-oxydase (IMAO) peuvent être efficaces chez les clients âgés. La dose maximale est de 60 mg par jour pour la phénelzine (Nardil) et de 30 mg par jour pour la tranylcypromine (Parnate) et l'isocarboxazide (Marplan). Les antidépresseurs appartenant à ce groupe présentent des désavantages, étant donné les risques de toxicité et le régime alimentaire strict qu'un tel traitement impose, ce qui peut être un grand inconvénient pour de nombreuses personnes âgées dont les ressources matérielles sont limitées.

La toxicité du lithium apparaît lors des pertes hydriques, comme en cas de vomissements ou de diarrhée, ou lors de la baisse du taux de filtration glomérulaire, ce qui est relativement fréquent chez les clients âgés ou les femmes enceintes. Le processus de vieillissement s'accompagne normalement d'une baisse du taux de filtration glomérulaire. Chez le client qui reçoit du lithium pour le traitement d'un trouble affectif bipolaire, l'excrétion rénale du médicament est retardée et, par conséquent, le risque de toxicité accru. Si le client âgé prend en même temps un diurétique diminuant le taux de sodium, le risque de toxicité augmente considérablement. La concentration thérapeutique de lithium dans le sang, qui est de 0,8 à 1,2 Eq/L chez le jeune adulte, diminue jusqu'à 0,5 à 1,0 Eq/L chez l'adulte plus âgé (Reid, 1989).

On peut avoir recours aux *électrochocs,* si les antidépresseurs n'ont pas d'effet ou si le client ne les tolère pas. Ce genre de traitement s'est révélé efficace chez des clients atteints de troubles bipolaires à cycle court et peut constituer une solution plus sûre chez les clients âgés, qui sont davantage exposés aux risques d'un traitement aux antidépresseurs. Il semble que l'effet clinique des électrochocs se manifeste plus rapidement que celui des médicaments, ce qui est un avantage important lorsqu'on cherche à obtenir des résultats rapides. Il faut interrompre l'administration de lithium avant de commencer le traitement aux électrochocs étant donné que cette association réduit l'effet thérapeutique du lithium et augmente les effets secondaires neuropsychologiques (Friedman, 1985).

Pour ce qui est des troubles affectifs saisonniers, le traitement idéal est souvent la *photothérapie.* On installe les clients sous des lampes fluorescentes qui donnent une lumière très vive couvrant la totalité du spectre lumineux. Une amélioration clinique survient habituellement au bout de trois à cinq jours. Chez les clients souffrant de troubles affectifs saisonniers, la photothérapie peut constituer une méthode prophylactique. On pense que la lumière vive supprime la production diurne de mélatonine et normalise le dérèglement des rythmes circadiens (Jacobsen et Rosenthal, 1988 ; Rosenthal, 1989).

Collecte des données

Pour effectuer la collecte de données sur le client souffrant d'un trouble affectif, l'infirmière organise des entrevues et fait ses observations à partir de la base de données.

Pour ne pas mettre le client mal à l'aise, la collecte des données sur les antécédents et l'établissement du bilan de santé doivent se faire en privé. Il faudrait probablement prévoir deux ou trois séances, car le client déprimé se fatigue facilement et le client maniaque est incapable de rester longtemps assis. Le questionnaire ci-dessous est donné à titre d'exemple, mais l'infirmière aura intérêt à utiliser ses propres termes pour guider la discussion.

 BILAN DE SANTÉ
Clients atteints de troubles affectifs

Données sur le comportement
Désir de s'engager dans des activités
  Votre niveau d'activité a-t-il changé ?
  Comment accomplissez-vous vos tâches au travail/à la maison ?
  Quelles sont vos activités de loisirs ?
  Quelles sont vos activités obligatoires ?
  Avez-vous des difficultés à accomplir les tâches normales de la vie quotidienne ?
Interaction avec les autres
  Aimez-vous faire des choses en compagnie ?
  Dans quelles circonstances aimez-vous être seul ?
  Dans quelles circonstances aimez-vous être avec d'autres ?
  Vous sentez-vous isolé ?
  Quelles sont les causes de friction ou de conflit avec les autres ?
  Comment réagissez-vous en cas de désaccord ?
  À votre avis, êtes-vous une personne passive, dynamique ou sûre d'elle ?
Dépendance
  Avez-vous besoin d'être entouré pour vous sentir en sécurité ?
  Comment définiriez-vous votre besoin d'autrui ?
  Quel genre d'attention souhaitez-vous obtenir de la part de votre famille et de vos amis ?
  Avez-vous l'impression que vos relations avec des adultes sont d'égal à égal ?

Données sur l'état affectif

Humeur

Quelle est votre humeur en général ?

Avez-vous des sautes d'humeur ?

Dans quelles circonstances êtes-vous en colère ?

Dans quelles circonstances êtes-vous anxieux ?

Quelles sont les choses qui vous frustrent ?

Culpabilité

Quelles sont les choses qui éveillent votre sentiment de culpabilité ?

Combien de temps par jour passez-vous à penser à vos échecs ou à vous sentir coupable ?

Crises de larmes

Dans quelles circonstances pleurez-vous ?

Pleurez-vous souvent ?

D'autres personnes vous ont-elles fait des remarques à ce sujet ?

Gratification

Quelles sont les activités qui vous plaisaient autrefois ?

Quelles sont les activités qui vous plaisent actuellement ?

Comment pouvez-vous décrire votre sens de l'humour ?

Racontez-moi une de vos blagues favorites.

Dans quelles mesure utilisez-vous la nourriture, l'alcool ou les drogues pour accroître votre plaisir ?

Liens émotifs

Qui sont les personnes qui vivent avec vous ?

Vous faites-vous facilement des amis ?

Combien d'amis avez-vous actuellement ?

De qui vous sentez-vous proche ?

Qui se sent proche de vous ?

Données sur l'état cognitif

Auto-évaluation

Parmi vos qualités, lesquelles sont celles qui vous plaisent ?

À votre avis, dans quelle mesure avez-vous confiance en vous-même ?

Donnez-moi un exemple de vos succès.

Les autres vous aiment-ils ?

Dans quelle mesure avez-vous besoin de l'approbation des autres ?

Donnez-moi un exemple de vos échecs.

Qu'aimeriez-vous changer en ce qui vous concerne ?

Avez-vous l'impression d'avoir une emprise sur votre vie ?

Vous sentez-vous impuissant ?

Attentes

Quel est, à votre avis, l'issue de votre maladie ou de votre hospitalisation ?

Qu'espérez-vous de l'avenir ?

Quels sont vos projets d'avenir ?

Vous faudra-t-il faire un grand effort pour changer votre situation ?

Vous sentez-vous désespéré ?

Comment avez-vous placé ou dépensé votre argent dernièrement ?

Autocritique

Dans l'ensemble, comment évaluez-vous votre vie passée ?

Avez-vous besoin de faire les choses à la perfection ?

Comment pouvez-vous décrire les principes qui guident votre comportement ?

Les autres vous apprécient-ils ?

Les autres vous critiquent-ils souvent ?

Vous sentez-vous souvent rejeté par les autres ?

Quelle importance accordez-vous aux critiques et au rejet ?

Dans quelle mesure avez-vous tendance à évaluer les situations comme étant bonnes ou mauvaises ?

Prise de décisions

Sentez-vous le besoin de prendre une décision parfaite ?

Prenez-vous facilement des décisions ?

Avant de prendre une décision, passez-vous en revue toutes les conséquences de vos actes ?

Quelqu'un vous a-t-il fait des remarques à propos de vos difficultés ou de votre facilité de prise de décisions ?

Avez-vous de la difficulté à vous concentrer ?

Cours de la pensée

Avez-vous l'impression que vos pensées se succèdent lentement ou rapidement l'une à l'autre ?

Avez-vous des difficultés à vous souvenir de ce que vous étiez en train de dire ou sur le point de dire ?

Image corporelle

Quelle est l'attribut physique qui vous plaît le plus en vous ? Celui qui vous plaît le moins ?

Votre corps a-t-il changé d'une façon quelconque ?

Combien de temps pensez-vous à votre corps chaque jour ?

Comment pouvez-vous décrire votre aspect général ?

Idées délirantes

Êtes vous malade actuellement ?

Qu'est-ce qui fait de vous une personne importante ?

Hallucinations

Entendez-vous des voix ? Que vous disent-elles ?

Voyez-vous des choses que les autres affirment ne pas voir ?

Que ressentez-vous lorsque vous voyez ou entendez ces choses ?

Données sur l'état physiologique

Appétit

En quoi votre appétit a-t-il changé ?

Vous arrive-t-il de sauter un repas sans vous en apercevoir ?

Combien de nourriture mangez-vous par jour ? Vous souvenez-vous de ce que vous avez mangé au cours des dernières 24 heures ?

Combien de liquide buvez-vous par jour ?

Combien de kilos avez-vous pris ou perdu ? En combien de temps ?

Quels sont vos aliments préférés ?

Habitudes de sommeil

Quelles étaient vos habitudes de sommeil avant votre maladie ?

Avez-vous des difficultés à dormir ?

Vous réveillez-vous pendant la nuit ?

Parlez-moi de vos rêves.

Vous sentez-vous fatigué au réveil ? Vous sentez-vous plein d'énergie ?

Faites-vous des siestes durant la journée ?

À votre avis, de combien de sommeil avez-vous besoin ?

Libido

Avant votre maladie, quelle était la fréquence de vos rapports sexuels ?

Y trouviez-vous du plaisir et de la satisfaction ?

Dites-moi en quoi votre vie sexuelle a changé.

Votre partenaire a-t-elle remarqué chez vous une modification du désir ?

Niveau d'activité

Vous fatiguez-vous facilement ?

Quelles sont les activités qui ont tendance à vous fatiguer ?

Avez-vous beaucoup d'énergie ?

Avez-vous des difficultés à rester assis sans bouger ?

Péristaltisme

Quelle était la fréquence normale de vos émissions fécales ?

En quoi a-t-elle changé ?

Quelles mesures prenez-vous habituellement lorsque vous êtes constipé ?

Données sur la vie socioculturelle

Communication

Avec qui la communication vous semble-t-elle la plus facile ?

Quels sont les domaines de votre vie dont vous avez du mal à parler ?

Dans quelle mesure parvenez-vous à communiquer clairement durant une crise ?

Réseau de soutien

Sur qui pouvez-vous compter en cas de crise ?

Qui peut compter sur vous en cas de crise ?

Rôles

Quels sont les rôles que vous adoptez en famille ? Quelles sont vos responsabilités familiales ?

Quel type de rétroaction recevez-vous en ce qui concerne ces rôles ?

Dans quelle mesure les rôles sont-ils souples dans votre famille ?

Événements importants du vécu

Quelles pertes avez-vous subies au cours de l'année qui vient de s'écouler ?

Relations ? Séparations ? Divorce ? Décès ? Emplois ? Rôles ? Estime de soi ?

Décrivez l'importance que vous accordez à ces pertes.

Comment avez-vous surmonté ces pertes ?

Données sur les objectifs du client

Où espérez-vous être dans un mois ? Dans six mois ? Dans un an ?

Racontez-moi votre perception de ce que vous serez lorsque vous aurez atteint ces objectifs (précisez des données quantifiables).

Que devez-vous faire pour atteindre vos objectifs ?

À votre avis, dans quelle mesure le personnel infirmier peut-il vous aider à atteindre vos objectifs ?

Examen physique

Il est important que l'infirmière fasse un examen clinique complet du client souffrant de troubles affectifs. Puisque certains troubles médicaux s'accompagnent souvent de dépression, ces clients peuvent être admis dans les services médicaux plutôt que dans les services psychiatriques. Dans ce cas, il est important d'envisager la possibilité d'une dépression concomitante. Par exemple, des clients souffrant d'eczéma ou de psoriasis s'aperçoivent parfois que leur état s'aggrave au cours d'un épisode dépressif. Le sida, le syndrome carcinoïde, les tumeurs du système nerveux central, les attaques ainsi que le syndrome de Cushing, l'insuffisance surrénalienne, l'hypoglycémie, la maladie de Parkinson, les troubles thyroïdiens et parathyroïdiens, l'intoxication par les métaux, la chorée de Huntington, la mononucléose, l'hépatite, la sclérose en plaques, le cancer du pancréas et le lupus érythémateux aigu disséminé s'accompagnent également de dépression (Gold et Herridge, 1988). On trouve au tableau 11-5 des directives concernant l'examen clinique des clients souffrant de troubles affectifs. Chez les clients déprimés, le traitement du trouble médical primaire doit s'accompagner d'une intervention psychiatrique.

Certains clients traversent un épisode dépressif à cause des médicaments qu'ils reçoivent pour le traitement de leurs troubles somatiques. C'est ce qu'on appelle une **dépression iatrogène** ou **secondaire**. Dans ce cas, on abandonne en général l'administration des médicaments en question et on les remplace par d'autres. On s'est aperçu que les médicaments suivants provoquent souvent la dépression : les opiacés, les antinéoplasiques, les phénothiazines, la digitale, la guanétidine, l'hydralazine, la méthyldopa, le propanolol, la réserpine, la lévodopa, les sédatifs et les stéroïdes (Cohen, 1988 ; Ronsman, 1987 ; Yates, 1987).

Il est important de mesurer les taux d'électrolytes sériques des clients atteints de troubles affectifs ; en effet, chez certains clients la sécrétion d'hormone antidiurétique est anormale, ce qui risque de provoquer l'hyponatrémie. Les clients dont les concentrations de sodium sont faibles peuvent présenter des symptômes qui simulent la dépression ou la psychose maniaque. Si l'on rétablit les concentrations de sodium, les manifestations du trouble affectif disparaissent (Santy et Schwartz, 1983).

Si le médecin a prescrit une épreuve de freinage par la dexaméthasone, l'infirmière doit prendre note des résultats. On administre de la dexaméthasone (à 0,5 mg) par voie orale à minuit, l'heure critique de libération de la corticotrophine selon un rythme biologique de 24 heures et le moment où on peut mesurer avec la plus grande précision l'axe hypothalamo-hypophyso-surrénalien. Le lendemain, on mesure les concentrations de cortisol plasmatique en fin de matinée et en fin d'après-midi. Chez la personne qui ne souffre pas de dépression, le stéroïde administré par voie orale bloque la libération de corticotrophine pendant 28 heures, blocage qui se traduit par une faible concentration de cortisol (5 mcg/100 mL ou moins) aux moments où sont effectuées les deux mesures. Chez les clients déprimés, on observe une suppression du cortisol le matin, avec retour à la normale dans l'après-midi. Les concentrations de cortisol plasmatique se rétablissent d'autant plus rapidement que la dépression est grave. Plus la dépression est grave, plus le freinage est faible. La précision de l'épreuve de freinage par la dexaméthasone est de l'ordre de 40 à 50 p. cent chez les clients atteints de dépression majeure, de 67 p. cent chez les clients souffrant de dépression à caractéristiques psychotiques et de 78 p. cent chez les clients qui ont des tendances suicidaires prononcées. Cette épreuve est fiable pendant la phase dépressive des troubles unipolaires et bipolaires mais non pas pendant la phase maniaque des troubles bipolaires et ses résultats sont peu précis chez les clients atteints de troubles affectifs saisonniers. On a observé chez des clients qui traversent plusieurs crises

Tableau 11-5 *Examen clinique des clients souffrant de troubles affectifs*

Antécédents médicaux
Maladies et interventions chirurgicales antérieures
Hospitalisations antérieures
Maladies actuelles
Médicaments pris actuellement
Plaintes
Antécédents familiaux de troubles psychiatriques
Antécédents personnels de troubles psychiatriques

Apparence
Hygiène
Tenue vestimentaire
Échange de regards
Attitude

Motricité
Démarche
Gestes
Sensibilité au milieu environnant

Comportement verbal
Rythme de l'élocution
Richesse de l'élocution
Timbre et volume de la voix

Résultats des analyses de laboratoire
Numération globulaire
T_3
Électrolytes sériques
Épreuve de freinage par la dexaméthasone
Électro-encéphalogramme pendant le sommeil
Épreuve de stimulation de la TRH
Épreuve de tolérance à l'insuline (enfants)

de dépression par année que l'absence de freinage revient une à deux semaines avant la rechute (Reid, 1989 ; Rose, 1987).

Il faut tenir compte de plusieurs facteurs qui peuvent influencer les résultats de l'épreuve de freinage par la dexaméthasone. Ils peuvent être incertains chez les clients ayant moins de 18 ans ou plus de 60 ans. L'absence de freinage peut être due à une perte de poids ou à une maladie grave ou aiguë. La consommation d'alcool, de sédatifs ou d'anticonvulsifs peut également favoriser une absence de freinage (Arana et Balessarini, 1987).

On peut également prévoir les manifestations thymiques à l'aide d'une épreuve qui permet de mesurer le taux sérique de thyrotrophine (TSH) après l'administration de l'hormone de libération de la thyréostimuline (TRH). Le client, à jeun depuis la veille au soir, est installé en décubitus et on lui administre 0,5 mg de TRH par voie intraveineuse. Pendant 2 minutes, quelques symptômes fâcheux pourraient survenir : nausées, miction impérieuse, bouffées vasomotrices ou sensation générale de chaleur. On prélève des échantillons de sang au bout de 0, 15, 30 et 45 minutes pour mesurer la concentration de thyrotrophine. La dépression donne une réaction atténuée chez 25 à 70 p. cent des clients dont le fonctionnement thyroïdien est normal. Cette épreuve peut donner des faux résultats positifs chez les clients âgés et chez ceux souffrant d'inanition et d'insuffisance rénale chronique, tout comme chez ceux qui prennent certains médicaments (glucocorticoïdes, hormones thyroïdiennes, opiacés ou salicylates). On enregistre des résultats faussement négatifs chez les clients atteints de troubles affectifs saisonniers ou chez ceux ayant reçu du lithium, des inhibiteurs de la dopamine, des teintures d'iode, de la théophylline ou du spironolactone. Étant donné que cette épreuve provoque une brève élévation de la tension artérielle, elle est déconseillée chez les clients qui souffrent d'hypertension ou de cardiopathie. Elle est également déconseillée chez les clients qui souffrent d'épilepsie étant donné qu'elle peut déclencher une crise (Looser, 1988).

Chez les enfants qui souffrent de dépression, on peut demander une épreuve de tolérance à l'insuline. Normalement, en cas d'hypoglycémie induite par l'insuline, l'organisme réagit en produisant davantage d'hormones de croissance ; mais si l'enfant est déprimé, l'épreuve de tolérance à l'insuline provoque une hyposécrétion d'hormones de croissance (Puig-Antich, 1986).

Analyse des données et planification des soins

L'infirmière établit le plan de soins à partir du bilan général de santé et des données particulières concernant le client. Afin d'orienter correctement ce plan, l'infirmière doit se poser les questions suivantes :

1. Quels sont les domaines où le client a le plus de difficultés à fonctionner ?

2. Quels sont les problèmes qui sont prioritaires pour le client ?

3. Quels sont les diagnostics infirmiers prioritaires ?

4. Quels sont les objectifs que le client pourrait raisonnablement atteindre ?

5. Ces objectifs concordent-ils avec ceux du client ?

6. Quelles seraient les interventions les plus efficaces ?

7. Quels sont les résultats escomptés qui permettront d'évaluer correctement l'efficacité du plan de soins ?

8. Le client a-t-il participé au processus de planification ?

On trouvera au tableau 11-6 le plan de soins infirmiers destinés aux clients atteints de troubles affectifs. Ces plans de soins ont été élaborés en fonction d'un grand nombre de clients. L'infirmière devrait par conséquent les personnaliser selon chaque cas particulier dont elle doit s'occuper. Elle ne doit pas utiliser les plans de soins standard sans les adapter, car ce n'est pas le client qui est censé s'adapter au plan de soins mais, bien au contraire, c'est le plan de soins qui doit s'adapter à chaque client (voir, au
(suite page 475)

Tableau 11-6   Plan des soins infirmiers destinés aux clients atteints de troubles affectifs

Diagnostic infirmier : Constipation, reliée à la diminution des activités, à la réduction de l'apport alimentaire, à la méconnaissance des signaux de l'organisme ou aux effets secondaires des médicaments antidépresseurs.
Objectif : Le client retrouve ses habitudes d'élimination fécale (p. ex. : une selle par jour).

Intervention	Justification	Résultat escompté
Prendre des notes pour évaluer les troubles d'élimination ; revoir les modes normaux d'élimination du client.	Ces notes servent de données de référence.	
Demander au client de fixer l'heure des émissions fécales possibles.	L'établissement d'une routine accroît la perception des signaux organiques.	Les émissions fécales se régularisent.
Encourager les activités physiques.	L'exercice favorise le péristaltisme.	
Augmenter la consommation d'aliments crus ou de ceux qui créent un volume.	Les aliments ayant un effet laxatif naturel stimulent le péristaltisme.	Le client choisit des aliments qui favorisent l'élimination.
Augmenter la consommation de liquides.	Les liquides rendent les selles plus molles et facilitent l'élimination.	Le client consomme davantage de liquides.
Encourager le client à ne pas retarder la défécation s'il en sent le besoin.	Si le client ne va pas à la selle lorsque ses réflexes de défécation sont excités, ces réflexes vont s'estomper avec le temps.	
Offrir au client des boissons chaudes tôt le matin.	La stimulation des réflexes gastrocoliques et duodénocoliques, le matin, déloge la masse fécale du gros intestin.	

Diagnostic infirmier : Altération de la communication verbale, reliée à un ralentissement de la pensée.
Objectif : Le client maintient sa communication verbale.

Intervention	Justification	Résultat escompté
Rester dans le champ de vision du client.	Si le client ne voit pas bien son interlocuteur, il risque de ne pas se rendre compte de sa présence ou de son intérêt à son égard.	Le client montre qu'il est conscient de la présence de l'infirmière.
Ne parler que d'un seul sujet à la fois.	Un tel genre de discours tend à empêcher le morcellement de la pensée.	
Laisser au client le temps de répondre.	L'organisation de la pensée prend du temps.	Le client répond aux questions ou montre qu'il s'intéresse au sujet abordé.
Éviter de répondre à la place du client.	Si on répond à la place du client comme s'il était incapable de le faire, on diminue son estime de soi.	
Promettre au client de rester auprès de lui, même s'il décide de ne pas parler.	Le client comprend qu'on l'accepte quelle que soit sa capacité de communiquer.	Le client ne se sent pas poussé à communiquer.
Si le client a du mal à verbaliser, suggérer des activités (p. ex. : promenade de 10 min., lecture d'un magazine en compagnie, intervention ergothérapeutique visant l'accomplissement de tâches simples).	Le client se sent plus proche des autres et son impression d'isolement est moindre.	Le client participe à des activités qui n'exigent pas de communication verbale.

(suite page suivante)

Tableau 11-6   *(suite)*

▌ **Diagnostic infirmier :** Altération de la communication verbale, reliée à la fuite des idées.
▌ **Objectif :** Le client a un discours suivi.

Intervention	*Justification*	*Résultat escompté*
Dire au client que l'on a du mal à le suivre si son discours est incompréhensible.	Le client ne se rend peut-être pas compte qu'il ne s'exprime pas clairement.	Le client se rend compte que les autres ne peuvent pas suivre sa pensée.
Demander au client d'essayer de ralentir (p. ex. : « Parlons d'une chose à la fois », ou « Arrêtons-nous un moment à cette idée »).	Le client qui peut organiser ses pensées peut améliorer sa communication.	Le client parle d'un sujet pendant une brève période.
Essayer de distinguer le thème ou le fil qui guide le client lorsqu'il saute d'une idée à l'autre.	L'intervenant améliore ainsi la compréhension de ce que le client essaie de communiquer.	
Confirmer le sujet de la conversation (p. ex. : « Vous parlez souvent du lithium, ce médicament vous pose-t-il un problème ? »).	Le client doit avoir la possibilité de confirmer ou de corriger la perception de l'interlocuteur.	Le client répond aux demandes d'éclaircissement.
Maintenir la conversation au niveau concret.	L'abstraction tend à trop stimuler le client.	Le client parle de sujets concrets de façon cohérente.
Réduire les stimuli extérieurs (« Je trouve qu'il y a trop de bruit ici, allons ailleurs. »).	La fuite des idées est favorisée si plusieurs stimuli externes sont présents.	

▌ **Diagnostic infirmier :** Conflit décisionnel, relié à l'incapacité de se concentrer et au besoin de prendre des décisions parfaites.
▌ **Objectif :** Le client est capable de prendre des décisions logiques sans trop de difficultés.

Intervention	*Justification*	*Résultat escompté*
Évaluer le degré de difficulté.	Le degré de difficulté est défini avant de planifier les interventions.	
Limiter les choix possibles si le client a du mal à se décider (« Voulez-vous prendre votre douche avant ou après le déjeuner ? »).	L'activité est dirigée, le client n'ayant que peu de pouvoir décisionnel jusqu'à ce que ses capacités dans ce domaine s'améliorent.	Le client prend des décisions dans un contexte limité.
Permettre au client de prendre en main la situation tant et aussi longtemps qu'il est capable de se débrouiller.	La confiance en soi et l'estime de soi augmentent.	Le client assume le contrôle de la situation dans la mesure de ses capacités.
Si le client est submergé par les décisions qu'il doit prendre, lui en laisser choisir une seule à laquelle il s'attachera.	L'attention portée à une décision à la fois aide le client à se sentir moins impuissant.	Le client porte son attention sur une décision à la fois.
Utiliser le processus de résolution de problèmes.	Les anciennes méthodes rigides de résolution n'encouragent pas la créativité qu'il faut mettre en œuvre lorsqu'il faut formuler plusieurs solutions possibles.	Le client utilise de nouvelles habiletés de résolution des problèmes.
Aider le client à verbaliser ses pensées et ses sentiments à la fin du processus de prise de décisions.	Le client croit peut-être que ses décisions doivent être parfaites.	Le client verbalise ses sentiments après avoir pris une décision.

(suite du diagnostic page suivante)

Tableau 11-6 *(suite)*

Intervention	Justification	Résultat escompté
Inviter le client à reporter les décisions importantes jusqu'à ce que son état s'améliore.	Le client doit fonctionner de façon optimale avant de pouvoir prendre des décisions importantes.	Le client reporte les décisions importantes jusqu'à ce qu'il se sente mieux.

▮ **Diagnostic infirmier :** Perturbation dans l'exercice du rôle, reliée à un besoin intense d'appartenance.
▮ **Objectif :** Le client verbalise l'équilibre atteint entre la dépendance et l'autonomie, dans l'exercice de son rôle.

Intervention	Justification	Résultat escompté
Aider le client à reconnaître ses besoins de dépendance (par ex.: de qui il se sent dépendant et dans quelles circonstances).	Le client peut mieux cerner les problèmes s'il reconnaît les circonstances qui intensifient sa dépendance.	Le client reconnaît les situations qui intensifient son besoin de dépendance.
Demander au client de parler de l'effet de sa dépendance sur les autres et lui en fournir une rétroaction.	Une meilleure perception des effets sur les autres permet au client de modifier son comportement.	Le client verbalise l'effet de son comportement sur les autres.
Parler au client des droits et des besoins des autres.	Le client parvient à se percevoir comme une entité séparée.	Le client reconnaît les droits et les besoins des autres.
Aider le client à reconnaître ses qualités personnelles lui permettant de réduire sa dépendance.	L'impression de maîtrise diminue la faiblesse apprise qui favorise la dépression.	Le client verbalise un sentiment plus fort de maîtrise et d'autonomie.
Parler au client de sa responsabilité face à la satisfaction de ses propres besoins.	La maîtrise de soi est ainsi consolidée.	Le client mentionne plusieurs besoins qu'il est capable de satisfaire sans se faire aider.
Encourager le client à mener à bien des tâches de façon autonome.	Le sens des responsabilités du client est ainsi renforcé.	Le client exécute le plan qu'il a choisi.
Aider le client à trouver divers réseaux de soutien.	Le fait de disposer de divers réseaux de soutien augmente les options du client en cas de stress.	Le client définit son réseau de soutien.

▮ **Diagnostic infirmier :** Perte d'espoir, reliée à des attentes négatives vis-à-vis de soi et de l'avenir : colère retournée contre soi.
▮ **Objectif :** Le client verbalise plus d'espoir et moins de colère à l'égard de soi.

Intervention	Justification	Résultat escompté
Aider le client à exprimer ses sentiments.	Le client doit exprimer ses sentiments avant de pouvoir les prendre en charge.	Le client verbalise ses sentiments.
Rechercher avec le client les causes de sa colère ou de sa culpabilité.	Le fait de comprendre que la colère et la culpabilité sont des réactions à une blessure ou à une menace permet de mieux comprendre les émotions qu'elles suscitent.	Le client reconnaît les situations qui suscitent sa colère ou sa culpabilité.
Aider le client à trouver des moyens appropriés lui permettant d'exprimer sa colère, physiquement et verbalement.	La colère non exprimée et refoulée se transforme en culpabilité.	Le client extériorise adéquatement sa colère.
Consulter le spécialiste d'activités récréatives ou l'ergothérapeute pour trouver des activités permettant de libérer la colère.	La libération physique de l'énergie négative favorise l'expression de la colère.	Le client participe aux activités proposées.

(suite du diagnostic page suivante)

Tableau 11-6   *(suite)*

Diagnostic infirmier *(suite)*: Perte d'espoir, reliée à des attentes négatives vis-à-vis de soi et de l'avenir: colère retournée contre soi.
Objectif: Le client verbalise plus d'espoir et moins de colère à l'égard de soi.

Intervention	*Justification*	*Résultat escompté*
Aider le client à déterminer si la réalité justifie son désespoir.	Le sentiment de désespoir du client peut diminuer si on l'aide à se rendre compte que la réalité ne le justifie pas.	Le client montre qu'il comprend que la réalité n'est pas aussi désespérante qu'elle lui semble.
Rappeler au client que son sentiment de désespoir est l'une des caractéristiques de son trouble.	Le sentiment de désespoir diminue au fur et à mesure que la dépression s'atténue.	
Éviter de faire des promesses ou de donner des fausses assurances à propos de la guérison.	Le client peut interpréter de tels propos comme un manque de compréhension de l'intensité de son désespoir.	
Si le client est croyant, utiliser des ressources spirituelles pour augmenter sa foi dans l'avenir.	Les croyances religieuses encouragent l'espoir, et la foi aide le client à combattre la tristesse et le désespoir.	Le client utilise les ressources de la religion.

Diagnostic infirmier: Manque de loisirs, relié à une absence de gratification.
Objectif: Le client verbalise le plaisir que lui apportent diverses activités.

Intervention	*Justification*	*Résultat escompté*
Encourager ouvertement le client à participer aux activités organisées dans le service s'il prétend qu'il n'y trouve pas d'intérêt.	Si le client souffre de dépression grave, il risque de ne pas avoir l'énergie ni le désir d'organiser des activités.	Le client participe chaque jour à l'une des activités organisées dans le service.
Choisir des activités qui offrent une gratification immédiate et qui donnent le sentiment de réussite.	De telles activités motivent le client à suivre son programme et réduisent passagèrement son sentiment d'incompétence.	Le client dit qu'il se sent satisfait.
Choisir des activités que le client aimait autrefois et qu'il réussissait à accomplir.	L'acquisition de nouvelles aptitudes est difficile lorsque le trouble affectif est grave.	Le client utilise ses vieilles habiletés.
Renforcer l'expression verbale et non verbale du plaisir.	Le sentiment de gratification que la dépression tend à annihiler est ainsi renforcé et intensifié.	Le client reconnaît le renforcement positif.
Encourager le client à assumer graduellement la responsabilité de l'organisation de ses activités et à établir un horaire quotidien.	La capacité du client de compter sur lui-même est ainsi renforcée.	Le client établit un programme d'activités et y participe de son propre gré.

Diagnostic infirmier: Fatigue, reliée à un manque d'énergie et à la tendance à se sentir rapidement épuisé.
Objectif: Le client augmente son niveau d'activité motrice.

Intervention	*Justification*	*Résultat escompté*
Expliquer au client le but de l'exercice physique (effet antidépresseur qui diminue la tristesse et la tension).	Si le client comprend le plan de traitement, il se montre plus prêt à le suivre.	Le client dit se rendre compte de l'effet antidépresseur de l'exercice physique.
Demander au client quelle est l'activité physique qui lui plaît le plus.	La participation du client, à l'élaboration du plan renforce sa capacité de collaborer et de prendre sa vie en main.	Le client énumère les exercices qu'il est prêt à accepter.

(suite du diagnostic page suivante)

Tableau 11-6 *(suite)*

Intervention	*Justification*	*Résultat escompté*
Prévoir des promenades courtes et fréquentes et des activités tout au long de la journée et de la soirée.	L'établissement d'un horaire accentue l'importance de l'exercice et renforce la nécessité d'éviter l'immobilité.	Le client établit un programme d'exercices.
Inciter fermement le client à participer aux activités prévues.	Le client risque de ne pas avoir assez d'énergie ou de désir pour respecter l'horaire fixé.	Le client exécute les exercices prévus.
Fournir au client le matériel lui permettant de noter ses activités.	Le client peut mesurer objectivement ses résultats .	Le client prend en note les exercices qu'il fait.
Après l'activité, demander au client ses impressions et noter les changements.	Ces notes constituent une mesure subjective des effets de l'exercice physique.	Le client dit se rendre compte des effets des exercices.

Diagnostic infirmier : Fatigue, reliée à l'hyperactivité et à la diminution de la sensation d'épuisement physique.
Objectif : Le client s'accorde des périodes de repos.

Intervention	*Justification*	*Résultat escompté*
Évaluer le niveau d'activité pendant 24 heures.	Les renseignements servent de données de référence.	
Demander au client de s'asseoir en la compagnie de l'infirmière pendant 5 minutes toutes les demi-heures.	Établissement de périodes fréquentes de repos.	Le client accepte de s'asseoir pendant des périodes fixes.
Inciter fortement le client à se reposer ne serait-ce que quelques instants toutes les deux heures.	Le client est incapable de surveiller ses activités de façon à éviter l'épuisement physique.	Le client se repose toutes les deux heures.
Diminuer les stimuli externes.	L'hyperactivité est en partie une réaction aux stimuli externes.	Le client diminue son niveau d'activité dans un milieu plus calme.

Diagnostic infirmier : Déficit nutritionnel, relié à l'anorexie ou à l'hyperactivité.
Objectif : Le client maintient ou atteint une consommation normale d'aliments.

Intervention	*Justification*	*Résultat escompté*
Prendre note de l'alimentation.	Ces renseignements servent de données de référence.	
Déterminer les aliments que le client aime ou n'aime pas.	Le client augmentera sa consommation si on lui propose ses aliments préférés.	Le client mange ses aliments préférés.
Proposer des portions petites et des repas fréquents.	Les repas fréquents augmentent le péristaltisme, les petites portions ne donneront pas au client l'impression d'être ballonné.	Le client mange suffisamment pour assurer une consommation quotidienne normale.
S'asseoir auprès du client et lui parler pendant qu'il mange.	L'interaction sociale transforme les repas en des moments agréables, ce qui peut stimuler l'appétit.	Le client parle du plaisir que les repas lui procurent.
Encourager l'activité physique.	L'activité physique stimule l'appétit.	Le client dit qu'il a meilleur appétit.
Assurer au client hyperactif un cadre paisible pendant les repas.	Le client peut mieux manger s'il est moins distrait pendant les repas.	

(suite du diagnostic page suivante)

Tableau 11-6 *(suite)*

Diagnostic infirmier *(suite)* : Déficit nutritionnel, relié à l'anorexie ou à l'hyperactivité.
Objectif : Le client maintient ou atteint une consommation normale d'aliments.

Intervention	Justification	Résultat escompté
Proposer au client hyperactif des aliments hypercaloriques qu'il peut manger en marchant (sandwich, lait frappé).	La consommation doit être suffisante pour fournir l'énergie nécessaire au surplus d'activité.	Le client mange des aliments hypercaloriques et nutritifs.
Peser le client tous les deux jours.	La mesure des pertes ou des gains de poids sert de référence pour les employés et le client.	Le client garde le même poids ou gagne du poids.

Diagnostic infirmier : Sentiment d'impuissance, relié à la passivité, à la dépendance ou à une impression de domination de l'extérieur.
Objectif : Le client verbalise un sentiment plus intense de maîtrise et de pouvoir.

Intervention	Justification	Résultat escompté
Aider le client à reconnaître la source des croyances qui favorisent chez lui le maintien de la passivité (p. ex. : «Qui vous a enseigné que dans les relations il faut être dépendant et passif?»).	La capacité de reconnaître la source de ses croyances est la première étape qui mène à les élucider.	Le client explique comment il est devenu passif et dépendant.
Aider le client à reconnaître les gains secondaires qu'il tire de sa passivité et de la dépendance (p. ex. : «Dans quelle mesure votre dépendance vous protège-t-elle?»).	Le client parvient à trouver d'autres moyens de satisfaire ses besoins s'il prend conscience des gains secondaires.	Le client reconnaît les gains secondaires qui entretiennent la passivité.
Aider le client à fixer des objectifs quotidiens réalistes en vue de gagner plus de maîtrise de soi et d'emprise sur le milieu.	Le sentiment de maîtrise est intensifié et celui d'impuissance apprise réduit grâce à des actes prévus et à des mesures objectives.	Le client parvient à atteindre les objectifs quotidiens.
Enseigner au client comment s'affirmer.	L'affirmation de soi permet de nouer des rapports avec autrui et consolident le sentiment de maîtrise.	Le client s'affirme dans des situations familières plutôt que de rester passif.

Diagnostic infirmier : Incapacité de se laver et d'effectuer ses soins d'hygiène, reliée à un manque d'énergie et à une baisse du désir de s'occuper de soi ou à la distraction lors de l'accomplissement des activités de la vie quotidienne.
Objectif : Le client accomplit les activités de la vie quotidienne.

Intervention	Justification	Résultat escompté
Administrer des soins d'hygiène élémentaires au client qui se montre incapable de le faire.	Les soins d'hygiène élémentaires évitent au client l'embarras et permettent d'améliorer son image corporelle.	Le client est propre et soigneusement vêtu chaque jour.
Aider le client à ranger les objets de toilette et le linge propre.	L'incapacité du client à prendre des décisions peut entraver les activités de la vie quotidienne.	
Encourager le client à assumer la responsabilité de sa propre hygiène.	La discipline accroît l'estime de soi.	Le client prend l'initiative des activités d'auto-soins.
Donner au client une rétroaction positive chaque fois qu'il assume une responsabilité.	Les commentaires positifs favorisent les modifications de comportement.	Le client continue de modifier favorablement son comportement.

(suite page suivante)

Tableau 11-6 *(suite)*

▮ **Diagnostic infirmier :** Manque de loisirs, relié à la difficulté de se concentrer et à un niveau d'énergie élevé.
▮ **Objectif :** Le client participe à des activités de loisirs.

Intervention	Justification	Résultat escompté
Choisir des activités simples et de courte durée (p. ex.: peinture, sculpture en argile, sablage de bois).	Le client peut réussir dans de telles activités, ce qui augmente l'estime de soi.	Le client fait état de sentiments de réussite.
Éviter les activités qui nécessitent une forte concentration, comme des jeux ou des casse-tête compliqués.	Le client ne peut pas se concentrer suffisamment pour réussir de telles activités.	Le client mène à terme ses activités.
Prévoir des activités où le niveau élevé d'énergie est utilisé à bon escient.	La dépense créative d'énergie consolide le sentiment de valeur personnelle.	Le client dépense son énergie de façon appropriée.
Prévoir des activités paisibles, comme des travaux individuels ou des jeux calmes.	Le comportement hyperactif est calmé en raison de l'absence de toute compétition.	
Proposer des activités plus complexes au fur et à mesure que l'état du client s'améliore.	Le sentiment de maîtrise du client est ainsi renforcé.	Le client mène à bien des tâches plus complexes.

▮ **Diagnostic infirmier :** Altération des opérations de la pensée, reliée à la généralisation excessive, à un mode de pensée dichotomique, au catastrophisme et à la personnalisation.
Objectif : Le client fait preuve d'un mode de pensée logique et réaliste.

Intervention	Justification	Résultat escompté
Évaluer le degré de distorsion de la pensée.	Ces données servent de référence pour la planification des interventions.	
Aider le client à comprendre que la dépression n'est pas due à un défaut personnel ni n'est un signe d'infériorité.	La régression du catastrophisme permet d'accroître l'estime de soi.	Le client dit que son estime de soi s'est améliorée.
Remettre en question la pensée dichotomique.	La régression de la pensée dichotomique rend les perceptions plus réalistes.	Le client nuance ses propos.
Aider le client à reconnaître ses qualités et les expériences positives.	La régression de la propension à une généralisation excessive favorise des opérations de pensée plus logiques.	Le client reconnaît ses qualités et ses succès.
Remettre en question la tendance du client à se reprocher chaque fait regrettable.	La régression de la propension à la personnalisation favorise une perception plus réaliste.	Le client se sent moins responsable des expériences négatives.

▮ **Diagnostic infirmier :** Manque de connaissances, relié à l'insuffisance de l'information.
Objectif : Le client et la famille démontrent une bonne compréhension des troubles.

Intervention	Justification	Résultat escompté
Évaluer les connaissances du client et de la famille.	L'enseignement peut être abordé au niveau qui convient.	
Expliquer les symptômes et l'évolution typique du trouble.	Le client et sa famille ne se sentiront pas dépassés par le trouble.	Le client énumère les signes et les symptômes.

(suite du diagnostic page suivante)

Tableau 11-6 *(suite)*

Diagnostic infirmier *(suite)*: Manque de connaissances, relié à l'insuffisance de l'information.
Objectif: Le client et la famille démontrent une bonne compréhension des troubles.

Intervention	Justification	Résultat escompté
Expliquer les éléments fondamentaux de la neurotransmission reliés au trouble et aux médicaments administrés.	Le client ne se sent pas responsable du trouble sans toutefois se désister de sa responsabilité dans le processus de guérison.	Le client prouve ses connaissances sur la neurotransmission.
Expliquer les traitements médicaux et pharmacologiques.	Les connaissances diminuent l'anxiété et favorisent la collaboration au plan de traitement.	Le client explique le mode d'action des médicaments et le but du traitement.
Fournir de la documentation.	La documentation renforce les explications verbales.	Le client consulte la documentation.
Inviter le client et la famille à poser des questions.	Les questions permettent d'éclaircir certains points et de favoriser la participation active.	Le client pose des questions.
Expliquer les symptômes de rechute.	La compréhension favorise le traitement précoce des rechutes.	Le client énumère les symptômes.
Planifier la sortie du client (horaires d'activités, contrôle du stress, communication, résolution de problèmes, prise de rendez-vous chez le médecin).	La famille a moins tendance à abandonner le client par frustration.	Le client planifie sa sortie.

Diagnostic infirmier: Perturbation de la dynamique familiale, reliée à la rigidité des fonctions et des rôles.
Objectif: Le client et la famille montrent plus de souplesse dans les fonctions et les rôles adoptés

Intervention	Justification	Résultat escompté
Aider le client à reconnaître l'origine des attentes par rapport aux rôles que doivent jouer les deux sexes (famille d'origine, famille nucléaire, famille élargie, amis, mythes culturels).	La reconnaissance de l'origine des attentes passées et actuelles aide le client à en déterminer la valeur.	Le client détermine le bien-fondé de ces attentes à l'égard des rôles que doivent jouer les deux sexes par rapport à la réalité.
Demander au client d'énumérer tous les rôles par lesquels il se définit.	Le risque de dépression est d'autant plus faible qu'il y a moins de rôles par lesquels la personne se définit.	Le client énumère les rôles.
Demander au client de décrire les modifications de rôles ou les pertes de rôles qu'il a subies.	Le risque de dépression est d'autant plus élevé que les modifications de rôles ou les pertes sont nombreuses.	Le client décrit les modifications récentes.
Aider le client à décrire les sources de renforcement positif pour chaque rôle.	Le manque de renforcement positif et d'approbation contribue à la dépression.	Le client verbalise le besoin de renforcement positif.
Aider le client à reconnaître les gains secondaires que chaque membre de la famille peut tirer de la rigidité des fonctions et des rôles.	La prise de conscience des gains secondaires aide le client à trouver de nouveaux moyens de satisfaire ces besoins.	Le client décrit les gains secondaires qui maintiennent des rôles rigides.
Demander au client de prédire ce qui se passerait si les rôles s'assouplissaient.	Les prévisions permettent au client d'exprimer des peurs et des inquiétudes vagues.	Le client précise les peurs suscitées par un changement.

(suite du diagnostic page suivante)

Tableau 11-6 *(suite)*

Intervention	Justification	Résultat escompté
Aider le client à trouver des moyens lui permettant de s'approuver lui-même dans ses fonctions et ses rôles.	L'approbation de soi-même permet au client de gagner de l'estime de soi et de se sentir moins déprimé.	Le client décrit des méthodes lui permettant de s'approuver soi-même.
Faire participer les membres de la famille au processus de résolution des problèmes reliés aux fonctions et aux rôles d'organisation domestique.	Chaque membre de la famille contribue au maintien de rôles rigides et doit participer aux changements prévus.	Tous les membres de la famille évaluent les rôles et les fonctions.
Enseigner au client et à la famille des méthodes d'affirmation de soi.	L'affirmation de soi est nécessaire pour restructurer les relations.	Le client utilise des techniques d'affirmation de soi dans ses interactions.
Aider le client à trouver de nouveaux rôles ou fonctions dans la vie.	L'augmentation des sources de gratification et de renforcement positif diminue les sentiments dépressifs.	Le client énumère de nouveaux rôles ou fonctions qu'il pourra adopter.

Diagnostic infirmier : Perturbation de l'estime de soi, reliée à la culpabilité, à la critique et à la dévalorisation de soi.
Objectif : Le client verbalise un concept de soi positif.

Intervention	Justification	Résultat escompté
Analyser la logique et la validité des pensées négatives et demander au client si ces évaluations sont réalistes.	Les remarques générales de culpabilité et d'incompétence diminuent l'estime de soi ; les erreurs cognitives augmentent les sentiments de dépression.	Le client verbalise moins de sentiments d'incompétence et de culpabilité.
Remettre en question le perfectionnisme du client.	La reconnaissance des demandes qui manquent de réalisme diminue la culpabilité.	Le client fait preuve de moins de perfectionnisme.
Aider le client à formuler des normes réalistes en ce qui le concerne.	Les normes réalistes, plus accessibles, renforcent l'estime de soi.	Le client établit des critères réalistes d'auto-évaluation.
Limiter le temps que le client passe à parler de ses échecs passés.	La rumination augmente la culpabilité et le manque d'estime de soi.	Le client passe moins de temps à penser à ses échecs.
Passer en revue les succès passés et présents.	Le client se sent plus motivé et plus encouragé à nourrir des pensées positives.	Le client reconnaît ses réussites dans la vie.
Aider le client à dresser la liste de ses qualités.	La capacité du client d'envisager des méthodes lui permettant de changer la perception négative de soi est accrue.	Le client dresse la liste de ses qualités.
Apprécier verbalement les modes de pensée positifs.	Les efforts du client pour modifier la perception de soi sont renforcés.	Le client reconnaît le renforcement positif.

Diagnostic infirmier : Perturbation de l'estime de soi, reliée aux idées délirantes et aux idées de grandeur.
Objectif : Le client verbalise une image de soi réaliste.

Intervention	Justification	Résultat escompté
Ne pas remettre en question les idées délirantes du client.	Toute discussion va pousser le client à défendre ses idées délirantes.	

(suite du diagnostic page suivante)

Tableau 11-6 *(suite)*

Diagnostic infirmier *(suite)* : Perturbation de l'estime de soi, reliée aux idées délirantes et aux idées de grandeur.
Objectif : Le client verbalise une image de soi réaliste.

Intervention	*Justification*	*Résultat escompté*
Fixer des limites quant au temps que le client passe à parler de son image corporelle (p. ex. : « Parlons de votre corps pendant 5 minutes, puis nous parlerons d'autre chose pendant 15 minutes. »).	La préoccupation excessive augmente le concept négatif de soi chez le client déprimé et accentue les perceptions grandioses chez le client maniaque.	Le client passe moins de temps à s'occuper de son image corporelle.
Communiquer au client qu'une autre personne peut avoir une perception différente de son corps à lui.	La perception d'autrui aide le client à reconnaître que son image corporelle est déformée et à mettre cette image à l'épreuve de la réalité.	Le client prouve une modification de la perception qu'il a de son image corporelle et qui concorde davantage avec la réalité.

Diagnostic infirmier : Dysfonctionnement sexuel, relié à un manque de désir.
Objectif : Le client signale un rétablissement de la libido.

Intervention	*Justification*	*Résultat escompté*
Parler de sexualité avec le client et sa partenaire.	Le client et sa partenaire ont l'occasion de parler de ce qui les préoccupe.	Le client parle de ses préoccupations et problèmes d'ordre sexuel.
Déterminer les problèmes qui pouvaient exister avant que la dépression ne s'installe.	Les problèmes sexuels passés ne sont pas forcément reliés au trouble affectif.	Le client reconnaît les problèmes sexuels antérieurs.
Expliquer au client et à sa partenaire que le désir sexuel se rétablit générale-ment lorsque l'état s'améliore.	Le fait de savoir que le manque de désir sexuel est un symptôme de la dépression atténue la souffrance et les sentiments d'incompétence et de culpabilité.	Le client reconnaît que son manque de désir est un symptôme du trouble qui l'affecte.
Insister sur l'importance des manifesta-tions physiques de la tendresse, comme les étreintes et les caresses.	Le toucher est une forme de commu-nication réconfortante et rassurante.	Le client touche sa partenaire et se laisse toucher par elle.
Conseiller une thérapie des troubles de la sexualité si le dysfonctionnement persiste après la rémission de la dépression.	Le dysfonctionnement peut être relié à d'autres difficultés nécessitant l'intervention d'un spécialiste.	Le client consulte le thérapeute recommandé.

Diagnostic infirmier : Modification de la sexualité, reliée à une impulsivité accrue dans les rapports sexuels.
Objectif : Le client dit avoir retrouvé son comportement antérieur sur le plan sexuel.

Intervention	*Justification*	*Résultat escompté*
Parler de la sexualité avec le client et sa partenaire .	Le client et sa partenaire ont ainsi l'occasion de parler de leurs préoccupations.	Le client parle de ses préoccupations ou de ses problèmes d'ordre sexuel.
Déterminer les problèmes qui pouvaient exister avant l'épisode maniaque.	Les problèmes sexuels passés ne sont pas forcément reliés au trouble affectif.	Le client reconnaît les problèmes d'ordre sexuel antérieurs.
Expliquer au client et à sa partenaire que l'impulsivité dans les rapports sexuels ne signifie pas un changement de morale ou de valeurs.	Le fait de savoir que l'impulsivité dans les rapports sexuels est un symptôme maniaque et que le client n'est pas maître de son comportement atténue l'embarras, la colère et le rejet.	Le client reconnaît que le changement de comportement sexuel est un symptôme du trouble qui l'affecte.

(suite du diagnostic page suivante)

Tableau 11-6   *(suite)*

Intervention	Justification	Résultat escompté
Rassurer le client et sa partenaire sur le fait que le comportement se rétablit en général à la fin de l'épisode maniaque.	Le client et sa partenaire comprennent que le changement de morale et de valeurs n'est pas définitif.	
Protéger le client contre les démonstrations d'ordre sexuel.	Le comportement « inconvenant » doit être maîtrisé jusqu'à ce que le client soit capable de se contrôler.	Le client ne se livre pas à des comportements sexuels inconvenants.

▌ **Diagnostic infirmier :** Perturbation des habitudes de sommeil, reliée à l'insomnie et à des éveils fréquents.
▌ **Objectif :** Le client retrouve ses habitudes normales de sommeil. (*Préciser*)

Intervention	Justification	Résultat escompté
Demander au client de décrire ses habitudes de sommeil passées et présentes ; prendre note des habitudes actuelles.	Ces renseignements servent de données de référence.	
Demander les moyens efficaces que le client prenait par le passé pour favoriser le sommeil.	Les moyens utilisés autrefois peuvent être adaptés aux circonstances actuelles.	Le client propose des moyens permettant d'améliorer le sommeil.
Proposer diverses méthodes favorisant le sommeil : • augmenter l'activité physique ; • éviter de faire de l'exercice juste avant le coucher ; • utiliser des méthodes de relaxation ; • éviter la caféine ; • éviter les contrariétés avant le coucher ; • prendre un bain chaud ; • prendre une boisson chaude ; • diminuer les siestes durant la journée.	Les méthodes de sédation naturelle peuvent améliorer les habitudes de sommeil du client.	Le client utilise et évalue les méthodes favorisant le sommeil et signale que son sommeil a été plus réparateur.
Encourager le client à lire, à regarder la télévision ou à parler à quelqu'un lorsqu'il n'arrive pas à dormir.	Les sentiments de désespoirs sont parfois plus intenses pendant la nuit et, durant les périodes d'insomnie, le client rumine souvent des idées noires ; toute distraction l'empêche de se concentrer sur ses problèmes.	Le client prend l'initiative d'activités positives lorsqu'il ne parvient pas à dormir.

▌ **Diagnostic infirmier :** Perturbation des habitudes de sommeil, reliée à un niveau élevé d'énergie.
▌ **Objectif :** Le client retrouve ses habitudes normales de sommeil. (*Préciser*)

Intervention	Justification	Résultat escompté
Demander au client de décrire ses habitudes de sommeil passées et présentes ; prendre note des habitudes actuelles.	Ces renseignements servent de données de référence.	
Pendant la journée, installer le client dans un cadre paisible, à intervalles réguliers.	Un cadre paisible diminue la stimulation et l'hyperactivité.	Le client diminue son niveau d'activité lorsqu'il se trouve dans un cadre paisible.

(suite du diagnostic page suivante)

Tableau 11-6 *(suite)*

Diagnostic infirmier *(suite)*: Perturbation des habitudes de sommeil, reliée à un niveau élevé d'énergie.
Objectif: Le client retrouve ses habitudes normales de sommeil.

Intervention	Justification	Résultat escompté
Inciter avec fermeté le client à se reposer pendant de courtes périodes, toutes les deux heures.	Le client n'est pas capable de tempérer ses activités pour éviter l'épuisement physique.	Le client se repose toutes les deux heures.
Faire participer le client à des activités calmes avant le coucher.	La diminution de stimulation peut favoriser le sommeil.	Le client diminue son niveau d'activité avant le coucher.
Encourager le client à rester au lit au moins trois heures pendant la nuit.	Le client n'est pas conscient de son besoin de se détendre et de dormir.	Le client reste au lit pendant trois heures par nuit.

Diagnostic infirmier: Isolement social, relié au repli sur soi et au manque de désir d'entretenir des rapports avec les autres.
Objectif: Le client entretient des rapports avec le personnel et les autres clients.

Intervention	Justification	Résultat escompté
Ne pas submerger le client très déprimé par un flot d'activités.	Le client risque de se replier davantage pour se protéger, s'il se sent submergé.	
Rejoindre le client pendant qu'il s'engage dans des activités solitaires.	La présence d'autrui stimule l'intérêt du client pour l'activité en question.	Le client accepte le tête-à-tête pendant les activités.
Donner au client une rétroaction positive lorsqu'il montre de l'intérêt pour les interactions.	Les modifications positives de comportement doivent être soutenues et renforcées.	Le client reconnaît le renforcement positif.
Encourager la participation aux activités de groupe ou aux activités organisées dans le service.	La participation et la verbalisation diminuent le sentiment d'isolement.	Le client participe aux groupes qui se forment.
Rester auprès du client tout en faisant participer un nombre de plus en plus grand de clients à ces interactions.	Le client peut intensifier ses interactions avec les autres s'il se sent en sécurité.	Le client interagit avec ses pairs.
Aider le client à reconnaître les bienfaits des interactions sociales.	Les bienfaits perçus renforcent le changement de comportement.	Le client reconnaît les avantages qu'il peut tirer des interactions avec les autres.

Diagnostic infirmier: Perturbation des interactions sociales, reliée à une perception diminuée du comportement social approprié.
Objectif: Le client interagit avec les autres en respectant les normes sociales.

Intervention	Justification	Résultat escompté
Encourager le client à verbaliser ses sentiments au lieu de les manifester dans sa conduite.	La communication appropriée des sentiments affaiblit le comportement antisocial.	Le client verbalise ses sentiments.
Fixer des limites aux comportements qui dérangent les autres clients et les visiteurs.	Le comportement inadéquat éloigne le client des autres et peut entraîner des crises de colère.	Le client ne s'immisce pas dans les interactions des autres.
Réorienter le client vers des activités qui font intervenir un minimum d'interactions sociales.	La stimulation de l'entourage intensifie le comportement maniaque.	Le client se montre capable de maîtriser son comportement.

(suite du diagnostic page suivante)

Tableau 11-6 *(suite)*

Intervention	Justification	Résultat escompté
Fixer des limites aux comportements incongrus qui amusent les autres clients.	Le client risque de se sentir embarrassé à cause du comportement adopté pendant un épisode maniaque.	
Interdire au client de donner de l'argent aux autres clients ou de leur acheter des cadeaux.	Le client qui traverse une phase maniaque se laisse facilement manipuler par les autres ; il faut protéger le client jusqu'à ce qu'il puisse se protéger lui-même.	Le client ne dépense pas son argent de manière inconsidérée.

▌**Diagnostic infirmier :** Détresse spirituelle, reliée au manque de but ou de joie dans la vie : manque d'attaches, culpabilité mal perçue.
Objectif : Le client fait état de moins de détresse spirituelle.

Intervention	Justification	Résultat escompté
Passer en revue avec le client ses joies passées et ses succès dans la vie.	Le client reconnaît ainsi les sources qui lui ont donné un réconfort spirituel par le passé.	Le client se remémore son passé.
Aider le client à reconnaître les « petites choses » qui donnent un sens à la vie (des gestes envers sa famille ou ses amis, l'établissement d'objectifs pour le mois suivant).	Le client est souvent submergé par les projets à long terme ; son orientation vers l'intégrité plutôt que vers le désespoir est ainsi favorisée.	Le client reconnaît un sens à sa vie.
Aider le client à trouver un nouveau sens à sa vie.	Le renforcement positif aide à lutter contre les sentiments dépressifs.	Le client trouve un nouveau sens à sa vie.
Aider le client à déterminer si la réalité justifie ses sentiments de culpabilité.	La détresse spirituelle du client peut diminuer s'il se rend compte que sa culpabilité n'est pas justifiée.	Le client est réaliste face à sa culpabilité.
Aider le client à trouver diverses personnes pouvant lui apporter leur soutien.	L'impression du client d'être en relation avec les autres est renforcée s'il dispose d'un réseau de soutien.	Le client trouve des réseaux de soutien.
Si le client est croyant, utiliser ses ressources spirituelles pour diminuer sa détresse.	Les croyances religieuses qui donnent un sens à la vie, la joie de vivre et le sentiment d'être en relation avec les autres peuvent aider à combattre le sentiment de détresse.	Le client utilise les ressources religieuses.

chapitre 16, les plans de soins des clients suicidaires).

Évaluation

On évalue la démarche de soins en déterminant les progrès réalisés par le client par rapport aux résultats escomptés. S'il n'y a pas eu de progrès, l'infirmière doit vérifier s'il convient de modifier les interventions ou les diagnostics. L'évaluation permet de valider la démarche de soins. Si l'infirmière poursuit constamment toutes les étapes de la démarche de soins, elle finira par pouvoir aider le client à améliorer son état.

RÉSUMÉ

1. L'affect traduit l'état émotionnel qui s'exprime par des moyens verbaux et non verbaux.

2. Au cours de leur existence, 8 à 12 p. cent des hommes et 18 à 25 p. cent des femmes souffrent de dépression majeure. Chez les enfants déprimés, le nombre de garçons atteints est plus élevé que le nombre de filles.

3. On pose souvent un faux diagnostic de démence chez des personnes âgées atteintes de dépression qui risquent de ce fait l'institutionnalisation.

4. Faute de traitement, la phase dépressive peut durer de 6 à 9 mois et la phase maniaque de 2 à 6 semaines.

5. Les symptômes dépressifs correspondent aux divers niveaux du développement, de la prime enfance à la vieillesse, et ils diffèrent selon l'âge.

6. Les personnes déprimées fuient les activités et la compagnie d'autrui. Elles connaissent le désespoir, la culpabilité, le manque de gratification, la perte de liens affectifs et souffrent à cause de la dévalorisation de soi, des attentes négatives, de l'altération des opérations de la pensée et de leur propension à l'autocritique. Elles éprouvent également des difficultés à prendre des décisions et leur pensée est ralentie.

7. Les maniaques se lancent dans toutes les activités qui se présentent à eux et montrent beaucoup d'effusion dans leurs interactions avec les autres. Ils sont euphoriques et établissent rapidement des liens affectifs intenses. Ils ont une idéation grandiose de soi, exagèrent leurs réalisations et se forgent une image corporelle flatteuse. La distraction et la perte du fil de la pensée entravent leurs capacités de prendre des décisions.

8. Sur le plan physiologique, les personnes déprimées souffrent d'anorexie, d'insomnie, d'inhibition du désir sexuel, d'une motricité réduite, de constipation et d'une altération du système immunitaire.

9. Les maniaques souffrent d'hyperinsomnie, d'une libido exagérée, d'hyperactivité et de constipation.

10. La famille peut faire preuve d'une sollicitude excessive ou connaître des frustrations si le client ne parvient pas à changer ses affects, sa façon de penser ou son comportement. Les séparations ou les divorces sont relativement fréquents.

11. Le racisme, le sexisme et les préjugés fondés sur l'âge favorisent la dépression en intensifiant les sentiments d'impuissance et de désespoir et la perte d'estime de soi.

12. Les risques de troubles dépressifs sont plus élevés chez les personnes dont les stratégies d'adaptation sont inadéquates et qui ont été forcées à vivre plusieurs événements importants sans pouvoir disposer d'un réseau de soutien approprié.

13. On pense qu'il existe une prédisposition génétique aux troubles affectifs bien qu'on ne connaisse pas encore le marqueur génétique précis.

14. En cas de troubles affectifs, les concentrations d'amines dans le cerveau ainsi que la sensibilité des récepteurs aux amines peuvent se modifier, ce qui entrave la transmission des impulsions électriques.

15. Les troubles affectifs peuvent provoquer chez certaines personnes un dérèglement des rythmes circadiens.

16. Les troubles affectifs saisonniers sont cycliques et constituent une variante des troubles affectifs plus courants.

17. L'hostilité réprimée, les pertes, les objectifs restés hors d'atteinte, l'impuissance apprise, le sentiment d'avoir perdu l'emprise sur sa propre vie, les pensées négatives et les conflits liés aux rôles peuvent contribuer à l'apparition de la dépression.

18. Pour traiter les troubles affectifs, on peut avoir recours aux antidépresseurs tricycliques, aux inhibiteurs de la monoamine-oxydase, au lithium, aux électrochocs ou à la photothérapie. Les concentrations plasmatiques de certains médicaments sont parfois l'indice le plus fiable pour l'établissement de la posologie.

19. Chez les clients atteints de troubles affectifs, la collecte des données doit porter sur le comportement, l'état affectif, l'état cognitif, l'état physique et la vie socioculturelle.

20. La collecte des données doit permettre de déceler l'existence de troubles somatiques pouvant causer une dépression secondaire.

21. L'infirmière doit tenir compte des résultats de divers tests dont l'épreuve de freinage par la dexaméthasone, l'électro-encéphalogramme pendant le sommeil, l'épreuve de stimulation de la TRH et l'épreuve de tolérance à l'insuline.

22. Les diagnostics infirmiers se fondent sur toutes les données recueillies.

23. On adapte les interventions à chaque client et on note les résultats escomptés ainsi que les délais prévus.

24. À partir de l'évaluation, on modifie les plans de soins ou on les poursuit jusqu'à l'obtention de tous les résultats escomptés.

EXERCICES DE RÉVISION

Claire, âgée de 23 ans, a demandé à être admise dans les services psychiatriques. Selon sa famille, depuis trois jours, elle ne dort pratiquement pas, elle est si dissipée qu'elle oublie de se nourrir et elle appelle ses amis et ses voisins pour leur « parler » en pleine nuit. Sa famille a essayé de lui confisquer ses cartes de crédit puisqu'elle a déjà traversé des épisodes de dépenses frénétiques, mais Claire s'est mise à hurler et elle a fait une fugue après une dispute violente. Elle a arrêté de prendre son lithium il y a environ 6 semaines. Durant les premiers jours de son hospitalisation, Claire affirme qu'elle est célèbre et qu'elle écrit des poèmes et des chansons qui seront publiés sous peu. Elle dit aussi qu'elle a des dons spirituels et qu'elle va ouvrir un cabinet de psychothérapie dès sa sortie de l'hôpital.

1. Si Claire dit : « J'ai arrêté de prendre mon lithium ; maintenant je me sens redevenir moi-même. Je ne prendrai plus de lithium, car je ne me suis jamais sentie aussi bien. Je suis formidable ! », la meilleure façon de lui répondre est :

   (a) « Ne parlez pas si vite, je ne comprends pas un mot de ce que vous dites. »

   (b) « Je suis ravie de constater que vous nourrissez tant de sentiments positifs à votre propre égard. »

   (c) « Vous ne devriez pas arrêter de prendre vos médicaments sans consulter votre médecin. »

   (d) « Vous venez d'exprimer plusieurs idées. Pouvons-nous nous arrêter sur votre décision de ne plus prendre du lithium ? »

2. Vous encouragez Claire à participer à des activités divertissantes. L'activité la plus appropriée est :

   (a) un programme d'exercices physiques ;

   (b) un tournoi de ping-pong ;

   (c) une partie d'échecs ;

   (d) une partie de Monopoly.

3. Vous entendez Claire qui parle à d'autres clients de sa vie sexuelle. Vous interrompez la conversation et éloignez Claire. Votre intervention a pour but :

   (a) d'éviter l'embarras chez les autres clients ;

   (b) de protéger Claire contre tout embarras ultérieur ;

   (c) de préserver la moralité dans le milieu de soins ;

   (d) d'améliorer la moralité de Claire.

Plusieurs semaines se sont écoulées et Claire traverse maintenant l'épisode dépressif de son trouble bipolaire.

4. Claire parle de ses rapports avec ses parents et avec ses frères et sœurs. Elle déclare : « Avant d'arriver à l'hôpital, je me montrais très impatiente envers eux. Je m'emportais à la moindre peccadille et je les rabrouais souvent alors qu'ils essayaient simplement de m'aider. Je me sens tellement coupable, je suis si méchante. »

La meilleure façon de répondre est :

   (a) « Coupable ? Je ne comprends pas. Je suis certaine que vous êtes une fille respectueuse et une gentille sœur. »

   (b) « Votre famille va comprendre que vous étiez stressée. »

   (c) « Vous ne devriez pas vous sentir coupable. Il arrive à tout le monde de s'impatienter. »

   (d) « Je constate que vous souffrez beaucoup d'avoir agi de la sorte. »

5. Claire reste seule dans sa chambre. Elle vient prendre ses repas dans la salle à manger, mais s'assied seule et ne parle à personne. Quelle intervention devrait-on choisir pour résoudre ce problème ?

   (a) La laisser se conduire de cette façon jusqu'à ce que les antidépresseurs agissent.

   (b) S'asseoir avec Claire au moment des repas et prendre une tasse de café en sa compagnie.

   (c) Obliger Claire à prendre ses repas avec un groupe de clients.

   (d) Demander au médecin de dire à Claire qu'elle ne doit pas rester toute seule dans sa chambre.

BIBLIOGRAPHIE

Akiskal HS: The challenge of chronic depression. In: *Depression in Multidisciplinary Perspective*. Dean A (editor). Brunner/Mazel, 1985.

American Psychiatric Association: *Diagnostic and Statistical Manual of Mental Disorders,* 3rd ed, revised. Washington, DC: American Psychiatric Association, 1987.

Arana GW, Baldessarini RJ: Developmental and clinical application of DST in psychiatry. In: *Hormones and Depression*. Halbreich U (editor). Raven Press, 1987. 111–133.

Beck AT et al.: *Cognitive Therapy of Depression*. Guilford Press, 1979.

Beck-Frils J, Wetterberg L: Melatonin and the pineal gland in depressive disorders. In: *Hormones and Depression*. Halbreich U (editor). Raven Press, 1987. 195–206.

Brenners DK, Harris B, Weston PS: Managing manic behavior. *Am J Nurs* 1987; 87(5):620–623.

Cohen GD: *The Brain in Human Aging*. Springer, 1988.

Cytryn L, et al.: Developmental issues in risk research. In: *Depression in Young People*. Rutter M, Izard CE, Read PB (editors). Guilford Press, 1986. 163–188.

Davenport YB, Adland ML: Management of manic episodes. In: *Affective Disorders and the Family*. Clarkin JF, Haas GL (editors). Guilford Press, 1988. 173–195.

Dreyfus JK: The treatment of depression in an ambulatory care setting. *Nurs Pract* 1988; 13(7):14–33.

Emde R, et al.: Depressive feelings in children. In: *Depression in Young People*. Rutter M, Izard CE, Read PB (editors). Guilford Press, 1986. 135–160.

Emslie GJ, et al.: Sleep EEG findings in depressed children and adolescents. *Am J Psychiatry* 1987; 144(5): 668–670.

Fawcett J, Kravitz HM: Current research in affective illness. In: *Nursing Interventions in Depression*. Rogers CA, Ulsafer-VanLanen J (editors). Grune & Stratton, 1985. 13–38.

Frank E, et al.: Sex differences in recurrent depression. *Am J Psychiatry* 1988; 145(1):41–45.

Friedman MJ: Diagnosis and treatment of depression in the elderly. In: *Depression in Multidisciplinary Perspective*. Dean A (editor). Brunner/Mazel, 1985.

Garbutt JC: L-triiodothyronine and lithium in treatment of tricyclic antidepressant nonresponders. In: *Psychobiology and Psychopharmacology*, no. 2. Flach F (editor). Norton, 1988. 109–120.

Garvey MJ: Decreased libido in depression. *Med Aspects Human Sexuality* 1985; 19(2):30–34.

Gold M, Herridge P: The risk of misdiagnosing physical illness as depression. In: *Affective Disorders*, no. 3. Flach F (editor). Norton, 1988. 64–76.

Gold PW, et al.: Corticotropin releasing hormones. In: *Hormones and Depression*. Halbreich U (editor). Raven Press, 1987. 161–169.

Gove WR: Mental illness and psychiatric treatment among women. In: *The Psychology of Women*. Walsh MR (editor). Yale University Press, 1987. 102–126.

Green AI, et al.: The biochemistry of affective disorders. In: *The New Harvard Guide to Psychiatry*. AM, Jr (editor). Harvard University Press, 1988. 129–138.

Groos, GA: Physiological basis of circadian rhythmicity. In: *Biological Rhythms and Mental Disorders*. Kupfer DJ, Monk TH, Barchas JD (editors). Guilford Press, 1988. 121–141.

Haas GL, Clarkin JF: Affective disorders and the family context. In: *Affective Disorders and the Family*. Clarkin JF, Haas GL (editors). Guilford Press, 1988. 3–28.

Harris E: The antidepressants. *Am J Nurs* 1988; 88(11): 1512–1518.

Henker FO: Coping with a manic depressant spouse. *Med Aspects Human Sexuality* 1985; 19(4):29–32.

Hume AJA, et al.: Manic depressive psychosis. *J Adv Nurs* 1988; 13(1):93–98.

Jacobsen FM, Rosenthal NE: Seasonal affective disorder and the use of light as an antidepressant. In: *Affective Disorders*, no. 3. Flach F (editor). Norton, 1988. 215–229.

Janowsky DS, et al.: Psychopharmacologic-neurotransmitter-neuroendocrine interactions in the study of the affective disorders. In: *Hormones and Depression*. Halbreich U (editor). Raven Press, 1987. 151–160.

Kashani JH: Depression, depressive symptoms and depressed mood among a community sample of adolescents. *Am J Psychiatry* 1987; 144(7):931–933.

Kashani JH, Carlson GA: Seriously depressed preschoolers. *Am J Psychiatry* 1987; 144(3):348–350.

Kazdin AE: Childhood depression. In: *Behavioral Assessment of Childhood Disorders*, 2nd ed. Mash EJ, Terdal LG (editors). Guilford Press, 1988. 65–78.

Levy EM, Krueger R: Depression and the immune system. In: *Affective Disorders*, no. 3. Flach F (editor). Norton, 1988. 186–198.

Looser P: The TRH test in psychiatric disorders. In: *Affective Disorders*, no. 3. Flach F (editor). Norton, 1988. 52–63.

McBride AB: Mental health effects of women's multiple roles. *Image*, 1988; 20(1):41–47.

Mendelwicz J: Chronobiology, sleep and hormones in depressive disorders. In: *Hormones and Depression*. Halbreich U (editor). Raven Press, 1987. 229–238.

Monk TH: Circadian rhythms in human performance. In: *Affective Disorders*, no. 3. Flach F (editor). Norton, 1988. 199–214.

Nurnberg HG, Levine PE: Spontaneous remission of MAOI-induced anorgasmia. *Am J Psychiatry* 1987; 144(6):805–807.

Petti TA, Larson CN: Depression and suicide. In: *Handbook of Adolescent Psychology*. VanHasselt VB, Hersen M (editors). Pergamon Press, 1987. 288–312.

Pflug B: Sleep deprivation in the treatment of depression. In: *Affective Disorders*, no. 3. Flach F (editor). Norton, 1988. 175–185.

Puig-Antich J: Psychobiological markers. In: *Depression in Young People*. Rutter M, Izard CE, Read PB (editors). Guilford Press, 1986. 341–381.

Reid WH: *The Treatment of Psychiatric Disorders*: Brunner/Mazel, 1989.

Risch SC, et al.: Muscarinic mechanisms in neuroendocrine regulation and depression. In: *Hormones and Depression*. Halbreich U (editor). Raven Press, 1987. 207–228.

Ronsman K: Therapy for depression. *J Gerontol Nurs* 1987; 13(12):18–25.

Rose RM: Endocrine abnormalities in depression and stress. In: *Hormones and Depression*. Halbreich U (editor). Raven Press, 1987. 31–47.

Rosenthal ME et al.: Seasonal affective disorder. *Arch Gen Psychiatr* 1984; 40:72.

Rosenthal NE, et al.: Phototherapy for seasonal affective disorder. In: *Seasonal Affective Disorders and Phototherapy*. Rosenthal NE, Blehar MC (editors). Guilford Press, 1989. 273–294.

Rothblum ED: Sex-role stereotypes and depression in women. In: *The Stereotyping of Women,* Franks V, Rothblum ED (editors). Springer, 1983.

Rutter M: The developmental psychopathology of depression. In: *Depression in Young People.* Rutter M, Izard CE, Read PB (editors). Guilford Press, 1986. 3–30.

Santy P, Schwartz M: Hyponatremia disguised as an acute manic disorder. *Hosp Community Psychiatry* 1983; 34(12):1156.

Sonis, WA: Seasonal affective disorder of childhood and adolescence. In: *Seasonal Affective Disorder and Phototherapy.* Rosenthal NE, Blehar, MC (editors). Guilford Press. 46–54.

Targum SD: Genetic issues in treatment. In: *Affective Disorders and the Family.* Clarkin JF, Haas GL (editors). Guilford Press, 1988. 196–212.

Thase ME: Comparison between seasonal affective disorder and other forms of recurrent depression. In: *Seasonal Affective Disorders and Phototherapy.* Rosenthal NE, Blehar MC (editors). Guilford Press, 1989. 64–78.

Trad PV: *Infant and Childhood Depression.* Wiley, 1987.

Wehr TA, et al.: Eye versus skin phototherapy of seasonal affective disorder. *Am J Psychiatry* 1987; 144(6): 753–757.

Wehr TA: Rapid cycling affective disorder. *Am J Psychiatry* 1988; 145(2):179–184.

Yapko MD: *When Living Hurts.* Brunner/Mazel, 1988.

Yates WR: Depression. In: *Psychiatric Illness, Primary Care.* Yates WR (editor). Saunders, 1987. 14(4): 657–668.

LECTURES COMPLÉMENTAIRES

Auger, L. *Prévenir et surmonter la déprime,* Montréal, Éditions de l'Homme, 1984.

Baier, M. « The Holiday Blues as a Stress Reaction », *Perspectives in Psychiatric Care, 24* (2), 64-69, 1987-1988.

Dean, P.R., et C.C. MacDonald. « The Dysthymic Patient » *Perspectives in Psychiatric Care, 24* (2), 69-73, 1987-1988.

Kerr, N.J. « Signs and Symptoms of Depression and Principles of Nursing Interventions », *Perspectives in Psychiatric Care, 24* (2), 48-63, 1987-1988.

Lalonde, Grunberg et coll. *Psychiatrie clinique: approche bio-psycho-sociale,* Boucherville, Gaëtan Morin Éditeur, 1988.

Lamontagne, Y., et J. Delage. *La Dépression,* Montréal, La Presse, 1986.

Lussier, F.P. *Dépression et intégration du Moi chez les personnes âgées,* Montréal, Université de Montréal, 1984.

Moamai, N. *Psycho-gériatrie: les problèmes psychiatriques du 3ᵉ âge,* Montréal, La Presse, 1988.

Soubrier, J.-P., et J. Vedrinne. *Dépression et suicide: aspects médicaux, psychologiques et socioculturels,* Toronto, Pergamon, 1983.

Wilson, H.S., et C.R. Kneisl. *Soins infirmiers psychiatriques,* Montréal, Éditions du Renouveau Pédagogique, 1982.

CHAPITRE 12

L'alcoolisme

J. SUE COOK

Comment je vois ma maladie

Je tourne en rond dans les ténèbres et tisse une toile que la noirceur déchire. J'ai toujours été sa victime, même si j'ai toujours souhaité ne pas le devenir.

■ *Objectifs*

Après avoir étudié le présent chapitre, vous devriez être en mesure de :

- déterminer l'importance de l'alcoolisme dans le cadre des soins infirmiers en psychiatrie ;
- expliquer les causes de l'alcoolisme ;
- expliquer les critères diagnostiques de l'abus d'alcool et de la dépendance à l'alcool définis dans le DSM-III-R ;
- effectuer une collecte des données adaptée au client alcoolique ;
- formuler les diagnostics infirmiers des clients souffrant d'une intoxication alcoolique aiguë, du syndrome de sevrage alcoolique et d'alcoolisme chronique ;
- élaborer des plans de soins infirmiers destinés aux clients souffrant d'intoxication alcoolique aiguë, du syndrome de sevrage alcoolique et d'alcoolisme chronique ;
- évaluer les soins infirmiers dispensés aux clients souffrant d'intoxication alcoolique aiguë, du syndrome de sevrage alcoolique et d'alcoolisme chronique.

Introduction

Bien qu'un tiers des clients admis dans les hôpitaux généraux souffrent de troubles reliés à l'alcool, il est rare qu'on pose à l'admission un diagnostic d'alcoolisme en bonne et due forme. On a plutôt tendance à relier indirectement ces troubles à l'abus d'alcool ou à considérer qu'ils en sont la conséquence directe (Tweed, 1989). L'infirmière doit se familiariser avec le problème de l'alcoolisme, comme en témoigne le cas qui suit. En effet, la collecte des données effectuée dans cette situation révèle que l'état du client admis à l'hôpital par suite d'une hémorragie gastro-intestinale est en réalité la conséquence de l'alcoolisme.

Manuel, ouvrier agricole de 30 ans, est hospitalisé à cause d'hémorragies digestives hautes. Pendant que l'infirmière dresse le bilan de santé, Manuel lui dit qu'il ne boit pas démesurément. L'infirmière lui demande de préciser la quantité d'alcool qu'il consomme et Manuel avoue qu'il boit au moins six bières par jour. Il demande à l'infirmière pourquoi sa consommation d'alcool compte à ce point. À son avis, il ne boit pas beaucoup et il ne voit pas non plus de lien entre sa consommation d'alcool et son état.

Étant donné que l'alcoolisme n'est pas toujours mentionné dans le diagnostic posé à l'admission, l'infirmière doit se renseigner au sujet des antécédents de consommation de boissons alcoolisées du client.

Prévalence et incidence

La prévalence de l'alcoolisme, comme d'ailleurs la consommation globale d'alcool, semble en régression depuis quelques années dans divers pays, y compris le Canada et la France, après une augmentation régulière depuis au moins 200 ans (Lalonde, Grunberg et coll., 1988).

Au Québec, entre 1961 et 1976, la consommation d'alcool par tête d'habitant s'est élevée de 51 p. cent. Depuis, elle semble diminuer, sauf en ce qui concerne la consommation de vin, qui, elle, semble s'élever (Gouvernement du Québec, Objectif Santé, 1984).

Malgré cette tendance à la baisse, les frais entraînés par la consommation d'alcool sont considérables sur le plan économique et social. Le Rapport du Comité d'étude sur la promotion de la Santé (1984) signale qu'un buveur adulte sur 10 connaît des problèmes reliés à l'alcool (problèmes professionnels, sociaux, familiaux, médicaux, etc.). Ce même rapport souligne le rôle joué indirectement par l'abus d'alcool dans un bon nombre de décès par accidents de la route, chutes, incendies, noyades, homicides, etc. Le ministère de la Santé et du Bien-être social (1981) mentionne la présence d'un problème relié à la consommation d'alcool dans le tiers des cas d'enfants maltraités, dans la moitié des divorces invoquant la cruauté mentale ou physique et dans 30 à 50 p. cent des crimes violents.

Santé Québec (1987) constate que les hommes demeurent les grands consommateurs d'alcool, par rapport aux femmes (voir le tableau 12-1).

L'enquête conclut aussi que les sujets de moins de 45 ans sont les plus grands consommateurs et que 6 à 10 p. cent des adultes seraient des buveurs excessifs ou des alcooliques.

Selon un sondage Gallup, réalisé en 1982, 77 p. cent des jeunes de 12 à 19 ans ont déjà fait l'expérience de l'alcool et la première expérience a eu lieu à 12 ans en moyenne. L'habitude de boire se prend de plus en plus tôt (Objectif Santé, 1984).

Alcoolisme et soins infirmiers

Comme la consommation et l'abus d'alcool constituent des problèmes répandus ayant de nombreuses conséquences personnelles et sociales, ils préoccupent grandement la profession. L'infirmière peut rencontrer des personnes en état d'ébriété dans divers milieux. Or, quel que soit le milieu, elle doit être en mesure de dresser le bilan de santé de ces clients et de les aider à recouvrer la santé.

Elle doit aussi savoir que l'alcoolisme touche autant les hommes que les femmes, sans égard à l'âge, à la culture ou à la profession. On a étudié récemment la gravité du problème chez les professionnels de la santé, y compris les infirmières. Aux États-Unis, de nombreuses associations d'infirmières, appuyées par des organismes nationaux, ont fondé des groupes de soutien afin d'aider les infirmières alcooliques à retrouver la santé.

Enfin, l'infirmière doit analyser ses valeurs, ses attitudes et ses comportements face à l'abus d'alcool afin d'intervenir efficacement auprès de ses clients. Le client alcoolique est extrêmement sensible aux émotions qui accompagnent les interactions et ces dernières jouent un rôle déterminant dans sa décision de poursuivre le traitement. L'infirmière ne devrait jamais juger un client qui consomme de l'alcool ni le rejeter.

Connaissances de base

Puisqu'il n'existe pas de définition précise de l'alcoolisme, on peut dire qu'il s'agit d'un trouble biologique, psychologique et socioculturel.

Comme l'abus d'alcool peut prendre diverses formes, il est impossible de définir l'alcoolisme d'après la quantité et la fréquence de la consommation. Depuis qu'on considère l'alcoolisme comme une maladie chronique et évolutive qui peut être mortelle, de nombreux alcooliques acceptent mieux le traitement. Entre les nombreuses définitions de l'alcoolique, nous avons choisi celle qui est proposée par Bigby, Clark et May (1990, p. 147) : «toute personne qui souffre de troubles multiples et récurrents par suite de la consommation d'alcool».

Tableau 12-1   *Nombre de consommations hebdomadaires selon le sexe, en pourcentage, population âgée de 15 ans et plus, Québec, 1987*

Nombre de consommations hebdomadaires	Hommes	Femmes	Total
Aucune	32,3	49,7	41,3
1-6	40,1	41,5	40,8
7-13	14,7	6,3	10,4
14-28	9,6	2,2	5,8
29 et +	3,3	0,3	1,7
Total	**100,0**	**100,0**	**100,0**

Source : Gouvernement du Québec, *Et la Santé ça va ?* tome 1, Rapport de l'enquête Santé Québec 1987, Québec, Les Publications du Québec, 1988.

L'Organisation mondiale de la Santé (OMS) et l'American Psychiatric Association n'utilisent pas le terme « alcoolisme », mais distinguent deux syndromes : l'abus d'alcool et la dépendance. Les critères diagnostiques sont les habitudes de consommation, les caractéristiques associées, l'évolution et les tendances familiales. Chaque critère repose sur les modes de comportement typiques du buveur.

Habitudes de consommation :

1. Consommation quotidienne de quantités massives d'alcool.

2. Consommation de quantités massives d'alcool pendant les week-ends seulement.

3. Longues périodes de sobriété alternant avec des épisodes de consommation quotidienne massive durant des semaines ou des mois.

Caractéristiques associées

1. L'alcoolisme est lié à l'abus d'autres substances psychoactives telles que le cannabis, la cocaïne, l'héroïne, les amphétamines, les sédatifs et les hypnotiques. Il touche le plus souvent les sujets de moins de 30 ans.

2. La dépendance à la nicotine est très fréquente.

3. L'alcoolisme s'accompagne souvent de dépression. Toutefois, la dépression semble être la conséquence plutôt que la cause de la consommation d'alcool.

Évolution

1. L'évolution naturelle chez les hommes et chez les femmes est différente.

2. Chez les hommes, le trouble apparaît à la fin de l'adolescence ou au début de la vingtaine et son évolution est insidieuse. Jusqu'à la trentaine, le sujet peut ignorer sa dépendance à l'alcool. La première hospitalisation a généralement lieu vers la fin de la trentaine ou au début de la quarantaine. Les symptômes se manifestent rarement pour la première fois après l'âge de 45 ans.

3. Chez les femmes, le trouble apparaît souvent à un âge plus avancé que chez les hommes. La dépendance à l'alcool chez les femmes a cependant fait l'objet d'études moins approfondies.

4. La tolérance se développe au fil du temps, à mesure que la personne augmente sa consommation d'alcool. La tolérance se définit par l'augmentation des doses nécessaires pour obtenir le même effet subjectif (ou par la réduction de cet effet subjectif si la dose reste la même) (Dongier, Lalonde, Grunberg, 1988).

5. La tolérance revêt un caractère particulier chez chaque individu, car la quantité d'alcool tolérée varie d'une personne à l'autre. Certaines personnes souffrent de maux de

tête, de maux d'estomac ou d'étourdissements après avoir bu de très petites quantités d'alcool ; d'autres peuvent boire des quantités énormes sans éprouver d'effets désagréables.

Tendances familiales

1. La dépendance à l'alcool tend à toucher plusieurs membres d'une même famille.

2. Les études menées sur des sujets adoptés indiquent que la transmission de la dépendance à l'alcool d'une génération à l'autre au sein d'une même famille ne dépend pas nécessairement de la cohabitation avec des membres alcooliques, ce qui permet d'envisager l'existence d'une influence génétique (American Psychiatric Association, 1987).

Caractéristiques comportementales

On a souvent essayé de systématiser les données relatives aux caractéristiques du comportement et du développement de l'alcoolique. E.M. Jellinek fait figure de pionnier dans ce domaine et ses travaux sont toujours d'actualité puisque la plupart des études importantes y font référence. D'après la définition de Jellinek, l'évolution de l'alcoolisme se poursuit en quatre phases (voir le tableau 12-2).

Le comportement alcoolique évolue en dents de scie, c'est-à-dire par des épisodes successifs de rémissions et d'exacerbations. La caractéristique comportementale fondamentale est la perte du pouvoir de décision d'arrêter la consommation ; elle s'installe insidieusement et se manifeste de façon irrégulière, particulièrement aux premiers stades. Autrement dit, au début, l'alcoolique peut s'empêcher de boire par moments (Bigby, Clark et May, 1990).

À mesure que l'alcoolisme évolue, le buveur adopte divers comportements caractéristiques. Par exemple, il peut boire au lever, boire en cachette durant la journée, vider les verres d'un seul trait, passer d'une boisson alcoolisée à l'autre et cacher des bouteilles au travail et à la maison. Certains alcooliques se passent de manger pour boire. La plupart d'entre eux renoncent à leurs loisirs afin d'avoir plus de temps pour boire. Bon nombre

Tableau 12-2   *Les quatre phases de l'alcoolisme selon Jellinek*

Phase	Comportement
1-Phase symptomatique de pré-alcoolisme	Le buveur consomme des boissons alcoolisées pour soulager sa tension. Sa tolérance à la tension décroît constamment pendant un laps de temps de six mois à deux ans. Le buveur consomme des boissons alcoolisées pratiquement tous les jours. Il doit en consommer des quantités accrues pour atteindre le niveau de sédation désiré.
2-Phase prodromique	Apparition des trous de mémoire : après avoir consommé des quantités relativement modérées d'alcool, le buveur ne montre pas de signes d'intoxication et il peut entretenir une conversation et accomplir des tâches complexes. Cependant, il n'en garde qu'un vague souvenir le lendemain. Le buveur consomme des boissons alcoolisées en cachette. La consommation d'alcool devient une préoccupation. Le buveur consomme des quantités massives d'alcool.
3-Phase critique	Le buveur perd la maîtrise de soi. Toute consommation d'alcool déclenche une réaction en chaîne qui est ressentie comme un besoin physique d'alcool. La consommation d'alcool se poursuit jusqu'à ce que le buveur soit trop intoxiqué ou trop malade pour continuer. Le buveur justifie son comportement par des « alibis ». Le buveur compense sa consommation d'alcool par un comportement grandiose. Il adopte un comportement très agressif qui engendre un sentiment de culpabilité et des remords. La vie du buveur est centrée sur l'alcool. Le buveur néglige son alimentation. Sa libido baisse. Il reçoit des avertissements de plus en plus pressants de la part des parents, du conjoint, de l'employeur et des amis.
4-Phase chronique	L'intoxication se poursuit pendant des périodes prolongées. Le jugement moral du buveur se détériore. Les opérations de la pensée sont grandement altérées. La tolérance à l'alcool baisse : la moitié de la quantité d'alcool nécessaire autrefois peut causer la sédation. Le buveur est miné par des peurs indéfinissables. Des tremblements apparaissent. Le buveur présente des signes de détérioration physique.

Source : D'après E.M. Jellinek. « Phases of alcohol addiction » dans D.J. Pitman, C.R. Snyder (éditeurs), *Society, Culture & Drinking Patterns*, Wiley, 1962, p. 356-368. Reproduction autorisée.

d'alcooliques sont atteints de « téléphonite », c'est-à-dire qu'ils téléphonent à des parents et à des amis à des moments inopportuns, par exemple, au milieu de la nuit. Puisque l'alcool devient graduellement la principale préoccupation de la personne, celle-ci a tendance à y faire allusion plus fréquemment (Tweed, 1989).

Comme l'alcool lève les inhibitions, beaucoup d'alcooliques deviennent hostiles, chicaniers, tapageurs et même agressifs quand ils boivent. Un grand nombre d'entre eux sont arrêtés pour voies de fait. D'autres deviennent renfermés, geignards, déprimés et solitaires pendant les épisodes d'ivresse.

Les caractéristiques du comportement de l'alcoolique sont également révélatrices au travail. Les absences sont fréquentes, particulièrement les lundis et les vendredis. La consommation d'alcool le midi entraîne une baisse de la productivité l'après-midi. À cause de son comportement, l'alcoolique a de nombreux problèmes interpersonnels. Il arrive fréquemment qu'il ne reçoive pas de promotion, qu'il soit congédié ou qu'il change d'emploi (Tweed, 1989). (On présente au tableau 12-3 les caractéristiques comportementales de l'alcoolique.)

À cause de leur comportement, les alcooliques ont souvent des démêlés avec la justice. D'après les statistiques, 75 p. cent des personnes arrêtées pour la première fois pour conduite en état d'ébriété sont alcooliques. Les individus qui ne peuvent s'empêcher de boire avant de prendre le volant, malgré une première arrestation, ont indiscutablement un problème d'alcool.

Les caractéristiques comportementales sont également influencées par l'alcoolémie. Environ 30 mL de spiritueux, un verre de vin ou une bière augmentent le taux d'alcoolémie d'environ 0,025. Le foie métabolise l'alcool à raison de 20 à 30 mL de spiritueux à l'heure ou de 225 mL à 350 mL de bière à l'heure, approximativement. La réaction à l'alcoolémie varie aussi d'une personne à l'autre, de telle sorte que des buveurs chroniques peuvent supporter des quantités d'alcool beaucoup plus élevées, étant donné leur tolérance acquise. Les buveurs occasionnels peuvent devenir comateux après avoir consommé des quantités d'alcool relativement faibles. On présente au tableau 12-4 les effets de l'alcoolémie sur le comportement (Lerner et coll., 1988).

Claudine Marchand, mère de famille de 35 ans, vient de sortir d'un centre de réadaptation des alcooliques. Elle essaie de ne pas boire, mais elle a des rechutes. En rentrant de l'école un après-midi, le fils aîné de Claudine

Tableau 12-3 *Caractéristiques comportementales de l'alcoolique*

L'alcoolique :
ne peut pas s'empêcher de boire de l'alcool ;
boit au lever ;
boit en cachette ;
avale ses verres d'un trait ;
passe d'une boisson alcoolisée à l'autre ;
cache des bouteilles à la maison ou au travail ;
se passe de manger pour boire ;
renonce à ses loisirs pour boire ;
souffre de « téléphonite » ;
fait souvent allusion à l'alcool ;
devient hostile, chicanier et agressif ;
est arrêté pour voies de fait ou conduite en état d'ébriété ;
est replié sur lui-même, geignard et solitaire ;
connaît des difficultés professionnelles.

Tableau 12-4 *Alcoolémie et comportement*

Alcoolémie*	Comportement
0,05	Changements de l'humeur Modification du comportement normal Perte du pouvoir de discernement et des inhibitions Sentiment d'insouciance
De 0,08 à 0,10	Altération de la motricité volontaire Taux limite fixé par la loi
0,20	Démarche titubante par suite de la dépression de l'aire motrice cérébrale Emportements Cris Pleurs
0,30	Confusion Stupeur
0,40	Coma
0,50	Mort (généralement due à la dépression respiratoire induite par l'alcool)

* Taux d'alcool dans le sang.

surprend sa mère qui se verse un verre de whisky d'une bouteille cachée dans le garage. L'enfant cherche à enlever le verre des mains de Claudine, mais celle-ci le gifle. Prenant conscience de son geste, Claudine essaie de s'excuser auprès de son fils, mais ce dernier sort du garage en criant : « Je te déteste ! » Claudine fracasse le goulot de la bouteille et s'entaille les poignets avec le tesson.

Caractéristiques affectives

La plupart des alcooliques éprouvent un vif sentiment de culpabilité. Par moments, ils sont capables d'admettre la responsabilité de leurs actes ; ils sont alors minés par les remords. La honte est probablement l'émotion la plus typique et la plus profonde des alcooliques. Elle est plus difficile à supporter que la culpabilité, puisqu'il s'agit d'un sentiment de rejet que l'on éprouve face à soi-même. Elle porte atteinte à l'identité de la personne : les individus qui l'éprouvent croient qu'ils n'ont aucune liberté d'action ni pouvoir de décision. Leur vie leur semble un échec et ils sont tourmentés, repliés sur eux-mêmes et solitaires. La honte est révélée par ce genre d'énoncé : « Je suis désespéré. Je ne vaux rien. Il n'y a rien de bon en moi. » Il arrive souvent que les alcooliques boivent pour atténuer leur honte mais, au bout du compte, le sentiment ne fait que s'intensifier (Bradshaw, 1988 ; Potter-Efron, 1989).

Beaucoup d'alcooliques sont en butte à la dépression et au désespoir engendrés par une conduite qui ne correspond pas à leur système de valeur, qui nuit à ceux qu'ils aiment et qui les empêche de se réaliser pleinement (Bigby, Clark et May, 1990).

La jalousie alcoolique, caractéristique affective de l'alcoolisme chronique, peut être due à des lésions cérébrales. Les alcooliques se persuadent que leur partenaire les trompe ou souhaite nouer de nouvelles relations dans le but de les humilier ou de les abandonner (Potter-Efron, 1989). (On présente au tableau 12-5 les caractéristiques affectives de l'alcoolique.)

Robert Sauvé, ouvrier de l'industrie de l'automobile, âgé de 40 ans, se sentait un peu dé-

primé à Noël parce qu'il avait été mis à pied jusqu'après le jour de l'An. Il n'avait aucune envie de rendre visite à ses beaux-parents qui n'ont pas beaucoup de considération pour lui, car, à leur avis, il ne s'est jamais occupé convenablement de leur « petite ». En leur présence, Robert ne se sent jamais à la hauteur. Il s'est mis à boire le matin pour calmer sa nervosité. Quand son épouse l'a supplié de ne plus boire, Robert s'est emporté et a crié : « Fiche-moi la paix ! Je sais quand m'arrêter. » Son épouse s'est mise à pleurer et Robert est sorti en coup de vent. Il a sauté dans sa voiture et a erré sans but dans les rues.

Caractéristiques cognitives

Étant donné les caractéristiques de son comportement et de son affect, l'alcoolique a, en général, une faible estime de soi et pense avoir raté sa vie. Pour faire échec à de telles convictions, il peut nourrir des idées de grandeur.

Le déni est le principal mécanisme de défense qui maintient la dépendance à l'alcool. Par le déni, l'alcoolique peut garder ses illusions par rapport à sa personne et essayer de protéger inconsciemment son estime de soi malgré un comportement irrépressible. Le déni lui permet également de sous-estimer la quantité d'alcool ingérée et d'éviter de reconnaître les conséquences de son comportement sur les autres. Pour conserver son déni, l'alcoolique a recours à la projection, à la minimisation et à la rationalisation. La projection lui permet de rendre les autres responsables de son comportement ; elle se traduit par des phrases comme la suivante : « Mes trois enfants me rendent fou. C'est à cause d'eux que je bois. » La minimisation,

Tableau 12-5 *Caractéristiques affectives de l'alcoolique*

Sentiment de culpabilité
Honte
Tourments
Sentiment d'échec
Dépression
Désespoir
Jalousie alcoolique

c'est-à-dire la tendance à nier l'importance de son comportement, est illustrée par un énoncé comme le suivant : « Ne croyez pas tout ce que ma femme vous dit. J'étais encore en état de conduire. » Enfin, la rationalisation, ou le fait de justifier son comportement, est mise en lumière par des affirmations semblables à la suivante : « Si je bois, c'est seulement parce que je suis malheureux en ménage (Bigby, Clark et May, 1990 ; Tweed, 1989). » Niant sa responsabilité, l'alcoolique peut utiliser les autres pour satisfaire ses propres besoins. Dans ce processus de manipulation, dû à la difficulté du client à établir une relation de confiance avec l'entourage, les autres se sentent exploités, contrôlés et traités comme des objets. La flatterie, la séduction, le marchandage, les tentatives de clivage (chez le personnel ou dans la famille), les agressions, la colère, les oublis, la non-observance des traitements sont autant de comportements qui visent à réduire l'anxiété et à augmenter l'impression de pouvoir et de contrôle.

Ces mécanismes de défense sont considérés comme des conséquences et non comme des causes de l'alcoolisme. Ils servent à sauvegarder l'estime de soi, mais ils perpétuent le problème. Le déni peut constituer un obstacle important au traitement, car aucune mesure ne porte fruit tant que l'alcoolique refuse de reconnaître qu'il a perdu son pouvoir de décision par rapport à la consommation d'alcool.

Les trous de mémoire sont l'un des signes précoces de l'alcoolisme. Il s'agit d'une forme d'amnésie touchant les événements qui se sont produits pendant l'épisode d'ivresse. L'alcoolique peut entretenir des conversations et accomplir des tâches complexes sans perdre la conscience, mais sans en garder aucun souvenir le lendemain (Tweed, 1989).

L'encéphalopathie de Wernicke est une grave dysfonction cognitive qui accompagne l'alcoolisme chronique. Ce trouble se manifeste par des modes de pensée anormaux et une aphasie sensorielle. Faute de traitement, l'encéphalopathie de Wernicke peut dégénérer en psychose de Korsakoff, qui est un trouble irréversible. À ce stade, la personne est incapable de se souvenir des événements lointains et de retenir de nouvelles données. Elle a recours à la confabulation, c'est-à-dire qu'elle comble ses trous de mémoire par des inventions afin de protéger son estime de soi. L'encéphalopathie de Wernicke et la psychose de Korsakoff sont causées par une grave carence en thiamine et par l'effet neurotoxique direct de l'alcool (Lerner et coll., 1988). (On présente au tableau 12-6 les caractéristiques cognitives de l'alcoolique.)

> *Jeannine Mercier, femme au foyer de 55 ans, boit en cachette depuis environ 10 ans. Pour dissimuler l'odeur de l'alcool, elle suce des pastilles à la menthe et utilise des parfums très forts. La famille de Jeannine a remarqué qu'elle devenait de plus en plus distraite et qu'elle avait du mal à préparer les repas. Quand ses enfants venaient déjeuner le dimanche, Jeannine oubliait de servir certains plats qu'elle avait préparés et les aliments étaient brûlés ou cuits à moitié. M. Mercier a remarqué que sa femme avait des ecchymoses et qu'elle tombait fréquemment. Quand il a essayé d'aborder le sujet, Jeannine a rétorqué : « Eh bien, mon cher, je ne rajeunis pas ! » L'inquiétude de M. Mercier a redoublé le jour où il a trouvé sa femme endormie sur le canapé pendant qu'une de ses chemises brûlait sous le fer à repasser.*

Caractéristiques physiologiques

L'alcool est un dépresseur du système nerveux central. Toutes les cellules de l'organisme subissent les effets nocifs d'une consommation prolongée d'alcool. L'altération des appareils respiratoire, cardiaque et digestif et des systèmes hématopoïétique,

Tableau 12-6   *Caractéristiques cognitives de l'alcoolique*

Faible estime de soi
Idées de grandeur
Déni
Projection
Minimisation
Rationalisation
Trous de mémoire

immunitaire et nerveux est telle que l'effet est manifeste sur le plan clinique. Les lésions organiques sont surtout le résultat de la malnutrition. En effet, la consommation de grandes quantités d'alcool diminue l'appétit, ce qui entraîne un déficit nutritionnel. L'alcool contient 840 kJ par 29 mL. Par conséquent, 1 L de whisky à 86° renferme environ 5460 kJ, soit la moitié de l'apport énergétique quotidien recommandé. La diminution de l'appétit et la substitution de l'alcool aux nutriments causent une perte de poids. La malabsorption, le dérèglement du métabolisme des nutriments et l'accroissement des besoins nutritionnels sont des problèmes fréquents chez les alcooliques.

Deux affections d'origine nutritionnelle sont associées à l'alcoolisme, soit l'encéphalopathie de Wernicke et la psychose de Korsakoff. Dans le DSM-III-R, ces deux troubles sont classés sous la rubrique des troubles amnésiques alcooliques.

L'encéphalopathie de Wernicke se traduit par des lésions des neurones et des capillaires de la substance grise du tronc cérébral. Elle se caractérise par le délire, l'amnésie, la confabulation, l'apathie, l'appréhension, l'ataxie, l'obscurcissement de la conscience et, parfois, le coma. Si l'encéphalopathie de Wernicke n'est pas traitée rapidement par des doses importantes de thiamine, elle peut dégénérer en psychose de Korsakoff.

La psychose de Korsakoff est surtout provoquée par une carence en thiamine et, dans une moindre mesure, en niacine. Le trouble entraîne une dégénérescence du cerveau et des nerfs périphériques. La psychose de Korsakoff se caractérise par l'amnésie, la confabulation, la désorientation et la neuropathie périphérique.

On traite l'encéphalopathie de Wernicke et la psychose de Korsakoff au moyen du sevrage de l'alcool et de l'administration de suppléments de vitamines. L'état des clients souffrant de l'encéphalopathie de Wernicke peut s'améliorer, mais la plupart conservent une certaine atteinte cognitive et affective. Dans le cas de la psychose de Korsakoff, l'altération de la mémoire constitue un effet rémanent, même si, parfois, une légère amélioration peut survenir (Cohen, 1982 ; Donald, 1985). (On trouve au chapitre 15 des renseignements détaillés sur la démence.)

Raoul Dupont, âgé de 60 ans, est ouvrier dans une usine d'électronique. Il boit depuis 20 ans pour surmonter le stress suscité par sa vie professionnelle et familiale. Raoul a remarqué qu'il tremble à un point tel qu'il peut à peine porter une tasse de café à ses lèvres. Il s'est aussi aperçu qu'il doit inventer le contenu de ses rapports de travail parce qu'il est incapable de se souvenir des tâches accomplies dans la journée. Ses collègues trouvent ses trous de mémoire fort amusants. Récemment, Raoul n'a pas pu retrouver sa voiture dans le parc de stationnement et il a été pris de panique. L'un de ses collègues a dû lui rappeler que, ce matin-là, il s'était rendu au travail en autobus.

Caractéristiques socioculturelles

L'alcoolisme est un trouble familial. Ses effets sur la famille sont des plus dévastateurs lorsque l'alcoolique a des enfants. L'alcoolisme mine la vie de couple et provoque des luttes de pouvoir entre le conjoint alcoolique et le conjoint qui ne l'est pas. Les relations familiales se détériorent et la famille devient la victime d'un cercle vicieux à cause de la honte, de la colère, de la confusion et des remords.

L'incapacité de discuter ouvertement des problèmes favorise le déni. Les membres de la famille de l'alcoolique tentent d'excuser son comportement auprès des étrangers. Quant au conjoint non alcoolique, plusieurs raisons le poussent à demeurer auprès de l'alcoolique : dépendance affective et matérielle, cohésion de la famille, valeurs religieuses ou sauvegarde de la respectabilité. Il arrive que la personne qui n'est pas alcoolique menace de quitter son conjoint ou le quitte effectivement. Dans ce cas, l'alcoolique promet de ne plus boire et la vie de famille semble encore possible. Mais les promesses sont vite oubliées et les relations de famille se détériorent.

On parle de « codépendance » dans le cas du conjoint non alcoolique qui demeure dans la relation. Ces personnes sont mues par la peur, le ressentiment, l'impuissance, le désespoir et la volonté de modifier le comportement de l'alcoolique. Le « codépendant » est obsédé par le désir de résoudre les problèmes suscités par l'alcoolique. Malgré son manque d'efficacité, son épuisement physique et sa dépression, il est incapable de renoncer au comportement d'« aide ». Les codépendants ont souvent une faible estime de soi et ils redoutent l'abandon. Ils prennent en charge leur conjoint dans une tentative de faire échec à leurs sentiments d'incompétence. Les femmes sont plus portées à endosser ce rôle parce qu'on leur a appris à prendre la responsabilité de la famille et qu'elles se croient obligées de rester loyales à leur conjoint à tout prix (Sullivan, Bissell et Williams, 1988).

On observe chez les codépendants quatre types de réactions. Les codépendants « aveugles » ferment les yeux sur le problème autant que sur leur propre souffrance et ils espèrent que les choses finiront par s'arranger. Les « tyrans » fustigent constamment l'alcoolique dans l'espoir d'éliminer ainsi le trouble. Les « sauveurs » prennent en charge l'alcoolique et le protègent contre la détresse et les problèmes. Enfin, les « victimes » endurent passivement leur souffrance, espérant que le sentiment de culpabilité viendra à bout du comportement de leurs conjoints (Earle et Crow, 1989).

Les enfants élevés par un ou par deux parents alcooliques en souffrent parfois toute leur vie. Les règles érigées par les familles dysfonctionnelles gravitent autour des effets de l'alcoolisme. Les enfants d'alcooliques apprennent très tôt à ne pas parler de ce problème à l'école, ni même au sein de la famille. On leur apprend à dissimuler leurs sentiments, leurs désirs et leurs besoins. Avec le temps, ils répriment toutes leurs émotions et ils deviennent insensibles à la souffrance tout comme à la joie. Les parents alcooliques exigent que leurs enfants exercent une maîtrise à toute épreuve sur leur comportement et leurs sentiments, bref, qu'ils soient infaillibles. Or, une telle perfection est impossible. La stabilité est essentielle à l'épanouissement de la confiance et les parents alcooliques sont très imprévisibles. Les enfants d'alcooliques ne peuvent avoir confiance en personne. Ils comprennent très tôt dans la vie que, pour ne pas être déçu, il ne faut faire confiance à personne (Scavnicky-Mylant, 1990).

On observe quatre modes de comportement chez les enfants d'alcooliques. Le « héros », souvent l'aîné, assume le rôle de responsable de la famille et veille à son fonctionnement. Le « bouc émissaire » manifeste un comportement inadapté à la maison, à l'école et dans son milieu. Cet enfant attire l'attention sur lui en créant des problèmes et en devenant une source de conflit dans la famille. L'enfant « en retrait » tente d'éviter les conflits et la souffrance en se repliant sur lui-même physiquement et émotionnellement. Enfin, le « bouffon », souvent le cadet, s'efforce d'alléger la tension par sa drôlerie, qui lui sert en réalité à masquer sa propre tristesse (Earle et Crow, 1989 ; Treadway, 1989).

Dans les familles dysfonctionnelles, les divers rôles servent à préserver l'équilibre. Ils s'agit de moyens de surmonter la détresse et la honte engendrées par le fait que l'un des parents est alcoolique. Bien qu'inefficaces, ces stratégies donnent à celui qui les adopte l'impression d'exercer une certaine maîtrise (Bradshaw, 1988).

À l'âge adulte, beaucoup d'enfants d'alcooliques éprouvent le besoin de changer les autres ou de prendre en mains la vie de leurs proches. De façon générale, ces personnes essaient d'ignorer leur impuissance et de surmonter seules tous les problèmes. Elles se reprochent d'être incapables d'accomplir une tâche impossible. Les obsessions sont des mécanismes de défense fréquemment rencontrés chez ces personnes sous diverses formes : le souci constant de sauver les apparences, les préoccupations à l'égard du travail ou d'autres activités gratifiantes et la compulsion de réussir. Ces obsessions masquent des sentiments d'impuissance et elles font obstacle à l'anxiété, au sentiment d'incompétence et à la peur de l'abandon (Bradshaw, 1988 ; Scavnicky-Mylant, 1990).

La majorité des Nord-Américains adoptent une attitude moralisante à l'égard de l'alcoolisme. Ils le considèrent comme un péché ou comme une preuve de manque de volonté. Ils estiment que les alcooliques sont entièrement responsables de leur trouble et qu'ils devraient faire un effort de volonté pour se maîtriser et redevenir des citoyens responsables. Cette attitude nuit particulièrement aux femmes. En effet, on part du principe qu'elles devraient être toujours « féminines » et, lorsqu'elles boivent trop, on les taxe de « débauchées » ou de « soûlardes » (Bigby, Clark et May, 1990 ; Hugues, 1989).

La société nord-américaine dénigre encore plus les lesbiennes alcooliques. Non seulement souffrent-elles comme toutes les autres femmes de la domination masculine, mais elles portent en plus les stigmates de l'homosexualité et de l'alcoolisme. Le taux de consommation d'alcool est plus élevé chez les lesbiennes que chez les hétérosexuelles. En outre, dans ce groupe, les tentatives de suicide sont sept fois plus nombreuses et le taux de suicide est plus élevé que dans celui des hétérosexuelles non alcooliques. On dit des lesbiennes qu'elles sont égocentriques, ridicules, immatures, débauchées, immorales et perturbées. Dans une culture aussi farouchement opposée à l'homosexualité que la culture nord-américaine, il est très douloureux d'admettre son homosexualité et d'endosser une telle identité. On croit que la dépression, la consommation d'alcool et le suicide chez les lesbiennes sont reliés aux effets de cette stigmatisation (Hall, 1990).

Les femmes qui ont été victimes de la violence physique et sexuelle sont davantage prédisposées à l'alcoolisme que les autres. Généralement, la consommation d'alcool augmente après une première agression. On croit que les femmes se mettent alors à boire pour surmonter les conséquences physiques et affectives de la violence (Amaro et coll., 1990) (voir le chapitre 16).

Catherine Langlois, adolescente de 14 ans, était une très bonne élève. Or, ses notes ont soudainement baissé. En larmes, elle a avoué au conseiller de son école qu'elle avait des problèmes personnels. Catherine a expliqué que son père avait un «problème d'alcool» mais qu'il faisait partie des Alcooliques anonymes depuis quelques années. Il y a trois mois, le père de Catherine a perdu son emploi. Puis, il y a un mois, il s'est mis à boire de façon épisodique. Catherine hésitait à en parler parce qu'elle craignait la colère de sa mère. Cette dernière faisait des heures supplémentaires pour subvenir aux besoins de la famille. Quand elle était à la maison, elle se disputait sans cesse avec son mari au sujet de l'alcool. Le père de Catherine a demandé à sa fille d'aller lui acheter de l'alcool après que son épouse eut jeté les bouteilles. Catherine a essayé d'expliquer à son père qu'elle était trop jeune pour acheter de l'alcool, mais celui-ci s'est mis en colère: «Va-t'en, a-t-il crié, tu n'es bonne à rien!» Lorsque le père de Catherine ne buvait pas, il essayait de se gagner l'amitié de sa fille. Catherine a cessé d'inviter ses camarades à la maison parce qu'elle ne savait jamais à quoi s'attendre. Elle ne pouvait plus faire ses devoirs, car elle était constamment inquiète à cause de son père. Catherine a dit à son conseiller: «Je n'en veux pas comme ami. Je n'en veux même plus comme père!»

Théories de la causalité

Après des années de recherches sur les théories intrapsychiques de l'alcoolisme, nous possédons à l'heure actuelle des modèles qui tiennent compte des composantes biologiques, psychologiques et socioculturelles de ce trouble. D'après l'hypothèse la plus vraisemblable, il existe plusieurs types d'alcoolisme et les facteurs prédisposants varient de l'un à l'autre. Cependant, l'interaction des facteurs génétiques et environnementaux ainsi que leur rôle dans l'apparition de l'alcoolisme n'ont pas encore été élucidés (Gordis et coll., 1990).

Théories biologiques À partir de 1970, les chercheurs ont étudié des familles entières afin de déterminer si la prédisposition à l'alcoolisme était héréditaire. Les études menées sur des jumeaux ont prouvé que le taux d'alcoolisme est deux fois plus élevé chez les jumeaux monozygotes (vrais) que chez les jumeaux hétérozygotes (faux) du même sexe. Les études indiquent que, chez les enfants dont le père ou la mère était alcoolique et qui ont été adoptés par des couples qui ne buvaient pas, les risques de devenir alcoolique étaient trois fois plus grands que chez les enfants adoptés dont les parents naturels n'étaient pas alcooliques. Nous ne savons pas encore si la prédisposition génétique réside dans le métabolisme de l'alcool, la régulation de l'humeur, l'absorption des nutriments, le fonctionnement neurologique, la régulation hormonale ou les traits de la personnalité.

La première étude révélant un lien important entre l'alcoolisme et un gène de la dopamine résidant sur le chromosome 11 a été publiée en 1990. Il faudrait mener des recherches plus approfondies pour déterminer l'effet de la dopamine, de la sérotonine et de la noradrénaline sur le mécanisme cérébral qui provoque le sentiment de satisfaction. Les résultats préliminaires ont montré que, parmi les sujets à l'étude, 69 p. cent des alcooliques possédaient le gène de la dopamine en question, contrairement à 80 p. cent des personnes qui ne buvaient pas. Le fait que le gène ne soit pas présent chez tous les alcooliques et qu'il ne soit pas absent chez tous les autres sujets laisse croire que d'autres gènes peuvent être en cause et que l'alcoolisme n'est peut-être pas un trouble purement génétique (Blum et coll., 1990 ; Hugues, 1989).

Les recherches futures sur la transmission génétique de l'alcoolisme nous feront mieux comprendre la physiologie de ce trouble. Associées aux recherches psychosociales, elles pourront probablement nous indiquer également de nouvelles méthodes de prévention et de traitement.

Théories intrapsychiques   Pendant des années, on a essayé d'expliquer l'alcoolisme par les seules théories intrapsychiques, raison pour laquelle on a abordé pendant si longtemps ce problème dans une perspective morale. Selon ces théories, l'alcoolisme est déterminé par des traits de personnalité et des anomalies du développement. Les recherches récentes ont toutefois grandement discrédité ces théories (Hugues, 1989).

Freud a été le premier à expliquer l'alcoolisme dans une perspective psychanalytique. D'après lui, ce trouble serait le résultat de la fixation aux stades oral, anal ou phallique. Freud disait aussi que l'alcool servait de mécanisme de régression et de moyen de se libérer d'une réalité anxiogène. Selon Freud, plus la fixation et la régression ont lieu tôt dans la vie, plus sombre est le pronostic de guérison. Pour Menninger, la composante principale de l'alcoolisme était la « pulsion autodestructrice ». Adler, quant à lui, attribuait la cause de l'alcoolisme à de forts sentiments d'infériorité et à un désir d'éluder les responsabilités. D'après Adler, l'indulgence et les marques de tendresse excessives rendaient l'enfant incapable de surmonter les frustrations à l'âge adulte et la con-

sommation d'alcool permettait à l'individu d'échapper aux contraintes de la vie adulte.

Les théories de la personnalité peuvent être mises en parallèle avec les théories psychanalytiques. Allport, dont les études portaient sur les traits de l'individu, s'est penché sur les traits de la personnalité propres à l'alcoolique. Sullivan, pour sa part, affirme que la personnalité, dont celle de l'alcoolique, se forme à partir d'un réseau de situations interpersonnelles caractérisant la vie de l'individu. Par ailleurs, les recherches de Lewin portent sur les aspects sociaux de la personnalité de l'alcoolique. Selon lui, l'alcoolique évolue dans un « espace de vie » qui lui est propre. Dans un tel contexte, l'alcool représente l'intangible auquel se lie le soi à ce moment-là.

Théories behavioristes et théories de l'apprentissage   Les théoriciens behavioristes étudient les antécédents de la consommation d'alcool ainsi que les expériences passées, les croyances et les attentes de l'individu. Ces théoriciens cherchent à déterminer les renforcements qui entrent en jeu chez l'alcoolique. Ils se penchent sur les conséquences de la consommation d'alcool ou de l'abstinence, notamment l'accroissement du plaisir ou la diminution de la gêne. Ces théoriciens examinent également les activités associées à la consommation d'alcool, les pressions sociales ainsi que les gratifications et les punitions que le comportement entraîne.

D'après les théories de l'apprentissage, la consommation d'alcool est l'une des stratégies inadaptées apprises servant à atténuer l'anxiété. La consommation d'alcool suivrait un continuum qui va de l'abstinence à la dépendance en passant par la consommation modérée et la consommation excessive. Tous ces comportements sont, pour les théoriciens de l'apprentissage, des réactions apprises. Ils étudient l'influence des modèles sur l'enfant, la quantité d'alcool considérée comme acceptable et sûre, les coutumes reliées à la consommation d'alcool et la signification symbolique de l'alcool (Hugues, 1989).

Théorie socioculturelle   Les adeptes de la théorie socioculturelle étudient l'influence des valeurs et des attitudes culturelles sur le comportement de l'alcoolique. Ils font remarquer que l'incidence de l'alcoolisme est plus faible dans les cultures qui, pour des motifs religieux ou moraux, interdisent ou limitent fortement la consommation d'alcool.

La théorie socioculturelle se fonde sur la prémisse que les valeurs, les perceptions, les normes et les croyances se transmettent d'une génération à l'autre. Dans certaines familles, la consommation d'alcool est quotidienne, tandis que dans d'autres elle est peu fréquente sinon inexistante. L'exposition à la consommation ou à l'abus d'alcool peut déterminer l'apparition de l'alcoolisme. Par exemple, l'enfant qui grandit dans un quartier où les gens boivent dans les rues est davantage prédisposé que l'enfant qui vit dans un milieu où l'abstinence est de règle. De même, l'enfant élevé par un ou deux alcooliques risque davantage de devenir alcoolique que l'enfant élevé par des parents abstinents (Campbell et Graham, 1988).

Les associations d'entraide   Selon la philosophie des associations d'entraide, la dépendance à l'alcool est une maladie en elle-même et non le symptôme d'un autre trouble. Le client qui participe aux réunions de ces associations doit prendre en charge sa guérison et toute tentative de sa part d'en rendre responsable autrui est aussitôt contestée. On part du principe que la guérison n'est jamais acquise et qu'elle doit faire l'objet d'un travail de chaque instant. L'aide de pairs, victimes de la même dépendance, est essentielle. Le mouvement des Alcooliques anonymes a été le premier à se servir d'un programme en 12 étapes, qui se fonde principalement sur l'honnêteté des participants. Les Alcooliques anonymes font une large place à la dimension spirituelle et, selon la philosophie de ce mouvement la guérison dépend en partie de la foi en une « puissance supérieure » (Nowinski, 1990).

Traitement médical

Les modalités de traitement de l'alcoolisme se divisent en trois catégories : biologique, psychologique et sociale. Les études indiquent que les internistes et les omnipraticiens sont les intervenants directs qui ont obtenu le plus de succès dans le traitement de l'alcoolisme. Les travailleurs sociaux viennent ensuite et les psychiatres en dernier. D'autres études révèlent que les Alcooliques anonymes (AA) ont enregistré le taux de succès le plus élevé dans le traitement de l'alcoolisme (Sugerman, 1982). Cependant, avant de tirer des conclusions quant à la réussite d'un traitement, il convient d'examiner le type de traitement qui a été administré. Souvent, l'interniste et l'omnipraticien prescrivent des anxiolytiques. Ce traitement substitue une dépendance à une autre et on peut s'interroger sur son bien-fondé. L'infirmière en psychiatrie doit tenir compte de toutes les formes de traitement dans la planification des soins destinés au client alcoolique.

Traitements biologiques   Les traitements biologiques comprennent les soins médicaux d'urgence prodigués dans les cas suivants : 1) intoxication aiguë et accidents connexes ; 2) désintoxication ou syndrome de sevrage ; 3) administration de médicaments.

Intoxication aiguë   En cas d'intoxication aiguë, le principal problème est de déterminer si l'on est en présence d'une urgence médicale. Beaucoup d'alcooliques sont désorientés ou comateux à leur arrivée au service d'urgence. L'infirmière doit s'informer auprès des amis, des parents et des témoins de la quantité d'alcool que le client a ingérée et de la durée de l'épisode. Le taux d'alcoolémie guide généralement le traitement du client atteint d'intoxication aiguë. Il faut évaluer la perméabilité des voies aériennes, la respiration et la circulation du client afin de déterminer si la ventilation assistée est indiquée. L'insuffisance respiratoire est la cause de décès la plus fréquente en cas d'intoxication aiguë.

Il faut mesurer la tension artérielle, car l'hypotension peut être reliée à un saignement occulte causé par un traumatisme ou des varices œsophagiennes. Pour déceler la présence de sang occulte, il faut examiner les vomissements et les selles. Il faut aussi prendre la température du client, car il peut souffrir d'hypothermie. On effectue souvent un électrocardiogramme pour déceler la présence d'arythmies provoquées par l'alcool. Il faut procéder à un examen physique complet puisque le client peut présenter des blessures dues à des chutes, des bagarres ou des accidents. L'infirmière doit rechercher les signes d'infection, car l'intoxication et l'alcoolisme chronique prédisposent le client à l'aspiration bronchique et à la pneumonie. On effectue un test de dépistage lorsque les symptômes évoquent la possibilité de la consommation d'autres substances toxiques (Lerner et coll., 1988).

Syndrome de sevrage alcoolique.   La désintoxication ou le sevrage engendrent divers symptômes plus ou moins graves. Le syndrome de sevrage alcoolique peut être évolutif et comporter des symptômes mineurs tels que l'agitation, l'anorexie et les nausées. Il peut aussi engendrer des symptômes graves tels que les convulsions et le delirium tremens.

Les symptômes de sevrage apparaissent généralement de six à huit heures après l'arrêt de la consommation d'alcool. Les premiers symptômes sont l'irritabilité, l'anxiété, l'insomnie, les tremblements et une légère tachycardie. Les convulsions de sevrage, qui peuvent durer de quelques secondes à quelques minutes, se manifestent généralement de 6 à 96 heures après l'arrêt de la consommation; dans 90 p. cent des cas, elles se produisent entre 7 et 48 heures. L'état de mal épileptique touche 3 p. cent des clients souffrant du syndrome de sevrage. Pendant le sevrage, des hallucinations, qui durent généralement 3 jours, peuvent se produire de 6 à 96 heures après l'arrêt de la consommation et atteindre le point culminant entre 48 et 72 heures. Les hallucinations peuvent se limiter à des rêves effrayants mais le client peut aussi être victime d'illusions visuelles, auditives, olfactives ou tactiles. Le delirium tremens se produit généralement le quatrième ou le cinquième jour après l'arrêt de la consommation d'alcool, mais il peut aussi n'apparaître que 14 jours plus tard. Les symptômes qui se manifestent chez les clients atteints de delirium tremens sont la confusion mentale, la désorientation, les hallucinations, la tachycardie, l'hypertension ou l'hypotension, les tremblements intenses, l'agitation, la diaphorèse et la fièvre. En général, le delirium tremens dure environ cinq jours; le taux de mortalité, habituellement attribuable à une insuffisance cardiovasculaire, est en-

core de 15 p. cent (on résume au tableau 12-7 les réactions au sevrage.)

L'infirmière doit évaluer fréquemment les signes vitaux. Une élévation de la fréquence cardiaque et de la tension artérielle peut indiquer le déclenchement du delirium tremens. Une respiration rapide peut entraîner l'alcalose respiratoire. L'évaluation doit, en outre, porter sur les troubles concomitants (voir le tableau 12-7).

Le traitement médical commence par l'installation d'une perfusion intermittente, pouvant servir à administrer les médicaments nécessaires. Si le client ne se domine pas et s'il est dangereux pour soi-même ou pour les autres, on peut lui administrer de l'halopéridol (Haldol) par voie intraveineuse. Si le client présente les signes de l'encéphalopathie de Wernicke, on lui administre du chlorhydrate de thiamine par voie intraveineuse. Puisque l'efficacité de la thiamine dépend de la présence du magnésium, un traitement substitutif s'impose si les concentrations sériques de magnésium sont faibles. En présence de signes d'hypoglycémie, on peut administrer du glucose par voie intraveineuse. Plusieurs médicaments sont efficaces pour traiter sans tarder le syndrome de sevrage et pour prévenir les convulsions et le delirium tremens. On commence l'administration de ces médicaments à des doses relativement fortes que l'on diminue progressivement sur une période de cinq

---

Tableau 12-7   *Réactions physiologiques à l'alcool*

Troubles organiques concomitants

Pancréatite aiguë
Hypoglycémie provoquée par l'alcool
Acidocétose alcoolique
Cardiomyopathie
Hémorragies digestives, en particulier dues aux varices
Précoma hépatique et encéphalopathie
Hypothermie
Infections

Réactions au sevrage

Réaction	*Délai d'apparition après arrêt de la consommation*	*Point culminant*
Convulsions	de 6 à 96 heures	de 7 à 48 heures
Hallucinations	de 6 à 96 heures	de 48 à 72 heures
Delirium tremens	de 3 à 14 jours	de 4 à 5 jours

jours (Lerner et coll., 1988 ; Powell et Minick, 1988). (On trouve au tableau 12-8 une liste de ces médicaments.)

Dans la mesure du possible, il faudrait installer le client dans un contexte qui favorise la détente et le bien-être. Il est, par ailleurs, extrêmement important de l'aider à rester en contact avec la réalité. Pour ce faire, l'éclairage doit être suffisant, étant donné que ces clients sont sensibles aux objets vus dans la pénombre. Il faut aussi les aider à s'orienter et leur laisser une montre à portée de la main. Ces clients doivent par ailleurs faire l'objet d'une surveillance constante. Certains spécialistes contestent l'utilité des radios, téléviseurs et téléphones dans la pièce, étant donné que, à leur avis, ces appareils aggravent la confusion du client. D'autres affirment, par contre, qu'ils l'aident à rester en contact avec la réalité. L'infirmière doit, par conséquent, faire appel à son jugement et tenir compte de l'état et des réactions du client. La sécurité du client doit être sa priorité. Bien qu'il puisse être difficile de traiter l'alcoolique en période de sevrage, les contentions doivent être employées judicieusement et, même, évitées autant que possible.

Le niveau d'activité doit être déterminé d'après le degré de lucidité du client, son état physique et la quantité de médicaments qu'il prend. Pendant la période initiale de confusion et de sédation, le repos au lit peut être indiqué. À mesure que les troubles physiques et la confusion mentale disparaissent, il faut encourager le client à marcher et à mener à bien ses activités quotidiennes (Burkhalter, 1975 ; Estes, Smith-DiJulio et Heinemann, 1980 ; Powell et Minick, 1988).

La rémission complète du syndrome de sevrage peut prendre de deux à trois semaines. La réussite du traitement est en grande partie fondée sur la stabilité des contacts et sur l'établissement d'une relation thérapeutique avec une personne à laquelle le client fait confiance, par exemple, une infirmière thérapeute. Le succès du traitement ne peut être assuré que par la participation des membres de la famille et des autres proches du client. Lors de la planification de la sortie, il faudrait prévoir des consultations avec des conseillers en matière d'alcoolisme, des travailleurs sociaux ou des thérapeutes. On a tout avantage à faire appel à des représentants des Alcooliques anonymes pour jeter les bases d'un traitement prolongé (Hough, 1989 ; Powell et Minick, 1988).

Administration de médicaments (pharmacothérapie) On peut traiter certains alcooliques au disulfirame (Antabuse), qui est un inhibiteur enzymatique. Le disulfirame inhibe l'aldéhyde-déshydrogénase et entraîne une accumulation d'acétaldéhyde en cas de consommation d'alcool, ce qui cause une réaction chimique, appelée réaction disulfirame-alcool. Cette réaction peut se produire dans les 5 à 10 minutes qui suivent l'ingestion d'alcool et elle peut durer de 30 minutes à quelques heures. Les symptômes sont les bouffées vasomotrices, les nausées, les vomissements abondants, la soif, la diaphorèse, la dyspnée, l'hyperventilation, les céphalées pulsatiles, les palpitations, l'hypotension, les douleurs thoraciques, la syncope, l'anxiété, la vision trouble, la faiblesse et la confusion. Les réactions graves peuvent causer des arythmies accompagnées d'infarctus du myocarde, le collapsus cardiovasculaire, la dépression respiratoire, le coma, les convulsions et la mort. En présence d'une réaction disulfirame-alcool, l'infirmière doit surveiller les signes vitaux du client, assurer la perméabilité de ses voies respiratoires, veiller à l'équilibre hydrique et administrer de l'oxygène (Townsend, 1990).

Initialement, on administre 500 mg de disulfirame tous les matins, pendant deux semaines. Par la suite, la dose quotidienne est de 125 mg à 500 mg, la dose moyenne étant de 250 mg. On poursuit l'administration de disulfirame jusqu'à ce que le client puisse maîtriser son comportement de façon permanente, ce qui peut durer de quelques mois à quelques années.

L'administration du disulfirame doit se faire sous étroite surveillance. Il est essentiel que le client comprenne les conséquences du traitement. Ainsi, il doit savoir que les effets du disulfirame persistent pendant 14 jours après l'arrêt de la médication. La consommation d'alcool pendant cette période engendre une réaction disulfirame-alcool. Le client doit être mis en garde contre tous les produits qui contiennent de l'alcool : rince-bouche, sirops contre la toux, liniments, lotions après-rasage, etc. Même

Tableau 12-8   *Médicaments administrés pour traiter le syndrome du sevrage alcoolique*

Médicament	Voie	Posologie
Chlordiazépoxide (Librium)	orale ; IV	de 25 mg à 50 mg, toutes les 4 à 6 heures
Diazépam (Valium)	orale ; IV	de 5 mg à 10 mg, quatre fois par jour
Lorazépam (Ativan)	orale ; IM ; IV	2 mg, au besoin
Clorazépate dipotassique (Tranxène)	orale	15 mg, quatre fois par jour
Oxazépam (Serax)	orale	de 15 mg à 30 mg, quatre fois par jour
Chlorhydrate de thiamine	orale ; IM ; IV	100 mg par jour
Halopéridol (Haldol)	IM	5 mg, toutes les 30 à 60 minutes
Sulfate de magnésium	IV	selon les besoins

les préparations à usage externe sont dangereuses, car elles peuvent être absorbées par la peau et causer une réaction disulfirame-alcool. (On présente au tableau 12-9 la liste des aliments et des produits à éviter pendant un traitement au disulfirame.) Il faut, en outre, enseigner au client les effets secondaires du disulfirame et l'informer que la somnolence, la fatigue, les maux de tête, la névrite périphérique, le trouble de l'érection et le goût métallique ou alliacé disparaîtront après deux semaines de traitement environ. Plus la prise de disulfirame est prolongée, plus le client devient sensible à l'alcool. On doit l'inciter à porter un bracelet « Medic-Alert » ou une carte faisant état de la prise du médicament. Certains organismes font signer un formulaire de consentement éclairé à leurs clients avant d'entreprendre un traitement au disulfirame. On recommande d'accompagner le traitement au disulfirame par une pyschothérapie de soutien (Townsend, 1990).

Traitements psychologiques   Les traitements psychologiques de l'alcoolisme sont extrêmement variés. Le plus fréquemment, pendant la crise et la période de désintoxication le client est traité dans un centre hospitalier, puis muté dans un établissement de santé spécialisé dans le traitement de l'alcoolisme. On peut se servir à ce moment-là de diverses méthodes : traitement dans le service de consultations externes, psychothérapie individuelle, psychothérapie de groupe, psychothérapie familiale, psychothérapie par le milieu... Les principaux objectifs de ces modes de traitement sont d'aider le client à : 1) reconnaître l'existence de sa maladie ; 2)

l'accepter ; 3) acquérir les mécanismes d'adaptation appropriés ; 4) réduire ou éliminer sa consommation d'alcool ; 5) améliorer son concept de soi (Estes, Smith-DiJulio et Heinemann, 1980 ; Levin, 1987 ; Sugerman, 1982).

Lors de la thérapie de groupe, les alcooliques évoluent dans un cadre qui favorise la conscientisation de leur état et l'apprentissage des stratégies d'adaptation au stress. La thérapie de groupe peut aussi prendre la forme d'une thérapie familiale qui permettra de dégager les modes de communication familiaux qui poussent au comportement alcoolique.

La thérapie peut aussi être poursuivie dans un service de consultations externes, lors de séances de soir, lors d'une hospitalisation partielle, lors de soins à domicile de courte durée ou de soins de

Tableau 12-9   *Produits à éviter pendant un traitement au disulfirame (Antabuse)*

Substances	Aliments
Anxiolytiques	Essences culinaires, particulièrement l'extrait de vanille
Anticoagulants	
Sirops contre la toux et le rhume	Mets contenant du vin
Analgésiques liquides	Vinaigrettes
Rince-bouche	Sauces
Alcool à friction	Caféine
Tampons alcoolisés	
Liniments	
Lotions après-rasage	
Eaux de Cologne	
Dissolvant de vernis à ongles	

longue durée et de séjour dans une maison de réadaptation. La Maison Jean-Lapointe Inc. offre un programme de réadaptation pour alcooliques, basé sur la compréhension et le respect de la personne. Exposés, films, lectures, travail individuel et de groupe forment l'essentiel du programme. La possibilité d'un stage en résidence, d'une durée de 21 jours, pour adultes de 18 ans et plus, est offerte à toute personne ayant un véritable problème d'alcool qui a le désir sincère de s'en sortir. Un programme pour la famille complète l'approche globale pour combattre l'alcoolisme.

Traitements sociologiques   Le mieux connu des traitements sociologiques est celui que le client peut suivre au sein de l'un des groupes d'entraide des Alcooliques anonymes (AA). Le programme non professionnel en 12 étapes est axé sur les relations individuelles et les interactions du groupe. Il ne réussit qu'à condition que l'alcoolique reconnaisse l'existence de sa maladie. Il doit s'abstenir complètement de l'alcool et on l'encourage à considérer l'alcoolisme comme un problème qui le dépasse (on trouve au tableau 12-10 les 12 étapes des AA).

En 1990, on comptait plus de 76 000 groupes d'AA dans le monde. Les AA accueillent les adolescents ainsi que les adultes. Afin de protéger l'anonymat, les participants ne sont connus que par leurs prénoms. Le client trouve dans ce groupe le soutien dont il a besoin pour changer de mode de vie. Les témoignages d'anciens alcooliques aident les nouveaux membres à vaincre leur maladie.

Des groupes affiliés aux AA offrent un soutien aux familles des alcooliques. Ainsi, le groupe Al-Anon fournit aux proches d'alcooliques l'occasion de faire part de leur expérience et de mieux comprendre l'alcoolisme. Les Alateen sont des groupes de soutien destinés aux adolescents dont les parents sont alcooliques.

L'Armée du salut, organisme communautaire bien connu pour son travail auprès des alcooliques sans-abri, aide aussi les anciens alcooliques à réintégrer le marché du travail.

Enfin, dans le domaine sociologique, il ne faut pas négliger l'apport du clergé. Son rôle en est devenu un de catalyseur, en ce sens qu'il pousse la société à analyser les aspects spirituels et moraux de questions critiques comme l'alcoolisme. La communauté religieuse offre son aide aux personnes qui essaient de trouver un sens à leur vie. Les ecclésiastiques reçoivent une formation de conseillers. Ceux d'entre eux qui ont appris à aider les alcooliques sans les culpabiliser ni leur donner des remords peuvent grandement favoriser leur guérison (Hancock, 1982).

Malgré l'existence de nombreux programmes destinés aux alcooliques, beaucoup d'entre eux ne reçoivent jamais de traitement. On estime que de 65 à 70 p. cent des alcooliques n'en recherchent jamais (Fingarette, 1988). Pour que le traitement porte fruit, il faut que l'alcoolisme soit rapidement décelé, que la personne reconnaisse qu'elle a besoin de soins et qu'elle ait accès aux services appropriés.

Collecte des données

Les soins infirmiers administrés au client alcoolique reposent essentiellement sur la collecte des données. On peut obtenir les principales données de la part du client, de sa famille ou de ses proches. Elles proviennent aussi de ses dossiers médicaux ou sociaux, des résultats de ses épreuves diagnostiques et des dossiers infirmiers. Il est essentiel d'établir un bilan de santé détaillé et d'effectuer un examen physique approfondi afin de déceler les troubles du client et de dégager les diagnostics infirmiers correspondants. L'infirmière doit être consciente du fait que, lors des entrevues, les clients alcooliques ont tendance à minimiser la quantité d'alcool qu'ils consomment. C'est pourquoi il faut poser des questions directes. Par exemple, il est plus utile de demander : « Quelle quantité d'alcool buvez-vous ? » que « Buvez-vous de l'alcool ? ». L'infirmière doit poser des questions impartiales et simples au client.

Comme la consommation de boissons alcoolisées est très répandue dans notre société, l'infirmière doit interroger le client à ce sujet pendant qu'elle dresse le bilan de santé. Si elle découvre que le client consomme fréquemment de l'alcool, elle doit se faire une idée plus précise de la situation en recueillant des données relatives à ce

Tableau 12-10   *Les 12 étapes des Alcooliques anonymes*

1. Nous avons admis que nous étions impuissants devant l'alcool – que nous avions perdu la maîtrise de nos vies.
2. Nous en sommes venus à croire qu'une puissance supérieure à nous-mêmes pouvait nous rendre la raison.
3. Nous avons décidé de confier notre volonté et nos vies aux soins de Dieu tel que nous Le concevions.
4. Nous avons courageusement procédé à un inventaire moral, minutieux de nous-mêmes.
5. Nous avons avoué à Dieu, à nous-mêmes et à un autre être humain la nature exacte de nos torts.
6. Nous avons pleinement consenti à ce que Dieu élimine tous ces défauts de caractère.
7. Nous Lui avons humblement demandé de faire disparaître nos déficiences.
8. Nous avons dressé une liste de toutes les personnes que nous avions lésées et consenti à leur faire amende honorable.
9. Nous avons réparé nos torts directement envers ces personnes partout où c'était possible, sauf lorsqu'en ce faisant, nous pouvions leur nuire ou faire tort à d'autres.
10. Nous avons poursuivi notre inventaire personnel et promptement admis nos torts dès que nous nous en sommes aperçus.
11. Nous avons cherché par la prière et la méditation à améliorer notre contact conscient avec Dieu, tel que nous Le concevions, Lui demandant seulement de connaître Sa volonté à notre égard et de nous donner la force de l'exécuter.
12. Ayant connu un réveil spirituel comme résultat de ces étapes, nous avons alors essayé de transmettre ce message à d'autres alcooliques et de mettre en pratique ces principes dans tous les domaines de notre vie.

Source : Les Services des publications françaises des AA du Québec : *Y a-t-il un alcoolique dans votre vie ?*, Montréal, 1977.

comportement. Le cas échéant, ces données lui permettront de reconnaître les risques d'apparition du syndrome de sevrage alcoolique ou d'autres états critiques. On présente au tableau 12-11 un questionnaire permettant une collecte rapide des données.

Une fois le diagnostic d'alcoolisme confirmé, l'infirmière doit dresser le bilan de santé du client alcoolique. L'exemple qui suit porte sur cinq domaines : comportemental, affectif, cognitif, physiologique et socioculturel. Cette collecte des données peut s'effectuer en une ou plusieurs séances.

BILAN DE SANTÉ
Client alcoolique

Données sur le comportement
Pour quelle raison êtes-vous venu nous consulter ?
De quel genre d'aide avez-vous besoin en ce moment ?
Quel âge aviez-vous quand vous avez pris votre premier verre ? quand vous avez commencé à boire régulièrement ?
À quel moment avez-vous commencé à avoir des problèmes à cause de l'alcool ?

À quelle fréquence buvez-vous actuellement ? Qu'est-ce que vous buvez ?
Quelle quantité d'alcool buvez-vous en une journée ? Est-ce que vous buvez la même quantité d'alcool tous les jours ?
Quelle est la quantité de chaque boisson alcoolisée que vous buvez ?
Quand avez-vous pris notre dernier verre ?
À quel moment le présent épisode de consommation d'alcool a-t-il commencé ?
Quelle est la fréquence de vos épisodes de consommation d'alcool ?
Qu'est-ce que vous avez bu avant de venir nous consulter ?
Prenez-vous des médicaments ? Si oui, lesquels ? Comment vous procurez-vous ces médicaments : sur ordonnance, en les achetant librement ou de manière illicite ?
Prenez-vous d'autres médicaments ? Si oui, lesquels ?
Est-ce que vous prenez des doses égales, supérieures ou inférieures aux doses recommandées ?

Données sur l'état affectif
Quelle est votre humeur habituelle ?
De quoi vous sentez-vous coupable dans votre vie ?

Tableau 12-11   *Questionnaire permettant une collecte rapide des données en cas de syndrome de sevrage alcoolique imminent**

Syndrome de sevrage

Quand avez-vous pris votre dernier verre?

Quand est-ce que cet épisode de consommation d'alcool a commencé?

Quand est-ce que l'épisode précédent a eu lieu?

Qu'est-ce que vous avez bu? En quelle quantité?

Quelle quantité d'alcool avez-vous consommée chaque jour pendant cet épisode?

Quelle quantité d'alcool consommez-vous habituellement pendant un épisode?

Quelles sont vos réactions lorsque vous arrêtez de boire?

_____ Tremblements		_____ Delirium tremens	
_____ Hallucinations auditives		_____ Convulsions	
_____ Hallucinations visuelles		_____ Autres	

Avez-vous déjà pris l'un de ces médicaments contre l'une ou plusieurs des réactions ci-dessus mentionnées?

_____ Valium	_____ Dilantin
_____ Librium	_____ Thorazine
_____ Paraldéhyde	_____ Vistaril
_____ Hydrate de chloral	_____ Autres

Est-ce que vous prenez des médicaments actuellement? Si oui, comment vous les procurez-vous?

_____ Sur ordonnance   Préciser:

_____ En les achetant librement   Préciser:

_____ De manière illicite   Préciser:

Souffrez-vous d'allergies médicamenteuses? Si oui, à quels médicaments?

Autres urgences

Avez-vous récemment subi des accidents ou des blessures?

_____ Chutes

_____ Bagarres

_____ Accidents de la route

_____ Autres accidents

Avez-vous éprouvé récemment un ou plusieurs des symptômes suivants?

_____ Douleur	_____ Pertes d'équilibre
_____ Saignements (préciser)	_____ Vision trouble ou
_____ Troubles respiratoires	double
_____ Vomissements	_____ Confusion
_____ Diarrhée	_____ Trous de mémoire
	_____ Autres

Souffrez-vous d'une ou de plusieurs des maladies chroniques suivantes?

_____ Diabète	_____ Maladie de
_____ Maladie du poumon	l'estomac
(BPCO, bronchite)	_____ Maladie du foie
_____ Maladie du cœur	_____ Maladie de la peau
	_____ Autres

Décrivez les aspects de votre vie par rapport auxquels vous ressentez un sentiment d'échec.

En quoi votre consommation d'alcool vous donne-t-elle l'impression de ne pas maîtriser votre vie?

Quels sont les sentiments suscités par votre envie de boire?

Avez-vous souffert de troubles mentaux ou affectifs? Avez-vous déjà souffert de dépression, d'anxiété (de nervosité), de solitude? Avez-vous déjà fait des tentatives de suicide?

Données sur l'état cognitif

Que prévoyez-vous faire au sujet de votre consommation d'alcool quand vous sortirez d'ici?

Quelles sont les choses dont vous avez du mal à vous souvenir?

Avez-vous déjà comblé vos trous de mémoire par des inventions? De quel genre?

Quels genres de voix entendez-vous?

Avez-vous déjà vu des choses que les autres ne voyaient pas? Quelles étaient ces choses?

Données sur l'état physiologique

De quelles maladies souffrez-vous?

(Les questions suivantes portent sur des organes que le client peut mentionner.)

Appareil digestif

Qu'est-ce que vous mangez pendant les périodes où vous buvez?

Comment mangez-vous habituellement? lorsque vous buvez? lorsque vous ne buvez pas?

Est-ce que votre appétit a changé récemment?

Est-ce que votre poids a changé récemment? Combien de kilos avez-vous perdus? gagnés?

Suivez-vous un régime spécial?

Quels liquides buvez-vous à part l'alcool? En quelle quantité? À quelle fréquence?

Avez-vous récemment souffert d'irritations de la bouche et de la gorge?

Avez-vous mal à l'estomac? Décrivez les douleurs que vous ressentez.

Avez-vous des brûlures d'estomac ou des gaz? Éructez-vous fréquemment?

Avez-vous eu des nausées récemment? Pendant combien de temps avant que vous ne veniez nous voir?

Avez-vous vomi ou avez-vous eu des haut-le-cœur? Avez-vous vomi du sang?

Avez-vous des ulcères ou d'autres troubles gastriques?

Souffrez-vous de diarrhée ou de constipation?

Avez-vous des hémorroïdes?

Avez-vous des varices œsophagiennes?

---

* Ce questionnaire est particulièrement utile pour les infirmières qui travaillent dans les services d'urgence et dans les services psychiatriques de consultations externes.

Y a-t-il déjà eu du sang dans vos selles?

De quelle couleur sont vos selles?

Avez-vous déjà eu la peau ou le blanc des yeux jaune?

Vous a-t-on déjà dit que vous souffriez de diabète ou de maladies du foie ou du pancréas?

Prenez-vous des médicaments contre le diabète? Si oui, lesquels?

Appareils cardiovasculaire et respiratoire

Vous a-t-on déjà dit que vous souffriez de troubles cardiaques? Si oui, lesquels?

Avez-vous parfois le souffle court?

Avez-vous parfois les mains et les pieds enflés?

Avez-vous déjà eu des douleurs thoraciques?

Prenez-vous des médicaments pour le cœur? Si oui, lesquels?

Avez-vous déjà eu une pneumonie?

Est-ce que vous fumez? Combien?

Souffrez-vous de maladies pulmonaires? Toussez-vous? Crachez-vous du sang?

Système nerveux

Vous est-il arrivé d'avoir un trou de mémoire ou des périodes d'amnésie pendant que vous buviez?

Ressentez-vous des picotements ou des douleurs aux mains et aux pieds? Sont-ils parfois engourdis?

Avez-vous des douleurs musculaires dans les jambes et dans les bras?

Avez-vous dû modifier la quantité d'alcool que vous buvez afin d'obtenir l'effet que vous désirez? Est-ce qu'il vous en faut plus ou moins?

Quelles sont vos réactions lorsque vous cessez de boire: des tremblements, le delirium tremens, des convulsions, des hallucinations auditives, des hallucinations visuelles?

Prenez-vous des médicaments contre les convulsions? Si oui, lesquels?

Avez-vous déjà souffert de troubles visuels?

Est-ce que vous dormez bien? Pendant combien d'heures dormez-vous pendant vos épisodes d'ivresse? lorsque vous êtes sobre? L'alcool modifie-t-il la qualité de votre sommeil?

Données sur la vie socioculturelle

Quelle est votre situation de famille?

Avec qui vivez-vous?

Combien d'enfants avez-vous? Est-ce que vous vous sentez proche d'eux? Combien de temps passez-vous avec eux chaque jour?

Est-ce que la personne avec laquelle vous vivez boit avec vous?

Avez-vous subi des pertes importantes au cours des six derniers mois?

Est-ce que votre stress a changé d'intensité au cours des six derniers mois? De quelle façon?

Avez-vous un emploi? Combien d'heures travaillez-vous par semaine? Est-ce que le traitement aura des conséquences sur votre travail?

Quels sont vos passe-temps?

Décrivez une journée typique passée à la maison.

Faites-vous partie d'un groupe religieux?

Avez-vous des amis, des voisins ou d'autres personnes avec lesquelles vous buvez?

Faites-vous partie des AA? Suivez-vous un quelconque programme thérapeutique? Avez-vous déjà suivi un tel programme? Si oui, quand?

Examen physique

L'examen physique doit accompagner l'entrevue. Cet examen ne doit rien laisser au hasard, car l'alcool touche de nombreux organes. Pour commencer, l'infirmière doit analyser les réponses du client aux questions posées lors de l'établissement du bilan de santé. Pendant l'examen physique, elle observe l'apparence générale du client, prend les signes vitaux et effectue ses évaluations de la tête aux pieds.

Peau et cuir chevelu   Suivant le stade de la maladie, le traumatisme que le client a pu subir, la qualité de son hygiène et son degré de malnutrition, l'infirmière doit rechercher des atteintes à l'intégrité de la peau et du cuir chevelu. Elle peut alors découvrir des ecchymoses, des lacérations, des modifications de couleur, des cicatrices ou des tuméfactions. Le client peut aussi transpirer abondamment. Les contusions, les lacérations et de nombreuses cicatrices sont les signes de blessures fréquentes dues à des coups, des chutes et des bagarres. Par ailleurs, étant donné la diminution de la production de prothrombine, en cas de troubles hépatiques avancés, la peau devient facilement meurtrie. Les carences en vitamine B provoquent la dermatite, la séborrhée et la photosensibilité (Tweed, 1989). Le client dont l'hygiène est insuffisante a la peau et les ongles mal soignés. Les risques d'impétigo, de gale et de pédiculose sont accrus. En cas d'alcoolisme avancé, des angiomes stellaires se forment sur le visage et, parfois, sur la poitrine. La diaphorèse peut annoncer le syndrome de sevrage alcoolique. Un œdème déclive peut indiquer une atteinte hépatique. Une dermatite de stase révèle que l'œdème est présent depuis quelque temps déjà.

Tête   L'infirmière observe le visage du client afin d'en évaluer la forme et la symétrie des structures. Elle doit palper les arcades sourcilières et les os qui entourent les yeux afin de déceler des fractures. En cas d'alcoolisme avancé, on observe souvent un œdème facial, c'est-à-dire que le visage est bouffi et que le nez et les joues sont rouges.

L'infirmière doit examiner attentivement les yeux du client. La sclérotique peut être jaune à cause de l'hépatite ou de la cirrhose. Les glandes palpébrales peuvent être infectées. L'infirmière doit évaluer les mouvements oculaires pour déceler le nystagmus ou une paralysie touchant le regard latéral ou provoquant une déviation conjuguée des yeux. Lorsque ces signes sont présents, on peut soupçonner que le client souffre du syndrome de Wernicke. La forme des pupilles, leur similitude et leur réaction à la lumière permettent d'évaluer la fonction nerveuse. Une paresse de l'accommodation est un signe de lésion des nerfs (Schenk, 1989).

L'infirmière doit ensuite porter son attention sur les conduits auditifs. Une rougeur excessive est un signe d'infection. Puisque les traumatismes sont fréquents chez les alcooliques, l'inspection des conduits auditifs permet de déceler la présence de corps étrangers, d'exsudat, de sang et de lésions.

L'examen de la muqueuse nasale permet de déceler la présence d'infection qui se manifeste par des rougeurs. On trouve fréquemment chez les alcooliques des fractures du nez et la perforation de la cloison nasale à cause de traumatismes.

L'infirmière cherche des signes de traumatisme et de chéilite sur les lèvres du client. Les gerçures et les fissures des commissures sont des signes précoces de carence en vitamine B. Étant donné que les alcooliques ont souvent de mauvaises dents et que leur hygiène buccale est insuffisante, l'infirmière doit examiner la bouche du client pour déceler les caries, les fissures et les dents manquantes et pour déterminer la forme, l'état et la sensibilité de la dentition. Elle doit aussi observer la couleur et la consistance des gencives, et noter la présence d'inflammation, de saignements et de rétraction.

L'infirmière évalue la couleur de la langue et note la présence d'œdème, d'ulcération et d'enduit saburral. Elle doit également noter toute modification de la taille et de la position. Un enduit blanchâtre, une saillie des papilles au bout de la langue (la langue scarlatineuse) et les fissures sont les conséquences d'une carence en niacine.

L'haleine malodorante est un signe manifeste qui doit inciter l'infirmière à poser au client les questions relatives aux habitudes de consommation. L'haleine qui sent l'alcool peut aider l'infirmière à diagnostiquer l'alcoolisme chez les jeunes et chez les autres clients qui ne correspondent pas au stéréotype de l'alcoolique.

Pendant l'examen du cou, l'infirmière note la couleur, la texture de la peau, la présence de cicatrices et de masses, la symétrie, l'amplitude des mouvements et les pulsations visibles. Les alcooliques de longue date peuvent souffrir de myocardiopathie avec insuffisance cardiaque, ce qui entraîne une pression veineuse élevée et une turgescence des veines jugulaires. Les varices œsophagiennes peuvent causer des difficultés de déglutition.

Thorax   Comme les alcooliques affaiblis sont prédisposés à la pneumonie et à la tuberculose, il convient de noter la fréquence et la qualité de la respiration du client. L'auscultation peut révéler une modification des bruits respiratoires. L'infirmière doit noter la présence et les caractéristiques d'expectorations douteuses.

La palpation peut révéler une sensibilité due à des fractures des côtes. La gynécomastie est répandue en cas de cirrhose ou de trouble hépatique chronique. Il faut évaluer la fréquence cardiaque, le pouls périphérique et apical, les principaux vaisseaux du cou et la tension artérielle. La tachycardie et l'hypertension transitoire peuvent accompagner le sevrage.

Abdomen   La répartition de la masse corporelle permet à l'infirmière d'évaluer l'état nutritionnel général du client. La difficulté à perdre du poids peut constituer un signe révélateur. En effet, l'apport énergétique excessif, par suite de la consommation d'alcool, peut être la cause de l'échec du régime amaigrissant. L'observation du contour abdominal peut révéler une obésité avec répartition normale de la graisse excédentaire, des flancs bombés, la rétention hydrique et la peau tendue et luisante ainsi que l'ascite.

Les troubles gastro-intestinaux tels que l'œsophagite, la gastrite, la pancréatite et l'hépatite alcoolique sont des complications fréquentes de l'alcoolisme. L'alcool a un effet toxique sur la muqueuse intestinale ; il inhibe l'absorption normale des nutriments et cette absorption réduite accroît les besoins nutritionnels. De plus, l'alcool diminue les réserves de nutriments et en accroît l'excrétion. Comme la vitamine B est nécessaire au métabolisme de l'alcool, chez le client alcoolique, les besoins en vitamines du complexe B sont accrus (Schenk, 1989).

L'irritabilité gastro-intestinale ou les hémorragies digestives peuvent avoir pour effet l'intensification des bruits intestinaux. Pour déceler les hémorragies, l'infirmière doit vérifier si le client vomit du sang, s'il a des selles noires ou goudronneuses ou s'il présente une rectorragie. L'anorexie, les nausées, les vomissements, la fièvre et la sensibilité du foie sont des signes précoces d'hépatite. Les signes plus tardifs sont des selles claires, des urines foncées et la jaunisse, qui est plus facile à déceler sur l'abdomen, car cette partie du corps est moins exposée aux rayons du soleil. Toutefois, en présence d'un client à la peau sombre, il convient d'examiner la sclérotique.

Appareil musculo-squelettique

Appareil musculo-squelettique   L'examen de l'appareil musculo-squelettique doit comprendre l'observation de la taille, de la symétrie, des déformations, du contour, de l'œdème et d'une modification de la couleur de la peau des diverses parties du corps. Ce sont souvent les fractures qui décident les « nouveaux » alcooliques à demander une consultation. En cas d'alcoolisme chronique, on note une atteinte de la structure osseuse due à une mauvaise absorption et à l'excrétion excessive du calcium ; l'atrophie musculaire, due à la carence protéinique, peut également être présente (Weisberg et Hawes, 1989).

Appareil génito-urinaire   Il faut examiner la densité relative, la couleur, la transparence et l'odeur des urines du client alcoolique pour déterminer l'équilibre hydrique, la déshydratation ou une infection possible. La polyurie, la déshydratation, l'hyperhydratation et des infections des voies urinaires sont des symptômes courants.

Les alcooliques de longue date de sexe masculin peuvent présenter de l'atrophie testiculaire et des dysfonctions sexuelles. Chez les alcooliques de sexe féminin, l'incidence de l'aménorrhée et des troubles gynécologiques est plus élevée que chez les autres femmes.

Système nerveux   Les principaux aspects de l'état neurologique que l'infirmière doit observer sont l'état de conscience, l'état mental et la fonction motrice. Les troubles neurologiques associés à l'alcoolisme chronique sont surtout provoqués par les déficits nutritionnelles (Luckman et Sorensen, 1987). La modification du comportement, accompagnée de confusion, peut provenir d'une carence en glucose dans le cerveau. Par ailleurs, même en présence d'une quantité suffisante de glucose, la production d'énergie peut être abolie lorsque le métabolisme de l'alcool prive l'organisme de niacine et de thiamine (Tweed, 1989).

L'infirmière peut évaluer l'état de conscience du client à l'occasion de ses conversations avec lui. Elle peut alors observer son niveau d'excitation, ses réponses aux ordres et ses réactions à des stimuli douloureux. L'état de conscience est altéré lorsque le client est en état de stupeur alcoolique. Puisque l'alcoolique peut être désorienté, l'infirmière doit noter son orientation dans le temps et dans l'espace et la reconnaissance des personnes. Les alcooliques présentent également des sautes d'humeur.

Pour évaluer la fonction motrice du client, l'infirmière doit observer les fonctions du système nerveux, le comportement alimentaire, l'expression du visage, le discours et les mouvements. L'alcoolique au stade avancé peut présenter des tremblements au repos ainsi que des tremblements intentionnels. L'asterixis (« flapping tremor ») apparaît en cas de coma hépatique imminent (Luckman et Sorensen, 1987). L'ataxie et la démarche titubante sont fréquentes en cas d'intoxication, tandis que l'hyperréflexie se manifeste lors du sevrage alcoolique. Pour évaluer la fonction sensorielle, l'infirmière peut appliquer du froid ou de la chaleur ou encore piquer le client avec une épingle ou un coton-tige.

Après avoir dressé le bilan de santé, effectué l'examen physique et passé en revue ses connaissances de base, l'infirmière est prête à analyser et à interpréter les données recueillies.

Analyse des données et planification des soins

Les interventions de l'infirmière dépendent fortement des nombreux diagnostics infirmiers reliés aux problèmes de santé de l'alcoolique. Ces diagnostics permettent aux infirmières qui travaillent auprès de clients alcooliques d'utiliser un langage commun. Ils sont regroupés en trois catégories, soit ceux qui ont trait : 1) à l'intoxication aiguë ; 2) au syndrome de sevrage alcoolique ; 3) à l'alcoolisme chronique. (On présente au tableau 12-12 les diagnostics infirmiers les plus courants.)

L'infirmière doit dégager ses priorités à partir de la liste des diagnostics et, en règle générale, elle doit accorder une priorité absolue aux diagnostics reliés à des troubles qui menacent la vie du client. Elle ne doit pas non plus négliger les problèmes reliés au développement. L'adolescent, la mère de famille, le retraité et le cadre supérieur ont, dans ce domaine, des besoins différents. Pour établir les priorités dans le cas du client alcoolique, on s'est souvent servi du modèle de Maslow. Habituellement, l'infirmière doit s'attaquer simultanément à plusieurs diagnostics, comme l'indiquent les plans de soins infirmiers présentés plus loin.

Une fois les priorités établies, il faut formuler des objectifs de soins. Idéalement, le client et l'infirmière devraient poursuivre les mêmes objectifs. Toutefois, comme les connaissances de base de l'infirmière sont supérieures à celles du client, elle doit aider celui-ci à comprendre les problèmes et les diagnostics reliés à l'alcoolisme. (On trouve au tableau 12-13 les objectifs reliés à certains diagnostics infirmiers propres au client alcoolique.)

Tableau 12-12 *Diagnostics infirmiers chez les clients alcooliques*

Intoxication aiguë
  Risque d'incapacité d'avaler
  Risque de trauma
  Risque de perturbation des échanges gazeux
  Déficit nutritionnel
  Perturbation des habitudes de sommeil
  Peur
  Incapacité de s'alimenter, de se laver/d'effectuer ses soins d'hygiène, de se vêtir/de soigner son apparence, d'utiliser les toilettes

Syndrome de sevrage alcoolique
  Perturbation des habitudes de sommeil
  Incapacité d'avaler
  Risque de trauma
  Risque de déficit de volume liquidien
  Risque d'intolérance à l'activité
  Déficit nutritionnel
  Altération de la perception sensorielle : visuelle, auditive, kinesthésique, gustative, tactile, olfactive
  Risque d'atteinte à l'intégrité de la peau
  Altération des opérations de la pensée
  Peur
  Anxiété
  Altération de l'élimination urinaire

Alcoolisme chronique
  Incapacité de s'adapter à un changement dans l'état de santé
  Stratégies d'adaptation individuelle inefficaces
  Perturbation de la dynamique familiale
  Difficulté à se maintenir en santé
  Risque d'infection
  Risque de trauma
  Manque de connaissances
  Déficit nutritionnel
  Incapacité de s'alimenter, de se laver/d'effectuer ses soins d'hygiène, de se vêtir/de soigner son apparence/d'utiliser les toilettes
  Dysfonctionnement sexuel
  Perturbation des interactions sociales
  Isolement social
  Détresse spirituelle
  Risque de violence envers soi ou envers les autres

Après avoir établi les objectifs de soins, l'infirmière détermine les interventions qui permettront au client de les atteindre (Carpenito, 1989).

Tableau 12-13 *Exemples de diagnostics infirmiers du client alcoolique et objectifs de soins*

Diagnostic infirmier : Risque de perturbation des échanges gazeux.
Objectif : Le client a les voies respiratoires libres pendant huit heures.

Diagnostic infirmier : Déficit nutritionnel.
Objectif : Le client absorbe un minimum de 6280 kJ au cours d'une période de 24 heures.

Diagnostic infirmier : Altération de la perception sensorielle : visuelle, auditive, kinesthésique, gustative, tactile, olfactive.
Objectif : Le client dit son nom, l'endroit où il se trouve, la date et l'heure.

Diagnostic infirmier : Perturbation des habitudes de sommeil.
Objectif : Le client dort ou se repose par intervalles de 4 à 6 heures.

Diagnostic infirmier : Isolement social.
Objectif : Le client assiste quotidiennement aux réunions des AA pendant 90 jours.

Tableau 12-14 *Catégories d'intoxication rencontrées en salle d'urgence*

Classe I	Le client est conscient mais ivre sur le plan clinique (ce que confirme son alcoolémie). Son discours est décousu, sa démarche, ataxique, et son activité mentale, ralentie. Le client est indocile et belliqueux.
Classe II	Le client est en état de coma vigile (coma de stade I). Il dort profondément, mais réagit aux stimuli douloureux. La plupart des réflexes sont présents.
Classe III	Le client est comateux. Il ne réagit pas aux stimuli douloureux. Certains réflexes sont présents.
Classe IV	Le client est dans un coma profond. Il ne réagit pas aux stimuli douloureux. Il n'a aucun réflexe, mais ne présente pas de troubles respiratoires ou circulatoires.

Source : L. Linn. « Other psychiatric emergencies » dans H.I. Kaplan et B.J. Sadock (éditeurs), *Comprehensive Textbook of Psychiatry*, 4ᵉ édition, vol. II, Williams and Wilkins, 1985, p. 1323-1324.

Soins destinés au client atteint d'intoxication alcoolique aiguë

L'intoxication alcoolique aiguë constitue une urgence médicale. Le client peut sembler ivre mais nie qu'il a consommé de l'alcool. Pour déterminer le degré d'intoxication, on mesure généralement le taux d'alcoolémie. (Voir au tableau 12-4, page 485, les comportements associés aux divers taux d'alcoolémie.) L'infirmière ne doit pas négliger les risques de polytoxicomanie. Suivant le taux d'alcoolémie, l'état neurologique et la présence de blessures, il faudrait ou bien hospitaliser le client ou bien le faire admettre dans une unité de désintoxication. (On présente au tableau 12-14, les quatre catégories d'intoxication rencontrées en salle d'urgence.)

En règle générale, les clients atteints d'intoxication alcoolique ont besoin de dormir. L'infirmière doit observer attentivement le client pendant son sommeil et rechercher les signes de dépression du système nerveux central. Si le client est bruyant et agressif, il faut lui administrer des sédatifs. L'infirmière doit s'assurer que le client n'a pas de blessures à la tête ni d'autres traumatismes avant d'installer des perfusions intraveineuses, d'administrer des médicaments ou d'effectuer des traitements.

Les soins de l'infirmière en cas d'intoxication alcoolique aiguë consistent globalement à :

- installer le client dans un cadre paisible, à l'écart de toute stimulation qui pourrait accroître son agitation ;

- protéger le client contre les blessures, en relevant les ridelles du lit par exemple ;

- surveiller les signes vitaux du client afin d'obtenir les données nécessaires aux décisions thérapeutiques ;

- prodiguer les soins d'hygiène au client.

(On présente au tableau 12-15 un plan de soins infirmiers destiné au client qui présente une intoxication alcoolique aiguë.)

Soins destinés au client souffrant du syndrome de sevrage alcoolique

Le sevrage alcoolique représente un problème médical grave. Le principal risque dans un tel cas est l'apparition d'un état toxique aigu, appelé

(suite page 507)

Tableau 12-15   Plan des soins infirmiers destinés au client qui présente une intoxication alcoolique aiguë

■ **Diagnostic infirmier :** Risque de perturbation des échanges gazeux, relié à l'effet dépresseur de l'alcool.
■ **Objectif :** Le client a les voies respiratoires libres pendant au moins 24 heures.

Intervention	Justification	Résultat escompté
Évaluer et noter les signes vitaux; signaler toute altération.	Les élévations et les baisses du pouls et de la fréquence respiratoire sont dues à des changements touchant le centre respiratoire du tronc cérébral.	Les signes vitaux se stabilisent.
Observer les changements de la couleur de la peau et des lits unguéaux.	La cyanose est due à une diminution de la saturation de l'hémoglobine en oxygène.	L'apport de O_2 suffit au maintien des fonctions corporelles.
Prendre connaissance des mesures des gaz artériels.	La ventilation assistée est indiquée si la pCO_2 est élevée.	
Évaluer le réflexe nauséeux.	L'alcool peut causer une altération de la fonction des nerfs crâniens, ce qui entrave la respiration.	
Encourager le client à tousser et à respirer profondément.	Cette mesure favorise le dégagement des voies respiratoires.	
Installer le client en position de semi-Fowler.	L'ascite qui accompagne l'alcoolisme avancé peut exercer une pression sur le diaphragme.	
Surveiller l'alcoolémie.	L'alcoolémie permet de déterminer le degré d'intoxication du client.	Le taux d'alcoolémie diminue.

■ **Diagnostic infirmier :** Déficit nutritionnel, relié à la substitution de l'alcool aux aliments.
■ **Objectif :** Le client tolère mieux les aliments consommés en l'espace de 24 heures.

Intervention	Justification	Résultat escompté
Surveiller l'apport nutritionnel en notant la quantité de nourriture consommée et la fréquence des repas.	Le client doit recevoir les nutriments nécessaires au métabolisme de base et à la croissance cellulaire.	Le client reçoit l'apport énergétique prescrit.
Offrir le genre d'aliments que le client peut tolérer ; éviter, en général, les aliments irritants.	À cause de l'état de ses dents et des nausées, le client peut être incapable de manger certains aliments.	
Administrer, selon les besoins, des médicaments contre les douleurs gastro-intestinales.	L'irritation gastro-intestinale est fréquente ; grâce à un soulagement, le client peut mieux garder les aliments et les liquides ; on prévient aussi l'aggravation de l'irritation de la muqueuse gastrique et on réduit le risque de perforation.	Le client garde les nutriments ingérés.

(suite page suivante)

Tableau 12-15 *(suite)*

▋ **Diagnostic infirmier :** Perturbation des habitudes de sommeil, reliée à une consommation excessive d'alcool.
▋ **Objectif :** L'environnement du client est propice au repos.

Intervention	Justification	Résultat escompté
Surveiller l'activité du client.	Cette surveillance permet de déceler les troubles du sommeil du client.	Le client dort pendant au moins six heures.
Installer le client dans une chambre tranquille, faiblement éclairée et dont la température est agréable.	Le cadre paisible favorise le repos.	
Si le client le tolère, lui donner une boisson chaude (par exemple, du lait).	Le client n'est pas gêné par la faim ou l'irritation gastro-intestinale.	
Administrer des somnifères, si le médecin l'a recommandé.	Les somnifères sont efficaces en cas de troubles passagers du sommeil.	

▋ **Diagnostic infirmier :** Risque d'incapacité d'avaler, relié à l'altération de la conscience à cause de la consommation excessive d'alcool.
▋ **Objectif :** Le client ne connaît pas d'épisodes d'aspiration trachéo-bronchique pendant la durée du traitement.

Intervention	Justification	Résultat escompté
Desserrer les vêtements autour du cou.	L'accumulation des sécrétions est ainsi prévenue.	Les sécrétions ne s'accumulent pas.
Placer le client en décubitus latéral ou en position de Sims.	Ces positions favorisent l'écoulement des sécrétions.	Le client ne connaît aucun épisode d'aspiration.
Effectuer une succion trachéale.	L'aspiration permet d'éliminer l'excès de sécrétions.	

▋ **Diagnostic infirmier :** Risque de trauma, relié aux convulsions, au syndrome de sevrage alcoolique et à l'altération de la conscience.
▋ **Objectif :** Le client ne subit pas de blessures pendant la durée du traitement ou de l'hospitalisation.

Intervention	Justification	Résultat escompté
Surveiller l'activité du client.	La surveillance permet d'évaluer si le client est en sécurité.	Le client est protégé contre les blessures, grâce aux mesures prises.
Baisser le lit.	Le client est ainsi protégé contre les chutes.	
Relever les ridelles du lit.		
Mettre la sonnette d'appel à la portée du client.		
Utiliser des mesures de contention, au besoin.	Le client est ainsi protégé contre les risques de blessure.	

(suite page suivante)

Tableau 12-15   *(suite)*

▌ **Diagnostic infirmier :** Peur, reliée à une perte de maîtrise de la consommation d'alcool.
▌ **Objectif :** Le client fait état d'une diminution de l'anxiété en l'espace de 72 heures.

Intervention	*Justification*	*Résultat escompté*
Assurer l'orientation spatio-temporelle du client et l'aider à reconnaître les personnes.	Ces mesures diminuent la confusion reliée aux réactions de peur.	Le client réagit adéquatement à l'environnement.
Expliquer au client les interventions.		Le client maintient l'orientation spatio-temporelle et peut reconnaître les personnes.
Garder une attitude impartiale, exempte de jugement de valeur.	Le client est sensible à l'attitude de la personne soignante.	Le client ne fait aucune tentative d'automutilation.
Veiller au bien-être du client (p. ex. : lui donner un bain chaud et l'installer dans un environnement paisible).	L'anxiété du client est atténuée.	
Rester calme et parler d'une voix ferme.	Une relation constructive peut ainsi s'établir.	
Rester à l'écoute du client.	Le client se sent encouragé à exprimer ses sentiments.	

▌ **Diagnostic infirmier :** Incapacité de s'alimenter, de se laver/d'effectuer ses soins d'hygiène, de se vêtir/de soigner son apparence, d'utiliser les toilettes, reliée à un affaiblissement des capacités, par suite de la consommation excessive d'alcool.
▌ **Objectif :** Le client effectue ses soins personnels à son rythme.

Intervention	*Justification*	*Résultat escompté*
Déterminer les besoins du client en matière d'hygiène personnelle.	La personne intoxiquée peut négliger son hygiène personnelle.	Le client effectue ses soins personnels dans la mesure de ses capacités.
Évaluer les capacités du client.	Cette évaluation permet de déterminer les capacités du client et l'aide dont il a besoin.	
Expliquer les horaires et les interventions.	La participation aux décisions rehausse l'estime de soi.	
Consulter le client avant de faire des choix de traitement.		
Fournir les produits et les accessoires de toilette ainsi que l'aide nécessaire.	Le client se sent encouragé à se prendre en charge.	Le client maîtrise son comportement.
Aider le client à faire sa toilette en lui fournissant le matériel nécessaire.	Une réponse prompte aux demandes du client lui évite l'embarras.	

delirium tremens. Il s'agit là d'un risque extrêmement grave qui nécessite des soins médicaux et infirmiers adéquats, étant donné que la vie du client pourrait être en danger.

En période de sevrage alcoolique et lorsque le risque de delirium tremens est accru, le principal objectif thérapeutique est d'administrer des doses appropriées de sédatifs et de favoriser le rétablissement du client en lui évitant les blessures. Les sédatifs servent à reproduire provisoirement l'effet dépresseur de l'alcool sur le système nerveux central. Pour bien déterminer la posologie des sédatifs, il importe d'évaluer les signes vitaux et, particulièrement, le pouls et la tension artérielle. Les élévations indiquent qu'une augmentation de la sédation s'impose.

Il faut installer le client dans une pièce calme pour diminuer son agitation, en règle générale une chambre à un ou à deux lits. Il faut laisser la pièce éclairée en tout temps, et surtout la nuit, pour apaiser le client sensible aux stimuli et aux objets vus dans la pénombre. Si le client est en chambre individuelle et si l'on ne peut assurer une présence constante à son chevet, il peut être nécessaire, pour sa sécurité, d'utiliser des contentions.

Étant donné que pendant le sevrage alcoolique le client est agité et qu'il transpire abondamment, il faut lui fournir un apport hydrique adéquat. Si le client est incapable d'absorber des liquides par voie buccale, on devrait les lui administrer par voie intraveineuse. Puisque l'hypoglycémie est l'un des symptômes du sevrage alcoolique, il faut donner au client du jus d'orange et d'autres glucides afin de stabiliser la glycémie et d'atténuer les tremblements. On recommande de lui faire boire du café décaféiné, car la caféine intensifie les tremblements. On devrait administrer de la dextrose par voie parentérale au client incapable de garder les liquides. Comme le sevrage alcoolique s'accompagne généralement de carences nutritionnelles, un régime alimentaire riche en protéines et en glucides et l'administration de suppléments vitaminiques sont conseillés dès que le client est capable de tolérer les aliments solides.

À cause des risques de convulsions, il faut surveiller constamment le client et garder à portée de la main une canule oro-pharyngée, un appareil à succion et des ridelles coussinées. Une fois que le client a traversé la phase critique du sevrage, il faut lui recommander un programme de réadaptation ou un traitement suivi. (On présente au tableau 12-16 un plan de soins infirmiers destiné au client souffrant du syndrome de sevrage alcoolique.)

Les soins de l'infirmière en cas de sevrage alcoolique consistent globalement à :

- fournir au client la sédation et le soutien qui lui permettront de se reposer et de récupérer en toute sécurité ;

- évaluer les signes vitaux du client afin d'administrer les doses appropriées de sédatifs ;

- installer le client dans un cadre paisible, à l'écart de toute stimulation qui pourrait accroître son agitation ;

- assurer un apport hydrique adéquat afin de remplacer les liquides perdus par transpiration ;

- fournir un régime alimentaire riche en protéines et en glucides dès que le client peut tolérer les aliments solides ;

- prendre les précautions nécessaires en cas de convulsions.

Soins destinés au client souffrant d'alcoolisme chronique

Le principal but du traitement du client alcoolique est de l'aider à accepter le fait qu'il ne doit plus boire. Il faut le prévenir que, malgré les tentatives d'abstinence, les rechutes sont toujours possibles.

La planification des loisirs et des distractions est primordiale pendant la convalescence, car le client peut ainsi mieux lutter contre l'anxiété et la solitude et se familiariser avec des activités qui ne sont pas reliées à la consommation d'alcool. Il est important de pousser le client à persévérer et à réaliser ses projets.

Il faut en outre encourager le client à prendre des décisions. Il faut aussi l'inciter à respecter ses rendez-vous, à soigner son apparence et à prendre

(suite page 514)

Tableau 12-16   Plan des soins infirmiers destinés au client souffrant du syndrome de sevrage alcoolique

■ **Diagnostic infirmier:** Déficit du volume liquidien, relié à une transpiration abondante, à des vomissements excessifs ou à des hémorragies digestives.

Objectif: Le client conserve un équilibre hydro-électrolytique optimal pendant la période de sevrage.

Intervention	Justification	Résultat escompté
Surveiller les signes vitaux.	L'hypotension, l'accélération du pouls et l'élévation de la température corporelle sont les signes caractéristiques du déficit du volume liquidien.	Les signes vitaux reviennent à la normale.
Assurer un apport hydrique équilibré, par voie orale ou intraveineuse.	Cette mesure permet de prévenir la perte liquidienne excessive due à la transpiration abondante, à l'agitation et aux vomissements.	Le client garde les liquides.
Mesurer les ingesta et les excreta.	Cette mesure assure une évaluation plus précise de l'équilibre hydro-électrolytique.	Les excreta correspondent aux ingesta.
Surveiller les ionogrammes et l'hématocrite.	Les vomissements excessifs causent une déperdition d'électrolytes; l'hématocrite s'accroît à cause de la transpiration excessive et décroît par suite d'hémorragie.	Les résultats des analyses de laboratoire reviennent à la normale.
Vérifier la densité relative de l'urine.	L'oligurie entraîne une augmentation de la densité de l'urine.	
Rechercher les signes et les symptômes de déficit du volume liquidien (par exemple, la sécheresse de la peau et des muqueuses).	L'hypovolémie entraîne la déshydratation de la peau et des muqueuses.	L'hydratation de la peau et des muqueuses revient à la normale.
Peser le client tous les jours.	La perte pondérale est un signe d'hypovolémie.	
Surveiller le sang occulte dans les selles et les vomissements.	La présence de sang occulte est un signe d'hémorragie.	

■ **Diagnostic infirmier:** Déficit nutritionnel, relié à l'anorexie, aux nausées ou aux vomissements causés par le sevrage alcoolique.

Objectif: Le client reçoit un apport nutritionnel optimal pendant la durée du sevrage.

Intervention	Justification	Résultat escompté
Évaluer la capacité du client de mastiquer et d'avaler.	Les tremblements ou les convulsions peuvent empêcher le client de mastiquer et d'avaler.	L'apport nutritionnel du client suffit aux fonctions corporelles.
Administrer des antiémétiques avant les repas.	Les nausées et les vomissements sont fréquents pendant le sevrage.	Le client garde les aliments.
Donner au client des aliments dont la préparation convient à son état.	La préparation appropriée des aliments facilite l'ingestion des nutriments.	Le client ne signale aucune douleur gastro-intestinale.
Administrer les vitamines prescrites.	Les vitamines corrigent les déficits nutritionnels.	

(suite du diagnostic page suivante)

Tableau 12-16 *(suite)*

Diagnostic infirmier *(suite)*: Déficit nutritionnel, relié à l'anorexie, aux nausées ou aux vomissements causés par le sevrage alcoolique.
Objectif : Le client reçoit un apport nutritionnel optimal pendant la durée du sevrage.

Intervention	Justification	Résultat escompté
Aider le client, selon ses besoins ; il peut parfois être nécessaire de le nourrir.	Les tremblements empêchent le client de s'alimenter.	
Donner fréquemment au client de petites quantités d'aliments non irritants.	Les aliments non irritants réduisent les nausées et les douleurs gastriques ; les petites quantités sont plus faciles à garder.	

Diagnostic infirmier : Risque d'intolérance à l'activité, relié au tremblement éthylique ou au delirium tremens.
Objectif : Le client accepte de restreindre ses activités.

Intervention	Justification	Résultat escompté
Surveiller les signes vitaux.	L'hyperactivité psychomotrice déstabilise les signes vitaux.	Les signes vitaux se stabilisent.
Ne permettre au client que le degré d'activité toléré.	Le repos au lit peut être indiqué en cas d'agitation et de tremblements.	Le client fait état de sa compréhension pour ce qui est des limites imposées à son activité.
		Le client ne s'inflige pas de blessures.

Diagnostic infirmier : Risque de trauma, relié aux perturbations musculo-squelettiques, visuelles, auditives ou sensorielles, dues à l'abus d'alcool.
Objectif : Le client ne subit aucune blessure jusqu'à ce qu'il puisse reprendre ses activités normales.

Intervention	Justification	Résultat escompté
Évaluer la capacité du client de se protéger contre les blessures.	Les hallucinations peuvent altérer la capacité de discernement et de prise de décisions.	Le client ne subit pas de blessures.
Assurer l'orientation spatio-temporelle du client et l'aider à reconnaître les personnes.	Cette intervention permet d'évaluer les fonctions cognitives et de déterminer si le client est désorienté.	Le client regagne l'orientation spatio-temporelle et peut reconnaître les personnes.
Employer des stratégies visant à protéger le client contre les blessures (p. ex. : relever les ridelles du lit, baisser le lit, mettre la sonnette d'appel à la portée du client et utiliser des mesures de contention).	Le client désorienté peut essayer de descendre de son lit ou de marcher, ce qui accroît les risques de blessure.	Le client reste au lit.
Surveiller le client pendant qu'il fume.	Les tremblements incoercibles augmentent les risques de blessure.	
Prendre les précautions nécessaires en cas de convulsions (p. ex. : avoir à portée de la main une canule oro-pharyngée, des ridelles coussinées et un appareil à succion).	Les réactions graves au sevrage peuvent provoquer des convulsions.	Le client ne souffre pas de convulsions.

(suite du diagnostic page suivante)

Tableau 12-16   *(suite)*

Diagnostic infirmier *(suite)*: Risque de trauma, relié aux perturbations musculo-squelettiques, visuelles, auditives ou sensorielles, dues à l'abus d'alcool.
Objectif: Le client ne subit aucune blessure jusqu'à ce qu'il puisse reprendre ses activités normales.

Intervention	Justification	Résultat escompté
Prévenir les tentatives de suicide (p. ex.: enlever les objets dangereux, surveiller étroitement le client jour et nuit ou toutes les 15 minutes, au besoin, et suivre ses déplacements).	Le sevrage alcoolique peut causer la dépression et accroître les risques d'automutilation.	
Rester auprès du client pendant qu'il prend ses médicaments.	La surveillance diminue les risques d'aspiration et empêche le client d'accumuler des médicaments.	

Diagnostic infirmier: Risque d'atteinte à l'intégrité de la peau, relié à l'altération de l'état nutritionnel, de la perception sensorielle et de l'élasticité de la peau ainsi qu'à l'utilisation de mesures de contention.
Objectif: Le client ne présente aucune lésion cutanée pendant la durée du traitement.

Intervention	Justification	Résultat escompté
Examiner quotidiennement l'intégrité de la peau.	Cet examen permet le dépistage rapide des lésions cutanées.	La peau du client est protégée.
Corriger les déficits nutritionnels.	Une alimentation appropriée favorise la guérison des tissus et prévient les lésions cutanées.	Le client profite d'un régime alimentaire adéquat.
Protéger la peau du client (p. ex.: l'assécher en tamponnant plutôt qu'en frottant et employer de la lotion ou de l'huile).	La protection de la peau prévient l'aggravation des lésions.	La circulation du client est adéquate.
Traiter les blessures, les coupures et les lésions.	Cette intervention favorise le bien-être du client et permet de rétablir l'intégrité de la peau.	
Défaire les contentions toutes les heures et masser délicatement les surfaces touchées.	Ces mesures stimulent l'irrigation des régions cutanées touchées par les contentions.	

Diagnostic infirmier: Perturbation des habitudes de sommeil, reliée à la désorientation, à l'agitation et aux malaises physiques causés par le sevrage alcoolique.
Objectif: Le client dort par intervalles réguliers d'au moins 4 heures, pendant la durée du traitement.

Intervention	Justification	Résultat escompté
Installer le client dans une pièce calme et confortable.	Le surcroît de stimulation accroît les tremblements et l'agitation.	Le client dort par intervalles d'au moins 4 heures, durant une période de 24 heures.
Ne permettre que les visites des proches.	Le nombre réduit de visites diminue l'agitation, calme le client et favorise la reconnaissance des personnes et l'orientation spatio-temporelle.	
Tamiser l'éclairage de la pièce.		

(suite du diagnostic page suivante)

Tableau 12-16   *(suite)*

Diagnostic infirmier *(suite)*: Perturbation des habitudes de sommeil, reliée à la désorientation, à l'agitation et aux malaises physiques causés par le sevrage alcoolique.

Objectif: Le client dort par intervalles réguliers d'au moins 4 heures, pendant la durée du traitement.

Intervention	*Justification*	*Résultat escompté*
Administrer des benzodiazépines, suivant les recommandations du médecin (p. ex. : diminuer progressivement les doses et interrompre la médication après 7 à 10 jours).	La médication prévient l'apparition du delirium tremens et des convulsions.	

Diagnostic infirmier: Risque d'altération de la perception sensorielle : visuelle, auditive, kinesthésique, gustative et tactile, relié aux effets prolongés de l'alcool sur le cerveau.

Objectif: Le client garde le contact avec la réalité et réagit adéquatement aux stimuli du milieu ambiant pendant toute la durée du sevrage.

Intervention	*Justification*	*Résultat escompté*
Déceler les stimuli qui peuvent altérer la perception sensorielle.	La diminution ou l'élimination de ces stimuli facilitent le rétablissement de la perception sensorielle.	Les stimuli inopportuns sont éliminés.
Aider le client à garder le contact avec la réalité : • l'appeler par son nom ; • lui donner l'heure exacte ; • se présenter ; • le renseigner sur le milieu ambiant ; • maintenir le contact visuel ; • renforcer les comportements qui prouvent un contact adéquat avec la réalité.	Le client reste ainsi en contact avec la réalité.	Le client reste en contact avec la réalité. Le client ne présente pas de signes d'hallucinations, de délire ni d'illusions.
Garder autour du client un climat qui le rappelle à la réalité : • lui fournir une montre ; • lui fournir un calendrier ; • porter une plaque d'identité ; • expliquer toutes les interventions ; • corriger les perceptions erronées du client.	Ces mesures diminuent les stimuli inopportuns.	
Prendre des mesures de précaution (p. ex. : relever les ridelles du lit, baisser le lit, mettre la sonnette d'appel à la portée du client et mettre les objets tranchants hors de son atteinte).	Ces mesures diminuent les risques d'automutilation.	
Rendre le milieu agréable (p. ex. : limiter les bruits, réduire les allées et venues et expliquer au client les objets, les odeurs et les bruits qui l'entourent).	Ces mesures favorisent le bien-être du client.	

(suite page suivante)

Tableau 12-16 *(suite)*

Diagnostic infirmier : Altération des opérations de la pensée, reliée à un changement de la capacité de résoudre les problèmes, par suite d'une consommation prolongée d'alcool.
Objectif : Au terme de la période de sevrage, le client interprète adéquatement la réalité.

Intervention	*Justification*	*Résultat escompté*
Écouter le client.	L'attention portée au comportement du client facilite la compréhension de sa réalité.	Le client donne des interprétations justes de la réalité.
Observer les signes de communication non verbale.		
Employer les techniques de la communication thérapeutique : • clarifier ; • faire des énoncés ouverts ; • corriger les distorsions ; • valider les pensées et les sentiments.	La communication thérapeutique favorise la prise de conscience de la réalité.	
Faire participer le client aux tâches quotidiennes, dans la mesure du possible.	La participation incite le client à prendre la responsabilité de ses soins personnels et à résoudre des problèmes mineurs.	

Diagnostic infirmier : Peur, reliée aux changements de la perception sensorielle.
Objectif : Le client affirme que sa peur a diminué ou disparu pendant toute la durée du sevrage.

Intervention	*Justification*	*Résultat escompté*
Aider le client à reconnaître la source de sa peur.	La peur du client diminue s'il en connaît l'origine.	Le client a moins peur.
Rechercher les réactions de peur chez le client : • pupilles dilatées ; • panique ; • agitation accrue ; • accélération du pouls et de la respiration ; • diaphorèse.	Le dépistage précoce des signes de la peur réduit les effets de la réaction.	Le client n'a pas peur.
Rester auprès du client pendant qu'il a des hallucinations.	La simple présence de l'infirmière dissipe souvent les hallucinations.	
Parler d'une voix calme et posée.	Le client se sent réconforté et rassuré.	

Diagnostic infirmier : Anxiété, reliée à la détresse causée par les symptômes physiques du sevrage alcoolique.
Objectif : Le client est capable de gérer l'anxiété suscitée par les symptômes du sevrage.

Intervention	*Justification*	*Résultat escompté*
Évaluer le degré d'anxiété : • légère ; • modérée ; • grave ; • extrême (panique).	Cette évaluation permet de déterminer les interventions nécessaires pour atténuer l'anxiété.	L'anxiété du client diminue. Le client utilise des stratégies d'adaptation. Le client explique les causes de son anxiété.

(suite du diagnostic page suivante)

Tableau 12-16   *(suite)*

Diagnostic infirmier *(suite)*: Anxiété, reliée à la détresse causée par les symptômes physiques du sevrage alcoolique.
Objectif : Le client est capable de gérer l'anxiété suscitée par les symptômes du sevrage.

Intervention	Justification	Résultat escompté
Anxiété extrême : Prendre les mesures qui favorisent le bien-être du client (p. ex. : lui donner un bain chaud, lui faire un massage du dos et l'installer dans une pièce calme).	Ces mesures apaisent le client et, par conséquent, atténuent son anxiété.	
Prendre conscience de sa propre anxiété ; former des phrases courtes et simples et parler d'une voix calme et ferme.	Les manifestations d'anxiété de l'infirmière intensifient l'anxiété du client.	
Anxiété légère à modérée : Encourager le client à reconnaître qu'il est anxieux.	L'anxiété reconnue rapidement risque moins de dégénérer en panique.	
Encourager le client à exprimer et à explorer ses appréhensions.	Le processus de résolution des problèmes aide le client à mettre au point de nouvelles stratégies d'adaptation.	
Faire participer le client à des activités divertissantes (p. ex. : lui proposer des tâches simples et concrètes ou des promenades).	L'apprentissage de nouvelles stratégies d'adaptation facilite la maîtrise de l'anxiété.	
Respecter la confidentialité ; informer le client de son droit à la confidentialité.	La connaissance de ses droits atténue l'anxiété et le sentiment de culpabilité reliés au diagnostic d'alcoolisme.	

Diagnostic infirmier: Altération de l'élimination urinaire, reliée à la neuropathie alcoolique.
Objectif: Le client maîtrise ses mictions au cours du sevrage.

Intervention	Justification	Résultat escompté
Évaluer les modes d'élimination urinaire normale du client.	Cette évaluation facilite la planification des soins.	Les épisodes d'incontinence diminuent.
Conduire le client aux toilettes ou lui apporter l'urinal ou le bassin hygiènique à intervalles réguliers.	Ces mesures favorisent une élimination régulière.	
Rechercher les signes d'un épisode d'incontinence (p. ex. : le client s'agite, essaie de retirer ses vêtements ou se tient les organes génitaux).	Ces indices permettent à l'infirmière de reconnaître le besoin d'uriner.	
Changer la literie immédiatement après les épisodes d'incontinence.	Les changements de literie préviennent les lésions de l'épiderme et l'embarras du client.	Le client conserve son estime de soi.
Éviter de reprocher au client ses épisodes d'incontinence.	L'estime de soi du client est préservée.	
Noter la fréquence des épisodes d'incontinence.	Cette mesure facilite la planification des soins.	

des repas réguliers. Par ailleurs, il ne faut pas céder à ses tentatives de manipulation. Il faut observer le client régulièrement, en portant une attention particulière aux symptômes de dépression. La planification d'un horaire régulier, qui fait place au repos, au travail et à la vie sociale, s'avère souvent utile. Pour renforcer le moi du client, il faudrait chercher avec lui de nouveaux comportements qui pourraient remplacer les comportements destructeurs.

Il est important de présenter au client les services de consultation externe pendant qu'il est encore hospitalisé. Il faudrait également lui recommander de s'inscrire aux Alcooliques anonymes et d'assister à quelques réunions pendant son hospitalisation. Le plan de soins doit prévoir l'apprentissage de nouveaux moyens permettant d'affronter le stress et les problèmes de santé associés à l'alcool. Le but ultime est d'aider le client à acccepter de vivre sans alcool. (On présente au tableau 12-17 un plan de soins infirmiers destiné au client souffrant d'alcoolisme chronique et, au tableau 12-18, quelques adresses utiles.)

Les soins de l'infirmière, en cas d'alcoolisme chronique, consistent globalement à :

- aider le client à accepter le fait qu'il ne doit plus consommer d'alcool ;

- planifier des activités de loisirs afin d'aider le client à lutter contre son anxiété et sa solitude ;

- encourager le client à prendre des décisions responsables en vue de mener une vie normale ;

- adresser le client aux AA pour assurer un suivi (Eells, 1986 ; Throwe, 1986).

Évaluation

L'infirmière évalue les soins apportés au client alcoolique en comparant son état de santé aux objectifs préalablement établis. Pendant la prestation des soins, elle observe la réaction du client alcoolique aux interventions et s'assure qu'il continue de poursuivre les objectifs fixés. L'infirmière peut modifier le plan de soins suivant la réaction du client.

Elle doit également déterminer si les décisions relatives aux soins du client alcoolique reposent sur une théorie scientifique appropriée. Elle s'assure de la justesse et de la pertinence de sa collecte des données et analyse le besoin d'obtenir des données supplémentaires. Elle révise les diagnostics infirmiers et en détermine la pertinence. Elle doit aussi revoir le plan de soins pour déterminer si les interventions suscitent une bonne réaction thérapeutique. Enfin, elle incorpore au plan les données obtenues lors de l'étude des résultats escomptés.

Il est utile d'accorder une attention particulière aux résultats escomptés, car cela permet d'analyser les modifications du comportement et de l'état de santé du client. Les résultats escomptés sont rédigés en termes mesurables et ils sont intégrés au dossier du client.

En se fondant sur les résultats escomptés, l'infirmière peut s'attendre à observer ce qui suit :

- Le client guérit des symptômes de sevrage sans présenter de complications.

- Le client énonce ses connaissances des effets nuisibles de l'alcool.

- Le client lutte contre le stress en adoptant des comportements mieux adaptés.

- Le client se joint à un groupe de soutien, comme les AA.

- Le client est épaulé par sa famille dans ses tentatives pour modifier son comportement.

Tableau 12-17   Plan des soins infirmiers destinés au client souffrant d'alcoolisme chronique

Diagnostic infirmier : Déficit nutritionnel, relié à la substitution des aliments par l'alcool.
Objectif : Le client améliore ses habitudes alimentaires de semaine en semaine.

Intervention	Justification	Résultat escompté
Déterminer les habitudes alimentaires du client.	Le client reconnaît mieux ses déficits nutritionnels.	Le client réduit ou cesse sa consommation d'alcool.
Conseiller au client de réduire ou d'éliminer sa consommation d'alcool.	La consommation constante d'alcool cause une perte d'appétit, la malabsorption et un dérèglement du métabolisme des nutriments.	Le client prend des repas réguliers et équilibrés.
		Le client prend des suppléments vitaminiques.
Enseigner au client les rudiments d'une bonne alimentation.	L'apprentissage favorise la modification des habitudes alimentaires.	Le client explique les principes d'une bonne nutrition.
		Le client gagne du poids.

Diagnostic infirmier : Difficulté à se maintenir en santé, reliée à un mode de vie malsain.
Objectif : Le client prend la responsabilité du maintien de sa santé.

Intervention	Justification	Résultat escompté
Informer le client des mesures propices au maintien de la santé.	Le client peut modifier ses mauvaises habitudes.	Le client fait des efforts pour se maintenir en santé.
Aider le client à établir des objectifs en matière de maintien de la santé.	La planification des objectifs favorise l'observance.	Le client maîtrise son comportement alcoolique.
		Le client rédige des objectifs réalistes.
Recommander au client des organismes de santé communautaire.	Les réseaux de soutien aident le client à restructurer ses pratiques hygiéniques.	Le client a recours aux réseaux de soutien proposés.

Diagnostic infirmier : Dysfonctionnement sexuel, relié à une consommation excessive d'alcool.
Objectif : À la suite d'une séance de consultation, le client reconnaît le lien entre le dysfonctionnement sexuel et la consommation d'alcool.

Intervention	Justification	Résultat escompté
Expliquer les causes de la baisse de la libido.	L'explication atténue l'anxiété que le client ressent par rapport à la sexualité et peut l'inciter à réduire sa consommation.	Le client explique les effets de l'alcool sur la sexualité.
Conseiller au client de réduire ou de cesser sa consommation d'alcool.	L'alcool inhibe la synthèse de la testostérone dans les gonades et affaiblit la libido.	La sexualité du client se rétablit.

Diagnostic infirmier : Risque de violence envers soi ou envers les autres, relié à un dysfonctionnement familial causé par l'alcoolisme chronique.
Objectif : Le client discerne le schéma de violence familiale et planifie des interventions de concert avec des membres de sa famille.

Intervention	Justification	Résultat escompté
Encourager le client à verbaliser ses sentiments violents plutôt qu'à passer à l'acte.	La verbalisation diminue les risques de blessures dues à un comportement violent.	Le comportement violent s'atténue.

(suite du diagnostic page suivante)

Tableau 12-17   *(suite)*

Diagnostic infirmier *(suite)* : Risque de violence envers soi ou envers les autres, relié à un dysfonctionnement familial causé par l'alcoolisme chronique.

Objectif : Le client discerne le schéma de violence familiale et planifie des interventions de concert avec des membres de sa famille.

Intervention	*Justification*	*Résultat escompté*
Éliminer de l'environnement les objets qui peuvent être dangereux (p. ex. : les objets qui pourraient servir d'arme).		
Expliquer au client les conséquences d'un comportement violent : • appel des agents de sécurité ; • recours à d'autres membres du personnel ; • administration de tranquillisants.	Une meilleure compréhension réduit les risques d'actes de violence.	Le client trouve d'autres moyens d'exprimer son agressivité.
Isoler le client au besoin.	L'éloignement d'un milieu qui favorise la violence permet au client de regagner sa maîtrise de soi.	
Aider le client et les membres de sa famille à discerner les situations qui engendrent la violence.	Le client et les membres de sa famille peuvent ainsi trouver de nouveaux moyens d'exprimer les sentiments violents.	
Être à l'affût des signes de dépression.	La dépression sert souvent aux alcooliques de moyen de surmonter la colère.	Le client trouve d'autres moyens de surmonter la colère.
Prévenir les tentatives de suicide, le cas échéant.	Le client est ainsi protégé de l'automutilation.	Le client promet qu'il n'adoptera pas de comportements d'automutilation.
Aider le client à reconnaître les situations qui déclenchent la dépression.	Le client maîtrise ainsi mieux ses comportements alcooliques.	Le client ne fait pas de tentatives de suicide.
Enseigner au client des moyens de contrer la dépresssion.	L'apprentissage d'exutoires physiques à la frustration réduit les facteurs qui déclenchent la dépression.	

Diagnostic infirmier : Stratégies d'adaptation individuelle inefficaces, reliées à des mécanismes d'adaptation inadéquats au stress.

Objectif : Le client acquiert de meilleurs mécanismes d'adaptation au stress.

Intervention	*Justification*	*Résultat escompté*
Établir une relation thérapeutique avec le client.	La stabilité des relations favorise le rétablissement de la santé.	Le client trouve des mécanismes d'adaptation constructifs.
Aider le client à reconnaître les situations génératrices de stress.	La connaissance des facteurs de stress réduit le stress.	Le client assiste aux réunions des AA, selon les besoins.
Enseigner au client des techniques de gestion du stress : • processus de résolution des problèmes ; • techniques de relaxation ; • exercice physique.	Le client apprend à acquérir de nouveaux mécanismes d'adaptation.	Le client évalue correctement son degré de stress.

(suite du diagnostic page suivante)

Tableau 12-17 *(suite)*

Intervention	Justification	Résultat escompté
Aider le client à apprendre à nouer des relations sociales sans consommer de l'alcool.	La simulation de situations sociales peut aider le client à s'abstenir de l'alcool.	
Encourager le client à parler des conséquences de la consommation d'alcool.	La reconnaissance des effets de la consommation d'alcool sur soi-même, sur sa famille, sur le travail et sur la vie sociale aide le client à adopter de nouveaux comportements.	

Diagnostic infirmier : Stratégie d'adaptation individuelle inefficace, reliée à la difficulté à exprimer ses émotions et à faire part de ses besoins directement.

Objectif : Le client réduit ses comportements de manipulation et met au point de nouveaux moyens de satisfaire ses besoins.

Interventions	Justification	Résultats escomptés
Attirer l'attention du client sur ses comportements « manipulateurs » : les décrire, en signaler les conséquences et préciser le sens de ses demandes. (p. ex. : « Vous répétez que je vous néglige. Cela me dérange. Voulez-vous préciser ce que je peux faire pour vous aider ? »)	Cette réaction incite le client à percevoir son attitude et à clarifier ses attentes.	Le client reconnaît son comportement et ses conséquences.
Éviter de renforcer les comportements inadaptés.	Une attention trop soutenue pourrait encourager la répétition de tels gestes.	
Orienter la conversation de façon à parler du comportement du client.	En dirigeant la conversation sur une autre personne, le client évite de se centrer sur ses émotions ou sur ses besoins.	Le client se centre sur sa personne.
Faire preuve de constance pour ce qui est des limites établies, par une personne et par toute l'équipe.	Le client se sent en sécurité et ses tentatives de manipulation sont prévenues.	Le client respecte les limites établies.
Éviter de personnaliser le discours (p. ex., dire : « La consommation d'alcool est interdite... » plutôt que « Je ne veux pas que... »)	La personnalisation du discours encourage le client à manipuler l'infirmière par la suite.	
Favoriser l'expression des réactions émotives face aux limites. Éviter l'argumentation.	Le client peut ainsi prendre conscience de ses difficultés concernant le contrôle et la discipline.	Le client verbalise sa colère et son anxiété suscitées par la discipline.
Explorer de nouvelles stratégies pour la satisfaction des besoins.		Le client nomme d'autres moyens de satisfaire ses besoins.
Appuyer et renforcer toute tentative d'expression directe des émotions et des besoins.	Le client reçoit des gratifications propices au maintien de nouveaux comportements.	
Enseigner des techniques de communication favorisant l'affirmation de soi (p. ex. : jeu de rôle).	Le client peut mettre en pratique ces habiletés et discerne ses difficultés.	Le client adopte des comportements qui lui permettent de s'affirmer.
Informer la famille des objectifs et la faire participer aux soins.	Cette intervention encourage l'aide mutuelle.	

(suite page suivante)

Tableau 12-17   *(suite)*

■ **Diagnostic infirmier :** Isolement social, relié à des modes de comportement inadéquats (p. ex. : une consommation prolongée d'alcool).

Objectif : Pendant la durée du traitement, le client apprend à participer à des activités sociales ou récréatives.

Intervention	Justification	Résultat escompté
Évaluer les antécédents sociaux du client.	Cette mesure permet de trouver un réseau de soutien.	Le client établit des contacts avec ses pairs.
Établir une relation thérapeutique basée sur la confiance.	La relation thérapeutique favorise l'apprentissage des techniques de communication.	Le client participe à des activités sociales où il ne se sent pas encouragé à consommer de l'alcool.
Encourager le client à parler de ses sentiments de solitude.	Le client reconnaît mieux ses besoins de relations intimes.	
Chercher avec le client des moyens autres que la consommation d'alcool lui permettant d'entrer en contact avec autrui (p. ex. : le jeu de rôles).	Le client met au point des stratégies d'adaptation qui lui permettent de surmonter les situations difficiles et de rencontrer des pairs qui ne boivent pas.	

■ **Diagnostic infirmier :** Perturbation de la dynamique familiale, reliée à l'incapacité de la cellule familiale de satisfaire les besoins affectifs de ses membres.

Objectif : Pendant la période de réadaptation, le client communique avec les membres de sa famille pour améliorer la dynamique familiale.

Intervention	Justification	Résultat escompté
Évaluer les relations familiales.	Cette évaluation favorise la reconnaissance de la dynamique familiale.	Les membres de la famille se soutiennent mutuellement.
Aider le client et les membres de sa famille à reconnaître leurs attentes mutuelles.	Les membres de la famille peuvent ainsi mieux évaluer leur volonté de répondre aux attentes de chacun.	Les membres de la famille confirment leur respect mutuel.
Aider le client et les membres de sa famille à résoudre les différends par la négociation.	Les membres de la famille apprennent à mieux réagir les uns aux autres.	Le client se trouve un nouveau mode de vie, le cas échéant.
Adresser le conjoint ou la conjointe du client à Al-anon et ses enfants à Alateen, s'ils ont besoin de conseils.	Les proches du client bénéficient d'un réseau de soutien leur permettant de gérer l'alcoolisme du client.	

(suite page suivante)

Tableau 12-17 *(suite)*

▌**Diagnostic infirmier :** Détresse spirituelle, reliée aux implications morales de la conduite de l'alcoolique.
  Objectif : Le client parle de ses préoccupations spirituelles.

Intervention	Justification	Résultat escompté
Évaluer les préoccupations spirituelles du client.	Cette intervention permet d'établir les croyances et les valeurs spirituelles du client.	Le client exprime ses sentiments de culpabilité et ses remords.
Trouver les besoins spirituels du client : • suggérer au client de parler à un conseiller spirituel ; • aider le client à accomplir ses rites religieux, au besoin ; • fournir au client un cadre qui favorise la spiritualité.	Le client retrouve le contact avec ses racines spirituelles.	Le client dit qu'il se sent moins aliéné. Le client trouve du réconfort en prenant des décisions morales. Le client affirme qu'il se sent réconforté par sa foi.
Accepter les différences culturelles reliées à la foi.	Le client se sent moins seul et moins marginal	

▌**Diagnostic infirmier :** Risque d'infection, relié aux modifications pathologiques provoquées par l'alcoolisme.
  Objectif : Pendant la durée du traitement, le client n'a pas de fièvre et ne présente aucun signe d'infection.

Intervention	Justification	Résultat escompté
Surveiller les signes vitaux et, particulièrement, la température.	Une élévation légère ou modérée de la température peut être un premier signe d'infection.	Le client n'a pas de fièvre.
Déterminer les infections auxquelles le client est prédisposé.	Cette donnée permet de mieux planifier les soins.	Le client semble bien portant.
Vérifier les symptômes de douleur, de sensibilité ou de rougeur dont le client fait état.	Les risques d'infection sont rapidement reconnus.	Le client ne se plaint pas de douleur, de sensibilité ni de rougeur.
Effectuer régulièrement un examen physique.	L'examen physique permet de diagnostiquer les modifications de l'état physique.	
Évaluer le milieu que le client doit retrouver et l'état de santé des membres de sa famille.	Cette mesure permet la planification des mesures de prévention contre les risques d'infection.	

▌**Diagnostic infirmier :** Perturbation des interactions sociales, reliée à un dysfonctionnement cognitif provoqué par la consommation d'alcool.
  Objectif : Le client reconnaît les facteurs qui perturbent ses interactions sociales.

Intervention	Justification	Résultat escompté
Établir une relation thérapeutique avec le client afin de lui permettre de mettre à l'essai de nouveaux comportements.	La relation thérapeutique permet au client d'apprendre des modes d'interaction appropriés.	Le client cherche des interactions avec l'infirmière.
Encourager le client à participer à des réunions de groupe.	Le groupe permet au client d'apprendre comment établir des relations avec autrui.	Le client assiste aux réunions de groupe et participe aux discussions.
Aider le client à reconnaître les comportements qui entravent l'établissement de relations satisfaisantes.	La capacité du client de nouer des relations interpersonnelles est ainsi améliorée.	Le client énonce les facteurs qui s'opposent à l'établissement de relations interpersonnelles.

Tableau 12-18   *Adresses utiles*

Les Alcooliques anonymes
820, boul. Charest Est
Bureau central des services de Québec
Québec, J1K 8H8
(418) 529-0015

Les Alcooliques anonymes
Services généraux
5789, rue Iberville
Montréal
H2G 2B8

La Maison Jean-Lapointe Inc.
Le Cours St-Pierre
111, rue Normand
Montréal
H2Y 2K6
(514) 288-2611

Service des publications françaises des AA du Québec
230, boul. Henri-Bourassa Est
Bureau 100
Montréal
H3L 1B8

Maison d'entraide l'Arc-en-Ciel
346, rue de l'Église
C.P. 3563, Succ. St-Roch
Québec
G1K 6Z7

Villa Ignatia
2205, rue Beau-Site
Lac-Saint-Charles
G0A 2H0
(418) 849-6534

ÉTUDE DE CAS

Client en sevrage alcoolique

Donald Leroux, 35 ans, est directeur commercial dans un magasin d'électronique. Il est admis à l'unité d'orthopédie à la suite d'un accident d'automobile lors duquel il a subi de multiples blessures, dont une fracture de la hanche droite. Vingt-quatre heures après son admission, M. Leroux devient très agité et irritable. Ses mains tremblent et il ne sait pas où il se trouve. En entrant dans la chambre, l'infirmière s'aperçoit que M. Leroux est extrêmement agité. «Débarrassez-moi de ces fourmis!, crie-t-il. Elles me dévorent vivant!»

Bilan de santé

Lieu : Centre hospitalier, unité d'orthopédie
Nom du client : Donald Leroux   Âge: 35 ans
Diagnostic à l'admission : accident de voiture avec
   traumatismes multiples et fracture de la hanche droite
T. = 37,3 °C, P. = 60, R. = 18, T.A. = 130/70

Données sur le client
Taille : 1,75 m
Poids : 59 kg
Repas : 1 ou 2 par jour
Sommeil : de 3 à 5 heures par nuit
Consommation de cigarettes : 2 paquets par jour
Consommation d'alcool : 3 ou 4 apéritifs par jour et au moins
6 bières tous les soirs, depuis quatre ans

Données sur la vie sociale
Situation de famille : séparé d'avec sa femme depuis un mois
Emploi : congédié le jour de son accident
Domicile : chambre d'hôtel

Données cliniques
Résultats de laboratoire :
Taux d'alcoolémie (à l'admission à la salle d'urgence) : 0,15 %
Numération globulaire :
Nombre de globules blancs : 8,0
Numération érythrocitaire : 4,2
Hémoglobine : 12,8
Hématocrite : 38,4
Volume globulaire moyen : 88
Teneur moyenne des hématies en hémoglobine : 30
Concentration moyenne en hémoglobine des hématies : 32,4
Examen des urines :
   Couleur : ambrée
   Transparence : troubles
   Densité relative : 1,080
   Protéines : nég.
   Glucose : nég.
   Acétone : nég.
   Nombre de globules blancs : nul
   Numération érythrocitaire : nul

Observations de l'infirmière
Pendant les 24 premières heures de son hospitalisation,
M. Leroux a été agité et il n'a pas pu dormir. Il était très
loquace et il a dit aux infirmières qu'on l'avait renvoyé de son
travail le jour de son accident. Bouleversé par la perte de son
emploi, il s'est rendu au bar situé près du magasin d'électronique où il travaillait. M. Leroux ne se rappelle pas le nombre
exact de whiskies qu'il a bus, probablement quatre ou cinq.
En se rendant à un autre bar, il a brûlé un feu rouge et sa
voiture est entrée en collision avec une autre. M. Leroux se
disputait avec les infirmières et devenait agressif chaque fois
qu'elles ne répondaient pas immédiatement à ses demandes.
Le matin suivant l'admission, sa température était de 37,3 °C,
son pouls à 80, ses respirations à 28 et sa tension artérielle à
150/80. M. Leroux tremblait et transpirait abondamment.

Pendant l'après-midi, il souffrait toujours de diaphorèse et ses signes vitaux étaient les suivants : T = 38,4°, P = 100, TA = 180/100. M. Leroux essayait de sortir du lit et demandait aux infirmières de le débarrasser de fourmis qui montaient sur lui.

Diagnostics infirmiers

Déficit nutritionnel
Perturbation des habitudes de sommeil
Risque de perturbation des échanges gazeux
Altération de la perception visuelle
Intolérance à l'activité
Risque de trauma

Suggestions pour la planification des soins :

1. Déterminer les soins prioritaires à apporter à M. Leroux.

2. Déterminer les aspects du développement dont il faut tenir compte dans les soins.

3. Déterminer les réseaux de soutien dont dispose M. Leroux.

4. Établir le niveau d'enseignement qui favoriserait le rétablissement de la santé.

5. Prendre connaissance des résultats de laboratoire.

6. Analyser l'importance des modifications des signes vitaux.

7. Formuler les objectifs des soins infirmiers destinés à M. Leroux.

8. Énumérer et justifier les interventions infirmières destinées à M. Leroux.

RÉSUMÉ

1. L'abus d'alcool est un grave problème de santé publique en Amérique du Nord. Il touche autant les hommes que les femmes, sans égard à l'âge, à la culture et à la profession.

2. L'infirmière est appelée à soigner des clients alcooliques dans divers milieux, dont les unités de soins intensifs, les salles d'urgence, les unités de désintoxication, les centres de réadaptation pour toxicomanes, les unités de psychiatrie et les services de consultation externes.

3. L'alcoolique est la personne qui souffre de troubles multiples et récurrents par suite de la consommation d'alcool.

4. Les caractéristiques comportementales de l'alcoolisme sont la perte du pouvoir de décision quant à la consommation d'alcool, la substitution de l'alcool aux aliments, l'abandon des autres intérêts au profit de la consommation d'alcool, la « téléphonite », l'hostilité, le repli sur soi, les problèmes professionnels et les arrestations pour voies de fait ou conduite en état d'ébriété.

5. Les caractéristiques affectives de l'alcoolisme sont le sentiment de culpabilité, la honte, les tourments, le désespoir, la dépression, la jalousie alcoolique et le sentiment d'échec.

6. Les caractéristiques cognitives de l'alcoolisme sont la faible estime de soi, les idées de grandeur, le déni, la projection, la minimisation, la rationalisation, les trous de mémoire et les dysfonctions cognitives qui accompagnent l'encéphalopathie de Wernicke et la psychose de Korsakoff.

7. L'alcool a des effets sur tous les organes et il cause de nombreuses complications médicales.

8. L'alcoolisme est un problème familial. Les codépendants sont les membres de la famille qui prennent en charge l'alcoolique. On distingue quatre types de codépendants : les aveugles, les tyrans, les sauveurs et les victimes.

9. Les enfants d'alcooliques tendent à jouer le rôle du héros, du bouc émissaire, de l'enfant « en retrait » ou du bouffon.

10. Dans la famille d'un alcoolique, les divers rôles s'élaborent pour contrer la détresse et la honte et pour sauvegarder l'équilibre familial.

11. Les femmes alcooliques sont plus sévèrement stigmatisées que les hommes alcooliques. Certains groupes de femmes sont davantage prédisposées à l'alcoolisme, notamment les femmes victimes de la violence et les lesbiennes.

12. L'alcoolisme a une composante génétique. La recherche biologique révèle qu'un gène de dopamine résidant sur le chromosose 11 peut prédisposer à l'alcoolisme.

13. Les recherches récentes sur l'alcoolisme tendent à infirmer les théories intrapsychiques, et, notamment, les théories psychologiques et psychanalytiques.

14. Les théories de l'apprentissage s'attachent au rôle joué par les renforcements et les stratégies inadaptées.

15. Les théories socioculturelles établissent le lien entre les valeurs et les attitudes culturelles, d'une part, et la consommation d'alcool, d'autre part.

16. Les Alcooliques anonymes incitent l'alcoolique à prendre la responsabilité de sa guérison et attribuent une grande importance à l'honnêteté et à la spiritualité.

17. En cas d'intoxication alcoolique aiguë, l'infirmière doit examiner les voies respiratoires, la respiration, la circulation, la tension artérielle ainsi que la présence de traumatismes et d'infections.

18. Le client souffrant du syndrome de sevrage alcoolique peut présenter les symptômes suivants :

irritabilité, anxiété, insomnie et tremblements, convulsions, hallucinations, delirium tremens. On peut administrer divers médicaments durant la période de sevrage alcoolique.

19. On administre du disulfirame (Antabuse) à certains clients pour les aider à pratiquer l'abstinence. L'usage du disulfirame doit s'accompagner de l'explication détaillée de ses effets.

20. Les Alcooliques anonymes, Al-Anon et Alateen offrent des programmes qui permettent aux alcooliques et à leur famille de mettre en commun leurs expériences et de recevoir un soutien affectif.

21. Bien que la plupart des diagnostics infirmiers puissent convenir aux clients alcooliques, ceux qui sont reliés au bien-être mental et affectif ont une importance primordiale pour les soins infirmiers psychiatriques.

22. Les interventions de l'infirmière en cas d'intoxication alcoolique aiguë consistent globalement à surveiller les signes vitaux, à protéger le client contre les blessures et à l'installer dans un environnement paisible.

23. Les interventions de l'infirmière en cas de sevrage alcoolique consistent globalement à surveiller les signes vitaux, à assurer un apport hydrique suffisant, à prévenir les convulsions et le delirium tremens et à installer le client dans un environnement paisible.

24. Les interventions de l'infirmière en cas d'alcoolisme chronique consistent globalement à aider le client à reconnaître la nécessité de l'abstinence, à l'encourager à prendre des décisions responsables, à l'aider à gérer son stress et à lui recommander des groupes de soutien.

25. L'infirmière évalue l'efficacité du plan de soins en déterminant si les résultats escomptés ont pu être obtenus.

26. Le client et l'infirmière modifient le plan de soins d'après les résultats de l'évaluation.

EXERCICES DE RÉVISION

1. Parmi les énoncés suivants, quels sont ceux qui justifient le besoin de posséder des connaissances de base sur l'alcoolisme ?

   (a) Le diagnostic à l'admission peut ne pas porter sur l'alcoolisme, mais l'état du client peut être le résultat direct de l'abus d'alcool.

   (b) Comme il n'existe pas de définition précise de l'alcoolisme, l'infirmière doit déceler une consommation d'alcool de longue date lors de l'examen physique.

   (c) Les connaissances de base protègent l'infirmière contre l'abus d'alcool.

   (d) L'infirmière qui reconnaît qu'elle désapprouve la consommation d'alcool planifie ses soins et intervient plus efficacement.

2. Les femmes sont davantage portées à adopter un comportement de codépendance parce que :

   (a) elles sont moins capables que les hommes de gérer leurs émotions et leur comportement.

   (b) on leur a enseigné qu'elles devaient porter la responsabilité de tous les membres de la famille.

   (c) il y a beaucoup plus de maris alcooliques que d'épouses alcooliques.

   (d) elles veulent protéger leurs enfants contre la violence physique et sexuelle.

3. Au cours de la collecte des données, il faut chercher à savoir si le client a des trous de mémoire. Parmi les énoncés suivants, lequel révèle ce genre de trouble ?

   (a) « Je sais que vous venez de me dire où je me trouve, mais je ne me rappelle pas ce que vous m'avez dit. »

   (b) « Je bois seulement à cause du stress suscité par mon travail. Si j'avais un autre patron, je ne boirais pas. »

   (c) « Ma femme m'a dit que j'ai été le boute-en-train de la soirée d'hier, mais je ne me souviens de rien. »

   (d) « Je crois que j'ai plusieurs personnalités. Je ne peux jamais décider de celle qui dominera. »

4. Parmi les méthodes suivantes de traitement de l'alcoolisme, laquelle s'est révélée la plus efficace ?

   (a) Les unités de désintoxication.

   (b) La thérapie de groupe.

   (c) La pharmacothérapie.

   (d) Les Alcooliques anonymes.

5. Si, en dressant le bilan de santé, l'infirmière soupçonne la présence d'un abus d'alcool, elle doit se rappeler que le client peut minimiser la quantité d'alcool qu'il consomme. Parmi les questions suivantes, lesquelles doit-elle poser pour éviter ce problème ?

   (a) « Est-ce que vous buvez régulièrement ? »

   (b) « Quand avez-vous bu votre dernier verre ? »

   (c) « Est-ce que vous buvez tous les jours ? »

   (d) « À quels moments ? »

6. L'infirmière observe que le client alcoolique souffre de caries, de lésions de la gencive et de fissures péri-buccales et que son hygiène est insuffisante. Lequel des diagnostics infirmiers suivants correspond le mieux à ces observations ?

   (a) Risque d'intolérance à l'activité.

   (b) Déficit de volume liquidien.

   (c) Risque d'infection.

   (d) Altération des opérations de la pensée.

BIBLIOGRAPHIE

Alcoholics Anonymous World Services: *A.A.: 44 Questions.* Alcoholics Anonymous World Services, 1983.

Amaro H, et al.: Violence during pregnancy and substance use. *Am J Public Health* 1990; 80(5):575–579.

American Psychiatric Association: *Diagnostic and Statistical Manual of Mental Disorders,* 3rd ed, revised. Washington DC: American Psychiatric Association, 1987.

Bigby J, Clark WD, May H: Diagnosing early treatable alcoholism. *Patient Care* (Feb 15) 1990; 24(3):135–156.

Blum et al.: Allelic association of human dopamine D_2 receptor gene in alcoholism. *JAMA* (April 18) 1990; 263(15):2055–2060.

Bradshaw J: *Healing the Shame That Binds You.* Health Communications, Inc., 1988.

Burkhalter PK: *Nursing Care of the Alcoholic and Drug Abuser.* McGraw-Hill, 1975.

Carpenito LJ: *Handbook of Nursing Diagnosis 1989–90.* Lippincott, 1989.

Campbell D, Graham M: *Drugs and Alcohol in the Workplace.* Facts on File Pub., 1988.

Cohen S: Alcohol and malnutrition. *Drug Abuse and Alcoholism Newsletter* (Oct) 1982; 11:1–4.

Donald W: Alcoholism and alcoholic psychoses. In: *Comprehensive Textbook of Psychiatry,* 4th ed. Vol. I. Daplan HI, Sadock BJ (editors). Williams and Wilkins, 1985.

Earle R, Crow G: *Lonely All the Time.* Pocket Books, 1989.

Estes NJ, Smith-DiJulio D, Heinemann ME: *Nursing Diagnosis of the Alcoholic Person.* Mosby, 1980.

Fingarette H: *Heavy Drinking: The Myth of Alcoholism as a Disease.* University of California Press, 1988.

Finley B: The role of the psychiatric nurse in a community substance abuse prevention program. *Nurs Clin N Am* 1989; 24(1):121–136.

Gordis E, et al.: Finding the gene(s) for alcoholism. *JAMA* (Apr 18) 1990; 263(15):2094–2095.

Griffith JW, Christensen PJ: *Nursing Process.* Mosby, 1986.

Hall JM: Alcoholism in lesbians: developmental, symbolic, interactionist, and critical perspectives. *Health Care for Women International* 1990; 11(1):89–107.

Hancock DC: Alcohol and the church. In: *Alcohol, Science & Society Revisited.* Gomberg EL, White HR, Carpenter JA (editors). University of Michigan Press, 1982.

Hough ES: Alcoholism: Prevention and treatment. *J Psychosoc Nurs* 1989; 27(1):15–19.

Hughes TL: Models and perspectives of addiction: Implications for treatment. *Nurs Clin N Am* 1989; 24(1):1–12.

Jellinek EM: Phases of alcohol addiction. In: *Society, Culture & Drinking Patterns.* Pittman DJ, Snyder CR (editors). Wiley, 1962.

Lerner WD, et al.: Alcoholic emergencies. *Patient Care* (May 30) 1988; 22(10):112–136.

Levin JD: *Treatment of Alcoholism and Other Addictions.* Aronson, 1987.

Luckman J, Sorensen RC: *Medical-Surgical Nursing: A Psychophysiologic Approach,* 4th ed. Saunders, 1987.

Nowinski J: *Substance Abuse in Adolescents and Young Adults.* Norton, 1990.

Potter-Efron RT: *Shame, Guilt and Alcoholism: Treatment Issues in Clinical Practice.* Haworth Press, 1989.

Powell AH, Minick MP: Alcohol withdrawal syndrome. *Am J Nurs* 1988; 88(3):312–315.

Scavnicky-Mylant M: The process of coping among young adult children of alcoholics. *Issues Men Health Nurs* 1990; 11(2):125–139.

Schenk E: Substance abuse. In: *Medical-Surgical Nursing,* 2nd ed. Long BC, Phipps WJ (editors). 1989. pp. 263–289.

Sugermann AA: Alcoholism: An overview of treatment models and methods. In: *Alcohol, Science & Society Revisited.* Gomberg EL, White HR, Carpenter JA (editors). University of Michigan Press, 1982.

Sullivan E, Bissell L, Williams E: *Chemical Dependency in Nursing.* Addison-Wesley, 1988.

Townsend MC: *Drug Guide for Psychiatric Nursing.* Davis, 1990.

Treadway DC: *Before It's Too Late: Working with Substance Abuse in the Family.* Norton, 1989.

Tweed SH: Identifying the alcoholic client. *Nurs Clin N Am* 1989; 24(1):13–32.

U.S. Department of Health and Human Services: *Sixth Special Report to the U.S. Congress on Alcohol and Health.* DHHS publication no. (ADM)87:1519. U.S. Department of Health and Human Services. 1987.

Weisberg J, Hawes G: *Rx for Recovery.* Franklin Watts, 1989.

World Almanac and Book of Facts. World Almanac, 1990.

LECTURES COMPLÉMENTAIRES

Association des intervenants en toxicomanie du Québec. *L'Intervenant*, publication trimestrielle (514), 523-1196.

Beck, Rawlins et Williams. *Mental Health Psychiatric Nursing : a holistic life-cycle approach*, St. Louis, Mosby, 1984.

Carpenito, L.J. *Diagnostic infirmier : du concept à la pratique clinique*, 2e éd. française, Paris, MEDSI/McGraw-Hill, 1990.

Cormier, D. *Abstinence, boire contrôlé, boire réfléchi*, Montréal, Méridien, 1989.

Cormier, D. *Toxicomanies : styles de vie*, Boucherville, Gaëtan Morin, 1984.

Gouvernement du Québec. *Et la Santé, ça va ?*, Tome I, rapport de l'enquête « Santé Québec 1987 », Québec, Les publications du Québec, 1988.

Gouvernement du Québec. *Objectif : Santé*, rapport du Comité d'étude sur la promotion de la santé, Conseil des Affaires sociales et de la famille, Québec, Direction générale des publications gouvernementales, 1984.

Lafrance, D. « Aspects préventifs de l'alcoolisme », *L'Infirmière canadienne*, janvier, 1984, 21-23.

Lalonde, Grunberg et coll. *Psychiatrie clinique : approche bio-psycho-sociale*, Boucherville, Gaëtan Morin Éditeur, 1988.

Liego, S. *The American Handbook of Psychiatric Nursing*, Philadelphia, Lippincott, 1984.

Ministère de la Santé et du Bien-être social. *Communiqué sur la santé des Canadiens : Problèmes liés à l'alcool*, (A-04), Ottawa, Direction de la promotion de la Santé, 1981.

Nadeau, L. « *Vivre avec l'alcool au-delà des préjugés* », Montréal, Éd. de l'Homme, 1990.

Reighley, J.W. *Nursing Care Planning Guides for Mental Health : Applying Nursing Diagnosis*, Baltimore, Williams & Wilkins, 1988.

Rousseaux, J.-P. *Alcoolisme et toxicomanie*, Bruxelles, De Boeck, 1989.

Vigeant, Y. *Espoir pour les mal-aimés*, Montréal, Edig, 1990.

Wilson, H.S., et C.R. Kneisl. *Soins infirmiers psychiatriques* (chap. 15), Montréal, Éditions du Renouveau Pédagogique, 1982.

CHAPITRE 13

L'abus des drogues

J. SUE COOK

L'hôpital...

l'endroit où je me sens enfin en sécurité. Plus besoin de lutter
pour avoir du pouvoir. Finies la peur, la dépression, la fuite...

■ *Objectifs*

Après avoir étudié le présent chapitre, vous devriez être en mesure de :

- établir la distinction entre l'abus des drogues et la pharmacodépendance ;

- expliquer les critères qui déterminent le diagnostic d'abus de drogues et le diagnostic de pharmaco-dépendance ;

- déterminer l'importance de la toxicomanie dans le cadre des soins infirmiers en psychiatrie ;

- décrire les connaissances théoriques de base se rapportant à l'abus des drogues ;

- énumérer les différentes catégories de drogues qui font le plus fréquemment l'objet d'un usage abusif ; indiquer le nom des drogues de chaque catégorie, leurs appellations populaires, leurs effets ainsi que les signes et les symptômes de l'abus ;

- expliquer les problèmes reliés à l'abus de caféine et de tabac ;

- dresser le bilan de santé d'un client toxicomane ;

- expliquer les résultats des examens physiques du client toxicomane ;

- déterminer les diagnostics infirmiers relatifs à l'intoxication, aux symptômes de sevrage ou au surdosage (overdose) ;

- planifier les soins infirmiers destinés au client qui souffre d'une intoxication, de symptômes de sevrage ou des effets du surdosage ;

- évaluer les soins infirmiers dispensés au client qui souffre d'une intoxication, de symptômes de sevrage ou des effets du surdosage .

■ *Sommaire*

Introduction

*Critères diagnostiques des diverses catégories de
    substances psychotropes*
Incidence de l'abus des drogues
Abus des drogues et soins infirmiers

Connaissances de base

Caractéristiques comportementales
Caractéristiques affectives
Caractéristiques cognitives
Caractéristiques physiologiques
Caractéristiques socioculturelles
Théories de la causalité
Traitement médical

**Autres phénomènes cliniques reliés à l'abus des
    drogues**

Le café et le tabac
Les drogues injectables et le sida

Collecte des données

Bilan de santé
Examen physique

Analyse des données et planification des soins

*Soins infirmiers de l'intoxication aiguë ou du
    syndrome de sevrage*
Soins infirmiers de la surdose (overdose)

Évaluation

Résumé

Introduction

D'après la classification du DSM-III-R, l'abus de drogues fait partie des troubles mentaux. Dans notre société, beaucoup de personnes utilisent les drogues à des fins récréatives dans le but de modifier leur humeur ou leur comportement. Cependant, sur le plan socioculturel, les drogues sont diversement acceptées. Les Amérindiens des plaines du Sud-Ouest, par exemple, utilisent, lors des cérémonies religieuses, le peyotl, car cette drogue provoque des hallucinations (Hahn, Barkin et Klarmen Oestreich, 1982). Dans la culture nord-américaine, l'usage à des fins récréatives de presque toutes les drogues est illégal. L'alcool, la caféine et le tabac sont les seules drogues dont la société accepte la consommation à des fins récréatives. Mis à part l'alcool, les drogues dont on abuse le plus couramment sont : les narcotiques, les sédatifs, les stimulants, les anxiolytiques et les hallucinogènes.

D'après le DSM-III-R, l'usage pathologique des drogues entre dans la catégorie des troubles liés à la consommation de substances psychotropes. Habituellement, le terme *toxicomanie* désigne la prise régulière de narcotiques, à des doses de plus en plus élevées, menant à une dépendance physique. La toxicomanie est, par conséquent, un phénomène à caractère essentiellement physiologique. De nos jours, le terme *pharmacodépendance* (ou dépendance à des substances ou à des drogues) désigne l'aspect « bio-psycho-social » des troubles provoqués par l'abus des drogues. La pharmacodépendance n'implique pas l'apparition d'une tolérance ni d'un syndrome de sevrage (Lalonde, Grunberg, 1988).

Certains spécialistes distinguent l'abus de substances de la pharmacodépendance. Pour eux l'**abus** est l'utilisation intentionnelle d'une drogue entraînant des effets nocifs chez soi ou chez les autres (nous avons parlé de l'alcoolisme au chapitre 12), la **dépendance** étant le stade où le sujet n'est plus capable de s'abstenir et poursuit la consommation malgré les effets nocifs. (On présente au tableau 13-1 les critères diagnostiques reliés à la pharmacodépendance et au tableau 13-2 les critères diagnostiques reliés à l'abus). D'autres spécialistes préfèrent ne pas faire de distinction entre l'abus de drogues, la toxicomanie et la pharmacodépendance, car, pour eux, une telle distinction est trop arbitraire. La dépendance est un trouble physique et psychique qui rend l'individu dépendant des drogues pour modifier et maîtriser son humeur. À cause de cette dépendance, il en fait un usage compulsif et éprouve une certaine forme de détresse en cas de privation (Donovan, 1988 ; Sullivan, Bissell et Williams, 1988 ; Treadway, 1989).

La **tolérance** pousse le consommateur à augmenter progressivement la dose de substance psychotrope pour obtenir les effets recherchés. Le **sevrage** est un syndrome particulier lié à la consommation de substances psychotropes (ou psycho-actives), qui se produit lorsque l'utilisateur en réduit ou en suspend l'usage.

Il existe neuf catégories de substances psychotropes qui entraînent une dépendance :

- l'alcool
- les amphétamines ou les sympathomimétiques ayant des effets similaires
- le cannabis
- la cocaïne
- les hallucinogènes
- les solvants et les nitrites volatils inhalés
- les opiacés
- la phencyclidine (PCP) ou les arylcyclohexylamines ayant des effets similaires
- les sédatifs, les hypnotiques et les anxiolytiques

Critères diagnostiques des diverses catégories de substances psychotropes

Amphétamines et sympathomimétiques ayant des effets similaires. On regroupe dans cette catégorie les substances que l'on désigne sous le nom populaire de « speed ». On y inclut également les amphétamines, la dextroamphétamine et la méthamphétamine. Certains anorexigènes font aussi partie de cette catégorie. Ces drogues peuvent être prises par voie orale ou intraveineuse ou par inhalation. La méthamphétamine, dont l'appellation populaire est « neige », en est un dérivé. La neige est consommée par inhalation de la fumée, et ses effets sont analogues à ceux du « crack » sauf que sa durée d'action peut aller jusqu'à 14 heures. Voici, en résumé, les principaux critères qui permettent de reconnaître l'abus d'amphétamines ou la dépendance :

- *Modes de consommation* : Prises épisodiques, quotidiennes ou pratiquement quotidiennes. La consommation frénétique durant la fin de semaine est une forme courante d'usage épisodique. En général, les doses sont progressivement augmentées.

Tableau 13-1   *Critères diagnostiques de la pharmacodépendance*

Les critères diagnostiques de la pharmacodépendance sont les suivants :

1. Au moins trois des manifestations suivantes :
   (a) substance toxique souvent prise en quantité supérieure ou sur un laps de temps plus long que ce que la personne avait envisagé ;
   (b) désir persistant de la substance toxique ou un ou plusieurs efforts infructueux pour réduire ou contrôler son utilisation ;
   (c) temps considérable passé à faire le nécessaire pour se procurer la substance toxique, la consommer ou récupérer de ses effets ;
   (d) symptômes d'intoxication ou de sevrage fréquents quand le sujet est censé accomplir les obligations majeures de son rôle au travail, à l'école, à la maison ;
   (e) importantes activités sociales, professionnelles ou de loisir abandonnées ou réduites en raison de l'utilisation de la substance toxique ;
   (f) poursuite de la consommation de la substance toxique malgré la connaissance de l'exacerbation des difficultés sociales, psychologiques ou physiques déterminées par l'utilisation de cette substance ;
   (g) tolérance marquée ou besoin de quantités nettement majorées de la substance toxique pour obtenir une intoxication ou l'effet désiré.
   Les critères suivants peuvent ne pas s'appliquer au cannabis, aux hallucinogènes ou à la phencyclidine :
   (h) symptômes caractéristiques de sevrage ;
   (i) substance souvent prise afin de diminuer ou d'éviter les symptômes de sevrage.
2. Certains symptômes du trouble ont persisté au moins un mois, ou sont survenus de façon répétée sur une période prolongée.

Source : *DSM-III-R – Manuel diagnostique et statistique des troubles mentaux*, Paris, Masson, 1989, pp. 188-189.

- *Caractéristiques connexes*: Les usagers consomment souvent d'autres substances comme l'alcool, les sédatifs, les hypnotiques ou les anxiolytiques pour neutraliser les effets pénibles de l'intoxication aux amphétamines. Les modifications comportementales et psychologiques comprennent la dépression, l'irritabilité, l'anhédonie, l'anergie, l'isolement social, le dysfonctionnement sexuel, l'idéation paranoïde, les altérations de l'attention et les troubles de la mémoire.

- *Évolution*: L'injection de la drogue par voie intraveineuse tend à provoquer une dépendance en l'espace de quelques semaines ou de quelques mois. Lorsque la drogue est prise par voie nasale, la dépendance peut ne pas s'installer avant des mois, voire même des années. L'usage prolongé semble s'expliquer par le désir irrépressible de prendre la drogue plutôt que par la peur de souffrir des symptômes du sevrage.

- *Prévalence*: À un moment ou à un autre, 2 p. cent des individus faisant partie de la population adulte ont consommé des amphétamines.

Mireille, secrétaire de trente ans, voulait prendre des pilules pour maigrir, mais son médecin a refusé de lui prescrire des amphétamines. Elle a décidé alors de se débrouiller autrement et elle est allée trouver un trafiquant de sa connaissance. Elle a été enchantée par la sensation que les pilules lui ont procurée et par le surplus d'énergie qu'elles lui apportaient. Durant les fins de semaine, elle doublait les doses pour maintenir la sensation de «planer» et pour pouvoir se passer de nourriture. Ses collègues se sont aperçus qu'elle avait tout à coup beaucoup maigri et ont attribué ses troubles de mémoire et son irritabilité à la perte de poids.

Cannabis   Cette catégorie englobe la marijuana et le haschich. Ces drogues sont le plus souvent consommées par inhalation de la fumée ; on les absorbe parfois par voie orale en les mélangeant aux aliments. L'ingrédient psychotrope de la

Tableau 13-2   *Critères diagnostiques de l'abus de substances psycho-actives*

Les critères diagnostiques de l'abus de substance psycho-active sont les suivants :
1. Mode d'utilisation inadapté d'une substance psycho-active comme en témoigne au moins un des symptômes suivants :
   (a) poursuite de l'utilisation malgré la connaissance d'un problème social, professionnel, psychologique ou physique, déterminé ou exarcerbé par l'utilisation de cette substance ;
   (b) utilisation répétée dans des situations où l'usage est physiquement risqué.
2. Certains symptômes du trouble ont persisté au moins un mois, ou sont survenus de façon répétée au cours d'une période plus longue.
3. N'a jamais répondu, pour cette substance toxique, aux critères de la dépendance à une substance psycho-active.

Source : *DSM-III-R – Manuel diagnostique et statistique des troubles mentaux,* Paris, Masson, 1989, p. 190.

marijuana et du haschich est le THC (delta-9-tétrahydrocannabinol). La marijuana contient de 1 à 5 p. cent de THC tandis que le haschich peut en contenir jusqu'à 15 p. cent (Youcha et Seixas, 1989). Voici, en résumé, les principaux critères qui permettent de reconnaître l'abus de cannabis ou la dépendance :

- *Modes de consommation* : À cause d'une fausse réputation de bénignité, beaucoup d'individus commencent à consommer cette drogue sans savoir que le cannabis peut facilement provoquer une dépendance qui s'installe, le plus souvent, à la suite d'un usage quotidien ou pratiquement quotidien. L'abus de cannabis entraîne des comportements inadaptés, telle la conduite en état d'intoxication. La dépendance au cannabis provoque des troubles moins graves sur le plan social, professionnel et physique que les autres drogues.

- *Caractéristiques connexes* : Le cannabis est fréquemment consommé en association avec d'autres substances, en particulier l'alcool et la cocaïne. Les principaux symptômes psychologiques provoqués par l'usage du cannabis sont la léthargie, l'anhédonie, l'altération de l'attention et les troubles de la mémoire.

- *Évolution* : La dépendance s'installe généralement à la suite d'une utilisation prolongée. Une tolérance peut se manifester et elle pousse à une consommation plus forte et plus fréquente.

- *Prévalence* : D'après Santé Québec, la proportion de la population adulte (15 ans et plus) ayant fait usage de marijuana, au moins 5 fois, est de 16 p. cent, un écart de 12 p. cent par rapport au groupe suivant, soit les consommateurs de cocaïne (3,9 p. cent). La marijuana est la drogue la plus utilisée, les pourcentages de consommation des autres drogues étant toujours inférieurs à 4 p. cent (voir le tableau 13-3). (Santé Québec, 1987)

Jean, 15 ans, actuellement au secondaire, a commencé à fumer des joints au primaire, en 6ᵉ année. À l'école, il avait l'habitude de traîner avec des garçons plus âgés que lui qui l'ont poussé à essayer le cannabis. Au début, ils le laissaient tirer des bouffées de leurs cigarettes mais, dès l'année suivante, ils ont changé d'attitude. Ils voulaient que Jean paie ses cigarettes. Comme il n'avait pas d'argent, il se mit à en voler dans le sac de sa mère. En 3ᵉ année du secondaire, il fumait du cannabis tous les jours. Il a même vendu sa bicyclette pour se procurer de la drogue et a dit à sa mère qu'on la lui avait volée. Ses notes, qui jusqu'ici avaient été bonnes, se sont mises à baisser et c'est tout juste s'il a réussi ses examens. Il passait le plus gros de son temps libre à fumer avec ses amis.

Tableau 13-3   *Consommation de drogue au cours de la vie, selon le type de substances (population âgée de 15 ans et plus) – Québec, 1987*

Type de drogue	Pourcentage*	Nombre
Marijuana	16,1	824 761
Cocaïne	3,9	196 952
Drogues psychédéliques	3,3	170 350
Tranquillisants	3,3	170 313
Amphétamines	2,8	142 240
Barbituriques	2,6	134 683
Opium	0,7	37 356
Héroïne	0,2	10 855
Autres drogues	0,3	13 780
Aucune drogue	79,5	3 099 631

* Le total peut être supérieur à 100, certains sujets ayant pu utiliser plusieurs types de drogues.
Source : Gouvernement du Québec. *Et la Santé, ça va ?* Tome I, rapport de l'enquête « Santé Québec 1987 »,
Québec, Les publications du Québec, 1988.

Cocaïne   Il existe plusieurs dérivés de la cocaïne qui proviennent tous de la feuille de coca. La cocaïne peut être mâchée, fumée, inhalée ou injectée. Le dérivé le plus souvent consommé en Amérique du Nord est le chlorhydrate de cocaïne. Il s'agit d'une poudre généralement prise par inhalation.

Depuis 1984, on fume de plus en plus de cocaïne et il est facile de se procurer une forme de cette drogue, appelée le « crack » ou le « rock ». Le crack est un mélange de chlorhydrate de cocaïne, de bicarbonate de soude et d'eau, qu'on chauffe, puis qu'on laisse durcir avant de le découper en petits morceaux que l'on introduit dans des cigarettes ou des pipes à eau (Gianelli, 1986 ; Levy, 1987). Le fait qu'il soit relativement bon marché en fait une drogue terrifiante car beaucoup d'adolescents peuvent alors s'en procurer facilement.

Le *crack* produit une euphorie rapide et intense. Cette phase d'exaltation est fréquemment suivie d'un effondrement ou « descente ». Quelques secondes ou quelques minutes après, les usagers éprouvent à nouveau un besoin pressant de recommencer. Ce n'est que lorsqu'ils n'ont plus les moyens d'acheter de la drogue que beaucoup d'entre eux décident de chercher de l'aide. Les symptômes habituels éprouvés par le consommateur de *crack* sont l'irritabilité, les idées de persécution, la dépression, la respiration bruyante, les crachements de sang et les expectorations tachées de brun, l'accélération du rythme cardiaque et l'élévation de la tension artérielle, la perte de poids ainsi que la sécheresse de la gorge et des lèvres. Les arythmies et les convulsions sont fréquentes et peuvent entraîner la mort (Gianelli, 1986 ; Levy, 1987). Voici, en résumé, les principaux critères qui permettent de reconnaître l'abus de cocaïne ou la dépendance :

- *Modes de consommation* : La consommation peut être périodique ou quotidienne. La consommation frénétique, par inhalation de la fumée ou par injection intraveineuse, est un exemple courant d'usage épisodique. L'usage prolongé entraîne fréquemment le besoin d'augmenter les doses.

- *Caractéristiques connexes* : Souvent, le cocaïnomane fait également un usage abusif d'alcool, de sédatifs, d'hypnotiques ou d'anxiolytiques pour masquer les effets pénibles de l'intoxication à la cocaïne.

Parmi les symptômes psychologiques et comportementaux entraînés par la cocaïne, citons la dépression, l'irritabilité, l'anhédonie, l'anergie, l'isolement social, le dysfonctionnement sexuel, les idées de persécution, les altérations de l'attention et les troubles de la mémoire.

- *Évolution*: La cocaïne fumée ou administrée par voie intraveineuse tend à entraîner l'abus ou la dépendance en l'espace de quelques semaines ou de quelques mois. En prises nasales, l'abus ou la dépendance s'installe plus graduellement et ne survient qu'après plusieurs mois ou plusieurs années. La tolérance est fréquente et on constate généralement que l'usager augmente les doses pour obtenir l'effet désiré. L'usage prolongé de cette substance s'explique plutôt par le désir irrépressible de prendre la drogue que par la peur de souffrir des symptômes du sevrage.

- *Prévalence:* D'après Santé Québec, 3,9 p. cent de la population adulte a déjà consommé de la cocaïne (voir le tableau 13-3).

Michel, 25 ans, est agent d'assurances. Ses amis de jeunesse disent que c'est un joyeux drille. Il avait l'habitude de consommer de la bière ou, parfois, des spiritueux. Récemment, un client lui a fait essayer la cocaïne. Jamais l'alcool n'avait donné à Michel ce sentiment d'euphorie. Il pensait pouvoir maîtriser sa consommation, étant donné qu'il ne prenait de la cocaïne que durant les fins de semaine. Mais, très rapidement, il a ressenti le besoin d'en consommer au cours de la semaine pour se détendre, car la bière qu'il avait l'habitude de prendre le soir ne faisait plus d'effet. Sans tarder, il s'est mis à consommer de la cocaïne chaque soir.

Hallucinogènes (substances psychédéliques)

Les drogues qui font partie de cette catégorie sont absorbées par voie orale et comprennent les substances qui agissent sur les récepteurs de la 5-hydroxytryptamine, à savoir le LSD, la MDA, la MDMA, la TMA, la DOM et la DMT ainsi que les phényléthylamines, telles la mescaline et la psilocybine. Voici, en résumé, les principaux critères qui permettent de reconnaître l'abus de substances hallucinogènes ou la dépendance:

- *Modes de consommation*: La plupart des gens commencent à consommer des hallucinogènes par curiosité. L'usage est presque toujours épisodique, car ces drogues altèrent les fonctions cognitives normales à un point tel que l'utilisateur se trouve forcé d'interrompre ses activités habituelles. Les cas d'abus sont plus fréquents que la dépendance.

- *Caractéristiques connexes*: Les hallucinogènes sont fréquemment mêlés à d'autres drogues comme la phencyclidine (PCP) et les amphétamines. Souvent, les usagers d'hallucinogènes fument également du cannabis et font un usage abusif d'alcool.

- *Évolution*: L'évolution est imprévisible et, le plus souvent, reliée à la pathologie sousjacente qui a déclenché la consommation de la drogue. La plupart des gens reprennent leur mode de vie normal après une brève période d'abus.

- *Prévalence*: Il est extrêmement rare que les personnes aux prises avec une dépendance aux hallucinogènes décident de se faire soigner. D'après Santé Québec, 3,3 p. cent de la population aurait fait usage de ces drogues (voir le tableau 13-3).

Anne, 20 ans, collégienne, aimait se retrouver seule pour étudier. Elle avait toujours besoin de temps supplémentaire pour ses études et, pendant toute leur durée, elle avait tenu les autres à l'écart. Ses camarades la traitaient de recluse mais ils continuaient à l'inviter aux petites fêtes qu'ils organisaient. Un soir, après des examens de fin d'année qui lui avaient demandé un effort considérable, Anne a ressenti le besoin d'échapper à la réalité. Elle a pris quelques verres, puis a décidé d'aller à une petite fête en compagnie de la jeune fille qui partageait sa chambre. Quelques personnes fumaient de la mescaline et Anne a décidé d'en faire l'essai. Elle a rapidement eu l'impression de «planer». La musique lui semblait merveilleuse et les couleurs, vives et brillantes. Lorsqu'elle s'est mise à décrire ses visions, Anne est instantanément devenue le centre de l'attention.

Solvants et nitrites volatils Cette catégorie de drogues comprend les hydrocarbures aliphatiques et aromatiques que l'on trouve dans différentes substances comme l'essence, la colle, la peinture, les diluants de peinture et la peinture à pulvériser. Parmi les autres types de substances volatiles, citons les nitrites comme le nitrite d'amyle, le nitrite de butyle et le protoxyde d'azote. Les nitrites causent une vasodilation qui entraîne une chute soudaine de la tension artérielle et une accélération de la fréquence cardiaque, 15 à 30 secondes après l'inhalation. Le sujet ressent une euphorie intense pouvant durer environ trois minutes. On dit que les substances intensifient l'excitation sexuelle et le plaisir de l'orgasme. Le protoxyde d'azote est utilisé comme anesthésique par les dentistes et il est consommé de façon abusive à cause de ses effets euphoriques et des légères hallucinations qu'il produit. Ces drogues sont inhalées par la bouche ou le nez. Voici, en résumé, les principaux critères qui permettent de reconnaître l'abus de solvants volatils ou la dépendance :

- *Modes de consommation* : Les sujets qui consomment les solvants volatils viennent souvent de familles à problèmes et présentent généralement des difficultés d'adaptation à l'école ou au travail. Un grand nombre d'entre eux sont des jeunes, issus de minorités ethniques vivant dans les quartiers défavorisés. L'usage de solvants volatils peut commencer dès l'âge de 9 ans et augmenter graduellement durant l'adolescence et le début de l'âge adulte.

- *Caractéristiques connexes* : Presque tous ceux qui consomment des solvants volatils

prennent également d'autres drogues et souffrent souvent de troubles physiques et psychologiques graves.

- *Évolution* : Les jeunes inhalent ces substances plusieurs fois par semaine, pendant la fin de semaine ou après l'école. Ce rythme de consommation peut persister pendant plusieurs années.

- *Prévalence* : Les données à ce sujet manquent.

Jacquot, écolier, onze ans, habite dans une agglomération urbaine. Il est le troisième enfant d'une famille de cinq qui vit dans un appartement comprenant deux chambres à coucher. Après l'école, Jacquot traîne dans le parc avec ses amis. Ils volent des tubes de colle dans un bazar du quartier et vont les renifler dans les toilettes.

Opiacés Cette catégorie comprend : l'héroïne, la morphine, la codéine et les drogues synthétiques dont les effets sont similaires à ceux de la morphine : l'hydromorphine, la mépéridine, la méthadone, l'oxycodone, etc. Ces drogues sont fumées ou prises par voie orale ou intraveineuse ou encore par inhalation. Voici, en résumé, les principaux critères qui permettent de reconnaître l'abus d'opiacés ou la dépendance :

- *Modes de consommation* : On connaît deux principaux modes de consommation pathologique. Dans le premier cas, le moins fréquent, il s'agit de personnes qui ont reçu au départ une ordonnance d'opiacés pour calmer la douleur. Par la suite, elles consultent en général plusieurs médecins pour se procurer les quantités dont elles ont besoin. Dans le deuxième cas, il s'agit de jeunes qui se procurent des opiacés par des moyens illicites pour atteindre un état euphorique.

- *Caractéristiques connexes* : La plupart des gens qui prennent des opiacés consomment également de l'alcool, des amphétamines, du cannabis, des hallucinogènes, de la nicotine, des sédatifs, des hypnotiques, des anxiolytiques et des antitussifs en vente libre.

- *Évolution*: Une fois que l'abus ou la dépendance s'est installé, la principale préoccupation de l'usager est de se procurer la drogue et de la consommer. Chez les consommateurs d'opiacés, on note un taux élevé d'accidents mortels qui proviennent de complications somatiques ou, chez plusieurs, d'un mode de vie dominé par la violence.

- *Prévalence*: D'après Santé Québec, 0,7 p. cent et 0,2 p. cent de la population a consommé respectivement de l'opium et de l'héroïne au moins 5 fois durant la vie (voir le tableau 13.3).

Diane, coiffeuse, 19 ans, vit chez ses parents avec ses sept frères et sœurs. Son frère Raoul fait partie d'une bande, et Diane sort depuis peu de temps avec l'un de ses copains, René, qui lui a montré comment se piquer à l'héroïne. C'est lui qui vend à Diane l'héroïne, et presque tout le salaire de la jeune fille y passe.

Phencyclidine (PCP) et arylcyclobexylamines ayant des effets similaires   Cette catégorie comprend la phencyclidine (PCP) et la kétamine. Voici, en résumé, les principaux critères qui permettent de reconnaître l'abus de ces drogues ou la dépendance :

- *Modes de consommation*: La phencyclidine (PCP) fait généralement l'objet de prises frénétiques et épisodiques qui s'étalent sur plusieurs jours. La consommation quotidienne est rare. On ne sait pas encore si cette drogue provoque une tolérance ou des symptômes de sevrage.

- *Caractéristiques connexes*: Les usagers invétérés de PCP consomment également de l'alcool et du cannabis.

- *Évolution*: L'abus ou la dépendance s'installe après une courte période de consommation occasionnelle. La sensation d'euphorie que la drogue procure incite à

la consommation prolongée.

- *Prévalence*: Il arrive relativement rarement que des consommateurs de phencyclidine décident de se faire soigner.

Jean-Paul, jeune homme de 19 ans, a été retrouvé par ses amis dans un état de stupeur et de confusion après consommation d'un mélange de PCP et d'alcool. Son discours était incohérent et il était incapable de marcher ou de s'asseoir sans se faire aider. Après avoir été admis au service d'urgence, il a été transféré dans le service de soins spécialisés à cause de ses antécédents de polytoxicomanie.

Sédatifs, hypnotiques et anxiolytiques Cette catégorie de médicaments comprend également les somnifères. Parmi les substances qui provoquent la dépendance, citons l'ethchlorvynol, le glutéthimide, l'hydrate de chloral, la méthaqualone et les barbituriques. Voici, en résumé, les principaux critères qui permettent de reconnaître l'abus de sédatifs, d'hypnotiques et d'anxiolytiques ou la dépendance à ces substances.

- *Modes de consommation*: Il existe deux principaux modes de consommation pathologique. Dans le premier cas, il s'agit de personnes qui ont reçu au départ ces substances sur ordonnance médicale pour le traitement de l'anxiété ou de l'insomnie. Souvent, elles en augmentent elles-mêmes la dose de façon graduelle. Dans le deuxième cas, il s'agit de jeunes qui se procurent la drogue par des moyens illicites.

- *Caractéristiques connexes*: Certaines personnes font usage de ces drogues pour augmenter l'euphorie engendrée par les opiacés ou pour neutraliser les effets excitants de la cocaïne ou des amphétamines.

- *Évolution*: On constate le plus souvent un usage quotidien massif qui engendre la dépendance.

- *Prévalence*: Pour les substances classées à la rubrique des «tranquillisants» et des

« barbituriques », Santé Québec note une consommation de 3,3 et de 2,6 p. cent (voir le tableau 13-3).

Lors du décès de son mari, Jeanne, 65 ans, a obtenu de son médecin une ordonnance de barbituriques pour traiter son insomnie. Elle a continué à prendre ces médicaments, car elle n'arrivait pas à dormir. Il lui arrivait fréquemment de doubler la dose pour ne pas se réveiller au cours de la nuit. Lorsque le médecin a refusé de renouveller son ordonnance, Jeanne est allée en trouver un autre. Elle ne pouvait plus se passer de ses somnifères.

Incidence de l'abus des drogues

Il est difficile de recenser le nombre de personnes qui font un usage abusif de drogues. La consommation de drogues étant illicite, il est presque impossible d'obtenir des données précises à ce sujet. La plupart des statistiques prouvent que les principaux consommateurs sont des jeunes, car ce sont eux qui, le plus souvent, adoptent les nouveaux comportements sociaux.

Dans les années 60, on faisait principalement usage de drogues psychédéliques, d'hallucinogènes et d'amphétamines. Au cours des années 70, les drogues les plus répandues étaient l'héroïne, la marijuana et les sédatifs hypnotiques, alors qu'au cours des années 80, la cocaïne est devenue la drogue à la mode.

Selon Santé Québec, les habitudes de consommation de drogue indiquent que les hommes sont de plus grands consommateurs que les femmes. La consommation est étroitement liée à l'âge : ce sont les plus jeunes qui consomment le plus de drogues (voir le tableau 13-4).

Abus des drogues et soins infirmiers

Étant donné que nous vivons dans une société caractérisée par la surconsommation de médicaments, les infirmières doivent bien connaître le dossier de la pharmacodépendance, les attitudes et les pratiques qui s'y rattachent ainsi que les maladies qui

la caractérisent. Chaque jour, la publicité vante de nouveaux médicaments censés guérir toutes sortes de maux. Nous en absorbons quotidiennement de grandes quantités. Pour nous tenir éveillés, nous consommons de la caféine et, pour réduire nos tensions, de la nicotine. Les médecins prescrivent couramment des sédatifs et des anxiolytiques pour combattre l'anxiété, le stress et l'insomnie.

Récemment, on s'est penché sur l'importante question de la pharmacodépendance chez les professionnels de la santé. Les infirmières et les médecins, dont le travail est très stressant et qui ont facilement accès aux narcotiques, sont particulièrement exposés à la pharmacodépendance. Comme on juge plus sévèrement les femmes qui font un usage abusif des drogues que les hommes, les infirmières risquent plus souvent que leurs collègues médecins d'être renvoyées, appréhendées, poursuivies et de voir leur licence révoquée.

L'infirmière doit s'interroger sur ses propres valeurs, sur son attitude ainsi que sur le comportement qu'elle adopte vis-à-vis du client toxicomane. L'usager de drogues est très sensible à l'attitude adoptée à son égard par le personnel de soins. Une attitude moralisatrice ou un trop grand laxisme risque de compromettre les efforts de guérison du client. Le toxicomane a la responsabilité d'essayer de modifier son comportement à l'égard de la drogue, que ce soit sur le plan des démarches qu'il entreprend pour se la procurer ou sur le plan de la consommation qu'il en fait, et l'infirmière doit le soutenir dans ses efforts sans porter de jugement.

Connaissances de base

Caractéristiques comportementales

Comme dans le cas de l'alcoolisme, aucun signe particulier ne peut indiquer l'abus de drogues. L'infirmière doit évaluer les renseignements que le client lui fournit par rapport à ses connaissances au sujet des comportements toxicomaniaques. En réalité, ce sont les conséquences du comportement toxicomaniaque – c'est-à-dire les graves problèmes sociaux et personnels causés par l'abus de drogues

Tableau 13-4 *Consommation de drogue selon le groupe d'âge (en pourcentage –
population âgée de 15 ans et plus) – Québec, 1987*

Groupe d'âge	Marijuana seulement	Marijuana et autres drogues	Aucune drogue	Total	Population approximative
15-24	16,9	11,8	71,3	100,0	987 193
25-44	14,9	13,3	71,8	100,0	2 141 133
45-64	1,2	5,1	93,7	100,0	1 176 984
65 et +	0,2	4,6	95,2	100,0	495 611
Total	**10,4**	**10,1**	**79,5**	**100,0**	**4 800 921**

Source : Gouvernement du Québec. *Et la Santé ça va ?*, Tome I, rapport de l'enquête « Santé Québec, 1987 »,
Québec, Les publications du Québec, 1988.

– qui attirent l'attention de l'infirmière. Le comportement de la plupart des toxicomanes traduit le désir ou le besoin irrépressible de consommer constamment de la drogue. Les comportements rebelles et agressifs sont également courants chez les toxicomanes (Schnoll, 1983).

Les comportements reliés à l'abus des drogues ressemblent à ceux qui caractérisent un certain nombre d'autres troubles. La situation la moins équivoque est bien sûr celle où le client avoue lui-même sa dépendance. Mais, étant donné que ces personnes demandent rarement un traitement, il appartient à l'infirmière de reconnaître certains autres modes de comportement qui viennent confirmer ses soupçons. Par exemple, certains clients renouvellent leurs ordonnances de plus en plus fréquemment ou consultent plusieurs médecins ; l'infirmière peut vérifier les faits en téléphonant aux pharmaciens qui délivrent habituellement les médicaments. Une modification soudaine du comportement peut également indiquer un abus de drogues. Prenons l'exemple de la personne généralement docile, qui devient agressive, ou de la personne tirée d'habitude à quatre épingles, qui soudainement néglige sa tenue. Des changements d'emploi fréquents ou la perte d'un emploi sans motif valable peuvent également laisser soupçonner un abus de drogues.

Sous l'influence de la drogue, le mode de vie du client peut se modifier radicalement. Les clients qui obtiennent leurs drogues sur ordonnance sont généralement capables de mener une vie normale, mais ceux qui se procurent la drogue par des moyens illicites sont souvent obligés de modifier leur mode de vie. Ces derniers adhèrent ordinairement à une subculture qui les protège et où prévalent la prostitution, le vol et les cambriolages. Un tel mode de vie entraîne fréquemment des démêlés avec la justice.

Caractéristiques affectives

Pour certaines personnes, les substances psychotropes sont des stimulants qui leur permettent de combattre l'ennui et la dépression. D'autres les utilisent comme dépresseurs pour gérer leur anxiété et leur stress. Tous ces individus essaient en fin de compte de transformer tant que faire se peut des sentiments pénibles en sentiments agréables. Sur le plan de l'affectivité, la plupart des drogues engendrent des réactions très diverses, qui vont de l'anxiété à la peur en passant par des sautes d'humeur draconiennes et des épisodes de paranoïa. Lorsque la personne pharmacodépendante essaie d'arrêter la consommation et que ses tentatives échouent, elle en ressent de la culpabilité et de la honte. Une fois la situation portée au grand jour, la personne se sentira gênée et humiliée (Donovan, 1988).

Un grand nombre de sujets pharmacodépendants souffrent de dépression. Cette dépression est soit la cause de l'abus, soit son résultat. Des recherches portent actuellement sur l'incidence des troubles anxieux et des crises de panique chez les individus aux prises avec une pharmacodépendance. La cocaïne, la PCP, la marijuana, les solvants organiques et la caféine sont des substances qui peuvent provoquer des crises de panique. On estime que 64 p. cent des cocaïnomanes souffrent d'une forme acquise de trouble panique, liée directement aux effets excitants de la cocaïne sur le SNC. Une fois les crises de panique installées, le trouble persiste même lorsque le sujet arrête de consommer de la drogue (Louie et coll., 1989).

Caractéristiques cognitives

Les recherches faites sur la personnalité du toxicomane ont été peu concluantes. On a noté quelques caractéristiques communes qui viennent du fait que l'individu est obligé d'avoir recours à la tromperie, à la malhonnêteté et aux ruses pour être en mesure de maintenir sa dépendance à l'égard des drogues. Il essaie, par exemple, de s'inventer des maux nouveaux, il change de médecin pour pouvoir se procurer de nouvelles ordonnances ou il commet des délits graves pour se procurer de la drogue illégalement.

Les individus souffrant de pharmacodépendance présentent souvent une baisse de la concentration et une altération de l'attention. Ils ont aussi du mal à suivre des directives. Leur capacité de prise de décisions est altérée. Le *déni* est le principal mécanisme de défense qui maintient la pharmacodépendance. Il s'agit d'un processus inconscient qui permet au toxicomane de préserver l'estime de soi face à un comportement qu'il ne peut plus maîtriser. Un autre mécanisme de défense, la *rationalisation*, renforce le déni. Celle-ci se manifeste dans des remarques comme : « Je prends de la drogue parce que j'ai été un enfant battu. » ou « Je prends de la drogue pour atténuer le stress de mon travail. » Parmi d'autres mécanismes de défense qui caractérisent la pharmacodépendance, citons : la mystification, l'évitement et la simulation. La *mystification* est le mécanisme qui pousse le toxicomane à utiliser la ruse et la supercherie pour arriver à ses fins. L'*évitement* lui permet de fuir tous les sujets de conversation qui lui sont pénibles ou qu'il juge inutiles. La *simulation* est la projection d'une image avantageuse qui saura plaire à son entourage.

Caractéristiques physiologiques

Les drogues consommées abusivement exercent un effet de stimulation ou de dépression sur le SNC. La dépendance physique et psychologique qui s'installe est fréquemment associées à des états pathologiques. On rencontre souvent des cas de malnutrition accompagnée d'hypovitaminose et de déshydratation. Certains troubles respiratoires peuvent s'installer, entre autres la pneumonie, l'embolie pulmonaire, des abcès ou une dépression respiratoire. La contamination du matériel provoque souvent des éruptions cutanées, la septicémie et l'hépatite. Les surdosages accidentels peuvent causer la mort (Hahn, Barkin et Klarmen Oestreich, 1982). Les séquelles physiques, courantes chez les sujets qui font un usage abusif des drogues, dépendent du mode de consommation. Ceux qui en inhalent la fumée contractent des bronchites chroniques et des irritations de la gorge. Chez ceux qui la prisent (par insufflation), on observe des lésions et des irritations nasales, des congestions nasales chroniques ou des écoulements rhino-pharyngés. Chez les usagers de drogues par voie intraveineuse, il est fréquent de voir apparaître des infections comme l'hépatite, la cellulite ou l'endocardite ; les injections répétées laissent chez eux des cicatrices ou des marques d'aiguilles sur le trajet des veines. Les seringues contaminées constituent l'une des principales causes de sida. D'après les évaluations, 50 à 60 p. cent des usagers de drogues par voie intraveineuse sont séropositifs. C'est parmi eux et leurs partenaires sexuels que l'on retrouve le plus grand nombre de cas de sida (Schleifer et coll., 1990). On résume au tableau 13-5 les effets physiologiques des différentes drogues qui font l'objet d'un usage abusif.

Caractéristiques socioculturelles

La pharmacodépendance affecte non seulement l'usager mais aussi sa famille et ses proches, et elle mobilise les services de soins et la société en général. Dans certains cas, les membres de la famille et les vieux amis sont abandonnés au profit de nouvelles amitiés qui se nouent au sein de la subculture de la drogue. Dans d'autres cas, les personnes pharmacodépendantes s'isolent de plus en plus, au fur et à mesure que leur vie se concentre sur la consommation de substances. Cependant, certains individus réussissent à cacher leur consommation de drogues à leurs collègues et aux autres personnes de leur entourage.

La pharmacodépendance touche la famille entière, et son effet est des plus dévastateurs lorsque le toxicomane est l'un des parents. L'abus des drogues mène à la détérioration des relations conjugales. Si l'un des deux parents consomme de la drogue, la lutte de pouvoir s'installe. Lorsque la famille est incapable de parler ouvertement de la situation, elle l'ignore carrément. Pour éviter des situations embarrassantes, on invente des excuses pour justifier auprès des autres la conduite du toxicomane. Les rôles familiaux et les responsabilités fluctuent selon les crises. En dépit de ce climat chaotique, le conjoint qui ne consomme pas de drogue peut désirer poursuivre la relation pour plusieurs motifs : dépendance affective envers l'autre, intérêts matériels, préservation de la cohésion de la famille, motifs d'ordre religieux ou désir de maintenir une image de respectabilité.

La **codépendance** est la situation du conjoint qui n'abuse pas de drogues, mais qui demeure dans la relation de couple. Cette codépendance s'installe pour différentes raisons : peur, ressentiment, sentiments de désespoir et d'impuissance, et désir de ramener le toxicomane sur le droit chemin. Les femmes sont généralement davantage prédisposées à la codépendance, car la société exige qu'elles soient dévouées, responsables du bien-être de leur famille et loyales, envers et contre tout. Souvent, les personnes codépendantes souffrent d'un manque d'estime de soi et craignent d'être abandonnées. Elles considèrent que leur obstination à vouloir changer le comportement de leur conjoint est une forme d'amour. On observe chez les codépendants quatre types de réactions. Les codépendants « aveugles » ferment les yeux sur le problème autant que sur leur propre souffrance en espérant que les choses finiront par s'arranger. Le « tyran » fustige sans cesse le toxicomane dans l'espoir d'éliminer ainsi le trouble. Il se répand en invectives contre son conjoint et lui adresse constamment des critiques dans l'espoir de faire ainsi cesser la consommation abusive de drogues. Le

« sauveur » prétend garder la main haute sur la situation et fait tout ce qu'il peut pour éviter à son conjoint les difficultés et le désespoir. La « victime » supporte passivement sa souffrance dans l'espoir que le sentiment de culpabilité viendra à bout du comportement de son conjoint (Earle et Crow, 1989).

Les enfants qui grandissent dans des foyers où une pharmacodépendance est présente (chez l'un des parents ou chez les deux) gardent souvent des séquelles pour le restant de leur vie. Par peur d'être maltraités physiquement ou verbalement, ces enfants apprennent à taire leurs sentiments. Il leur est souvent difficile d'établir des relations de confiance avec les autres, car le comportement imprévisible de leurs parents les a privés de tout modèle cohérent. Par ailleurs, à cause du climat d'instabilité qui règne à la maison, ils n'osent plus faire confiance à personne. Ces enfants ont tendance à adopter l'un des quatre types de comportement qui suivent. Le héros, souvent l'aîné, prend en charge les affaires familiales et veille au fonctionnement de la famille. À l'âge adulte, il prendra souvent soin d'un conjoint ayant des troubles fonctionnels ou deviendra un travailleur forcené. Le bouc émissaire a un comportement inadapté à la maison, à l'école ou en société. En créant des problèmes autour de lui, cet enfant cherche à détourner l'attention et à faire oublier le conflit. Plus tard, il risque lui-même de devenir toxicomane. L'enfant « en retrait » évite le conflit et la douleur en se retranchant physiquement et affectivement. À l'âge adulte, il a souvent du mal à établir des relations intimes et peut lui même devenir toxicomane pour diminuer son sentiment d'isolement. Le bouffon, qui est souvent le dernier-né, adopte un comportement enjoué pour tenter d'alléger la tension familiale et masquer sa propre détresse (Earle et Crow, 1989 ; Treadway, 1989).

Sur le plan socioculturel, on observe souvent chez les cocaïnomanes des épisodes caractéristiques de « passage à l'acte » dans le domaine de la vie sexuelle. La cocaïne est un stimulant du SNC qui élimine les inhibitions et intensifie la libido ainsi que les fantasmes. Certains individus sont portés à essayer la cocaïne essentiellement pour connaître cette euphorie sexuelle. De fortes doses de cocaïne

(suite page 542)

Tableau 13-5   *Manifestations de l'abus de drogues*

Nom de la drogue (appellation populaire)	Mode d'action	Mode de consommation	Tolérance	Dépendance	Caractéristiques cognitives
Cannabis Cannabis et haschich (marie-jeanne, *bay*, joint, *pot*, *grass*, herbe, hash, dope, *tea*, chanvre indien, *weed*, *Aunt Mary*, blonde, colombien, *wheat*, *yerba*)	Dépression du SNC	Inhalation de la fumée, voie orale	Non, mais il peut parfois se produire une tolérance renversée	Psychologique	Sensation de ralentissement du temps Amnésie à court terme Perception des couleurs amplifiée
Stimulants Cocaïne (*snow*, neige, coke, *happy dust*, *crack*) Amphétamines (*uppers*, *pep pills*, *wake-ups*) Benzédrine (*greenies*, *footballs*) Methédrine (*Speed*, *ice*, *crystal*) Dexédrine (*dexies*)	Excitation du SNC	Voie orale, injection sous-cutanée, injection intraveineuse Cocaïne : insufflation	Oui	Psychologique	Risque de delirium Niveau de conscience variable Altération des fonctions cognitives Désorientation Perte grave de la mémoire immédiate Incapacité d'accomplir des opérations mentales simples Idées de persécution Déni et rationalisation
Hallucinogènes et Phencyclidine (PCP) LSD (acide, *blue acid*, *sugar cubes*, *heavenly blue*, trip) Mescaline (*mesc*, *cactus*, *mescal beans*)	Inconnu	Voie orale ; certains, par injection ou inhalation	Possible	Risque de dépendance psychologique	Préoccupation par rapport aux modifications perceptuelles *Idées délirantes* Désorientation Incapacité d'exécuter des tâches simples

Caractéristiques affectives	Signes et symptômes d'abus	Symptômes de sevrage	Complications somatiques	Issue fatale
Sensation de plaisir qui peut aller jusqu'à l'euphorie	Système nerveux : troubles auditifs et visuels ; modification de la personnalité	Aucun	Bronchite, conjonctivite	Non
Apathie	Système respiratoire: toux			
Dépersonnalisation et déréalisation				
Anxiété pouvant aller jusqu'à la panique				
À certains moments, méfiance et idées de persécution				
Sentiment excessif de confiance en soi	Système nerveux : convulsions, spasmes musculaires, anesthésie, paresthésie, hallucinations, céphalées, troubles auditifs et visuels, troubles de la personnalité, perte de l'acuité auditive, modification de la personnalité, mydriase	Aucun	Malnutrition Amphétamines : contamination des aiguilles Cocaïne : perforation de la cloison nasale	Amphétamines : convulsions, coma, hémorragie cérébrale Cocaïne : convulsions, arrêt respiratoire
Idées de grandeur				
Euphorie	Système cardiovasculaire : collapsus cardiovasculaire ou choc, tachycardie, hypertension, vasoconstriction			
Hypervigilance, mégalomanie, euphorie et agitation	Appareil respiratoire : respiration rapide ou profonde, respiration lente ou laborieuse Appareil digestif : anorexie, dysphagie, salivation, xérestomie, nausées, vomissements, diarrhée, douleurs abdominales Peau et muqueuses : dermatite, inflammation, traces d'aiguilles Urine et haleine : polyurie, urobilinurie			
Euphorie	Système nerveux : coma, ataxie, rigidité tétanique, convulsions, faiblesse musculaire ou paralysie, anesthésie, paresthésie, hallucinations, troubles auditifs et visuels, troubles de la personnalité, modification de la personnalité, vision trouble, distorsion des couleurs, regard dans le vide, mydriase	Aucun	Rares	Possible
Anxiété				
Labilité affective				
Mégalomanie	Système cardiovasculaire : tachycardie, hypertension, hypotension			
Agressivité				
Impulsivité	Appareil respiratoire : respiration rapide ou profonde, paralysie respiratoire			
Imprévisibilité				

(suite page suivante)

Tableau 13-5 *(suite)*

Nom de la drogue *(appellation populaire)*	Mode d'action	Mode de consommation	Tolérance	Dépendance	Caractéristiques cognitives
PCP (*PeaCe Pill*, poudre d'ange) DOM (STP) (sérénité, tranquillité, paix) TMA DMT (LSD de l'homme d'affaires) MDA (drogue de l'amour) MDMA (extase)					Altération des capacités mentales Sensation de ralentissement du temps
Opiacés Morphine (*Miss Emma, dreamer, white*, la blanche) Héroïne (*H, junk, stuff, horse, dope, hard stuff, powder, Lady Jane*) Codéine (*junk*) Dilaudid (*D*) Mépéridine (Démerol) Méthadone (*dollies, dolls*)	Dépression du SNC, analgésique	Voie orale, inhalation de la fumée, insufflation, injection sous-cutanée, injection intramusculaire, injection intraveineuse	Oui	Psychologique, physiologique	Abaissement du niveau de conscience Discours embrouillé Manque de coordination Sens de l'orientation intact Manifestations de retrait social Déni de la consommation
Sédatifs, hypnotiques ou anxiolytiques (*barbs, candy*) Amytal (*blue heaven, blue angels*) Nembutal (*dolls, goof balls*) Seconal (*red birds*) Placidyl Methaqualone (la drogue de l'amour, l'héroïne pour les amoureux, *mandrakes*) Valium Librium Equanil Miltown	Dépression du SNC	Voie orale, injection intramusculaire, injection intraveineuse	Oui	Psychologique, physiologique	Similaires à celles de l'intoxication et du sevrage alcooliques Abaissement du niveau de conscience Perte des facultés cognitives Modifications perceptuelles de l'environnement Recours aux ruses pour se procurer les drogues en prétendant qu'il s'agit du traitement d'une maladie réelle

Caractéristiques affectives	Signes et symptômes d'abus	Symptômes de sevrage	Complications somatiques	Issue fatale
	Appareil digestif : nausées et vomissements			
	Peau et muqueuses : éruptions, urticaire			
		Aucun	Rares	Possible
Modification de l'humeur	Système nerveux : coma, rigidité tétanique, convulsions, faiblesse musculaire ou paresthésie, hallucinations, céphalées, troubles auditifs et visuels, acouphènes, troubles de la personnalité, vision trouble, myosis	Oui : tremblements, spasmes, douleurs abdominales, nausées et vomissements, larmoiement, pilo-érection, transpiration et frissons ; hypertension, accélération du rythme respiratoire, irritabilité ; envie irrépressible de drogue, dépression	Infections, hépatite, endocardite, troubles vasculaires, embolie pulmonaire	Oui : coma, arrêt respiratoire, état de choc
Attitude vindicative				
Manipulation de l'entourage	Appareil respiratoire : respiration lente ou laborieuse, paralysie respiratoire			
Colère	Appareil digestif : anorexie, soif, nausées et vomissements, coliques, selles sanguinolentes, constipation, douleurs abdominales			
	Peau et muqueuses : prurit, sécheresse, rougeur, paleur, tachycardie, dermatite, alopécie, traces d'aiguilles			
	Urine et haleine : glycosurie, protéinurie			
	Troubles hématologiques : anémie			
Sentiment que la consommation de drogue est une activité qui transcende le quotidien	Système nerveux : coma, ataxie, convulsions, anesthésie, paresthésie, hallucinations, céphalées, troubles auditifs et visuels, troubles de la personnalité, altération de la vision, vision trouble, myosis	Oui : nausées, vomissements, diarrhée, hémorragie, tremblements, diaphorèse, hypertension et hypotension ; troubles du sommeil ; irritabilité, hostilité, nervosité ; syndrome cérébral aigü, altération des fonctions cognitives ; convulsions	Surdosage	Oui : coma, arrêt respiratoire, choc
Connotation romantique donnée à la consommation de drogue	Système cardiovasculaire : collapsus cardiovasculaire, bradycardie ou tachycardie, hypotension, hémorragie, pétéchies, purpura			
	Système respiratoire : respiration rapide ou profonde, respiration lente ou laborieuse, paralysie respiratoire			
	Appareil digestif : constipation			
	Peau et muqueuses : éruptions, urticaire, paleur, cyanose, bulles, dermatite, hirsutisme, traces d'aiguilles			

peuvent provoquer l'onanisme compulsif, des périodes d'hyperactivité sexuelle avec partenaires multiples, des rapports sexuels en groupe, des échanges de partenaires et même des sévices sexuels infligés aux enfants. Il n'est pas rare que les cocaïnomanes se livrent à des périodes de « défonce totale » accompagnée d'épisodes de frénésie sexuelle (Cocores et Gold, 1989).

Théories de la causalité

Les théories des causes de la pharmacodépendance se rapprochent de celles des causes de l'alcoolisme. Certains spécialistes pensent que les individus prédisposés à la pharmacodépendance souffrent d'un déficit héréditaire en endorphines que les effets des psychotropes leur permettent de compenser. D'après les théories bio-psycho-sociales, la pharmacodépendance n'est pas causée par un seul facteur. L'apprentissage social, les effets physiologiques et le vécu de l'individu concourent, chacun à sa manière, à l'apparition de la pharmacodépendance (Bluhm, 1987; Donovan, 1988). La polytoxicomanie est un phénomène qu'on rencontre fréquemment chez les usagers. Elle leur permet :

- d'augmenter les effets d'une autre drogue ;
- de contrecarrer les effets d'une autre drogue ;
- de remplacer la drogue préférée lorsqu'ils sont incapables de se la procurer ;
- d'imiter le comportement toxicomaniaque de leurs pairs.

Burkhalter (1975) a classé les facteurs favorisant l'abus de drogues en deux grandes catégories : 1) les facteurs favorisant l'installation de l'abus et 2) les facteurs favorisant la poursuite de l'abus de drogues.

Facteurs favorisant l'installation de l'abus de drogues. Plusieurs hypothèses ont été avancées. Selon la première, certains individus seraient dotés d'un tempérament qui les pousserait à rechercher l'obnubilation de la conscience, ce qui, à la longue, finirait par les conduire à la pharmacodépendance. Selon la deuxième hypothèse, certains

individus seraient portés à rechercher et à expérimenter des sensations nouvelles. L'abondance qui caractérise la société nord-américaine, liée à la facilité avec laquelle on peut se procurer des drogues par des moyens illicites, rend les adolescents et les jeunes adultes particulièrement vulnérables. Une troisième hypothèse est celle de l'exemple donné par la société et les parents. Les Nord-Américains sont de grands consommateurs de psychotropes. La publicité propose des remèdes capables de guérir non seulement les petits maux, mais également les pathologies les plus graves. Les adolescents et les jeunes adultes voient leurs parents consommer un grand nombre de substances : alcool, caféine, tranquillisants, nicotine et sédatifs ; ils en déduisent alors qu'il n'y a aucun mal à consommer une panoplie de drogues.

Selon une autre hypothèse encore, la drogue serait un moyen d'évasion. Le dénuement affectif et matériel dans lequel vivent les habitants des quartiers défavorisés incite ces derniers à consommer de la drogue pour échapper à la misère. Au cours d'une entrevue, un jeune homme a très bien illustré cette situation en disant sur un ton défensif : « Savez-vous ce que c'est que d'être contamment incapable de réaliser ses rêves et de ne jamais rien posséder ? Pour moi, les drogues, c'est mon château en Espagne, ma croisière aux Antilles ! ».

Pour expliquer l'abus des drogues, on a également émis l'hypothèse de la révolte. Le comportement indésirable et illégal est en effet l'un des moyens les plus efficaces d'exprimer son mépris et de défier l'autorité. Aux pressions exercées par le groupe d'appartenance peuvent venir se greffer des sentiments de révolte. Pour beaucoup d'adolescents, et également pour un certain nombre de jeunes adultes, l'appartenance à un groupe est primordiale. Si certains membres de ce groupe essaient diverses drogues illégales, les autres sont portés à les imiter.

Facteurs favorisant la poursuite de l'abus de drogues. C'est essentiellement la dépendance physique qui engendre la consommation prolongée de drogue. La plupart des substances surconsommées entraînent la tolérance et le désir impérieux de recommencer (voir le tableau 13-5). Un second motif serait le renforcement positif. En effet la consommation de drogue engendre l'euphorie physique ou mentale (le « rush » ou le « high ») qui est très gratifiante. Elle rend la personne sereine et lui donne l'illusion que les conflits se règlent. Elle lui confère, enfin, le sentiment de réaliser une introspection philosophique poussée.

Il existe également un autre mobile : la crainte d'avoir à affronter les malaises du sevrage. Il s'agit cette fois-ci d'un renforcement négatif, c'est-à-dire que le sujet continue à prendre de la drogue afin d'éviter les symptômes pénibles du sevrage.

La poursuite de l'abus de drogues pourrait également s'expliquer par certains facteurs liés à la personnalité. Selon la théorie psychanalytique, le toxicomane souffrirait d'un dérèglement affectif (la drogue permet alors de soulager sa tension et sa dépression) ou de l'incapacité de maîtriser ses impulsions, ce qui pourrait expliquer son comportement hédoniste. On pense qu'il existe un lien entre la dépendance aux opiacés et les troubles de la personne narcissique. Des études épidémiologiques portant sur la personnalité ont révélé les caractéristiques suivantes chez les toxicomanes : primauté accordée à l'indépendance aux dépens de la réussite scolaire, tolérance accrue à l'égard de la déviance et comportements délinquants, avant même d'aborder la drogue (Jaffe, 1985).

Le mode de vie fait partie des facteurs qui pourraient expliquer la poursuite de l'abus. Les habitudes de vie et les rites qui accompagnent les démarches entreprises pour se procurer la drogue ainsi que sa consommation incitent l'usager à persévérer. S'il fait partie d'un groupe de toxicomanes, il continue à consommer de la drogue pour être accepté par son entourage. Un tel mode de vie engendre un sentiment d'appartenance et de sécurité.

Traitement médical

Étant donné la diversité des drogues et les pathologies qu'elles entraînent, il n'existe pas de traitement universel. Le traitement est d'autant plus compliqué que la pharmacodépendance s'accompagne d'un certain nombre de complications de divers ordres : malnutrition, infections, hépatite, pancréatite, éclatement des familles et difficultés sur le plan social (Brunner et Suddarth, 1988). Les modes de traitement sont multiples : cures de désintoxication, hospitalisation, traitements dans les services de consultation externe, dans des résidences, dans des centres d'accueil ou dans des communautés thérapeutiques et séances de psychothérapie. Étant donné la grande diversité des formes de pharmacodépendance ainsi que des modes de traitement, on présente ici des stratégies thérapeutiques adaptées à chacune des catégories de drogue.

Traitement de la dépendance aux amphétamines et aux sympathomimétiques ayant un effet similaire. Chez l'usager invétéré d'amphétamines, on décide habituellement d'un sevrage brutal alors qu'un sevrage graduel, réparti sur plusieurs jours, se révèle souvent plus efficace. Étant donné que l'usager invétéré est exposé au risque de psychose amphétaminique, le traitement doit englober des mesures de soutien. Il faut aborder avec prudence les personnes intoxiquées ou celles qui souffrent de psychose amphétaminique. On doit éviter de parler à voix haute, de faire des gestes brusques, de toucher le client si on n'est pas sûr qu'il est inoffensif et de s'approcher de lui par derrière (Schnoll, 1983 ; Sullivan, Bissell et Williams, 1988).

Le chlorure d'ammonium facilite l'élimination des amphétamines étant donné qu'il acidifie les urines. En cas de psychose amphétaminique, le client a tendance à adopter un comportement agressif et belliqueux, raison pour laquelle l'hospitalisation est souvent de rigueur. Lorsque l'organisme du client est débarrassé de toute trace d'amphétamine résiduelle, on peut lui prescrire des antipsychotiques, comme des phénothiazines ou de l'halopéridol. Ces antipsychotiques ne sont généralement administrés que pendant quelques jours.

Le sevrage s'accompagne généralement de dépression et on peut prescrire, dans ce cas, des antidépresseurs tricycliques pendant un mois ou plus. Étant donné que les récidives sont courantes, il est important d'amorcer le traitement aux antidépresseurs dès le début du sevrage (Grinspoon et Bakalara, 1985 ; Luckman et Sorensen, 1987 ; Schnoll, 1983).

***Traitement de la dépendance au cannabis*.**
En règle générale, on ne soigne pas les consommateurs de cannabis ou de marijuana dans les services de soins intensifs. Comme le cannabis n'entraîne pas de dépendance physique, la cure de désintoxication est inhabituelle. Le principal traitement des usagers invétérés de marijuana est le soutien affectif (Gary et Trenznewsky, 1983). Étant donné que la majorité des usagers sont jeunes, il est important de leur enseigner que la consommation de marijuana provoque une diminution du taux de testostérone et de la production de sperme.

Le cannabis est habituellement consommé en association avec d'autres drogues et cette polydépendance entraîne souvent une modification de la personnalité. C'est la raison pour laquelle il faut évaluer les effets de la consommation de cette drogue lors des situations de crise ainsi que lors des suivis.

***Traitement de la dépendance à la cocaïne*.**
En Amérique du Nord, l'usage prolongé de cocaïne continue à progresser de façon inquiétante. L'anxiété et la dépression qui apparaissent à l'arrêt de la consommation rendent le traitement difficile. (On explique aux chapitres 8, 9 et 11 le traitement de l'anxiété et de la dépression.) Chez le cocaïnomane, la psychothérapie pourrait ne pas soulager l'anxiété ni résoudre les difficultés personnelles. Pour calmer l'anxiété, on administre généralement du diazépam (Valium).

En cas de surdose de cocaïne, il faut recourir à un traitement d'urgence. On administre au client de l'oxygène en l'installant dans la position de Trendelenburg. L'injection de diazépam (Valium) par voie intraveineuse permet de prévenir les convulsions. L'angoisse, accompagnée de tachycardie et d'hypertension, peut être traitée par injections intraveineuses ou intramusculaires de diazépam (Valium). Dans les cas d'intoxication grave, un antagoniste spécifique de la cocaïne, le propranolol (Inderal), s'avère utile pour contrecarrer les effets sympathomimétiques de la drogue (Brunner et Suddarth, 1988 ; Luckman et Sorensen, 1987).

***Traitement de la dépendance aux hallucinogènes*.**   Le LSD ne connaît plus la vogue des

années 60. La consommation prolongée d'hallucinogènes, comme le LSD, est rare, mais les réactions indésirables que ces drogues provoquent dictent des traitements de longue durée. Il faut presque toujours hospitaliser les clients ayant une personnalité schizoïde tout comme ceux qui présentent des comportements psychotiques et chez lesquels la consommation de LSD peut créer une instabilité mentale. Le traitement englobe la psychothérapie et l'administration d'anxiolytiques, d'antipsychotiques et d'antidépresseurs.

***Traitement de la dépendance aux solvants volatils*.**   Bien que les solvants volatils ne semblent pas provoquer de tolérance à proprement parler, ils peuvent créer un besoin irrépressible de consommation. Lors de l'arrêt de la consommation, certains individus souffrent de symptômes de sevrage. Le traitement de l'agitation, de l'anxiété et de l'irritabilité doit être symptomatique. Pour prévenir les risques d'insuffisance cardiaque chez les consommateurs de solvants volatils, le repos est essentiel. La psychose qui peut survenir doit être traitée de la même manière que les autres psychoses qui s'accompagnent d'idées délirantes et d'hallucinations (on traite des psychoses au chapitre 14). Il faut, par ailleurs, éviter les stimuli et assurer un climat protecteur et réconfortant (Luckman et Sorensen, 1987).

***Traitement de la dépendance aux opiacés*.**
Dans la majorité des ouvrages portant sur le traitement de la pharmacodépendance, on parle souvent du traitement de la dépendance aux stupéfiants ou aux opiacés. Le traitement des opiomanes comporte plusieurs volets : le traitement de la surdose (overdose), la cure de désintoxication et la réadaptation. Il ne faut pas oublier, par ailleurs, le traitement des troubles médico-chirurgicaux qui peuvent être provoqués par la consommation d'opiacés.

Une fois qu'il a manifesté sa volonté de se faire traiter, le client doit être prêt à envisager d'importantes modifications de son comportement, de son mode de vie et de la dynamique familiale. Il devrait peut-être même envisager un déménagement. Dès le début, le client doit comprendre qu'il doit prendre en charge sa guérison (Jaffe, 1985).

Les injections intraveineuses de naxolone (Narcan) constituent le traitement de choix du client qui présente les signes et les symptômes de la surdose de stupéfiants. Il faut hospitaliser le client pendant au moins 24 heures et surveiller ses signes vitaux et son état de conscience. Au début, la surveillance doit être effectuée toutes les 15 minutes puis, une fois l'état du client stabilisé, à des intervalles de 60 minutes. Avant la sortie du client de l'hôpital, une consultation avec un spécialiste de la santé mentale est hautement recommandée.

La désintoxication ou le sevrage se révèlent difficiles chez les usagers invétérés de stupéfiants ; les rechutes sont fréquentes. Tout au long de la cure de désintoxication, le client peut être hospitalisé ou suivi dans un service de consultation externe. Pendant le sevrage, on administre presque toujours de la méthadone. Le client doit savoir qu'il ressentira certains symptômes désagréables. La méthadone n'est pas administrée pour supprimer les symptômes du sevrage, mais pour les rendre supportables. Dès les premiers signes de sevrage, le client essaie généralement de manipuler son entourage pour recevoir de la méthadone. La dose d'attaque est de 10 à 20 mg, administrée par voie orale. Si les symptômes de sevrage persistent, on peut administrer une seconde dose, deux heures plus tard. En général, 40 mg de méthadone par jour suffisent pour stabiliser le client. Le sevrage dure de trois à six semaines (Greenbaum, 1983 ; Judson, Carbary et Carbary, 1981 ; Quinones et coll., 1979).

La désintoxication terminée, on peut poursuivre le traitement à la méthadone ou recommander au client de joindre un centre thérapeutique. Ces deux mesures, inaugurées dans les années 60, sont à présent les principales méthodes de réadaptation des usagers de stupéfiants (Schnoll, 1983). Le traitement à la méthadone vise à éliminer le comportement compulsif pour que la personne puisse consacrer plus d'énergie à sa réinsertion sociale et à des démarches vraiment utiles.

Traitement de la dépendance à la phencyclidine (PCP) et aux drogues ayant des effets similaires.   La PCP est une drogue dangereuse car une surdose peut mettre la vie du sujet en danger. Les objectifs thérapeutiques sont les mesures de réanimation, le maintien des fonctions vitales, l'isolement et la cure de désintoxication. La dépression respiratoire constitue la conséquence la plus grave d'une surdose de PCP. Il faut assurer la perméabilité des voies respiratoires ; la succion permet d'éviter l'aspiration accidentelle des mucosités. La respiration assistée peut être nécessaire pour maintenir la ventilation pulmonaire. Les convulsions éventuelles peuvent être traitées avec du diazépam par voie intraveineuse.

Il faut isoler le client intoxiqué à la PCP pour réduire les stimulations sensorielles. Idéalement, une personne devrait rester aux côtés du client qu'il faudrait installer dans une chambre calme, à l'éclairage tamisé. Si le client devient agité ou violent, l'utilisation de dispositifs de contention solides permet d'éviter les blessure. Pour calmer le client, l'administration d'un tranquillisant, comme l'halopéridol, est souvent efficace.

La désintoxication peut se faire par lavage gastrique. Il est conseillé d'acidifier l'urine avec du chlorure d'ammonium. L'acidification de l'urine doit se poursuivre pendant 10 à 14 jours de façon à éliminer toute trace de PCP de l'organisme. À l'occasion, on peut employer de l'acide ascorbique et du jus de canneberge pour accélérer l'élimination urinaire.

Le sevrage peut induire une psychose dans les quelques jours ou les quelques semaines qui suivent l'arrêt de la consommation. La dépression, des impulsions suicidaires et les actes de violence sont fréquents. On recommande généralement d'hospitaliser le client dans un établissement psychiatrique (Greenbaum, 1983).

Traitement de la dépendance aux sédatifs, aux hypnotiques ou aux anxiolytiques.   Les hypnotiques engendrent une tolérance qu'il faut traiter en premier lieu par la désintoxication ou le sevrage.

Les sources dont nous nous sommes inspirés (Grinspoon et Bakalara, 1985 ; Schnoll, 1983) insistent sur le fait que, dans ce cas, le sevrage doit avoir lieu en milieu hospitalier pour prévenir la mort qui pourrait survenir par suite d'une surdose accidentelle. Le pentobarbital est le médicament de choix pour traiter le sevrage des barbituriques. Étant donné que les consommateurs de barbituriques sont généralement incapables de préciser la dose quotidienne exacte qu'ils ont absorbée, il faut d'abord déterminer la tolérance aux sédatifs en administrant, au départ, 200 mg de pentobarbital, par voie orale, à jeun. On administre, ensuite, une dose supplémentaire de 100 mg toutes les heures jusqu'au moment où les signes d'intoxication apparaissent. Chez la plupart des sujets il faut administrer jusqu'à 2,5 g, répartis sur une période de 24 heures. Chez les sujets qui consomment quotidiennement plus de 800 mg de barbituriques, une psychose ressemblant au delirium tremens du sevrage alcoolique risque de s'installer. Les symptômes psychotiques se manifestent généralement entre le troisième et le huitième jour de privation et peuvent durer jusqu'à deux semaines.

Une fois la tolérance du client établie, on peut commencer le sevrage. On maintient la posologie pendant un jour ou deux, puis, on réduit la dose graduellement de 10 p. cent par jour. Ce traitement a des effets similaires à celui de la substitution de la méthadone à l'héroïne. Lorsque le client est désintoxiqué (ce qui peut prendre de dix jours à deux semaines), il doit recevoir un traitement de suivi.

Le traitement de l'overdose aux barbituriques est également essentielle. Six p. cent des suicides sont le résultat d'une surdose de barbituriques. Le traitement vise à maintenir les fonctions vitales, à empêcher toute consommation de drogue et à en accélérer l'élimination de l'organisme (Gary et Trenznewsky, 1983).

Le sevrage des dépresseurs du SNC doit se faire par une cure de désintoxication dans un service de soins intensifs. Le sevrage peut mettre la vie du client en danger et les risques sont accrus par rapport au sevrage de l'héroïne. La demi-vie de ces drogues étant longue, les symptômes n'apparaissent souvent pas avant le septième ou le dixième jour après l'arrêt de la consommation. Le traitement vise à prévenir les convulsions et à réduire les symptômes pénibles. Le sevrage se fait par une diminution graduelle de la drogue ou par la substitution par un autre agent. Dans la plupart des cas, le pentobarbital ou le diazépam constituent les médicaments de choix. Le sevrage provoque une hyperexcitation du SNC qui se manifeste par l'anxiété, l'élévation des signes vitaux, la psychose et la diminution du seuil convulsivant. Comme ces médicaments agissent sur l'hypothalamus, le sevrage peut dérégler les mécanismes qui régissent la température corporelle. La fièvre qui monte jusqu'à 38,5 °C constitue une situation d'urgence, car une température élevée qui n'est pas jugulée peut entraîner la mort (Bluhm, 1987 ; Sullivan, Bissell et Williams, 1988).

Le traitement du surdosage est également essentiel. Aux États-Unis, l'intoxication aiguë au Valium se situe au deuxième rang des urgences liées à la consommation de drogues. Elle peut mettre la vie de l'individu en danger surtout lorsqu'il consomme cette drogue en même temps que d'autres dépresseurs du SNC. Le traitement vise le maintien de l'équilibre des signes vitaux, l'arrêt de la consommation de la drogue et son élimination de l'organisme (Bluhm, 1987).

Il faut tout d'abord assurer la perméabilité des voies respiratoires, la ventilation et les fonctions cardiovasculaires. Lorsque l'état du client est stabilisé, il faut lui faire un lavage gastrique pour vider l'estomac. Pour accélérer l'absorption de la drogue, on peut également administrer par voie orale du charbon de bois activé. L'élimination de la drogue se fait par hémoperfusion et dialyse. Le client doit rester dans le service de soins intensifs jusqu'au moment où il est hors de danger. Pendant l'hospitalisation, il faut prendre des mesures pour adresser le client à des services de la santé mentale.

Autres phénomènes cliniques reliés à l'abus des drogues

Le café et le tabac

La caféine et la nicotine, que la majorité de la population ne considère généralement pas comme des drogues, font pourtant partie des substances psychoactives mentionnées dans le DSM-III-R. L'intoxication à la caféine, le syndrome de sevrage nicotinique et la dépendance à la nicotine constituent les principaux troubles provoqués par la consommation de café et de tabac. Nous exposons brièvement ces affections étant donné qu'un grand nombre de clients traités dans les services psychiatriques souffrent d'au moins une d'entre elles, en plus de leurs troubles primaires.

L'intoxication par le café (« caféinisme ») est un phénomène courant. La caféine agit comme un stimulant du SNC. On ne connaît pas exactement l'ampleur de la consommation, mais on estime néanmoins que plus de 60 p. cent des Nord-Américains, âgés de plus de 10 ans, ont consommé de la caféine sous une forme ou une autre. Une tasse de café contient en moyenne de 100 à 150 mg de caféïne. Environ un tiers des Nord-Américains absorbent plus de 500 mg de caféine par jour alors qu'une dose quotidienne de 250 mg est considérée comme élevée. Plus de 20 p. cent des clients hospitalisés dans les services psychiatriques admettent consommer en une journée plus de 750 mg de caféine sous diverses formes (Doyle, Quinones et Lauria, 1982).

Les symptômes du caféinisme sont les suivants : diurèse, agitation, tremblements, hyperactivité, irritabilité, xérostomie, troubles sensoriels, hyperesthésie, acouphènes, dyskinésie oculaire, éclairs, céphalées, tachycardie, diarrhée, léthargie, douleurs épigastriques et insomnie. On a signalé un certain nombre d'autres manifestations telles que des tensions accrues, l'exacerbation des psychoses et les interactions avec certains médicaments comme le lithium, la modification des résultats des épreuves de laboratoire et les interactions avec des psychotropes.

Chez les consommateurs invétérés de caféine, des symptômes de sevrage peuvent apparaître trois heures après l'arrêt de la consommation. La privation peut engendrer l'anxiété et une tension musculaire, mais les céphalées constituent le symptôme de sevrage le plus courant. On a également signalé d'autres symptômes de sevrage comme la somnolence, la rhinorrhée, l'irritabilité, la nervosité, un sentiment flou de dépression et les nausées.

Le traitement du caféinisme consiste essentiellement en l'arrêt de la consommation de café. Les clients ont du mal à se conformer au traitement parce qu'ils abordent leurs symptômes avec beaucoup de scepticisme. On ne possède pas de statistiques sur les effets de l'abstinence sur le comportement.

Depuis 1965, le pourcentage de fumeurs au Québec est en constante diminution. Cette baisse du nombre de fumeurs s'est curieusement accompagnée d'une hausse individuelle de la consommation de cigarettes. En 1981, le Québec a pris la tête de l'ensemble des pays industrialisés, pour ce qui est de la consommation annuelle moyenne de tabac par adulte, remplaçant ainsi les États-Unis qui occupaient ce rang en 1975 (Gouvernement du Québec, 1984).

L'usage du tabac fait partie des mécanismes d'adaptation psychosociale. La nicotine possède de multiples effets pharmacologiques, mais son principal effet est celui de stimuler les ganglions.

La dépendance à la nicotine se caractérise par un léger état d'anxiété, de vagues sentiments de culpabilité ou de honte, la consommation de tabac en cachette ou une attitude défensive qui pousse le fumeur à justifier sa dépendance avec agressivité.

Les symptômes de sevrage nicotinique sont les suivants : irritabilité, agitation, affect plat, interruptions du sommeil, troubles gastro-intestinaux, céphalées, difficultés de concentration et troubles de mémoire, anxiété et appétit accru.

On a récemment mis sur pied des cliniques antitabac pour aider ceux qui veulent arrêter de fumer. Les approches varient ; dans certains établissements, on enseigne des techniques de modification du comportement, dans d'autres, des techniques de relaxation (Doyle, Quinones et Lauria, 1982 ; Hahn, Barkin et Klarmen Oestreich, 1982).

Les drogues injectables et le sida

Selon les différentes populations étudiées, entre 4 et 80 p. cent des utilisateurs de drogues injectables en Amérique du Nord sont séropositifs. Au Québec, les taux d'infection par l'HIV chez ceux qui partagent des aiguilles et des seringues semblent se situer entre 4 et 15 p. cent. Les utilisateurs de drogues injectables représentent donc un facteur important de transmission du virus (Montagnier L. et coll., 1989).

Dans un tel contexte, les infirmières doivent enseigner aux clients des méthodes leur permettant de modifier leur comportement sexuel et les inciter à ne plus partager leurs seringues. Nous exposons au chapitre 17 les soins dispensés aux clients atteints du sida.

Collecte des données

Comme dans le cas de l'alcoolique, chez le toxicomane, la démarche des soins infirmiers doit se fonder sur la collecte des données. La source principale de renseignements reste le client lui-même ; cependant, étant donné qu'il peut chercher à minimiser ou à taire certains détails concernant le type et la quantité de drogue qu'il consomme ou le nombre de drogues qu'il combine, on doit souvent vérifier ses affirmations. On peut recueillir des données supplémentaires en se renseignant auprès des membres de sa famille ou de ses proches et en consultant les dossiers médicaux et ceux des services sociaux, les résultats des épreuves diagnostiques, ainsi que les dossiers infirmiers et judiciaires. Lorsque les antécédents du client révèlent l'utilisation de drogues, il faut dresser un bilan de santé et effectuer un examen physique minutieux. Grâce aux données ainsi recueillies, on peut établir des diagnostics infirmiers plus justes.

Pour établir au départ les antécédents du client, l'infirmière doit se contenter de lui poser des questions simples, par exemple : « Quels médicaments prenez-vous régulièrement ? ». Il faut user de tact pour interroger le toxicomane. Avant d'aborder la question d'une éventuelle dépendance, l'infirmière doit poser des questions d'ordre général, comme : « Est-ce que vous fumez ? » ou « Consommez-vous le tabac sous d'autres formes ? » et ensuite des questions portant sur la consommation de produits de prescription médicale. Il faut également demander au client s'il consomme des boissons alcoolisées. Ce n'est qu'ensuite que l'infirmière peut poser au client des questions sur la con-

sommation passée ou présente de drogues illégales. Étant donné que la consommation de marijuana est plus acceptée par notre société, c'est en commençant par cette drogue que l'on a plus de chances d'obtenir des réponses franches à d'autres questions. Si l'infirmière obtient des réponses affirmatives à ces premières questions, elle doit dresser un bilan détaillé pour déterminer les modes particuliers de consommation du client en question.

Comme dans le cas des autres entrevues, l'infirmière doit réserver assez de temps pour pouvoir recueillir tous les antécédents du client quant à la consommation de drogues. Le questionnaire proposé plus loin peut être rempli lors d'une seule séance ou de plusieurs, selon l'état du client. La collecte commence par les antécédents de consommation de drogues. Ces questions servent essentiellement à déterminer les risques de symptômes de sevrage. On pose ensuite des questions sur la durée de la consommation de drogues, les antécédents de traitement et les projets d'avenir du toxicomane. La collecte des données se termine par les questions portant sur l'aspect psychosocial de la consommation.

BILAN DE SANTÉ
Clients toxicomanes

Données sur le comportement
Décrivez les ennuis de santé pour lesquels le médecin vous a prescrit des médicaments.
Quel est le nom de votre maladie ?
Quels médicaments vous a-t-on prescrits ?
Depuis combien de temps prenez-vous ces médicaments ?
Ces médicaments soulagent-ils vos troubles ?
Prenez-vous des médicaments ou des drogues que votre médecin ne vous a pas prescrits ?
Si oui, parmi ceux de cette liste quels sont ceux que vous avez déjà consommés ? (Entourez « Oui » ou « Non »)
Marijuana   Oui   Non
Tranquillisants (nom du médicament)   Oui   Non
Barbituriques (nom du médicament)   Oui   Non
Autres hypnotiques ou sédatifs (nom du médicament)   Oui   Non
Cocaïne   Oui   Non
Amphétamines (nom du médicament)   Oui   Non

Hallucinogènes (nom du médicament)   Oui   Non
Sirop contenant de la codéine   Oui   Non
Héroïne   Oui   Non
Morphine   Oui   Non
Autres opiacés naturels ou de synthèse (nom du
   médicament)   Oui   Non
Méthadone en vente libre   Oui   Non
Autres substances en vente libre (p. ex. : sirop contre
   la toux) (nom du produit)   Oui Non
À quelle fréquence consommez-vous ces substances ?
   Quelle est la dose habituelle ? Sous quelle forme
   prenez-vous ces substances ?

Substance	Fréquence	Dose	Mode de consommation
Marijuana			Voie orale
			Inhalation de la fumée
			Inhalation
Tranquillisants			Voie orale
(nom de la substance)			Voie IM
			Voie IV
Barbituriques			Voie orale
(nom de la substance)			Voie IM
			Voie IV
Autres sédatifs ou			Voie orale
hypnotiques			Voie IM
(nom du médicament)			Voie IV
Cocaïne			Voie orale
			Voie IM
			Voie IV
			Inhalation
Amphétamines			Voie orale
			Voie sous-cutanée
			Voie IV
Hallucinogènes			Voie orale
(nom de la substance)			Voie IV
			Inhalation
Opiacés			Voie orale
(nom de la substance)			Inhalation de la fumée
			Voie sous-cutanée
			Inhalation
			Voie IM
			Voie IV

Quand avez-vous consommé l'une de ces substances
   pour la dernière fois ?
À quel âge avez-vous commencé à prendre ces
   substances ?
Quel soulagement vous apportent-elles ?
Que ressentez-vous lorsque vous arrêtez la
   consommation ?
Ces substances ont-elles des effets indésirables ?
Avez-vous déjà tenté de vous faire du mal pendant que
   vous étiez sous l'influence de ces drogues ou après
   une période de consommation prolongée ?
Vous est-il arrivé de forcer la dose ?
La consommation de ces substances vous a-t-elle déjà
   obligé à vous absenter du travail ?
Comment vous procurez-vous les substances que vous
   consommez ?
   En consultant plusieurs médecins ?   Oui   Non
   En ayant recours à des revendeurs de drogues ?
      Oui   Non
Votre consommation a-t-elle déjà fait l'objet d'un
   traitement ? Si oui, de quel type ?
Avez-vous déjà observé des périodes d'abstinence ?
   Combien de temps ont-elles duré ?
Recevez-vous actuellement un traitement pour votre
   dépendance ?
   Si oui, pensez-vous qu'il est efficace ?   Oui   Non
   S'il n'est pas efficace, comment pourrait-on, selon
      vous, l'améliorer ?
Avez-vous l'intention de continuer votre consommation
   de drogues ?
Quand envisagez-vous d'arrêter ?
Aimeriez-vous ne plus prendre ces substances ? Quels
   sont les objectifs que vous vous êtes fixés pour y
   arriver ?
Comment imaginez-vous votre vie si vous cessiez de
   prendre ces substances ?

Données sur l'état affectif
Quelles sont les circonstances où votre anxiété
   s'intensifie ?
De quelle façon la substance que vous consommez
   diminue-t-elle votre anxiété ?
À quel moment vous sentez-vous particulièrement
   déprimé ou las ?
Comment la substance que vous consommez vous
   aide-t-elle à surmonter vos sentiments de dépression
   et de lassitude ?
Quels commentaires vous a-t-on fait à propos de vos
   sautes d'humeur brusques ?
Dans quelles circonstances éprouvez-vous des
   sentiments de culpabililté et de honte ?

Quelles situations embarrassantes ou humiliantes avez-vous déjà connues à cause de votre dépendance ?

Dans quelles circonstances vous sentez-vous méfiant ?

Avez-vous déjà souffert de crises de panique ?

Données sur l'état cognitif

Selon vous, votre pharmacodépendance est-elle incurable ?

Comment la justifiez-vous ?

Avez-vous déjà traversé des épisodes d'amnésie après la consommation de cette substance ?

Troubles de mémoire :   Oui   Non

Difficulté de fixer l'attention :   Oui   Non

Manque de concentration :   Oui   Non

Difficultés à suivre des directives :   Oui   Non

Difficultés à prendre des décisions :   Oui   Non

Pensées suicidaires :   Oui   Non

Hallucinations :   Oui   Non

Données sur la vie socioculturelle

Quelle est la personne la plus importante de votre vie ?

Avez-vous confiance en elle ?

Dans votre famille, existe-t-il des cas de toxicomanie ?

Quelles sont les personnes qui sont au courant de votre dépendance : conjoint, autre personne importante, membre de votre famille, ami ?

Essayez-vous de cacher à votre famille votre toxicomanie ?

La consommation de cette substance a-t-elle eu des effets sur votre sexualité ?

Examen physique

L'examen physique du client toxicomane permet de déterminer les risques d'apparition de symptômes du sevrage, l'ampleur de la dépression du SNC et les réactions indésirables à la drogue ainsi que les complications physiques. Les données du bilan de santé guident l'infirmière tout au long de l'examen physique.

Pour commencer, l'infirmière doit évaluer les signes vitaux. Chez l'héroïnomane, le sevrage produit fréquemment une accélération du pouls et de la respiration ainsi qu'une élévation de la température et de la tension artérielle. La bradycardie est courante chez les usagers de codéine, de narcotiques, de sédatifs ou d'hypnotiques. La tachycardie peut parfois se manifester chez les usagers d'amphétamines, de caféine, de cocaïne, de méthaqualone et de PCP. Les amphétamines, la PCP et la caféine peuvent provoquer l'hypertension et les barbituriques, la méthaqualone, l'hydrate de chloral, le LSD, le méprobamate et les narcotiques, l'hypotension.

L'infirmière doit inspecter la tête et le cuir chevelu du client. La palpation lui permet de déceler d'éventuelles lésions traumatiques. Une chute accidentelle pendant un épisode d'intoxication peut provoquer des fractures ou des lacérations du crâne ou du visage. Il faut également vérifier les pupilles et évaluer leur forme, leur symétrie et la réaction à la lumière. Le myosis (contraction des pupilles) apparaît chez les consommateurs de barbituriques, de caféine, d'hydrate de chloral, de codéine, d'héroïne et de morphine, et la mydriase (dilatation de la pupille), chez les consommateurs d'amphétamines, de cocaïne et d'hallucinogènes.

L'inspection de la muqueuse nasale permet de déceler l'irritation. La perforation de la cloison est fréquente chez les cocaïnomanes qui prisent la drogue. Les écoulements peuvent indiquer la consommation de cocaïne ou constituer un symptôme du sevrage des opiacés alors que la sécheresse des muqueuses est particulièrement fréquente chez les morphinomanes et les héroïnomanes. La malnutrition et le manque d'hygiène buccale peuvent provoquer des inflammations, des saignements et une modification de la couleur des gencives et des autres muqueuses de la bouche.

L'examen du thorax constitue le moment idéal pour procéder à une inspection minutieuse de la peau. Il faut en observer la teinte, la texture, l'hydratation, l'élasticité et la présence d'œdème. La transpiration peut être le signe d'un syndrome de sevrage imminent. Les amphétamines, la codéine et la morphine provoquent parfois des rougeurs tandis que la pâleur est fréquente en cas d'usage abusif de barbituriques, de cocaïne et d'héroïne. La cyanose peut apparaître après la consommation de barbituriques, particulièrement en cas d'overdose. La jaunisse est fréquemment présente en cas d'abus d'hydrate de chloral et des vésicules apparaissent parfois sur la peau des usagers invétérés de barbituriques. Chez les cocaïnomanes, la peau présente parfois des signes de brûlure, des irritations et des ulcérations nécrotiques. En cas d'abus d'amphétamines, d'hydrate de chloral, de cocaïne et de morphine, les dermatites sont fréquentes. On note parfois des phénomènes d'hirsutisme en cas d'abus de barbituriques. Les traces d'aiguille ou les cicatrices constituent la lésion la plus fréquente chez les usagers de drogues injectables.

Lors de l'examen du thorax, on vérifie également la fonction respiratoire. L'intoxication aiguë produit souvent une dépression respiratoire. Des respirations rapides accompagnent souvent le syndrome de sevrage et une paralysie respiratoire peut se produire en cas de surdosage de barbituriques, d'opiacés et de PCP.

Il faut également observer la distribution des tissus adipeux. L'anorexie accompagnée d'une perte de poids est fréquente en cas d'abus d'amphétamines, de cocaïne et de morphine, alors que la dysphagie est fréquente chez les cocaïnomanes. La soif caractérise un abus d'hydrate de chloral et de morphine. La sialorrhée se produit chez le morphinomane et le cocaïnomane. Des nausées et des vomissements accompagnent l'abus de caféine, de cocaïne, de codéine, de LSD, de marijuana et d'opiacés, et la diarrhée, l'abus d'hydrate de chloral et de cocaïne. L'abus de morphine peut entraîner l'apparition de sang dans les selles. La constipation accompagne l'abus de barbituriques, de codéine et de morphine. Des gastro-entérites peuvent survenir en cas d'abus d'hydrate de chloral, de codéine, de sédatifs ou d'hypnotiques.

Il faut effectuer un examen minutieux du SNC chez le client toxicomane, car pratiquement toutes les substances exercent un effet sur ce système. Des céphalées accompagnent l'abus de barbituriques, de caféine, de la cocaïne et de morphine. Une faiblesse musculaire ou une paralysie peut survenir dans les cas d'abus d'hallucinogènes, de morphine et de PCP. L'abus de cocaïne et de méthaqualone peut provoquer des spasmes musculaires. L'ataxie et l'incoordination sont fréquentes en cas d'abus de barbituriques, de cocaïne, d'hallucinogènes, d'opiacés et de PCP.

L'abus de barbituriques, de cocaïne et de PCP peut provoquer une anesthésie, et l'abus de barbituriques, d'hallucinogènes et de morphine, une paresthésie. Les hallucinations sont fréquentes en cas d'abus d'amphétamines, de barbituriques, de caféine, de cocaïne, de LSD, de morphine et de PCP.

Des troubles plus graves du SNC, comme les convulsions, peuvent apparaître à la suite d'un abus d'amphétamines, de barbituriques, de caféine, de cocaïne, de méprobamate, de méthaqualone, d'opiacés et de PCP. L'abus de caféine, de méthaqualone, de morphine et de PCP peut provoquer la tétanie. Le trouble le plus grave, le coma, peut être causé par l'abus d'amphétamines, de barbituriques, d'hydrate de chloral, de diazépam, de méprobamate, de méthaqualone, de narcotiques, de PCP, de sédatifs ou d'hypnotiques (Burkhalter, 1975 ; Hahn, Barkin et Klarmen Oestreich, 1982 ; Schultz et Dark, 1982).

Une fois que l'infirmière a dressé le bilan de santé du client et qu'elle a terminé son examen physique, elle doit évaluer et analyser les données recueillies. On trouve au tableau 13-6 un questionnaire dont l'infirmière peut se servir pour effectuer l'examen physique.

Tableau 13-6   *Questionnaire pour l'examen physique des clients toxicomanes*

Quels symptômes physiques ressentez-vous quand vous arrêtez votre consommation de drogue ? (Entourez oui ou non) :

    Agitation   Oui   Non
    Nez qui coule   Oui   Non
    Larmoiement   Oui   Non
    Sueurs   Oui   Non
    Anxiété générale   Oui   Non
    Faiblesse musculaire   Oui   Non
    Anorexie   Oui   Non
    Nausées et vomissements   Oui   Non
    Hyperactivité psychomotrice   Oui   Non
    Désorientation   Oui   Non
    Confusion   Oui   Non
    Tremblements   Oui   Non
    Convulsions   Oui   Non

Souffrez-vous d'affections cutanées liées à la consommation de drogue ?

Souffrez-vous fréquemment de troubles respiratoires ? de pneumonie ?

Souffrez-vous fréquemment d'irritations de la gorge et de la bouche ?

Souffrez-vous de fourmillements, de douleurs ou d'engourdissement des membres ?

Souffrez-vous de troubles du sommeil ?

Êtes-vous allergique à certains médicaments ? Si oui, auxquels ?

Analyse des données et planification des soins

Pratiquement tous les diagnostics infirmiers homologués peuvent s'appliquer dans le cas du toxicomane. L'abus de drogue étant un phénomène complexe qui dépend des réactions individuelles, nous avons divisé les diagnostics infirmiers des clients toxicomanes en deux groupes : les diagnostics de l'intoxication ou du sevrage et les diagnostics de la surdose (overdose). (On trouve au tableau 13-7 la liste des diagnostics infirmiers du client toxicomane.)

Soins infirmiers de l'intoxication aiguë ou du syndrome de sevrage

L'intoxication ne fait pas toujours l'objet d'une consultation médicale, car si le toxicomane consomme de la drogue pour créer un état d'intoxication physique, le plaisir qui en découle constitue le principal mobile qui l'incite à continuer. Ce n'est que lorsque la consommation échappe à sa volonté et que l'intoxication commence à perturber sa vie personnelle, que le toxicomane se décide à consulter. Les infirmières doivent planifier les soins pour des toxicomanes dans divers milieux : service des urgences, centres de désintoxication ou centres hospitaliers.

Tableau 13-7 *Diagnostics infirmiers du client toxicomane*

Intoxication / Sevrage	*Surdose (overdose)*
Risque d'anxiété	Dégagement inefficace des voies respiratoires
Altération de la communication verbale	Incontinence fécale
Stratégies d'adaptation familiale inefficaces : soutien compromis	Mode de respiration inefficace
Stratégies d'adaptation individuelle inefficaces	Perturbation des échanges gazeux
Perturbation de la dynamique familiale	Risque d'incapacité d'avaler
Peur	Risque de trauma
Incapacité de se maintenir en santé	Incapacité de se laver/d'effectuer les soins d'hygiène, de se vêtir/de soigner son apparence, de s'alimenter, d'utiliser les toilettes
Risque d'infection	
Risque d'intoxication	Risque d'atteinte à l'intégrité de la peau
Déficit nutritionnel	Perturbation des habitudes de sommeil
Sentiment d'impuissance	Altération de l'élimination urinaire
Perturbation du concept de soi : image corporelle, estime de soi, exercice du rôle, identité personnelle	
Altération de la perception sensorielle : visuelle, auditive, kinesthésique, gustative, tactile, olfactive	
Risque de dysfonctionnement sexuel	
Perturbation des interactions sociales	
Altération des opérations de la pensée	
Risque de violence envers soi ou envers les autres	

L'intoxication crée des réactions différentes chez chaque individu. Si l'équipe soignante ne connaît pas la nature de la drogue utilisée, un examen du sang et des urines s'impose. Une fois qu'elle connaît le type de drogue absorbé, l'infirmière doit déterminer les symptômes de sevrage que le client risque de présenter. En dernier lieu, il faut déterminer d'après le degré de l'intoxication s'il s'agit d'une surdose.

D'une manière générale, dans le cas de l'intoxication aiguë ou du syndrome de sevrage, l'infirmière devrait :

- rechercher la nature de la substance en cause ;

- inventorier les symptômes de sevrage éventuels ;

- déterminer si la drogue consommée peut causer une overdose ;

- adopter une attitude neutre ;

- interdir les visites aux membres du groupe auquel appartient le client, dans le but d'empêcher toute infiltration de drogue.

L'infirmière doit adopter une attitude neutre, car les clients sont particulièrement sensibles aux réactions et aux préjugés du personnel soignant. Il est bon de limiter les visites, particulièrement lorsqu'il s'agit des membres du groupe que le client fréquente qui, éventuellement, pourraient lui livrer de la drogue. (On trouve au tableau 13-8 le plan des soins destinés au client souffrant d'une intoxication aiguë ou du syndrome de sevrage.)

Soins infirmiers de la surdose (overdose)

L'overdose est une situation d'urgence qui risque d'être fatale faute d'une intervention immédiate. Il faut veiller à la perméabilité des voies aériennes, étant donné que la dépression respiratoire est fréquente. Il est également important d'évaluer le niveau de conscience du client. (On indique au tableau 13-9, page 563, les divers niveaux de conscience.)

D'une manière générale, dans le cas de l'overdose, l'infirmière devrait :

- se rappeler qu'il s'agit d'une urgence qui menace la vie du client ;

- dégager les voies respiratoires, car la dépression respiratoire est fréquente ;

- évaluer le niveau de conscience du client ;

- installer le client dans une pièce calme pour favoriser le repos ; assurer une surveillance constante ;

- surveiller les signes vitaux du client, au moins toutes les 15 minutes ;

- maintenir une hydratation adéquate et surveiller les injecta et les excreta de liquides ;

- une fois la phase critique surmontée, recommander au client une cure de désintoxication et un programme de réadaptation.

La surdose peut entraîner des complications très graves. Après un traitement initial au service d'urgence, le client doit presque toujours être hospitalisé dans un service de soins intensifs. Il faut respecter la dignité du client, l'installer dans une pièce aussi calme que possible et le surveiller en permanence.

L'infirmière doit vérifier les signes vitaux du client toutes les quinze minutes. Dans les cas graves, la surveillance électronique permet de déceler tout changement subit. Étant donné qu'il ne faut rien administrer par voie orale, l'infirmière doit installer une perfusion intraveineuse pour maintenir l'hydratation. On installe souvent une sonde gastrique pour permettre les lavages d'estomac et une sonde de Foley pour assurer un débit urinaire adéquat (voir au tableau 13-10, page 564, le plan des soins destinés au client qui présente une surdose et au tableau 13-11, page 566, la liste des centres de soins de la toxicomanie).

Tableau 13-8   Plan des soins infirmiers destinés au client souffrant d'intoxication aiguë ou du syndrome de sevrage

Diagnostic infirmier : Risque d'anxiété, relié à la détresse causée par les symptômes physiques du sevrage.
Objectif : Le client reconnaît que son anxiété peut s'intensifier au cours de la période de sevrage et il est capable de surmonter ce surcroît d'anxiété.

Intervention	Justification	Résultat escompté
Évaluer le niveau d'anxiété : • légère ; • modérée ; • grave ; • panique.	Cette évaluation permet de déterminer les interventions nécessaires pour réduire l'anxiété.	L'anxiété du client est réduite. L'agitation psychomotrice diminue. Le client prouve qu'il a mis au point des stratégies d'adaptation.
En cas de crises de panique : • prendre des mesures de réconfort (p. ex. : bain chaud, environnement calme) ; • employer des formules courtes et simples, prononcées d'une voix calme, mais ferme.	Ces mesures produisent un effet calmant et réduisent l'anxiété. L'anxiété de l'infirmière augmente l'inquiétude du client.	Le client est capable d'expliquer la cause de son anxiété.
En cas d'anxiété légère à modérée : • encourager le client à signaler son anxiété dès qu'elle apparaît ; • encourager le client à verbaliser les inquiétudes et à les analyser ; • engager le client dans des activités de loisirs ou de divertissement selon ses aptitudes (p. ex. : accomplissement de tâches élémentaires).	La reconnaissance précoce de l'anxiété par le client permet d'éviter que son état ne s'aggrave. La résolution de problèmes permet au client de mettre au point de nouvelles stratégies d'adaptation. L'apprentissage de nouvelles stratégies d'adaptation aide le client à mieux gérer son anxiété.	

Diagnostic infirmier : Altération de la communication verbale, reliée à l'état pathologique provoqué par l'intoxication.
Objectif : La communication verbale du client s'améliore au cours de la période de sevrage.

Intervention	Justification	Résultat escompté
Administrer les traitements de désintoxication qui s'imposent.	Les traitements permettent de diminuer l'incapacité physique du client et de rétablir ses moyens de communication verbale.	Le client s'exprime clairement.
Réduire les stimuli de l'environnement et maintenir un climat calme et bienveillant.	Les distractions entravent les tentatives de communication du client.	La cohérence entre la communication verbale et la communication non verbale du client devient plus manifeste.
Aider le client à modifier ses habiletés de communication verbale (p. ex. : par des gestes).	Cette mesure permet à l'infirmière de mieux comprendre les inquiétudes du client.	Le client exprime ses sentiments de façon appropriée.
Encourager le client à exprimer ses perceptions.	Le niveau de conscience et la communication du client sont ainsi améliorées.	
Formuler des énoncés clairs et précis.	Les facultés cognitives du client peuvent être altérées.	Le client donne les réponses appropriées.

(suite du diagnostic page suivante)

Tableau 13-8 *(suite)*

Diagnostic infirmier *(suite)*: Altération de la communication verbale, reliée à l'état pathologique provoqué par l'intoxication.
Objectif: La communication verbale du client s'améliore au cours de la période de sevrage.

Intervention	Justification	Résultat escompté
Employer les techniques de communication thérapeutiques: • reformulation; • focalisation; • validation; • clarification; • questions ouvertes; • verbalisation des observations; • exploration; • confrontation; • réitération; • synthèse.	Les réponses du client seront plus claires.	
Éviter d'appeler les drogues par leur nom populaire.	Cette mesure permet d'éviter tout renforcement des liens avec le monde de la drogue.	Le client utilise les termes appropriés.

Diagnostic infirmier: Stratégies d'adaptation familiale inefficaces: soutien compromis, reliées à un style de vie axé sur la drogue.
Objectif: Le client reconnaît et énumère les effets de la drogue sur les relations familiales.

Intervention	Justification	Résultat escompté
Établir une relation personnalisée avec le client.	La relation thérapeutique sert au client de point de départ pour apprendre à bâtir des relations saines.	Le client entretient de bons rapports avec les membres de sa famille.
Encourager le client à explorer le système de valeurs de sa famille.	La reconnaissance des différences entre les valeurs permettra au client de mieux comprendre les relations familiales.	Le client fait appel aux membres de sa famille pour l'aider à diminuer sa consommation de drogue.
Encourager le client à parler des rôles exercés au sein de la famille et des attentes de chacun des membres.		
Encourager le client à mettre sur pied un réseau de soutien familial.	La communication entre les membres de la famille peut ainsi s'améliorer.	

Diagnostic infirmier: Stratégies d'adaptation individuelle inefficaces, reliées à un mode de vie inadapté, axé sur la drogue.
Objectif: Avant sa sortie de l'hôpital, le client élabore de nouvelles stratégies d'adaptation destinées à supplanter sa consommation de drogue.

Intervention	Justification	Résultat escompté
Établir une relation personnalisée avec le client.	La relation thérapeutique sert au client de point de départ pour élaborer de nouvelles stratégies d'adaptation.	Le client peut s'abstenir de consommer de la drogue, un jour à la fois.

(suite du diagnostic page suivante)

Tableau 13-8   *(suite)*

Diagnostic infirmier *(suite)*: Stratégies d'adaptation individuelle inefficaces, reliées à un mode de vie inadapté, axé sur la drogue.
Objectif : Avant sa sortie de l'hôpital, le client élabore de nouvelles stratégies d'adaptation destinées à supplanter sa consommation de drogue.

Intervention	*Justification*	*Résultat escompté*
Enseigner au client les effets de l'abus de drogues.	La connaissance et la compréhension des effets de la drogue facilite l'abstinence.	
Enseigner au client : • les techniques de résolution des problèmes ; • les techniques de prise de décisions ; • les techniques de communication ; • les techniques de relaxation.	Ces techniques permettent au client d'adopter de nouvelles stratégies d'adaptation.	Le client adopte de nouvelles stratégies d'adaptation.
Aider le client à reconnaître les comportements qu'il doit modifier et ceux qu'il devrait adopter pour pouvoir changer.		
Attirer l'attention du client sur l'utilisation du déni et des autres mécanismes de défense.	Cette mesure permet au client de reconnaître ses réactions affectives.	
Filtrer les visites, au besoin.	Cette mesure permet d'éviter l'infiltration de drogue et une récidive éventuelle.	

Diagnostic infirmier : Peur, reliée à l'altération des perceptions provoquée par l'intoxication.
Objectif : Le client dit que sa peur a diminué ou totalement disparu, au cours du sevrage.

Intervention	*Justification*	*Résultat escompté*
Observer les signes de peur chez le client : • dilatation des pupilles ; • panique ; • agitation accrue ; • élévation du pouls, du rythme respiratoire et de la tension artérielle ; • diaphorèse.	La reconnaissance rapide des réactions de peur permet d'en réduire l'intensité.	Le client ne manifeste aucune réaction de peur. Le client dit que sa peur a diminué.
Aider le client à reconnaître les origines de sa peur.	Le bien-être du client est ainsi amélioré.	Le client est capable de verbaliser sa peur ou les origines de sa peur.
Maintenir une ambiance paisible et propice au repos ; parler d'une voix calme, mais ferme.		
Expliquer chacune des interventions.	La compréhension de la situation réduit la peur du client.	

(suite page suivante)

Tableau 13-8 *(suite)*

▌ **Diagnostic infirmier :** Difficulté à se maintenir en santé, reliée à un mode de vie inadapté.
▌ **Objectif :** À la fin du traitement de sevrage, le client prend en charge le maintien de sa santé.

Intervention	Justification.	Résultat escompté
Évaluer les capacités du client de se maintenir en santé.	Cette évaluation sert de base à l'établissement d'un programme d'enseignement des règles d'hygiène.	Le client essaie de se maintenir en santé.
Enseigner au client de nouvelles pratiques d'hygiène.	La connaissance et la compréhension permettront au client de rectifier ses mauvaises habitudes hygiéniques.	Le client est capable de maîtriser son comportement face à la drogue.
Aider le client à se fixer des objectifs de maintien de sa santé.	La participation du client à l'établissement des objectifs favorise l'observance du traitement.	
Diriger le client vers des organismes communautaires ou des centres de santé, selon les besoins.	Les réseaux de soutien aident le client à adopter de bonnes habitudes en matière de santé.	Le client utilise les ressources de maintien de la santé dont il dispose.

▌ **Diagnostic infirmier :** Risque d'infection, relié à l'utilisation d'un matériel contaminé.
▌ **Objectif :** Le client modifie son mode de vie de façon à réduire les facteurs de risque.

Intervention	Justification	Résultat escompté
Évaluer les facteurs de risques (p. ex.: piqûres par voie intraveineuse, malnutrition, consommation de drogue impure).	La connaissance des facteurs de risques permet une meilleure planification des soins.	Le client est capable d'énumérer les facteurs de risques que son mode de vie courant comporte.
Expliquer les différents facteurs de risques.	La connaissance des facteurs de risques rend le client plus apte à modifier son comportement.	
Utiliser des renforcements positifs lorsque le client essaie de modifier son comportement.	Les renforcements positifs encouragent le client à maintenir le nouveau comportement.	Le client fait des efforts pour modifier son mode de vie.
Consulter les résultats des analyses de laboratoire (analyse d'urine, hémogramme, tests biologiques, test VDRL, test pour le sida, etc.)	Les résultats des analyses de laboratoire permettent de déceler les éventuels agents pathologiques causant l'infection.	Les résultats des analyses de laboratoire sont normaux.
Surveiller les signes vitaux.	L'élévation de la température est souvent le premier signe d'infection.	Les signes vitaux se situent dans les limites normales.

▌ **Diagnostic infirmier :** Risque d'intoxication, relié à des substances de nature inconnue contenues dans les drogues dont la consommation est illégale.
▌ **Objectif :** Au cours du traitement, le client est capable d'indiquer les effets toxiques des drogues provenant de sources inconnues.

Intervention	Justification	Résultat escompté
Fournir au client du matériel didactique sur les drogues qu'il consomme.	La connaissance favorise une meilleure compréhension de la situation par le client.	Le client est capable d'indiquer la dose létale des drogues dont il fait un usage abusif.

(suite page suivante)

Tableau 13-8   *(suite)*

Diagnostic infirmier : Déficit nutritionnel, relié aux effets secondaires des drogues consommées.
Objectif : Le client élabore un régime alimentaire équilibré qu'il compte suivre dès la sortie de l'hôpital.

Intervention	Justification	Résultat escompté
Évaluer les habitudes alimentaires du client.	Cette évaluation permet de déceler les carences nutritionnelles.	
Servir fréquemment au client des aliments à haute valeur énergétique, riches en protéines et en vitamines ; lui apprendre à choisir les bons aliments ; s'assurer qu'il a toujours des collations à portée de la main.	Les repas légers sont souvent plus appétissants et favorisent une nutrition adéquate.	Le client consomme des repas équilibrés à des heures régulières.
Conseiller au client de cesser de consommer des drogues.	L'abandon de la drogue favorise une meilleure absorption des nutriments.	Le client est capable d'inventorier les nutriments essentiels.
	La consommation prolongée de drogues diminue l'intérêt pour la nourriture et entraîne une perte d'appétit.	Le client gagne du poids.

Diagnostic infirmier : Sentiment d'impuissance, relié à la pharmacodépendance et résultant d'un manque de maîtrise de soi.
Objectif : Le client admet que la consommation de drogue échappe à sa volonté.

Intervention	Justification	Résultat escompté
Aider le client à admettre sa pharmaco-dépendance.	La prise de conscience permet au client d'éviter le problème courant du déni.	Le client admet sa pharmacodé-pendance.
Aider le client à reconnaître les retombées de sa pharmacodépendance sur sa vie.	Le client prend conscience des effets de la drogue sur les activités de la vie quotidienne et sur la réalisation de ses objectifs personnels.	Le client est capable d'expliquer l'emprise de la drogue sur sa vie.
Enseigner de nouvelles stratégies d'adaptation (p. ex. : régime alimentaire équilibré, repos, exercice, rétroaction biologique).	Ces stratégies aident le client à regagner son pouvoir et la maîtrise de soi.	Le client adopte de nouvelles stratégies d'adaptation.
Encourager le client à participer à son traitement.	La participation au traitement est nécessaire pour que le client puisse surmonter sa pharmacodépendance.	

Diagnostic infirmier : Perturbation du concept de soi : image corporelle, estime de soi, exercice du rôle, identité personnelle, reliée à un manque de but dans la vie et à un mode de vie inadapté causé par la consommation de drogue.
Objectif : Avant sa sortie de l'hôpital, le client est capable d'expliquer les effets de la drogue sur l'identité personnelle.

Intervention	Justification	Résultat escompté
Établir une relation personnalisée avec le client.	Le client est porté à confier ses craintes à une personne bienveillante.	Le client se décrit de façon réaliste.
Enseigner au client : • des méthodes pour améliorer son image corporelle ; • de nouveaux rôles qu'il peut exercer sans consommer de la drogue ;	La connaissance et la compréhension de la situation permettent au client de créer un concept de soi plus positif.	Le client démontre un niveau d'estime de soi adéquat. Le client exerce de nouveaux rôles où la consommation de drogue n'a plus de place.

(suite du diagnostic page suivante)

Tableau 13-8   (suite)

Diagnostic infirmier *(suite)* : Perturbation du concept de soi : image corporelle, estime de soi, exercice du rôle, identité personnelle, reliée à un manque de but dans la vie et à un mode de vie inadapté causé par la consommation de drogue.
Objectif : Avant sa sortie de l'hôpital, le client est capable d'expliquer les effets de la drogue sur l'identité personnelle.

Intervention	Justification	Résultat escompté
• des techniques de résolution des problèmes ; • des stratégies de gestion des crises normales du développement.		
Aider le client à améliorer son apparence physique.	L'apparence physique favorise l'estime de soi du client.	Le client déclare qu'il est satisfait de ce qu'il est.
Encourager le client à verbaliser les préoccupations et les angoisses reliées à son identité personnelle.	Le client peut plus facilement définir les manifestations de ses traits de personnalité.	
Encourager le client à mener à bien diverses activités de la vie quotidienne.	Les sentiments d'acceptation et de valorisation du client seront consolidés.	
Aider le client à définir de nouveaux rôles : • explication du rôle ; • jeux de rôle ; • mises en situation.	Ces mesures permettent au client de mieux accepter les nouveaux rôles.	

Diagnostic infirmier : Risque d'altération de la perception sensorielle : visuelle, auditive, kinesthésique, gustative, tactile, olfactive, relié à une perte des capacités de résolution des problèmes, provoquée par la consommation de drogue.
Objectif : À la fin du sevrage, le client reprend contact avec la réalité et réagit convenablement aux stimuli environnants.

Intervention	Justification	Résultat escompté
Évaluer les stimulations de l'environnement susceptibles d'altérer la perception sensorielle.	L'excès de stimulation risque d'aggraver l'altération de la perception sensorielle.	
Utiliser les méthodes suivantes pour aider le client à s'orienter : • l'appeler par son nom ; • lui donner l'heure exacte ; • le renseigner à propos de son milieu ambiant ; • maintenir le contact visuel ; • se présenter ; • renforcer les comportements qui gardent le client en contact avec la réalité.	Ces méthodes permettent au client de garder le contact avec la réalité.	Le client garde le contact avec la réalité. Le client ne souffre pas d'hallucinations ou de délire.
Faciliter l'orientation spatio-temporelle du client par les moyens suivants : • lui fournir une montre ; • lui fournir un calendrier ; • porter une plaque d'identité bien visible ; • expliquer chacune des interventions ; • apporter des explications lorsque la perception du client est erronée.	Ces interventions aident le client à garder contact avec la réalité.	

(suite du diagnostic page suivante)

Tableau 13-8   *(suite)*

Diagnostic infirmier *(suite)*: Risque d'altération de la perception sensorielle : visuelle, auditive, kinesthésique, gustative, tactile, olfactive, relié à une perte des capacités de résolution des problèmes, provoquée par la consommation de drogue.
Objectif : À la fin du sevrage, le client reprend contact avec la réalité et réagit convenablement aux stimuli environnants.

Intervention	*Justification*	*Résultat escompté*
Prendre des mesures de sécurité : • remonter les ridelles du lit ; • maintenir le lit en position basse ; • mettre la sonnette d'appel à la portée de la main ; • garder tout objet tranchant hors de portée.	Ces mesures permettent d'éviter les accidents si le client est désorienté.	
Maintenir une ambiance agréable : • réduire les bruits ; • éviter les va-et-vient inutiles ; • expliquer au client les objets, les sons et les odeurs qui l'entourent.	Le bien-être du client est ainsi amélioré.	

Diagnostic infirmier : Perturbation des interactions sociales, reliée à des comportements inadaptés pendant la consommation de substances psycho-actives.
Objectif : Le client manifeste des comportements sociaux acceptables.

Intervention	*Justification*	*Résultat escompté*
Évaluer le degré d'isolement social du client.	L'infirmière se fonde sur ces renseignements pour planifier ses soins.	Le client verbalise son sentiment d'isolement social.
Passer du temps avec le client.	L'infirmière prouve ainsi qu'elle a une attitude positive à l'égard du client.	Le client recherche les interactions avec l'infirmière.
Utiliser des jeux de rôle pour aider le client à élaborer de nouvelles habiletés sociales.	Le client apprend de nouvelles habiletés sans que son anxiété s'intensifie.	Le client participe à des jeux de rôle avec l'infirmière.
Encourager le client à établir de nouvelles relations avec des personnes ou des amis qui ne consomment pas de drogue.	Le client peut ainsi adopter des comportements sociaux acceptables.	Le client commence à manifester de l'intérêt pour les autres.

Diagnostic infirmier : Altération des opérations de la pensée, reliée à l'influence de la drogue sur la capacité d'abstraction, de prise de décisions et de résolution de problèmes.
Objectif : À la fin de la période de sevrage, le client est capable d'interpréter la réalité de façon adéquate.

Intervention	*Justification*	*Résultat escompté*
Pratiquer l'écoute active lors des entretiens avec le client.	L'analyse du comportement aide à mieux présenter la réalité au client.	Le client interprète la réalité d'une façon réaliste.
Observer les moyens de communication verbale et non verbale du client.		
Maintenir une attitude impartiale envers le client.	Les toxicomanes sont sensibles à l'attitude du personnel soignant.	Le client établit des relations constructives avec les autres.

(suite du diagnostic page suivante)

Tableau 13-8 *(suite)*

Diagnostic infirmier *(suite)*: Altération des opérations de la pensée, reliée à l'influence de la drogue sur la capacité d'abstraction, de prise de décisions et de résolution de problèmes.
Objectif : À la fin de la période de sevrage, le client est capable d'interpréter la réalité de façon positive.

Intervention	*Justification*	*Résultat escompté*
Orienter le client au besoin : • lui demander de dire son nom ; • lui demander d'indiquer le jour et l'heure ; • lui demander de nommer l'endroit où il se trouve ; • maintenir le contact visuel avec lui ; • se présenter.	Ces mesures aident le client à garder le contact avec la réalité.	
Employer les techniques de communication thérapeutiques : • questions ouvertes ; • clarification ; • validation ; • confrontation ; • réitération.	Le client interprète ainsi plus justement la réalité.	
Donner au client l'occasion de participer à la planification de son propre traitement.	Le client devient plus conscient de l'importance des soins personnels.	
Aider le client à examiner les effets de son comportement sur les autres.	Le client peut ainsi établir des relations plus réalistes avec les autres.	
Encourager le client à effectuer ses soins personnels dans la mesure du possible.	La motivation du client à effectuer ses propres soins et son contact avec la réalité sont ainsi accrus.	

Diagnostic infirmier : Risque de violence envers soi ou envers les autres, relié à la perturbation de la dynamique familiale à la suite de l'abus de drogue.
Objectif : Avant la fin du sevrage, le client est capable de reconnaître les actes de violence familiale. Au cours du sevrage, le client diminue le nombre d'actes de violence envers lui-même.

Intervention	*Justification*	*Résultat escompté*
Encourager le client à verbaliser ses sentiments violents au lieu de passer à l'acte.	Cette mesure permet de réduire les risques de blessure.	Le client ne manifeste pas de comportement violent.
Isoler le client, au besoin.	L'isolement aide le client à reprendre la maîtrise de lui-même.	Le client est capable de nommer des solutions de rechange à un comportement aggressif.
Expliquer les répercussions d'un comportement violent : • appel aux agents de sécurité ; • renfort de personnel ; • utilisation de dispositifs de contention.	Ces connaissances favorisent la diminution des comportements violents.	Le client adopte de nouvelles stratégies d'adaptation lui permettant de surmonter son agressivité.
Aider le client et sa famille à reconnaître les situations qui engendrent la violence et à en parler.	La famille peut ainsi explorer des solutions de rechange pour combattre les sentiments violents.	

(suite du diagnostic page suivante)

Tableau 13-8   *(suite)*

Diagnostic infirmier *(suite)* : Risque de violence envers soi ou envers les autres, relié à la perturbation de la dynamique familiale à la suite de l'abus de drogue.
Objectif : Avant la fin du sevrage, le client est capable de reconnaître les actes de violence familiale. Au cours du sevrage, le client diminue le nombre d'actes de violence envers lui-même.

Intervention	Justification	Résultat escompté
Recommander au client et à sa famille une thérapie familiale.		Le client ne présente pas de blessures corporelles.
Observer et évaluer les signes qui indiquent la volonté de se faire du mal.	Le client, dont la pensée a été altérée par la drogue, peut essayer de s'infliger des blessures.	Le client ne fait aucune tentative de suicide.

Diagnostic infirmier : Stratégies d'adaptation individuelle inefficaces, reliées à la difficulté à exprimer ses émotions et à faire part de ses besoins directement.
Objectif : Le client réduit ses comportements de manipulation et trouve de nouveaux moyens de satisfaire ses besoins.

Ce diagnostic, dont il est question au chapitre précédent, est très courant chez les clients toxicomanes.

Évaluation

Pour évaluer les soins administrés au client toxicomane, l'infirmière compare l'état de santé de celui-ci avec les objectifs établis d'un commun accord. Au fur et à mesure qu'elle applique le plan de soins, elle observe la façon dont le client réagit à ses interventions et note les progrès réalisés. Si elle remarque que son plan de soins n'est pas parfaitement adapté à l'état du client en question, elle doit le modifier.

L'infirmière évalue les progrès enregistrés par le client en fonction des résultats. Ses propres observations, les commentaires du client ainsi que les documents annexés à son dossier permettront à l'infirmière de voir si le comportement du client ou l'état de sa santé ont subi des changements. On trouve aux tableaux 13-8 et 13-10 des exemples de résultats mesurables.

ÉTUDE DE CAS

Abus de cannabis

Georges Bernier, écolier de 15 ans, a été envoyé chez un conseiller d'orientation scolaire à cause de ses résultats insatisfaisants. Georges a expliqué au conseiller qu'il n'aimait pas l'école et qu'il consommait de la marijuana tous les jours depuis deux ans.

Bilan de santé

Nom du client : Georges Bernier   Âge : 15 ans
Diagnostic à l'admission : Dépendance au cannabis
Signes vitaux : Sans objet

Données sur le client
Taille : 1,67 m
Poids : 63 kg
Prend trois repas par jour plus des collations
Dort de 8 à 12 heures par nuit
Fume un paquet de cigarettes par jour plus quatre à cinq joints
Boit de la bière avec ses amis pendant les fins de semaine

Données sur la vie sociale
Vit avec sa mère et son beau-père
Trois autres enfants à la maison
Manque ses classes pour aller faire la fête avec ses amis
Veut abandonner l'école

Données cliniques
Sans objet

Observations de l'infirmière
Lors de l'entrevue initiale avec le conseiller d'orientation scolaire, auquel on l'avait adressé, Georges s'est montré indifférent. Il a dit qu'il consommait de la marijuana depuis l'âge de 13 ans, fait qu'il avait toujours caché à sa famille jusqu'au jour où « il a vraiment été dans la merde », car son beau-père a appris qu'il avait manqué l'école et qu'il fumait

Tableau 13-9 *Niveaux de conscience*

Niveaux de conscience	Réactions du client	Stratégies d'évaluation
Vigilance	Réactions « normales ». Le client est conscient de lui-même et de son entourage.	Sur un ton de voix normal, demander au client d'indiquer son nom, la date et l'heure ainsi que l'endroit où il se trouve.
Léthargie	Faute de stimulation, le client s'endort. Il répond aux commandes simples. Ses mouvements peuvent ressembler à ceux d'un alcoolique.	Sur un ton de voix plus élevé, demander au client d'indiquer son nom. D'une voix ferme, demander au client d'effectuer une tâche simple.
Obnubilation	Seules les stimulations intenses peuvent provoquer une réaction. Le client peut essayer de se soustraire aux stimuli douloureux, mais ses réactions sont très lentes.	Pincer la peau, secouer le client, piquer la peau avec une épingle.
Stupeur	Absence de réaction verbale, même en présence de stimuli douloureux. Les mouvements qu'on observe ne sont pas des réactions qui correspondent aux stimulations.	Pincer la peau, secouer le client, piquer la peau avec une épingle.
Coma	Absence de réactions malgré un maximum de stimulation. Aucune réaction à la douleur intense, absence de réflexes (réflexe cornéen, pupillaire, pharyngien ; réflexe de toux et de déglutition). Incontinence d'urine et des matières fécales.	Exercer une pression sur le tendon d'Achille, l'échancrure susorbitaire, le sternum ou le triceps sural. Vérifier les réflexes cornéen, pupillaire et pharyngien.

de la marie-jeanne. Georges a dit qu'il n'avait pas l'intention de se faire soigner et, qu'en fait, il ne désirait pas arrêter sa consommation de drogue. Il a aussi dit à l'infirmière-conseil qu'il suivait la thérapie seulement parce que ses parents l'ont forcé à la suite de leur rencontre avec le conseiller d'orientation.

Diagnostics infirmiers

Altération de la communication verbale
Stratégies d'adaptation individuelle inefficaces
Altération de la dynamique familiale
Perturbation du concept de soi, de l'estime de soi ; perturbation dans l'exercice du rôle ; altération des opérations de la pensée

Suggestions pour la planification des soins

1. Déterminer les aspects du développement qu'il faut prendre en considération lors du traitement de Georges ;

2. Déterminer les réseaux de soutien dont le client peut disposer ;

3. Déterminer les obstacles qui peuvent s'opposer à la réadaptation ;

4. Déterminer l'enseignement qu'il faut dispenser au client pour l'aider à se rétablir ;

5. Déterminer les objectifs des soins infirmiers ;

6. Déterminer les priorités de réadaptation ;

7. Justifier les interventions planifiées.

ÉTUDE DE CAS

Abus de cocaïne (cocaïnomanie)

Jean Laberge, cadre de 32 ans dans une société d'ingénierie, a été retrouvé sans connaissance dans une chambre de motel. À son arrivée au service d'urgence de l'hôpital, il respirait à peine et, peu après, il a subi un arrêt respiratoire. On l'a ranimé et installé au service de soins intensifs où il a été branché à un respirateur. Les épreuves de laboratoires ont révélé un taux élevé de cocaïne et d'héroïne.

(suite page 566)

Tableau 13-10   Plan des soins infirmiers destinés au client qui présente un surdosage (overdose)

▌**Diagnostic infirmier :** Dégagement inefficace des voies respiratoires, relié à une dépression respiratoire provoquée par la consommation de drogue.

Objectif : Les voies respiratoires du client sont dégagées pendant toute la durée du traitement.

Intervention	Justification	Résultat escompté
Ausculter les poumons.	L'auscultation permet d'évaluer les bruits respiratoires.	Les voies respiratoires restent dégagées.
Renverser la tête du client en arrière.	Dans cette position, la langue ne peut pas obstruer les voies respiratoires.	La ventilation du client est adéquate.
Aspirer les sécrétions, au besoin.	L'excès de mucus et de sécrétions bloque les voies respiratoires.	Le client donne des signes de bien-être physique et psychologique.
Préparer le matériel nécessaire pour une éventuelle intubation endotrachéale.	Les sondes endotrachéales permettent de garder les voies respiratoires ouvertes.	
Avoir recours à la ventilation assistée, si elle est indiquée.	La ventilation assistée est nécessaire dans les cas de dépression respiratoire grave.	
Administrer de l'oxygène, selon les recommandations du médecin.	L'oxygène favorise le maintien d'une ventilation adéquate.	
Dispenser les soins bucaux, selon les besoins.	Ces soins favorisent le bien-être du client.	

▌**Diagnostic infirmier :** Mode de respiration inefficace, relié à la modification de l'amplitude respiratoire à la suite de la consommation de drogue.

Objectif : L'expansion des poumons et la ventilation du client redeviennent normales.

Intervention	Justification	Résultat escompté
Ausculter les poumons.	L'auscultation permet d'évaluer le mode de respiration.	Le client présente une distension complète des poumons.
Surveiller les signes vitaux au moins toutes les 15 minutes ; noter le type de respiration.	La surveillance à intervalles rapprochés fournit des données importantes sur l'état du client.	Le client présente une ventilation adéquate sans utiliser les muscles respiratoires accessoires, une fréquence respiratoire normale et une symétrie de la cage thoracique à l'inspiration comme à l'expiration.
Administrer de l'oxygène, selon les besoins.	L'oxygène favorise le maintien d'une ventilation adéquate.	
Relever la tête du lit, sauf contre-indication (p. ex. : lésion de la moelle épinière).	Cette intervention favorise la distension complète des poumons.	
Tourner le client au moins toutes les 2 heures.		
Assister aux interventions nécessaires au maintien d'une ventilation adéquate (p. ex. : trachéostomie, introduction d'un drain thoracique ou d'une sonde endotrachéale).	Ces mesures favorisent un apport suffisant d'air.	

(suite page suivante)

Tableau 13-10   *(suite)*

■ **Diagnostic infirmier :** Diminution des échanges gazeux, reliée à l'effet nocif des drogues sur l'appareil respiratoire.
■ **Objectif :** Le client maintient une ventilation adéquate et son bien-être physique est assuré.

Intervention	*Justification*	*Résultat escompté*
Ausculter les poumons.	L'auscultation permet de noter tous les changements des bruits respiratoires.	Les gaz sanguins sont normaux : pH : 7,35 – 7,45 P02 : 80 – 95 mm Hg PC02 : 35 – 45 mm Hg Saturation en 0_2 : 95 – 99 %. Le client respire sans difficulté (p. ex. : il n'utilise pas les muscles respiratoires accessoires ; il n'éprouve pas de difficulté à respirer ; sa respiration est régulière). La fréquence respiratoire du client est normale. Tous les autres signes vitaux sont normaux.
Surveiller • les signes vitaux ; • les gaz du sang.	L'oxygénation adéquate est nécessaire à la fonction cérébrale ; les premiers signes d'hypoxie permettent de maintenir une fonction respiratoire adéquate.	

■ **Diagnostic infirmier :** Risque de trauma, relié à l'altération du niveau de conscience.
■ **Objectif :** Le client survit à l'épisode de surdosage.

Intervention	*Justification*	*Résultat escompté*
Préparer les médicaments destinés à combattre les effets de la drogue (p. ex. : Narcan).	Certains médicaments peuvent contrer l'effet nocif de certaines drogues et empêcher le collapsus cardiovasculaire.	L'état du client est stabilisé dans les 24 heures qui suivent l'ingestion de la drogue.
Installer la sonde nasogastrique (si le lavage gastrique est indiqué pour la drogue en question).	Le lavage gastrique favorise l'élimination de certaines drogues de l'organisme.	Le client ne présente pas de blessures corporelles.
Évaluer le niveau de conscience du client (réactions pupillaires, présence de réflexes, force de préhension).	Cette évaluation permet de reconnaître les variables qui pourraient augmenter les risques auxquels le client est exposé.	
Ne rien administrer par voie orale.	Les aliments ou les liquides peuvent causer une aspiration chez les clients semi-conscients.	
Administrer des solutés, selon les recommandations du médecin.	L'administration de liquides favorise l'élimination des drogues contenues dans le sang.	

Tableau 13-11   *Quelques adresses utiles pour les soins de la toxicomanie.*

Alternatives – Centre de réadaptation 1018, rue Henri-Bourassa Est Montréal, H2C 1G2	Maison d'entraide l'Arc-en-Ciel 346, rue de l'Église C.P. 3563, Succ. St-Roch Québec, G1K 6Z7 (418) 522-2915
Association des intervenants en toxicomanie du Québec 2033, boul. Saint-Joseph Est Montréal, H2H 1E5	Villa Ignatia 2205, rue Beau-Site Lac-Saint-Charles G0A 2H0 (418) 849-6534
Le Centre de réhabilitation des Deux-Rives Chemin du Golf Saint-André, J0V 1X0	Maison de Job Tél. (418) 842-3078
La Maison Jean-Lapointe Inc Hôtel-Dieu du Sacré-Cœur Québec, G1N 2W1 (418) 523-1218	Fédération des organismes bénévoles d'aide et de soutien aux toxicomanes du Québec (FOBAST) 1244, Chemin Ste-Foy Québec, G1S 2M4 (418) 682-5515

Bilan de santé

Nom du client : Jean Laberge   Âge : 32 ans
Diagnostic à l'admission : Surdose (probablement d'héroïne et de cocaïne)
T. : 38,5 °C (rectale), P. = 120,
R. = 10, T.A. = 140/80

Données sur le client
Taille : 1,80 m
Poids : 77 kg
(Remarque : impossibilité d'obtenir d'autres renseignements, le client étant dans le coma.)

Données cliniques
L'analyse des urines a révélé une forte concentration de cocaïne, des traces d'héroïne et d'autres substances impossibles à reconnaître.
Taux de glycémie : 26

Observations de l'infirmière
On a effectué une intubation et on a branché le client à un respirateur pendant les 48 premières heures de son hospitalisation où il était dans le coma. Lorsqu'on a découvert son identité, on a appelé sa famille. Sa mère a donné des renseignements. Jean venait de divorcer à cause de sa dépendance à la cocaïne qui durait depuis trois ans. Il était cadre dans une importante société d'ingénierie et ce n'est qu'au moment où la femme de Jean a demandé le divorce que la mère a appris que son fils consommait de la drogue. Lorsque sa femme l'a prié de quitter le domicile conjugal et qu'elle a demandé le divorce, Jean est allé vivre chez sa mère. Mme Laberge a dit que, le soir où on avait retrouvé son fils, il était allé dans un motel en emportant 10 000 $ en espèces pour acheter à un revendeur une quantité importante de drogue. Deux jours plus tard, ne voyant toujours pas son fils revenir, elle a commencé à s'inquiéter et a signalé sa disparition à la police. C'est alors qu'elle a appris qu'il pouvait être à l'hôpital. Mme Laberge a retrouvé son fils au service de soins intensifs et elle s'est montrée affolée au cours de l'entrevue qu'elle avait eue avec l'infirmière. Pendant 14 jours, Jean Laberge est resté dans le coma, branché à un respirateur. Les entrevues avec les autres membres de sa famille et avec les policiers ont révélé qu'il s'agissait d'un acte criminel. On lui avait injecté une forte dose de cocaïne, mélangée à de l'héroïne, probablement coupée avec de l'insuline. Le 16e jour, son état s'est suffisamment amélioré pour qu'on puisse l'installer dans une chambre individuelle.

Diagnostics infirmiers

Altération de l'élimination urinaire
Incontinence fécale
Incapacité de se laver/d'effectuer ses soins d'hygiène, de se vêtir/de soigner son apparence, de s'alimenter, d'utiliser les toilettes
Risque de trauma
Altération de la communication verbale
Perturbation du concept de soi : image corporelle, estime de soi, identité personnelle, exercice du rôle
Altération du processus de la pensée

Suggestions pour la planification des soins

1. Déterminer les priorités de soins ;
2. Déterminer les aspects du développement qu'il faut prendre en considération lors du traitement ;

3. Déterminer les réseaux de soutien dont le client peut disposer ;
4. Déterminer l'enseignement qu'il faut dispenser à M. Laberge pour l'aider à se rétablir ;
5. Consulter les résultats des épreuves de laboratoire ;
6. Déterminer les méthodes de collecte des données lorsque le client est incapable de les fournir lui-même ;
7. Déterminer les objectifs des soins infirmiers ;
8. Justifier les interventions planifiées.

RÉSUMÉ

1. La consommation de drogue étant illégale, il est difficile d'obtenir des renseignements précis au sujet de l'abus.

2. La consommation de drogue à des fins récréatives est très répandue surtout parmi les adolescents et les jeunes adultes.

3. La consommation de certaines drogues, notamment la caféine et le tabac, est mieux acceptée par la société.

4. L'infirmière en santé mentale a l'importante responsabilité d'évaluer avec précision la consommation de drogue de ses clients.

5. La consommation de drogue se divise en deux catégories : l'abus et la dépendance. La personne qui abuse de la drogue en consomme malgré les effets nocifs que sa consommation entraîne. La personne devient dépendante lorsqu'elle ne peut plus maîtriser la consommation de drogue et qu'elle continue à en prendre en dépit des effets nocifs.

6. Les catégories de drogue qui peuvent engendrer une dépendance sont : les amphétamines ou sympathomimétiques ayant des effets similaires, le cannabis, la cocaïne, les hallucinogènes, les substances volatiles, les opiacés, la phencyclidine (PCP) ou les arylcyclohexylamines ayant des effets similaires, les sédatifs, les hypnotiques et les anxiolytiques.

7. Divers facteurs biologiques, physiologiques, psychologiques et socioculturels engendrent l'abus de drogue ou encouragent la poursuite de la pharmacodépendance.

8. Les traitements de l'abus de drogue dépendent du type de drogue consommée. Les principaux traitements sont : les cures de désintoxication, l'hospitalisation, les traitements dans les services de consultation externe, dans les centres de réadaptation ou dans les communautés thérapeutiques et les séances de psychothérapie individuelle.

9. Durant toute la période où le client essaie de modifier son comportement à l'égard de la drogue, les récidives sont fréquentes et les progrès peuvent paraître lents. Lors du traitement des toxicomanes, l'infirmière doit faire preuve de patience et de persévérance.

EXERCICES DE RÉVISION

1. Depuis 15 ans, Roger est dépendant de la marijuana. Sa femme, Marie, n'a jamais consommé de drogue. Au cours d'une évaluation de la famille, l'infirmière détermine chez Marie une codépendance du type « aveugle ». Quel est le comportement qui lui a permis d'arriver à cette conclusion ?
   (a) Marie feint d'ignorer la toxicomanie de son mari en espérant qu'il finira par changer.
   (b) Marie protège Roger en lui évitant les problèmes engendrés par sa consommation de marijuana.
   (c) Marie supporte les difficultés en espérant que Roger va se sentir assez coupable pour modifier son comportement.
   (d) Marie critique constamment son mari à propos de sa consommation de marijuana.

2. Quelle est l'appellation populaire des amphétamines ?
   (a) Coke.
   (b) *Speed*.
   (c) Poudre d'ange.
   (d) Marie-jeanne.

3. Quel est l'ingrédient psychoactif du cannabis qui engendre un état d'euphorie ?
   (a) Le haschich.
   (b) La marijuana.
   (c) Le delta-9-tétrahydrocannabinol.
   (d) La 5-hydroxytryptamine.

4. Laquelle de ces substances fait partie des opiacés ?
   (a) La méthaqualone.
   (b) La phencyclidine.
   (c) Le LSD.
   (d) L'héroïne.

5. En présence d'une surdose (overdose), l'infirmière doit :
   (a) installer le client dans la position de Trendelenburg.
   (b) évaluer constamment le niveau de conscience du client.
   (c) utiliser des moyens de contention.
   (d) reconnaître que l'overdose est un problème médical courant.

6. Les antécédents d'un client cocaïnomane révèlent qu'il fume du crack tous les jours ou presque, depuis 6 mois. La mère du client est alcoolique et son beau-père est toxicomane. Même si la mère savait que son fils fumait du crack, elle n'a rien fait pour l'inciter à modifier

son comportement. Parmi les diagnostics infirmiers suivants, lesquels s'appliqueraient à la situation?

    (a) Perturbation de la croissance et du développement.

    (b) Altération de la communication verbale.

    (c) Altération de la dynamique familiale.

    (d) Isolement social.

BIBLIOGRAPHIE

American Psychiatric Association: *Diagnostic and Statistical Manual of Mental Disorders.* 3d ed. Revised. Washington DC: American Psychiatric Association, 1987.

Bateson MC, Goldsby R: *Thinking AIDS.* Addison-Wesley, 1988.

Bluhm J: *When You Face the Chemically Dependent Patient: A Practical Guide for Nurses.* Ishiyaku Euro-America, 1987.

Brunner LS, Suddarth DS: *The Lippincott Manual of Nursing Practice.* 4th ed. Lippincott, 1988.

Burkhalter PK: *Nursing Care of the Alcoholic and Drug Abuser.* McGraw-Hill, 1975.

Cocores JA, Gold MS: Substance abuse and sexual dysfunction. *Med Aspects Human Sexuality* (2) 1989:23: 22–31.

Donovan DM: Assessment of addictive behaviors. In: *Assessment of Addictive Behaviors,* Donovan DM, Marlatt GA (editors). Guilford Press, 1988. 3–48.

Doyle KM, Quinones MA, Lauria DB: Treating the drug abuser. *Public Health Rev* (Jan/Mar) 1982:77–98.

Earle R, Crow G: *Lonely All the Time.* Pocket Books, 1989.

Gianelli D: Very addictive, appealing to youth, crack poses major health worries. *Am Med News* (Sept) 1986:12.

Greenbaum DM: Clinical aspects of drug intoxication: The St. Vincent's Hospital symposium—Part 1. *Heart Lung* (3) 1983:12:109–21.

Grinspoon L, Bakalara JB: Drug dependence: Nonnarcotic agents. In: *Comprehensive Textbook of Psychiatry,* 4th ed. Vol. 1. Kaplan HI, Sadock BJ (editors). Baltimore: Williams and Wilkins, 1985. 1010–11.

Hahn AB, Barkin RL, Klarmen Oestreich SJ: *Pharmacology in Nursing.* 15th ed. St. Louis: Mosby, 1982.

Hughes TL, Sullivan EJ: Attitudes toward chemically dependent nurses: Care or curse? In: *Addiction in the Nursing Profession.* Haack MR, Hughes TL (editors). Springer. 1989. 20–34.

Jaffe JH: Opioid dependence. In: *Comprehensive Textbook of Psychiatry,* 4th ed. Vol. 1. Kaplan HI, Sadock BJ (editors). Baltimore: Williams and Wilkins, 1985. 992.

Johnston LD, et al: *National Trends in Drug Use and Related Factors among American High Students and Young Adults, 1975–1986.* National Institute on Drug Abuse. 1987.

Judson I, Carbary C, Carbary N: Angle dust. *J Nurs Care* (Nov) 1981:17–18.

Levy DB: Providing crack care. *Emerg Med* (8) 1987: 19:16–17.

Louie AK, et al: Treatment of cocaine-induced panic disorder. *Am J Psychiatry* (1) 1989. 146:40–44.

Luckman J, Sorensen KC: *Medical Surgical Nursing: A Psychophysiologic Approach,* 3d ed. Philadelphia: W. B. Saunders, 1987. 1851.

McCormick M: *Designer-Drug Abuse.* Franklin Watts. 1989.

Montagnier L, et coll. : *Sida : les faits, l'espoir.* RDSCMM, ministère de la Santé et des Services sociaux, 1989.

Piercy FP, Nelson TS: Adolescent substance abuse. In: *Treating Stress in Families.* Figley CR (editor). Brunner/Mazel. 1989. 209–30.

Quinones MA, et al: Evaluation of drug abuse rehabilitation efforts: A review. *Am J Public Health* (11) 1979: 69:1164–69.

Schleifer SJ, et al: HIV seropositivity in inner-city alcoholics. *Hosp Community Psychiatry* (23) 1990:41: 248–49.

Schnoll SH: Aiding the drug abuser. *Hosp Med* (Aug) 1983:116–17.

Schultz JM, Dark SL: *Manual of Psychiatric Nursing Care Plans.* Boston: Little, Brown, 1982.

Sullivan E, Bissell L, Williams E: *Chemical Dependency in Nursing.* Addison-Wesley. 1988.

Treadway DC: *Before It's Too Late: Working with Substance Abuse in the Family.* WW Norton, 1989.

Youcha G, Seixas JS: *Drugs, Alcohol, and Your Children.* Crown. 1989.

LECTURES COMPLÉMENTAIRES

Association des intervenants en toxicomanies du Québec. *L'Intervenant*, publication trimestrielle, (514) 523-1196.

Cormier, Dollard. *Toxicomanie: styles de vie*, Boucherville, Gaëtan Morin, 1984.

Fondation Jellineck. *Alcoolisme et toxicomanie chez les jeunes – Prévention et traitement; bilan de la situation, approche comportementale*, séminaire, 13 novembre 1985 à la Maison du Citoyen de Hull, Ed. Fondation Jellinek, 1985.

Gouvernement du Québec. *Et la Santé; ça va?*, Tome I, rapport de l'enquête «Santé Québec 1987», Québec, Les publications du Québec, 1988.

Gouvernement du Québec, ministère de l'Éducation. *Le Phénomène drogue et les jeunes (document d'information)*, Québec, ministère de l'Éducation, mars 1990.

Gouvernement du Québec. *Objectif: Santé*, rapport du Comité d'étude sur la promotion de la santé, Conseil des Affaires sociales et de la famille, Québec, Direction générale des publications gouvernementales, 1984.

Lalonde, Grunberg et coll. *Psychiatrie clinique: approche bio-psycho-sociale*, Boucherville, Gaëtan Morin, 1988.

Lego, S. *The American Handbook of Psychiatric Nursing*, Philadelphia, Lippincott, 1984.

«Psychotropes» un journal d'information sur les drogues et leurs usages, revue, secrétariat général: C.P. 592, Station Outremont, Montréal H2V 4N2, (514) 274-6956.

Rousseaux, Jean-Paul. *Alcoolisme et Toxicomanie*, Bruxelles, De Boeck, 1989.

Vigeant, Y. *Espoir pour les mal-aimés*, Montréal, Edig. 1990.

Wilson, H.S., et C.R. Kneisl. *Soins infirmiers psychiatriques*, Montréal, Éditions du Renouveau Pédagogique, 1982.

CHAPITRE 14

Les troubles schizophréniques

J. SUE COOK

Au secours !

À l'intérieur de moi, il y a celui qui crie au secours. À l'extérieur, il y a celui dont la bouche est cousue. Alors, je dors pour que personne ne vienne demander au dormeur que je suis s'il veut qu'on l'aide. Au secours ! je veux qu'on m'aide !

Introduction

On parle souvent du « clivage » de la personnalité du schizophrène, mais il s'agit là d'une vision bien trop simpliste d'un trouble complexe. Si clivage il y a, il s'opère entre le corps et l'esprit, et non pas au sein de la personnalité. En d'autres mots, la schizophrénie correspond à des troubles de la pensée, de l'affectivité et du comportement. De plus, le clivage s'opère entre la psyché et la réalité du monde extérieur sans pour autant impliquer la présence de deux personnalités. Les quatre critères diagnostiques essentiels d'un **trouble schizophrénique** sont :

- la présence de symptômes psychotiques caractéristiques pendant la phase active du trouble ;

- une détérioration par rapport au niveau de fonctionnement antérieur ;

- l'apparition de la maladie avant l'âge de 45 ans ;

- des signes permanents de maladie pendant au moins six mois.

On a proposé au fil des ans un grand nombre de définitions de la schizophrénie. Bleuler (1911) proposait une définition qui faisait reposer le diagnostic sur la présence de quatre symptômes primaires : un *affect inadéquat*, comme une réponse émotive excessive ou encore émoussée, *l'ambivalence*, caractérisée par la coexistence d'émotions intenses et opposées face à une même personne, le *relâchement des associations* d'idées, se manifestant par un discours illogique, et l'*autisme*, se manifestant par un retrait social et un mode de pensée subjective.

La faiblesse du système de Bleuler réside dans le fait que la symptomatologie qu'il décrit caractérise également d'autres troubles psychiatriques. D'après la définition du DSM-III-R, la schizophrénie englobe un groupe de troubles ayant des symptômes caractéristiques qui évoquent de nombreux processus psychologiques. Voici les critères diagnostiques d'un trouble schizophrénique d'après le DSM-III-R :

A. La présence de symptômes psychotiques caractéristiques pendant la phase active : soit 1), soit 2), soit 3) pendant au moins une semaine.
   1. deux des manifestations suivantes :
      a) idées délirantes
      b) hallucinations
      c) incohérence ou relâchement net des associations
      d) comportement catatonique
      e) affect émoussé ou inadéquat
   2. idées délirantes bizarres (par exemple, l'idée d'être sous l'influence d'une personne décédée, une divulgation de la pensée, etc.)
   3. hallucinations au premier plan dans lesquelles une voix commente en permanence le comportement du sujet, ou dans lesquelles deux ou plusieurs voix conversent entre elles, etc.

B. Le fonctionnement dans des domaines tels que le travail, les relations sociales et les soins personnels est nettement inférieur au niveau le plus élevé atteint avant la survenue de la perturbation (ou, en cas de survenue durant l'enfance ou l'adolescence, incapacité à atteindre le niveau de développement social auquel on aurait pu s'attendre).

C. La présence d'un trouble schizoaffectif ou d'un trouble de l'humeur a été éliminée à cause de la durée globale des phases active et résiduelle de la perturbation.

D. Les signes permanents de la perturbation persistent pendant au moins six mois.

E. L'impossibilité d'établir qu'un facteur organique a déclenché et maintenu le trouble.

F. Des antécédents d'un trouble autistique.

La schizophrénie étant un trouble complexe dont le tableau clinique est très diversifié, il est difficile de la diagnostiquer en se fondant sur un seul ensemble de critères. En raison de cette complexité, le DSM-III-R propose également des critères pour diagnostiquer les cinq formes cliniques de schizophrénie, soit :

- le type désorganisé ;
- le type catatonique ;
- le type paranoïde ;
- le type indifférencié ;
- le type résiduel ;

Incidence de la schizophrénie

Si l'incidence mondiale de la schizophrénie est de 1,7 sur 10 000 personnes, on présume que 1 000 nouveaux cas de schizophrénie apparaissent au Québec par année. La prévalence serait de 4,5 habitants sur 1 000. En transposant les conclusions d'études américaines, estimant qu'environ 1 pour cent de la population suivie de 0 à 60 ans présente un syndrome de schizophrénie, 60 000 Québécois pourraient souffrir de schizophrénie au cours de leur vie (Lalonde, Borgeat, 1988).

Schizophrénie et soins infirmiers

L'infirmière peut dispenser ses soins à des clients schizophrènes dans de nombreux milieux. Elle doit se garder de prendre à son compte l'apathie du client ainsi que son apparente indifférence aux relations interpersonnelles. De nombreuses infirmières se remettent en question devant le peu d'améliorations que les soins peuvent apporter en oubliant que, dans le cas de cette maladie, les progrès sont très lents. Pour lutter contre le sentiment d'échec, l'infirmière devrait établir des objectifs thérapeutiques réalistes à court terme et relativement faciles à atteindre. De plus, étant donné la lenteur des progrès et le désespoir affligeant du client schizophrène, l'infirmière doit disposer de grandes réserves d'énergie. Elle a donc avantage à faire part de ses objectifs à l'équipe de soins et à demander de l'aide, au besoin.

Les types de schizophrénie

Type catatonique Le type *catatonique* est la forme de schizophrénie la moins répandue. En raison des problèmes entraînés par l'immobilité, la malnutrition, l'épuisement, l'hyperpyrexie et l'auto-mutilation, des soins médicaux s'imposent fréquemment (American Psychiatric Association, 1987).

Aline, 35 ans, a connu de graves épisodes de schizophrénie. Chaque jour, elle prend l'autobus pour se rendre à l'atelier où elle assemble sous surveillance de petits appareils électriques à l'aide d'outils manuels. Dernièrement, Aline s'est absentée de son travail pendant trois jours consécutifs. Sa surveillante s'en est alarmée et en a avisé le travailleur social. Celui-ci s'est rendu à la pension où Aline demeure et l'a trouvée assise dans un fauteuil berçant, fixant le vide. Le propriétaire de la pension a dit au travailleur social qu'il avait frappé plusieurs fois à la porte d'Aline et que, n'obtenant aucune réponse, il avait pensé qu'elle était à son travail.

Type désorganisé Le type *désorganisé*, autrefois appelé type « hébéphrénique », se manifeste principalement par l'incohérence et par l'altération de l'affect. Dans les rares cas où la personne atteinte a des idées délirantes et des hallucinations systématiques, elles sont fragmentées et dépourvues d'un thème cohérent. Les caractéristiques de la schizophrénie du type désorganisé sont les comportements bizarres, le retrait social extrême, des maniérismes, des manifestations hypocondriaques et un affect émoussé ou très inadéquat. Entre autres comportements bizarres, la personne grimace, renifle, gonfle les joues, plisse le front et à une conduite ritualisée.

Jean-Claude, 23 ans, est concierge dans une école privée. Au cours des trois dernières années, il a été traité par suite de deux épisodes de schizophrénie. Jean-Claude vit avec sa mère, sa grand-mère et ses deux frères. Un jour, le directeur de l'école remarque que, au lieu de nettoyer les toilettes, Jean-Claude ricane niaisement. En s'approchant de Jean-Claude, le directeur constate que ce dernier n'est pas rasé, que sa tenue est débraillée et que ses vêtements sont froissés et malodorants. Le directeur entend Jean-Claude ricaner de plus en plus fort et le voit se déverser un seau d'eau souillée sur la tête.

Type paranoïde Les caractéristiques de la schizophrénie du type *paranoïde* sont la présence d'une ou de plusieurs idées délirantes systématisées ou d'hallucinations auditives fréquentes reliées à un thème unique. Ses principales manifestations sont l'anxiété diffuse, la colère, l'entêtement et la violence. Les relations interpersonnelles de la personne atteinte sont souvent guindées, empruntées et extrêmement intenses. L'altération du fonctionnement est minime, à moins que la personne ne matérialise ses idées délirantes. Les symptômes de la schizophrénie du type paranoïde apparaissent généralement à un âge plus avancé, et le pronostic est plus favorable que celui des autres types sur les plans du fonctionnement professionnel et de l'autonomie.

Maxime, 32 ans, était caissier dans une banque. Ses collègues de travail l'appréciaient beaucoup, car il était très méticuleux et faisait peu d'erreurs. Pendant son premier épisode de schizophrénie, Maxime s'est enfermé dans la banque pendant toute une fin de semaine ; ce n'est que le lundi matin que ses camarades de travail l'ont trouvé. Maxime a dit au directeur de la banque qu'il avait découvert un complot de la mafia qui voulait s'emparer de la banque. Maxime avait travaillé sans interruption toute la fin de semaine à rechercher les comptes des suspects.

Type indifférencié Le terme d'*indifférencié* est utilisé quand les épisodes se caractérisent par des signes psychotiques patents ne rentrant dans aucune des catégories spécifiques ou couvrant les critères de plusieurs d'entre elles, notamment un affect inadéquat (comme dans le type désorganisé) et des idées délirantes (comme dans le type paranoïde). Le type indifférencié constitue le diagnostic le plus souvent posé dans les établissements de soins.

> *Danielle, schizophrène de 24 ans, vivait avec sa mère dans un petit appartement. Elle n'avait jamais travaillé à l'extérieur, négligeait souvent sa tenue et passait plusieurs jours sans sortir. Danielle disait souvent entendre des voix sortir du téléviseur éteint. Quand l'appareil était allumé, elle croyait qu'il contrôlait son esprit. Un jour, convaincue que sa mère appartenait à une secte dont les membres communiquaient en langage codé par l'intermédiaire du téléviseur, Danielle a essayé de l'étrangler, car elle croyait que la secte avait ordonné à sa mère de l'empoisonner. Pour la quatrième fois en deux ans, Danielle a été hospitalisée.*

Type résiduel   On diagnostique le type *résiduel* en cas d'antécédents d'au moins un épisode de schizophrénie. Ce type est dit chronique, et ses caractéristiques sont un émoussement de l'affect, le retrait social, le comportement excentrique, la pensée illogique et le relâchement des associations.

> *Georges, un sans-abri de 37 ans, est bien connu du personnel du centre hospitalier et des services de santé mentale. On le voit souvent fouiller dans les poubelles et déposer ses trouvailles dans un chariot d'épicerie qu'il pousse en grommelant. Un jour, sur un grand boulevard du centre de la ville, Georges a invectivé un automobiliste et a voulu lui lancer une bouteille, mais il a perdu l'équilibre et il est tombé dans la rue. Une voiture qui passait l'a frappé.*

Connaissances de base

On peut classer les symptômes comportementaux, affectifs et cognitifs de la schizophrénie en deux groupes. Les **symptômes positifs** correspondent à des comportements que la majorité des gens n'adoptent jamais ; ils apparaissent le plus souvent pendant la phase aiguë. Les **symptômes négatifs**,

qui ont tendance à être chroniques, correspondent à l'absence des comportements adoptés habituellement par la majorité des gens. Nous résumons au tableau 14-1 les symptômes positifs et négatifs.

Caractéristiques comportementales

Jadis, on taxait le comportement bizarre du schizophrène de folie, d'aliénation et d'insanité. Il est vrai que le comportement du schizophrène peut sembler singulier à cause de l'anomalie du discours et de l'activité motrice qui résultent de la désorganisation de la pensée.

Les caractéristiques comportementales positives sont l'excitation catatonique, les stéréotypies, l'échopraxie, l'écholalie et la verbigération. L'*excitation catatonique* est une forme d'hyperactivité qui peut se manifester pendant la phase aiguë. L'excitation peut s'intensifier au point de compromettre la sécurité du schizophrène ou celle de ses proches. Les *stéréotypies* sont des mouvements ou des gestes répétitifs et vides de sens qui prennent, par exemple, la forme de tics grimaçants touchant particulièrement la région péribuccale. L'*échopraxie* est l'imitation automatique des mouvements et des

Tableau 14-1   *Les symptômes positifs et négatifs de la schizophrénie*

Symptômes positifs	Symptômes négatifs
Comportementaux	*Comportementaux*
Excitation catatonique	Stupeur catatonique
Stéréotypies	Position catatonique
Échopraxie	Soins personnels minimes
Écholalie	Retrait social
Verbigération	Langage emprunté, laborieux
	Pauvreté du discours
Affectifs	
Affect inadéquat	
Affect hyperréactif	*Affectifs*
	Affect émoussé
	Affect plat
Cognitifs	Anhédonie
Idées délirantes	
Hallucinations	
Incohérence ou relâchement des associations	*Cognitifs*
Création de néologismes	Concrétude ou pensée concrète
	Symbolisme
	Blocages

gestes de l'interlocuteur. L'*écholalie* est la répétition automatique des réponses à une question. Enfin, la *verbigération* est une répétition de mots ou de phrases dépourvue de sens qui peut se poursuivre pendant plusieurs jours.

Les caractéristiques comportementales négatives sont la stupeur catatonique, la position catatonique, les soins personnels minimes, le retrait social, le langage emprunté et la pauvreté du discours. Le terme *stupeur catatonique* désigne une réduction de l'énergie, de l'initiative et de l'activité spontanée. Les mouvements perdent leur souplesse, ce qui entraîne le manque de coordination et des mouvements mécaniques. La *position catatonique* est le maintien prolongé d'une position bizarre ou gênante. On observe fréquemment chez les clients schizophrènes une tenue débraillée et du maniérisme. Il faut parfois rappeler aux clients qu'ils doivent se laver, se raser, se brosser les dents et changer de vêtements. En raison de leur confusion mentale et de leur distraction, les schizophrènes ne se conforment pas aux normes sociales en matière d'habillement et de comportement. On décèle le *retrait social* lorsque la personne ne répond pas aux salutations ou reste indifférente aux conversations. Elle peut se refuser aux activités sociales, ne manifester aucun intérêt pour la présence et les sentiments d'autrui. Les schizophrènes emploient un *langage emprunté*, c'est-à-dire qu'ils s'expriment de manière pompeuse. Par ailleurs, la *pauvreté du discours* désigne la tendance du client à parler très peu, de sa propre initiative ou en réponse aux questions ; il peut demeurer muet pendant des heures, voire même pendant des jours (Lehmann et Cancor, 1985 ; Tsuang et Faraone, 1988). (Nous présentons au tableau 14-2 les caractéristiques du comportement verbal des schizophrènes.)

Caractéristiques affectives

Les caractéristiques affectives positives de la schizophrénie sont l'affect inadéquat ou exagérément réactif. L'*affect inadéquat* est un état émotionnel qui ne correspond pas aux circonstances immédiates. L'*affect hyperréactif* est approprié, mais disproportionné. (On trouve des exemples de ces affects au chapitre 11.)

Les caractéristiques affectives négatives sont l'affect émoussé, l'affect plat et l'anhédonie. L'*affect émoussé* correspond à l'affaiblissement des réactions affectives, tandis que l'*affect plat* définit l'absence d'indices visibles des sentiments. L'*anhédonie*, c'est-à-dire l'incapacité d'éprouver du plaisir, donne à de nombreux schizophrènes l'impression d'être complètement dépourvus d'émotions et en pousse certains au suicide (Tsuang et Faraone, 1988).

Caractéristiques cognitives

On dit souvent que le schizophrène est *autistique*, c'est-à-dire qu'il est exclusivement centré sur son vécu. La pensée autistique n'a de sens que pour le sujet. Les schizophrènes pensent et s'expriment suivant une logique complexe qui leur est propre et qui rend impossible toute tentative de communication.

Les caractéristiques cognitives positives de la schizophrénie sont les idées délirantes, les hallucinations, le relâchement des associations et l'emploi de néologismes.

Les *idées délirantes* sont des idées fausses dont le sujet reste absolument convaincu en dépit de la réalité ou du raisonnement. Deux phases marquent l'apparition des idées délirantes. Durant la première, celle du *tréma*, le client perçoit une menace. Il se sent harcelé et impuissant, puis il devient anxieux, irritable et déprimé. Durant la deuxième phase, celle de l'*apophanie*, le client connaît des révélations soudaines qui finissent par le persuader de l'existence des menaces.

Les idées délirantes répondent aux besoins affectifs du schizophrène et l'« aident » à surmonter les problèmes et les tensions. Lorsque les idées délirantes sont organisées autour d'un thème central très poussé à partir duquel la personne tire des conclusions qui lui semblent logiques, on dit que les idées délirantes sont *systématisées*. Il existe divers types d'idées délirantes : les idées de grandeur, les idées de persécution, les idées de culpabilité, les idées d'influence, les idées cénesthésiques, les idées mystiques, les idées de référence, la divulgation de la pensée, le vol de la pensée et l'imposition de la pensée (Tsuang et Faraone, 1988).

Tableau 14-2   *Les caractéristiques du comportement verbal des schizophrènes*

Comportement	Exemple
Mutisme	Infirmière : Bonjour, Julie. Cliente : (reste muette et parfaitement immobile, regardant droit devant elle) Infirmière : Julie, m'entendez-vous ? Cliente : (reste toujours muette)
Écholalie	Infirmière : Est-ce que vous entendez des voix ? Client : Est-ce que vous entendez des voix ? Infirmière : Quelles sont ces voix ? Client : Quelles sont ces voix ?
Verbigération	Infirmière : Pourquoi avez-vous entrepris un traitement ? Cliente : Pourquoi suis-je venue à l'hôpital ? Pourquoi suis-je venue à l'hôpital ? Parce que je suis folle. Je suis folle. Pourquoi suis-je venue à l'hôpital ?
Langage emprunté	Infirmière : Bonjour ! Je m'appelle Gisèle. Je m'occuperai de vous aujourd'hui. Client : Mademoiselle Gisèle, sachez que je suis ravi de faire votre connaissance. J'ai pour votre profession la plus profonde admiration.

Les *idées de grandeur* s'élaborent en réaction aux sentiments d'incompétence, d'insécurité et d'infériorité du client. En s'érigeant en personnage important, le client parvient à échapper à son insécurité affective. Les *idées de persécution* naissent de la projection sur autrui d'une insatisfaction ressentie face à l'égo. Le client croit que quelqu'un lui veut du mal et part du principe que tous ses échecs sont imputables à des gens hostiles. Les *idées de culpabilité* apparaissent à la suite d'une rationalisation ; le schizophrène allège ses remords par l'autopunition. Les *idées d'influence* correspondent à la conviction que toute la vie du client est régie par les autres, ce qui le pousse à leur imputer la responsabilité de ses échecs. Les *idées cénesthésiques* portent le client à croire qu'un phénomène anormal et dangereux menace son organisme. Les *idées mystiques* sont des fausses croyances reliées à des thèmes religieux ou spirituels. Les *idées de référence* poussent le schizophrène à se croire l'objet de remarques ou d'actions qui ne lui sont nullement destinées. La *divulgation de la pensée* est l'impression que les autres peuvent entendre ses idées. Le *vol de la pensée* pousse le client à croire que les autres sont capables de s'emparer de ses idées. Enfin, l'*imposition de la pensée* est le type d'idée délirante qui pousse le schizophrène à croire que les autres sont en mesure d'implanter des pensées dans son esprit. (Nous présentons au tableau 14-3 des exemples d'idées délirantes.)

Le principal trouble perceptuel du client schizophrène est l'*hallucination*, expérience sensorielle déclenchée en l'absence de toute stimulation externe. L'hallucination fait partie intégrante de la vie mentale du client. Généralement provoquée par l'anxiété, l'hallucination constitue une projection des besoins, d'un soi idéalisé, de l'autocritique, du sentiment de culpabilité, de l'autopunition ou d'impulsions refoulées (Williams, 1989). Les hallucinations que connaît le client schizophrène pendant ses heures de veille sont analogues aux rêves du dormeur normal. L'hallucination la plus courante est l'*hallucination auditive*. Le schizophrène entend la voix de Dieu, du diable, de voisins ou de membres de sa famille, et cette voix profère des paroles bienveillantes ou malveillantes. Les *hallucinations visuelles* occupent le deuxième rang sur le plan de la fréquence. Généralement claires, animées et très proches, elles s'accompagnent habituellement d'autres perceptions sensorielles. Les *hallucinations tactiles*, *olfactives* et *gustatives* sont moins fréquentes.

Tableau 14-3   *Exemples d'idées délirantes*

Type d'idées délirantes	Exemple
Idées de grandeur	« Je suis conseiller des premiers ministres depuis l'époque de Jean Lesage. Aucun premier ministre ne peut se passer de moi. Sans mes services, nous serions probablement en guerre contre les États-Unis. »
Idées de persécution	« La Gendarmerie royale du Canada et la Sûreté du Québec me poursuivent. Je suis constamment surveillé. Je suis certain que l'un des patients de l'étage est un agent secret qui a la mission de m'espionner. »
Idées de culpabilité	« Je sais que j'ai souvent fait de la peine à mes parents pendant ma jeunesse. C'est pour cette raison que je n'arrive pas à garder mes emplois. Lorsque je trouve un emploi et que je commence à donner de bons résultats, je dois démissionner pour me faire pardonner ma mauvaise conduite. »
Idées d'influence	« J'ai un fil dans la tête par lequel ma famille guide tous mes gestes. Ils décident du moment où je me réveille et du moment où je m'endors. Ils me font dire ce qu'ils veulent. Je ne peux rien faire tout seul. »
Idées cénesthésiques	« Mon œsophage se déchire. J'ai un rat dans l'estomac. Parfois, il remonte jusqu'à ma gorge. Il me mange l'œsophage. Regardez dans ma gorge, vous verrez sûrement le rat. »
Idées mystiques	« Tant que je porte ces 10 médailles bénites et que je garde ces images de Jésus épinglées à mes vêtements, il ne peut m'arriver aucun mal. Personne ne peut me faire de mal tant que je suis ainsi protégé. »
Idées de référence	« À la télévision, hier soir, des gens m'ont dit que j'étais chargé de sauver l'environnement. C'est pourquoi je dis à tous de ne plus prendre leurs voitures. C'est mon travail, ils me l'ont dit hier soir. »
Divulgation de la pensée	« J'ai peur de me mettre à réfléchir. Je sais que vous pouvez lire dans mes pensées et savoir exactement à quoi je pense. »
Vol de la pensée	« Je ne peux pas vous dire à quoi je pense. Quelqu'un vient de me voler mes pensées. »
Imposition de la pensée	« Vous pensez que je vous dis ce que je pense, mais ce n'est pas vrai. Mon père n'arrête pas de me mettre plein de pensées dans la tête. Ce ne sont pas mes pensées. »

Les hallucinations peuvent exercer une emprise considérable sur le comportement du schizophrène et le préoccuper au point qu'il oublie tout ce qui l'entoure. Il n'est pas rare que les schizophrènes entretiennent des conversations avec leurs voix. Après avoir passé un certain temps dans le système de santé mentale, beaucoup de clients s'aperçoivent qu'on les taxera de « malades » s'ils admettent qu'ils entendent des voix. Pour éviter le traitement, ils peuvent être très évasifs à propos de leurs hallucinations (Williams, 1989).

On dit que le client souffre d'un *relâchement des associations* quand ses pensées ne présentent aucun lien apparent. Par exemple :

CLIENT : Il faut que je sorte d'ici. J'ai mangé un steak hier soir pour souper. Travaillez-vous à la fonction publique ? Il faut que je sorte d'ici. Il fait beau. Aimez-vous la pêche ?

Par ailleurs, le client utilise des *néologismes*, c'est-à-dire qu'il invente des mots pour exprimer des notions désignées ou non par des mots existants.

Ainsi :

> INFIRMIÈRE : Qu'est-ce que vous mangez ?
>
> CLIENT (lui montrant une banane) : Vous voyez bien : une *falanalane*.

Les caractéristiques cognitives négatives de la schizophrénie sont la concrétude, le symbolisme et le blocage. La *concrétude* est l'incapacité d'élaborer des généralisations et des abstractions, et le recours obligé à des détails ou à des données concrètes. Par exemple :

> INFIRMIÈRE : Qu'est-ce qui vous a amené à l'hôpital ?
>
> CLIENT : Une voiture.

Le *symbolisme* est l'opération de la pensée qui pousse le schizophrène à se préoccuper de sorcellerie, de religion, de philosophie et de forces invisibles. Par exemple :

> INFIRMIÈRE : Comment vous appelez-vous ?
>
> CLIENT : Jésus. Il est un esprit. Dieu m'a créé esprit. Donc, je suis Jésus.

Les *blocages* sont une interruption soudaine et relativement prolongée du cours de la pensée. Pendant cette période, le client semble paralysé. Quand ses pensées reprennent leur cours, elles peuvent porter sur un sujet différent. Par exemple :

> INFIRMIÈRE : Que devrions-nous apporter à notre pique-nique de demain ?
>
> CLIENT : J'aimerais apporter... (deux minutes de silence) À quelle heure est ma thérapie de groupe aujourd'hui ?

Caractéristiques physiologiques

Les récentes recherches sur les causes biochimiques de la schizophrénie ont porté sur les neurotransmetteurs, la créatinine-phosphokinase sérique, les structures et l'activité électrique du système nerveux central et l'irrigation du cerveau.

Depuis 1976, de nombreux chercheurs examinent le rôle de deux neurotransmetteurs, la dopamine et la noradrénaline, dans l'apparition de la schizophrénie. Les idées délirantes, les hallucinations et les stéréotypies semblent reliées à une hyperactivité des synapses dopaminergiques alors que l'affect plat ou émoussé, l'anhédonie et le repli sur soi pourraient être causés par un déficit en noradrénaline au niveau de la synapse (Kety et Matthysse, 1988).

Les chercheurs ont constaté une élévation des concentrations sériques de créatinine-phosphokinase (CPK) dans la moitié des cas de schizophrénie nouvellement diagnostiqués. Cette élévation est reliée à des anomalies des muscles squelettiques et, croit-on, de la neurotransmission, à savoir une hyperactivité dopaminergique (Weiner, 1985).

La scintigraphie révèle chez les schizophrènes une hypertrophie des ventricules cérébraux. Par ailleurs, les études portant sur l'irrigation du cerveau prouvent également de graves anomalies : diminution de l'irrigation du cerveau entier ou des lobes frontaux, ou augmentation de l'irrigation de l'hémisphère gauche. La *cartographie de l'activité électrique du cerveau* révèle une activité électrique inférieure à la normale dans les lobes frontaux et temporaux. Par ailleurs, la tomographie par émission de positrons a permis de constater que la région frontale est moins active en cas de schizophrénie et que l'activité de la région temporale gauche augmente chez les patients hallucinés. Il faudrait mener des recherches supplémentaires pour comprendre le rôle exact des anomalies cérébrales dans la schizophrénie (Mathew et Wilson, 1990 ; Buchanan et coll., 1990 ; Tsuang et Faraone, 1988 ; Lalonde, Grunberg et coll., 1988).

Les psychoses médicamenteuses ont également fait l'objet d'études. En effet, les amphétamines et les hallucinogènes peuvent déclencher des troubles schizophréniformes chez certains sujets. L'intoxication aiguë à la phencyclidine précipite à une fréquence accrue les réactions psychotiques.

Caractéristiques socioculturelles

On a très longtemps tenu la famille, et surtout la mère, responsable de l'apparition de la schizophrénie ; cette hypothèse a fait l'objet de nombreuses études dont les professionnels de la santé mentale ne contestaient pas les conclusions. Depuis quelques décennies cependant, on tend à privilégier le rôle de la famille dans le traitement des schizophrènes et à ne plus l'accuser de la survenue de cette maladie (Lamb et coll., 1986).

Les parents du schizophrène ne sont ni pires ni meilleurs que les autres ; on peut trouver des malades mentaux même dans les familles très unies. On a noté que les rechutes sont fréquentes dans les familles très émotives, et plus précisément dans les familles qui se montrent critiques, hostiles et surprotectrices (Fallon et coll., 1984). S'il existe un modèle de « maternité schizophrénique », il est probablement le résultat du surcroît d'attention et d'empathie dont les mères de schizophrènes entourent leurs enfants malades. Qui oserait nier que la vie aux côtés d'un schizophrène engendre un stress extrême (Walsh, 1985) ?

Les familles des schizophrènes sont sans cesse soumises au stress intense engendré par les problèmes financiers, la perte, les stigmates de la maladie, la culpabilité et les restructurations de leur dynamique. Ces facteurs de stress accablent la cellule familiale (Baker, 1989).

Recourant au langage juridique, Walsh (1985) emploie l'expression « schizophrénie sans égard à la responsabilité » pour souligner qu'il ne sert à rien de rendre quiconque responsable de la maladie, qu'il s'agisse des mères, des pères, des médecins, de la société ou du client. Walsh croit que les professionnels devraient s'employer à trouver la cause et le traitement de la maladie plutôt que de se répandre en invectives.

De 50 à 60 p. cent des schizophrènes se rétablissent complètement ou deviennent relativement autonomes. À l'heure actuelle, les chercheurs étudient ce qui distingue les clients qui guérissent des schizophrènes chroniques. Les études menées sur le plan mondial indiquent que le pronostic de la schizophrénie est plus favorable dans les pays en voie de développement. En effet, dans ces pays (Lefley, 1990) :

- on considère que la cause de la maladie mentale est extérieure au malade ;

- on ne blâme ni la personne atteinte ni sa famille pour la maladie ;

- les personnes atteintes de maladie mentale sont moins rejetées par la société ;

- la personne atteinte et sa famille peuvent faire appel à un réseau étendu de relations sociales et familiales ;

- on considère les familles comme des alliées et non pas comme des coupables.

Les pays industrialisés pourraient s'inspirer de pareilles attitudes pour modifier leurs approches thérapeutiques. Plutôt que de conclure automatiquement qu'il existe une pathologie de nature familiale, les professionnels devraient tabler sur les qualités de la famille et encourager sa participation au traitement. Ils devraient aussi inciter les personnes atteintes et leurs familles à essayer de se bâtir un réseau de soutien familial et social, et à recourir aux ressources communautaires.

Théories de la causalité

Les causes de la schizophrénie sont si complexes qu'on a essayé de les expliquer par une kyrielle de théories de tous ordres : biologiques, familiales, socioculturelles et psychanalytiques. La plupart de ces théories n'ont pas pu être mises à l'essai et restent spéculatives.

Théories biologiques   Les études génétiques portent sur la famille, les jumeaux et les enfants adoptés. Dans l'ensemble de la population, la probabilité de survenue de la schizophrénie se chiffre à 0,6 p. cent. Les études menées sur les familles révèlent que chez les enfants nés d'un père ou d'une mère schizophrènes le risque est de 8 à 18 p. cent. Si les deux parents sont schizophrènes, le risque s'élève de 15 à 55 p. cent. Pour mieux isoler l'influence génétique de l'influence sociale, les chercheurs ont mené des études sur des jumeaux. Ils ont ainsi découvert un taux de concordance de 40 à 50 p. cent chez les vrais jumeaux (monozygotes) et de 9 à 10 p. cent chez les faux jumeaux (hétérozygotes). Par ailleurs, la prévalence révélée par les études portant sur des enfants adoptés est à peu près équivalente à celle qui a été prouvée par les autres études menées sur les familles. On peut donc conclure, d'une part, que les facteurs génétiques sont importants mais non pas déterminants et, d'autre part, qu'ils semblent s'exprimer dans certaines familles et en épargner d'autres. C'est pourquoi on est en droit de présumer que les causes de la schizophrénie sont multiples (Kety et Matthysse, 1988).

Il y a quelque temps, des scientifiques britanniques ont découvert un lien entre la schizophrénie et un gène anormal résidant sur le chromosome 5. Ce gène, ou groupe de gènes, demeure inconnu, mais la découverte de son siège approximatif facilitera l'étude de ses anomalies. C'est là une recherche importante, car elle tend à confirmer l'hypothèse biologique et pourra même mener à la découverte d'autres types de schizophrénie. On peut s'attendre à ce que les études futures portent sur un seul gène ou groupe de gènes (*Communiqué de presse*, 1988).

Théories familiales   Les chercheurs américains ont observé que les familles de schizophrènes de l'ensemble du pays présentaient des déviances analogues. Bateson et ses collègues (1956), dans leur article intitulé « Toward a Theory of Schizophrenia » (Vers une théorie de la schizophrénie), désignaient par le terme « situations de double lien » les situations où les choix, bien qu'en apparence possibles, sont en réalité nuls. Dans un tel contexte, le premier message est contredit par le second. Imaginons par exemple un premier message formulé comme suit : « Si tu fais cela, tu en subiras les conséquences. » Il est suivi d'un second message : « Si tu ne fais pas cela, tu en subiras les conséquences. » La personne à laquelle ces messages s'adressent est privée de toute échappatoire : elle est perdante quoi qu'il arrive. Pour que ce mode de communication favorise l'apparition de la schizophrénie, les messages doivent être répétés constamment, et la personne qui les reçoit doit se sentir incapable d'échapper à la situation (Bateson et coll., 1956). Voici un exemple de situation de double lien.

> *Il n'y avait jamais un jour de paix dans la famille de Guy. Son père essayait constamment de s'en faire un allié contre sa mère. Celle-ci était inefficace et distante. Chaque soir, la catastrophe menaçait.*

PÈRE (s'adressant à Guy) : Viens donc bavarder avec moi. Tu sais combien j'aime cela.

GUY (s'asseyant à côté de son père sur le canapé) : J'ai eu une très bonne journée aujourd'hui...

(La mère de Guy lit le journal et ne prête aucune attention à ce qui se passe autour d'elle.)

PÈRE : Ne fait pas tant de bruit, mon garçon. Tu ne vois pas que ta mère essaie de lire le journal ? Tu devrais respecter un peu plus tes parents !

Il a fallu plus d'une trentaine d'années pour que les chercheurs commencent à mettre à l'épreuve la théorie du double lien, mais ils ont eu, dès le départ, des difficultés à déceler des situations de double lien et à distinguer les communications des parents d'un enfant normal de celles des parents d'un enfant schizophrène. Aucune étude n'a pu confirmer la théorie du double lien et pourtant, on en trouve encore des références dans les publications spécialisées (Walsh, 1985).

Les études sur la schizophrénie menées dans le cadre de la famille s'accordent sur un seul point : la vulnérabilité. En effet, elles démontrent que les risques de morcellement de la pensée sont accrus dans les milieux familiaux où les occasions d'apprendre à réfléchir clairement sont rares et où les messages ambivalents sont fréquents. Il s'ensuit que la personnalité prémorbide est vulnérable dans les relations avec autrui. La recherche semble indiquer que les schizophrènes dont les antécédents en matière de relations avec les pairs et d'intimité ne révèlent pas la présence d'une personnalité prémorbide ont de meilleures chances de guérison. Depuis quelque temps, les chercheurs évitent d'accuser les familles et cherchent plutôt à en faire un réseau de soutien (Lamb et coll., 1986 ; Tsuang et Faraone, 1988).

Théories socioculturelles   Les preuves expérimentales des théories socioculturelles sont peu nombreuses parce que la plupart des facteurs restent impossibles à déterminer. Les personnes défavorisées sur le plan socio-économique semblent plus exposées à la schizophrénie que les mieux nantis. La théorie de la *désintégration* décrit le phénomène de dégradation graduelle qui se déroule à mesure que les générations successives d'individus défavorisés transmettent les faiblesses du capital génétique. Dans les classes démunies, la capacité d'adaptation s'étiole et la fréquence des maladies augmente graduellement. Dans ces milieux, l'incapacité des familles de s'occuper des schizophrènes favorise leur désintégration. La famille d'un schizophrène de la classe aisée a les moyens de lui procurer des soins à domicile ou de meilleures conditions d'hospitalisation. Par contre, le schizophrène défavorisé est laissé à lui-même. Les pressions incessantes aggravent sa maladie et affaiblissent ses aptitudes cognitives et sociales. Sa capacité de se procurer un gain décline et le schizophrène glisse vers le bas de l'échelle socio-économique.

Dans le même ordre d'idées, d'après la *théorie du stress*, les enfants nés dans la pauvreté sont exposés à des facteurs de stress excessifs tels que la mauvaise alimentation, le logement insalubre, l'habillement inadéquat, la violence et la criminalité. À ces facteurs de stress, il faut ajouter l'insuffisance des soins prénatals et pédiatriques ainsi que la fréquence de complications obstétriques. Il se peut que la schizophrénie soit une conséquence des carences et des problèmes associés à la pauvreté (Tsuang et Faraone, 1988 ; Weiner, 1985).

Théories psychanalytiques Bien que descriptives, les théories psychanalytiques n'expliquent pas pourquoi la schizophrénie touche certaines personnes et en épargne d'autres. C'est Freud qui a proposé les premières explications psychanalytiques de la schizophrénie, et l'on continue aujourd'hui encore de raffiner ces notions. Les théories psychanalytiques plus récentes font ressortir l'ambivalence, l'anxiété et les mécanismes infantiles du schizophrène dans ses relations avec les objets (Meissner, 1985).

Force est de constater que malgré de nombreuses tentatives, la recherche des causes de la schizophrénie n'a pas encore engendré des conclusions fermes. Cependant, ces efforts n'ont pas été vains, puisqu'ils ont donné naissance à plusieurs modes de traitement.

Traitement médical

L'*approche éclectique* est le terme qui décrit avec le plus de précision le traitement de la schizophrénie. Aucun traitement ne « guérit » la schizophrénie, mais l'on sait que diverses stratégies portent fruit à différentes phases de la maladie.

Depuis le lancement sur le marché des phénothiazines dans les années 50, il ne faut plus hospitaliser la majorité des schizophrènes. Dans 80 à 90 p. cent des cas, l'hospitalisation lors d'un premier épisode aigu dure de quelques semaines à quelques mois. Cependant, 45 p. cent des clients hospitalisés lors d'un premier épisode sont hospitalisés à nouveau au cours de l'année qui suit le traitement initial. Environ un tiers des schizophrènes traités restent asymptomatiques pendant cinq ans et environ 10 p. cent conservent une atteinte permanente. Les schizophrènes qui ont des antécédents de polytoxicomanie ont peu de chances de recouvrer la santé. Les autres schizophrènes présentent une certaine altération de la personnalité et un comportement psychotique épisodique. C'est vers ce groupe que devraient converger les mesures de prévention. Comme nous l'avons déjà mentionné, les données de recherche laissent croire que les clients dont les antécédents en matière de relations avec les pairs et d'intimité ne révèlent pas la présence d'une personnalité prémorbide ont de meilleures chances de recouvrer la santé (Coleman, Butcher et Carson, 1984 ; Sulliger, 1988 ; Weiner, 1985).

La qualité du traitement repose sur la précision du diagnostic. Lors de l'évaluation initiale, il faut choisir judicieusement le lieu du traitement. Étant donné les lois actuelles sur la santé mentale, il peut être difficile d'institutionnaliser les clients assez longtemps pour leur fournir un traitement adéquat. Les thérapies individuelles, de groupe et familiales constituent les principales approches thérapeutiques psychosociales (Liberman, 1985 ; Schultz, 1985).

Neuroleptiques Aucune preuve expérimentale ne confirme la supériorité d'un neuroleptique en particulier, bien que certaines personnes réagissent mieux à un médicament qu'à un autre. (Nous présentons au tableau 14-4 la liste des neuroleptiques communément administrés dans le traitement de la schizophrénie.)

Il faut tenir compte de plusieurs facteurs avant d'administrer des neuroleptiques à un client schizophrène, notamment les antécédents familiaux

Tableau 14-4   *Neuroleptiques communément administrés*

Dénomination commune	Nom commercial	Effets secondaires
Chlorpromazine	Thorazine	Sédation ou somnolence, ataxie, xérostomie, constipation, dermatite, symptômes extrapyramidaux, hypotension orthostatique, dyscrasie sanguine telle que l'agranulocytose, ictère, effet antiémétique, vision trouble, hypothermie, tachycardie, congestion nasale, photosensibilité, dyskinésie tardive, rétinopathie pigmentaire.
Chlorprothixène	Tarasan	Sédation ou somnolence, ataxie, xérostomie, constipation, hypotension orthostatique.
Triflupromazine	Vesprin	Sédation ou somnolence, ataxie, xérostomie, constipation, dermatite, symptômes extrapyramidaux, hypotension orthostatique, dyscrasie sanguine, ictère, convulsions, effet antiémétique, vision trouble.
Chlorhydrate de thioridazine	Mellaril	Sédation ou somnolence, ataxie, xérostomie, symptômes extrapyramidaux, hypotension orthostatique, vision trouble, hypothermie, nausées et vomissements, œdème, impuissance.
Loxapine	Loxitane	Sédation ou somnolence, effets extrapyramidaux.
Bésylate de mésoridazine	Serentil	Sédation ou somnolence, ataxie, xérostomie, constipation, dermatite, symptômes extrapyramidaux, hypotension orthostatique, hypothermie, impuissance, bradycardie.
Pipéracétazine	Quide	Sédation ou somnolence, symptômes extrapyramidaux, hypotension orthostatique, convulsions, effet antiémétique, impuissance, augmentation de l'appétit, photosensibilité.
Chlorhydrate de fluphénazine	Prolixin, Permitil Moditen HCL	Sédation ou somnolence, ataxie, xérostomie, constipation, dermatite, symptômes extrapyramidaux, hypotension orthostatique, dyscrasie sanguine, ictère, effet antiémétique, vision trouble, congestion nasale, œdème.
Perphénazine	Trilafon	Sédation ou somnolence, ataxie, xérostomie, constipation, dermatite, symptômes extrapyramidaux, hypotension orthostatique, dyscrasie sanguine, ictère, effet antiémétique, vision trouble.
Chlorhydrate de trifluopérazine	Stelazine	Sédation ou somnolence, ataxie, constipation, dermatite, symptômes extrapyramidaux, hypotension orthostatique, dyscrasie sanguine, ictère, effet antiémétique, vision trouble, congestion nasale, œdème.
Chlorhydrate de thiothixène	Navane	Sédation ou somnolence, xérostomie, dermatite, symptômes extrapyramidaux, hypotension orthostatique, convulsions, vision trouble, hypothermie, tachycardie, œdème, photosensibilité.
Halopéridol	Haldol	Dyscrasie sanguine, symptômes extrapyramidaux, vision trouble, xérostomie, rétention urinaire, irrégularités du cycle menstruel, gynécomastie, éruptions.

de sensibilité aux médicaments, les effets secondaires possibles, la sédation initiale (qui peut être avantageuse chez le client jeune et agité mais nocive chez le client âgé ou handicapé) et la durée d'action (les substances à action prolongée peuvent être plus appropriées chez le malade chronique que chez le client qui présente un épisode aigu). Le principal mécanisme d'action des neuroleptiques est le blocage des récepteurs dopaminergiques postsynaptiques qui entraîne une augmentation compensatrice de la synthèse de la dopamine et de sa dégradation. Les effets secondaires extrapyramidaux des phénothiazines semblent être le résultat de ces phénomènes (Townsend, 1990).

Les neuroleptiques ont des effets favorables sur le comportement. Ils atténuent l'activité psychomotrice excessive, la panique, la peur et l'hostilité. Le soulagement de ces symptômes amoindrit la réaction du client aux idées délirantes et aux hallucinations.

Parmi les effets indésirables des neuroleptiques sur le comportement, on note la lassitude, la fatigabilité et la dépression. De plus, ces médicaments accroissent le risque de suicide chez les clients psychotiques. (On explique au chapitre 16 les soins infirmiers à dispenser au client suicidaire.) On observe aussi, parfois, l'excitation et l'agitation. Il se peut que la vaste gamme des effets secondaires des neuroleptiques soit due à leur action secondaire sur les systèmes nerveux central et autonome, ou encore à des réactions de nature idiosyncrasique ou allergique. Les effets secondaires les plus fréquents des neuroleptiques sont les symptômes extrapyramidaux, comme les réactions dystoniques aiguës, l'acathisie et le syndrome parkinsonien secondaire. Les *réactions dystoniques aiguës* ont une survenue abrupte ; elles s'accompagnent de spasmes musculaires effrayants dans la tête et le cou. Ces réactions se produisent généralement au cours des deux premiers jours du traitement ou lors d'une augmentation de la posologie et elles sont surtout causées par les doses les plus élevées. Le client qui souffre d'*acathisie* est incapable de s'asseoir ou de rester immobile. Il éprouve une sensation subjective d'anxiété que l'on traite au moyen d'agents antiparkinsoniens. Le syndrome parkinsonien consécutif à l'administration des neuroleptiques se distingue de la maladie de Parkinson par les effets initiaux sur les muscles du visage et du cou, effets qui s'étendent par la suite aux épaules et au tronc. Pour combattre cet effet secondaire, on administre des agents antiparkinsoniens comme Cogentin ou Artane (Townsend, 1990).

La **dyskinésie tardive** est un effet secondaire extrêmement pénible des neuroleptiques qui se manifeste chez 20 p. cent des clients et pour lequel on ne connaît pas de traitement. Les symptômes sont des mouvements anormaux de la langue, de la bouche, du visage et de la mâchoire, des contorsions de la bouche, des mouvements de mastication et des mouvements involontaires des membres (voir la figure 14-1). Certains cas de dyskinésie tardive sont irréversibles. La dyskinésie tardive est plus fréquente chez les femmes âgées et chez les clients atteints du syndrome cérébral or-

ganique recevant de fortes doses de neuroleptiques. Bien qu'on ne connaisse aucun traitement de ces effets, on obtient des résultats prometteurs grâce à l'administration du clonazépam (Rivotril), anticonvulsivant dérivé de la benzodiazépine. La réduction de la transmission de l'acide gamma-aminobutyrique dans le système nerveux central semble jouer un rôle dans l'apparition de la dyskinésie tardive. Le clonazépam potentialise l'action de l'acide gamma-aminobutyrique et réduit de ce fait les symptômes du trouble. D'après les études, les symptômes de la dyskinésie tardive se sont atténués chez 50 à 83 p. cent des clients recevant des doses quotidiennes de 2 à 10 mg. D'après les résultats d'autres études, la vitamine E peut soulager les symptômes de la dyskinésie tardive en neutralisant les sous-produits du métabolisme de la dopamine dans le système nerveux central. L'amélioration des symptômes est de l'ordre de 30 p. cent (Elkashef et coll., 1990 ; Thaker et coll., 1990).

Les effets des neuroleptiques sur le système nerveux autonome sont de nature anticholinergique, antiadrénergique et convulsivante. Les effets *anticholinergiques* comprennent la xérostomie, la constipation, la rétention urinaire et le défaut d'accommodation pour la vision de près. Les effets *antiadrénergiques* sont la vasodilatation et l'hypotension orthostatique. Les convulsions se produisent avec des doses extrêmement élevées, les épileptiques étant davantage prédisposés à cet effet secondaire.

Les neuroleptiques peuvent modifier la fréquence cardiaque et accroître ainsi la prédisposition du client aux arythmies.

Les réactions allergiques aux neuroleptiques sont généralement de nature dermatologique, les éruptions et la photosensibilité étant les plus courantes. Les autres réactions allergiques, comme l'agranulocytose, le purpura thrombocytopénique, l'anémie hémolytique et la pancytopénie, sont rares.

Les effets endocriniens et métaboliques des neuroleptiques comprennent des troubles sexuels, dont certains sont dus également aux effets de ces médicaments sur le système nerveux autonome : baisse de la libido, trouble de l'érection, inhibition de l'orgasme et éjaculation rétrograde. C'est Mellaril qui cause le plus grand nombre de troubles

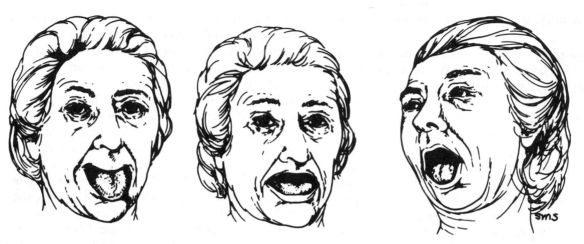

Figure 14-1   *Dyskinésie tardive — mouvements anormaux de la bouche, de la langue et de la mâchoire*

sexuels. Parmi les autres effets secondaires, citons l'aménorrhée, la galactorrhée, l'hirsutisme et la gynécomastie. Un gain pondéral peut également se produire. On ne connaît pas encore le mécanisme endocrinien en cause (Townsend, 1990).

Intervention psychosociale   L'intervention psychosociale joue un rôle très important dans le traitement des schizophrènes. Bien que l'administration de neuroleptiques soit le principal traitement, la pharmacothérapie ne permet pas au client d'acquérir les mécanismes d'adaptation qui lui assurent une meilleure qualité de vie. C'est grâce aux interactions psychosociales que les schizophrènes apprennent les habiletés sociales et personnelles essentielles à la survie.

Les interventions psychosociales et pharmacologiques se déroulent souvent simultanément. Les interventions psychosociales vont de la thérapie individuelle aux communautés thérapeutiques en passant par la thérapie familiale ou de groupe. Le traitement peut se dérouler dans un centre hospitalier, dans un cabinet privé, dans un service de consultations externes, dans un établissement psychiatrique ou une résidence spécialisée, ou encore à domicile. L'approche thérapeutique peut faire appel à des stratégies behavioristes du type « économie des jetons » aussi bien qu'à des interventions psychodynamiques.

Thérapie par le milieu   La thérapie par le milieu consiste à faire appel aux individus, aux ressources et aux événements de l'entourage du client pour améliorer son comportement et ses habiletés interpersonnelles, et pour accroître son autonomie. La thérapie par le milieu a été utilisée dans des centres hospitaliers, des services de consultations externes, des centres de réadaptation, des résidences spécialisées et des ateliers où les clients travaillent sous étroite surveillance. Les approches vont de la thérapie behavioriste à la thérapie humaniste. Les intervenants chargés de la plupart des programmes de thérapie par le milieu :

- mettent l'accent sur les interactions sociales ;
- favorisent l'adaptation au moyen de règles ou d'attentes définies par les membres du groupe ;
- considèrent les clients comme des êtres responsables et non comme des « patients dépendants » ;
- accordent une attention particulière aux droits du client ;
- font participer le client à l'établissement des objectifs, privilégient sa liberté de mouvement et l'encouragent à nouer des relations spontanées avec le personnel ;

- travaillent en interdisciplinarité et orientent la communication d'après les objectifs poursuivis.

La thérapie par le milieu a fait l'objet de très nombreuses études. Les données révèlent que certaines structures en favorisent l'issue :

- les groupes de thérapie doivent être de petite taille ;

- le rapport intervenant-clients doit être serré et le personnel, stable ;

- les groupes doivent être hétérogènes et, de préférence, composés aux deux tiers de clients qui présentent un épisode aigu et un bon fonctionnement, et au tiers de clients atteints de trouble chronique et présentant un fonctionnement moindre ;

- le rôle et le statut des membres du personnel doivent être cohérents et clairement définis ;

- la durée moyenne de l'hospitalisation doit être inférieure à trois mois.

La thérapie par le milieu est axée sur les aspects pratiques et adaptatifs du comportement quotidien. Les objectifs établis sont clairs et limités dans le temps. Un programme d'activités sociales accompagne la thérapie. Bien qu'il existe divers traitements psychosociaux, l'un des plus courants est le modèle de l'apprentissage social par la technique dite de l'économie des jetons, qui permet de corriger efficacement les comportements bizarres, les perturbations des interactions sociales et le déficit de soins personnels. On évalue d'abord le comportement du client, puis on axe la thérapie sur la stratégie psychosociale choisie (Liberman, 1985 ; Mosher et Keith, 1981).

Thérapie de groupe   Les thérapies de groupe destinées aux schizophrènes ont des fondements théoriques, un mode de fonctionnement et des règles qui leur sont propres. Par exemple, un groupe de tendance behavioriste se donne des règles de conduite clairement énoncées. Certains groupes sont fortement structurés, tandis que d'autres se basent sur la spontanéité et l'intuition. Les schizophrènes peuvent suivre une thérapie de groupe dans les centres hospitaliers, les services de consultations externes et les cabinets privés. Les groupes misent sur le soutien des pairs et ils mettent l'accent sur l'acquisition de connaissances et de techniques ainsi que sur la modification du comportement. Les groupes deviennent un réseau de soutien social et ils assurent le suivi des clients. Comme dans le cas des autres thérapies de groupe, l'animateur fait appel à la dynamique des interactions pour atteindre ses objectifs. La cohésion est, semble-t-il, la clé du succès (Plante, 1989).

Thérapie familiale   L'objectif de la thérapie familiale, forme très particulière de la thérapie de groupe, est de modifier le climat affectif de la famille afin de réduire les risques de rechute. Les études menées sur ce sujet ont révélé que les attitudes et les sentiments surprotecteurs des membres de la famille sont des facteurs qui prédisposent fortement aux rechutes. La plupart des thérapies familiales ont pour point commun de renseigner le client et sa famille sur la schizophrénie et son traitement. Les intervenants prennent le temps d'aider les membres de la famille à comprendre les symptômes et le pronostic du trouble, et les sensibilisent à propos de l'importance des neuroleptiques afin qu'ils aident le client à se conformer au traitement médicamenteux.

Les thérapies familiales sont de diverses natures, certaines d'entre elles faisant appel à des méthodes systémiques et d'autres, à des méthodes de soutien. Bon nombre de thérapeutes comptent sur l'établissement d'une relation thérapeutique pour amener la famille à modifier ses règles et ses réactions. Les thérapies familiales de soutien centrées sur des objectifs d'éducation et misant sur l'acquisition de diverses habiletés se sont avérées les plus efficaces (Liberman, 1985 ; Plante, 1989).

Thérapie individuelle   Le lieu où se déroule la thérapie individuelle du schizophrène est de la plus haute importance, car le client est extrêmement sensible au milieu environnant. Le respect du client est essentiel en thérapie individuelle. Le thérapeute doit être fidèle à ses rendez-vous et prévenir le client en cas de retard.

Les thérapeutes qui remportent le plus de succès sont ceux qui, d'une manière ou d'une autre, s'engagent sur le plan affectif. La foi du thérapeute en la guérison du client incite ce dernier à participer plus activement à la thérapie. En outre, la thérapie a plus de chances de porter fruit si le thérapeute et le client établissent les objectifs d'un commun accord. L'écoute en tant que technique thérapeutique est essentielle à l'établissement d'une relation appropriée avec le client schizophrène.

Réadaptation Quel que soit le traitement, le but ultime est la réadaptation du client. La planification de la réadaptation du schizophrène passe en premier lieu par l'évaluation de son réseau de soutien. Le client avait-il un emploi ? Est-ce que la famille du client l'accepte et désire sa présence ? Le client est-il capable de vivre de façon autonome ? (On trouve au chapitre 4 les principes généraux de la réadaptation en psychiatrie.)

L'issue de la réadaptation repose en grande partie sur l'idée que le client se fait de sa maladie. Certains clients ne veulent pas avouer qu'ils sont malades, ils ne prennent pas leurs médicaments et ne participent pas non plus aux autres traitements qu'on leur a prescrits. Dans un tel cas, l'infirmière doit, en modifiant le plan de soins infirmiers, aider le client à assumer la responsabilité de sa guérison.

Il faut préparer le schizophrène aux problèmes qu'il devra surmonter à sa sortie de l'hôpital. Il peut devoir changer d'emploi, surtout si celui qu'il occupait était très prenant et stressant. Il devrait, dans ce cas, prendre un emploi comportant moins de responsabilités. Or, ces changements peuvent entraîner une diminution de revenu. Le client peut alors avoir du mal à poursuivre son traitement et à faire face à ses obligations, ce qui lui vaut un surcroît de stress. Beaucoup de clients schizophrènes ont besoin de soutien pendant longtemps, voire même pendant toute leur vie. Un des objectifs fondamentaux de la réadaptation est de découvrir le potentiel du client, de trouver les façons de l'exploiter et d'améliorer sa qualité de vie.

Comme l'isolement social guette le client schizophrène, la réadaptation doit faire place à l'apprentissage de comportements mieux adaptés. Il est important d'insister sur des techniques aussi simples que le maintien du contact visuel pendant une conversation. De plus, il faut apprendre au client à choisir des vêtements appropriés aux situations, à respecter ses rendez-vous et à remplir des formulaires (Plante, 1989).

Collecte des données

La collecte des données constitue le point de départ de la démarche des soins infirmiers destinés au client schizophrène. En raison des déficits du client, il est quelquefois impossible de se fier aux renseignements qu'il transmet, particulièrement s'il a des idées délirantes et des hallucinations. L'infirmière doit alors s'en remettre à ses propres observations et à celles des membres de la famille du client. On présente au tableau 14-5 des directives permettant à l'infirmière de noter ses observations relatives à l'altération des opérations de la pensée du client schizophrène.

Tableau 14-5 *Observations du comportement du client schizophrène*

Comportements en présence	Oui	Non	Fréquence
Idées délirantes	☐	☐	
Hallucinations auditives	☐	☐	
Autres hallucinations	☐	☐	
Relâchement des associations	☐	☐	
Pensée illogique	☐	☐	
Incohérence	☐	☐	
Affect plat	☐	☐	
Autre affect inadéquat	☐	☐	
Soins personnels minimes	☐	☐	
Maniérismes étranges	☐	☐	
Idées de référence	☐	☐	
Pensée bizarre	☐	☐	
Pensée autistique	☐	☐	
Méfiance	☐	☐	
Excitation	☐	☐	
Stupeur	☐	☐	
Flexibilité cireuse	☐	☐	
Négativisme	☐	☐	
Écholalie	☐	☐	
Stéréotypies	☐	☐	
Ton de la voix singulier ou étrange	☐	☐	
Risque de violence	☐	☐	

Il faut dresser le bilan de santé du client (voir l'exemple donné au chapitre 2) dès que celui-ci est capable de répondre aux questions. Les renseignements ainsi obtenus facilitent la planification des interventions initiales de l'infirmière.

Puisque la schizophrénie est un trouble complexe et que les neuroleptiques agissent sur plusieurs organes, il est essentiel que l'infirmière adapte sa collecte des données au client schizophrène. L'entretien peut s'effectuer en plusieurs séances ; il se fonde à la fois sur les observations de l'infirmière et les réponses du client. Voici un exemple de bilan de santé du client schizophrène.

BILAN DE SANTÉ
Client schizophrène

Données sur le comportement

Quelles sont vos activités quotidiennes habituelles ?
  S'agit-il d'un changement par rapport à votre fonctionnement antérieur ?
  Comment se répartissent vos activités professionnelles ou domestiques et vos loisirs ?
Quels sont vos loisirs ?
Quelles sont vos relations interpersonnelles ?
  Quand est-ce que vous préférez être seul ?
  Quand est-ce que vous préférez la compagnie d'autrui ?
  Qu'est-ce qui vous met en colère contre les autres ?
  Comment réglez-vous vos conflits avec les autres ?

Données sur l'état affectif

Sur le plan affectif, comment réagissez-vous aux situations génératrices de stress ?
  Lorsque vous vous sentez stressé, éprouvez-vous des émotions contradictoires ? Si oui, décrivez-les.
  Quelles sont les situations qui vous mettent en colère ?
  Quelles sont les situations qui vous rendent anxieux ?
Quelles sont les personnes les plus importantes pour vous ?
  Combien d'amis intimes avez-vous ? Combien en avez-vous eu ?
  À quel moment faites-vous appel à vos amis ?
Décrivez votre humeur habituelle.
Qu'est-ce qui éveille vos sentiments de culpabilité ?

Données sur l'état cognitif

À votre avis, êtes-vous un intellectuel ?
  À quel moment la prise de décisions vous semble-t-elle difficile ?
  Dans quelles circonstances prenez-vous vos décisions rapidement ? lentement ?
  Quelles sont les décisions que vous prenez le plus facilement ?
Est-ce qu'il vous arrive d'entendre des voix ?
  Est-ce que vous entendez des voix actuellement ?
  Que vous disent-elles ?
  Comment vous sentez-vous quand vous entendez ces voix ?
Est-ce qu'il vous arrive de voir des choses que les autres ne voient pas ?
  Qu'est-ce que vous voyez ?
  Comment vous sentez-vous quand vous voyez ces choses ?
Avez-vous parfois l'impression que quelqu'un essaie de vous faire du mal ?
  Pourquoi pensez-vous qu'on essaie de vous faire du mal ?
  Avez-vous déjà été blessé par d'autres personnes ?
Avez-vous déjà pensé à vous faire du mal ?
Avez-vous déjà pensé que vous étiez quelqu'un d'autre ? Si oui, qui ?
Que feriez-vous si vous trouviez un portefeuille dans la rue ?
Que signifient les énoncés suivants : « Pierre qui roule n'amasse pas mousse » et « Qui sème le vent récolte la tempête » ?

Données sur l'état physique

Quels sont les symptômes physiques qui vous inquiètent ?
  Que faites-vous si vous avez mal à la tête ?
  Que faites-vous si vous souffrez de douleurs musculaires ?
  Que faites-vous si vous souffrez d'une indigestion ?
  Que faites-vous si... (autres symptômes mentionnés par le client) ?
Est-ce que vous prenez des médicaments ?
  Si oui, lesquels ?
  Est-ce que ces médicaments vous aident ?
Quelles sont vos habitudes alimentaires ?
  Combien de repas prenez-vous par jour ? de collations ?
  Quelle quantité et quel genre de liquides buvez-vous chaque jour ?
  Est-ce que votre poids a changé récemment ?
  Combien de kilos avez-vous perdu ? gagné ?

Avez-vous la bouche sèche ? Si oui, que faites-vous
pour y remédier ?
Quelles sont vos habitudes de sommeil ?
Qu'est-ce qui dérange votre sommeil ?
Comment vous sentez-vous après avoir dormi ?
Comment vous sentez-vous après une activité ?
Quelles sont les activités que vous préférez ? que
vous aimez le moins ?
Quelle est la fréquence de vos rapports sexuels ?
Avez-vous parfois des étoudissements en vous
levant ?
Avez-vous remarqué un changement dans votre
démarche ?
Vos mains tremblent-elles parfois ? et les autres
parties du corps ?
Quel est votre état général de santé ?
Avez-vous déjà eu la vision trouble ?
Quels sont vos signes vitaux habituels ?
Souffrez-vous parfois de constipation ? Que faites-
vous pour y remédier ?
Avez-vous remarqué si vos mains ou vos pieds
étaient enflés ?
Transpirez-vous plus ou moins que les autres ?
Avez-vous des difficultés à garder votre équilibre ?
Avez-vous des troubles dermatologiques ?
Est-ce que votre peau brûle facilement au soleil ?
Avez-vous remarqué si votre peau était jaunâtre ?
Quelles sont les éruptions ou les irritations dont
vous souffrez ?
Vos cheveux sont-ils devenus secs ?

Examen physique

L'examen physique du client schizophrène commence par l'évaluation des signes vitaux. L'infirmière doit rechercher des signes d'hypotension
orthostatique ainsi que des changements anormaux
de la fréquence cardiaque et de la tension artérielle,
car il peut s'agir de certains effets secondaires des
médicaments. Le client schizophrène a souvent une
tenue débraillée. Il peut présenter une activité motrice anormale ; il peut, par exemple, faire des
grimaces et exécuter des mouvements désordonnés.

En cas d'épisode aigu, l'infirmière doit porter
une attention particulière à des signes physiques
tels que la dilatation des pupilles, l'élévation de la
fréquence cardiaque et de la tension artérielle, la
transpiration excessive et une excitation générale

du système nerveux sympathique. La schizophrénie
se manifeste également par des altérations de la
démarche, et notamment l'ataxie, des altérations de
l'équilibre, de l'hyperréflexie, des anomalies sensorielles et des mouvements de type parkinsonien.
Certaines femmes schizophrènes souffrent d'hirsutisme et d'aménorrhée. La baisse de la libido est un
effet secondaire des neuroleptiques qui se manifeste chez les clients des deux sexes. L'éjaculation
retardée est le trouble sexuel le plus courant chez
les hommes, mais on peut également observer des
épisodes d'éjaculation rétrograde ou des troubles
de l'érection (Hagerty, 1984 ; Townsend, 1990).

Particularités de l'entretien

On trouve des suggestions précises d'interventions
dans les plans de soins présentés plus loin dans ce
chapitre. En règle générale, l'infirmière doit garder
certaines considérations à l'esprit pendant son entretien avec le client schizophrène. Entre autres,
étant donné que la schizophrénie perturbe le fonctionnement psychologique à plusieurs niveaux, les
symptômes varient considérablement d'un client à
l'autre. Cette connaissance permet à l'infirmière
d'effectuer une collecte des données plus approfondie.

Certains conflits peuvent émerger sous forme
de thèmes à l'occasion de l'entretien et en compliquer le déroulement. Le premier est celui de
l'identité personnelle. Le client souhaite posséder
une identité personnelle, mais la peur de l'isolement ou de l'abandon le lui interdisent. En outre,
l'infirmière peut devenir une figure maternelle, ce
qui peut faire naître chez lui la crainte d'une union
symbiotique. Ce conflit intrapsychique qui habite le
client peut laisser croire à l'infirmière que tout ce
qu'elle dit ou fait pendant l'entretien est inadéquat.
Les distorsions de l'image corporelle ajoutent à la
complexité du thème de l'identité personnelle. Enfin, il n'est pas rare que les clients schizophrènes
empruntent une identité nouvelle pendant l'entretien avec l'infirmière.

En deuxième lieu, c'est le thème de la dépendance qui ressort fréquemment de l'entretien
avec le client schizophrène. Ce dernier doit souvent
compter sur les autres pour satisfaire ses besoins.

Par conséquent, il peut régresser jusqu'à un état conflictuel entre la confiance et la méfiance, et avoir des difficultés à établir des contacts interpersonnels. Par ailleurs, le manque de confiance en soi vient compliquer le thème de la dépendance. L'impuissance perçue ou réelle du client engendre un comportement régressif se traduisant pendant l'entretien par la passivité et la soumission. Le client schizophrène se sent peu sûr de lui-même et l'estime de soi que confère l'indépendance lui est inconnue. L'ambivalence qui en résulte peut faire obstacle à la participation du client à l'entretien.

Le troisième et dernier thème est celui de la lutte de pouvoir et de la prise en charge du déroulement de l'entretien. Le client schizophrène entretient des sentiments hostiles à l'égard des sujets décrits dans la présente section. Il refoule la peur d'exprimer son hostilité et la traduit par l'apathie. Pour compenser le sentiment d'incompétence que ces phénomènes engendrent, le client peut tenter de s'emparer de la conduite de l'entretien. En outre, l'anxiété intense associée à la suppression ou au refoulement des conflits peut amener le client schizophrène à éluder toute discussion qui peut raviver son anxiété. C'est pour lui une autre façon de s'emparer de la conduite de l'entretien.

À cause de tous ces conflits, il est difficile d'établir une relation avec le client schizophrène ; l'infirmière doit s'armer de patience. Puisque la pensée du client est désorganisée, la communication avec lui est ardue. Néanmoins, il est important de suivre consciencieusement la conversation. Si l'infirmière s'y perd ou s'emporte, elle doit assumer ces sentiments, faute de quoi la communication peut se détériorer et le client peut devenir anxieux. L'infirmière doit clarifier tout point resté obscur par des énoncés comme : «Je ne vous suis pas.» Étant donné le problème posé par l'identité personnelle du client, celui-ci a grand besoin que l'entretien se déroule dans la plus grande intimité, faute de quoi il risque de se replier sur lui-même (Coleman, Butcher et Carson, 1984 ; Liberman, 1985 ; Sarason et Sarason, 1984 ; Schultz, 1985).

On ne peut pas proposer de marche à suivre qui garantisse la réussite de l'entretien avec le client schizophrène. Toutefois, l'infirmière qui considère le client comme un être humain perturbé et non comme un cas psychiatrique est sur la bonne voie. Si elle essaie de comprendre le monde intérieur du client, celui-ci a plus de chances de voir en elle une aide. L'infirmière doit savoir que les progrès seront lents, mais elle verra ses efforts récompensées lorsqu'elle réussira à établir une relation fondée sur la confiance et la compréhension.

Établissement d'une relation thérapeutique fondée sur la confiance

Il est important que les rapports de l'infirmière avec les clients souffrant de troubles psychiatriques soient fondés sur la confiance ; en présence d'un client schizophrène, la confiance devient vitale. Dès la première rencontre de l'infirmière et du client, il est primordial d'expliquer les rôles que chacun jouera dans la relation thérapeutique. (On donne au chapitre 4 de plus amples renseignements sur l'établissement d'une relation thérapeutique.)

L'infirmière doit faire part au client de ses attentes à l'égard de leur relation. Dans un tel contexte, l'honnêteté est cruciale et, pour qu'elle puisse s'implanter, il ne faut pas éluder les comportements bizarres du client.

L'infirmière doit prévoir le calendrier des entretiens avec le client, car la stabilité confère à celui-ci un sentiment de sécurité. Par ailleurs, elle devrait imposer des limites aux comportements du client qu'elle ne peut accepter et lui proposer des solutions de rechange.

Elle doit aider le client à discerner les problèmes qui sont à l'origine du traitement ou de l'hospitalistion. Pour s'acquitter de cette responsabilité, elle doit, entre autres, aider le client à exprimer ses sentiments et à acquérir des mécanismes d'adaptation efficaces.

Enfin, l'infirmière doit aider le client à trouver le réseau de soutien, le traitement de suivi ou le programme de réadaptation qui lui permettra de modifier ses comportements inadaptés. Grâce à ses efforts assidus, l'infirmière pourra établir entre elle et le client une relation fondée sur la confiance, qui favorisera le rétablissement de ce dernier.

Analyse des données et planification des soins

Les diagnostics infirmiers présentés ici concernent les manifestations de la schizophrénie. Ces manifestations traduisent l'altération des opérations de la pensée et des perceptions. (Nous présentons au tableau 14-6 une liste de diagnostics infirmiers du client qui traverse un épisode aigu, au tableau 14-7, une liste de diagnostics du client atteint de l'un des divers types de schizophrénie et au tableau 14-8, une liste de diagnostics du client traité aux neuroleptiques.)

Tableau 14-6   *Diagnostics infirmiers du client atteint de schizophrénie aiguë*

Altération de la communication verbale

Altération de la perception sensorielle : auditive, gustative, kinesthésique, olfactive, tactile, visuelle

Altération des opérations de la pensée

Anxiété

Déficit nutritionnel

Difficulté à se maintenir en santé

Incapacité (partielle ou totale) de se laver/d'effectuer ses soins d'hygiène, de se vêtir/de soigner son apparence, de s'alimenter, d'utiliser les toilettes

Incapacité d'organiser et d'entretenir le domicile

Isolement social

Manque de loisirs

Perturbation dans l'exercice du rôle

Perturbation de la dynamique familiale

Perturbation de l'estime de soi

Perturbation de l'identité personnelle

Perturbation de l'image corporelle

Perturbation des habitudes de sommeil

Perturbation des interactions sociales

Peur

Risque de violence

Stratégies d'adaptation individuelles inefficaces

Tableau 14-7   *Diagnostics infirmiers du client atteint de l'un des divers types de schizophrénie*

Type désorganisé
Altération de la communication verbale
Altération des opérations de la pensée
Déficit nutritionnel
Manque de loisirs
Perturbation des interactions sociales
Risque de trauma

Type catatonique
Altération de la communication verbale
Altération de la mobilité physique
Altération de l'élimination urinaire
Constipation
Déficit nutritionnel
Intolérance à l'activité
Perturbation des interactions sociales
Risque d'atteinte à l'intégrité de la peau
Risque de trauma
Risque de déficit de volume liquidien

Type paranoïde
Altération de la perception sensorielle : auditive, gustative, kinesthésique, olfactive, tactile, visuelle
Altération des opérations de la pensée
Déficit nutritionnel
Isolement social
Manque de connaissances
Non-observance
Risque de violence envers soi ou envers les autres
Stratégies d'adaptation individuelles inefficaces

Type indifférencié
Altération de la communication verbale
Incapacité (partielle ou totale) de se laver/d'effectuer ses soins d'hygiène, de se vêtir/de soigner son apparence, de s'alimenter, d'utiliser les toilettes
Perturbation dans l'exercice du rôle
Perturbation de l'estime de soi
Perturbation de l'identité personnelle
Perturbation de l'image corporelle
Perturbation des interactions sociales

Type résiduel
Difficulté à se maintenir en santé
Incapacité d'organiser et d'entretenir le domicile
Isolement social
Manque de connaissances
Manque de loisirs
Non-observance
Sentiment d'impuissance
Stratégies d'adaptation individuelles inefficaces

Le plan des soins infirmiers destinés au client schizophrène repose sur les diagnostics infirmiers dégagés. Comme il peut être ardu d'établir les objectifs mutuels avec un client qui a perdu contact avec la réalité, l'infirmière se doit de réviser ses

Tableau 14-8 *Diagnostics infirmiers du client traité aux neuroleptiques*

Altération de l'élimination urinaire

Atteinte à l'intégrité de la muqueuse buccale

Constipation

Dysfonctionnement sexuel

Non-observance

Perturbation des habitudes de sommeil

Risque d'anxiété

Risque d'atteinte à l'intégrité de la peau

Risque de déficit de volume liquidien

Risque d'intolérance à l'activité

Risque d'intoxication

connaissances de base avant de planifier ses soins. Initialement, l'objectif des soins infirmiers peut simplement être d'assurer un repos adéquat au client. Comme certains clients se croient investis d'une mission importante, ils déploient beaucoup d'énergie au début de l'épisode aigu. Incapables de faire le tri des stimulations externes, ils donnent une interprétation personnelle à tout ce qui les entoure. L'infirmière a la responsabilité de répondre aux besoins physiques du client jusqu'à ce qu'il soit capable d'y pourvoir lui-même. Elle doit également, par des interventions appropriées, chercher à atténuer l'anxiété du client qui, lors d'un premier épisode aigu, peut être profonde.

Au début du traitement, le client a besoin qu'on l'aide à maîtriser son comportement. Pour ce faire, l'infirmière établit des limites fermes, encourage et récompense les modifications adéquates du comportement et veille à la sécurité du client. L'établissement d'une relation thérapeutique est un aspect essentiel de la planification des soins destinés au client schizophrène. Pour comprendre les propos du client, l'infirmière doit déceler les thèmes qui reviennent dans son discours. Et comme il peut être difficile de comprendre ce type de client, l'infirmière doit évaluer leur communication par les techniques appropriées.

L'observance de la pharmacothérapie est un facteur déterminant de la désinstitutionnalisation du client. Le client qui se conforme au régime posologique établi à son intention parvient mieux à surmonter les distorsions cognitives et perceptuelles. En outre, l'infirmière doit lui enseigner les habiletés sociales qui l'aideront à résoudre les problèmes reliés à la vie en société (Plante, 1989).

Soins destinés au client atteint de schizophrénie aiguë

Le centre hospitalier constitue sans doute le lieu idéal pour le traitement du client atteint de schizophrénie aiguë. En effet, il s'agit de l'environnement le plus sûr pour un client qui a perdu contact avec la réalité. Les soins infirmiers du client atteint de schizophrénie aiguë consistent globalement à :

- veiller à la sécurité du client ;

- répondre aux besoins physiques du client ;

- établir une relation thérapeutique afin d'aider le client à acquérir des comportements plus adaptés ;

- atténuer l'anxiété du client ;

- aider le client à maîtriser son comportement en lui imposant des limites.

(On présente au tableau 14-9 un plan des soins infirmiers destinés au client atteint de schizophrénie aiguë.)

L'administration de neuroleptiques est si courante que l'infirmière doit bien connaître les interventions qui favoriseront l'observance du traitement. (On présente au tableau 14-10 un plan des soins infirmiers destinés au client traité aux neuroleptiques.)

On trouve aux tableaux 14-11 à 14-15 les diagnostics et les soins infirmiers qui concernent le client atteint de l'un des types de schizophrénie.

Évaluation

L'infirmière évalue les soins apportés au client schizophrène en comparant les progrès aux objectifs établis. Lorsqu'elle note des divergences, elle
(suite page 602)

Tableau 14-9   Plan des soins infirmiers destinés au client atteint de schizophrénie aiguë

Diagnostic infirmier: Anxiété, reliée aux sentiments causés par la perte de contact avec la réalité.
Objectif: Pendant la durée du traitement, le client prouve qu'il gère son anxiété

Intervention	Justification	Résultat escompté
Évaluer le niveau d'anxiété.	Cette évaluation facilite la planification des interventions subséquentes.	Le client emploie des stratégies d'adaptation qui lui permettent d'atténuer son anxiété.
Anxiété extrême : • installer le client dans une pièce calme ; • éliminer les menaces (p. ex. : aider le client à reprendre contact avec la réalité par l'orientation spatio-temporelle et la reconnaissance des personnes) ; • isoler le client, au besoin ; • employer des phrases courtes et simples ; • administrer les neuroleptiques prescrits ; • rester calme et éviter de se laisser gagner par l'anxiété ; • parler d'un ton ferme ; • rester auprès du client.	Cette intervention atténue l'anxiété et favorise la reprise du contact avec la réalité.	Le client ne fait état d'aucune anxiété. Le client donne son nom et indique la date et l'endroit où il se trouve.
Anxiété modérée : • aider le client à reconnaître qu'il est anxieux ; • aider le client à discerner ses pensées avant que l'anxiété ne s'installe ; • enseigner au client le processus de résolution des problèmes et les techniques de détente musculaires ; • accomplir des tâches simples et concrètes (p. ex. : plier des vêtements) ; • faire une promenade ; • encourager le client à pratiquer des sports non compétitifs (p. ex. : la course à pied).	Cette intervention aide le client à comprendre son anxiété et à acquérir des mécanismes d'adaptation constructifs.	

Diagnostic infirmier: Altération de la communication verbale, reliée à des symptômes psychotiques multiples tels que la désorientation mentale, le refus de parler, l'incapacité d'organiser son discours, l'emploi de mots inconnus, l'envoi de messages sans rapport avec le contexte, les fausses perceptions, l'expression inadéquate des émotions et les perceptions imaginaires.
Objectif: Le client exprime des messages appropriés.

Intervention	Justification	Résultat escompté
Établir une relation personnalisée avec le client.	Cette intervention permet au client de recevoir des messages appropriés.	Le client transmet des messages appropriés quant à l'orientation spatio-temporelle et à la reconnaissance des personnes.

(suite du diagnostic page suivante)

Tableau 14-9   *(suite)*

Diagnostic infirmier *(suite)*: Altération de la communication verbale, reliée à des symptômes psychotiques multiples tels que la désorientation mentale, le refus de parler, l'incapacité d'organiser son discours, l'emploi de mots inconnus, l'envoi de messages sans rapport avec le contexte, les fausses perceptions, l'expression inadéquate des émotions et les perceptions imaginaires.
Objectif : Le client exprime des messages appropriés.

Intervention	*Justification*	*Résultat escompté*
Encourager le client à entrer en contact avec autrui : • développer ses habiletés verbales ; • corriger les mots inadéquats ; • corriger ses fausses perceptions ; • l'encourager à exprimer ses émotions.	Cette intervention aide le client à communiquer de manière appropriée.	Le client communique des perceptions exactes. Le client emploie les mots justes (absence d'associations étranges, d'écholalie, etc.).
Employer des phrases courtes, simples et concrètes.	Le nombre de stimuli est ainsi réduit, ce qui encourage le client à donner les réponses appropriées.	Le client présente un affect adéquat.
Employer les techniques de la communication thérapeutique : • reflet ; • validation ; • résumé ; • clarification (faire préciser des généralisations comme «on», «tout le monde», etc.) ; • énoncé d'observations ; • confrontation ; • rétroaction.	Les techniques de la communication thérapeutique permettent de clarifier les pensées incongrues, d'éviter les soupçons injustifiés, de centrer sa pensée, de mieux comprendre l'interlocuteur et de rectifier les fausses perceptions.	
Adopter un comportement verbal et non verbal cohérents.	Le client apprend ainsi à communiquer plus efficacement.	

Diagnostic infirmier : Stratégies d'adaptation individuelles inefficaces, reliées à une interprétation erronée de l'environnement et à l'altération des habiletés de communication.

Objectif : Pendant la durée du traitement, le client adopte de nouveaux comportements en réaction à ses émotions.

Intervention	*Justification*	*Résultat escompté*
Établir une relation personnalisée avec le client.	La relation personnalisée aide le client à interpréter les événements correctement.	Le client interprète les événements correctement.
Encourager le client à décrire les événements quotidiens.	Cette intervention facilite l'évaluation des perceptions du client.	
Encourager le client à décrire ses sentiments de peur, de colère, etc.	Le client peut ainsi mieux prendre conscience de ses émotions.	Le client présente moins de comportements régressifs.
Établir en collaboration avec le client les objectifs et les attentes d'une journée à la fois.	Le client peut mieux gérer les comportements régressifs.	Le client communique suffisamment bien pour qu'on puisse connaître ses besoins.
Employer l'approche directive.	L'anxiété du client est accrue si on lui présente un trop grand nombre de choix.	

(suite page suivante)

Tableau 14-9   *(suite)*

▌**Diagnostic infirmier :** Manque de loisirs, relié au comportement régressif et à l'isolement social.
▌**Objectif :** Le client participe davantage aux activités récréatives pendant la durée du traitement.

Intervention	*Justification*	*Résultat escompté*
Déterminer si le client est capable de participer à des activités récréatives.	Cette intervention permet d'établir les limites du client.	Le client se livre à une activité récréative.
Proposer d'abord des activités à deux, puis aborder graduellement les activités de groupe.	Le client a du mal à comprendre des notions abstraites, à faire face à la compétition et à se concentrer.	
Encourager le client à choisir ses activités récréatives selon ses capacités (p. ex. : la peinture au doigt, le modelage, etc.).	Le client se sent ainsi plus enclin à entreprendre une activité récréative.	Le client choisit lui-même une activité.

▌**Diagnostic infirmier :** Perturbation de la dynamique familiale, reliée à des perturbations multiples telles que l'incapacité du système familial de satisfaire les besoins affectifs de ses membres, l'incapacité d'exprimer les sentiments, le maintien d'une distance entre les membres, l'attribution du rôle de bouc émissaire au client, l'incapacité d'envoyer et de recevoir des messages clairs et l'altération de la communication.
▌**Objectif :** Le client commence à modifier ses modes de communication avec les membres de sa famille pendant la durée du traitement.

Intervention	*Justification*	*Résultat escompté*
Évaluer la structure de la famille, ainsi que les rapports entre les divers rôles adoptés.	Cette évaluation permet de discerner les particularités des modes de communication familiaux.	
Évaluer : • les facteurs de stress familial ; • les règles implicites et explicites ; • le degré d'interdépendance ; • les types de conflits ; • les mesures disciplinaires.	Cette évaluation aide le client à discerner les perturbations de la dynamique familiale.	Le client négocie avec les membres de sa famille.
Enseigner au client : • les techniques de résolution des problèmes ; • les techniques de communication ; • le renforcement positif des comportements familiaux constructifs ; • l'importance de l'observance de la pharmacothérapie.	Les nouvelles acquisitions permettent au client de modifier les modes de communication employés au sein de la famille. Le client peut mieux composer avec les distorsions cognitives et perceptuelles.	Le client emploie le processus de résolution des problèmes pour déceler les besoins des membres de sa famille.
Recommander un traitement de suivi au client et à sa famille.	Le traitement de suivi favorise la disparition des perturbations de la dynamique familiale.	Le client planifie son traitement de suivi.

▌**Diagnostic infirmier :** Peur, reliée à la perte de contact avec la réalité.
▌**Objectif :** Le client prouve qu'il a moins peur.

Intervention	*Justification*	*Résultat escompté*
Aider le client à discerner la source des dangers perçus : • lui poser des questions indirectes ;	Le client apprend à se sentir en sécurité en présence de l'infirmière.	Le client n'a pas d'hallucinations. Le client exprime ses peurs.

(suite du diagnostic page suivante)

Tableau 14-9 *(suite)*

Diagnostic infirmier *(suite)*: Peur, reliée à la perte de contact avec la réalité.
Objectif: Le client prouve qu'il a moins peur.

Intervention	Justification	Résultat escompté
• lui poser des questions ouvertes; • l'amener à verbaliser ses sentiments;		Le client élimine ou évite les sources de danger.
Aider le client à surmonter ses peurs: • rester à ses côtés; • éviter l'excès de stimulation; • amorcer une conversation; • éviter d'abonder dans le sens de ses perceptions erronées (p. ex.: les hallucinations). • souligner ce qui est réel et ce qui ne l'est pas; • éviter de le raisonner.	Les hallucinations indiquent que le client est bouleversé. Cependant, l'infirmière doit se limiter à reconnaître que le client est bouleversé et préciser qu'elle ne voit ni n'entend ce que le client voit ou entend.	
Éviter les situations qui intensifient la peur.	Les hallucinations sont des mécanismes utilisés en réaction à des situations perçues comme menaçantes.	
Discerner les événements précédant les épisodes d'hallucinations.		

Diagnostic infirmier: Difficulté à se maintenir en santé, reliée à l'incapacité de prendre la responsabilité de ses pratiques d'hygiène.
Objectif: Pendant le traitement, le client commence à prendre en charge le maintien de sa santé.

Intervention	Justification	Résultat escompté
Évaluer les connaissances et les capacités du client en matière de maintien de la santé.	L'évaluation facilite la planification de la restructuration cognitive nécessaire à la modification du comportement.	Le client fixe ses propres objectifs de santé.
Employer des techniques de modification du comportement: • l'autocontrôle du comportement; • les exercices pratiques sous surveillance; • les signaux; • l'adaptation; • le renforcement positif; • le contrat.	Cette intervention aide le client à rectifier ses pratiques d'hygiène.	Le client modifie sa façon de penser reliée aux comportements inadaptatés. Le client trouve des ressources communautaires.
Informer le client des ressources communautaires.	Cette intervention aide le client à se bâtir un réseau de soutien.	Le client fait appel aux ressources communautaires.

Diagnostic infirmier: Incapacité d'organiser et d'entretenir le domicile, reliée à la perte de contact avec la réalité.
Objectif: Le client commence à modifier son mode de vie de façon à vivre chez lui en sécurité.

Intervention	Justification	Résultat escompté
Évaluer les capacités du client en matière d'organisation et d'entretien du domicile.	Cette évaluation permet de discerner les facteurs de risque qui rendent l'organisation et l'entretien du domicile difficiles pour le client.	Le client constate que l'entretien du domicile lui pose des problèmes.

(suite du diagnostic page suivante)

Tableau 14-9   *(suite)*

Diagnostic infirmier *(suite)*: Incapacité d'organiser et d'entretenir le domicile, reliée à la perte de contact avec la réalité.
Objectif : Le client commence à modifier son mode de vie de façon à vivre chez lui en sécurité.

Intervention	*Justification*	*Résultat escompté*
Aider le client à planifier l'organisation et l'entretien de son domicile : • enseigner les rôles appropriés ; • déterminer ses besoins en matière de matériel ; • lui faire pratiquer les techniques d'organisation et d'entretien du domicile ; • lui présenter les ressources à sa disposition.	Cette intervention aide le client à prendre peu à peu la responsabilité de l'organisation et de l'entretien de son domicile.	Le client planifie les modifications à apporter à son mode de vie. Le client prouve ses capacités en matière d'organisation et d'entretien du domicile.
Encourager le client à participer à l'organisation et à l'entretien des lieux qu'il occupe pendant son traitement.	Cette intervention aide le client à acquérir la capacité d'entretenir son domicile et le sensibilise à cette tâche.	

Diagnostic infirmier : Déficit nutritionnel, relié à des facteurs multiples tels que l'insensibilité à la faim ou à la soif, l'apathie en matière d'alimentation ou la peur de manger.
   Objectif : Le client consomme chaque jour la quantité d'aliments nécessaire à ses besoins.

Intervention	*Justification*	*Résultat escompté*
Évaluer les perceptions du client pour ce qui est des aliments et de la nutrition.	Cette évaluation permet de discerner les facteurs qui font obstacle au désir de manger.	Le client présente les signes d'une bonne nutrition : • posture droite ; • bonne élasticité de la peau ; • peau claire ; • regard limpide ; • muscles fermes ; • élimination régulière ; • masse normale ; • vigilance mentale ; • énergie.
Lorsque le client traverse un épisode d'hallucinations : • attirer son attention ; • lui proposer des aliments ; • lui dire comment manger ; • lui offrir ses mets favoris ; • le nourrir à la cuillère, au besoin.	Pendant un épisode d'hallucination, le client peut être incapable d'accomplir des tâches aussi simples que la consommation de la nourriture et il peut avoir besoin de directives et d'aide.	
Proposer au client de l'aider dans le choix des aliments : • qui sont hypercaloriques ; • qui viennent des quatre groupes alimentaires ; • qui sont nutritifs (p. ex. : ne pas lui offrir de desserts sucrés, mais plutôt des fruits ou des gelées).	Cette intervention aide le client à obtenir un apport énergétique adéquat.	Le client choisit des aliments de base: • des viandes ; • des produits laitiers ; • des fruits et des légumes ; • des pains et des céréales.
Présenter des aliments appétissants : • repas légers ; • repas fréquents ; • liquides ou collations entre les repas.	Le client n'est peut-être pas capable de supporter le stress d'un repas pris en groupe ou de prendre le temps pour manger normalement.	
Enseigner au client les rudiments de la nutrition dès qu'il est capable de comprendre les renseignements et de les utiliser.	Ces connaissances aideront le client à combler son déficit nutritionnel.	

(suite page suivante)

Tableau 14-9 *(suite)*

Diagnostic infirmier : Incapacité (totale ou partielle) de se laver/d'effectuer ses soins d'hygiène, de se vêtir, de soigner son apparence, de s'alimenter, d'utiliser les toilettes.

Objectif : Le client est en mesure d'effectuer ses soins personnels avant de recevoir son congé.

Intervention	Justification	Résultat escompté
Évaluer les capacités du client d'accomplir ses soins personnels.	Cette évaluation facilite la planification des soins physiques à dispenser au client.	Le client prend l'initiative de manger sans avoir besoin d'aide.
Aider le client à s'alimenter, à se laver, à soigner son apparence et à effectuer ses soins d'hygiène, au besoin.	Cette intervention aide le client à acquérir les aptitudes appropriées et à devenir plus acceptable sur le plan social.	Le client décide lui-même de prendre un bain et il mène à bien cette tâche.
		Le client a le corps, les cheveux, les ongles et les dents propres.
Si le client fait des oublis, lui indiquer les soins à effectuer (p. ex. : « Brossez-vous les dents », « Lavez-vous le visage »).	Cette intervention réduit les symptômes psychotiques et favorise le contact du client avec la réalité.	Le client prend l'initiative de se vêtir et de soigner son apparence et il mène à bien cette tâche.
Encourager le client à prendre l'initiative de ses soins personnels.	Cette intervention améliore l'estime de soi du client.	Le client porte les vêtements appropriés, il se peigne, etc.
Reconnaître les efforts du client pour mener à bien ses soins personnels.	La rétroaction positive encourage le client à accomplir ses soins personnels.	Le client utilise les toilettes et se lave.
		Le client ne dégage pas d'odeur d'excréments ou d'urine.

Diagnostics infirmiers : Perturbation de l'image corporelle, perturbation de l'estime de soi, perturbation de l'identité personnelle et perturbation dans l'exercice du rôle, reliées à des facteurs multiples tels que les sentiments de dépersonnalisation et de déréalisation, l'auto-dévalorisation, l'adoption de rôles ambivalents et la confusion pour ce qui est de l'identité personnelle.

Objectif : Le client réussit à définir ce qu'il est.

Intervention	Justification	Résultat escompté
Évaluer le concept de soi du client.	Cette évaluation permet de déterminer les raisons pour lesquelles le client a une faible estime de soi.	Le client présente un concept de soi plus objectif.
Établir une relation personnalisée, fondée sur la confiance et l'attention.	Le témoignage d'un intérêt sincère améliore l'estime de soi du client.	Le client présente un meilleur fonctionnement mental.
		Le client reprend contact avec la réalité.
Installer le client dans un milieu stable et calme.	La stabilité du milieu favorise la réussite du traitement.	Le client participe activement au traitement.
Aider le client à distinguer le réel de l'irréel dans le milieu environnant.	Cette intervention aide le client à reprendre contact avec la réalité.	
Encourager le client à participer à toutes les modalités de traitement (p. ex. : pharmacothérapie, thérapie de groupe, etc.).		

(suite du diagnostic page suivante)

Tableau 14-9   *(suite)*

Diagnostics infirmiers *(suite)*: Perturbation de l'image corporelle, perturbation de l'estime de soi, perturbation de l'identité personnelle et perturbation dans l'exercice du rôle, reliées à des facteurs multiples tels que les sentiments de dépersonnalisation et de déréalisation, l'auto-dévalorisation, l'adoption de rôles ambivalents et la confusion pour ce qui est de l'identité personnelle. Objectif: Le client réussit à définir ce qu'il est.

Intervention	*Justification*	*Résultat escompté*
Encourager le client à se lier avec autrui : • d'abord, avec une seule personne ; • ensuite, avec de petits groupes ; • finalement, avec des groupes communautaires.		
Témoigner du respect au client.	Les marques de respect valorisent le client et améliorent la confiance en soi.	
Reconnaître les accomplissements du client (p. ex.: le port de nouveaux vêtements).	Cette intervention aide le client à garder une image de soi favorable.	

Diagnostic infirmier : Altération de la perception sensorielle : auditive, gustative, kinesthésique, olfactive, tactile, visuelle, reliée à une fausse interprétation des stimuli.

Objectif : Le client prouve qu'il n'a plus d'hallucinations ni d'illusions.

Intervention	*Justification*	*Résultat escompté*
Évaluer les stimulations externes quant à leur : • intensité ; • quantité ; • mobilité ; • constance ; • clarté ; • ambiguïté ; • manque de cohérence.	Cette évaluation permet d'éliminer les stimuli qui contribuent à l'altération des opérations de la pensée.	Le client reprend de plus en plus contact avec la réalité. Le client présente une orientation spatio-temporelle et une reconnaissance adéquate des personnes. Le client n'a pas d'hallucinations.
Reconnaître et réduire les stimuli extérieurs que le client pourrait mal interpréter ; installer le client dans une autre pièce, au besoin.	Le téléviseur, la radio, etc., peuvent intensifier les hallucinations.	Le discours et le comportement du client sont adaptés aux stimulations qu'il reçoit.
Employer des termes directs et concrets.	L'emploi de termes abstraits peut ajouter à la confusion du client.	Le client n'adopte pas de comportement bizarre.
Garder le contact verbal, visuel et tactile avec le client ; éviter de toucher le client méfiant.	Cette intervention aide le client à rester en contact avec la réalité.	
Établir des activités de routine.	Cette intervention permet d'éliminer les stimuli superflus.	
Aider le client à reprendre contact avec la réalité : • l'appeler par son nom ; • se présenter à nouveau, selon les besoins ; • indiquer l'heure régulièrement ; • installer une montre dans son champ de vision ;		

(suite du diagnostic page suivante)

Tableau 14-9 *(suite)*

Diagnostic infirmier *(suite)*: Altération de la perception sensorielle : auditive, gustative, kinesthésique, olfactive, tactile, visuelle, reliée à une fausse interprétation des stimuli.
Objectif : Le client prouve qu'il n'a plus d'hallucinations ni d'illusions.

Intervention	Justification	Résultat escompté
• donner régulièrement des indications quant au lieu ; • lui indiquer la date ; • placer un calendrier dans son champ de vision ; • expliquer les horaires et les règlements de l'établissement ; • lui expliquer les objets, les sons et les odeurs de l'environnement.		

Diagnostic infirmier : Isolement social, relié à des facteurs multiples tels que les hallucinations, la dépersonnalisation, le comportement social inacceptable et la méfiance.
Objectif : Le client s'isole moins ou ne s'isole plus pendant la durée du traitement.

Intervention	Justification	Résultat escompté
Établir avec le client une relation personnalisée : • lui témoigner de la confiance ; • l'encourager quant à ses progrès ; • reconnaître sa peur de l'intimité ; • conserver une distance appropriée ; • faire des visites brèves (10 minutes), puis de plus en plus longues ; • parler lentement ; • prévenir le client du moment où l'on sort et de celui où l'on revient ; • garder le silence en tant que technique thérapeutique ; • ne pas contraindre le client à parler.	Cette intervention aide le client à rester en contact avec les autres et l'empêche de se replier davantage sur lui-même.	Le client discerne ses sentiments d'isolement. Le client verbalise sa peur d'entrer en relation avec les autres. Le client n'a pas d'hallucinations. Le client s'engage dans une conversation avec l'infirmière. Le client s'engage dans une conversation avec les autres. Le client assiste aux séances d'ergothérapie.
Évaluer les antécédents sociaux du client.	Cette évaluation facilite la planification des interventions.	
Observer le client pour déceler la présence d'hallucinations.	La réduction ou l'élimination des hallucinations préviennent le repli sur soi.	
Pendant un épisode d'hallucinations : • s'asseoir à côté du client ; • lui faire faire une quelconque activité afin de détourner son attention de l'hallucination ; • parler au client de temps en temps pour attirer son attention ; • administrer les médicaments prescrits ; • écouter le contenu des hallucinations et attirer l'attention du client sur les éléments rattachés à des événements réels.		

(suite du diagnostic page suivante)

Tableau 14-9   *(suite)*

Diagnostic infirmier *(suite)*: Isolement social, relié à des facteurs multiples tels que les hallucinations, la dépersonnalisation, le comportement social inacceptable et la méfiance.
Objectif: Le client s'isole moins ou ne s'isole plus pendant la durée du traitement.

Intervention	*Justification*	*Résultat escompté*
Enseigner des habiletés sociales au client: • la conduite d'une conversation; • la façon de demander quelque chose; • l'accomplissement d'une tâche précise dans le cadre des activités d'ergothérapie.	Cette intervention encourage le client à adopter de nouveaux comportements sociaux et à moins s'isoler.	

Diagnostic infirmier: Altération des opérations de la pensée, reliée à une fausse interprétation des stimuli.
Objectif: Le client interprète correctement la réalité pendant la durée du traitement.

Intervention	*Justification*	*Résultat escompté*
Évaluer les perceptions de la réalité chez le client.	Cette évaluation permet de diagnostiquer les hallucinations, les idées délirantes et les autres perturbations de la pensée.	Le client peut tenir des propos clairs.
Employer l'écoute active: • écouter tant les messages verbaux que les messages non verbaux; • analyser les modes de communication (p. ex.: le relâchement des associations, l'écholalie, etc.); • dégager les thèmes; • discerner le type de sentiments; • dégager les idées lucides.		
Employer les techniques de communication pour rendre la réalité plus claire: • élucider les généralisations; • analyser les omissions; • souligner les distorsions; • aider le client à élaborer ses idées lucides; • corriger les conceptions fausses; • éviter de renforcer les idées délirantes; • employer des termes directs et concrets; • éviter les généralisations; • éviter de s'adresser au client à voix basse; • inciter le client à se focaliser sur des personnes et des faits réels; • ne pas laisser croire au client que ses idées délirantes sont compréhensibles, mais lui faire savoir qu'on essaie de comprendre; • s'étendre sur les propos compréhensibles.	Cette intervention aide le client à interpréter la réalité de manière réaliste et constructive.	Le client a moins recours aux généralisations. Le client n'a pas d'hallucinations. Le client n'a pas d'idées délirantes. Le client n'a pas d'idées de référence.

(suite du diagnostic page suivante)

Tableau 14-9   *(suite)*

Diagnostic infirmier *(suite)*: Altération des opérations de la pensée, reliée à une fausse interprétation des stimuli.
Objectif: Le client interprète correctement la réalité pendant la durée du traitement.

Intervention	Justification	Résultat escompté
Administrer les médicaments prescrits.	Les neuroleptiques réduisent les symptômes psychotiques, ce qui rend le client plus réceptif à d'autres traitements.	
Aider le client à établir des relations constructives: • favoriser les expériences de groupe (quand il est prêt); • l'encourager à exprimer ses désirs et ses besoins; • l'aider à analyser l'effet de son comportement sur les autres.	Cette intervention permet au client d'appréhender la réalité dans un contexte structuré.	Le client exprime ses pensées et ses sentiments au sein d'un groupe. Le client a davantage de contacts et engage la conversation avec les autres.

Diagnostic infirmier: Perturbation des habitudes de sommeil, reliée à l'anxiété et à la peur résultant de la perte de contact avec la réalité.
Objectif: Le client dort pendant quatre à six heures.

Intervention	Justification	Résultat escompté
Évaluer les facteurs reliés à la perturbation des habitudes de sommeil du client: • la peur de s'endormir; • les perceptions erronées de l'environnement (p. ex.: les ombres sur le mur); • les siestes pendant la journée; • la quantité et le type de neuroleptiques absorbés (les administrer à l'heure du coucher, sauf contre-indication).	La perte de contact avec la réalité intensifie l'anxiété et la peur du client pendant la nuit. Pris en doses fractionnées, les neuroleptiques altèrent le sommeil et la vigilance, tandis que, s'ils sont pris à l'heure du coucher, ils favorisent l'endormissement.	Le client est capable de s'endormir sans prendre de somnifères. Le client n'exprime aucune peur de s'endormir. Le client dort pendant quatre à six heures d'affilée.
Aider le client à se détendre: • lui offrir une boisson chaude (p. ex.: du lait chaud); • l'inciter à respirer lentement et profondément; • passer de la musique douce et calmante; • tamiser l'éclairage pour éliminer les ombres; • maintenir une température propice au sommeil.	Une telle ambiance favorise l'endormissement.	Le client ne présente pas de symptômes de manque de sommeil (p. ex.: des bâillements, un air fatigué). Le client se dit satisfait de son sommeil.

Diagnostic infirmier: Risque de violence envers soi ou envers les autres, relié à une perception erronée des messages.
Objectif: Pendant la durée du traitement, le client est moins violent ou ne l'est plus du tout.

Intervention	Justification	Résultat escompté
Évaluer le risque de violence envers soi ou envers les autres.	Cette évaluation facilite la planification des mesures qui assurent la sécurité du client.	Le client réussit à se maîtriser.

(suite du diagnostic page suivante)

Tableau 14-9   *(suite)*

Diagnostic infirmier *(suite)*: Risque de violence envers soi ou envers les autres, relié à une perception erronée des messages.
Objectif: Pendant la durée du traitement, le client est moins violent ou ne l'est plus du tout.

Intervention	Justification	Résultat escompté
Établir avec le client une relation personnalisée fondée sur la confiance : • être honnête ; • être claire et concise ; • assurer la stabilité dans le milieu environnant ; • établir des objectifs à court terme en collaboration avec le client ; • persévérer.	La relation personnalisée permet de témoigner l'empathie et l'attention.	Le client établit une relation empreinte de confiance. Le client verbalise ses peurs, sa frustration, sa colère, etc. La client n'adopte pas de comportement dangereux. Le client s'exprime autrement que par des moyens physiques.
En cas de risque de violence envers soi (voir aussi le chapitre 16) : • éliminer les objets dangereux ; • surveiller étroitement le client ; • toujours savoir où se trouve le client.	La sécurité du client est ainsi préservée.	Le client participe au traitement.
En cas de risque de violence envers les autres : • encourager le client à parler plutôt qu'à passer à l'acte ; • être un modèle pour le client (p. ex.: être calme, verbaliser les sentiments) ; • éliminer les objets qui pourraient servir d'armes ; • imposer des limites à l'agressivité ; • isoler le client, au besoin.	Le risque de violence est ainsi réduit.	
Diminuer l'agitation du client : • substituer l'activité physique à l'agressivité ; • administrer les médicaments prescrits ; • rester en contact avec le client ; • toujours expliquer au client pourquoi on le touche ; • rester calme ; • respecter l'espace vital du client.	Les facteurs qui favorisent l'escalade de la violence sont ainsi écartés.	

cherche dans les résultats obtenus des indices qui l'aideront à corriger le plan de soins. Il peut en effet être nécessaire de modifier des stratégies et des interventions afin de mieux satisfaire les besoins du client.

Chez beaucoup de clients schizophrènes, le processus thérapeutique est jalonné de quelques rechutes. L'infirmière ne doit cependant pas se décourager d'aider le client à acquérir une meilleure image de soi. Le traitement de la schizophrénie est un processus long qui demande à l'infirmière d'évaluer ses interventions avec patience. En ce sens, il est judicieux de ne pas entretenir des attentes démesurées et d'élaborer des objectifs à court terme.

Pour évaluer les soins dispensés au client schizophrène, l'infirmière doit souvent consulter d'autres membres du personnel. Lors des réunions d'évaluation, elle peut recueillir des données qui lui permettront de planifier plus efficacement ses soins.

(suite page 606)

Tableau 14-10   Plan des soins infirmiers destinés au client traité aux neuroleptiques

Diagnostic infirmier : Risque d'intolérance à l'activité, relié aux effets secondaires des médicaments tels que l'hypotension orthostatique et la sédation.

Objectif : Le client poursuit un programme régulier d'activités pendant son traitement aux neuroleptiques.

Intervention	Justification	Résultat escompté
Évaluer les effets recherchés et les effets secondaires des neuroleptiques pris par le client.	L'infirmière peut ainsi obtenir des données lui permettant de planifier les interventions appropriées.	Le client ne présente pas de sédation excessive.
Enseigner au client les effets recherchés et les effets secondaires des neuroleptiques.	La connaissance des effets des médicaments permet au client de déterminer les activités à éviter (p. ex. : faire fonctionner des machines).	Le client n'est pas étourdi au sortir du lit. Le client mène à bien ses activités quotidiennes.
Inciter le client à signaler les effets secondaires des neuroleptiques.	Cette intervention permet de déterminer le niveau de fonctionnement optimal du client.	
Enseigner au client les comportements propres à réduire les effets secondaires des neuroleptiques : • augmenter graduellement ses activités ; • au sortir du lit, s'asseoir d'abord et se lever ensuite ; • remuer les pieds en position assise.	Ces comportements permettent au client de se garder à l'abri des étourdissements causés par l'hypotension orthostatique.	
Établir un programme quotidien qui tient compte des limites physiques du client.	Un programme régulier aide le client à surmonter les effets secondaires des neuroleptiques.	
Surveiller l'apparition des signes de l'hypotension orthostatique : • étourdissements ou évanouissements lors du passage de la position assise ou couchée à la position debout ; • tachycardie lors du passage de la position assise ou couchée à la position debout ; • baisse de la tension artérielle lors d'un changement de position.		

Diagnostic infirmier : Risque d'anxiété, relié aux effets extrapyramidaux des neuroleptiques.

Objectif : Pendant la durée du traitement, le client est en mesure de reconnaître les effets extrapyramidaux des neuroleptiques et de maîtriser l'anxiété qu'ils suscitent.

Intervention	Justification	Résultat escompté
Déceler les signes des effets extrapyramidaux : • tremblements ; • expression figée du visage ; • rigidité ; • salivation excessive ; • agitation ; • fatigue ; • position anormale ;	Le dépistage précoce des effets extrapyramidaux permet de réduire ou d'éliminer les symptômes anxiogènes.	Le client est moins anxieux. Le client ne souffre pas d'effets extrapyramidaux. Les effets extrapyramidaux s'atténuent.

(suite du diagnostic page suivante)

Tableau 14-10   *(suite)*

Diagnostic infirmier *(suite)* : Risque d'anxiété, relié aux effets extrapyramidaux des neuroleptiques.
Objectif : Pendant la durée du traitement, le client est en mesure de reconnaître les effets extrapyramidaux des neuroleptiques et de maîtriser l'anxiété qu'ils suscitent.

Intervention	Justification	Résultat escompté
• spasmes péribuccaux avec protrusion de la langue ; • mouvements des mâchoires ; • faiblesse des bras et des jambes ; • mouvements continuels des mains, de la bouche et du corps ; • opisthotonos.		
Rassurer le client sur le fait que les effets extrapyramidaux sont réversibles.	Les paroles rassurantes aident à atténuer l'anxiété engendrée par les symptômes effrayants.	
Renseigner le client sur les effets extrapyramidaux des neuroleptiques : • syndrome parkinsonien secondaire (pseudoparkinsonisme) • dystonies ; • acathisie ; • dyskinésie.		Le client nomme les effets secondaires des neuroleptiques.
Administrer les médicaments prescrits pour enrayer les effets extrapyramidaux.	Les antiparkinsoniens (p. ex. : Cogentin) peuvent enrayer les symptômes.	

Diagnostic infirmier : Constipation, reliée aux effets secondaires des neuroleptiques.
Objectif : Le client présente une élimination intestinale régulière pendant son traitement aux neuroleptiques. (*Préciser*)

Intervention	Justification	Résultat escompté
Surveiller l'élimination intestinale du client : • noter le nombre de selles ; • noter les ingesta et les excreta ; • déceler la distension abdominale.	Cette surveillance permet de déceler les risques de constipation.	Le client mange des aliments riches en fibres. Le client boit de 8 à 10 verres d'eau par jour.
Prévenir la constipation en encourageant le client à : • manger des aliments riches en fibres ; • boire suffisamment de liquides ; • pratiquer régulièrement les exercices qui conviennent à son état physiologique ; • prendre des laxatifs si les autres mesures se révèlent inefficaces.	Les aliments riches en fibres, les liquides et l'exercice favorisent une élimination intestinale régulière.	Le client fait quotidiennement de l'exercice. Le client a au moins une émission fécale tous les trois jours. Le client ne prend de laxatifs qu'en dernier ressort.

(suite page suivante)

Tableau 14-10   *(suite)*

▌ **Diagnostic infirmier :** Déficit de volume liquidien, relié aux effets secondaires des neuroleptiques tels la xérostomie, les
▌ nausées, les vomissements, la diaphorèse, etc.
   Objectif : Le client présente une rééquilibration hydrique adéquate pendant son traitement aux neuroleptiques.

Intervention	*Justification*	*Résultat escompté*
Surveiller : • les signes vitaux ; • le poids ; • l'élasticité de la peau ; • les ingesta et les excreta ; • les ionogrammes ; • la densité urinaire; • la muqueuse buccale.	Cette intervention permet de reconnaître le besoin d'une rééquilibration hydrique.	Les signes vitaux du client sont normaux. La peau du client a une bonne élasticité. Les muqueuses du client sont hydratées. Le client n'a pas soif.
Renseigner le client sur : • les mesures de prévention des déficits liquidiens ; • les aliments et les liquides à consommer (p. ex. : des oranges, du jus d'orange, des bananes) ; • les aliments et les liquides à éviter (p. ex. : le café et les autres boissons contenant de la caféine) ; • les mesures d'hygiène buccale : lubrification des lèvres, mastication de bonbons, de gomme sans sucre.	La coopération du client en matière d'alimentation diminue les risques de déficit liquidien. Ces mesures permettent d'éviter la déshydratation ; la mastication stimule la salivation.	Les ingesta et les excreta sont équilibrées. Les ionogrammes sont normaux. Le client est capable d'énumérer les mesures de prévention des pertes liquidiennes.

▌ **Diagnostic infirmier :** Risque d'atteinte à l'intégrité de la peau, relié aux effets secondaires des neuroleptiques.
   Objectif : Pendant la durée de son traitement aux neuroleptiques, le client protège sa peau quand il s'expose au soleil.

Intervention	*Justification*	*Résultat escompté*
Évaluer la peau du client : • couleur ; • texture ; • irritation ; • excoriations, etc.	Cette évaluation permet de déceler les atteintes à l'intégrité de la peau.	Le client prouve qu'il a compris les risques de photosensibilité qu'il court. Le client protège sa peau contre le soleil.
Expliquer au client le risque de photosensibilité.	Les neuroleptiques accroissent la prédisposition aux insolations.	Le client ne subit pas d'insolations. Le client ne subit pas d'atteinte à l'intégrité de sa peau.
Encourager le client à : • porter des chapeaux à large bord ; • s'installer sous un parasol ; • porter des vêtements à manches longues ; • utiliser un écran solaire.		

(suite page suivante)

Tableau 14-10   *(suite)*

▌ **Diagnostic infirmier:** Altération de l'élimination urinaire, reliée à la rétention urinaire causée par les effets secondaires des neuroleptiques.
Objectif: Le client surveille son élimination urinaire pendant la durée de son traitement aux neuroleptiques.

Intervention	Justification	Résultat escompté
Enseigner au client comment : • surveiller son hydratation ; • surveiller son élimination urinaire ; • établir un horaire de miction ; • favoriser l'élimination urinaire (p. ex. : avoir un apport hydrique adéquat).	Le client qui comprend les caractéristiques de l'élimination normale est plus apte à suivre un horaire régulier de miction et à prévenir la rétention urinaire.	Le client ne souffre pas de rétention urinaire. Les ingesta correspondent aux excreta.

L'analyse rétrospective permet parfois de déceler les signes de changement dans le dossier du client. En effet, les observations de l'infirmière et les résultats des analyses de laboratoire font ressortir les réactions physiologiques du client. À l'aide de ces données, l'infirmière peut déterminer la réaction appropriée du client aux stimuli.

Les objectifs devraient être énoncés sous forme de comportements concrets, ce qui réduit le stress du client et encourage le personnel infirmier en cas de progrès.

ÉTUDE DE CAS

Client atteint de schizophrénie de type indifférencié

Jacques Trottier, 30 ans, est sans emploi. On l'a trouvé errant sur un boulevard et lançant des pierres en direction des voitures pendant qu'il criait des obscénités. M. Trottier a dit aux policiers que les services secrets essayaient de mettre la main sur lui. Les policiers l'ont conduit au centre hospitalier pour qu'il soit mis sous observation. M. Trottier a déjà été traité à deux reprises dans ce centre, pendant deux et trois semaines, respectivement.

Bilan de santé

Service : psychiatrie
Nom du client : Jacques Trottier   Âge : 30 ans
Diagnostic à l'admission : schizophrénie, type indifférencié
T. = 37 °C, P. = 100, R. = 20, T.A. = 130/70

Données sur le client
Taille : 1,75 m
Poids : 72 kg
(Remarque : Le client est incapable de fournir de plus amples renseignements.)

Données cliniques
Aucune en ce moment

Observations de l'infirmière
M. Trottier refuse de sortir de sa chambre. Il reste assis dans un coin et parle de sa peur des agents des services secrets. Il pense que les agents l'ont enfermé et il refuse de manger, de se laver ou de dormir. M. Trottier essaie de frapper les membres du personnel qui entrent dans sa chambre.

Diagnostics infirmiers

Anxiété
Altération de la communication verbale
Stratégies d'adaptation individuelle inefficaces
Peur
Incapacité (partielle ou totale) de se laver/d'effectuer ses soins d'hygiène, de se vêtir/de soigner son apparence, de s'alimenter, d'utiliser les toilettes
Perturbation de l'image corporelle
Perturbation de l'estime de soi
Perturbation dans l'exercice du rôle
Perturbation de l'identité personnelle
Isolement social
Altération des opérations de la pensée

Suggestions pour la planification des soins

1. Déterminer les priorités des soins à apporter à M. Trottier.
2. Déterminer les facteurs de stress qui ont provoqué la rechute de M. Trottier.
3. Prévoir les épreuves de laboratoire indiquées pour M. Trottier.

(suite page 608)

Tableau 14-11 Plan des soins infirmiers destinés au client atteint de schizophrénie de type désorganisé

Diagnostic infirmier : Altération de la communication verbale, reliée à un affect émoussé ou inadéquat ainsi qu'à un comportement incohérent et désorganisé.

Objectif : Le client présente de meilleurs modes de communication pendant la durée du traitement.

Intervention	Justification	Résultat escompté
Évaluer l'affect et les modes de communication verbale et non verbale du client.	Cette évaluation permet de déterminer les techniques de communication thérapeutiques appropriées.	L'affect du client correspond à la situation.
Déterminer les perturbations de la communication du client (p. ex. : les mots et les gestes symboliques).	Cette mesure permet de déchiffrer les messages du client et de percer ses pensées et ses sentiments.	Le client communique de manière appropriée. Le comportement du client est approprié.
Éviter de renforcer l'affect inadéquat : • éviter de sourire ou de rire devant un comportement étrange ; • éviter d'acquiescer par un signe de la tête ; • éviter de s'emporter à cause des maniérismes du client.	Les rires ou le dégoût inspirés par les comportements et les messages bizarres du client sont contraires à la démarche thérapeutique.	Le client réagit aux stimuli pertinents.

Diagnostic infirmier : Risque de trauma, relié au comportement bizarre.

Objectif : Le client ne subit pas d'accident pendant la durée du traitement.

Intervention	Justification	Résultat escompté
Repérer les dangers de l'environnement : • escaliers ; • fenêtres ; • objets dangereux.	L'élimination des dangers réduit les risques d'accident.	Le client ne subit pas d'accident. Le client reconnaît les facteurs qui accroissent les risques d'accident.
Surveiller le client.	Cette intervention permet d'éviter que le client ne commence à s'agiter.	
Surveiller : • l'humeur du client ; • son tempérament ; • son degré de stress.	Les risques d'accident sont ainsi diminués.	
Prendre les mesures de protection qui s'imposent (p. ex. : l'isolement).	L'isolement permet de protéger le client contre les accidents.	

Diagnostic infirmier : Déficit nutritionnel, relié à un excès d'activités qui augmente les besoins nutritionnels.

Objectif : Pendant la durée du traitement, le client réduit ses activités de manière à obtenir un apport alimentaire suffisant.

Intervention	Justification	Résultat escompté
Peser le client une fois par semaine.	Cette intervention permet de déceler toute perte pondérale.	Le client a un poids normal compte tenu de sa stature.

(suite du diagnostic page suivante)

Tableau 14-11   *(suite)*

Diagnostic infirmier *(suite)*: Déficit nutritionnel, relié à un excès d'activités qui augmente les besoins nutritionnels.
Objectif : Pendant la durée du traitement, le client réduit ses activités de manière à obtenir un apport alimentaire suffisant.

Intervention	*Justification*	*Résultat escompté*
Présenter les aliments au client sous une forme appropriée : • repas légers et fréquents ; • aliments à consommer avec les doigts ; • aliments préférés ; • aliments hypercaloriques et hyperprotidiques ; • aliments faciles à mastiquer et à avaler ; • apport complémentaire de liquides (p. ex. : Ensure)	Le client reçoit ainsi un apport alimentaire suffisant.	La peau du client présente une bonne élasticité. La peau du client est claire. Les muscles du client sont fermes. Le client est alerte. Le client a suffisamment d'énergie pour accomplir ses activités quotidiennes.

4. Déterminer si M. Trottier a un réseau de soutien.
5. Déterminer les aspects du développement dont on doit tenir compte dans les soins à dispenser à M. Trottier.
6. Formuler les objectifs de soins infirmiers.
7. Établir le type d'enseignement qui permettra à M. Trottier de recouvrer la santé.
8. Déterminer les besoins particuliers de M. Trottier en matière de réadaptation.
9. Déterminer les interventions de soins destinées à M. Trottier.

RÉSUMÉ

1. Il y a une forte proportion de clients schizophrènes dans les établissements de soins psychiatriques. À cause des comportements bizarres des schizophrènes, c'est généralement à ce trouble que les gens associent la maladie mentale.

2. Les cinq sous-groupes de schizophrénie sont le type catatonique, le type désorganisé, le type paranoïde, le type indifférencié et le type résiduel.

3. Les symptômes positifs de la schizophrénie correspondent à des modes de comportement que la majorité des gens n'adopte jamais ; ils apparaissent le plus souvent pendant la phase aiguë de la maladie. Les symptômes négatifs de la schizophrénie correspondent à l'absence des comportements adoptés habituellement par la majorité des gens ; ils se manifestent autant pendant la phase aiguë que pendant la phase chronique.

4. Les caractéristiques comportementales positives sont l'excitation catatonique, les stéréotypies, l'échopraxie, l'écholalie et la verbigération.

5. Les caractéristiques comportementales négatives sont la stupeur catatonique, les postures étranges, les soins personnels minimes, le retrait social, le langage emprunté et laborieux, et la pauvreté du discours.

6. Les caractéristiques affectives positives sont l'affect inadéquat et l'affect hyperréactif.

7. Les caractéristiques affectives négatives sont l'affect émoussé, l'affect plat et l'anhédonie.

8. Les caractéristiques cognitives positives sont les idées délirantes, les hallucinations, le relâchement des associations et la création de néologismes.

9. Les caractéristiques cognitives négatives sont la concrétude, le symbolisme et les blocages.

10. Il existe plusieurs types d'idées délirantes : idées de grandeur, idées de persécution, idées de culpabilité, idées d'influence, idées cénesthésiques, idées mystiques, idées de référence, divulgation de la pensée, vol de la pensée et imposition de la pensée.

11. Les hallucinations les plus fréquentes sont les hallucinations auditives, suivies par les hallucinations visuelles.

12. On trouve chez les clients schizophrènes les signes physiques suivants : hyperactivité des synapses dopaminergiques, déficit en noradrénaline au niveau de la synapse, élévation des concentrations de CPK, hypertrophie des ventricules cérébraux, diminution de l'irrigation du cerveau, diminution de l'activité électrique dans certaines aires du cerveau, altération du métabolisme du glucose.

(suite page 611)

Tableau 14-12 Plan des soins infirmiers destinés au client atteint de schizophrénie de type catatonique

Diagnostic infirmier : Altération de la mobilité physique, reliée à l'effet de l'état affectif sur la psychomotricité.
Objectif : Le client retrouve ses capacités locomotrices normales avant la sortie du centre hospitalier.

Intervention	Justification	Résultat escompté
Évaluer les troubles psychomoteurs : • stupeur ; • négativisme ; • rigidité ; • excitation ; • position catatonique.	Cette évaluation facilite la planification des interventions visant à stimuler l'activité du client.	Le client adopte une position appropriée. Le client essaie de mener à bien certains soins personnels.
Surveiller : • la position catatonique ; • la rigidité ; • la présence d'œdème ; • les signes vitaux ; • les bruits pulmonaires.	Cette évaluation permet de diagnostiquer les altérations des fonctions locomotrices, cardiovasculaires, etc.	Le client présente une amplitude normale des mouvements articulaires. Le client prouve sa force musculaire. Le client effectue ses soins personnels.
Déceler : • les plaques de cyanose sur le corps ou les extrémités ; • la flexibilité cireuse des membres ; • l'œdème hypostatique.	Le maintien prolongé d'une position altère le fonctionnement physiologique.	Le client ne présente pas de cyanose sur le corps ni sur les membres. Le client ne présente pas de flexibilité cireuse.
Administrer les neuroleptiques prescrits.	Les neuroleptiques favorisent la participation à des échanges verbaux.	
Vérifier l'amplitude des mouvements deux ou trois fois par jour.	Cette intervention permet de préserver les fonctions locomotrices pendant un épisode psychotique aigu.	Les signes vitaux du client sont normaux.
Faire faire des exercices passifs, au besoin.	Les exercices passifs permettent de maintenir la mobilité adéquate.	
Pousser le client à sortir de son inaction : • s'asseoir à ses côtés ; • l'inciter à mener à bien ses soins personnels ; • l'inciter à sortir du lit.		
Faire des mouvements avec le client.		Les poumons du client sont dégagés.
Essayer de changer la position du client au moins toutes les deux heures.		Le client ne présente pas d'œdème des pieds.
Suggérer des mouvements au client.	Le client pourrait obéir automatiquement aux consignes.	Le client présente un retour veineux normal. Le client n'adopte pas de position catatonique. Le client ne présente pas de rigidité.

(suite page suivante)

Tableau 14-12 *(suite)*

■ **Diagnostic infirmier :** Constipation, reliée à la diminution de l'activité et à l'immobilité.
■ **Objectif :** Pendant la durée du traitement, le client modifie son comportement de manière à prévenir la constipation.

Intervention	*Justification*	*Résultat escompté*
Évaluer : • la distension abdominale ; • les bruits intestinaux ; • la fréquence des selles ; • le volume des selles ; • les efforts d'exonération ; • la stase des veines rectales.	Cette évaluation permet de diagnostiquer la constipation.	Le client mange des aliments riches en fibres. Le client boit de 8 à 10 verres d'eau par jour. Le client fait au moins 15 minutes de marche à pied par jour.
Surveiller les ingesta et les excreta.		Le client exprime son besoin de déféquer.
Encourager le client à : • manger des aliments riches en fibres ; • boire beaucoup ; • changer de position.	Ce régime alimentaire permet de prévenir la constipation.	Le client a au moins une émission fécale tous les trois jours.
Administrer les laxatifs et les lavements prescrits.	Ces médicaments favorisent la régularisation de l'élimination intestinale.	

■ **Diagnostic infirmier :** Déficit nutritionnel, relié à un manque d'intérêt pour les aliments.
■ **Objectif :** Le client consomme suffisamment d'aliments. (*Préciser*)

Intervention	*Justification*	*Résultat escompté*
Évaluer : • la capacité de mastiquer et d'avaler; • la disposition à manger.	Cette évaluation permet de planifier des stratégies pour nourrir le client.	Le client absorbe au moins de 5022 kJ à 6280 kJ par jour. L'élasticité de la peau du client est bonne.
Présenter les aliments au client sous une forme appropriée : • aliments mous ; • aliments à manger avec les doigts ; • liquides hyperprotidiques.	Le client est plus disposé à consommer des aliments faciles à manger.	La peau du client est claire. Le regard du client est limpide. Les muscles du client sont fermes.
Nourrir le client, au besoin.	Le client reçoit ainsi un apport alimentaire suffisant.	Le client ne présente pas de perte pondérale.
Peser le client au moins une fois par semaine et quotidiennement si le besoin se présente.		
Introduire une sonde nasogastrique, au besoin.	Cette intervention peut s'imposer si le client est négatif et refuse de manger.	

(suite page suivante)

Tableau 14-12 *(suite)*

Diagnostic infirmier : Risque d'atteinte à l'intégrité de la peau, relié à l'immobilité.
Objectif : Le client ne présente pas de lésions de l'épiderme pendant la durée du traitement.

Intervention	Justification	Résultat escompté
Évaluer quotidiennement la peau et observer : • l'élasticité ; • les régions rougies ; • les lésions ; • les contusions ; • les ulcères ; • l'œdème.	Cette évaluation permet de déceler les atteintes à l'intégrité de la peau.	La peau du client est chaude et sèche. La peau du client a une couleur adéquate. L'élasticité de la peau du client est adéquate. L'hydratation de la peau du client est adéquate.
Favoriser une circulation sanguine adéquate : • changer la position du client au moins toutes les deux heures ; • évaluer l'amplitude des mouvements ; • masser les pieds et les mains (éviter de masser les jambes) ; • utiliser des bas élastiques, au besoin.		
Protéger la peau du client : • en la gardant propre et sèche ; • en la lubrifiant avec de l'huile ou de la lotion.	Une peau propre et bien lubrifiée risque moins de se fissurer.	

13. Les études génétiques établissent une relation entre la schizophrénie et la présence d'une anomalie génétique.

14. Selon les théories socioculturelles, la schizophrénie serait une conséquence des carences et du stress associés à la pauvreté.

15. Les interventions psychosociales, la réadaptation et, surtout, la pharmacothérapie sont, actuellement, les principales modalités thérapeutiques de la schizophrénie.

16. Les neuroleptiques sont les médicaments le plus couramment utilisés pour le traitement de la schizophrénie, car ils permettent d'en maîtriser les symptômes.

17. L'infirmière doit connaître les nombreux effets secondaires des médicaments et en informer le client schizophrène.

18. Les symptômes extrapyramidaux, principalement les réactions dystoniques, l'acathisie et le parkinsonisme, sont les effets secondaires les plus fréquents des neuroleptiques.

19. À cause du mouvement de désinstitutionnalisation, certains individus qui souffrent de schizophrénie chronique sont venus grossir les rangs des sans-abri.

20. Les principaux thèmes qui reviennent dans les conversations menées avec le client schizophrène sont les problèmes d'identité personnelle, les distorsions de l'image corporelle, l'emprunt de l'identité, la dépendance, la lutte de pouvoir et le désir de mener lui-même les entretiens.

21. Il est primordial d'assurer la sécurité du client jusqu'à ce qu'il reprenne contact avec la réalité.

22. L'infirmière doit souvent observer le client, évaluer son état et intervenir sans que celui-ci lui prête sa coopération.

Tableau 14-13   Plan des soins infirmiers destinés au client atteint de schizophrénie de type paranoïde

Diagnostic infirmier : Stratégies d'adaptation individuelles inefficaces, reliées à une fausse évaluation des menaces.
Objectif : Pendant la durée du traitement, le client remplace ses comportements inspirés par la méfiance par des réactions plus appropriées.

Intervention	Justification	Résultat escompté
Établir une relation personnalisée avec le client.	Une telle relation permet à l'infirmière de corriger les fausses interprétations des événements.	Le client évalue correctement les événements.
		Le client n'a pas d'idées délirantes.
		Le client n'a pas d'hallucinations.
		Le client exprime ses sentiments de manière appropriée.
		Le client n'adopte pas de comportement violent.
Inciter le client à analyser sa perception des événements.		
Présenter une rétroaction au sujet des comportements observés et des sentiments exprimés par le client.	Le client peut ainsi prendre conscience de ses réactions affectives.	
Aider le client à déterminer les modifications de comportement à effectuer.	Le client peut mettre au point de nouvelles stratégies d'adaptation au stress.	
Enseigner au client : • les techniques de résolution des problèmes ; • les techniques de prise de décision ; • les techniques de relaxation.	Le client peut ainsi planifier les modifications à effectuer.	Le client se sert des techniques de résolution des problèmes, des techniques de prise de décision et applique d'autres stratégies d'adaptation.
Faire participer le client à des activités récréatives.	Les activités récréatives atténuent l'anxiété.	

Diagnostic infirmier : Manque de connaissances, relié à des troubles cognitifs ou à l'altération des opérations de la pensée.
Objectif : Le client prouve qu'il comprend sa maladie au moment de la sortie du centre hospitalier.

Intervention	*Justification*	*Résultat escompté*
Évaluer le niveau de connaissances du client.	Cette évaluation permet de déterminer les données à enseigner au client.	Le client explique sa maladie.
		Le client participe à son traitement.
Commencer le travail à partir de la perception qu'a le client de sa maladie : • Connaît-il le diagnostic médical ? • Quelle est sa compréhension du diagnostic ?	Cette intervention facilite l'acquisition des connaissances.	
Donner des renseignements et des directives clairs et concis.		

(suite du diagnostic page suivante)

Tableau 14-13 *(suite)*

Diagnostic infirmier (suite) : Manque de connaissances, relié à des troubles cognitifs ou à l'altération des opérations de la pensée.
Objectif : Le client prouve qu'il comprend sa maladie au moment de la sortie du centre hospitalier.

Intervention	*Justification*	*Résultat escompté*
Vérifier si le client comprend les renseignements et les directives.		
Enseigner au client les méthodes lui permettant de maîtriser sa maladie.		

■ **Diagnostic infirmier :** Non-observance, reliée à l'altération des opérations de la pensée.
■ **Objectif :** Le client collabore au traitement.

Intervention	*Justification*	*Résultat escompté*
Établir une relation personnalisée avec le client.	Une telle relation accroît le sentiment de sécurité du client.	Le client participe à son traitement (p. ex. : il assiste aux séances de thérapie de groupe, prend ses médicaments, etc.).
Une fois que le client fait confiance au personnel, encourager sa participation graduelle à des séances de groupe.	Les séances de groupe favorisent l'adoption du comportement approprié.	Le client exprime ses sentiments de manière appropriée.
Administrer les médicaments avec soin : • expliquer la raison d'être de la médication ; • surveiller la bouche du client après avoir donné le médicament ; • donner les médicaments sous forme liquide, au besoin.	Cette intervention permet à l'infirmière de s'assurer que le client avale le médicament et qu'il se conforme au traitement.	

■ **Diagnostic infirmier :** Déficit nutritionnel, relié à la méfiance à l'égard des aliments.
■ **Objectif :** Le client consomme une quantité de nutriments suffisante pour ses besoins physiologiques.

Intervention	Justification	Résultat escompté
Peser le client toutes les semaines ou tous les jours, au besoin.	La pesée permet de vérifier si le client consomme des nutriments.	Le client ne perd pas de poids.
Fournir des aliments sous la forme appropriée et faire participer le client à la préparation des aliments ; demander au client de choisir les aliments pré-emballés qu'il préfère ; nourrir le client si cela est nécessaire ; introduire une sonde nasogastrique sur recommandation du médecin.	Le client se méfie moins des aliments et sa consommation est plus adéquate. L'alimentation par sonde nasogastrique peut effrayer le client et ne devrait être utilisée qu'en dernier ressort, dans l'éventualité où le déficit nutritionnel risque d'altérer les fonctions corporelles.	Le client mange les aliments qui lui sont proposés.

(suite page suivante)

Tableau 14-13   *(suite)*

■ **Diagnostic infirmier :** Altération de la perception sensorielle : auditive, gustative, kinesthésique, olfactive, tactile, visuelle, reliée aux modifications des opérations de la pensée.
   Objectif : Le client retrouve une pensée cohérente pendant la durée du traitement.

Intervention	Justification	Résultat escompté
Évaluer les stimulations externes quant à leur : • intensité ; • quantité ; • mobilité ; • ambiguïté ; • manque de cohérence.	Cette évaluation permet de diminuer les stimulations qui peuvent perturber le client.	Le client reste en contact avec la réalité. Le client présente une orientation spatio-temporelle adéquate et est capable de reconnaître les personnes. Le client n'a pas d'hallucinations. Le client n'a pas d'idées délirantes. Le client perçoit correctement les stimuli de l'environnement. Le client n'adopte pas de comportement bizarre.
Multiplier les repères dans le milieu environnant : • plaques d'identité ; • horloges ; • calendriers ; • fenêtres.		
Établir des horaires réguliers.	Les horaires réguliers aident le client à rester en contact avec la réalité.	
Aider le client à reprendre contact avec la réalité, le cas échéant.	Le contact avec la réalité peut réduire les perceptions erronées.	Le client présente une orientation adéquate.
Réduire les déplacements inutiles autour du client.	L'excès de stimulation sensorielle peut exacerber la distorsion des perceptions.	Le client présente une orientation adéquate.
Garder le contact visuel et verbal avec le client.		Le client garde le contact visuel avec l'infirmière.

■ **Diagnostic infirmier :** Isolement social, relié à des troubles de la perception.
   Objectif : Le client s'engage dans des rapports avec autrui pendant la durée du traitement.

Intervention	Justification	Résultat escompté
Établir une relation thérapeutique fondée sur la confiance : • respecter les rendez-vous donnés au client ; • être cohérente ; • persévérer.	Le client apprend ainsi à bâtir des rapports sociaux basés sur la confiance.	Le client verbalise ses sentiments de solitude. Le client participe à des activités. Le client parle aux autres.
Évaluer les antécédents sociaux du client.	Cette évaluation permet de discerner ce qui empêche le client de nouer de nouvelles relations.	
Aider le client à discerner ce qui l'empêche de nouer des relations. Encourager le client à verbaliser ses sentiments de solitude.	Cette intervention aide le client à nouer des relations importantes.	*(suite du diagnostic page suivante)*

Tableau 14-13   *(suite)*

Diagnostic infirmier *(suite)*: Isolement social, relié à des troubles de la perception.
Objectif : Le client s'engage dans des rapports avec autrui pendant la durée du traitement.

Intervention	Justification	Résultat escompté
S'asseoir auprès du client. Encourager le client à participer à des activités de groupe. Éviter : • de murmurer devant le client ; • de rire en compagnie d'autres membres du personnel si le client ne peut entendre ce qui se dit ; • de discuter avec le client au sujet de son identité ; de décrire la réalité comme on la voit ; • de proposer au client des activités compétitives ; • d'aborder des sujets de controverse comme la sexualité, la politique et la religion.		

Diagnostic infirmier : Altération des opérations de la pensée, reliée aux idées de référence.
Objectif : Pendant la durée du traitement, le client fait état d'une identité du moi qui correspond à la réalité.

Intervention	Justification	Résultat escompté
Analyser les opérations de la pensée du client : • les généralisations ; • les distorsions ; • les idées de référence ; • le relâchement des associations.	Cette analyse aide l'infirmière à reconstruire les interprétations de la réalité du client.	Le client parle clairement. Le client n'a pas d'hallucinations. Le client n'a pas d'idées délirantes.
Utiliser les méthodes de communication directe : • éviter les généralisations ; • éviter de discuter à propos de l'identité du client ; • focaliser les personnes sur les faits réels ; • éviter toute communication floue.	La communication directe facilite l'établissement d'interactions réalistes.	Le client essaie de s'engager dans des interactions.
Encourager le client à valider ses pensées et ses sentiments.	Cette intervention encourage le client à interagir adéquatement.	

Diagnostic infirmier : Risque de violence envers soi ou envers les autres, relié à la perception de menaces et à la fausse interprétation des messages.
Objectif : Le client n'adopte pas de comportement violent pendant la durée du traitement.

Intervention	Justification	Résultat escompté
Évaluer le risque de violence envers soi ou envers les autres.	Cette évaluation permet d'organiser adéquatement l'environnement du client.	Le client réussit à se maîtriser.

(suite du diagnostic page suivante)

Tableau 14-13   *(suite)*

Diagnostic infirmier *(suite)*: Risque de violence envers soi ou envers les autres, relié à la perception de menaces et à la fausse interprétation des messages.

Objectif: Le client n'adopte pas de comportement violent pendant la durée du traitement.

Intervention	*Justification*	*Résultat escompté*
Rester calme: • avoir des gestes calmes; • parler à voix basse; • verbaliser les sentiments.	Le client a sous les yeux un modèle à imiter.	Le client prend une attitude détendue. Le client verbalise ses sentiments au lieu de passer à l'acte.
Encourager le client à exprimer ses sentiments autrement que par des moyens physiques.	Cette intervention aide le client à sauvegarder son estime de soi et à maîtriser son comportement.	
Imposer des limites au comportement agressif; isoler le client.		
Si l'isolement s'impose: • observer le client toutes les 15 minutes, au moins; • éliminer les objets dangereux; • demander la collaboration d'un nombre suffisant de membres du personnel.	L'isolement réduit le risque de violence.	
Éliminer les facteurs qui déclenchent la violence: • le bruit; • les rencontres avec de nouveaux membres du personnel; • les situations anxiogènes.	Cette intervention diminue la fréquence des comportements violents.	
Diminuer l'agitation en: • encourageant l'activité physique; • administrant les médicaments prescrits; • évitant les contacts physiques avec le client; • respectant l'espace vital du client; • restant calme		

Tableau 14-14 Plan des soins infirmiers destinés au client atteint de schizophrénie de type indifférencié

Diagnostic infirmier: Altération de la communication verbale, reliée à des modes de communication incongrus.
Objectif: Le client adopte des modes de communication appropriés pendant la durée du traitement. (voir le tableau 14-9)

Diagnostic infirmier: Incapacité (partielle ou totale) de se laver/d'effectuer ses soins d'hygiène, de se vêtir/de soigner son apparence, de s'alimenter, d'utiliser les toilettes, reliée à des symptômes psychotiques multiples.
Objectif: Le client présente une hygiène, une nutrition, une hydratation, une élimination et un sommeil adéquats pendant la durée du traitement. (voir le tableau 14-9)

Diagnostics infirmiers: Perturbation de l'image corporelle, perturbation de l'estime de soi, perturbation de l'identité personnelle et perturbation dans l'exercice du rôle, reliées à des sentiments de dépendance.
Objectif: Le client fait état d'un concept de soi favorable. (voir le tableau 14-9)

Tableau 14-15   Plan des soins infirmiers destinés au client atteint de schizophrénie de type résiduel

■ **Diagnostic infirmier :** Stratégies d'adaptation individuelle inefficaces, reliées à l'incapacité de faire face aux exigences de la vie par des comportements adaptés aux circonstances.
   Objectif : Le client reconnaît les événements générateurs de stress pendant la durée du traitement.

Intervention	Justification	Résultat escompté
Déterminer si le client perçoit correctement les événements.	Cette intervention facilite la planification de l'enseignement à dispenser au client.	Le client reconnaît la présence du stress.
Encourager le client à exprimer sa perception des événements.	Cette intervention apprend au client à exprimer des faits concrets.	Le client se fixe des objectifs thérapeutiques.
Aider le client à analyser ses souvenirs.	Cette intervention permet de déterminer ce qui entrave les progrès du client.	Le client forme de nouvelles idées en se fondant sur des faits.
Enseigner au client de nouvelles stratégies d'adaptation ; lui enseigner entre autres : • comment poser des questions ; • comment obtenir des renseignements ; • comment demander des consultations.	Cet enseignement permet au client d'utiliser des méthodes d'évaluation objective.	Le client rend compte correctement des événements.

■ **Diagnostic infirmier :** Manque de loisirs, relié à l'apathie et à l'indifférence.
   Objectif : Le client trouve une activité récréative et la pratique.

Intervention	Justification	Résultat escompté
Évaluer les loisirs habituels du client.	Cette évaluation permet de reconnaître les intérêts du client.	Le client énumère les activités qui l'intéressent.
Encourager le client à trouver une activité récréative et à la pratiquer.	Cette intervention aide le client à planifier ses activités futures.	Le client pratique une activité récréative.
Encourager le client à explorer les activités récréatives à sa portée.		Le client s'intéresse aux activités qui sont à sa portée.

■ **Diagnostic infirmier :** Incapacité d'organiser et d'entretenir le domicile, reliée à la dépendance ou à l'absence d'un réseau de soutien.
   Objectif : Le client a recours à un réseau de soutien pour organiser et entretenir son domicile.

Intervention	Justification	Résultat escompté
Évaluer les capacités du client en matière d'organisation et d'entretien du domicile.	Cette évaluation permet de définir les besoins en apprentissage du client.	Le client élabore un programme d'organisation et d'entretien de son domicile.
Trouver les personnes qui pourraient former le réseau de soutien du client.	Ces personnes peuvent aider le client en premier lieu.	
Proposer au client des ressources communautaires, le cas échéant.	Le client peut ainsi devenir plus autonome.	

(suite du diagnostic page suivante)

Tableau 14-15   *(suite)*

Diagnostic infirmier (suite): Incapacité d'organiser et d'entretenir le domicile, reliée à la dépendance ou à l'absence d'un réseau de soutien.
Objectif: Le client a recours à un réseau de soutien pour organiser et entretenir son domicile.

Intervention	*Justification*	*Résultat escompté*
Enseigner au client les méthodes d'entretien de son domicile.		Le client effectue ses propres soins d'hygiène et voit à l'entretien de ses biens pendant le traitement.
		Le client utilise le matériel de manière appropriée.
		Le client énumère les articles dont il a besoin et dit où il peut se les procurer.
Faire la rotation des membres du personnel qui s'occupent du client.	Le client ne risque pas de devenir dépendant d'une seule personne.	

Diagnostic infirmier: Risque de non-observance, relié aux altérations de la perception.
Objectif: Le client se conforme au traitement pendant son hospitalisation et par la suite.

Intervention	*Justification*	*Résultat escompté*
Inciter le client à participer à son traitement: • lui parler; • l'encourager à assister aux séances de groupe et à participer aux discussions; • établir des horaires; • employer des aide-mémoire; • aider le client à analyser son comportement.	La participation du client augmente les chances de rétablissement.	Le client participe au traitement. Le client respecte ses rendez-vous pris dans le service de consultations externes.
Enseigner au client: • les techniques de résolution des problèmes; • la façon de structurer son horaire pour prendre les médicaments selon la prescription.	Le client bien informé est plus apte à se conformer au traitement.	Le client s'informe sur le traitement. Le client prend les médicaments selon la prescription.
Informer le client des possibilités de suivi.		

Diagnostic infirmier: Isolement social, relié à un comportement social inacceptable.
Objectif: Le client est en mesure d'établir des contacts sociaux pendant la durée du traitement. (voir le tableau 14-9)

EXERCICES DE RÉVISION

1. Louis croit que le gouverneur général du Canada l'a nommé premier ministre à vie. Lorsqu'on lui montre des articles portant sur le premier ministre du Canada, Louis rétorque que les journaux ne font que mentir. Les croyances de Louis, sur lesquelles le raisonnement logique ou les preuves concrètes n'ont aucune prise, sont appelées :
  (a) des idées délirantes ;
  (b) des hallucinations ;
  (c) des idées de grandeur ;
  (d) la dépersonnalisation.

2. Anne est assise sur un canapé et elle bavarde gaiement. Mais elle est seule dans la pièce et ses propos sont décousus. Elle a une fausse perception de la réalité et aucune stimulation ne lui parvient de l'extérieur. On peut dire que la cliente présente :
  (a) des idées délirantes ;
  (b) des hallucinations ;
  (c) des idées de grandeur ;
  (d) une dépersonnalisation.

3. Jeanne est couchée dans son lit en position fœtale. Elle ne réagit pas aux paroles qu'on lui adresse et elle semble en état de stupeur. Jeanne est atteinte de schizophrénie du type :
  (a) paranoïde ;
  (b) désorganisée ;
  (c) catatonique ;
  (d) indifférenciée.

4. Le comportement de Lucien est caractérisé par l'incohérence, un relâchement marqué des associations, un discours en apparence décousu et un affect plat ou inadéquat. Lucien est atteint de schizophrénie du type :
  (a) catatonique ;
  (b) résiduelle ;
  (c) paranoïde ;
  (d) désorganisée .

5. Depuis quelque temps, Hélène présente les symptômes du syndrome parkinsonien secondaire. Lequel des médicaments suivants pourrait-on lui prescrire pour combattre cet effet secondaire ?
  (a) Cogentin
  (b) Thorazine
  (c) Haldol
  (d) Prolixin

6. Laquelle des interventions suivantes constitue le meilleur moyen d'aider le client à reprendre contact avec la réalité ?
  (a) le garder dans une chambre obscure ;
  (b) l'appeler par son nom ;
  (c) lui fournir un surcroît de stimulation ;
  (d) éviter de lui parler.

BIBLIOGRAPHIE

American Psychiatric Association: *Diagnostic and Statistical Manual of Mental Disorders*, 3d ed., rev. Washington DC: American Psychiatric Association, 1987.

Baker AF: How families cope: Schizophrenia. *J Psychosoc Nurs* (1) 1989 : 27 : 31–36.

Bateson G, et al.: Towards a theory of schizophrenia. *Behav Sci* (1) 1956 : 251–64.

Bleuler E: Dementia praecox. In: *Handbuch der Psychiatrie*. Leipzig-Wien. 1911.

Buchanan RW, et al.: Clinical correlates of the deficit syndrome of schizophrenia. *Am J Psychiatry*, (3) 1990 : 147 : 290–94.

Cantor S: *Childhood Schizophrenia*. Guilford Press. 1988.

Elkashef AM, et al.: Vitamin E in the treatment of tardive dyskinesia. *Am J Psychiatry* (4) 1990 : 147 : 505–6.

Fallon I, et al.: *Family Care of Schizophrenia*. Guilford Press. 1984.

Hagerty BK: *Psychiatric-Mental Health Assessment*. St. Louis: Mosby. 1984.

Kety SS, Matthysse S: Genetic and biochemical aspects of schizophrenia. In: *The New Harvard Guide to Psychiatry*. Nicholi AM (editor). Cambridge: Harvard Univ Press. 1988. 259–95.

Lamb HR, et al.: Families of schizophrenics: A movement in jeopardy. *Hosp Community Psychiatry* (4) 1986 : 37 : 353–57.

Lefley HP: Culture and chronic mental illness. *Hosp Community Psychiatry* (3) 1990 : 41 : 277–86.

Lehmann HE, Cancor R: Schizophrenia: Clinical features. In: *Comprehensive Textbook of Psychiatry*, 4th ed. Vol. I. Kaplan HI, Sadock BJ (editors). Baltimore: Williams and Wilkins, 1985. 686–89.

Liberman RP: Schizophrenia: Psychosocial treatment. In: *Comprehensive Textbook of Psychiatry*, 4th ed. Vol. I. Kaplan HI, Sadock BJ (editors). Baltimore: Williams and Wilkins, 1985. 724–34.

Mathew RJ, Wilson WH: Chronicity and a low anteroposterior gradient of cerebral blood flow in schizophrenia. *Am J Psychiatry* (2) 1990 : 147 : 211–14.

Meissner WW: Theories of personality and psychopathology: Classical psychoanalysis. In: *Comprehensive Textbook of Psychiatry*, 4th ed. Vol. I. Kaplan HI, Sadock BJ (editors). Baltimore: Williams and Wilkins, 1985. 408.

Mosher L, Keith SJ: Psychosocial treatment: Individual, group, family, and community support. In: *Special Report: Schizophrenia 1980*. NIMH, 1981 : 127–58.

Plante TG: Social skills training: A program to help schizophrenic clients cope. *J Psychosoc Nurs* (3) 1989 : 27 : 6–8.

Riesdorph-Ostrow W: Deinstitutionalization: A public policy. *J Psychosoc Nurs* (6) 1989:27:4–8.

Ryan MT: Providing shelter. *J Psychosoc Nurs* (6) 1989: 27:14–18.

Sarason IG, Sarason BR: *Abnormal Psychology,* 4th ed. Englewood Cliffs, NJ: Prentice-Hall, 1984.

Schultz CG: Schizophrenia: Individual psychotherapy. In: *Comprehensive Textbook of Psychiatry,* 4th ed. Vol. I. Kaplan HI, Sadock BJ (editors). Baltimore: Williams and Wilkins, 1985. 734–46.

Sulliger N: Relapse. *J Psychosoc Nurs* (6) 1988:26:20–23.

Thaker GK, et al.: Clonazepam treatment of tardive dyskinesia. *Am J Psychiatry* (4) 1990:147:445–51.

Townsend MC: *Drug Guide for Psychiatric Nursing.* FA Davis, 1990.

Tsuang MT, Faraone SV: Schizophrenic Disorders. In: *The New Harvard Guide to Psychiatry.* Nicholi AM (editor). Cambridge: Harvard Univ Press, 1988. 259–95.

Walsh M: *Schizophrenia: Straight Talk for Families and Friends.* Morrow, 1985.

Weiner H: Schizophrenia: Etiology. In: *Comprehensive Textbook of Psychiatry,* 4th ed. Vol. I. Kaplan HI, Sadock BJ (editors). Baltimore: Williams and Wilkins, 1985. 669–79.

Williams CA: Perspectives on the hallucinatory process. *Issues in Mental Health Nurs* 1989:10:99–119.

LECTURES COMPLÉMENTAIRES

Barnes, M., et J. Berke. *Mary Barnes, un voyage à travers la folie,* Paris, Seuil, 1973.

Cooper, David. *Le langage de la folie,* Paris, Seuil, 1977.

Laing, R.D. *La politique de l'expérience,* Paris, Stock, 1969.

Laing, R.D. *Le Moi divisé,* Paris, Stock, 1970.

Lalonde, Grunberg et coll. *Psychiatrie clinique: approche bio-psycho-sociale,* Boucherville, Gaëtan Morin Éditeur, 1988.

L'Écuyer, R., *Le concept de soi,* Paris, Presses universitaires de France, 1978.

Sechehaye, M.A. *Journal d'une schizophrène,* auto-observation d'une schizophrène pendant le traitement psychothérapeutique, Paris, Seuil, 1972.

CHAPITRE 15

Les troubles organiques cérébraux chroniques

BRENDA LEWIS CLEARY

Comment je vois ma maladie

Je suis enfermé dans une horrible prison. Les chaînes et un énorme boulet m'empêchent de bouger. Par les épais barreaux de mon cachot, je ne peux percevoir que des champs désolés qui s'étendent à perte de vue. Autour de moi, il n'y a que vide et désespoir. Ma tristesse et ma frustration sont sans limite.

Introduction

Le processus de détérioration mentale relié au syndrome organique cérébral affecte profondément les clients et leur famille ainsi que la société en général. Ce chapitre porte essentiellement sur les deux affections organiques du cerveau les plus répandues : la démence et le delirium (délire) (voir le tableau 15-1). Le syndrome amnésique, le syndrome thymique organique et le psycho-syndrome organique, moins courants, sont traités sous forme de tableau (voir le tableau 15-2). Voici la liste des critères diagnostiques donnés par le DSM-III-R.

293.00 Delirium

294.10 Démence

294.00 Syndrome amnésique

293.83 Syndrome thymique organique

310.10 Psycho-syndrome organique

Les fonctions mentales supérieures et l'état de conscience (attention et orientation), par leur action conjuguée, permettent une perception juste des stimuli et une réaction adéquate. En présence d'un syndrome organique cérébral, les fonctions mentales supérieures (fonctions cognitives et mémoire) sont plus ou moins détériorées.

Ces syndromes portent différents noms. Ainsi, on appelle également la démence *encéphalopathie primaire*, *trouble cérébral chronique* ou *trouble cérébral irréversible* et le delirium *délire*, *encéphalopathie secondaire*, *trouble cérébral aigu* ou *trouble cérébral réversible* (Pallett et O'Brien, 1985).

Démence

La démence se caractérise par un déclin insidieux et progressif des facultés mentales suffisant pour retentir sur l'activité sociale et professionnelle du

Tableau 15-1 *Le delirium et la démence*

Syndrome cérébral aigu *Delirium*	*Syndrome cérébral chronique* *Démence*
Apparition Apparition généralement brusque. Troubles aigus de l'orientation, de la mémoire, des fonctions cognitives, de la capacité de jugement et de l'affect.	Apparition généralement lente et insidieuse.
Caractéristique essentielle Obscurcissement de la conscience.	Aucune altération de la conscience.
Étiologie Troubles temporaires, réversibles et diffus du fonctionnement du cerveau.	Généralement, dégénérescence irréversible du cerveau.
Évolution Fluctuations diurnes brèves des symptômes. Les symptômes durent généralement peu de temps, mais ils peuvent également se prolonger pendant des mois. Faute de traitement, le delirium peut entraîner des lésions cérébrales permanentes et mener à la démence.	Absence de fluctuation diurne des symptômes. Maladie évolutive qui s'aggrave avec le temps et qui, après plusieurs mois, voire plusieurs années, mène à la mort.
Symptômes Début : soudain Durée : quelques heures ou quelques jours Évolution : fluctuations à l'état de veille	Début : insidieux Durée : quelques mois à quelques années Évolution : détérioration graduelle avec de rares moments de lucidité.
Perturbations psychomotrices Tremblements, agitation, hyperactivité ou apathie.	Aucune (sauf durant la phase terminale).
Discours embrouillé qui reflète la désorganisation de la pensée.	Discours généralement normal au début, mais perte graduelle de la capacité de trouver les mots.
État mental Fluctuation de l'attention.	Généralement, l'attention reste normale au début de la maladie, mais se détériore par la suite.
Mémoire Altération à cause de la diminution des capacités d'attention.	Altération de la mémoire récente avant celle de la mémoire ancienne.
Langage Discours normal ou légère confusion lorsqu'il faut nommer les objets.	Aphasie durant la phase terminale.
Perception Troubles visuels et auditifs, accompagnés ou non d'hallucinations tactiles.	Hallucinations peu marquées, bien que les déficits cognitifs puissent entraîner un délire paranoïde.
Caractéristiques de l'humeur et de l'affect Surtout peur et méfiance marquées. La dépression, la colère, l'irritabilité ou l'euphorie peuvent survenir.	Indifférence affective, accompagnée ou non d'euphorie.
État des différents systèmes Antécédents d'intoxication ou de maladie intéressant l'organisme entier.	Les systèmes organiques extraneuraux ne sont généralement pas affectés.
EEG Ralentissement diffus prononcé des ondes rapides lié à l'état de veille.	Normal ou assez lent.

Source : Foreman, 1986 ; Cleary, 1989. Committee on Aging, 1988.

Tableau 15-2   *Comparaison entre le syndrome amnésique, le syndrome thymique organique et le psycho-syndrome organique (trouble organique de la personnalité)*

Caractéristiques	Principales causes	Traitement
Syndrome amnésique		
Déclin des activités sociales et professionnelles	Intoxication par les métaux (plomb), l'oxyde de carbone, l'arsenic	Mesures de prévention et traitement symptomatique ; traitement de la physiopathologie sous-jacente
Affect superficiel	Déficience en thiamine	
Altération de la mémoire récente et de la mémoire ancienne	Encéphalite	
Confabulation	Atteinte du lobe temporal	
	Anomalies cérébrales vasculaires	
	Traumatisme crânien, néoplasme	
	Maladie d'Alzheimer	
	Électrochocs	
Syndrome thymique organique		
Caractéristiques liées à la dépression ou à la manie	Abus de drogue	Traitement symptomatique et mesures de prévention jusqu'au moment du diagnostic ; traitement de la physiopathologie sous-jacente
Tendances suicidaires	Intoxication médicamenteuse	
Légère altération cognitive	Anémie pernicieuse	
Illusions et hallucinations	Maladies infectieuses	
	Troubles endocriniens	
	Artérite, néoplasme	
	Maladies neurologiques dégénératives	
Psycho-syndrome organique		
Labilité affective marquée (explosions soudaines)	Abus de phencyclidine et de substances volatiles	Mesures de prévention et traitement symptomatique jusqu'au moment du diagnostic; traitement de la physiopathologie sous-jacente
Altération de la capacité de jugement et perte de la maîtrise des impulsions	Hydrargyrisme et intoxication au manganèse	
Indifférence	Neurosyphilis	
Paranoïa ou idées de référence	Atteinte du lobe temporal	
	Artérite	
	Hémorragie sous-arachnoïdienne	
	Traumatisme crânien, néoplasme	
	Chorée de Huntington	
	Sclérose en plaques	
	Maladie de Parkinson postencéphalitique	

Adapté de : J. Ellison, du « DSM-III-R » et « The Diagnosis of Organic Mental Disorders », *Annals of Emergency Medicine*, 1984, p. 521.

sujet. De façon générale, elle se traduit par une altération de la mémoire ainsi que des capacités d'apprentissage et de jugement.

On trouve dans le DSM-III-R les critères diagnostiques suivants de la démence :

A. En plus d'une altération de la mémoire liée à un facteur étiologique organique reconnu ou présumé et, en l'absence d'une obnubilation de la conscience, au moins l'une de ces manifestations doit être présente :

1. Altération de la pensée abstraite, comme en témoignent l'interprétation littérale des proverbes, l'incapacité de trouver des similitudes et des différences apparentes entre des mots, la difficulté à définir des mots et des concepts et à réaliser d'autres tâches similaires ;

2. Altération du jugement ;

3. Autres perturbations des fonctions supérieures telles qu'une aphasie (trouble du langage dû au dysfonctionnement cérébral), une apraxie (incapacité de réaliser une activité motrice intentionnelle malgré des fonctions sensorielles et motrices intactes), une

agnosie (impossibilité de reconnaître des objets malgré des fonctions sensorielles intactes), ou des troubles des « fonctions constructives », par exemple l'incapacité de recopier une figure à trois dimensions, d'assembler des cubes ou de placer des bâtons selon une configuration déterminée ;

4. Altération de la personnalité, c'est-à-dire modification ou accentuation de traits prémorbides.

Aux États-Unis, 5 p. cent des personnes de plus de 65 ans souffrent de démence grave et 10 p. cent de démence légère ou moyenne. Ce taux atteint 22 p. cent après 80 ans. Bien que la démence frappe également à l'âge adulte, elle est plus fréquente durant la vieillesse, dont elle constitue le principal trouble neuropsychiatrique (Shamoian et Teusink, 1987).

Chez les personnes âgées souffrant de démence, la maladie d'Alzheimer est le type le plus courant ; elle touche, en effet, 60 p. cent de ces clients. Dans la majorité des autres cas, la démence est due à des accidents vasculaires ; ce type de démence est appelé *démence plurilacunaire* ou *démence par infarctus multiples*. Seuls quelques rares cas de démences sont causés par la maladie de Pick (atrophie de la région occipitale du cerveau) et par la maladie de Creutzfeldt-Jakob (affection d'origine virale). La démence peut également être causée par divers états pathologiques, dont certains troubles que l'on peut traiter, comme l'intoxication médicamenteuse, les déséquilibres métaboliques ou nutritionnels et certaines maladies infectieuses. On s'est aperçu récemment que les complications du sida (infections du SNC et troubles inflammatoires) peuvent également provoquer la démence (voir le chapitre 17). Après plusieurs années de traitement en hémodialyse, certaines personnes peuvent être touchées par un type de démence qu'on appelle *l'encéphalopathie démentielle des hémodialysés*. Par ailleurs, la démence peut être le résultat d'une altération neurologique liée au syndrome de Korsakoff (éthylisme chronique) ou d'autres troubles neurologiques comme la chorée de Huntington et la maladie de Parkinson. Les néoplasmes cérébraux peuvent également engendrer des symptômes de démence (Cleary, 1989 ; Committee on Aging, 1988).

La maladie d'Alzheimer, diagnostiquée pour la première fois en 1907 par le médecin allemand Alois Alzheimer, est à présent considérée comme la forme la plus grave et la plus dévastatrice des démences du troisième âge. Il est intéressant de noter que c'est l'autopsie d'une patiente de 51 ans qui a permis au Dr Alzheimer de découvrir les caractéristiques pathologiques de cette maladie (dégénerescence neurofibrillaire et plaques séniles). Pendant des années, on considéra donc la maladie d'Alzheimer comme une démence présénile qui ne frappait que les sujets de moins de 65 ans. Cependant, les recherches ultérieures ont prouvé que la maladie d'Alzheimer, ou démence sénile de type Alzheimer (DSTA), est bien plus fréquente chez les plus de 65 ans. Il faut d'ailleurs noter que la prévalence de cette maladie augmente avec l'âge (Alzheimer Association, 1988 ; Hutton, 1987 ; Katzman, 1986).

Au moins 15 p. cent des cas de maladie d'Alzheimer semblent de nature héréditaire ; on parle alors de maladie d'Alzheimer de type familial. Elle se manifeste vers l'âge de 40 ans et présente le même tableau clinique que l'autre type. Chez les parents en ligne directe d'une personne atteinte de la maladie d'Alzheimer à début précoce (enfants, frères ou sœurs), les risques de contracter cette maladie sont deux fois plus grands (Maxmen, 1986 ; Shamoian et Teusink, 1987).

Delirium (délire)

Le delirium se caractérise par une altération passagère de la conscience allant d'une légère désorientation et d'une faible altération de la mémoire jusqu'à un état d'agitation accompagné d'une dégradation de l'attention, de la perception et des facultés intellectuelles. Le delirium s'accompagne souvent d'idées délirantes, d'illusions et d'hallucinations. Le delirium, qui est plus fréquent chez les jeunes enfants et chez les adultes d'âge avancé, peut néanmoins survenir à n'importe quel âge. Parfois, il peut s'accentuer en fin d'après-midi ou en début de soirée ; on appelle ce phénomène « syndrome crépusculaire » ou « syndrome vespéral » (Cleary, 1989).

Voici les critères diagnostiques du delirium établis par le DSM-III-R :

A. En plus de l'obnubilation de la conscience (obscurcissement de la conscience du monde extérieur) et de la diminution de la capacité de maintenir et de soutenir son attention ou de l'orienter vers les stimuli extérieurs, au moins deux de ces manifestations doivent être présentes :
  1. Anomalies de la perception : erreurs d'interprétation, illusions ou hallucinations ;
  2. Discours parfois incohérent ;
  3. Perturbation du rythme veille-sommeil, avec insomnie ou somnolence diurne ;
  4. Augmentation ou diminution de l'activité psychomotrice.

Le delirium peut être causé par un grand nombre de maladies physiologiques : déséquilibre métabolique, état infectieux, toxicomanie, syndrome de sevrage, troubles respiratoires ou cardiaques, troubles endocriniens, état post-opératoire ou traumatisme. L'incidence est difficile à déterminer, les causes sous-jacentes étant trop nombreuses. Mais on compte aux États-Unis au moins 100 000 cas par année ; d'après les évaluations, 1 p. cent de la totalité des admissions générales dans les hôpitaux serait attribuable à cette maladie. Chez les sujets de plus de 60 ans, cette incidence s'élève jusqu'à 40 p. cent (Dwyer, 1987 ; Ellison, 1984 ; Gomez et Gomez, 1987 ; Pallett et O'Brien, 1985).

Syndrome amnésique, syndrome thymique organique et psycho-syndrome organique

Le syndrome amnésique se caractérise par l'altération de la mémoire récente (antérograde) et de la mémoire ancienne (rétrograde), sans obnubilation de la conscience (comme dans le cas du delirium) ni perte générale des fonctions cognitives (comme dans le cas de démence). Les souvenirs immédiats peuvent être épargnés. Ce syndrome est relié à un facteur organique précis et l'étiologie en détermine l'issue. Les pathologies possibles comprennent : les traumatismes, l'hypoxie, l'encéphalite, les carences thiaminiques et l'alcoolisme chronique.

Le syndrome thymique organique ou syndrome affectif organique est caractérisé par la présence manifeste d'une perturbation organique qui se traduit par un trouble de l'humeur (manie ou dépression), sans obnubilation de la conscience ni perte importante des facultés cognitives, y compris la mémoire. Au nombre des étiologies sous-jacentes, citons l'exposition aux toxines, les troubles endocriniens et les maladies virales.

Le psycho-syndrome organique, ou trouble organique de la personnalité, se caractérise par une modification marquée du comportement ou de la personnalité causée généralement par des lésions cérébrales, sans obnubilation de la conscience ni perte importante des facultés cognitives. On peut remarquer cependant une labilité affective, la perte de la maîtrise des impulsions, l'apathie ou des idées de persécution (on compare ces trois syndromes au tableau 15-2).

Connaissances de base : Démence

La maladie d'Alzheimer constitue le type de démence le plus fréquent ; au Canada, on estime qu'au moins 10 000 sujets en meurent chaque année et qu'entre 100 000 et 300 000 sujets peuvent en être atteints à des degrés divers (Société Alzheimer, 1987). Elle « anéantit le cerveau, détruit la personnalité, engloutit les économies et remplit les foyers d'hébergement » (American Association of Retired Persons, 1986). Cette maladie, dont la cause est inconnue, demeure incurable. En général, la durée de la maladie varie de 5 à 10 ans, mais elle peut également se prolonger jusqu'à 20 ans (Committee on Aging, 1988).

La maladie d'Alzheimer comporte, en général, trois étapes. La première dure habituellement de 2 à 4 ans, la deuxième peut se poursuivre pendant des années et la troisième ne dure qu'une année avant que la mort ne survienne.

La démence par infarctus multiples (plurila-cunaire) présente les mêmes caractéristiques que la maladie d'Alzheimer. Cette dernière étant plus répandue, nous l'avons choisie comme modèle.

Caractéristiques comportementales

Les modifications comportementales les plus notables au cours de la première étape concernent les difficultés à accomplir des tâches complexes. La personne atteinte est incapable de tenir à jour son compte bancaire ou de préparer des repas équilibrés. Elle oublie de faire les courses ou se montre incapable de se plier aux horaires de la maison. Au travail, elle a beaucoup de mal à tenir compte des objectifs visés. Elle oublie ses rendez-vous ; ses rapports, écrits ou verbaux, sont incomplets. Elle néglige sa tenue et il faut l'aider à choisir les vêtements qui conviennent. Au cours de cette première étape, les malades sont conscients de leur confusion et ce qui leur arrive les effraie. Pour éviter le diagnostic, ils essaient de masquer leur trouble et de rationaliser leurs symptômes (Joyce et Kirksey, 1989 ; Kiely, 1985 ; Williams, 1986).

Pendant la deuxième étape, le comportement se détériore de façon marquée, jusqu'au point où il devient inacceptable sur le plan social et où il embarrasse la famille et les amis. Le malade se met à errer, ce qui peut être dangereux, car ces personnes ont tendance à s'égarer et à ne plus pouvoir retrouver leur chemin. Au cours de cette étape, il faut aider ces clients à se rendre aux toilettes, à effectuer leurs soins d'hygiène, à choisir leurs vêtements et à s'habiller. Cette incapacité d'exécuter des mouvements volontaires et intentionnels porte le nom d'apraxie. On remarque également des signes d'hyperoralité, c'est-à-dire le besoin de porter des petits objets à la bouche, de les goûter ou de les mâcher. L'appétit et la quantité de nourriture consommée augmentent sensiblement sans que le poids change. À cette étape, le malade gesticule sans arrêt, mais ses gestes sont répétitifs et dépourvus de sens ou d'intention. Cette gesticulation incessante et répétitive – qui peut comprendre la succion des lèvres, les tapotements des doigts, les va-et-vient ou la répétition comme un perroquet des paroles des autres – porte le nom de « phéno-mène de persévération » (Hall, 1988 ; Williams, 1986).

À la troisième étape de la maladie, l'hyper-oralité se poursuit et la boulimie devient manifeste. Le comportement est également marqué par une hypermétamorphose, c'est-à-dire le besoin compulsif de toucher et d'examiner tous les objets de l'environnement. L'activité motrice se détériore fortement. Le malade pert sa capacité de marcher, de s'asseoir et même de sourire (Joyce et Kirksey, 1989 ; Williams, 1986).

Caractéristiques affectives

Au début, les victimes de la maladie d'Alzheimer ressentent souvent de l'anxiété et de la dépression, car ils sont conscients de ce qui leur arrive et ils essaient de surmonter les symptômes. Ces symptômes entraînent fréquemment des sentiments d'impuissance, de frustration ou de honte. Il est important de diagnostiquer la présence d'une dépression concomitante, car elle peut aggraver les symptômes de la démence. Pendant la première étape de la maladie, les communications verbale et non verbale spontanées disparaissent graduellement. De ce fait, le malade s'isole, de gré ou de force, et il devient apathique.

Pendant la deuxième étape, la labilité affective devient de plus en plus grande et on observe des fluctuations entre l'affect émoussé et l'affect très irritable. Les idées de persécution peuvent provoquer une peur intense. Le catastrophisme, engendré par le dysfonctionnement cérébral sous-jacent, est une réaction commune. La personne réagit à des situations courantes par des crises de colère ou des crises soudaines de larmes. Lors de la troisième étape, les réactions aux stimulations de l'environnement s'affaiblissent graduellement et le malade finit par ne plus réagir du tout (Burnside, 1988 ; Satlin, 1988).

Caractéristiques cognitives

Pendant la première étape, l'altération de la mémoire accompagnée d'une baisse de la concentration et d'une augmentation de l'inattention est le principal déficit cognitif ; le malade semble égaré. Sa capacité de discernement se détériore de plus en plus ; il présente une désorientation temporelle, mais conserve l'orientation dans l'espace et la reconnaissance des personnes. L'altération de la mémoire peut provoquer des idées de persécution passagères (Hall, 1988). C'est ainsi que le malade va porter des accusations comme : «Tu as caché mes clefs. Tu ne veux pas que je conduise la voiture !» ou «Où sont mes chaussures ? Tout le monde cache mes affaires, on veut me rendre fou !» ou «Pourquoi tu ne m'as pas dit que nous étions invités ce soir ? Tu ne veux pas que j'y aille et que je m'amuse.»

Pendant la deuxième étape, la mémoire récente et ancienne se dégrade graduellement. La personne est incapable de fixer les nouvelles données et de se rappeler ce qui s'est passé dix minutes ou une heure auparavant. La perte de la mémoire ancienne est manifeste lorsque le malade ne reconnaît plus les membres de sa famille ou ne se souvient plus des événements importants antérieurs. On appelle «confabulation» les souvenirs fictifs que le malade forme pour combler les lacunes de la mémoire et camoufler ce déficit aux yeux des autres. Pendant cette étape, il commence à ne plus comprendre le sens des mots communs et à oublier à quoi servent les articles domestiques ; ses interactions diminuent également de façon marquée. Au cours de cette étape, le malade perd totalement l'orientation spatio-temporelle et n'est plus capable de reconnaître les personnes.

Au fur et à mesure que la maladie évolue, l'aphasie s'aggrave. Au départ, le malade est incapable de trouver ses mots ; son vocabulaire se trouve rapidement réduit à environ six mots. Le malade est incapable de nommer les objets (aphasie nominale) et il substitue incorrectement un mot à un autre (paraphasie). Puis certaines parties du langage se perdent (noms, verbes...) et le discours devient inintelligible. Chez la plupart des patients atteints d'aphasie expressive, la capacité de nommer correctement les objets diminue. En cas d'aphasie nominale, le sujet peut appeler un ou plusieurs objets en utilisant un mot incorrect ou en expliquant la fonction faute de pouvoir se souvenir du nom (Dastoor, D., *Nursing Québec*, 1989 p. 14). Ces troubles s'accompagnent d'agraphie (incapacité de lire ou d'écrire) et, en dernier lieu, d'agnosie (incapacité de reconnaître les stimuli perceptuels).

D'après la conversation qui suit, on peut voir comment se manifeste l'aphasie chez une cliente souffrant de la maladie d'Alzheimer. Marie peut se souvenir de plusieurs mots, mais est incapable de trouver celui qui convient.

Hélène téléphone à sa mère, Marie, pour savoir ce qu'elle fait.

HÉLÈNE : On dirait que tu es en train de manger, maman. Qu'est-ce que tu manges ?

MARIE : Je ne sais plus comment ça s'appelle.

HÉLÈNE : C'est chaud ou froid ?

MARIE : Froid.

HÉLÈNE : Tu l'as pris dans le réfrigérateur ?

MARIE : Non.

HÉLÈNE : C'est un sandwich ?

MARIE : Pas vraiment. J'ai mis du beurre.

HÉLÈNE : Ce sont des craquelins ?

MARIE : Non. J'en achetais souvent pour mettre au congélateur.

HÉLÈNE : Des biscuits ?

MARIE : Non. Devine encore. Tu brûles !

HÉLÈNE : Du pain ?

MARIE : Non. D'habitude, c'est au petit déjeuner que j'en mange. Je viens d'en prendre la dernière tranche.

HÉLÈNE : Du gâteau danois !

MARIE : Oui, c'est ça !

Pendant la troisième étape de la maladie d'Alzheimer, les fonctions cognitives se détériorent complètement. La personne peut être capable de prononcer à la rigueur un seul mot. La réaction non verbale aux stimulations internes et externes cesse et le malade entre dans un état végétatif.

M. Savard, ingénieur, 67 ans, a commencé par oublier où il plaçait les objets de la maison et, comme nous l'a dit sa femme, il avait du mal à tenir son compte de banque à jour. Au travail, ses collègues avaient remarqué que son jugement s'altérait. M. Savard avait tendance à blâmer les autres pour son incapacité à mener à bien ses tâches habituelles. Moins de deux ans plus tard, Mme Savard devait poser des étiquettes sur tous les objets de la maison pour permettre à son mari de les reconnaître. Les sons qu'il ne reconnaissait plus l'effrayaient. Il avait besoin qu'on l'aide à manger, à se laver et à s'habiller et il fallait le surveiller constamment parce qu'il s'était mis à errer. Mme Savard s'était aperçue qu'un horaire régulier pouvait être utile et elle ne cessait de répéter : «Mon mari n'a pas complètement perdu la tête. Il suffit que je le tire de ses pensées et que je le ramène à moi.»

(Nous comparons au tableau 15-3 les modifications engendrées par le vieillissement normal et celles engendrées par la maladie d'Alzheimer.)

Caractéristiques physiologiques

La détérioration du SNC entraîne des changements physiques dans l'organisme tout entier. Les personnes souffrant de démence présentent une hy-

Tableau 15-3   *Modifications engendrées par le vieillissement normal et par la maladie d'Alzheimer*

Vieillissement normal	Maladie d'Alzheimer
L'altération de la mémoire récente est plus marquée que celle de la mémoire ancienne.	L'altération de la mémoire récente ainsi que celle de la mémoire ancienne sont tout aussi graves.
La personne a du mal à se souvenir des noms des personnes et des lieux.	La personne est incapable de se rappeler les noms des personnes et des lieux.
La concentration diminue.	La personne est incapable de se concentrer.
Les mots écrits aident à stimuler la mémoire.	La personne est incapable d'écrire ; la stimulation de la mémoire par n'importe quel moyen devient impossible.
Les modifications ne perturbent pas la vie quotidienne.	Les modifications provoquent une incapacité de travailler, d'établir des relations sociales et de fonctionner à la maison.
La personne est consciente de ses oublis.	À mesure que la maladie évolue, la personne perd toute notion des changements qui se sont produits.

Source : Cohen, 1988 : Committee on Aging, 1988 ; Joyce, Kirksey, 1989.

pertonie, augmentation du tonus musculaire qui se traduit par des soubresauts. Elles manquent d'énergie et toute activité physique provoque une fatigue accrue. Le cycle veille-sommeil est altéré : la durée totale du sommeil diminue et les périodes d'éveil se multiplient. Cette perturbation entraîne un manque de sommeil qui accentue l'altération des fonctions cognitives. Avec l'évolution de la maladie apparaît l'incontinence fécale et urinaire. Lors de la dernière étape, l'anorexie entraîne la cachexie. La mort est généralement causée par la pneumonie, les infections urinaires (qui provoquent des septicémies), la malnutrition ou la déshydratation (Hall, 1988 ; Hoch et Reynolds, 1986 ; Williams, 1986).

Les changements pathophysiologiques reliés à la maladie d'Alzheimer sont dégénératifs et ils finissent par causer une atrophie prononcée du cortex cérébral. Les jonctions interneuronales se recouvrent d'un dépôt de protéine amyloïde (substance analogue à l'amidon) qui forme des noyaux entourés de neurofilaments amyélinisés anormaux que l'on appelle «plaques séniles». Ces plaques semblent empêcher la transmission des influx nerveux par les neurones. De plus, les neurones intercalaires s'épaississent et les neurofilaments s'entortillent en formant des nœuds.

Ces nœuds causent une atrophie et entravent, eux aussi, la transmission neuronale. Lors de l'autopsie, il est facile de reconnaître les changements pathophysiologiques causés par la maladie d'Alzheimer. Cependant, lorsqu'on soupçonne cette maladie chez un client, on ne peut poser un diagnostic qu'en procédant par élimination, après un examen physique et neurologique complet. Seule, une biopsie cérébrale, procédé effractif dangereux, permet de diagnostiquer de façon incontestable les modifications microscopiques qui se sont produites dans le cerveau du malade. Dans la phase avancée de la maladie, une tomodensitométrie cérébrale permet de déceler l'atrophie marquée du cerveau avec des sillons larges et des ventricules dilatés (Committee on Aging, 1988 ; Hutton, 1987).

Environ 20 p. cent des adultes d'âge avancé qui souffrent de démence subissent une détérioration de leurs facultés mentales liée à une maladie des vaisseaux sanguins ou à une athérosclérose cérébrale. Le rétrécissement des artères cérébrales entraîne des infarctus multiples, d'où le nom de démence par infarctus multiples ou plurilacunaire. Chez les victimes de ce type de démence, le déclin est beaucoup moins rapide que chez les personnes atteintes de la maladie d'Alzheimer. Elles peuvent également présenter un plus grand nombre de symptômes cérébraux localisés que les sujets atteints de la maladie d'Alzheimer, chez qui les symptômes sont plutôt généralisés (Pallett et O'Brien, 1985).

Comme on l'a mentionné plus haut, les facteurs pathophysiologiques liés aux formes de démences moins courantes ont comme origine des troubles dégénératifs du système nerveux comme la maladie de Parkinson, la maladie de Huntington, la sclérose en plaques ou des néoplasmes du SNC. La maladie de Pick est un trouble cérébral dégénératif qui présente des symptômes analogues à ceux de la maladie d'Alzheimer, tout comme la maladie de Creutzfeldt-Jakob, qui a pour facteur étiologique un virus lent.

Ce chapitre porte essentiellement sur les démences chroniques, évolutives et incurables. Il existe cependant plusieurs troubles réversibles qui peuvent passer pour une démence. Ces troubles, appelés « **pseudodémences** », ont comme cause la dépression, l'intolérance médicamenteuse, les troubles métaboliques, les infections et les carences nutritionnelles. La bronchopneumopathie chronique et la cardiopathie peuvent entraîner une hypoxie cérébrale et des symptômes de démence. Il est impératif que ces troubles soient reconnus et distingués de la démence incurable. Seul un bon diagnostic permet d'amorcer le traitement approprié (Ellison, 1984 ; Ronsman, 1988).

Caractéristiques socioculturelles

La démence évolutive ne ressemble pas à la plupart des autres troubles psychiatriques, car les caractéristiques familiales ne semblent pas prédisposer à la maladie (sauf lorsque des facteurs génétiques sont en cause). On soupçonne l'existence d'un élément génétique bien que la maladie d'Alzheimer ne semble pas avoir une origine héréditaire précise. Les risques chez les adultes sont d'environ 1 p. cent ; lorsqu'un proche parent est atteint de la

maladie, les risques sont quatre fois plus grands. Les risques de contracter cette maladie chez les enfants de parents atteints de la maladie d'Alzheimer à début précoce (MAF) sont de 50 p. cent (Alzheimer Association, 1988 ; Maxmen, 1986).

Les membres de la famille sont les principaux intervenants à long terme chez les personnes qui souffrent de démence. Dans la plupart des cas, les malades sont d'âge avancé, ce qui signifie que les soignants sont eux-mêmes âgés ou d'âge mûr. Il s'agit le plus souvent de femmes âgées qui n'ont pas toujours la force ni l'énergie nécessaires pour faire face à la situation. Les enfants d'âge mûr, des filles dans la majorité des cas, doivent surmonter les difficultés de leur propre développement en plus de faire face à l'inversion des rôles, lorsque l'un des parents devient dépendant (Given, Collins et Given, 1988 ; Mann, 1985) (voir le chapitre 6).

Les changements engendrés par la démence peuvent paraître exorbitants à la famille déjà terriblement éprouvée par la détérioration graduelle d'un être cher. Le degré de perturbation du malade est tel que la famille doit prendre la situation en mains et se charger de toutes les décisions, y compris les questions d'ordre juridique comme la curatelle et les procurations. Comme une surveillance constante s'impose, les membres de la famille sont confinés à la maison et la situation peut se dégrader jusqu'au point où ils sont forcés de ne plus voir leurs amis, de peur que la conduite inacceptable du malade ne les offusque. Le stress subi par la famille est d'autant plus grand que le malade est incapable d'exprimer sa gratitude pour les soins et l'attention qu'il reçoit et qu'il est constamment irritable et prêt à critiquer (Hall, 1988).

Beaucoup de familles finissent par s'épuiser et par éprouver des troubles affectifs et physiques et des problèmes financiers. Le sentiment de perte prédomine, et les membres de la famille ne disposent plus de temps ni d'argent. Par ailleurs, il leur est impossible de ménager leur énergie et de dormir suffisamment. À la perte de la relation avec l'être cher vient souvent s'ajouter la perte des relations avec les amis. La modification radicale du mode de vie accentue davantage ce sentiment de perte. La famille peut se sentir accablée par la colère, la culpabilité, l'impuissance et le chagrin. C'est alors qu'elle doit prendre la pénible décision de placer le malade dans un centre d'accueil. Souvent, c'est une démarche indispensable pour le maintien de la santé mentale et physique de tous les autres membres de la famille. L'aspect financier joue un rôle important dans cette décision. Le placement de longue durée finit par épuiser les économies de la famille, et le déficit financier qu'il entraîne peut engendrer un stress plus grand que si l'on gardait le malade à la maison. Grâce aux organismes d'entraide comme la Société Alzheimer et à des publications comme *La maladie d'Alzheimer. Renseignements à l'intention des familles* (Société Alzheimer du Canada, 1987), la famille peut trouver le soutien dont elle a tant besoin (Given, Collins et Given, 1988 ; Gabow, 1989 ; Wilson, 1989). On peut également demander de l'aide en s'adressant à la Société Alzheimer de Montréal ou à la Société Alzheimer de Québec.

Théories de la causalité

On entreprend actuellement des recherches très poussées sur les facteurs étiologiques de la démence et surtout de la maladie d'Alzheimer. Outre les éléments génétiques, on explore à présent diverses étiologies possibles. On a récemment découvert que l'enzyme de synthèse de l'acétylcholine, la choline-acétyltransférase, n'existe pas chez les sujets atteints de la maladie d'Alzheimer. L'hippocampe, petit amas de cellules cérébrales qui joue un rôle considérable dans le processus de la mémoire, ne peut fonctionner en l'absence de l'acétylcholine. Il semblerait que des facteurs environnementaux (exposition aux métaux, traumatisme crânien et virus lent) jouent également un rôle dans l'apparition de la démence (Alzheimer Association, 1988 ; Cohen, 1988 ; Schneider et Emr, 1985).

De nouveaux résultats ont confirmé la présence d'un marqueur génétique dans le cas de la maladie d'Alzheimer de type héréditaire. Ce marqueur, situé sur le chromosome 21, semble envoyer des messages erronés au gène amyloïde adjacent, qui produirait alors un excès de protéine amyloïde. D'après cette théorie, la substance amyloïde s'accumulerait dans le cerveau en formant des plaques, ce qui provoquerait la destruction des cellules cérébrales. On constate d'ailleurs avec étonnement que les victimes de la maladie de Down, qui présentent une anomalie du chromosome 21, sont aussi, vers la quarantaine, fortement prédisposées à la maladie d'Alzheimer (Glenner, 1988).

Traitement médical

On traite les pseudodémences par la correction du trouble sous-jacent. Bien que certaines démences, comme la maladie d'Alzheimer, soient encore incurables, on recommande plusieurs traitements, y compris un régime alimentaire équilibré. Lors d'un certain nombre d'études de portée limitée, on a donné aux clients des aliments riches en précurseurs d'acétylcholine comme du jaune d'œuf, mais les résultats ont été peu concluants. En ce qui a trait à l'hypothèse portant sur l'exposition aux métaux, des chercheurs traitent à titre expérimental certains clients avec des chélateurs qui lient l'aluminium, facilitant ainsi son élimination de l'organisme.

On expérimente actuellement une pharmacothérapie à base d'acétylcholine ou d'agonistes de l'acétylcholine. On administre aussi à titre expérimental des substances anticholinestérasiques qui agissent sur le système nerveux central comme la physostigmine et la tétrahydroaminoacridine (THA). Jusqu'ici, c'est par la THA qu'on a obtenu les meilleurs résultats. On a également mis à l'essai des stimulateurs de la mémoire, comme la vasopressine, et des vasodilatateurs, comme les mésylates d'ergoloïdes et la papavérine, mais leur efficacité n'a pas été confirmée. Les psychostimulants peuvent accroître la vigilance, corriger la dysthymie et améliorer l'activité locomotrice sans toutefois rétablir les fonctions cognitives. D'après les dernières recherches, le traitement à la thiamine améliorerait légèrement les fonctions cognitives ou retarderait leur détérioration. Une dépression concomitante pouvant aggraver les incapacités fonctionnelles, on prescrit des antidépresseurs aux clients qui en présentent des symptômes. Chez les clients en proie à une grande agitation ou à des idées paranoïdes, on peut avoir recours à des médicaments antipsychotiques. Cependant, les hypnotiques sont à déconseiller chez les malades qui éprouvent des troubles de sommeil, car ces médicaments n'améliorent pas le rythme du sommeil et, souvent, accentuent même la confusion et provoquent de l'assoupissement pendant les périodes d'éveil (Billig, 1988 ; Blass, 1988 ; Satlin, 1988).

Il est évident que les traitements médicaux portant sur les causes sous-jacentes de la démence sont encore au stade expérimental et que les résultats restent peu concluants. Les autres traitements sont, au mieux, palliatifs. Une attitude attentionnée de la part des intervenants reste encore la meilleure approche thérapeutique chez les clients et les personnes clés de leur entourage.

Connaissances de base : Delirium (délire)

Le delirium apparaît brusquement et ne dure habituellement qu'une semaine environ si la maladie sous-jacente est traitée. Une intervention médicale rapide est vitale pour prévenir les lésions cérébrales ou la mort. L'évolution du trouble est fluctuante : des périodes de cohérence alternent avec des périodes de confusion.

Caractéristiques comportementales

Les clients atteints de delirium manifestent généralement une perturbation de l'activité psychomotrice, accompagnée de la perte de la maîtrise des impulsions. Certains malades sont apathiques et renfermés, d'autres sont agités et trémulants ; d'autres encore oscillent rapidement entre l'apathie et l'agitation. Le discours est soit limité et monotone, soit incohérent et précipité. Dans certains cas, l'agitation sous-jacente incite le malade à tirer continuellement sur ses vêtements ou sur les draps. L'état d'agitation qui accompagne les changements cognitifs rend toute tâche difficile à accomplir (Dwyer, 1987 ; Ellison, 1984).

Un comportement bizarre et destructif, qui s'accentue au cours de la nuit, peut apparaître lorsque les clients essaient de se défendre contre des hallucinations ou des illusions effroyables. Le malade délirant appelle au secours, frappe les autres personnes ou essaie même de se jeter par la fenêtre (Pallett et O'Brien, 1985).

Depuis les deux derniers jours, le comportement de Marie est très labile. À certains moments, c'est à peine si elle répond aux questions ou aux stimulations de l'extérieur. À d'autres, surtout la nuit, elle devient très agitée et n'arrête pas de vociférer. Elle injurie les infirmières et, deux minutes après, elle les supplie de lui venir en aide. Elle crie souvent qu'il y a des serpents qui rampent sur son lit et elle essaie de les frapper.

Caractéristiques affectives

Chez le client atteint de delirium, l'affect peut osciller entre l'apathie et l'euphorie en passant par des épisodes de forte irritabilité ; l'humeur est très labile et les brusques sautes d'humeur sont fréquentes. Par suite de l'atteinte du SNC, une tristesse profonde et des pleurs peuvent brusquement succéder au rire. Chez ces clients, la peur prédomine. Les fausses interprétations, les illusions et les hallucinations sont impressionnantes et extrêmement effrayantes (Pallett et O'Brien, 1985).

Lorsque Marie, en proie à des hallucinations visuelles, croit que des serpents rampent sur son lit, elle est terrifiée. Elle supplie qu'on vienne l'aider à chasser les serpents et la protéger. Pendant les périodes de lucidité, Marie raconte à l'infirmière qu'elle avait très peur des serpents quand elle était petite, ce qui augmente son agitation pendant les épisodes d'hallucination.

Caractéristiques cognitives

Selon le DSM-III-R, le delirium se caractérise par un obscurcissement de la conscience accompagné d'une absence de reconnaissance du monde extérieur. La confusion légère, qui apparaît au début, fait place graduellement à l'affaiblissement de la vigilance puis à la perte complète d'intérêt pour l'entourage et, enfin, à un état de stupeur ou à un état semi-comateux. Les clients se trouvent généralement désorientés dans l'espace et dans le temps et ne reconnaissent plus les personnes. La mémoire récente est altérée tandis que la mémoire ancienne demeure généralement intacte. On peut noter des épisodes de confabulation visant à masquer les trous de mémoire.

Les clients délirants sont incapables de se concentrer et la distraction est fréquente, ce qui rend les interactions difficiles sinon impossibles. Les opérations de la pensée sont perturbées et le client est incapable de penser de façon logique et cohérente. La perte des capacités de jugement et de raisonnement rend le client incapable de prendre des décisions. La pensée abstraite se détériore également.

Chez presque tous les clients atteints de delirium, la perception des stimulations sensorielles étant faussée, les troubles perceptuels visuels ou auditifs sont fréquents. Par exemple, ces clients peuvent prendre des étrangers pour des amis ou des membres de la famille. Les hallucinations visuelles sont fréquentes et peuvent avoir pour objet des personnes, des animaux, des objets, des éclairs et des taches de couleurs. Le malade est incapable de distinguer ces illusions et ces hallucinations de la réalité. Souvent, ces manifestations se prolongent au cours du sommeil et les clients font mention de cauchemars terrifiants (Dwyer, 1987 ; Gomez et Gomez, 1987 ; Pallett et O'Brien, 1985).

> *Madeleine, 18 ans, est émaciée et anorexique. Son taux de glycémie est de 40 mg. Elle est en proie à une forte agitation et son discours est incohérent. Elle parle sans cesse à des personnes absentes, ce qui l'empêche de fournir ses antécédents. Bien qu'elle se souvienne de son nom, elle ne sait pas où elle se trouve ni ne reconnaît son ami qui l'a conduite à l'hôpital. Elle est convaincue que Daniel, l'aide-infirmier, est son ami.*

Caractéristiques physiologiques

Chez les clients qui souffrent de delirium, le cycle veille-sommeil est perturbé. Certains souffrent d'hypersomnie et dorment profondément le jour comme la nuit ; d'autres souffrent d'insomnie et leur sommeil diurne et nocturne est perturbé.

On note également des signes manifestes du système nerveux autonome, dont l'élévation de la fréquence cardiaque et de la tension artérielle, des rougeurs au visage, une mydriase et de la sudation. Le trouble sous-jacent peut produire une modification de la profondeur ou de la fréquence des respirations par suite de la dépression du tronc cérébral ou de l'effort de l'organisme pour maintenir l'équilibre acidobasique.

Chez ces clients, les tremblements désordonnés de tout le corps sont fréquents. La myoclonie, c'est-à-dire des spasmes soudains et prononcés des muscles, peut se produire au repos. Ces spasmes, qui résultent d'une irritation du cortex cérébral, sont plus fréquents au niveau du visage et des épaules, mais ils peuvent toucher n'importe quelle partie du corps. Si la main est en hyperextension, il se produit une flexion palmaire appelée *asterixis*. Les convulsions généralisées sont également fréquentes (Pallett et O'Brien, 1985).

Caractéristiques socioculturelles

L'apparition soudaine et généralement inexplicable du delirium suscite le plus souvent de l'anxiété et de la peur. Souvent, la famille ne sait pas comment réagir à l'agitation, au discours précipité, au comportement destructeur et à la labilité affective du malade. La désorientation, les fausses interprétations, les illusions et les hallucinations sont tout aussi déroutantes. Les clients délirants étant incapables de prendre des décisions, leur famille doit assumer pendant un certain temps cette responsabilité. Durant cette période critique, l'infirmière peut grandement aider les membres de la famille par son soutien moral et par les renseignements qu'elle leur fournit.

Théories de la causalité

Un grand nombre de maladies qui touchent le SNC peuvent provoquer un delirium. Le métabolisme cérébral est altéré faute d'une quantité suffisante d'oxygène, de glucose et de cofacteurs métaboliques. L'hypoxie cérébrale peut être causée par la bronchopneumopathie, l'anémie ou l'oxycarbonisme. La diminution du débit sanguin cérébral provoque une ischémie du SNC. L'ischémie peut aussi être causée par des arythmies, l'arrêt cardiaque, l'insuffisance cardiaque, l'embolie pulmonaire, la diminution du volume sanguin total, le lupus érythémateux aigu disséminé ou l'endocardite lente. À cause d'un épisode d'hypoglycémie, le taux de glucose peut ne plus suffire au métabolisme cérébral. Certains cofacteurs métaboliques sont essentiels à l'activité des enzymes du cerveau. Parmi ceux qui peuvent être déficitaires, citons la thiamine, la niacine, la pyridoxine, le folate et la vitamine B_{12} (Pallett et O'Brien, 1985).

Les troubles de la thyroïde, de la parathyroïde et des glandes surrénales peuvent provoquer le delirium. Les insuffisances hépatique et rénale peuvent être des troubles favorisants. Le déséquilibre hydro-électrolytique, particulièrement l'acidose, l'alcalose ou le déséquilibre potassique, sodique, magnésique et calcique, peut également précipiter le delirium. L'intoxication par certaines substances comme l'alcool, les sédatifs, les antihistamines, les parasympatholytiques, les opiacés, les psychotoniques, la digitale, les antidépresseurs et les métaux lourds peut également déclencher le delirium (on traite aux chapitres 12 et 13 de l'alcoolisme et de l'abus de drogues). Un trouble du SNC, direct ou primaire, comme un traumatisme, une infection, une hémorragie, un néoplasme ou une crise d'épilepsie partielle, peut facilement causer le delirium. On a également attribué l'apparition du delirium à l'administration de médicaments antihypertenseurs et antiparkinsoniens. On a noté des cas où le delirium est survenu dans les unités de soins intensifs et on lui a donné le nom de *psychose des soins intensifs* (Dwyer, 1987 ; Ellison, 1984).

Traitement médical

Le traitement médical du delirium passe par le diagnostic rapide de l'étiologie. Le traitement vise l'élimination de la substance en cause, la stabilisation de l'état du client dans le cas d'un traumatisme, l'administration d'antibiotiques pour combattre l'infection, le rétablissement de l'équilibre métabolique et de la nutrition.

Collecte des données

Pour effectuer la collecte des données des clients atteints de troubles cérébraux organiques, l'infirmière doit souvent faire preuve d'ingéniosité et de patience. Certains clients sont capables de répondre adéquatement si les questions sont simples et si on leur accorde suffisamment de temps. D'autres sont

si désorientés et en proie à une si grande confusion qu'ils sont incapables de le faire. Dans ce cas, l'infirmière doit s'adresser aux membres de la famille pour obtenir les données nécessaires.

Nous donnons ici deux exemples de bilan de santé. Il est bien évident que les questions proposées dans le premier devraient être adaptées selon les capacités de compréhension du client. La collecte de données réalisée auprès de la famille fournit des renseignements indispensables à la juste évaluation du client. On trouve au tableau 15-4 les directives concernant l'examen physique qu'il faut effectuer chez tous les clients atteints de troubles organiques cérébraux.

 BILAN DE SANTÉ
Clients atteints d'un trouble organique cérébral

Données sur le comportement
Avez-vous besoin d'aide pour vous laver ? Pour aller aux toilettes ? Pour vous habiller ? Pour manger ?
Tenue et apparence :
Décrivez vos difficultés lorsque vous devez exécuter une tâche complexe à la maison et au travail.
Quels commentaires fait-on sur votre comportement ?
Donnez un exemple de situation qui, récemment, a engendré chez vous un état de confusion ?
Vous est-il déjà arrivé de vous perdre en allant vous promener ?
Quelle quantité de nourriture consommez-vous généralement au cours d'une journée ?
Quand êtes-vous porté à sauter un repas ?
Quand êtes-vous porté à trop manger ?
Vomissez-vous après avoir trop mangé ?
Quel genre d'objets êtes-vous porté à examiner avec vos mains ?
Comment vous protégez-vous lorsque vous avez peur ?

Données sur l'état affectif
Quelles sont les situations qui suscitent chez vous de l'anxiété ?
Quand est-ce que vous vous sentez triste ?
Êtes-vous souvent irrité ?
Quelles sont vos principales sources de frustration dans la vie ?
Quels sentiments fait naître en vous l'idée de la vieillesse ?

Données sur l'état cognitif
Quel mois sommes-nous ?

Quelle année ?

Quel est le nom du premier ministre du Québec ?

Quel est votre numéro de téléphone (ou votre adresse) ?

Où vous trouvez-vous actuellement ?

Quels sont vos nom et prénom ?

Qu'avez-vous fait ce matin ?

À quoi sert (montrez les objets au client) : un peigne ? une brosse à dents ? un crayon ? un annuaire de téléphone ? une chaussure ?

Que veut dire ce proverbe : « Il voit la paille dans l'œil du voisin et ne voit pas la poutre dans le sien. » ?

En quoi la rose, l'œillet et le lys sont-ils semblables ?

En quoi une automobile et un avion sont-ils différents ?

Que feriez-vous si, à l'instant même, vous entendiez quelqu'un crier « Au feu ! » ?

Que feriez-vous s'il vous arrivait de trouver sur le trottoir une enveloppe affranchie et pré-adressée ?

Comptez à partir de cent : 93, 86, 79, etc., de sept en sept.

Répétez les cinq nombres suivants : 3, 10, 17, 22, 29.

Qu'est-ce que vous voyez que les autres ne voient pas ?

Décrivez ce qui vous effraie.

Parlez-moi de vos rêves.

BILAN DE SANTÉ
Données provenant de la famille du client atteint d'un trouble organique cérébral

Données sur le comportement

Combien d'aide faut-il fournir au malade lors de l'exécution des activités de la vie quotidienne ?

Quelles sont les situations où le comportement du malade vous embarrasse ?

Parlez-moi de ses fugues.

Quelles sont les activités psychomotrices qu'il a du mal à accomplir ?

Porte-t-il des objets à la bouche ?

Touche-t-il tout ce qui est à la portée de la main ?

Fait-il des mouvements répétitifs ? Lesquels ?

Quelle est la quantité d'aliments qu'il consomme au cours d'une journée.

Des épisodes de jeûne alternent-ils avec des épisodes de suralimentation ?

Est-il capable de marcher ? de s'asseoir ?

Décrivez ses relations avec son entourage.

Est-il renfermé ? agité ? aggressif ?

Est-ce que les troubles de comportement s'aggravent la nuit ?

Données sur l'état affectif

Quel est le degré de spontanéité avec lequel il réagit aux stimuli verbaux et non verbaux ?

Vous semble-t-il anxieux ?

Vous semble-t-il déprimé ?

Devient-il plus irritable ?

Avez-vous remarqué des sautes d'humeur excessives ? Décrivez-les.

Données sur l'état cognitif

Sa capacité de concentration a-t-elle changé ?

Donnez des exemples de désorientation spatio-temporelle et de non-reconnaissance des personnes.

Décrivez des situations où le malade devient méfiant.

Donnez un exemple de perte de la mémoire récente.

Donnez un exemple de perte de la mémoire ancienne.

Est-ce qu'il arrive au malade d'inventer des réponses s'il est incapable de se rappeler certains faits ?

A-t-il du mal à nommer correctement les objets ?

Peut-il encore lire et écrire ?

Est-il encore capable de reconnaître les bruits habituels ?

Donnez des exemples de décisions irrationnelles.

Dit-il apercevoir des choses que les autres ne voient pas ? Donnez des exemples.

Lui est-il arrivé de prendre des étrangers pour des membres de la famille ? Donnez des exemples.

Données sur la vie socioculturelle

Existe-t-il des antécédents de trouble cérébral organique dans la famille ?

Quels étaient les passe-temps du malade ? ses domaines d'intérêt ? ses activités en famille ?

Quelle est la personne qui le soigne ?

Quels sont les problèmes que les soins soulèvent (affectifs, physiques, financiers).

Décrivez les aspects positifs de la prestation de soins au parent malade.

Quels sont les réseaux de soutien auxquels vous pouvez avoir recours : famille ? amis ? membres du clergé ? groupe d'entraide ?

Quelles sont les démarches que vous avez déjà entreprises à propos d'un éventuel hébergement ?

Quels autres types de dispositions pourriez-vous prendre ?

Qui, dans votre famille, doit prendre ces décisions ?

La charge de soins est-elle équitablement répartie entre tous les membres de la famille ?

Tableau 15-4 *Examen physique du client atteint d'un trouble organique cérébral*

Effectuer un examen complet en portant une attention particulière aux points suivants :

Activité psychomotrice
  Agitation
  Tremblements
  Hypertonie
  Myoclonie
  Asterixis
  Convulsions
  Démarche
  Apraxie
  Hyperoralité
  Persévération

Discours
  Lent et monotone
  Rapide et précipité

État de conscience
  Décrire

Incontinence
  Fécale et urinaire

Système cardiovasculaire et respiratoire
  Pouls apical
  Tension artérielle
  Respiration : fréquence ? profondeur ? rythme ?

Preuves supplémentaires d'une physiopathologie sous-jacente
  Traumatisme récent
  Prise récente : médicaments, alcool
  Sevrage récent : alcool, drogue

Analyses de laboratoire
  On doit effectuer et évaluer les épreuves suivantes :
  Numération globulaire
  Glycémie
  Gazométrie sanguine
  pH sanguin
  Électrolytes sériques
  Calcium sérique
  Phosphate sérique
  Azote uréique du sang
  Exploration de la fonction hépatique
  Exploration de la fonction thyroïdienne

Analyse des données et planification des soins

La collecte de données permet à l'infirmière d'établir un plan de soins personnalisé. En cas de delirium réversible, il faut tout mettre en œuvre pour prévenir les lésions cérébrales permanentes ou la mort. Le delirium étant une affection aiguë et passagère, il faut établir des objectifs de soins à court terme. Par ailleurs, les interventions médicales et infirmières viseront, à long terme, la correction de la pathologie sous-jacente. Lors du traitement des clients atteints de démence irréversible, il faut faire appel à deux principes directeurs : la patience et la compassion. Bien qu'il s'agisse d'une maladie évolutive, à issue fatale, il est important de soutenir le client et de l'encourager afin qu'il conserve le niveau de fonctionnement le plus élevé possible.

L'approche multidisciplinaire est l'approche la plus efficace pour soigner le client dément. L'orthophoniste peut ralentir l'aphasie et rétablir partiellement la fonction de déglutition. Le physiothérapeute peut maintenir ou améliorer l'amplitude des mouvements, augmenter le tonus musculaire, améliorer la coordination et augmenter la tolérance à l'effort. L'ergothérapeute peut fournir un supplément de stimulation sensorielle et enseigner au client les soins personnels. Les assistants sociaux peuvent offrir des thérapies individuelles ou de groupe aux familles des clients atteints de démence et leur indiquer les ressources communautaires à leur disposition ainsi que les possibilités d'hébergement. Les membres du clergé peuvent apporter au client et à sa famille un réconfort spirituel (Rango, 1985).

Le plan de soins infirmiers doit être personnalisé et adapté à chaque client, ce qui veut dire que les objectifs et les résultats escomptés doivent être datés et que les interventions doivent tenir compte, d'une façon très précise, des buts à atteindre. Lors des soins à domicile d'une personne atteinte de démence ou de delirium, la famille peut modifier le plan de soins si elle le juge nécessaire. (On trouve au tableau 15-5 le plan de soins infirmiers destiné au client atteint d'un trouble organique cérébral.)

On ne saura jamais trop insister sur le fait que, en présence de la démence, l'objectif global de l'infirmière est de veiller à ce que le client garde un niveau optimal de fonctionnement physique, affectif, cognitif et social. Étant donné que les facultés cognitives sous-tendent et commandent le comportement, l'infirmière doit se fonder sur les

(suite page 645)

Tableau 15-5 Plan des soins infirmiers destinés au client atteint d'un trouble organique cérébral

Diagnostic infirmier : Altération de la communication verbale, reliée à l'aphasie.
Objectif : Le client communique ses besoins fondamentaux.

Intervention	Justification	Résultat escompté
Poser des questions fermées.	Il est plus facile pour le client de répondre à des questions fermées qu'à des questions ouvertes.	Le client répond « oui » ou « non » aux questions.
Utiliser des phrases courtes et mentionner le nom du client (p. ex. : « C'est l'heure de manger, Marie »).	Le client comprend souvent mal des pronoms comme je, moi, vous.	Le client répond de façon appropriée aux demandes.
Étiqueter les objets	Le client a moins besoin de chercher ses mots.	Le client lit les étiquettes quand il est incapable de se rappeler le nom de l'objet.
Indiquer à haute voix le mot que le client cherche.	Le client reconnaît souvent le mot dès qu'il l'entend.	Le client reconnaît le mot juste quand il l'entend.

Diagnostic infirmier : Perturbation de la dynamique familiale, reliée aux soins administrés à l'un des membres atteint de delirium.
Objectif : La famille s'adapte à la déficience du client.

Intervention	Justification	Résultat escompté
Engager la famille à participer aux soins du client.	La famille se sent plus en confiance et moins impuissante.	La famille participe aux soins du client.
Expliquer les raisons de la confusion du client.	La famille peut mieux s'adapter à la situation si elle comprend les raisons du comportement du client.	Les membres de la famille expliquent les comportements du client.
Expliquer l'évolution par étapes de la démence.	Ces explications préparent la famille aux responsabilités futures.	La famille explique l'évolution de la maladie et nomme les conséquences.
Servir de modèle pour montrer à la famille comment se conduire avec le client.	La famille apprend ainsi à mieux participer au plan de soins.	La famille se conduit de façon appropriée avec le client.
Encourager la famille à parler de ses sentiments à une personne impartiale.	Cette démarche permet à la famille de mieux maîtriser ses sentiments négatifs.	La famille exprime ses sentiments.
Reconnaître les facteurs de stress les plus pressants.	La diminution de l'anxiété est la principale priorité.	La famille reconnaît les problèmes immédiats de la maladie.
Encourager les membres de la famille à prendre des périodes de repos et à ne pas abandonner les loisirs.	Les membres de la famille doivent éviter l'épuisement affectif et physique.	La famille continue à fonctionner normalement.
Encourager les membres de la famille à trouver de nouvelles sources de gratification dont le client ne fait pas partie.	Le client est incapable de témoigner de la reconnaissance à ceux qui le soignent.	La famille nomme d'autres moyens de gratification.
Aider la famille à évaluer la qualité et l'ampleur du réseau de soutien dont elle dispose.	Les soignants évitent ainsi l'isolement social et leur fardeau est allégé.	La famille est capable de trouver les divers réseaux de soutien.
Établir une relation de coopération avec la famille.	La famille se sent ainsi écoutée et respectée.	La famille reconnaît que l'infirmière est prête à l'aider.

(suite du diagnostic page suivante)

Tableau 15-5   *(suite)*

Diagnostic infirmier *(suite)*: Perturbation de la dynamique familiale, reliée aux soins administrés à l'un des membres atteint de delirium.
Objectif : La famille s'adapte à la déficience du client.

Intervention	Justification	Résultat escompté
Adresser la famille aux ressources communautaires (p. ex. : centre de jour, soins de relève, groupes de soutien comme la Société Alzheimer).	Les soignants trouvent ainsi une aide supplémentaire et leur fardeau est allégé.	La famille fait appel aux ressources communautaires.
Proposer les services d'une femme de ménage ou d'une dame de compagnie.	Cette mesure permet d'éviter que la famille s'épuise physiquement et affectivement.	La famille fait appel à une aide extérieure.
Organiser une réunion de famille pour parler des changements engendrés par les problèmes liés à la maladie.	La charge du soignant est ainsi diminuée ; la famille trouve des compensations pour son travail.	La famille organise une réunion.

Diagnostic infirmier : Peur reliée à des hallucinations violentes.
Objectif : Le client dit que sa peur a diminué.

Intervention	Justification	Résultat escompté
Rester calme.	Une tension accrue chez l'infirmière augmente l'anxiété du client.	L'anxiété du client ne s'intensifie pas.
Rassurer le client.	Le fait de rassurer le client peut lui éviter de ressentir de la panique lors des hallucinations.	Le client demande de l'aide quand il a peur.
Ne pas nier la réalité du client, mais ne pas abonder dans le sens de ses hallucinations.	Cette intervention aide le client à reprendre contact avec la réalité.	Le client peut établir une distinction entre sa réalité subjective et la réalité objective.
Avoir recours au contact physique si le client l'accepte (p. ex. : lui dire « Je reste à côté de vous et vous tiens la main ».)	Le toucher peut avoir un effet rassurant et prévenir l'apparition de panique.	Le client réagit de façon positive au toucher.
Ne pas isoler le client.	L'isolement intensifie souvent les hallucinations.	Le client fait état d'une diminution des hallucinations.

Diagnostic infirmier : Risque de trauma, relié à l'altération du jugement.
Objectif : La sécurité du client est préservée.

Intervention	Justification	Résultat escompté
Enseigner au client que la tension et le stress prédisposent aux accidents.	La tension affaiblit les perceptions et le client réagit trop fortement à l'anxiété et à la tension.	Le client est capable d'expliquer le lien entre la tension et les accidents.
Déterminer les dangers du quartier (p. ex. : rues à grande circulation, piscines, rivières, chiens errants).	Le client est incapable de se protéger lui-même contre ces dangers.	Le client demeure en sécurité dans son quartier.
Faire part de la situation aux voisins.	La sécurité du client est ainsi accrue.	

(suite du diagnostic page suivante)

Tableau 15-5   *(suite)*

Intervention	Justification	Résultat escompté
Réduire les risques à l'intérieur de la maison (p. ex. : enlever les boutons de la cuisinière, tenir les produits de nettoyage et les médicaments sous clef, ôter les obstacles du chemin).	Les accidents dans la maison sont ainsi prévenus.	Le client est en sécurité à la maison.
Enlever ou mettre sous clef tous les objets dangereux (p. ex. : fer à repasser ou à friser, outils électriques, outils de jardin, peinture, solvants, clefs de voiture, carpettes, boutons de cuisinière, corde à linge).	Cette intervention permet de diminuer les risques d'accident.	Le milieu ambiant est aussi sûr que possible.
Fermer le chauffe-eau.	Les brûlures accidentelles sont prévenues si l'eau est à basse température.	Le client ne se brûle pas.
Inciter le client à ne pas conduire son auto.	Le client peut se trouver désorienté pendant qu'il conduit.	
Ne jamais laisser le client seul dans une voiture.	Le client pourrait desserrer les freins ou conduire la voiture.	La sécurité du client est préservée.
Encourager le client à ne plus fumer (ou le surveiller quand il fume).	Les risques d'incendie sont ainsi diminués.	
Charger la famille d'administrer les médicaments.	Les pertes de mémoire empêchent le client de prendre ses médicaments correctement.	Le client prend ses médicaments selon la posologie prescrite.

Diagnostic infirmier : Risque de trauma, relié aux errances.
Objectif : La sécurité du client est préservée.

Intervention	Justification	Résultat escompté
Augmenter les exercices physiques.	Les exercices permettent de diminuer l'agitation qui incite le client à errer.	Le client suit le programme d'exercices prescrit.
Fournir un bracelet et une carte d'identité et, le cas échéant, inscrire le client dans les registres du service de police de la localité.	Si le client se perd, on pourra plus facilement le reconduire à son domicile.	Le client porte un bracelet d'identité ; il rentre à la maison sain et sauf.
Inscrire des instructions simples sur une fiche que le client peut consulter s'il se perd (p. ex. : le numéro de téléphone et le chemin à prendre).	Le client peut retrouver son chemin plus facilement, dans la mesure où il a conservé sa capacité de lire et de comprendre.	Le client suit les directives pour rentrer chez lui.
Garder les veilleuses allumées toute la nuit.	Les chutes dans l'obscurité sont ainsi prévenues.	Le client ne fait pas de chutes.
Installer un système d'alarme à toutes les portes.	La famille est prévenue si le client quitte le domicile.	Le client ne sort pas seul de la maison.

(suite page suivante)

Tableau 15-5 *(suite)*

▌ **Diagnostic infirmier :** Altération de la mobilité physique, reliée à la raideur, à la maladresse et à la perte de l'équilibre.
▌ **Objectif :** Le client demeure aussi actif que ses limites le lui permettent.

Intervention	Justification	Résultat escompté
Établir un programme d'exercices réguliers (p. ex. : marche, exercices de groupe, danse).	L'exercice diminue la tension, entretient l'amplitude des mouvements et favorise le sommeil.	
Faire des exercices avec le client.	Le désir de participation du client est ainsi accru.	Le client fait de l'exercice quotidiennement.
Établir un horaire fixe pour les exercices (répéter les mêmes exercices toujours à la même heure).	Un emploi du temps régulier diminue la confusion et augmente le désir de participation.	
Essayer de préserver autant que possible les capacités motrices.	Les capacités motrices sont préservées plus longtemps si elles sont régulièrement utilisées.	Le client participe à des activités qui font appel aux capacités motrices.
Demander à une personne de soutenir le client si sa démarche est mal assurée.	Le client peut avoir besoin de soutien pour garder son équilibre.	
Faire installer une rampe d'escalier et des barres d'appui dans la salle de bain.	Le client dispose ainsi d'un soutien supplémentaire.	Le client ne tombe pas et ne se blesse pas.
Utiliser un dispositif de Posey si le client est incapable de se tenir assis tout seul.	Une grave altération musculaire peut empêcher le client de se tenir assis sans soutien.	Le client peut rester assis s'il est soutenu.

▌ **Diagnostic infirmier :** Déficit nutritionnel, relié à l'apraxie et à l'altération du jugement.
▌ **Objectif :** Le client présente un état nutritionnel adéquat.

Intervention	Justification	Résultat escompté
Fournir un régime alimentaire comprenant au moins deux rations de lait et de viande, au moins quatre rations de fruits et de légumes et au moins quatre rations de pain et de produits céréaliers.	Les carences nutritionnelles et les pathologies connexes sont ainsi prévenues.	Le client adopte un régime alimentaire équilibré.
Orienter le client vers des ressources communautaires (p. ex. : La Popote roulante).	Le client bénéficie ainsi d'un repas nutritif chaud par jour.	
Servir les repas à heure fixe.	La confusion liée aux changements est ainsi prévenue.	Le client mange à des heures régulières.
Vérifier si les prothèses dentaires du client sont bien ajustées.	Des prothèses mal ajustées gênent la mastication.	Le client mâche convenablement sa nourriture.
Ne servir que des aliments que le client connaît.	Les aliments nouveaux augmentent souvent la confusion.	
Ne servir qu'un nombre limité d'aliments par repas.	Le client peut avoir du mal à faire un choix si on lui présente plusieurs aliments.	Le client mange de bon appétit.
Fournir des ustensiles à manches épais.	Ces ustensiles sont plus faciles à utiliser pour les personnes qui manquent de coordination.	Le client se sert de ses ustensiles pour manger.

(suite du diagnostic page suivante)

Tableau 15-5 *(suite)*

Diagnostic infirmier *(suite)* : Déficit nutritionnel, relié à l'apraxie et à l'altération du jugement.
Objectif : Le client présente un état nutritionnel adéquat.

Intervention	Justification	Résultat escompté
Remplacer les assiettes par des bols.	Les bols sont plus faciles à utiliser car ils retiennent mieux les aliments.	Le client mange seul.
Débarrasser la table des objets qui peuvent distraire le client.	Le client se concentre sur son repas.	Le client mange de bon appétit et pendant un laps de temps adéquat.
Ne pas pousser le client à se dépêcher.	Les personnes qui présentent des déficiences mangent lentement.	
Assurer un apport liquidien adéquat.	Cette mesure permet de prévenir la déshydratation.	Le client ne présente pas de signes de déshydratation.
Peser le client chaque semaine.	Cette intervention permet de surveiller son état nutritionnel.	Le poids du client demeure constant.

Diagnostic infirmier : Incapacité (totale ou partielle) de se laver / d'effectuer ses soins d'hygiène, de se vêtir / de soigner son apparence, reliée à des altérations cognitives qui engendrent un manque de soins personnels.
Objectif : Le client s'acquitte des activités de la vie quotidienne avec un maximum d'autonomie et il maintient son état physique.

Intervention	Justification	Résultat escompté
Évaluer la capacité du client à mener à bien les activités de la vie quotidienne.	Cette mesure permet d'établir des données de base et d'évaluer l'état du client.	
Encourager les activités que le client peut encore exécuter et les habiletés qui subsistent.	L'autonomie du client est ainsi maintenue, ce qui lui donne le sentiment d'être compétent.	Le client mène à bien les activités de la vie quotidienne, selon ses capacités.
Essayer autant que possible de préserver les habitudes du client (p.ex. : heure du bain, préférence pour le bain ou la douche).	Cette intervention permet de diminuer la confusion engendrée par le changement des habitudes.	Le client effectue ses soins personnels à des heures régulières.
Encourager le client à prendre autant de décisions qu'il en est capable par rapport aux activités de la vie quotidienne.	Le client préserve ainsi un sentiment de maîtrise de sa vie et ne se sent pas poussé à se détacher à cause du fait qu'on lui a retiré toutes ses responsabilités.	Le client prend les décisions appropriées.
Ne donner qu'une seule directive à la fois, le cas échéant.	Le risque de confusion, causé par le ralentissement de la pensée et la distraction, est ainsi diminué.	Le client suit une directive à la fois.
Étaler sur le lit les vêtement propres, dans l'ordre où ils doivent être portés. Remplacer les boutons et les fermetures à glissière par des bandes de Velcro.	L'autonomie du client est accrue s'il n'est pas obligé de prendre trop de décisions et de manipuler des fermetures complexes.	Le client s'habille de façon convenable.

(suite page suivante)

Tableau 15-5   *(suite)*

▌ **Diagnostic infirmier :** Altération de la perception sensorielle reliée aux hallucinations.
▌ **Objectif :** Le client prouve qu'il a une perception adéquate de la réalité.

Intervention	Justification	Résultat escompté
Maintenir un environnement structuré, éviter les changements brusques, y compris les changements de personnel.	Cette intervention permet d'éliminer la surcharge sensorielle et d'augmenter le sentiment de sécurité.	Le client dit qu'il se sent de plus en plus en sécurité.
Passer du temps avec le client.	Un contact accru avec l'infirmière diminue la confusion et maintient la communication.	Le client réagit au contact par une meilleure orientation.
Maintenir un environnement calme.	L'excès de bruit peut susciter des hallucinations.	Le client ne se plaint pas d'hallucinations.
Réagir aux hallucinations et au délire en présentant au client la réalité.	Cette intervention favorise le contact avec la réalité et prévient la panique.	Le client distingue sa réalité subjective de la réalité objective.
Rassurer le client en lui disant qu'il sera protégé pendant les épisodes d'hallucination.	Cette intervention permet de réduire ou de prévenir la panique.	Le client dit qu'il se sent plus en sécurité.

▌ **Diagnostic infirmier:** Altération de la perception sensorielle, reliée aux illusions.
▌ **Objectif:** Le client perçoit les personnes, les objets et les sons de manière juste.

Intervention	Justification	Résultat escompté
Fournir des lunettes ou une prothèse auditive, selon les besoins.	Une perception juste des stimuli de l'environnement est ainsi favorisée.	Le client se sert de ses lunettes ou de sa prothèse auditive.
Nommer les sons environnants.	L'interprétation correcte des stimuli diminue la confusion du client.	Le client reconnaît les sons habituels.
Éviter de chuchoter ou de s'adresser au client de trop loin.	Cette mesure permet d'éviter les fausses interprétations.	Le client indique qu'il entend correctement ce qui est dit.
Réduire les stimuli de l'environnement pour créer une ambiance calme et paisible.	La surcharge des stimuli augmente la confusion et les illusions.	Le client verbalise une perception juste des stimuli de l'environnement.
Tamiser la lumière de la chambre et éviter les ombres et l'éblouissement.	L'obscurité, les ombres et l'éblouissement augmentent la désorientation et les illusions.	Le client prouve qu'il a une perception exacte des stimuli de l'environnement.

▌ **Diagnostic infirmier:** Perturbation des habitudes de sommeil, reliée à l'irritation du système nerveux central.
▌ **Objectif:** La nuit, le client dort au moins 4 heures sans interruption.

Intervention	Justification	Résultat escompté
Surveiller et noter les habitudes de sommeil.	Cette intervention permet d'établir des données de base.	
Réduire le plus possible la durée de la sieste dans la journée.	La sieste perturbe le cycle du sommeil.	
Inciter le client à faire de l'exercice deux heures avant le coucher.	La fatigue physique favorise le sommeil.	Le client fait de l'exercice chaque soir.
Enseigner au client les techniques de relaxation.	La relaxation diminue la tension et prépare l'organisme au sommeil.	Le client se détend avant le coucher.

(suite du diagnostic page suivante)

Tableau 15-5 *(suite)*

Diagnostic infirmier *(suite)* : Perturbation des habitudes de sommeil, reliée à l'irritation du système nerveux central.
Objectif : La nuit, le client dort au moins 4 heures sans interruption.

Intervention	Justification	Résultat escompté
Limiter la consommation de caféine. Proposer au client un verre de vin au coucher, s'il n'existe pas de contre-indication à ce sujet.	La caféine stimule le SNC. Le vin favorise la relaxation du SNC.	Le client dit qu'il se sent plus détendu.
Installer le client dans une pièce calme en laissant seulement une veilleuse allumée.	L'ambiance doit favoriser le sommeil.	
Assurer le confort du client (p.ex. : lui masser le dos, refaire le lit).	Le confort accru favorise le sommeil.	
Planifier les soins de façon à ne pas interrompre le sommeil.	Cette mesure assure des périodes de sommeil ininterrompues.	Le client dort pendant quatre heures sans interruption.
Enseigner à la famille des méthodes qui favorisent le sommeil.	La famille doit pouvoir se reposer suffisamment pour être en mesure de continuer à dispenser les soins.	Les membres de la famille bénéficient d'au moins quatre heures de sommeil.

Diagnostic infirmier : Altération des opérations de la pensée, reliée à la perte de contact avec la réalité.
Objectif : Le client reprend, par moments, contact avec la réalité.

Intervention	Justification	Résultat escompté
Appeler le client par le nom qu'il préfère.	Le fait d'appeler le client par son nom renforce son identité personnelle.	Le client répond lorsqu'on l'appelle par son nom.
Permettre à la famille de demeurer auprès du client.	Quand le client souffre de confusion intense, la présence de la famille peut renforcer le contact avec la réalité.	Le client réagit aux interactions familiales.
Établir un horaire régulier des soins.	L'horaire fixe diminue la confusion.	Le client exprime la diminution de la confusion.
Faire une liste des activités que le client doit mener à bien.	L'orientation est ainsi mieux préservée.	Le client suit les étapes indiquées.
Entourer le client d'objets qui facilitent le contact avec la réalité (p.ex. : postes de radio et de télévision, calendrier à gros caractères, montre, étiquettes placées sur les divers objets). Remarque : choisir les programmes de radio et de télévision appropriés. Éviter les sujets violents ou compliqués.	Cette mesure favorise la reprise du contact avec la réalité et permet d'enrichir la vie du client.	Le client se sert des divers objets qui l'entourent pour maintenir le contact avec la réalité.
Donner au client quelques points de repère pour l'aider à se souvenir de la réalité et, sans le brusquer, lui rappeler les faits, en comblant des lacunes.	Cette intervention permet de diminuer la confabulation à laquelle le client a recours pour cacher sa honte ou son embarras.	Le client a peu recours à la confabulation.
Donner au client des renseignements sur ce qui l'entoure et sur ce qui se passe sans toutefois insister.	Le client peut ainsi se rendre compte de ce qu'il a oublié sans se sentir honteux.	Le client se rend compte de ses pertes de mémoire.

(suite du diagnostic page suivante)

Tableau 15-5   *(suite)*

Diagnostic infirmier *(suite)* : Altération des opérations de la pensée, reliée à la perte de contact avec la réalité.
Objectif : Le client reprend, par moments, contact avec la réalité.

Intervention	Justification	Résultat escompté
Discuter de sujets qui intéressent le client (p.ex. : travail, loisirs, enfants).	Les sujets qui intéressent le client favorisent la reprise du contact avec la réalité et renforcent son identité.	Le client discute de sujets personnels.
Permettre au client de garder des objets personnels dans la chambre.	Les objets personnels permettent au client de garder contact avec la réalité et renforcent son identité.	Le client reconnaît les objets personnels.

Diagnostic infirmier : Altération des opérations de la pensée, reliée aux idées paranoïdes.
Objectif : Le client accuse moins souvent les personnes qui l'entourent.

Intervention	Justification	Résultat escompté
Expliquer à la famille que les explications et les discussions ne servent à rien.	Les discussions n'empêcheront pas le client de rester suspicieux.	Les membres de la famille évitent les discussions.
Expliquer à la famille que les accusations portées par le client sont destinées à masquer ses pertes de mémoire quand il oublie où il met ses affaires.	La famille doit comprendre l'état du client pour réagir adéquatement aux pertes de mémoire du client.	La famille verbalise sa compréhension de l'état du client.
Aider le client à retrouver les objets égarés.	Une fois l'objet retrouvé, le problème est souvent résolu dans l'immédiat.	
Comprendre la colère et la frustration que ressent le client.	Les sentiments qui sous-tendent les accusations doivent être reconnus et compris.	Le client dit qu'il se sent épaulé.
Détourner l'attention du client en lui proposant une nouvelle activité.	Le client est ainsi moins obsédé par les soupçons.	Le client participe à d'autres activités.

Diagnostic infirmier : Risque de violence envers soi ou envers les autres, relié à la colère.
Objectif : Le client et sa famille sont en sécurité.

Intervention	Justification	Résultat escompté
Réagir calmement et ne pas riposter par la colère.	La colère exprimée par le client est souvent exagérée et déplacée.	
Enlever tous les objets qui pourraient blesser le client ou son entourage.	Cette intervention permet de réduire les risques de blessures physiques.	La sécurité du client est préservée dans la mesure du possible.
Dans une situation pénible, détourner l'attention du client et le distraire.	Les troubles de la mémoire permettent de distraire facilement le client, car il oublie vite ce qui a provoqué sa colère.	Le client se calme.
Reconnaître l'événement qui a précipité la crise de colère.	Cette mesure permet de prévenir ou de réduire des crises semblables.	Le client est capable d'expliquer ce qui a précipité sa crise de colère.

capacités cognitives du client pour déterminer les interventions nécessaires. Les actes infirmiers doivent faire appel aux capacités qui subsistent et compenser les lacunes (Beck et Heacock, 1988).

Les infirmières doivent servir la cause des soignants. Les familles ont souvent besoin d'enseignement, de conseils, de soutien et d'aide. Les infirmières doivent indiquer aux membres de la famille les ressources communautaires et les aider à établir des réseaux de soutien (Hall, 1988).

Évaluation

L'infirmière effectue l'évaluation en fonction des résultats escomptés. Elle doit continuellement vérifier si les objectifs sont atteints et modifier le plan de soins en conséquence. Pour les cas de démence, il faut déterminer si le client peut réaliser son plein potentiel et si la famille reçoit assez de soutien. Voici le genre de questions qu'il faut se poser pour évaluer la famille :

1. Les membres de la famille qui soignent le client présentent-ils des symptômes de stress ?

2. Quel est le niveau d'entraide au sein de la famille ?

3. Les autres membres de la famille aident-ils le soignant dans le ménage ou les courses ou se chargent-ils des soins pour lui permettre de se libérer pendant quelques heures ?

4. La famille a-t-elle eu l'occasion d'exprimer ses sentiments de désespoir, de honte, de culpabilité ou de chagrin ?

5. La famille est-elle capable d'assurer chez le client un fonctionnement optimal ?

La troisième étape de la maladie d'Alzheimer aboutit à la mort, si le client n'a pas succombé avant à des complications (septicémie, pneumonie) ou aux séquelles d'une immobilisation prolongée. L'une des principales tâches de l'infirmière est de s'assurer que les derniers jours du client sont paisibles

et de soutenir la famille pendant la période de deuil par anticipation.

RÉSUMÉ

1. La démence porte divers noms : trouble cérébral chronique, trouble cérébral irréversible ou encéphalopathie primaire. C'est le trouble neuropsychiatrique le plus grave de la vieillesse.

2. Le delirium porte également le nom de délire, de trouble cérébral aigu, de trouble cérébral réversible et d'encéphalopathie secondaire. Il peut être provoqué par un grand nombre d'affections pathophysiologiques.

3. Les caractéristiques comportementales de la démence sont la négligence de la tenue, un comportement socialement inacceptable, l'errance, l'apraxie, l'hyperoralité, des épisodes de persévération, et la détérioration des capacités motrices.

4. Les caractéristiques affectives de la démence sont l'anxiété, la dépression, la détresse, la frustration, la honte, le manque de spontanéité et l'irritabilité. L'humeur est souvent labile et le catastrophisme est fréquent.

5. Les caractéristiques cognitives de la démence sont la perte de la mémoire et des capacités de jugement, la désorientation, les idées de persécution, l'aphasie, l'agraphie et l'agnosie.

6. Dans les cas de démence, c'est presque toujours la famille qui s'occupe du malade. Cette situation, qui entraîne une fatigue affective et physique, est également lourde de conséquences sur le plan financier. L'infirmière doit inciter les familles à faire appel aux réseaux de soutien.

7. Les caractéristiques comportementales du delirium sont l'apathie et le repli sur soi, l'agitation et les tremblements, et un comportement bizarre et destructif.

8. Les caractéristiques affectives du delirium peuvent aller de l'apathie à l'euphorie, en passant par l'irritabilité; l'affect peut être très labile.

9. Les caractéristiques cognitives du delirium sont l'obcurcissement de la conscience, la désorientation, l'altération de la mémoire, la distraction, la perte des capacités de jugement, les idées délirantes, les illusions et les hallucinations.

10. Puisque le client est incapable de donner des renseignements dignes de confiance, la collecte des données doit inclure tout changement perçu par la famille.

11. L'infirmière doit s'assurer qu'il ne s'agit pas d'une pseudodémence, car cette maladie est réversible si elle est adéquatement traitée.

12. Chez les clients atteints de delirium réversible, il faut tout mettre en œuvre pour prévenir les lésions cérébrales permanentes ou la mort.

13. L'approche multidisciplinaire demeure l'approche la plus efficace chez les clients atteints de démence.

14. Le principal objectif des soins infirmiers est d'assurer la sécurité du client.

15. Dans les cas de démence, l'objectif global des soins est de maintenir le fonctionnement optimal du client sur les plans physique, affectif, cognitif et social.

16. Pour aider la famille, l'infirmière lui dispense l'enseignement approprié, lui indique les divers organismes d'entraide : soins de relève, groupe de soutien, etc., et l'épaule pendant la période de deuil par anticipation.

17. Pour évaluer ses soins, l'infirmière se fonde sur les progrès réalisés par le client et sa famille par rapport aux résultats escomptés.

EXERCICES DE RÉVISION

Irène a 74 ans. Elle vit avec son mari, Marcel, 76 ans. Ils habitent une ferme de plusieurs hectares. Leurs cinq enfants et leurs huit petits-enfants vivent tous dans le voisinage. Le diagnostic d'Irène est la *maladie d'Alzheimer, deuxième étape*. À certains moments, Irène reste assise sans bouger et regarde par la fenêtre ou fixe le poste de télévision sans manifester aucune émotion. Parfois, elle fait les cent pas dans la maison. Il faut la surveiller étroitement, particulièrement à la cuisine, où il lui est déjà arrivé de faire bouillir de pleines casseroles d'eau jusqu'à évaporation complète. Son mari garde la cuisinière débranchée jusqu'au moment de s'en servir, mais, comme Irène ne comprend pas pourquoi la cuisinière ne fonctionne pas, elle place dans le four des morceaux de bois qu'elle allume « pour faire marcher la cuisinière ». Marcel et les enfants adultes préfèrent garder Irène à la maison plutôt que de la placer dans un centre d'accueil.

1. Pour aider la famille à prendre les décisions qui conviennent relativement aux soins d'Irène, laquelle de ces questions serait la plus appropriée ?
  (a) Irène a-t-elle perdu la capacité de lire et d'écrire ?
  (b) Quels sont les réseaux de soutien auxquels la famille peut faire appel ?
  (c) Dans quelles situations le comportement d'Irène a-t-il été embarrassant ?
  (d) Irène conserve-t-elle des rapports avec les amis et la famille ?

2. Pour évaluer la capacité de jugement de la cliente, quelle est la question qu'il faudrait lui poser :
  (a) Que feriez-vous si, à l'instant même, vous entendiez quelqu'un crier « Au feu ! » ?

  (b) Qu'est-ce qui provoque chez vous de l'anxiété ?
  (c) Quel est votre numéro de téléphone (ou votre adresse) ?
  (d) Quelles sont les choses que vous voyez et qui vous effraient ?

3. Parmi ces diagnostics infirmiers, lequel serait prioritaire pour déterminer les soins à apporter à Irène ?
  (a) Peur, reliée à de fortes hallucinations.
  (b) Altération de la mobilité physique, reliée à la perte d'équilibre.
  (c) Altération des opérations de la pensée, reliée à la perte du contact avec la réalité.
  (d) Risque de trauma, relié à la perte des capacités de jugement.

4. Irène sort de chez elle la nuit et erre à la recherche de ses enfants. Quelles précautions devrait prendre la famille ?
  (a) Faire installer un système d'alarme à chaque porte.
  (b) Utiliser un dispositif de contention pour la nuit.
  (c) Signaler le problème aux voisins.
  (d) Faire garder Irène la nuit par l'un des membres de la famille.

5. Lequel de ces énoncés indique que la famille préfère soigner Irène à domicile ?
  (a) « C'est merveilleux quand, subitement, elle se souvient de quelque chose et que nous sommes là pour profiter de ce joyeux moment. »
  (b) « On se demande chaque jour combien de temps on pourra encore tenir. »
  (c) « On se dit que, même si nous vivons des moments terribles, nous avons quand même connu de belles années. »
  (d) « C'est très frustrant de ne pas pouvoir communiquer avec elle. On dirait qu'on parle à une momie. »

BIBLIOGRAPHIE

Société Alzheimer du Canada. *La maladie d'Alzheimer : Renseignements à l'intention des familles*, 1987.

Dastoor, D. « Les troubles cognitifs chez la personne âgée », *Nursing Québec*, Vol. 9, No 2, 1989, p. 14-21.

Alzheimer's Association: *Public Relations Plan*. Alzheimer's Disease and Related Disorders Association, 1988.

American Association of Retired Persons: *Coping & Caring: Living with Alzheimer's Disease*. American Association of Retired Persons, 1986.

Beck C, Heacock P: Nursing interventions for patients with Alzheimer's disease. *Nurs Clin North Am* 1988; 23(1):95–124.

Billig N: Alzheimer's disease: A psychiatrist's perspective. *Nurs Clin North Am* 1988; 23(1):125–133.

Blass J, et al.: Thiamine and Alzheimer's disease: A pilot study. *Arch Neurol* 1988; 45(8):833–835.

Brady EM, Lawton MP, Liebowitz B: Senile dementia: Public policy and adequate institutional care. *Am J Public Health* 1984; 7412:1381–1383.

Burnside I: Nursing care. In: *Treatments for the Alzheimer Patient*. Jarvik LF, Winograd CH (editors). Springer, 1988. 39–58.

Cleary B: Organic mental disorders. *Foundations of Mental Health Nursing*. Saunders, 1989.

Cohen GD: *The Brain in Human Aging*. Springer, 1988.

Committee on Aging, Group for the Advancement of Psychiatry: *The Psychiatric Treatment of Alzheimer's Disease* (Report No. 125). Brunner/Mazel, 1988.

Cutler N, Narang P: Alzheimer's disease: Drug therapies. *Geriatr Nurs* (June) 1985; 160–163.

Dwyer BJ: Cognitive impairment in the elderly: Delirium, depression or dementia? *Focus on Geriatric Care, Rehab* 1987; 1(4):1–8.

Ellison J: DSM-III and the diagnosis of organic mental disorders. *Ann Emerg Med* 1984; 13:521–528.

Foreman MD: Acute confusional states in hospitalized elderly: A research dilemma. *Nurs Res* 1986; 35(1):34–37.

Gabow C: The impact of Alzheimer's disease on family caregivers. *Home Healthcare Nurse* 1989; 7(1):19–21.

Gomez GE, Gomez EA: Delirium. *Geriatr Nurs* 1987; 8(6):330–332.

Given CW, Collins CE, Given BA: Sources of stress among families caring for relatives with Alzheimer's disease. *Nurs Clin North Am* 1988; 23(1):69–82.

Glenner GG: Alzheimer's disease: Its proteins and genes. *Cell* (Feb 12) 1988; 52:307–308.

Hall GR: Care of the patient with Alzheimer's disease living at home. *Nurs Clin North Am* 1988; 23(1):31–46.

Hoch C, Reynolds C: Sleep disturbances and what to do about them. *Geriatr Nurs* (Jan) 1986; 7:24–27.

Hutton JT: Evaluation and treatment of dementia. *Texas Medicine* 1987; 83:20–24.

Joyce EV, Kirksey KM: Alzheimer's disease: The roles of the home health nurse and the caregiver. *Home Healthcare Nurse* 1989; 7(1):15–18.

Katzman R: Medical progress: Alzheimer's disease. *N Engl J Med* 1986; 314:964–973.

Kiely M: Alzheimer's disease: Making the most of the time that's left. *RN* (Mar) 1985; 34–41.

Mace N, Rabins P: *The 36-Hour Day: A Family Guide to Caring for Persons with Alzheimer's Disease*. Johns Hopkins University Press, 1981.

Mann LN: Community support for families caring for members with Alzheimer's disease. *Home Healthcare Nurse* (Jan) 1985; 3:8–10.

Maxmen JS: *Essential Psychopathology*. Norton, 1986.

Pallett PJ, O'Brien MT: *Textbook of Neurological Nursing*. Little, Brown, 1985.

Rango N: The nursing home resident with dementia. *Ann Intern Med* (June) 1985; 102:835–841.

Ronsman K: Pseudodementia. *Geriatr Nurs* 1988; 9:50–52.

Satlin A, Cole JO: Psychopharmacologic interventions. In: *Treatments for the Alzheimer Patient*. Jarvik LF, Winograd CH (editors). Springer, 1988; 59–79.

Schneider E, Emr M: Alzheimer's disease: Research highlights. *Geriatr Nurs* 1985; 6:136–138.

Shamoian CA, Teusink JP: Presenile and senile dementia. In: *Diagnostics and Psychopathology*. Flach F (editor). 1987; 171–185.

Teusink JP, Mahler S: Helping families cope with Alzheimer's disease. *Hosp Community Psychiatry* 1984; 35:152–156.

Williams L: Alzheimer's: The need for caring. *J Gerontol Nurs* (Feb) 1986; 12:21–27.

Wilson HS: Family caregiving for a relative with Alzheimer's dementia: Coping with negative choices. *Nurs Res* 1989; 38(2):94–98.

LECTURES COMPLÉMENTAIRES

Bélanger, J., D. Doré et coll. « La dernière enfance ou la maladie d'Alzheimer », *Nursing Québec*, Vol. 2, No5, juillet-août 1982, p.8-12

Chapsal, M. *La saison des feuilles*, Paris, Fayard, 1988.

Cohen, D., et C. Eisdorfer. *Alzheimer, le long crépuscule*, Montréal, Éditions de l'Homme, 1989.

Lalonde, Grunberg et coll. *Psychiatrie clinique : approche bio-psycho-sociale*, Boucherville, Gaëtan Morin Éditeur 1988.

Lévesque L., C. Roux et S. Lauzon. *Alzheimer – comprendre pour mieux aider*, Montréal, Éditions du Renouveau Pédagogique, 1990.

Major-Lapierre, R. *Alzheimer, vivre avec l'espoir*, Montréal, Québécor, 1988.

Roach, M. *La mémoire blessée. Alzheimer : un autre nom pour la folie*, Paris, Flammarion, 1986.

CHAPITRE 16

La violence

KAREN LEE FONTAINE

Ce qui me soulage : *Les émotions et les larmes. Éprouver toutes les gammes possibles d'émotions et laisser poindre les larmes. Peu importe si elles coulent en abondance pendant des heures.*

Comment je vois ma maladie : *Lorsque mon passé ressurgit, je voudrais me tuer avant que ma mère ne le fasse elle-même ou qu'elle ne me frappe encore. Lorsque mon passé est muet, je suis heureux, calme et serein ; l'avenir m'apparaît lumineux, quoi qu'il advienne.*

■ *Objectifs*

Après avoir étudié le présent chapitre, vous devriez être en mesure de :

- Repérer les groupes de personnes pour qui le risque de devenir victimes de la violence est élevé ;
- Présenter les théories relatives à la dynamique du comportement violent ;
- Évaluer le comportement du client et de sa famille, et reconnaître leur profil affectif, cognitif, physiologique et socioculturel ;
- Utiliser la démarche de soins infirmiers pour intervenir auprès des victimes de la violence et de leurs familles.

Violence envers soi-même : Suicide

Le suicide est l'acte le plus violent qu'une personne puisse commettre envers elle-même. On peut donner du **suicide** trois définitions différentes (Cutter, 1983) :

1. Relative au domaine cognitif (c'est-à-dire aux pensées portant sur le désir de mourir) : une personne est dite suicidaire lorsque son désir de mourir est très fort et qu'elle projette de se donner la mort.

2. Relative au domaine du comportement : le suicide (par arme à feu, pendaison ou saut dans le vide par exemple) est le comportement par lequel la personne se blesse ou se tue.

3. Relative à la conséquence du comportement : la personne va survivre ou mourir des suites de son comportement et l'on parle de tentative de suicide ou de suicide réussi ou réalisé.

Incidence du suicide

Les chiffres sont très révélateurs de l'importance du suicide au Québec et au Canada. Cependant, ces statistiques sont divisées en trois catégories : le suicide réussi, la tentative de suicide et les idées suicidaires.

Sur une période de vingt ans, on remarque que le nombre de suicides par année a plus que doublé, le taux par 100 000 habitants étant passé de 7,8 en 1968 à 17,9 en 1987 (voir le tableau 16-1). Cette augmentation globale est essentiellement attribuable à l'augmentation du nombre de suicides chez les hommes, qui est maintenant trois fois plus élevé que chez les femmes. On constate par ailleurs que l'écart entre le Québec et le Canada se creuse, la province tendant vers un taux de plus en plus élevé. Le taux de suicides s'accentue dans certains groupes d'âge : chez les jeunes de 15 à 19 ans, chez les adultes entre 30 et 50 ans et chez les personnes âgées, de 70 à 80 ans (voir le tableau 16-2).

Il ressort du tableau 16-3 que les hospitalisations à la suite d'une tentative de suicide ont particulièrement augmenté. Enfin, les résultats de la prévalence des idées suicidaires (voir le ta-

Tableau 16-1 *Taux de suicide au Canada et au Québec entre 1978 et 1987*
(Taux pour 100 000 habitants)

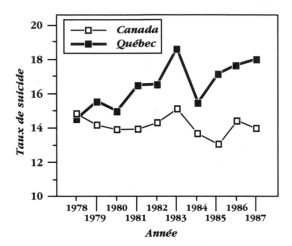

(Source : Bureau du coroner et Santé et Bien-être Canada)

Tableau 16-2 *Taux de suicide par groupes d'âge, en 1978 et en 1987*
(Taux pour 100 000 habitants)

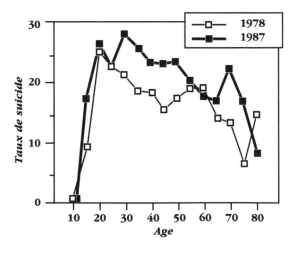

(Source : Bureau du Coroner, 1978, 1987)

bleau 16-4) surprennent : ce sont les 15-24 ans qui sont les plus sujets aux idées suicidaires ; 10 % des Québécois disent avoir pensé sérieusement à se

Tableau 16-3   *Hospitalisations à la suite d'une tentative de suicide, par sexe, au Québec, entre 1981 et 1988*

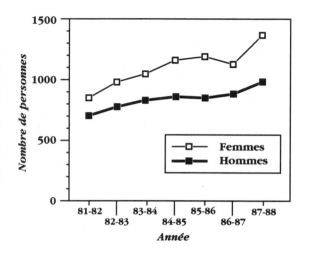

(Source : Régie de l'Assurance-maladie du Québec, 1990)

Tableau 16-4   *Prévalence des idées suicidaires selon le sexe et le groupe d'âge*
(Population âgée de 15 ans et plus, 1986)

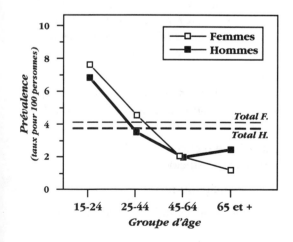

(Source : Enquête Santé-Québec, 1987)

suicider au cours de leur vie (Association québécoise de suicidologie, 1990).

Le risque de suicide est neuf fois plus élevé chez les femmes au foyer que chez celles qui ont un emploi hors de leur domicile. Parmi les personnes atteintes de troubles mentaux, une personne sur 1 000 se suicide chaque année. Les schizophrènes sont les clients pour lesquels le taux de suicide est le plus élevé, suivis des clients atteints de troubles affectifs. Le risque est deux fois plus élevé pour les personnes séparées, divorcées ou veuves que pour le reste de la population.

Suicide et soins infirmiers

Le suicide est un problème aussi bien à l'échelle mondiale, nationale, régionale que familiale. Et à ce titre, il touche particulièrement les infirmières. Celles-ci doivent participer activement à la prévention du suicide en informant la population sur les facteurs de risque, les signes avant-coureurs et les interventions. Les infirmières doivent avoir reçu une formation leur permettant d'évaluer les risques de suicide tant en milieu clinique qu'en santé communautaire. Une fois établi le risque de suicide, les infirmières doivent intervenir promptement et efficacement : la maîtrise des méthodes de prévention du suicide fait partie des compétences professionnelles au même titre que la maîtrise des techniques de réanimation cardiaque. Lorsque le suicide est réalisé, les infirmières doivent prodiguer de l'aide à la famille et aux amis de la victime afin de prévenir les traumatismes ultérieurs.

Connaissances de base : Suicide

Les gens se suicident pour des raisons extrêmement diverses.

- Certains sont poussés par des illusions ou obéissent à des hallucinations.

- Certains, à cause de sentiments dépressifs, d'une maladie chronique ou en phase terminale, n'ont plus d'espoir dans l'avenir.

- Pour certains, le suicide est la seule façon de soulager une douleur incurable, physique ou psychologique.

- Certains ont subi tant de pertes que la vie n'a plus aucune valeur à leurs yeux.

- Certains ont traversé de multiples crises qui ont épuisé leurs ressources internes et externes.

- Pour d'autres, le suicide est l'expression ultime de leur colère envers les personnes qui comptent pour eux.

Le suicide peut donc résulter de nombreux facteurs et peut avoir des significations très diverses, pour les victimes aussi bien que pour les survivants. Malgré cette diversité, les victimes potentielles du suicide ont en commun un certain nombre de caractéristiques qui peuvent alerter l'infirmière.

Caractéristiques comportementales

Le suicide n'est pas un acte aléatoire. C'est une façon d'éviter un problème, un dilemme ou une situation insupportable. Les personnes qui pensent à se suicider font souvent des remarques subtiles, ou même manifestes, qui signalent leurs intentions. Elles peuvent parler du stress, de l'état de tension dans lequel elles se trouvent et dire combien elles se sentent impuissantes. Certaines évoquent des idées philosophiques ou des croyances religieuses concernant la vie après la mort. Les remarques suivantes sont des indices verbaux qui peuvent aider l'infirmière

- « Ça n'aura bientôt plus d'importance. »

- « Je vous manquerai lorsque je ne serai plus là ? »

- « Vous le regretterez tous. »

- « Je ne peux plus continuer comme ça. »

- « Je sais que bientôt je n'aurai plus mal. »

- « Quand vous arriverez lundi, je serai parti. »

- « Bientôt, vous n'aurez plus à vous soucier des problèmes d'argent. »

- « J'entends des voix qui m'ordonnent de me faire mal. »

Certains comportements peuvent indiquer des intentions suicidaires ; se procurer une arme, comme un pistolet ou une corde solide, ou des comprimés en grande quantité sont parmi les signes caractéristiques. Souvent, la personne commence par éviter toute relation avec autrui et s'isole. On observe parfois un changement de son rendement au travail ou de ses résultats scolaires. Une tendance accrue à être victime d'accidents peut être le signe d'un début de comportement suicidaire. Certaines personnes s'intéressent soudainement à leur police d'assurance-vie, alors que d'autres font un testament ou le modifient, ou encore distribuent leurs biens personnels. On observe aussi parfois des signes d'abus de drogues ou d'alcool (Parker, 1988).

> *Denis s'est suicidé à 15 ans en se tirant une balle de pistolet. C'était un excellent élève qui avait toutes les chances de réussir dans la vie. Ses camarades de classe le décrivent comme un garçon agréable, mais qui n'avait pas d'ami proche. « Il restait souvent dans son coin. Parfois, nous étions tous en groupe à attendre l'autobus, et lui était seul, à l'écart. Quand quelque chose nous faisait rire, il ne savait pas quoi dire. » Une semaine avant de se suicider, il avait donné certaines de ses affaires et quelques vêtements à ses camarades de classe (Richardson, 1985).*

Le choix de la méthode utilisée pour se suicider fait également partie des caractéristiques liées au comportement. La *létalité* de la méthode se mesure à l'aide de quatre facteurs :

- La somme d'efforts à déployer pour organiser le suicide ;

- La spécificité du projet ;

- Le degré d'accessibilité de l'arme ou de la méthode ;

- La facilité avec laquelle on peut être secouru par les autres.

> *Paule pense à se suicider en avalant une dose excessive de somnifères. N'ayant jamais eu d'ordonnance, elle compte se procurer les comprimés en allant voir son médecin. La*

létalité de son plan est assez faible, car elle ne dispose pas du moyen qu'elle a choisi et elle devra déployer une certaine somme d'efforts pour prendre rendez-vous avec le médecin et trouver une raison pour lui demander une ordonnance. Si les somnifères sont efficaces lorsqu'on les prend en grande quantité, la mort n'est pas instantanée et il reste donc un laps de temps pendant lequel on peut lui venir en aide.

Joël envisage de se suicider en se tirant une balle dans la tête. Il a l'habitude des armes à feu et en possède plusieurs. La létalité de son plan est très élevée puisque l'arme est disponible et que la méthode choisie ne demande pas de planification. En général, une balle dans la tête entraîne une mort instantanée, ce qui écarte toute possibilité d'être secouru.

Les méthodes violentes empêchent en général d'être secouru. Plus de la moitié des décès par suicide résultent de l'utilisation d'armes à feu ou d'explosifs ; la pendaison ou l'empoisonnement par des liquides, des solides ou des gaz comme le monoxyde de carbone viennent en deuxième position parmi les méthodes les plus couramment utilisées. Les enfants choisissent le plus souvent de sauter par la fenêtre ou de se jeter sous les roues d'une voiture. Le patient atteint de troubles psychotiques aigus a des chances d'être secouru grâce au caractère impulsif de son idée et à son incapacité de formuler son plan de manière efficace (Hawton, 1986 ; Magnuson, 1989).

Les adolescents qui se suicident ont souvent un passé marqué par l'isolement social et des difficultés dans leurs relations interpersonnelles, que ce soit avec les camarades de leur âge ou avec les adultes. Ce sont souvent des solitaires, des êtres « rejetés », que l'on ne remarque pas parce qu'ils ne dérangent pas. Ce type de personnalité suicidaire se rencontre le plus souvent parmi les jeunes de race blanche, de sexe masculin, au cours des dernières années de l'adolescence. Leur suicide surprend en général leur famille et leurs proches. Les filles et les adolescents d'autres races ont des problèmes qui ont davantage de chances d'être connus de leur famille ou d'un organisme social. Leur com-

portement rebelle est parfois une façon de surmonter une dépression sous-jacente et le risque de suicide doit alors être envisagé sérieusement.

Un sentiment d'échec et de honte peut parfois pousser certains adolescents au suicide. S'ils ont intériorisé des exigences parentales très élevées sur le plan de la réussite scolaire, l'échec ou la simple menace d'un échec représente le risque de perdre l'amour de leurs parents. Certaines expériences peuvent contribuer au suicide des adolescents : l'abus de substances chimiques, la solitude, le chômage, les ruptures ou les relations difficiles, la peur de l'avenir. Ils envisagent parfois le suicide comme étant le seul moyen d'échapper à leur souffrance psychologique insupportable (Hawton, 1986).

Caractéristiques affectives

Toutes les caractéristiques affectives correspondant à la dépression sont également valables pour les personnes suicidaires : sentiments de désolation et de culpabilité, manque de gratification, perte des liens affectifs, sentiments d'échec et de honte. Certaines personnes incapables d'exprimer leur colère envers les autres la retournent contre elles-mêmes dans un processus d'auto-destruction. D'autres voient le suicide comme l'expression ultime de leur colère et un moyen de se venger de tout ce dont elles ont souffert. Mais c'est un sentiment prédominant de désespoir qui est le plus souvent associé au suicide : la vie semble insoutenable et sans espoir de changement ou d'amélioration (Fawcett, 1987).

Avant de prendre la décision finale de se suicider, le patient est la proie d'une vive ambivalence. Ce conflit interne le fait osciller entre la volonté de mourir et le désir de vivre jusqu'à ce qu'il prenne sa décision. S'il lui arrive de trouver pendant ce combat un soutien approprié, il est alors possible que la balance penche en faveur de la vie (Cutter, 1983).

Voici comment Mélanie décrit sa propre ambivalence vis-à-vis du suicide : « Pendant quelques semaines, j'ai pensé au suicide. J'ai pris le pistolet de mon mari et je suis restée assise pendant une heure en le gardant pointé sur ma tempe. Mais je ne voulais pas vraiment mourir; je voulais seulement que ma douleur disparaisse. Alors, j'ai tiré un coup de feu dans le mur et j'ai appelé une amie pour qu'elle m'emmène à l'hôpital. »

Une fois prise la décision de se suicider, le conflit et l'anxiété disparaissent, et la personne peut alors paraître calme et soulagée. L'entourage interprète parfois ce changement d'état affectif comme une amélioration, mais ce progrès apparent ne traduit peut-être qu'une ferme décision de mourir.

Certaines personnes qui ont un caractère suspicieux, qui sont dans un état paranoïde ou qui ont un tempérament violent peuvent combiner suicide et homicide. Ces personnes tuent en général quelqu'un qu'elles connaissent, un ami ou un parent, avant de se suicider ; il est rare qu'elles tuent un étranger avant de se donner la mort.

Caractéristiques cognitives

Le comportement suicidaire s'appuie sur plusieurs éléments cognitifs. Il suppose une prise de décision : le suicide est considéré par le patient comme une solution possible à un problème. S'il est désespéré, le patient est incapable d'envisager et d'évaluer d'autres solutions. Sa capacité de prendre une décision est en fait réduite du fait que la mort lui semble la seule solution possible. Le processus de pensée du suicidaire se caractérise par l'impuissance : il pense que se donner la mort est la seule solution et que personne ne peut l'aider à supporter sa propre douleur.

Les phantasmes des personnes suicidaires sont un autre élément cognitif. Parfois incapables d'envisager la mort comme un acte final, elles font comme si la vie allait continuer et s'imaginent qu'elles pourront observer la réaction que provoquera leur mort dans leur entourage, ou qu'elles pourront continuer à voir leurs enfants grandir. D'autres s'attendent à rejoindre un être aimé après la mort, et sont impatientes de retrouver ainsi leur famille ou leurs amis. Certaines personnes suicidaires espèrent qu'elles iront mieux après et elles envisagent la mort comme le départ pour une vie meilleure, ce qui constitue un processus de pensée paradoxal.

Une faible proportion de personnes suicidaires espèrent ou croient qu'une tentative de suicide va permettre de résoudre leurs problèmes interpersonnels et s'en servent parfois comme d'un appel au secours. Le patient est si désespéré qu'il ne peut envisager d'autre moyen pour résoudre ses problèmes ou pour obtenir l'aide dont il a besoin.

Daniel a tenté de se suicider il y a deux semaines en avalant un flacon d'aspirine. Il en parle maintenant comme d'un appel au secours : « Je n'avais pas plus envie de mourir que je n'avais envie de continuer à vivre comme je le faisais. Je me disputais sans arrêt avec ma femme, je criais constamment après les enfants. Je ne pense pas que ma femme se rendait compte de l'état dans lequel j'étais avant que je n'avale les comprimés. Maintenant, elle voudrait que nous allions voir ensemble un conseiller conjugal. »

Les personnes atteintes de troubles sensoriels ou de troubles de la pensée courent le risque de se suicider pour obéir à des hallucinations ou à des voix qui leur ordonnent de se donner la mort. Au début, la personne a peur de ces voix, mais par la suite elle peut se laisser charmer et exécuter l'ordre qui lui est donné. Les personnes souffrant de délire de persécution ou de contrôle sont aussi menacées. Si l'on ne parvient pas à chasser ces idées délirantes, la personne qui en est atteinte croit parfois que la mort est la seule façon d'échapper à ceux qui la contrôlent ou la persécutent. C'est pour elle la dernière issue afin d'être délivrée de sentiments extrêmement pénibles.

Gérard a eu pendant quinze ans des idées délirantes de contrôle. Son système d'idées illusoires était bien ancré ; il a été soumis à diverses interventions qui ont donné peu de résultats. Son système de pensée partait de l'idée fixe que sa famille le manipulait au moyen d'une électrode qu'il avait dans l'oreille : par cette électrode, les membres de sa famille pouvaient le réveiller, l'endormir, penser pour lui, parler à sa place. Trois semaines avant de se suicider, il était désespéré ; il disait que les médecins avaient tout essayé mais qu'ils ne pouvaient pas ou ne voulaient pas enlever l'électrode. Il ne voulait pas continuer à vivre ainsi, sans pouvoir être lui-même et en étant manipulé par les membres de sa famille qui le détestaient. Il s'est donné la mort pour échapper à la manipulation absolue qui l'a tourmenté pendant quinze ans.

Les personnes délivrées de leur attitude suicidaire changent souvent d'avis après coup : soit elles retrouvent leurs sentiments ambivalents, soit elles décident qu'elles veulent vivre. Mais toute leur existence, le risque de se suicider demeurera plus élevé pour elles que pour le reste de la population. Comme si la décision de mourir était plus facile à prendre si elle avait déjà été prise par le passé.

Caractéristiques physiologiques

Le risque de suicide est plus élevé chez les personnes atteintes de maladies chroniques que chez celles qui souffrent de maladies aiguës ou qui ne sont pas malades. Le risque est maximal chez les personnes atteintes de maladies évolutives comme les troubles cardiovasculaires, la sclérose en plaques ou le cancer. En outre, les patients à qui l'on administre de grandes quantités de médicaments traversent parfois, par suite des effets chimiques des drogues sur l'organisme, un épisode dépressif qui peut mener au suicide. L'alcoolisme est un facteur favorisant le suicide, en particulier chez les hommes âgés qui vivent seuls et dont le réseau de soutien est insuffisant ou inexistant. La consommation excessive d'alcool peut être une façon de chercher à lutter contre la dépression, mais elle peut aussi contribuer à provoquer la dépression en réduisant le taux d'amines biogéniques. Le mode de comportement des alcooliques engendre souvent de nombreux problèmes interpersonnels qui peuvent contribuer à renforcer leur volonté de mourir. Le risque de suicide est également élevé chez les personnes qui consomment des drogues, qui ont des problèmes analogues à ceux des alcooliques.

Caractéristiques socioculturelles

Souvent les personnes se suicident ou font des tentatives à l'occasion d'une période de stress intense. Lorsqu'on fait un examen rétrospectif, on observe souvent un pic d'événements importants au cours du mois qui a précédé le comportement suicidaire (Parker, 1988). Pour les personnes qui n'ont pas mis au point de stratégies d'adaptation ou qui ne sont plus capables de lutter, le suicide est parfois la dernière tentative désespérée pour surmonter le stress et résoudre les problèmes. Si nous voulons faire baisser le taux de suicides, nous devons informer les familles et les individus, et leur apprendre comment résoudre leurs problèmes pour être capables de traverser les crises et les situations critiques qui font partie de la vie.

Les suicides d'adolescents annoncés dans les médias ou les fictions télévisées qui portent sur le suicide ont pour effet de faire grimper le taux de suicides dans les semaines qui suivent. Les suicides ainsi suggérés par d'autres suicides sont appelés **suicides par imitation**. Ce type de suicide semble être un phénomène caractéristique chez les adolescents, et les filles y sont plus vulnérables que les garçons. L'imitateur potentiel est un adolescent perturbé qui partage la douleur du suicidé et subit l'influence des médias (Gould et Schaffer, 1987).

Quelle que soit la méthode utilisée, le suicide a un effet traumatisant sur la famille et les amis de la victime, qui doivent, en plus de leur chagrin, surmonter les tabous culturels et le stigmate associé au suicide. Très souvent, la famille et les amis ne s'étaient pas rendu compte du danger, et la brutalité du décès les surprend et les plonge dans le désarroi. Certains réagissent même avec colère contre la victime et contre son geste. Le suicide peut leur faire redouter la présence de troubles mentaux dans la famille ou d'autres suicides à l'intérieur de celle-ci. Comme la société incite les gens à se sentir coupables et à porter la responsabilité du comportement suicidaire de leurs proches, ceux qui ne ressentent aucune culpabilité risquent de s'en inquiéter et de se sentir coupables de cette absence de culpabilité. D'autres, par contre, ressentent une culpabilité destructrice et se font des reproches en se disant que cela ne serait pas arrivé s'ils avaient agi différemment.

Tourmentés par des souvenirs réels ou imaginaires liés à la scène fatale, les proches d'un suicidé ont souvent des cauchemars ; ils peuvent aussi devenir la proie de phobies concernant le suicide ou devenir malgré eux obsédés par l'idée de leur propre suicide. Le risque de suicide devient plus important pour la famille du suicidé : dans près de 20 p. cent des cas, un autre membre de la famille aura un comportement suicidaire par la suite.

La famille et les amis doivent également surmonter les problèmes que leur pose la méthode utilisée par le suicidé pour se donner la mort. Les cas les plus difficiles sont les méthodes spectaculaires, comme celle qui consiste à s'immoler par le feu ou à se trancher la gorge. D'autres méthodes suivent en commençant par celles qui sont les plus mal acceptées: le saut dans le vide, la pendaison, une balle dans la tête qui défigure complètement la victime, l'empoisonnement au monoxyde de carbone, une balle dans la tête qui ne défigure pas la victime, une balle dans la poitrine ou dans le cœur, et une surdose de substance toxique. Certaines méthodes causent davantage de honte et d'embarras aux membres de la famille qui doivent aussi trouver le courage de répondre aux questions de leurs relations, de surmonter leur propre incapacité à admettre la mort de l'être cher, et parfois de surmonter les reproches tendant à les rendre responsables du décès. Si la mort d'un être cher est toujours une épreuve traumatisante, la mort par suicide est parfois une épreuve insurmontable (Dongen, 1988 ; Hauser, 1987).

Théories de la causalité

Le suicide peut être le résultat de l'isolement social, de l'éloignement vis-à-vis de la société, de la famille et des amis. Un changement rapide de la situation sociale entraînant la perte des modes d'intégration sociale antérieurs est aussi une cause de suicide. Les personnes qui éprouvent des difficultés à s'adapter aux exigences de leur nouveau rôle sont davantage portées à envisager le suicide comme une solution à leurs problèmes.

La perte constitue un autre facteur étroitement lié au suicide. L'effet d'une perte donnée sur une personne dépend de l'importance qu'elle attribue à cette perte ; toute perte suscite la colère, qui est parfois dirigée contre soi-même et favorise les pensées et les actes suicidaires. Les événements les plus étroitement liés au suicide sont :

- Les changements majeurs de situation qui ne concordent pas avec l'image de soi ;

- La perte d'une personne importante ;

- Une perte importante qui arrive subitement et sans avertissement ;

- Plusieurs pertes rapprochées dans le temps.

Le risque de suicide peut être envisagé chaque fois que les aspects les plus importants et les plus significatifs de la vie d'une personne se trouvent menacés ou détruits. Les femmes ont tendance à se suicider pour des motifs relationnels, c'est-à-dire à cause de relations pénibles ou perdues. Les hommes ont tendance à avoir des motifs intrapersonnels, c'est-à-dire liés à des menaces dues à des problèmes financiers ou à la perte d'un emploi (Denmark et Kabatznick, 1988).

Le deuil doit permettre de surmonter et d'accepter les pertes. Un deuil vécu de manière inadéquate risque d'engendrer des comportements suicidaires. Richman (1986) explique que ce processus est parfois favorisé par certaines dynamiques familiales :

- Un membre particulier de la famille devient le bouc émissaire, et on lui reproche la perte subie.

- Le système de valeurs de la famille désapprouve le deuil, et les membres de la famille doivent donc souffrir en silence.

- Les membres de la famille sont au loin ou n'apportent pas de soutien à la personne qui a subi la perte.

- Les conflits avec la personne décédée se reportent sur le membre de la famille qui lui ressemble le plus ou qui lui était le plus lié.

- La cellule familiale est incapable de s'adapter au changement, et personne n'assume les rôles que remplissait la personne décédée.

En plus de ces causes générales, on distingue des causes plus spécifiques selon les groupes d'âge. En 1982, on fit une étude dans un centre anti-poison et on demanda aux enfants pour quelles raisons ils avaient avalé des substances toxiques. On constata avec surprise que 72 p. cent d'entre eux l'avaient fait pour tenter de se suicider (Hafen et Frandsen, 1985). Ce cas n'est pas unique ; d'autres données indiquent que les enfants sont capables de se suicider et qu'ils passent à l'acte (voir au tableau 16-5 les raisons pour lesquelles les enfants se suicident).

Le pourcentage de suicides est plus élevé parmi les adolescents, les étudiants de niveau universitaire et les personnes âgées que dans le reste de la population. Divers facteurs contribuent à leur décision de se suicider, certains de ces facteurs étant les mêmes que pour le reste de la population, et d'autres étant fonction de l'âge ou des circonstances (voir aux tableaux 16-6 à 16-9 les raisons pour lesquelles les adolescents, les étudiants de niveau universitaire et les personnes âgées se suicident).

Collecte des données : Suicide

Les infirmières ont parfois peur de recueillir les données sur le suicide auprès d'une personne à

Tableau 16-6   *Facteurs contribuant à un risque de suicide élevé*

Adolescence, études universitaires, ou âge supérieur à 50 ans

Personne au foyer à plein temps

Problèmes d'alcool ou de drogues

Séparation, divorce ou décès du conjoint

Isolement social

Tentatives de suicide antérieures

Antécédents suicidaires dans la famille

Maladie chronique ou en phase terminale

Troubles mentaux

Crises multiples

Pertes multiples

Sentiments d'échec et de désespoir

risque élevé. Plusieurs facteurs peuvent être à l'origine de cette crainte : la peur de faire naître l'**idée** du suicide chez le client, la crainte de se montrer incorrecte, la peur de la réaction du client, ou une certaine hésitation à parler d'un sujet tabou. Pourtant, l'infirmière ne risque pas de suggérer l'idée du suicide. Vers la fin de l'enfance et le début de l'adolescence, chacun sait que le suicide est une des façons de résoudre les problèmes. La plupart des jeunes ont déjà, sans être pour autant activement suicidaires, pensé au suicide en période de stress. Par exemple, l'enfant en colère contre ses parents peut penser : « Si je me faisais écraser par une voiture, ils regretteraient d'avoir été si méchants avec moi ! » Nombre d'adultes ont déjà réfléchi à la méthode qu'ils utiliseraient s'ils se suicidaient un jour. Ainsi, même s'il s'agit d'un sujet tabou, la majorité des gens y ont déjà pensé et ont leur propre opinion sur le sujet.

Il ne faut pas oublier que les personnes suicidaires ont peur : peur que personne ne se soucie d'elles. Elles hésitent à amener le sujet dans la conversation, par peur qu'on les juge fragiles ou « folles ». Lorsque l'infirmière se trouve confrontée à sa propre peur de parler du suicide, elle doit se souvenir que ses interventions ne peuvent être efficaces que si elle inclut la menace de suicide

Tableau 16-5   *Causes du suicide chez les enfants*

Fuite face à une violence physique ou sexuelle

Anticipation de mesures de discipline

Situation familiale chaotique

Sentiment de ne pas être aimé ou d'être constamment critiqué

Échecs scolaires

Peur ou humiliation à l'école

Pertes de personnes significatives

Forme de punition envers les autres

Source : *Psychological Emergencies and Crisis Intervention*, B. Hafen et K. Frandsen, Morton, 1985.

Tableau 16-7 *Causes du suicide chez les adolescents*

Manque de relations constructives

Difficultés à maintenir des relations durables

Fuite devant une violence physique ou sexuelle

Sentiment de ne pas être compris

Pertes de personnes importantes

Manque d'appréciation ou état physique

Problèmes sérieux avec les parents

Problèmes sexuels

Dépression

Source : *Psychological Emergencies and Crisis Intervention*, B. Hafen et K. Frandsen, Morton, 1985.

Tableau 16-8 *Causes du suicide chez les étudiants de niveau universitaire*

Exigences de réussite

Anxiété liée aux études

Échec dans les études pouvant signifier la perte de l'amour ou de l'estime des parents

Compétition pour réussir

Source : *Suicide in America*, H. Hendlin, Norton, 1982.

Tableau 16-9 *Causes du suicide chez les personnes âgées*

Passage de l'indépendance à une situation de dépendance

Maladie entraînant une diminution des facultés

Sentiment de moins participer à la société

Solitude et isolement social

Pertes multiples

Épuisement des ressources

Source : *Psychological Emergencies and Crisis Intervention*, B. Hafen et K. Frandsen, Morton, 1985.

dans le bilan de santé. Si le client n'est pas suicidaire, il n'y a aucun mal à lui poser la question. S'il est suicidaire et qu'on ne lui pose pas la question, on l'abandonne dans une situation dangereuse. Comme la plupart des personnes suicidaires ont des sentiments ambivalents vis-à-vis de la décision à prendre, le fait d'en parler peut les soulager et leur donner l'occasion de renforcer leur désir de vivre en cherchant ce qui, pour eux, donne encore un sens à la vie.

L'infirmière peut elle aussi avoir des sentiments ambivalents : elle peut se trouver en conflit avec l'idée que les gens ont le droit de choisir quand et comment ils veulent mourir. Bien des infirmières ont pensé aux conditions dans lesquelles elles préféreraient mourir, si par exemple elles étaient frappées d'une maladie chronique ou incurable. Ayant envisagé le suicide comme une possibilité, ces infirmières peuvent se demander si elles ont le droit d'empêcher le suicide d'une autre personne. D'autres infirmières, qui pensent que le suicide doit être évité dans tous les cas, ne vivent pas ce genre de conflit.

L'infirmière et la famille ne doivent pas s'attendre à ce qu'une évaluation appropriée de la situation empêche immanquablement le suicide ; sinon, ils risquent de se sentir à tort coupables si le client réussit sa tentative de suicide. Toutes les victimes ne donnent pas d'indices révélateurs avant de mourir ; en réalité, seulement 20 p. cent des personnes suicidaires peuvent être identifiées comme telles avant leur suicide. Dans au moins la moitié des cas, la victime n'avait pas laissé paraître auparavant de pensée ou de comportement suicidaire (Cutter, 1983). Si nous donnons ces précisions, ce n'est pas pour réduire l'importance de l'évaluation du risque suicidaire, mais bien pour définir des attentes professionnelles qui soient réalistes. Si une personne a la ferme intention de se suicider, il est difficile d'intervenir avec succès. Par contre, si elle est encore ambivalente, l'intervention peut lui sauver la vie. Pour les personnes à risque, il est donc vital de faire un bilan de santé. Nous donnons ici les types de questions à poser pour établir le bilan de santé d'une personne suicidaire. Pour mettre le client à l'aise, il est important que l'entrevue soit menée en privé.

BILAN DE SANTÉ
Clients suicidaires

Données sur le comportement

Pensez-vous au suicide?

À quelle méthode auriez-vous recours pour vous suicider?

Avez-vous à portée de main les instruments pour vous suicider?

Avez-vous fait une séance de répétition de votre suicide?

Quand avez-vous l'intention de vous suicider?

Avez-vous déjà essayé de vous supprimer?

Comment vont les choses à l'école (au travail)?

Avez-vous encore envie de rendre visite à des amis?

Avez-vous bu beaucoup récemment?

À quelle fréquence consommez-vous des drogues illégales?

Avez-vous fait un testament récemment ou l'avez-vous modifié?

Avez-vous vérifié vos polices d'assurance-vie?

Quels effets personnels avez-vous donnés?

Avez-vous planifié vos funérailles?

Données sur l'état affectif

De quelle humeur êtes-vous en général?

Dans quelles circonstances vous sentez-vous coupable?

Dans quels domaines trouvez-vous que vous avez échoué?

Comment voyez-vous l'avenir?

Dans quelle mesure vous sentez-vous sans espoir ou impuissant?

Quelle part de vous-même a envie de mourir?

Quelle part de vous-même a envie de vivre?

Données sur l'état cognitif

Que vous apportera votre suicide?

Qu'apportera votre suicide à votre entourage?

Qu'est-ce qui devrait changer dans votre vie pour vous décider à vivre?

Comment pensez-vous à la mort?

Pensez-vous que vous continuerez à vivre après la mort?

Espérez-vous après la mort retrouver des êtres chers disparus?

Entendez-vous des voix?

Que vous disent ces voix?

Le suicide est-il pour vous un moyen d'échapper à la persécution ou à la manipulation?

Données sur l'état psychologique

Êtes-vous malade physiquement?

Décrivez vos attentes vis-à-vis de votre maladie.

Quand avez-vous vu un médecin pour la dernière fois?

Quels médicaments, sur ordonnance ou en vente libre, prenez-vous en ce moment?

Votre appétit a-t-il changé?

Décrivez vos problèmes de sommeil.

Données sur la vie socioculturelle

Quelles pertes avez-vous subies au cours de l'année écoulée?

Relations? Séparations? Divorce? Décès? Emplois? Rôles? Estime de soi?

Quel type de stress avez-vous dû surmonter au cours des six derniers mois?

Quelles personnes peuvent vous apporter un soutien?

Certains de vos amis ou des membres de votre famille se sont-ils suicidés? Dates anniversaires de leur mort? Pensées et sentiments vis-à-vis de ce(s) suicide(s)?

À qui votre suicide va-t-il profiter? Comment?

Analyse des données et planification des soins: Suicide

Le bilan de santé permet à l'infirmière de recueillir des données à partir desquelles elle va établir le plan de soins. Pour savoir comment orienter le plan de soins, l'infirmière a besoin de se poser les questions suivantes:

1. Le client est-il à risque élevé? Faut-il intervenir d'urgence?

2. Quel est le degré de létalité de son plan?

3. Le client a-t-il besoin d'être dans un milieu protégé?

4. Quelle est l'étendue de son réseau de soutien?

Il est nécessaire que les individus, les familles, les écoles et les communautés soient informés des comportements suicidaires et des stratégies de prévention. Il faut indiquer aux gens quelles sont les ressources disponibles et les aider à prendre contact avec les services de soutien existants (voir le tableau 16-10). (Le plan des soins infirmiers destinés au client suicidaire figure au tableau 16-11).

Tableau 16-10   *Organismes de prévention du suicide et d'aide morale (liste partielle)*

Montréal :
Tel-aide	935-1101
Centre d'écoute le Havre	844-8910
Carrefour le Moutier (Longueuil)	679-7111
	ou 679-5029
Suicide-action Montréal (S.A.M.)	522-5777
Centre de référence du Grand Montréal	931-2292

Québec :
Tel-aide Québec	522-1266
Centre de prévention du suicide de Québec	525-4588

Sherbrooke :
Carrefour intervention-suicide	566-7319

Hull :
Tel-aide Outaouais	743-6433
Ottawa Crisis Center	(613) 236-7977

Granby :
Centre de prévention du suicide	375-4252

Drummondville :
Au bout du fil	477-8855

Trois-Rivières :
Tel-écoute	376-4242
Tel-aide	378-6050

Chicoutimi :
Téléphone-secours	545-2112
Service d'écoute	542-2122

Rouyn-Noranda :
Centre de prévention du suicide	762-8144

Évaluation : Suicide

L'infirmière doit garder à l'esprit que ni ses interventions ni le traitement médical ne peuvent garantir que le client suicidaire ne passera pas à l'acte. Le principal objectif consiste à protéger les clients suicidaires jusqu'à ce qu'ils soient capables de se protéger eux-mêmes. Par des interventions actives, on espère que les clients seront capables de trouver d'autres solutions pour surmonter les difficultés qui sont à l'origine de leurs intentions suicidaires.

Lorsqu'un client réussit son suicide, l'infirmière doit se poser un certain nombre de questions pour éviter de se sentir coupable et de se faire des reproches inutiles.

- Ai-je pris au sérieux les intentions suicidaires du client ?

- Lui ai-je procuré un environnement aussi sûr que possible ?

- Le client avait-il envie de trouver d'autres solutions ?

- Ai-je le droit d'empêcher tous les suicides ?

- Le client a-t-il le droit de décider de sa propre mort ?

- Suis-je la seule à me faire des reproches ?

- Que dois-je faire pour me sentir moins coupable de cette mort ?

Il est nécessaire que les membres du personnel participent à des discussions pour parler de ce qu'ils ressentent et de leurs responsabilités à l'égard du suicide du client. Ils verront qu'il est utile d'analyser les notions de mort et de guérison, ainsi que leurs obligations morales. S'ils n'ont pas l'occasion de réfléchir à leurs sentiments de culpabilité et d'échec, certains membres du personnel risquent de reporter leur colère et leurs reproches sur leurs collègues ou même sur le client décédé.

Violence envers les autres : Viol

Le viol est un crime violent contre la personne, le deuxième en gravité après l'homicide. Le viol n'a rien à voir avec la sexualité, mais fait plutôt intervenir la force, la domination et l'humiliation. Dans le texte qui suit, le terme **viol** désigne tout acte sexuel forcé qui se caractérise essentiellement par l'absence d'un consentement adulte. Sur le plan juridique, le terme « viol » est complètement banni du Code criminel depuis la nouvelle législation de janvier 1983. Pour s'adapter à la réalité canadienne, le législateur a introduit les catégories d'agressions sexuelles suivantes : l'agression sexuelle simple (désignant toute agression à caractère sexuel avec usage de la force), l'agression sexuelle armée, où l'agresseur a proféré des menaces ou infligé des lésions corporelles, et l'agression sexuelle grave, où l'agresseur a blessé, battu, mutilé ou défiguré la victime, ou encore a mis sa vie en danger (Presses de la santé de Montréal, 1987).

(suite page 663)

Tableau 16-11   Plan des soins infirmiers destinés au client suicidaire

■ **Diagnostic infirmier :** Risque de violence envers soi, relié à un état suicidaire aigu.
■ **Objectif :** Le client ne se blesse pas et ne met pas fin à ses jours.

Intervention	Justification	Résultat escompté
Rester en permanence auprès du client jusqu'à ce qu'il puisse être transféré dans un milieu sûr.	Pour défendre les droits d'une personne suicidaire, il est nécessaire de la protéger jusqu'à ce qu'elle soit capable de le faire.	Le client demeure en sécurité.
Expliquer au client avec respect et chaleur que l'on va le protéger jusqu'à ce qu'il soit capable de résister à ses impulsions suicidaires.	L'état de conflit et l'anxiété du client ambivalent vont diminuer s'il est pris en charge par le personnel soignant.	Le client exprime moins de conflit et d'anxiété.
Emmener la personne immédiatement à l'hôpital pour la soumettre à une évaluation et peut-être la faire hospitaliser.	L'hospitalisation est peut-être la seule intervention immédiate permettant d'empêcher le suicide.	
Enlever les objets dangereux dans la mesure du possible (couteaux, objets en verre, ceintures, rasoirs, comprimés).	Pour protéger le client, on doit lui enlever tout objet dont il pourrait se servir contre lui-même.	Le client demeure en sécurité.
Lorsqu'on lui administre ses médicaments, s'assurer que le client les avale tous.	Il est nécessaire d'empêcher le client d'accumuler des médicaments en vue d'une tentative de suicide ultérieure.	Le client avale tous ses médicaments.
Surveiller les allées et venues du client toutes les 10 à 15 minutes de façon irrégulière ; s'il est dans un état suicidaire aigu, le surveiller sans interruption.	En observant fréquemment le client, on peut l'empêcher de mettre à exécution un projet de suicide ; si la surveillance est régulière, le client risque de savoir quel est le meilleur moment pour tenter de se suicider.	Le client demeure en sécurité.

■ **Diagnostic infirmier :** Stratégies d'adaptation individuelle inefficaces, reliées au désir de se donner la mort pour résoudre ses problèmes.
■ **Objectif :** Le client dit que ses pulsions suicidaires ont diminué.

Intervention	Justification	Résultat escompté
Écouter attentivement et prendre au sérieux toute conversation évoquant le suicide.	Une attention véritable réconforte le client et aide à établir le contact.	
Ne pas essayer de dissuader le client de se suicider.	Le client risque de croire qu'on ne le comprend pas ou qu'on ne pense pas que ses raisons sont valables.	
Utiliser le procédé de résolution de problèmes sur les raisons de se suicider : • demander au client de faire une liste de ses raisons de vivre et de ses raisons de mourir ;	Une liste écrite peut aider le client à conceptualiser plus clairement le conflit.	Le client dresse une liste.
• lui faire décrire le but qu'il espère atteindre ;	Un objectif précis aide à garder l'attention sur le processus de résolution de problèmes.	Le client énumère ses raisons.
• rappeler au client que le suicide n'est qu'une des solutions possibles ;	Ce rappel lui faire perdre l'idée que le suicide est la seule solution.	Le client énumère d'autres solutions.

(suite du diagnostic page suivante)

Tableau 16-11 *(suite)*

Diagnostic infirmier *(suite)* : Stratégies d'adaptation individuelle inefficaces, reliées au désir de se donner la mort pour résoudre ses problèmes.
Objectif : Le client dit que ses pulsions suicidaires ont diminué.

Intervention	*Justification*	*Résultat escompté*
• dresser une liste des autres solutions possibles pouvant permettre au client d'atteindre son but ; • discuter des résultats possibles du suicide (p. ex. : «Quel est le risque de vous blesser grièvement si vous manquez votre suicide ?» ou «La mort est-elle la méthode la plus efficace pour atteindre votre but ?»; • discuter des résultats possibles des autres solutions.	Le client n'a peut-être pas envisagé toutes les conséquences éventuelles (le risque de séquelles physiques permanentes ou celui de ne pas atteindre son objectif). En insistant sur les autres façons d'atteindre le but fixé, on encourage la part du client qui souhaite continuer à vivre et on réduit le sentiment d'impuissance.	Le client nomme les répercussions éventuelles.
Insister sur ce qui peut aider le client à résister à ses pulsions suicidaires : • parler de la mort, de ce qu'elle signifie pour le client, des sentiments qu'elle lui inspire et de l'idée qu'il s'en fait ; • insister sur la liste des raisons pour continuer à vivre (p. ex. : «Si vous n'étiez plus déprimé, comment verriez-vous le monde ?») ;	Très souvent, le client suicidaire n'a pas réfléchi à la réalité de la mort et à son caractère définitif. Le fait de renforcer le désir de vivre va amoindrir le désir de mourir et réduire le conflit interne. La personne doit retrouver ses forces, accéder à ses ressources.	Le client parle de la mort. Le client dresse une liste. Le client raconte comment il imaginerait le monde.
• discuter du soutien constructif que peuvent apporter la famille et les amis ; • discuter de l'effet du suicide sur les survivants (chagrin, colère, honte, culpabilité et augmentation du risque de se suicider).	En mettant en relief le réseau de soutien disponible, on réduit le sentiment d'isolement et d'impuissance. Très souvent, le client suicidaire n'a pas pensé aux répercussions de son suicide sur les membres de sa famille ; cette préoccupation externe peut atténuer le caractère impulsif du comportement.	Le client décrit son réseau de soutien. Le client parle des effets de son suicide sur les autres.
Demander au client s'il veut bien s'engager à ne pas se suicider, soit par entente verbale, soit en signant un contrat écrit.	Un contrat officialise l'accord du client de ne pas suivre ses impulsions suicidaires et correspond à son engagement envers la vie.	Le client accepte de signer un contrat.

▌ **Diagnostic infirmier :** Risque de violence envers soi, relié au manque de connaissance des mesures préventives.
Objectif : Le client résiste à l'avenir à ses pulsions suicidaires.

Intervention	*Justification*	*Résultat escompté*
Parler avec le client et sa famille du fait que les idées et le comportement suicidaires peuvent resurgir par la suite.	L'information sur le suicide réduit le risque de déni des problèmes futurs et permet une intervention plus précoce.	Le client énumère les problèmes possibles.

(suite du diagnostic page suivante)

Tableau 16-11 (suite)

Diagnostic infirmier *(suite)* : Risque de violence envers soi, relié au manque de connaissance des mesures préventives.
Objectif : Le client résiste à l'avenir à ses pulsions suicidaires.

Intervention	Justification	Résultat escompté
Procurer au client les numéros de téléphone des services d'aide morale et des groupes nationaux de prévention du suicide (voir au tableau 16-10).	Le fait de connaître les ressources et les réseaux de soutien disponibles peut aider le client à résister à ses pulsions suicidaires et procurer à la famille l'assistance dont elle a besoin.	Le client prévoit des mesures permettant de résoudre les problèmes anticipés.

Diagnostic infirmier : Stratégies d'adaptation familiale inefficaces : soutien compromis, reliées au suicide d'un membre de la famille.
Objectif : La famille continue à fonctionner dans son ensemble et au niveau individuel.

Intervention	Justification	Résultat escompté
Donner à la famille l'occasion de parler du décès.	Par gêne, les autres membres de la famille ou les amis risquent d'éviter le sujet.	La famille parle des effets du suicide.
Discuter des peurs éventuelles des membres de la famille.	Parler franchement de ses peurs va aider la famille à garder une perspective réaliste.	La famille parle de ses peurs.
Permettre à la famille d'exprimer sa colère envers la victime qui l'a abandonnée et sa colère envers elle-même parce qu'elle n'a pas empêché le suicide.	La colère est un élément normal du processus de deuil.	La famille verbalise sa colère.
Aider la famille à anticiper les difficultés futures (temps des Fêtes, anniversaire du décès, idées et comportement suicidaires chez d'autres membres de la famille).	Le counseling préventif atténue les effets des difficultés escomptées; il faut évaluer les membres de la famille pour déceler les pensées suicidaires.	La famille prévoit des mesures appropriées pour faire face aux problèmes anticipés.
Diriger la famille vers un groupe de parents ou de survivants de personnes suicidées.	Le fait de partager avec d'autres qui ont vécu la même expérience réconforte et aide à résoudre les sentiments.	La famille fréquente un groupe.
Diriger la famille vers une thérapie familiale.	Une thérapie plus intensive peut être nécessaire en cas de problèmes familiaux complexes.	La famille suit une thérapie.

« Selon l'ancienne loi, un mari ne pouvait être accusé de viol sur la personne de son épouse. Avec la nouvelle loi, la nature des liens entre l'agresseur et la victime avant l'agression sexuelle ne détermine plus ni l'existence ni la gravité du crime. Dorénavant, le mari qui agresse sexuellement son épouse n'est plus à l'abri des poursuites légales. » (Presses de la santé de Montréal, L'agression sexuelle, 1987, p. 21.) Encore aujourd'hui, des femmes sont battues et violées par leurs maris, parfois sous les yeux des enfants. Loin d'être un phénomène rare, le viol conjugal s'accompagne d'une extrême violence ; c'est peut-être le type de viol dont on entend le moins parler. On estime à l'heure actuelle que 8 millions de femmes aux États-Unis risquent d'être violées par leur mari. Pour 35 à 50 p. cent des femmes battues, le viol fait partie des sévices physiques que leur inflige leur partenaire masculin. C'est au moment où la femme quitte son mari ou menace de le quitter qu'elle est le plus en danger. Il perçoit en effet cette situation comme un défi à son rôle dominateur et réagit en utilisant l'acte sexuel comme moyen de dominer et d'humilier (McLeer, 1988 ; Pagelow, 1988).

> *Charles, ayant accusé sa femme Laure de le tromper, l'a battue et l'a menacée de « lui mettre le canon du revolver dans la bouche » lorsqu'elle a nié avoir une aventure. Il l'a harcelée à plusieurs reprises et l'a traitée comme un objet en présence de leurs deux jeunes enfants. Il a continué à la battre et à abuser d'elle sexuellement pendant plusieurs heures. Au procès, Charles déclara pour sa défense : « C'était la fête pour elle et moi. Elle m'avait toujours dit qu'elle voulait un homme qui lui dirait quoi faire. » Charles fut condamné à 15 ans de prison pour le viol de sa femme, que le juge qualifia d'acte « brutal, terroriste et avilissant » (Wilson, 1988).*

> *À la naissance de son premier enfant, Carmen a subi une césarienne. Son médecin lui a recommandé de ne pas avoir de rapports sexuels pendant plusieurs semaines. À son retour à la maison cinq jours après l'accouchement, son mari lui dit qu'il avait le droit d'avoir un rapport sexuel avec sa femme quand il le voulait et la prit de force malgré ses protestations.*

Avec la nouvelle loi, les principes suivants sont codifiés et témoignent de valeurs reconnues par notre société :

- Toute personne a droit à la protection de l'intégrité corporelle ;

- Les hommes et les femmes ont droit au même traitement ;

- Les infractions sexuelles constituent des voies de fait et devraient être traitées comme toute autre infraction criminelle ;

- Il faut cesser de harceler les victimes d'infractions sexuelles devant le tribunal. (Ministère de la Justice, Canada. *Agression sexuelle : la nouvelle loi*, 1987.)

Pour la victime, le viol est presque toujours un événement subi, irrationnel et imprévu. L'auteur du crime est souvent armé d'un couteau ou d'un revolver ; parfois, il attache sa victime ou a recours aux intimidations verbales en proférant des menaces de mort. Certaines victimes tentent de lui résister et en sont parfois capables physiquement. D'autres essaient de le raisonner ou de le supplier. Mais en général, la peur de mourir et le caractère soudain de l'événement font que de nombreuses victimes sont incapables de fuir ou de se défendre.

Incidence du viol

D'après le Conseil consultatif canadien sur la situation de la femme (C.C.C.S.F.), une Canadienne sur 17 est violée au cours de son existence, une femme sur 5 est victime d'agression sexuelle. Toutes les 29 minutes, une femme est violée au Canada et toutes les 6 minutes, une autre subit une agression sexuelle. En 1989, on a signalé aux forces policières du Canada 30 340 agressions sexuelles, 971 agressions sexuelles armées et 445 agressions sexuelles graves (Statistique de la criminalité du Canada, 1989, N° 85-205). Gendron (1987) indique que 30 p. cent des victimes de viol ont été attaquées par de purs étrangers, qu'une victime sur 6 a été agressée par une personne de sa connaissance, parfois même par un ami, et que 90 p. cent des victimes subissent de graves sévices lors de l'agression.

Il n'existe pas de victime type du viol mais, sur la totalité des viols signalés, 93 p. cent des victimes sont des femmes ; l'auteur du viol est un homme dans 90 p. cent des cas. Le viol frappe à n'importe quel âge, de l'enfance à la vieillesse. L'âge moyen des fillettes qui se font violer est de 7,9 ans ; dans 80 p. cent des cas, l'auteur du viol est une personne connue de l'enfant. Le violeur peut s'attaquer à des personnes étrangères, des connaissances, des amis ou des membres de sa famille. Parce qu'elles sont de plus en plus conscientes du risque, les femmes commencent à prendre des mesures préventives. Et comme ces mesures créent une certaine suspicion à l'égard des hommes dans les situations où le risque de viol existe, tous les hommes et toutes les femmes sont en quelque sorte victimes du viol. Les femmes ne se sentent pas en sécurité et ce sont les hommes en général qui sont l'objet de cette peur et de cette suspicion. Ainsi, le viol touche chacun de nous, au moins indirectement (Warner, 1980).

Les hommes victimes de viol commencent à susciter l'attention du public. Comme pour les femmes, les hommes peuvent se faire violer à n'importe quel âge. Jusqu'à présent, le mythe voulait que le viol de l'homme n'ait lieu que dans les cas où les contacts hétérosexuels étaient impossibles, comme dans les prisons ou en milieux isolés. Mais le nombre croissant de viols signalés par des victimes mâles a renversé ce mythe. Le viol de l'homme n'est pas une attaque homosexuelle mais, là aussi, un acte de violence et de domination plutôt qu'un acte sexuel. Certains auteurs de viols, qui se définissent comme étant hétérosexuels, vont s'attaquer à la personne qui se trouve sur leur chemin et violer indifféremment un homme ou une femme.

Autrefois, les hommes avaient peur de signaler un viol dont ils avaient été victime, par peur du ridicule ou par crainte de ne pas être cru. Comme dans le passé lorsqu'une femme se faisait violer, la société a tendance a accuser la victime par des remarques du genre : « Il a dû penser que vous vouliez le draguer. », « Vous avez dû le mettre en colère » ou « Vous auriez pu résister si vous l'aviez vraiment voulu ! ». Les hommes victimes de viol subissent le même traumatisme émotif et ont besoin de la même protection, des mêmes interventions et de la même compréhension que les victimes de sexe féminin.

Il est difficile de déterminer la fréquence du viol car c'est le crime qu'on a le moins tendance à signaler. Par honte et par crainte des reproches, la victime hésite souvent à signaler le viol et à témoigner. On estime qu'une femme sur six sera victime d'une tentative de viol à un moment de son existence et qu'une femme sur huit sera forcée de se soumettre. Ce sont les jeunes filles entre 16 et 19 ans qui risquent le plus de se faire violer. Les victimes qui ne sont pas de race blanche risquent davantage de se faire violer à un plus jeune âge, le risque étant à son apogée entre 12 et 19 ans. Le risque maximal pour les victimes blanches se situe

entre 20 et 34 ans. Le plus souvent, l'auteur du viol est de la même race que la victime (Erickson, 1989).

Du point de vue de la victime, le viol est une attaque très soudaine et inattendue ; l'attaque a lieu le plus souvent entre 18 h et minuit. Mais en réalité, la majorité des viols ne sont pas des actes impulsifs et 60 à 75 p. cent des viols sont parfaitement prémédités.

Il arrive souvent que les viols entre personnes qui se fréquentent ne soient pas signalés. C'est le cas de 50 p. cent des viols commis dans les campus universitaires. Une femme signale très rarement le viol si elle connaît l'auteur et surtout si elle a l'habitude de le fréquenter. Ce silence est dû en partie à une notion culturelle qui autorise un homme, dans certaines circonstances, à obliger une femme à avoir un rapport sexuel avec lui. La victime est souvent accusée, de son propre fait et par les autres, d'avoir été naïve ou provocante. Une autre idée, lente à disparaître, veut que, si une femme accepte un rendez-vous avec un homme et le laisse payer pour tout, elle lui est en quelque sorte « redevable » et n'a pas le droit de lui refuser ses faveurs sexuelles. Pour lutter contre ce problème, de nombreuses universités ont organisé des séminaires contre le viol et mis sur pied des services de consultation pour hommes et femmes (Shotland, 1989). Le tableau 16-12 présente les directives à observer pour éviter le viol lors d'un rendez-vous.

Viol et soins infirmiers

On rencontre des victimes de viols dans tous les types de services, depuis les services de pédiatrie jusqu'aux services de soins intensifs. Les infirmières doivent être en mesure de faire un bilan et de dispenser les soins appropriés pour remédier aux conséquences psychologiques ainsi qu'au traumatisme physique subi par la victime. On peut aussi demander à l'infirmière de venir témoigner au procès d'un individu accusé de viol. Au sein de la communauté, les infirmières peuvent créer des groupes de soutien ou orienter les victimes vers des groupes existants (voir le tableau 16-13).

Tableau 16-12 *Pour lutter contre le viol entre personnes qui se fréquentent*

Méfiez-vous des relations stéréotypées du type homme dominateur-femme soumise. Les hommes qui violent une femme qu'ils fréquentent ont tendance à avoir un comportement phallocrate et estiment que les femmes sont des êtres inférieurs.

Se méfier des hommes qui essaient de vous dominer, de décider qui vous pouvez rencontrer, où vous pouvez aller, ce que vous pouvez faire. Ce genre d'attitude traduit un besoin de domination qui vous rend plus vulnérable en vous isolant.

Soyez très claire dans votre façon de communiquer. Si un simple *non* ne suffit pas, partez ou exigez qu'il parte. Montrez-vous décidée.

Évitez de donner des messages ambigus. Par exemple, ne dites pas non tout en continuant à flirter.

N'allez pas dans des endroits trop isolés, où il est impossible d'appeler au secours.

Participez à un atelier contre le viol pour apprendre comment vous défendre.

Tableau 16-13 *Où trouver de l'aide*

Tel-aide (Montréal)	(514) 935-1101
Mouvement contre le viol (Montréal)	(514) 842-5040
Tel-aide (Québec)	(418) 522-1266
Viol-secours (Québec)	(418) 692-2252
Centre d'aide à la lutte aux agressions sexuelles (Hull)	771-6233
La Rose des vents (Drummondville)	472-5444
Centre d'aide aux victimes d'agression à caractère sexuel (Trois-Rivières)	(819) 373-8470
Assaut sexuel secours (Val-d'Or)	(819) 825-6968
Comité contre la violence (Chicoutimi)	(418) 545-1575
Urgence sociale ou urgence-santé de plusieurs régions	
Maison des femmes ou Centre-femmes	
Centres de services sociaux (C.S.S.)	
Centres locaux de services communautaires (C.L.S.C.)	
Recours, femmes agressées	(819) 849-4783
Centre d'aide et de lutte contre les agressions à caractère sexuel (Sherbrooke)	(819) 563-9999

Les infirmières peuvent également participer activement à la sensibilisation du public par le biais de diverses activités d'information. De par leur rôle, les infirmières ont l'occasion unique de pouvoir contribuer à la prévention du viol et au traitement des victimes.

Connaissances de base : Viol

Caractéristiques comportementales

Par gêne ou par honte, nombreuses sont les victimes de viol qui choisissent de ne pas signaler le crime, parfois par peur de la réaction de leur famille ou de la police. L'agresseur les a peut-être menacées de recommencer si elles prévenaient la police. Comme un grand nombre de ces crimes sont commis par des connaissances, des amis, des relations ou des maris, les victimes craignent qu'on ne les croie pas.

Certaines victimes réagissent immédiatement par une vive agitation et un comportement désordonné. Elles sont dans une grande détresse émotive lorsqu'elles arrivent au service des urgences et sont dans l'incapacité de raconter ce qui s'est passé. Elles sont dans un tel état d'anxiété et de frayeur qu'elles sont incapables de suivre de simples instructions.

D'autres victimes de viol rentrent chez elles et prennent un bain ou une douche avant d'appeler la police ou de se rendre au service des urgences. Autrefois, ce genre de comportement portait l'entourage à mettre en doute leur accusation de viol. On sait maintenant qu'une personne qui se fait violer ressent une extrême impuissance ; si elle se lave, c'est parfois pour tenter de reprendre possession d'elle-même et de retrouver son état normal qui a été si brutalement perturbé.

Immédiatement après le viol, la majorité des victimes semblent bien maîtriser leurs sentiments et leur comportement ; mais ce calme apparent traduit en général un état de choc psychologique, de torpeur et d'incrédulité. La victime dira alors : « Ce n'est pas possible que ce soit vrai ! » ou « Je dois être en train de rêver, ça n'a pas pu arriver. » ou encore « Je n'arrive pas à croire que ça me soit arrivé à moi ! ».

L'infirmière doit savoir que sous cette apparence de calme se cache une profonde détresse. La victime a besoin de soutien jusqu'à ce qu'elle soit capable d'affronter la réalité. Si elle suppose que le calme de la victime traduit une absence de détresse, l'infirmière va priver la victime du soutien émotif et des interventions dont elle a grand besoin. Dans ce cas, l'infirmière ne remplit pas efficacement ses fonctions (Hartman et Burgess, 1988).

Les victimes d'un viol peuvent présenter longtemps certaines caractéristiques comportementales. Certaines ont des crises de larmes qu'elles ne peuvent pas toujours expliquer, d'autres ont des difficultés à garder ou à créer des relations interpersonnelles, surtout avec des personnes qui leur rappellent l'agresseur. Souvent, la victime commence à avoir des problèmes au travail ou à l'école. Certaines ont des cauchemars ou des insomnies, d'autres ont des réactions secondaires de phobie envers les gens, les objets ou les situations qui leur rappellent le viol (Resick, 1983). Une femme qui a été victime d'un viol conjugal souffre de problèmes supplémentaires : souvent, elle doit continuer à être en contact avec son agresseur car elle dépend de lui. Elle est parfois obligée de convaincre les membres de la famille et ses amis, et de se convaincre elle-même, que rien ne s'est passé. Ces victimes conti-nueront de souffrir en silence si la divulgation d'un viol conjugal ne devient pas plus acceptable pour la société et plus facile sur le plan juridique.

Caractéristiques affectives

Les victimes d'un viol subissent un traumatisme immédiat et durable. Après une période de choc et d'incrédulité, la plupart d'entre elles ont des épisodes d'anxiété et de dépression. L'anxiété survient lorsque l'intégrité de la personne a été menacée ou attaquée ; la dépression peut être une réaction aux pertes subies. Lors d'un viol, la victime est menacée, physiquement et émotivement ; elle perd une partie de son autonomie, de sa maîtrise, de sa sécurité et de son estime de soi. Il n'est donc pas rare d'observer des réactions d'anxiété et de dépression chez les personnes qui ont été victimes d'un viol (Hartman et Burgess, 1988).

La victime ressent souvent de la honte et de l'embarras, car l'acte sexuel est d'ordinaire un acte intime et personnel. Elle peut avoir l'impression d'être malpropre ou contaminée. Ces sentiments sont particuliers aux victimes de viols par opposition aux victimes d'autres crimes. Il est parfois humiliant de devoir parler de certains détails du viol aux officiers de police ou dans la salle d'audience, d'autant plus que les femmes sont conditionnées à ne pas parler en public des comportements sexuels. Les victimes qui ne signalent pas le crime disent en général que c'était pour elles quelque chose de trop personnel pour pouvoir en parler à des étrangers.

Les victimes se sentent violées sur le plan physique et sur le plan émotif. La perte de maîtrise de leur corps et la perte de leur autonomie leur donnent un sentiment d'impuissance et de vulnérabilité. Elles se sentent parfois rejetées par leurs amis et leur famille, surtout si elles ne disposent pas d'un solide réseau de soutien. La colère est une réaction saine à l'attaque qu'elles ont subie, mais l'énergie créée par la colère doit être libérée de manière appropriée pour éviter à la victime de se laisser consumer par le désir de vengeance.

Caractéristiques cognitives

Pendant le viol proprement dit, certaines victimes utilisent des mécanismes de dépersonnalisation ou de dissociation comme moyen de défense. En faisant comme si l'agression ne « leur arrivait pas vraiment », elles protègent ainsi leur sentiment d'intégrité. D'autres victimes ont recours au déni pour repousser le traumatisme. L'utilisation de ces mécanismes de défense peut se poursuivre jusqu'au début du traitement et doit être encouragée jusqu'à ce que la victime soit capable d'affronter la réalité de l'agression.

Lorsqu'elle arrive au service des urgences, la victime est souvent dans un état de grande confusion. Elle a parfois beaucoup de mal à se concentrer et ne semble pas certaine de ce qui vient de lui arriver. Cette confusion et cette incertitude ne doivent pas être mal interprétées et faire douter de la réalité du viol ; elles indiquent seulement que la victime est en état de choc émotif. De plus, les capacités de résolution de problèmes et de prise de décision de la victime sont fortement réduites dans les moments qui suivent le viol étant donné la grande anxiété et la frayeur qu'elle éprouve.

Certaines victimes sont totalement incapables de parler de l'agression. Parfois, elles ne se sentent capables de signaler le viol que le lendemain, lorsqu'elles s'estiment prêtes à supporter l'événement et les procédures qu'il entraîne. La victime se demande parfois à qui elle devrait en parler dans sa famille ou parmi ses amis. Elle peut craindre la réaction des personnes importantes pour elle ou elle peut ne pas savoir comment s'y prendre pour raconter ce qui lui est arrivé ; elle doit alors pouvoir compter sur le soutien et les conseils de l'infirmière.

Parfois, pendant quelque temps, la victime se sent responsable du viol ; certaines de ses remarques traduisent ce sentiment : « Si seulement j'avais pris un autre chemin pour rentrer chez moi... », « J'aurais dû pouvoir m'échapper parce qu'il n'était pas armé » ou encore « J'aurais dû mieux me défendre ». La victime d'un viol conjugal peut également ressentir cette responsabilité personnelle et dire par exemple : « Si j'étais une meilleure épouse, il ne m'aurait pas violée, » ou « Si j'essayais davantage de le satisfaire sexuellement, il ne me prendrait pas par la force. »

Certaines victimes ont des pensées obsessionnelles liées au viol ; ces pensées sont parfois assez sérieuses pour les gêner dans leurs activités quotidiennes. Il peut leur arriver, sans être obsédées, de revivre la scène rétrospectivement. D'autres victimes sont préoccupées par l'idée d'un danger futur ; il est fréquent d'observer chez ces personnes des rêves d'une grande violence.

Le viol peut influencer profondément la victime quant à sa façon de percevoir l'environnement. Si l'agression a eu lieu au domicile de la victime, le sentiment de sécurité normalement éprouvé lorsqu'on est chez soi sera probablement perturbé. Certaines victimes ayant porté plainte ont peur des représailles de l'agresseur, surtout si elles le connaissent. Il arrive aussi que la victime, surtout s'il s'agit d'une jeune fille, reporte sa peur sur tous les hommes ou sur tous les étrangers. Les femmes qui ont été violées par leur mari disent souvent qu'elles ne sont plus capables de lui faire confiance ni d'ailleurs de faire confiance à un homme en général.

Danielle est étudiante à l'université ; elle vient d'être amenée à l'hôpital par la police qui l'a trouvée en train de courir dans la rue, à moitié déshabillée. À l'hôpital, elle a pu dire aux infirmières qu'elle s'est fait violer par le garçon avec qui elle avait rendez-vous, étudiant lui aussi. Danielle est apparemment calme mais ne cesse de répéter : « Cela n'a pas pu m'arriver. Ce sont mes amis qui me l'ont présenté et il avait l'air si gentil. » Elle ne savait pas qui appeler pour la reconduire à la résidence, et se demandait comment elle allait annoncer à ses amis ce qui était arrivé.

Caractéristiques physiologiques

Le viol entraîne en général un certain nombre de blessures physiques. Il est très fréquent que le vagin et le rectum soient douloureux et enflés. La paroi vaginale ou rectale a pu être déchirée par la pénétration violente du pénis ou d'un corps étranger. La gorge de la victime peut être contusionnée à la suite d'une violente pénétration orale. De plus, la victime a peut-être été battue, poignardée ou blessée par balle. Des blessures aux organes vitaux ou des saignements abondants peuvent être des problèmes critiques.

Les victimes de sexe féminin en âge de procréer risquent de tomber enceintes à la suite d'un viol. Quel que soit son âge et son sexe, la victime risque de contracter une maladie transmise sexuellement par l'agresseur à toute muqueuse, comme le vagin, le rectum, la bouche ou la gorge.

En plus du traumatisme physique immédiat, il peut y avoir des effets physiologiques sérieux à long terme. La victime risque de souffrir pendant longtemps d'insomnie ou d'anorexie. Certaines victimes se plaignent de fatigue ou de douleurs et de malaises généralisés, ou peuvent avoir des problèmes gynécologiques. Si la victime a été battue, poignardée ou blessée par balle, ses blessures peuvent avoir des effets durables. En outre, le risque de trouble psychophysiologique est particulièrement élevé pour les victimes d'un viol, car elles se trouvent dans un état chronique de peur et d'anxiété.

Le viol risque aussi d'avoir des répercussions sur la sexualité de la victime. Le risque de perturbation sexuelle dépend de la qualité des expériences et des relations sexuelles qu'elle a pu avoir avant l'agression, du comportement qu'elle a adopté pour surmonter l'agression, et de la qualité des relations ultérieures. Les femmes victimes de viol conjugal connaissent souvent par la suite des difficultés d'adaptation sexuelle. Presque toutes les victimes d'âge adulte éprouvent le besoin de s'abstenir de toute activité sexuelle pendant un certain temps. Pour certaines, cette période d'abstinence est nécessaire pour retrouver la maîtrise de soi et l'autonomie. D'autres choisissent l'abstinence parce qu'elles se sentent malpropres ou pensent avoir été contaminées. La victime et son partenaire sexuel doivent tous deux comprendre que le besoin de rapprochement et de contact physique subsiste et que le fait de se toucher peut être pour eux d'un grand réconfort ; le partenaire se sentira moins rejeté et la victime aura moins tendance à se faire des reproches ou à se sentir salie.

Caractéristiques socioculturelles

La famille a plus ou moins les mêmes sentiments et les mêmes pensées que la victime elle-même : culpabilité, doute, peur, haine à l'égard de l'agresseur et impuissance. Elle doit donc être informée de la nature du viol et du traumatisme qu'il représente ainsi que des réactions possibles de la victime à long terme. Elle a besoin d'être soutenue et orientée quant à la façon d'aider la victime, pour ne pas risquer de la protéger à l'excès ni de minimiser les conséquences du viol.

Le viol est un crime qui a pendant longtemps été entouré de nombreux mythes culturels. En voici des exemples :

- Les filles convenables ne se font pas violer.

- Les femmes se font violer à cause des vêtements qu'elles portent.

- Une femme de constitution moyenne en bonne santé peut échapper à son agresseur si elle le veut vraiment.

- Les femmes crient au viol après avoir consenti à l'acte sexuel avec un ami.

- Les femmes déposent une plainte de viol non fondée si leur ami les quitte.

- Seuls les hommes homosexuels se font violer.

- N'importe quel homme peut échapper au viol s'il le veut vraiment.

Depuis quinze ans, de gros progrès ont été réalisés pour faire disparaître ces mythes du système judiciaire et pour que le viol soit traité pour ce qu'il est, c'est-à-dire un crime violent.

Il a fallu du temps pour faire évoluer les idées du public : beaucoup de gens croient encore à ces mythes qui font porter le blâme sur la victime plutôt que sur l'agresseur. Dans le cadre d'une enquête, on s'est aperçu que 50 p. cent des personnes interrogées, hommes et femmes, acceptaient ces mythes sans se poser de questions et que cela allait de pair avec l'acceptation des rôles stéréotypés attribués aux sexes et de la violence interpersonnelle (Burt, 1980). Ainsi, les personnes qui montrent une plus grande souplesse vis-à-vis des rôles respectifs et qui détestent la violence ont plus de chances de prendre la défense de la victime et d'accuser l'agresseur.

Théories de la causalité

Théories intrapersonnelles Le viol est une crime violent provoqué par la colère et le désir de domination plutôt que par la pulsion sexuelle. Du point de vue intrapersonnel, les violeurs sont des individus émotivement immatures qui se sentent impuissants et peu sûrs d'eux-mêmes. Ils sont incapables de surmonter le stress normal de la vie quotidienne. Les causes du viol sont déterminées par de nombreux facteurs mais la dynamique de l'acte à proprement parler se caractérise par le fait que l'agresseur abuse de sa propre sexualité et de celle de sa victime pour tenter d'évacuer sa colère et sa frustration. Dans cette perspective, on distingue trois types de viols : le viol provoqué par la colère, le viol motivé par la domination, et le viol sadique.

Le *viol provoqué par la colère* est caractérisé par la violence physique et la cruauté infligées à la victime. Le violeur se croit la victime d'une société injuste et se venge en commettant un viol. Il fait preuve d'une grande force et d'une extrême méchanceté pour avilir sa victime. Le fait de pouvoir la blesser, la traumatiser et l'humilier lui permet de donner libre cours à sa fureur et de se libérer provisoirement de son agitation. Il commet des viols de façon épisodique, au fur et à mesure que sa fureur augmente, et s'attaque aux autres pour soulager sa douleur.

Dans le cas du *viol motivé par la domination*, l'intention du violeur n'est pas de blesser sa victime mais de dominer et maîtriser sexuellement une autre personne. Ce type de violeur manque d'assurance et souffre d'un sentiment d'impuissance. Le viol devient pour lui un moyen d'exprimer son pouvoir, sa puissance et sa force. Il voit sa victime comme une conquête et se sent provisoirement omnipotent.

Le *viol sadique* fait lui aussi intervenir la brutalité. Mais ici, si l'agresseur cherche à asservir sa victime et à la torturer, ce n'est pas pour exprimer sa colère, mais parce que c'est pour lui une condition indispensable pour s'exciter sexuellement. L'attaque a un aspect érotique qui est sexuellement stimulant pour l'agresseur. Ce type de personne a en effet besoin, pour sa propre satisfaction sexuelle, d'une partenaire non consentante qui résiste à ses avances. Le viol devient alors pour lui une source d'excitation (Pagelow, 1988).

Théories interpersonnelles   Certains violeurs sont des personnes incapables d'établir des relations intimes et solides avec les autres êtres humains. Leurs relations sont caractérisées par l'inégalité, un manque de sentiment réciproque et l'incapacité de partager. Ayant pour modèle ce genre de relation, le violeur ne conçoit pas qu'un consentement soit nécessaire pour l'acte sexuel, en particulier dans le cadre d'une relation conjugale. Il se peut en effet que le mari ne voie dans le viol qu'une simple mésentente sexuelle ; la femme ne verra pas forcément l'acte fait sous la contrainte comme une agression ou un viol, à moins que le mari ne soit extrêmement brutal. Il se peut qu'ils considèrent tous les deux la relation sexuelle comme un moyen d'exploiter l'autre et non pas comme un échange mutuel. Si la femme dit à son mari qu'elle n'en a pas envie et s'il la force, il viole son autonomie ; tout acte sexuel commis sans consentement est en réalité un viol. Ce qui peut être pris pour un conflit d'ordre sexuel dans le cadre du mariage est en réalité un conflit à propos du pouvoir et du droit de consentir ou de se refuser à une activité donnée (Pagelow, 1988).

Théories socioculturelles   L'incidence du viol est plus élevée dans les cultures qui acceptent la violence. Une société qui approuve l'usage de l'intimidation, de la contrainte et de la force pour parvenir à ses fins encourage la violence. La force et le pouvoir prennent alors le dessus sur les droits de la personne.

Il peut y avoir corrélation entre l'incidence du viol et la rigidité des attentes et des stéréotypes attribués aux rôles des deux sexes. Le fait de considérer les femmes comme inférieures aux hommes correspond à une approbation tacite de la contrainte et de la force. Ces stéréotypes sont à l'origine de certaines idées fausses, selon lesquelles les femmes méritent parfois d'être violées, qu'elles en ont peut-être envie ou besoin, et que cela ne leur fait pas grand mal physiquement ou psychologiquement. On pense que l'élimination de ces stéréotypes et du sexisme fera reculer l'utilisation du viol comme moyen pour l'homme de prouver sa force et sa domination (Resick, 1983). Comme l'explique Russell (1975, p. 16) :

> Le viol est l'acte sexiste ultime. C'est un acte d'oppression physique et psychique. Pour le faire disparaître, nous devons nous débarrasser des différences de pouvoir attribué aux hommes et aux femmes, parce que l'abus découle de l'inégalité des pouvoirs.

La discrimination fondée sur l'âge, qui veut que la personne âgée soit faible et impuissante, est en corrélation avec le crime de viol. Les personnes âgées, et en particulier celles qui sont isolées ou qui vivent seules, sont des victimes faciles. Croyant à tort que seules les jeunes femmes risquent de se faire violer, certaines personnes âgées ne se protègent pas aussi bien qu'elles le devraient. Les personnes âgées sont plus vulnérables lorsque leurs activités quotidiennes suivent un schéma bien établi, qui peut être facilement observé. Si elles doivent se déplacer à pied ou utiliser les transports publics, il est facile de les accoster, surtout si elles ont des difficultés à entendre ou à voir. De plus, elles ne sont pas toujours assez fortes physiquement pour résister à leur agresseur ni assez rapides pour fuir.

Collecte des données : Viol

Les victimes d'un viol doivent en premier lieu faire l'objet d'une évaluation physique complète permettant de déceler toute blessure sérieuse ou critique pouvant résulter de l'attaque subie. Avec la permission de la victime, on effectue un examen vaginal ou rectal pour déterminer le traitement nécessaire et pour constituer des preuves aux fins de poursuites judiciaires. Toujours avec la permission de la victime, on peut prendre des photographies des blessures pour le dossier judiciaire (Foley, 1984). L'examen physique doit être soigneusement documenté par écrit pour faciliter les poursuites éventuelles intentées contre l'agresseur.

Il faut ensuite évaluer l'état mental de la victime et recueillir des données sur ses réactions comportementales, affectives et cognitives. Le profil socioculturel donne des renseignements supplémentaires pour planifier les interventions adéquates.

Si la victime montre une bonne maîtrise d'elle-même, elle est en général capable de répondre aux questions qui lui sont posées ; si elle se trouve dans un état de choc émotif et d'incrédulité, il est parfois difficile d'obtenir sa collaboration. La méthode qu'utilise l'infirmière pour dresser le bilan de santé dépend bien évidemment de la façon dont la victime réagit au traumatisme.

Avant de commencer la collecte des données, il convient d'avertir le patient de ses droits, qui sont notamment :

- Se faire accompagner à l'hôpital par une conseillère des services d'aide aux victimes de viol ;
- Avertir son médecin habituel ;
- Exiger que l'entrevue de collecte des données et le traitement soient effectués en privé ;

- Exiger que la famille, les amis ou un avocat soient présents durant l'interrogatoire et l'examen ;
- Exiger la confidentialité de la part de tout le personnel ;
- Être traité avec douceur et sensibilité ;
- Recevoir des explications détaillées et donner son consentement pour tous les tests et procédures ;
- Être dirigé vers des services spécialisés dans le traitement en post-cure et vers des services de counseling.

L'infirmière a pour responsabilité de prendre la défense des victimes de viols pour faire respecter ces droits.

Nous présentons ici un bilan de santé spécifique pour les victimes de viol.

BILAN DE SANTÉ
Victimes du viol

Données sur le comportement
Le client est-il capable de répondre verbalement aux questions posées ?
Le client est-il capable d'observer des instructions simples ?
Le client a-t-il pris un bain ou une douche, s'est-il changé ou s'est-il administré lui-même un traitement avant de venir à l'hôpital ?

Données sur l'état affectif
Parmi les émotions suivantes, quelles sont celles ressenties par le client ? Décrire à l'aide de données objectives et subjectives.
Incrédulité
Honte
Gêne
Humiliation
Impuissance
Vulnérabilité
Anxiété
Peur
Culpabilité
Colère
Dépression
Détachement des autres

Données sur l'état cognitif

Signes de mécanismes de défense.

Le client montre-t-il de la confusion ?

Le client a-t-il été informé de ses droits ?

Décrire le champ d'attention du client.

Le client est-il capable de décrire ce qui s'est passé ?

Le client est-il capable de prendre des décisions ?

À qui le client a-t-il parlé du viol ? Famille ? Amis ? Police ?

Le client a-t-il besoin d'aide pour prévenir ses proches ?

Le client se sent-il responsable de l'attaque ?

Le client revit-il la scène en rétrospective ?

Que représente cet événement pour le client ?

Données sur la vie socioculturelle

Quelles personnes constituent le réseau de soutien du client (famille, amis, avocat, membre du clergé) ?

Où ces personnes vivent-elles ?

Le client a-t-il besoin d'un abri provisoire ?

Le client connaît-il les services de consultation disponibles ?

Le tableau 16-14 donne les directives à suivre pour effectuer l'examen physique de la victime d'un viol.

Analyse des données et planification des soins : Viol

L'infirmière va établir le plan de soins à partir des données recueillies. L'équipe de soins doit déterminer rapidement les priorités liées à l'état physique et mental de la victime. Ensuite, elle doit s'occuper des problèmes physiques, psychologiques, sociaux et juridiques que pourra rencontrer la victime à plus longue échéance.

Lorsqu'elle arrive au service des urgences, il est préférable que la victime soit prise en charge par une infirmière titulaire avec qui elle peut avoir une relation chaleureuse, et qui l'aide à se sentir acceptée, comprise et respectée. Si des officiers de police sont présents, l'infirmière doit faire valoir les droits de la victime et l'aider à choisir le moment où elle est le mieux à même de leur parler du viol. L'infirmière doit également exiger des pauses au cours de l'interrogatoire si la victime semble avoir

Tableau 16-14   *Examen physique de la victime d'un viol*

Faire un examen complet en accordant une attention particulière aux points suivants :

Tête
  Signes de traumatisme
  Ecchymoses au visage
  Fractures faciales
  Yeux : enflés, contusionnés, injectés de sang

Peau
  Ecchymoses
  Traumatisme génital
  Traumatisme rectal

Muscles et squelette
  Fractures des côtes
  Fractures des bras ou des jambes
  Articulations disloquées
  Troubles de la motricité

Abdomen
  Ecchymoses ou contusions
  Signes de blessures internes

A-t-on photographié et pris en note les blessures physiques (égratignures, ecchymoses, coupures) ?

Les fragments d'ongles ont-ils été prélevés et conservés ?

A-t-on fait une détermination de groupe sanguin ?

A-t-on fait des frottis de la bouche, de la gorge, du vagin et du rectum pour dépister les MTS ? A-t-on fait un prélèvement au peigne sur la région pubique et l'a-t-on conservé ?

A-t-on pris en note et photographié le traumatisme génital ?

A-t-on pris en note et photographié le traumatisme rectal ?

Des spécimens de sperme ont-ils été conservés ?

Le cas échéant, quelle est la date des dernières règles de la victime ?

A-t-on examiné les déchirures, les taches et le sang sur les vêtements ?

A-t-on conservé les vêtements ?

---

du mal à supporter l'entrevue ou donne des signes de détresse (voir au tableau 16-15 le plan des soins infirmiers destinés aux victimes du viol).

Le syndrome du traumatisme de viol comprend trois phases : la première est une phase de choc et d'incrédulité, la deuxième correspond aux réactions subséquentes, qui comprennent un large éventail de symptômes physiques et psychologiques. La troisième phase est celle des réactions à long terme qui, elles aussi, peuvent comprendre des symptômes très divers (Erickson, 1989).

Tableau 16-15   Plan des soins infirmiers destinés aux victimes de viol

Diagnostic infirmier : Syndrome du traumatisme de viol.
Objectif : Le client retrouve dans les six semaines le niveau de fonctionnement qu'il avait avant le viol.

Intervention	Justification	Résultat escompté
Laisser au client le temps de répondre aux questions simples.	L'anxiété diminue la perception et ralentit les réactions.	
Si le client est incapable d'exprimer ses sentiments, constater la difficulté (p. ex. : « Je comprends que vous ayez du mal à dire ce que vous ressentez pour l'instant ; c'est normal. Vous pourrez peut-être en parler plus tard. »)	On encourage les mécanismes de défense jusqu'à ce que le client soit capable de surmonter la réalité de la situation.	
Transmettre ce que l'on connaît des réactions émotives habituelles à la suite d'un viol (en général, la victime éprouve des sentiments d'anxiété, de peur, de gêne, de culpabilité ou de colère).	Le client a besoin de se sentir rassuré et ces sentiments sont des réactions normales en cas de viol.	Le client identifie et exprime ses sentiments à propos du viol.
Encourager le client à parler du viol.	Le fait d'en parler va aider le client à traverser la phase d'incrédulité.	Le client parle du viol.
Recenser les distorsions liées aux reproches envers soi ou à la culpabilité.	Le fait de se sentir responsable ou d'avoir mal agi gêne la résolution du syndrome.	Le client s'identifie à la victime.
Décrire la stratégie d'adaptation du client pendant le viol (cris, défense, paroles, blocage).	La description du comportement comme mécanisme adaptatif de survie augmente l'estime de soi et réduit la culpabilité.	Le client décrit le comportement adaptatif.
Encourager le client à parler de la signification du viol pour lui.	L'expression de certaines peurs ou inquiétudes aide l'infirmière à formuler d'autres interventions.	Le client exprime les problèmes anticipés.
Aider le client à définir ses préoccupations immédiates et les classer par ordre d'importance.	Le fait de se concentrer sur les problèmes immédiats diminue la confusion et l'impression d'être dépassé.	Le client définit ses préoccupations les plus importantes.
Aider le client à utiliser la résolution de problèmes pour trouver des solutions à ses préoccupations.	Le processus de résolution des problèmes augmente la sensation de maîtrise.	Le client établit un plan à court terme pour résoudre ses inquiétudes.
Encourager le client à prendre lui-même ses décisions et à agir en son propre nom.	La prise de décisions aide le client à retrouver le sentiment de maîtrise et d'autonomie.	Le client prend les décisions nécessaires.
Aider le client à trouver les personnes à qui parler du viol et comment en parler.	Si on l'aide à prévoir ses réactions, le client peut mieux utiliser les réseaux de soutien disponibles.	Le client utilise le soutien apporté par les personnes significatives.
Le cas échéant, discuter des idées concernant la contraception post-coïtale et l'avortement.	La grossesse risque d'être une conséquence réelle du viol ; la cliente doit être informée des choix qui s'offrent à elle.	La cliente explique les choix qui sont à sa disposition.

(suite du diagnostic page suivante)

Tableau 16-15 *(suite)*

Diagnostic infirmier *(suite)*: Syndrome du traumatisme de viol.
Objectif : Le client retrouve dans les six semaines le niveau de fonctionnement qu'il avait avant le viol.

Intervention	Justification	Résultat escompté
Parler de la nécessité d'un examen médical de contrôle et du traitement des maladies transmises sexuellement.	Le fait d'informer le client des problèmes physiques éventuels permet d'assurer la prévention des maladies.	Le client reconnaît l'importance des soins médicaux.
Aider le client à prévoir les réactions courantes sur le plan physique, émotif et social.	Le client sait à quoi s'attendre et l'infirmière détermine si des conseils supplémentaires sont nécessaires.	Le client décrit les réactions possibles.
Donner une liste de ressources communautaires.	Les services de soutien peuvent aider à réduire les effets à long terme du viol.	Le client exprime le besoin d'un soutien à court terme.
Communiquer avec le client par téléphone dans les 2 à 4 jours qui suivent.	Le client peut avoir besoin d'un soutien supplémentaire pour suivre les plans établis.	Le client met en pratique les plans immédiats.

Après un viol, les femmes doivent être conseillées sur la prévention d'une grossesse éventuelle. L'intervention médicale la plus courante est un traitement hormonal consistant à administrer en fortes doses des contraceptifs oraux ou du DES (diéthylstilbœstrol) si la victime choisit d'empêcher la conception (Krueger, 1988).

Évaluation : Viol

L'intervention auprès des victimes du viol a pour objectif à long terme de les faire revenir au moins à leur niveau de fonctionnement avant le viol. Pour que la crise soit résolue correctement, il faut obtenir les trois résultats généraux qui suivent :

1. Verbalisation par la victime de sa perception cognitive exacte du viol ;

2. Équilibre psychologique ;

3. Comportements adaptatifs appropriés.

L'intervention prend fin lorsque l'évaluation permet de déterminer que les résultats escomptés ont été obtenus. Certains clients auront besoin ou envie de suivre une psychothérapie de longue durée pour surmonter le traumatisme du viol.

Violence familiale : Mauvais traitements physiques

Les mauvais traitements physiques infligés au sein de la famille, ou violence familiale, sévissent dans toutes les couches de la société. Il existe un mythe selon lequel les mauvais traitements physiques ne se produisent que chez les pauvres et les gens peu instruits, mais la réalité est bien différente : les mauvais traitements physiques ont lieu également parmi l'élite professionnelle. Autrefois les problèmes des familles aisées ou célèbres n'étaient pas connus du public. Mais la violence familiale fait maintenant l'objet de préoccupations à l'échelle nationale et les cas repérés dans toutes les couches de la société ne sont plus tenus secrets.

Le problème de la violence familiale est mieux connu aux États-Unis. En 1981, 20 p. cent des 22 516 homicides commis ont été commis par des proches des victimes ; le nombre d'enfants signalés aux services de protection de l'enfance est passé de 413 000 en 1976 à 851 000 en 1981 (Times, 5 septembre 1983).

Au Canada, le Comité sur les infractions sexuelles à l'égard des enfants et des jeunes, présidé par Robin Badgley, confirme l'existence de problèmes similaires (1984). Au Québec, le nombre de cas signalés et retenus aux fins d'évaluation par les directeurs de la protection de la jeunesse est passé de 18 899 en 1982 à 20 946 en 1983 (Métivier, 1985).

Dans la culture nord-américaine, l'image de la famille nucléaire est fondée sur l'entente, le bonheur, la cohésion et l'harmonie ; mais cette image idéale est souvent contraire à la réalité : nombreux sont les cas de violence et de mauvais traitements au sein de la famille. En fait, le domicile familial est parfois l'endroit le plus dangereux, car la violence au sein de la famille est plus fréquente qu'entre étrangers. Les parents battent leurs enfants, frères et sœurs se battent entre eux, les conjoints se battent, et même les parents âgés se font parfois battre par des membres de la famille. Les coups mènent souvent à des actes violents plus graves, au point qu'entre 20 et 40 p. cent des meurtres ont lieu au sein de la cellule familiale (Bullock, 1989 ; McLeer, 1988).

Incidence des mauvais traitements physiques

Violence envers les enfants Les mauvais traitements pourraient fort bien constituer le problème le moins bien dépisté chez les enfants ; pourtant, en 1982, seulement 1,5 p. cent des enfants du Québec et de l'Ontario étaient reconnus victimes de mauvais traitements (Centre national d'information sur la violence dans la famille, 1986, dans Mc Laren J., *Santé mentale au Canada*, 1989). Cependant, seulement 25 p. cent des cas d'enfants maltraités seraient détectés (Robinson, 1976). Le public étant de plus en plus sensibilisé au problème, les cas signalés deviennent de plus en plus nombreux, mais ne représentent probablement encore qu'un faible pourcentage du total. Il est impossible de savoir si le taux d'incidence augmente car l'on ne dispose pas de données sur le passé.

Selon des études américaines, jusqu'à 25 p. cent des enfants de moins de 3 ans décèdent des suites des violences qu'ils ont subies. L'âge le plus dangereux se situe entre 3 mois et 3 ans et parmi les victimes de moins de 6 ans, 64 p. cent souffrent de blessures graves. L'incidence des mauvais traitements infligés aux jeunes enfants ne semble pas dépendre du sexe. Chez les enfants de plus de 11 ans, le pourcentage de blessures graves causées par les mauvais traitements tombe à 16 p. cent, peut-être parce que les enfants plus âgés peuvent se défendre ou s'enfuir. D'autres études montrent que l'incidence des mauvais traitements augmente à l'adolescence et que le risque d'en être victime est plus élevé pour les garçons. Dans la plupart des cas, les mauvais traitements sont découverts et signalés alors qu'ils durent déjà depuis 1 à 3 ans (Starr, 1988).

Des études plus anciennes tendaient à montrer que les mères étaient plus violentes que les pères envers leurs enfants. On expliquait cette constatation par le fait que les mères passaient davantage de temps avec leurs enfants ; de plus, la culture nord-américaine a souvent tendance à juger les qualités de la mère d'après le comportement de l'enfant. On pensait donc que la mère était plus sujette que le père à avoir recours à la force pour se faire obéir. Des études récentes indiquent toutefois que la probabilité d'infliger des mauvais traitements physiques à un jeune enfant est la même pour le père et pour la mère. Face à l'adolescent(e) cependant, c'est le père qui a davantage tendance à être violent (Bolton et Bolton, 1987).

Violence entre frères et sœurs La forme de violence la plus courante et la moins connue est la violence entre frères et sœurs. Les gens trouvent souvent naturel et même bon que les enfants emploient la force lorsqu'ils sont entre eux. On entend des remarques telles que « Il faut qu'il ait l'occasion d'apprendre à se défendre », « Elle a eu raison de le frapper, il la taquinait ». Ces attitudes encouragent les enfants à faire usage de la force physique pour résoudre leurs différends. C'est pendant les premières années de l'enfance que la violence entre frères et sœurs est la plus fréquente, puis elle diminue avec l'âge. Dans tous les groupes d'âge, les filles sont moins violentes envers leurs frères et sœurs que les garçons.

Violence conjugale L'attention accordée à l'échelle nationale à la violence conjugale est plus récente que pour les violences sur les enfants. Le problème a été rendu public dans les années 70 par le mouvement de libération de la femme. En 1976, on a commencé à créer des ressources pour les femmes battues et l'on continue à déployer des efforts pour offrir des services de consultation, créer des centres d'accueil et voter de nouvelles lois pour protéger les victimes de la violence conjugale.

On ignore le nombre total des adultes victimes de leur conjoint ou de la personne avec laquelle ils vivent. Les chiffres statistiques se situent entre 11 et 50 p. cent de la population. On estime que près de 80 p. cent des cas ne sont pas signalés parce que la victime a honte, se sent responsable ou craint des représailles sous la forme d'une recrudescence de violence (Bullock, 1989). Selon le Conseil consultatif canadien de la situation de la femme, une femme sur dix est battue par l'homme avec qui elle vit, ce qui représente environ 500 000 femmes. Au Canada, 20 p. cent des homicides sont commis par un conjoint violent et c'est la femme qui en est la victime dans 84 p. cent des cas. Les victimes d'agression entre conjoints sont à 90 p. cent des femmes (Gendron, 1987).

Dans la plupart des études sur la violence conjugale, on ne compte que 2 à 5 p. cent des cas pour lesquels la victime est de sexe masculin. Parmi les couples qui demandent le divorce, on ne compte que 3,3 p. cent des maris se plaignant d'avoir été victimes de violence contre 36,8 p. cent des femmes (Campbell, et Sheridan, 1989, Okum, 1986).

Sur la totalité des femmes victimes de violences dans le cadre du mariage ou hors mariage, la moitié sont battues plusieurs fois par an. Sur l'autre moitié, nombreuses sont celles qui se font battre une fois par semaine. L'intensité et la fréquence des attaques ont tendance à augmenter avec le temps. Pour les femmes battues, la probabilité de faire une tentative de suicide est cinq fois plus élevée que pour les femmes non battues, le risque d'alcoolisme est quinze fois plus grand et le risque de faire un usage abusif des drogues est neuf fois plus important (Stark et Flitcraft, 1988).

Violence contre les personnes âgées La violence exercée contre les personnes âgées par des membres de leur famille commence tout juste à attirer l'attention à l'échelle nationale. Cette violence consiste parfois à négliger la satisfaction de leurs besoins physiques élémentaires, ce qui se traduit par la déshydratation, la malnutrition ou une sédation excessive. La famille les prive parfois des objets indispensables, comme lunettes, aides auditives ou déambulateurs. Certaines personnes âgées sont victimes de violences psychologiques sous forme d'attaques verbales, de menaces, d'humiliations ou de harcèlement. La famille viole parfois les droits de la personne âgée en lui refusant un traitement médical approprié, en la gardant dans un isolement forcé ou dans un confinement abusif, en ne lui accordant pas d'intimité, en lui créant un environnement dangereux ou en exigeant une servitude contre son gré. Certaines personnes âgées se font exploiter financièrement par leur famille, qui les vole ou dilapide leurs biens ou leurs fonds. D'autres se font battre ou même violer par des membres de leur famille. On ne connaît pas le pourcentage des actes de violence car la plupart des personnes âgées ont honte d'admettre que leurs enfants ont abusé d'elles et ont souvent peur de subir des représailles si elles demandent de l'aide. Les études américaines révèlent qu'entre 4 et 11 p. cent des personnes âgées sont victimes de violences qui, dans la plupart des cas, s'expriment sous plusieurs formes. La majorité des victimes ont entre 59 et 90 ans ; les femmes âgées sont plus nombreuses à subir la violence familiale et représentent 75 p. cent des cas signalés. Dans les deux tiers des cas, les auteurs des actes violents ont plus de 40 ans et 50 p. cent d'entre eux sont les enfants des victimes. Dans 12 p. cent des cas, il s'agit de violence conjugale entre personnes âgées et dans les autres cas, la violence vient d'autres membres de la famille : petits-enfants, frères, sœurs, neveux ou nièces. Comme la proportion de personnes âgées augmente, on peut penser que la violence contre les personnes âgées est un problème qui va aller en s'aggravant (Hudson, 1986 ; Quinn et Tomita, 1986 ; Sengstock et Barrett, 1984). D'après une enquête nationale (Podnieks et coll., 1990), environ 100 000 personnes âgées au Canada pourraient être victimes chez elles de mauvais traitements graves, tels l'exploitation matérielle, la violence psychologique, les sévices ou la négligence (Gordon R.M. et Tomita S., 1990).

Violence contre les homosexuels   Si le problème de la violence des hétérosexuels envers les homosexuels (violence dans la rue) a soulevé une grande inquiétude au sein de la communauté homosexuelle, on continue d'avoir tendance à minimiser ou à nier le problème que pose la violence physique dans le cadre des relations entre lesbiennes ou homosexuels. Les *mythes* suivants favorisent ce silence :

- Seuls les « habitués des bars » se livrent à la violence.

- Seuls les couples ayant des rôles masculin-féminin stéréotypés sont violents.

- Il n'y a pas de violence entre lesbiennes féministes.

Le fait est qu'il y a des cas de violence dans des familles de lesbiennes quels que soient leur classe sociale, leur race, leur âge ou leur style de vie. Les couples de lesbiennes ou d'homosexuels qui ont recours à la violence le font pour les mêmes raisons que les couples hétérosexuels : le besoin de prouver, de prendre et de garder le pouvoir et le contrôle sur le partenaire. Outre les mauvais traitements physiques, la violence sexuelle et la violence psychologique, le partenaire violent peut exercer un contrôle homophobique en menaçant la victime de dévoiler son orientation sexuelle à sa famille, à ses amis, à ses voisins ou à ses employeurs. Les communautés lesbiennes et homosexuelles essaient actuellement de porter ces problèmes au grand jour pour pouvoir intervenir auprès des victimes et leur apporter un soutien (Hart, 1986 ; Strach et Jervey, 1986 ; Walker, 1986).

Violence psychologique   Bien que ce chapitre porte essentiellement sur la violence physique, il ne faut pas oublier que la violence psychologique peut avoir des conséquences tout aussi graves. Les mots peuvent blesser autant qu'un coup de poing et endommager à jamais l'estime de soi de la victime. La violence psychologique consiste à couvrir quelqu'un de honte, à l'embarrasser, à le ridiculiser ou à l'insulter. Elle peut consister à détruire les biens personnels ou à tuer les animaux domestiques de la victime pour l'effrayer ou la dominer.

Certains commentaires peuvent avoir des effets désastreux sur l'estime de soi de la victime, comme « Tu ne fais jamais rien de bien », « Tu es laid et stupide, personne d'autre ne voudrait de toi », ou « Je voudrais que tu ne sois pas né ».

Mauvais traitements physiques et soins infirmiers

Les actes de violence au sein de la famille constituent un problème de santé national auquel les infirmières sont confrontées dans de nombreux milieux cliniques. On rencontre des victimes de ce type de violence dans le reste de la communauté, dans les services pédiatriques, dans les services de soins intensifs, les services médico-chirurgicaux, les services de gériatrie et les services de psychiatrie. Les infirmières affectées aux urgences doivent avoir le réflexe de demander aux clients de tous âges s'ils ont été battus lorsque leurs blessures sont suspectes. Si l'on traite les blessures physiques sans s'attaquer aux causes du problème, la violence familiale continuera à passer inaperçue.

Étant donné le nombre croissant d'actes de violence envers les femmes enceintes, les infirmières travaillant auprès de celles-ci doivent avoir pour habitude de détecter les signes suspects lorsqu'elles établissent le bilan de santé ou lorsqu'elles effectuent l'examen physique. Pendant la grossesse, on compte davantage d'incidents dus à la violence que d'incidents liés au diabète ou au placenta praevia ; une femme enceinte sur 50 est victime de violence physique. Les femmes qui ne sont pas enceintes reçoivent en général des coups au visage et à la poitrine ; les femmes enceintes ont tendance à recevoir des coups à l'abdomen, et à avoir des blessures à la poitrine et aux organes génitaux. Ce genre de violence correspond peut-être à une violence prénatale envers l'enfant car elle est suivie de violence contre l'enfant par la suite ; elle peut aussi représenter une tentative pour faire avorter le fœtus. On estime en effet que 30 à 56 p. cent des femmes battues pendant la grossesse ont subi au moins une interruption involontaire de grossesse. Les adolescentes enceintes qui vivent encore chez leurs parents sont parfois victimes de violence physique de la part de ceux-ci. Malheureusement, le personnel médical néglige trop souvent d'examiner de plus près les cas de mauvais traitements infligés aux femmes enceintes de tous âges, même lorsque la victime arrive au service des urgences couverte de bleus ou de coupures, ou souffrant de fractures et de blessures à l'abdomen (Bullock, 1989 ; Hillard, 1988 ; Okum, 1986).

> *Une femme en train de purger une peine de 40 ans de prison pour le meurtre de son mari demande clémence parce qu'elle a été soumise à une violence continue. Elle affirme que son mari la battait toutes les semaines, souvent en présence de leurs deux enfants. Alors qu'elle était enceinte de 5 mois, un soir en revenant du travail, il la jeta par terre, lui donna des coups de pied, la traîna hors de l'appartement et la fit tomber du haut des escaliers. Une autre fois, devant les enfants, il prit un magnum 0,357, qu'il lui braqua sur la tempe et lui dit : « Si le téléphone sonne, tu meurs. » Elle ajoute que son mari avait essayé de l'écraser avec une voiture et de la noyer au cours d'un pique-nique en famille. Il avait aussi menacé de jeter de l'acide dans les yeux de leur petite fille* (Wheeler, 1988).

Les infirmières doivent participer à la prévention, au dépistage et au traitement de la violence familiale. L'acquisition des connaissances de base et la capacité de repérer les facteurs qui contribuent à la violence familiale vont permettre à l'infirmière de participer à la prévention en informant le public et en militant pour faire évoluer les mesures politiques. Ces connaissances, conjuguées avec une plus grande sensibilisation au problème, vont aider les infirmières à déceler plus tôt et de façon plus précise les cas de violence familiale. De plus, les infirmières doivent se conformer aux lois en vigueur concernant l'obligation de signaler la violence et d'orienter les victimes vers un traitement. Les infirmières qui ont suivi une formation supérieure en thérapie familiale font partie des équipes de thérapie qui interviennent auprès des familles violentes.

Connaissances de base : Mauvais traitements physiques

Caractéristiques comportementales

Les actes de violence au sein de la famille vont de la simple gifle à l'homicide en passant par les coups. Les gifles ou les coups donnés aux enfants sont des pratiques tolérées et même approuvées sous prétexte qu'elles sont nécessaires et bonnes pour l'enfant ; 84 à 94 p. cent des parents ont recours à cette forme de discipline. La plupart des parents ne se rendent pas compte des messages qu'ils transmettent ainsi à leurs enfants (Straus, Gelles ; Steinmetz, 1980) :

- Si tu es petit et faible, tu mérites d'être battu.
- Qui aime bien châtie bien.
- Il est normal de frapper ceux que l'on aime.
- La violence est justifiée si elle aboutit à de bons résultats.
- La violence est une méthode valable pour résoudre les conflits.

La violence parentale devient parfois extrême et souvent chronique lorsqu'elle se produit périodiquement ou régulièrement. Dans de nombreux cas, elle aboutit au décès de l'enfant ou du nourrisson.

> *Une mère a été condamnée pour avoir battu à mort ses deux bébés, jumeaux atteints du sida et souffrant de dépendance à l'héroïne. Les deux enfants de 4 mois, pesant chacun 2,5 kg sont décédés de fractures du crâne provoquées par des coups violents* (Casey et O'Connor, 1988).

> *Un père a été accusé d'avoir battu à mort son fils de cinq mois. Le médecin qui a examiné le corps a constaté que l'enfant avait une jambe cassée, des hémorragies oculaires, des ecchymoses sur les fesses et des lésions cérébrales. Le père déclara à la police qu'il avait simplement « giflé le bébé pour essayer de le réveiller »* (Casey et O'Connor, 1988).

L'ami de la mère d'un jeune garçon de 2 ans a été accusé du meurtre de l'enfant. Alors qu'il le gardait, il l'a frappé au visage, à l'abdomen et sur les fesses. Le décès de l'enfant a été causé par une hémorragie interne due à des plaies profondes dans la cavité abdominale (O'Connor, 1985).

Le père d'un jeune homme de 17 ans a été condamné pour tentative de meurtre, à la suite de preuves de violence physique sur son fils. Ce dernier a déclaré que son père l'avait battu avec un manche à balai et un tuyau et qu'il lui avait braqué un pistolet chargé et armé sur la tête. Auparavant, le père avait dit à son fils : «J'ai hâte que tu disparaisses. Quand tu seras mort, j'inscrirai ton nom sur mon camion en signe de reconnaissance.» (Rossi, 1985).

Les actes violents entre adultes d'une même famille suivent les mêmes degrés de violence, les femmes commettant moins d'actes violents que les hommes. Lorsqu'elle se bat contre un homme, la femme a tendance à frapper, donner des coups de pied ou lancer des objets ; les actes commis par les hommes contre les femmes sont par contre plus dangereux et entraînent des blessures plus graves. Les hommes ont tendance à pousser, bousculer, gifler, battre, ou même à utiliser des couteaux et des armes à feu (Straus, Gelles et Steinmetz, 1980). Une étude réalisée sur les femmes battues (Giles-Sims, 1983) a montré que 50 p. cent des hommes qui commettent des actes violents avaient menacé leur partenaire avec un couteau ou un fusil et que 25 p. cent avaient effectivement attaqué leur partenaire avec ces mêmes armes. Les coups s'accompagnent toujours de violence verbale.

Dans les familles violentes, on note en général un certain type de comportement. Le premier incident est parfois provoqué par la frustration ou le stress. Pour éviter que la violence ne s'installe, la victime doit immédiatement refuser de l'accepter ; une aide extérieure est parfois nécessaire pour mettre un terme à ce comportement. Si la victime se soumet à la violence, la force physique risque alors de devenir, sans être provoquée par la frustration ni le stress, une forme de relation systématique qui

peut devenir difficile à changer. En général, la violence familiale est cyclique : la situation conflictuelle déclenche un épisode violent. Plein de remords et de honte, l'auteur des voies de fait supplie ensuite la victime de lui pardonner. La victime reste dans ce guêpier parce que son bourreau lui promet de changer ou à cause des compensations matérielles qu'elle peut gagner en restant. Au cours de l'épisode suivant, le cycle recommence et la violence finit par devenir un mode permanent de comportement dans la famille (Giles-Sims, 1983 ; O'Leary, 1988).

Michel a 45 ans ; il est médecin et réussit bien dans son métier. Pendant la procédure de divorce, il vient d'avouer qu'il battait régulièrement sa femme Marie. Il lui arrivait de la traîner par les cheveux, de la tenir au bord d'une fenêtre du deuxième étage en menaçant de la lâcher. Pendant chacune des trois grossesses de Marie, Michel la battait, surtout à l'abdomen, en lui disant qu'il aimerait pouvoir la tuer, elle et l'enfant à naître. Ces mauvais traitements ont continué pendant les 20 ans qu'a duré leur mariage, mais sont restés un secret jusqu'au divorce.

Les auteurs d'actes violents n'arrivent pas à maîtriser leurs impulsions ; leur comportement manque de maturité et sert uniquement leur intérêt personnel. Certains souffrent de jalousie pathologique ; ils gardent leur femme sous surveillance constante, l'appellent régulièrement à la maison pendant la journée, l'enferment chez elle, enlèvent le téléphone lorsqu'ils sortent, lui interdisent toute vie sociale avec d'autres femmes. Les hommes violents humilient parfois leur femme en public, ou l'éloignent de ses amis, ce qui accroît son isolement et ses difficultés à quitter son mari. Les hommes de ce type ont en général un comportement imprévisible ; par moments bons et généreux avec leur femme, ils sont capables de se montrer sous leur meilleur jour si nécessaire, par exemple devant la police (Okum, 1986).

Les enfants victimes de la violence familiale essaient souvent de faire plaisir au parent violent et risquent de devenir excessivement complaisants envers tous les adultes. Ils évitent parfois leurs compagnons de jeux et se tiennent à l'écart des contacts extérieurs. Il n'est pas rare qu'ils adoptent un comportement agressif à l'adolescence.

Comme les enfants violentés, de nombreuses victimes ont tendance à réagir en se montrant complaisantes. Elles essaient d'apaiser leur agresseur dans l'espoir que le conflit n'ira pas jusqu'aux mauvais traitements physiques. Pourtant, plus la victime se montre soumise, plus la violence devient grave et fréquente. Si la victime est dans une situation de dépendance vis-à-vis du foyer, elle accepte la violence plutôt que de risquer de détruire la famille. Certaines victimes, paralysées par la peur, sont incapables de quitter leur bourreau. D'autres essaient de partir, mais leur mari les retrouve et les force à revenir à la maison. La peur et l'incapacité de fuir rendent la victime de plus en plus complaisante envers son agresseur.

Caractéristiques affectives

Les personnes qui ont recours à la violence physique sont souvent représentées comme des êtres extrêmement jaloux et possessifs. Ils considèrent les autres membres de la famille comme un bien qui leur appartient. Dans un contexte culturel qui a toujours toléré la violence pour assurer la protection des biens matériels, ces personnes pensent que la violence est une méthode acceptable pour préserver l'unité familiale. Une jalousie extrême peut aller jusqu'à l'hostilité envers la victime, et même envers le monde entier, si l'agresseur se sent obligé de défendre ses droits de propriété.

Certains agresseurs sont des êtres très dépendants qui ont peur de perdre une relation intime. Ils peuvent battre un enfant parce qu'ils se trouvent en concurrence avec lui pour l'amour et l'attention de leur épouse. Certains hommes sont dans un tel état de dépendance et de peur de perte affective qu'ils réagissent par la violence lorsque leur femme essaie de devenir plus indépendante. Le sentiment d'incompétence est étroitement lié à ce besoin de dépendance de l'agresseur : il fait usage de la violence pour essayer de se prouver, à lui-même et aux autres, qu'il est supérieur et qu'il est le maître. Le recours à la force physique diminue provisoirement le sentiment d'incompétence et compense le manque de ressources internes. Les personnes qui se

sentent incompétentes dans une relation ont parfois recours à la violence pour créer une distance émotive par crainte du rapprochement et de l'intimité (Bolton et Bolton, 1987).

Les victimes peuvent être paralysées par diverses réactions affectives. On a constaté au cours d'une étude que 25 p. cent des victimes se sentent coupables, 50 p. cent se sentent impuissantes et 75 p. cent souffrent de dépression (Resick, 1983). Leurs sentiments de culpabilité et de responsabilité personnelle se traduisent par des remarques telles que : « Si j'étais une meilleure épouse, il ne me battrait pas. » ou « Si je n'avais pas répondu à ma mère, il ne m'aurait pas frappée ». Ces victimes qui se sentent responsables du comportement de leur agresseur peuvent aussi se sentir coupables si elles sont incapables de rompre le climat de violence qui règne dans la famille. De nombreuses victimes se sentent impuissantes à empêcher la violence et ont peur de subir des sévices plus graves ou craignent pour leur vie si elles tentent de se défendre. Cette culpabilité peut favoriser une distorsion de la pensée et mener à la dépression, ce qui paralyse encore plus la victime et l'empêche de partir ou de demander de l'aide.

La peur est un des facteurs qui empêchent la femme de sortir d'une relation violente. Il n'est pas rare que la victime reçoive des menaces de mort si elle tente de partir ; elle vit alors dans la terreur des représailles. Par peur de la solitude, la victime peut penser qu'une mauvaise relation vaut mieux que d'être seule. Les pertes multiples qu'elle pourrait subir ou des pertes réelles contribuent à provoquer chez elle une réaction de chagrin qui la paralyse. Ces pertes peuvent porter sur l'estime de soi, l'affection, la confiance, la tranquillité, et la sécurité financière. Le fait de partir ne garantit pas que la violence prendra fin. L'homme violent est souvent plus dangereux quand il se sent menacé par une séparation ou quand il doit y faire face. Jusqu'à 26 p. cent des incidents violents ont lieu après la séparation ou le divorce (Okum, 1986, Tilden et Shepperd, 1987).

C'est aussi la peur qui retient une lesbienne dans une relation violente. Comme la plupart des couples ont des amis dans la communauté lesbienne, la victime peut craindre de couvrir sa partenaire de honte. Elle peut aussi avoir peur que ses amies nient le problème ou prennent le parti de sa partenaire. L'homophobie accentue la peur de rechercher de l'aide ; si la victime appelle la police, elle risque de se faire ridiculiser ou de se heurter à une réaction hostile de la part des officiers. La victime lesbienne a parfois peur de demander de l'aide à sa famille parce qu'elle ne veut pas renforcer les stéréotypes défavorables attribués aux lesbiennes ou risquer d'accroître l'homophobie de la famille (Hammond, 1986).

Caractéristiques cognitives

Les personnes violentes ont très souvent pour elles-mêmes et pour les membres de leur famille des normes perfectionnistes qui créent une rigidité et une obsession de la discipline et de l'autorité. Étant inflexible, l'individu violent est rarement capable de trouver d'autres solutions aux situations conflictuelles. Certains de ces individus sont particulièrement imbus de leurs droits et pensent qu'ils ont le droit d'user de la force physique pour obliger les autres à se plier à leur volonté. La plupart d'entre eux ne comprennent pas l'effet que peut avoir leur comportement sur leur victime, qu'ils rendent parfois responsable de leur violence. C'est ce qu'on appelle la *projection du blâme*. Un manque d'estime de soi crée un sentiment d'impuissance, et l'usage de la force permet de contrecarrer cette idée négative de soi. Les parents qui maltraitent leurs enfants ont eux-mêmes, dans de nombreux cas, souffert de privations affectives lorsqu'ils étaient enfants et peuvent, par conséquent, nourrir des attentes irréalistes à l'égard de leurs propres enfants. Leur colère se transforme en violence si l'enfant ne parvient pas à satisfaire le besoin émotif irréaliste du parent. D'autres parents, peut-être mal informés sur la croissance et le développement des enfants, auront des attentes illusoires sur ce que l'enfant doit être capable d'accomplir. Dans ce cas, la violence envers l'enfant peut commencer, par exemple, si l'enfant n'est pas encore propre à l'âge de neuf mois. De même, les enfants adultes de parents âgés ont des connaissances très limitées des changements qui s'opèrent en vieillissant ; ils les prennent souvent pour des actes délibérés et ont l'impression d'être sous la domination de leurs pa-

rents. L'auteur d'actes violents contre un membre âgé de sa famille utilise des mécanismes de défense qui consistent à minimiser ses actes, à les nier et à recourir à la projection du blâme (Bolton et Bolton, 1987 ; Broome et Daniels, 1987).

Les victimes de violence souffrent très vite d'un manque d'estime de soi. La victime qui est battue commence à croire elle-même que cette violence est la preuve de son manque de valeur personnelle. La violence verbale qui accompagne les coups renforce cette impression si la victime prend à cœur les remarques désobligeantes qui lui sont faites. Ce processus de distorsion de pensée contribue à créer chez elle un sentiment de culpabilité et à lui faire tolérer la violence. Certaines victimes croient qu'elles sont incapables de modifier le schéma de domination ou de partir. Certaines essaient de rationaliser et disculpent leur agresseur en se persuadant que son comportement violent est dû au stress ou à l'alcool. Les victimes souffrent souvent du syndrome de Stockholm, ou réaction de l'otage. Ce syndrome consiste à croire à sa propre responsabilité, à se dévaloriser totalement, tout en gardant une certaine affinité ou sympathie pour l'agresseur. Trait caractéristique, les victimes croient à la possibilité de changer leur agresseur ; lorsqu'il promet de ne plus jamais recommencer, la victime est séduite par l'espoir de changement et elle a envie de croire que cet incident était peut-être le dernier. Les femmes qui pensent que la responsabilité du maintien de la cohésion familiale revient à l'épouse restent parfois pour essayer de préserver la cellule familiale. Cette responsabilité peut aussi être un facteur décisif chez les femmes qui supportent la violence de peur que ce soit leurs enfants qui en soient eux-mêmes les victimes (Bolton et Bolton, 1987 ; Valenti, 1986).

Jacques, 27 ans, vient d'être conduit au service de psychiatrie par la police qui l'a arrêté chez lui parce qu'il menaçait la vie de ses proches. Comme il s'est montré extrêmement violent au poste de police, on l'a conduit immédiatement à l'hôpital. Voici son histoire : ses parents ont divorcé lorsqu'il avait 5 ans ; ses frères avaient 6 et 7 ans. Sa mère a alors habité avec un homme, qu'elle a épousé puis qu'elle a quitté au bout d'un mois. Elle a ensuite vécu avec un autre homme pendant deux mois. Elle l'a quitté pour en épouser un quatrième avec qui elle est restée pendant 11 ans. Jacques décrit sa mère comme une personne alcoolique, violente et négligente. Chaque jour, elle obligeait ses enfants à aller dans la rue vendre des boîtes de bonbons. Elle les battait s'ils ne rapportaient pas assez d'argent. Jacques, craignant sa mère et furieux d'avoir à vendre des bonbons, s'arrangeait pour jeter les bonbons et voler l'argent qu'il devait rapporter. Il se souvient que, pendant que lui et ses frères allaient vendre leurs bonbons, leur mère allait se faire bronzer au bord du lac ou allait se promener en manteau de vison alors qu'eux-mêmes portaient des vêtements misérables. Il se souvient qu'il se faisait toujours gronder pour n'importe quoi et qu'on l'enfermait dans un placard pendant des heures. Un jour, sa mère a demandé à ses autres enfants de tenir Jacques pendant qu'elle et son beau-père le battaient. Parfois elle lui mettait dans la bouche le fil en métal d'un cintre étiré et elle le faisait tourner. Jacques se souvient qu'on l'obligeait à rester debout les bras en l'air jusqu'à ce que sa mère s'endorme. Les deux frères de Jacques se sont enfuis de la maison à l'âge de 16 ans. Lui est resté, car il était incapable de s'éloigner de sa mère et de sa cruauté. Il a commis des vols, s'est adonné à la boisson et aux drogues.

Caractéristiques physiologiques

Diverses blessures peuvent être infligées aux victimes de mauvais traitements physiques. En général, les jeunes enfants souffrent d'un retard de la croissance et du développement. Pour les victimes de tous âges, toutes les combinaisons des caractéristiques suivantes sont possibles. Ils ont parfois des zones chauves sur le crâne aux endroits où on leur a tiré les cheveux, ou bien des hématomes sous-duraux à la suite de coups reçus à la tête. Leurs yeux sont parfois tuméfiés et enflés ; ils peuvent avoir des hémorragies oculaires ou des pétéchies autour des yeux suite à une tentative de strangulation. La peau, les zones génitale ou rectale sont parfois tuméfiées ou brûlées et peuvent porter des cicatrices d'anciennes blessures. On peut noter la présence de fractures ou de signes de fractures antérieures, surtout au visage, sur les bras et les côtes. Les articulations sont souvent déboîtées, en particulier à l'épaule, si la victime a été saisie ou tirée par le bras. Les blessures intra-abdominales sont fréquentes, surtout chez les femmes enceintes. Sur le plan neurologique, la victime peut avoir des zones de paresthésie ou de torpeur dues à d'anciennes blessures et elle risque d'avoir des réflexes hyperactifs par suite de lésions neurologiques (Mittleman, Mittleman et Wetli, 1987).

Caractéristiques socioculturelles

La famille dont est issu l'auteur des actes violents est un facteur important pour comprendre la violence familiale. La violence s'exerce souvent dans chacune des générations d'une même famille, à moins que certaines circonstances viennent modifier la dynamique familiale. Une grande partie du comportement adulte est déterminé par les expériences de l'enfance au sein de la cellule familiale. Les parents modèlent les interactions entre époux et entre parents et enfants pour leur propres enfants. Quand les enfants grandissent et forment leur propre famille, ils tentent inconsciemment de recréer la même forme d'interactions. Bien qu'ils en souffrent, ils répètent les interactions négatives parce qu'elles représentent la sécurité et parce qu'ils n'ont pas eu l'occasion d'apprendre d'autres moyens de résoudre les problèmes. Donc, la violence exercée dans la famille d'origine enseigne à l'individu que l'utilisation de la force est quelque chose d'acceptable. La violence devient alors partie intégrante de la dynamique, de sorte que violence et amour deviennent confondus, ou la violence est perçue comme bonne moralement si elle permet d'obtenir de bons résultats. Les enfants réagissent parfois à la violence en s'identifiant soit avec l'agresseur, soit avec la victime. Il arrive souvent que ces enfants deviennent, à l'âge adulte, soit des victimes, soit des auteurs d'actes violents. Il existe des cas d'adultes violents qui ont été abandonnés ou négligés émotivement lorsqu'ils étaient enfants. Leurs besoins de sécurité et de dépendance n'ayant pas été satisfaits lorsqu'ils étaient très jeunes, ces adultes sont incapables de répondre aux besoins d'affection et de confiance de leurs propres enfants (Bennett, 1987 ; Valenti, 1986).

Les rôles traditionnels attribués à chacun des deux sexes influencent l'utilisation de la violence au sein de la famille. Dans les familles violentes, les rôles sont souvent stéréotypés et la structure familiale est très hiérarchique. Certains hommes sont prisonniers d'une masculinité compulsive en ce sens qu'ils ressentent le besoin d'être durs, forts, agressifs et non émotifs. Pour ces maris, une relation conjugale égalitaire est vue comme un manque de virilité. Afin d'affirmer leur position « supérieure », ces hommes ont tendance à épouser des femmes plus jeunes, moins éduquées, et moins productives sur le plan économique. De plus, ces hommes considèrent parfois les femmes comme des enfants qui ont besoin d'être protégés à l'excès. Lorsque leur position dominante ou leur autorité est menacée par la femme ou par les enfants, ils risquent de devenir violents. Les hommes qui n'ont pas besoin de se sentir supérieurs pour avoir l'impression d'être virils ou qui sont capables de s'adapter à une relation égalitaire risquent mois d'user de la violence contre leurs femmes et leurs enfants (Bersani et Chen, 1988 ; Goodrich et coll., 1988).

La famille violente est souvent isolée socialement. Pour certaines familles, l'isolement précède la violence ; ayant peu de réseaux de soutien, la famille isolée dispose de moins de moyens pour surmonter les situations de stress et a recours à la violence par frustration. Pour d'autres familles, l'isolement social est une conséquence de la violence. Ayant honte de ce qui se passe chez eux, les membres de la famille se tiennent à l'écart des autres afin d'éviter l'humiliation si jamais la violence parvenait à la connaissance de leur entourage.

Dans de nombreux cas, la famille violente a traversé de nombreux événements importants avant le déclenchement de la violence. Ce bombardement de stress compromet fortement les capacités de la famille à s'adapter au changement. Lorsque les ressources psychologiques, physiques ou financières sont épuisées, la violence risque de faire irruption dans la famille.

En vieillissant, les gens deviennent plus vulnérables à la violence parce qu'ils dépendent davantage des autres pour survivre. En passant à l'âge adulte, les enfants subissent parfois un certain nombre de pertes et doivent faire face à de nouvelles demandes. Ils doivent abandonner le rôle d'enfant dans la famille et, en même temps, ils perdent un grand nombre des libertés auxquelles ils s'attendaient à l'âge mûr. Les adultes qui s'occupent à la fois de leurs enfants et de leurs parents âgés sont parfois dépassés par des responsabilités trop nombreuses. Ce niveau élevé de stress peut constituer un facteur contribuant aux mauvais traitements infligés aux personnes âgées (Bolton et Bolton, 1987) (des explications détaillées sont données au chapitre 6).

Il est souvent difficile pour la femme de quitter un partenaire violent. Les femmes sont portées par les pressions sociales à se sacrifier pour le bien d'autrui. Elles se sentent responsables de l'unité familiale, et veulent la préserver presque à n'importe quel prix. Les notions culturelles de devoir et de loyauté renforcent ce rôle de victime. Quant aux femmes qui décident de partir, elles quittent leur partenaire à plusieurs reprises avant de rompre définitivement la relation. Nombreuses sont les femmes qui dépendent financièrement du partenaire qui les bat ; lorsqu'elles ont un emploi, il est rare qu'elles gagnent autant que leurs collègues masculins. Si elles ont des enfants, elles ont un besoin désespéré de soutien financier et il arrive souvent que le mari ne s'acquitte pas de ses obligations et néglige de leur verser la pension alimentaire. C'est traditionnellement la mère qui est chargée de s'occuper des enfants ; or, le manque de services de garderie abordables et convenables est un problème majeur pour la mère célibataire qui cherche un emploi. Les parents célibataires doivent parfois faire face à la désapprobation de la société à cause de la séparation ou du divorce, la norme culturelle étant que, pour l'enfant, deux parents valent mieux qu'un (Burden et Gottlieb, 1987 ; Gilligan, 1982).

Le système judiciaire ne réussit pas à diminuer considérablement la violence familiale. Les officiers de police et les avocats ont rarement reçu une formation spéciale les aidant à intervenir en cas de querelle ou de violence familiale. Il faut parfois attendre longtemps pour pouvoir obtenir une ordonnance du tribunal ou une obligation de ne pas troubler la paix publique, dans le seul but de protéger la victime. La date du procès est souvent reportée, ce qui retarde d'autant la résolution du problème sur le plan juridique. Les victimes ont besoin d'être défendues devant les tribunaux pour éviter d'être traumatisées par le système judiciaire (Giles-Sims, 1983 ; Starus et Hotaling, 1980). Selon qu'il s'agit d'une femme ou d'un homme, le défendeur n'est pas toujours traité de la même manière par les tribunaux. Walker (1984, p. 205) fait remarquer, à propos de plusieurs cas de violence familiale : « Les femmes qui tuent leur mari risquent plus souvent d'être accusées d'homicide avec préméditation alors que les hommes qui tuent leur femme sont plus souvent accusés d'homicide involontaire. »

Théories de la causalité

S'il est facile de décrire la famille violente, il est plus difficile d'expliquer cette violence car ses causes sont multiples. Le comportement violent peut revêtir plusieurs formes et avoir plusieurs origines. Le comportement agressif fait intervenir les systèmes internes et externes de l'agresseur et de la victime. Cette approche multidimensionnelle de la violence familiale fait intervenir des théories biologiques, intrapersonnelles, de conditionnement social, sociologiques et systémiques.

Théories biologiques   La théorie fondée sur l'instinct donnent à penser que l'individu a un instinct naturel combatif qui sert à assurer la survie de l'espèce. Le règne animal est cité comme preuve qu'il est naturel de protéger son territoire et de s'attaquer à des proies plus faibles ou de plus petite taille. De nombreuses autorités réfutent cette théorie, car elle confond la violence gratuite avec la chasse par instinct de survie. Les luttes que se livrent les animaux pour défendre leur territoire ou leurs privilèges d'accouplement n'ont pas la cruauté qui caractérise la violence humaine. De plus, la plupart des groupes d'animaux s'efforcent de maintenir les incidents à un minimum.

Selon la théorie neurophysiologique, le système limbique et les neurotransmetteurs interviennent dans le comportement violent. On pense qu'une élévation de norépinephrine, de dopamine et de sérotonine accroît l'irritabilité et peut entraîner divers types d'agressions. La stimulation de l'hypothalamus latéral et médian chez les animaux provoque des comportements agressifs, alors que la stimulation de l'hypothalamus dorsal provoque un comportement de fuite. On pense également que la zone septale du système limbique a normalement un effet inhibiteur, puisqu'on observe un comportement féroce et vicieux chez des animaux sur lesquels des lésions ont détruit cette région septale. En même temps, on continue d'étudier les tendances agressives accrues chez les femmes qui ont des syndromes prémenstruels marqués. La théorie avancée porte surtout sur la chute de progestérone ou l'hyperfonction de la dopamine observées juste avant la menstruation (Keye, 1988).

La consommation excessive de substances chimiques, et en particulier d'alcool, est souvent liée au comportement violent. Chez certaines personnes, l'alcool réduit les inhibitions et augmente donc la probabilité d'avoir un comportement violent. Lorsque le taux d'alcool est élevé, les facultés verbales de l'individu sont diminuées, sa peur de se faire attaquer augmente, et il se rend moins bien compte des débordements de son comportement. Tous ces facteurs peuvent favoriser une explosion de violence. L'alcoolisme n'est pas forcément une cause directe de la violence puisque de nombreux alcooliques ne sont pas violents avec ceux qu'ils aiment (Humphreys et Campbelle, 1989 ; Montague, 1979).

Théories intrapersonnelles   D'après les théories intrapersonnelles, l'origine de la violence résiderait dans la personnalité de chaque agresseur. On pense que l'agressivité est naturelle chez l'individu et que les personnes violentes sont celles qui sont incapables de maîtriser l'expression impulsive de leur colère et de leur hostilité. Les individus qui se sentent impuissants ou incompétents ont peut-être recours à la force physique pour se défendre et améliorer leur estime de soi. En ce qui concerne la violence envers les enfants, les théories intrapersonnelles supposent que l'enfant est rejeté par le parent et qu'il n'existe aucun lien entre eux. Il se peut aussi que les parents projettent leurs propres défauts sur l'enfant et s'en prennent ensuite à lui en cas de problèmes. La violence familiale se transmet d'une génération à l'autre si les parents ont eux-mêmes été rejetés pendant l'enfance ou s'ils se sont identifiés à un parent violent. D'autres explications font intervenir les traits de caractère ou les troubles de la personnalité. Les individus violents sont souvent obsessionnels-compulsifs, jaloux, suspicieux, paranoïdes ou sadiques. L'individu se sert parfois du comportement violent pour faire appliquer une discipline absolue, pour protéger son bien, ou pour se protéger des autres. Certaines personnes violentes ont une personnalité que l'on peut qualifier d'agressive-impulsive ; ce sont des personnes qui, toute leur vie, ont eu des altercations physiques. Le comportement agressif est renforcé chez l'individu qui a souvent le dessus dans les bagarres d'enfants, et chez qui il existe un risque plus élevé de violence envers ses enfants, son conjoint ou ses parents âgés (Campbell, 1984D ; McLeer, 1988 ; O'Leary, 1988).

Théorie du conditionnement social   Selon cette théorie, la violence est un comportement qui s'acquiert et qui n'a rien d'instinctif. On pense que la stimulation des mécanismes neurophysiologiques peut être contrôlée de façon cognitive. Les rôles d'agresseur et de victime s'acquièrent durant l'enfance : les enfants apprennent la violence par l'observation, en étant victimes ou en se comportant eux-mêmes de façon violente. Si l'usage de la violence est récompensé par un gain de pouvoir, ce comportement se trouve renforcé. Par contre, s'il y a immédiatement renforcement négatif au sein de la famille, le comportement violent va diminuer (Humphreys et Campbell, 1989 ; Walker, 1984). En plus des modèles établis dans le cadre de la famille, les médias offrent aux enfants de nombreux modèles de violence. Dans les westerns, dessins animés, feuilletons policiers et films d'aventure, les « bons » font toujours usage de la force pour la « bonne » cause. Très souvent, la violence représentée ne cherche même pas à rationaliser l'usage de la force pour la « bonne » cause, mais illustre au contraire la cruauté gratuite et systématique d'un individu envers un autre. Avec ces exemples donnés dans la famille et à travers les médias, les en-

fants acquièrent des valeurs qui tolèrent et acceptent la violence.

Théorie sociologique   Le milieu social est parfois une source supplémentaire de stress pour la famille. Les familles violentes ont tendance à être des familles qui connaissent des problèmes multiples, qui ont vécu une succession d'événements importants, tels des maladies, des accidents, des difficultés économiques, ou l'arrivée de nouveaux venus dans le système familial, nouveaux-nés ou personnes âgées. Certains facteurs contribuent à instaurer un sentiment de colère et de privation, comme le sous-emploi, le chômage et la pauvreté. Lorsque les ressources financières, physiques ou psychologiques sont limitées et précaires, la probabilité que le conflit dégénère en violence augmente.

On arrive à repérer les facteurs qui contribuent à engendrer la violence envers les personnes âgées au sein de la famille. Les familles ayant tendance à devenir plus restreintes, le nombre de personnes disponibles pour s'occuper des parents âgés est réduit et, avec l'augmentation de la longévité, le nombre d'années pendant lequel on doit s'occuper d'un parent à charge a augmenté. En vivant plus vieux, les gens connaissent aussi davantage de problèmes de santé et le coût des soins médicaux est parfois une lourde charge financière.

Les adultes d'âge mûr attendent d'être libérés des exigences et responsabilités qu'ils ont dû assumer pour élever leurs enfants. Un parent âgé vient parfois s'installer chez eux avant même qu'ils ne puissent profiter de cette liberté et ils se retrouvent alors gênés, socialement et économiquement. L'impression d'être coincés entre les besoins de leurs enfants et ceux de leurs parents peut parfois les porter à être violents envers leurs parents âgés. Des difficultés à redéfinir la relation avec les parents peuvent survenir, ainsi qu'à les voir dépendants, privés d'autorité et de ressources. Ce genre de situation peut susciter la colère lorsque les parents ne sont plus capables de constituer un soutien pour l'enfant devenu adulte.

Le niveau de stress au sein de la famille risque aussi de monter lorsqu'un parent âgé vient vivre chez son fils ou sa fille. Le logement devient tout à coup plus exigu, l'intimité du couple en souffre ; les divergences d'opinion sur la manière de gérer un foyer créent également des tensions. La montée du stress et de la frustration qui en découlent peut ainsi favoriser la violence envers les parents âgés (Phillips, 1986).

Théorie des systèmes   Les tenants de cette théorie pensent que la violence n'est pas un fait isolé, mais qu'elle résulte des modes de relations entre les gens, les événements et les comportements. Le fait de comprendre ces relations ne signifie pas que chaque membre de la famille est également responsable de la violence. Comme l'explique Giles-Sims (1983), la théorie des systèmes définit plusieurs caractéristiques propres aux familles violentes :

* Le tabou contre la violence est renversé

* On s'attend toujours à davantage de violence

* La cellule familiale refuse d'admettre le caractère déviant de la violence

* La personne maltraitée ne se considère pas comme une victime

* Le comportement violent est renforcé lorsqu'il produit les résultats souhaités.

L'enfant maltraité joue parfois le rôle de bouc émissaire dans une famille dysfonctionnelle. Un des enfants peut être perçu comme le membre déviant de la famille, et le conflit entre époux se reporte alors sur l'enfant qui devient la cible de l'hostilité et des attaques violentes.

Dans le système familial fusionnel, où les individualités se confondent, le manque de distanciation entre les individus accentue le stress et les conflits. Les rôles dans la famille passent constamment d'un membre à l'autre ; si chacun des parents ne parvient pas à trouver chez l'autre le soutien et l'affection dont il a besoin, il se tourne vers l'enfant pour trouver cet amour. L'enfant commence alors à devenir le soutien de chacun des parents, qui se disputent son attention. Si l'enfant est incapable de satisfaire tous les besoins émotionnels des parents, il en résulte une frustration qui aboutit souvent à la

violence. Ce type de système familial risque de devenir désorganisé et chaotique lorsque les parents sont incapables d'assumer les fonctions de chefs de famille.

Le système familial de type clos est caractérisé par la rigidité, l'inflexibilité et des modes de comportement très répétitifs. Tout apport provenant de systèmes sociaux plus ouverts, comme les amis ou les ressources communautaires, n'est pas encouragé et est même évité. Les solutions aux problèmes doivent être trouvées dans la famille, dont les ressources finissent par s'épuiser. Ce type de système familial est d'un autoritarisme strict. Les enfants doivent absolument se conformer aux règlements de la famille et les respecter ; lorsqu'ils commencent à les mettre en question ou à contester l'autorité familiale, il peut y avoir usage de violence pour rétablir la structure autoritaire (Okum, 1986).

Théorie féministe   Pour les théories féministes, la structure sexiste de la famille et de la société est un facteur important de la violence familiale. L'organisation patriarcale donne à l'homme une autorité dictatoriale sur les femmes et les enfants. Les femmes sont considérées comme des êtres infantiles, passifs, dépourvus de raison et excessivement émotifs qui ont besoin d'être dominés et dirigés. Le système économique sexiste contribue à piéger les femmes, qui doivent choisir entre la pauvreté et la violence. Il leur est difficile de trouver des défenseurs et des solutions adaptées dans les systèmes juridique, religieux, médical et psychiatrique, qui sont tous dominés par l'homme (Humphreys et Campbell, 1989 ; Okum, 1986).

Collecte des données : Mauvais traitements physiques

Les femmes battues arrivent dans le système de santé à la suite de troubles divers qui sont en rapport avec les violences qu'elles ont subies. La vigilance de l'infirmière envers les signes de violence doit permettre d'éviter les erreurs de diagnostic et les interventions inutiles. Certaines femmes battues ne parlent pas spontanément de la violence ou minimisent ses effets. L'infirmière doit veiller à recueillir les renseignements sur les violences qui ont été commises et à ne pas en nier la réalité. Dans une étude réalisée par Stark et Flitcraft en 1988, 75 p. cent des femmes battues avaient spontanément déclaré avoir été malmenées, mais seulement 5 p. cent des professionnels chargés de recueillir les données en avaient tenu compte. Une autre étude réalisée par Rose et Saunders en 1986 auprès de 86 médecins et 145 infirmières a permis de constater que le facteur le plus important pour déterminer si une femme battue va être reconnue comme telle est le sexe du professionnel qui va s'occuper d'elle. Les infirmières et les femmes-médecins sont moins nombreuses que les hommes, infirmiers ou médecins, à croire que la violence est justifiée et que la victime doit réussir à l'empêcher.

Le dépistage de la violence domestique est le résultat le plus important d'une collecte des données : une équipe pluridisciplinaire pourra alors faire une évaluation qui permettra de déterminer l'état de santé et l'état émotionnel de la victime. On doit tenir compte de la gravité et du risque mortel que représente la situation, ainsi que des besoins éventuels des enfants à charge et des questions d'ordre juridique.

Dans tous les milieux cliniques, les infirmières doivent relever tous les renseignements possibles sur les signes de violences. Étant donné l'étendue du problème que représente la violence familiale, on devrait poser à chaque client une ou deux questions destinées à introduire le sujet dans la conversation. Lorsqu'elle questionne un enfant pour établir son bilan de santé, l'infirmière peut lui demander : « Les parents essaient d'apprendre à leurs enfants comment ils doivent se conduire. Qu'arrive-t-il quand tu fais quelque chose de mal ? » ou « Quelle est la punition la plus sévère que tu as reçue ? » Lorsqu'elle interroge un adulte, elle peut lui demander : « Pour tout le monde, les discordes familiales sont une cause de stress dans la vie de tous les jours. Pouvez-vous me dire quel effet ont sur vous les discordes ? Qu'arrive-t-il lorsque vous n'êtes pas d'accord ? » Si les réponses à ces questions indiquent qu'il y a eu violence, il faut alors effectuer une collecte de données spécifique, à partir d'un questionnaire comme celui qui suit. Naturellement, il convient d'adapter les questions en fonction de l'âge, du sexe et de la situation familiale du client.

 BILAN DE SANTÉ
Victimes de la violence

Données sur le comportement
Comment les gens communiquent-ils dans votre famille ?
Comment naissent les conflits dans votre famille ?
Comment les conflits sont-ils surmontés ou réglés ?
Quel membre de votre famille perd le contrôle de lui-même lorsqu'il est en colère ?
Avez-vous déjà reçu des menaces verbales ?
Vous a-t-on déjà menacé avec un couteau ou une arme à feu ?
De quelles façons avez-vous déjà subi l'explosion de violence d'un membre de votre famille ? Vous a-t-il giflé ? Frappé ? Donné un coup de poing ? Jeté à terre ? Bousculé ? Donné des coups de pied ? Brûlé ? Battu ?
Avez-vous déjà eu besoin de traitements médicaux d'urgence ?
Comment avez-vous essayé de mettre fin à la violence ?
Avez-vous déjà essayé de rompre avec cette situation ?
Qu'est-il arrivé lorsque vous avez essayé de partir ?
Quelle est la consommation d'alcool dans votre famille ?
Consomme-t-on des drogues dans votre famille ?

Données sur l'état affectif
Qui est responsable, à votre avis, de l'usage de la force dans la famille ?
Pourquoi cette personne est-elle responsable ?
Vous sentez-vous coupable à l'heure actuelle ?
Qu'est-ce qui vous fait peur ? Le manque de sécurité ? Les problèmes financiers ? Les problèmes de garde des enfants ? Le fait de vivre séparé de votre conjoint ? D'autres blessures physiques ?
Quels types de facteurs contribuent à vous empêcher de partir ou de faire cesser la violence ?
Dans quelle mesure trouvez-vous votre situation désespérée ?
Pouvez-vous me décrire à quel point vous vous sentez déprimé ?

Données sur l'état cognitif
Quels sont vos qualités et vos défauts ?
Que diriez-vous si vous deviez vous décrire à un étranger ?

Que pensez-vous du maintien de l'unité de votre famille ?

Quelles sont les raisons qui vous font supporter cette situation ? Des promesses de changement ? Des compensations matérielles ?

Croyez-vous ou espérez-vous que les violences ne vont pas se reproduire ?

Quelle conduite attendez-vous de la part d'un enfant ?

Quels sont les droits des parents sur leurs enfants ?

Quels sont les droits des conjoints l'un envers l'autre ?

Quelles sont les règles en vigueur dans votre famille vis-à-vis de la force physique ?

Données sur la vie socioculturelle

Comment vos parents s'entendaient-ils ?

Qui faisait régner la discipline quand vous étiez enfant ?

Quel genre de discipline utilisait-on quand vous étiez enfant ?

Quelle relation aviez(avez)-vous avec votre mère ?

Quelle relation aviez(avez)-vous avec votre père ?

Comment vous entendiez-vous avec vos frères et sœurs ?

Dans votre famille actuelle, qui est le chef de famille ?

Comment sont prises les décisions dans votre famille ?

Comment sont réparties les tâches domestiques dans votre famille ?

À quels stress récents ou actuels la famille est-elle soumise ? Chômage ? Problèmes financiers ? Maladie ? Nouveaux venus dans la famille ? Décès ou séparations ? Problèmes d'éducation des enfants ? Changement de responsabilités professionnelles ? Augmentation des conflits ? Changement de résidence ?

À qui pouvez-vous vous adresser en période de stress ?

Comment se passe votre vie sociale ?

Quels sont les contacts que vous avez eus avec le système judiciaire ? Avez-vous appelé la police ? Avez-vous eu recours à un avocat ? Êtes-vous passés devant les tribunaux ? Avez-vous eu recours aux services de protection ?

Le tableau 16-16 donne les directives à suivre pour effectuer l'examen physique des victimes de la violence.

L'entrevue devant servir à établir le bilan de santé doit être menée en privé. Le client a parfois du mal à admettre la réalité de la violence familiale tant qu'une certaine confiance ne s'est pas établie entre lui et l'infirmière. Les clients craignent souvent

Tableau 16-16   *Examen physique des victimes de la violence*

Faire un examen complet en accordant une attention particulière aux points suivants :

Tête
  Signes de traumatisme
  Signes d'hématomes
  Plaques chauves du cuir chevelu
  Yeux : enflés, contusionnés, injectés de sang

Peau
  Tuméfaction ou sensibilité
  Ecchymoses
  Brûlures
  Cicatrices de brûlures ou de blessures
  Traumatisme génital
  Traumatisme rectal

Muscles et squelette
  Fractures de côtes
  Fractures des bras ou des jambes
  Articulations disloquées
  Troubles de la motricité

Abdomen
  Ecchymoses ou plaies
  Signes de blessures internes

Système nerveux
  Réflexes
  Paresthésie
  Engourdissement
  Douleur

le jugement de l'infirmière sur l'agresseur ou sur la victime qui subit les violences sans faire quoi que ce soit pour changer cette situation. Le client doit être persuadé que l'infirmière souhaite réellement aider toute la famille (Sengstock et Barrett, 1984).

Analyse des données et planification des soins : Mauvais traitements physiques

La majorité des personnes concernées par la violence familiale souffrent de ce comportement et voudraient le voir cesser. Mais tout en souhaitant trouver de l'aide pour y mettre fin, elles ne savent pas où chercher l'assistance dont elles ont besoin. Il est extrêmement important que l'infirmière ne porte pas de jugement sur leurs relations avec les autres membres de la famille. Les personnes violentes se sentent condamnées par la société en général et risquent donc de se méfier du personnel infirmier. Au début, la victime hésite parfois à faire confiance aux infirmières parce qu'elle a honte ou parce ce qu'elle a peur qu'on lui reproche de ne rien faire pour s'en sortir. Il convient d'adopter une approche non sexiste à l'égard de la victime ; autrement dit, l'infirmière ne doit ni la blâmer ni chercher de causes pathologiques à son comportement. Il est essentiel que les infirmières n'imposent pas leurs propres valeurs à la famille en offrant des solutions rapides et simples au problème de la violence intrafamiliale.

Le traitement des familles violentes nécessite une approche multidisciplinaire comprenant des interventions très diverses. Infirmières, intervenants sociaux, médecins, spécialistes en thérapie familiale, éducateurs professionnels, policiers, personnel des services de protection et avocats doivent coordonner leurs efforts et leur savoir-faire pour intervenir de manière efficace dans les cas de violence familiale. C'est en période de crise que la famille est la plus réceptive et prête à accepter l'intervention de professionnels. Lorsqu'une crise permet de repérer une famille violente, on doit immédiatement l'orienter vers un traitement multidisciplinaire. Car c'est dans les quatre à six semaines suivant la crise que les membres de la famille sont le plus ouverts et prêts à adopter de nouveaux modes de comportement. S'il n'y a pas d'intervention pendant cette période, il y a de fortes chances qu'ils retombent dans leurs modes de relation habituels et recommencent à faire usage de la violence (Campbell, 1984C).

Les infirmières doivent connaître les lois portant sur l'obligation de signaler les cas de mauvais traitements. Par la Loi sur la protection de la jeunesse (art. 38), tous doivent signaler les cas d'enfants qui semblent être victimes d'agressions sexuelles ou de mauvais traitements physiques. Tous les citoyens, par cette loi, sont invités à signaler les situations qui compromettent la sécurité où le développement d'un enfant (voir le tableau 16-17). De plus, « un adulte est tenu d'apporter l'aide nécessaire à un enfant qui désire saisir les autorités compétentes d'une situation compro-

Tableau 16-17   *Alinéas de l'article 38 de la Loi sur la protection de la jeunesse : situations qui compromettent la sécurité ou le développement de l'enfant*

38 a)   Si ses parents ne vivent plus, ne s'en occupent plus ou cherchent à s'en défaire ;

38 b)   Si son développement mental ou affectif est menacé par l'absence de soins appropriés ou par l'isolement dans lequel il est maintenu ou par un rejet affectif grave et continu de la part de ses parents ;

38 c)   Si sa santé physique est menacée par l'absence de soins ;

38 d)   S'il est privé de conditions matérielles d'existence appropriées à ses besoins et aux ressources de ses parents ou de ceux qui en ont la garde ;

38 e)   S'il est gardé par une personne dont le comportement ou le mode de vie risque de créer pour lui un danger moral ou physique ;

38 f)   S'il est forcé ou incité à mendier, à faire un travail disproportionné à ses capacités ou à se produire en spectacle de façon inacceptable eu égard à son âge ;

38 g)   S'il est victime d'abus sexuels ou est soumis à des mauvais traitements physiques par suite d'excès ou de négligence ;

38 h)   S'il manifeste des troubles de comportement sérieux et que ses parents ne prennent pas les moyens nécessaires pour corriger la situation ou n'y parviennent pas ;

38.1 a)   S'il quitte sans autorisation son propre foyer, une famille d'accueil, un centre d'accueil ou un centre hospitalier alors que sa situation n'est pas prise en charge par le directeur de la protection de la jeunesse ;

38.1 b)   S'il est d'âge scolaire et ne fréquente pas l'école ou s'en absente fréquemment sans raison ;

38.1 c)   Si ses parents ne s'acquittent pas des obligations de soin, d'entretien et d'éducation qu'ils ont à l'égard de leur enfant ou ne s'en occupent pas d'une façon stable alors qu'il est confié à un établissement ou à une famille d'accueil depuis deux ans.

mettant sa sécurité ou son développement, ceux de ses frères et sœurs ou ceux de tout autre enfant » (art. 42).

Le fait de ne pas signaler le cas d'un enfant maltraité peut constituer une infraction. Nul ne peut, étant tenu de le faire, omettre de signaler au directeur la situation d'un enfant dont il a un motif raisonnable de croire que la sécurité ou le développement sont ou peuvent être considérés comme compromis. Tous les employés des établissements du réseau des Affaires sociales sont expressément visés par cette obligation (Métivier, 1985). On peut voir au tableau 16-18 le cheminement type d'une demande de protection.

Pour maintenir le climat de confiance, il est nécessaire d'avertir la famille lorsqu'un rapport est envoyé aux services de protection. L'infirmière doit être au courant des procédures qui font suite à un rapport de voies de fait pour en informer correctement la famille. De nombreuses familles craignent que les services de protection ne servent qu'à retirer du domicile les personnes concernées ; en réalité, les services de protection peuvent apporter un soutien appréciable aux familles en leur offrant des services de consultation et d'autres services sociaux.

Il existe pour les adultes des services de protection où ils peuvent s'adresser pour obtenir des services de santé, d'hébergement, et des services sociaux. Les ressources actuelles sont insuffisantes pour répondre aux besoins des victimes adultes ; la violence domestique est maintenant considérée comme un crime dont la victime a le droit d'être protégée et dont l'auteur est généralement arrêté et poursuivi en justice (Bolton et Bolton, 1987).

Dans tous les milieux cliniques, les infirmières sont en mesure d'intervenir auprès des familles violentes tel que l'indique le plan des soins destinés aux victimes de mauvais traitements, qui est représenté au tableau 16-19. À toute personne que l'on soupçonne d'être en danger, il convient de donner le numéro de téléphone de la ligne directe d'aide aux personnes en difficulté. Le processus d'aiguillage est en effet un élément essentiel des soins infirmiers car des interventions multidisciplinaires vont être nécessaires pour pouvoir mettre fin à l'usage de la violence au sein de la famille.

Les infirmières doivent s'efforcer d'éliminer l'homophobie dans les milieux cliniques : l'orientation sexuelle d'une femme battue ne doit pas être prétexte à la rendre responsable de la violence, elle qui en est la victime. Les lesbiennes battues ont les mêmes besoins de soutien, de sécurité et d'égards que les femmes hétérosexuelles.

Évaluation : Mauvais traitements physiques

Les infirmières qui travaillent dans les milieux de soins aux malades en phase aiguë n'ont pas toujours la possibilité de faire une évaluation prolongée du système familial. Selon Sengsock et Barrett (1984), les évaluations de courte durée portent essentiellement sur :

- L'identification des cas de violence familiale

- La capacité de la famille à admettre l'existence du problème

- La volonté de la famille de se faire aider en s'adressant aux services vers lesquels on l'oriente

- Le fait de sortir la victime d'une situation instable

Les infirmières qui travaillent dans des milieux de soins prolongés ou dans les centres communautaires ont la possibilité d'évaluer l'efficacité du plan de traitement multidisciplinaire sur une longue période. Le fait de pouvoir suivre les progrès de la famille et son adaptation à une situation sans violence peut représenter une énorme source de satisfaction au niveau professionnel.

Chaque infirmière peut analyser ses propres obligations et ses actions pour lutter contre les aspects de la société qui encouragent la violence. Car la violence est un problème d'envergure nationale et les infirmières doivent prendre des mesures de prévention pour les générations à venir.

La première prévention consiste à informer les parents, à instaurer dans les écoles des programmes d'éducation familiale, à aiguiller les enfants ou les personnes âgées vers les services appropriés, à créer des groupes de soutien et à informer les autres infirmières sur la question. La prévention secondaire consiste à travailler auprès des enfants maltraités ou qui ont vu leur mère se faire battre et à les orienter vers une intervention multidisciplinaire. Les infirmières doivent faire valoir les droits de la communauté et appuyer la

(suite page 698)

Tableau 16-18   *Cheminement d'un cas à la protection de la jeunesse*

Source: Lemmens M., C.S.S. de l'Estrie, *Loi sur la protection de la jeunesse, Rapport annuel 1989-1990*, p. 33.

Tableau 16-19   Plan des soins infirmiers destinés aux victimes de la violence

▮ **Diagnostic infirmier :** Stratégies d'adaptation familiale inefficaces, reliées à l'incapacité de régler les conflits sans violence.
▮ **Objectif :** La famille résoud ses conflits sans avoir recours à la violence.

Intervention	Justification	Résultat escompté
Apprendre à la famille à communiquer : • perception des blocages ; • écoute active avec rétroaction ; • communication claire et directe ; • communication n'attaquant pas personnellement les membres de la famille.	En améliorant ses habiletés de communication, la famille pourra régler ses problèmes sans aller jusqu'à la violence.	La communication est plus claire et directe ; les membres de la famille s'écoutent les uns les autres.
Expliquer la façon dont la violence s'apprend et se transmet de génération en génération.	Le fait de définir la violence comme un comportement acquis encourage l'apprentissage de nouveaux comportements.	Le client reconnaît la nécessité de mettre un terme à la violence dès maintenant.
Parler du fait que les discordes sont inévitables dans une famille.	Parler permet de ne pas entretenir le mythe selon lequel on ne peut être heureux qu'en l'absence de conflits.	Le client reconnaît le caractère normal du conflit.
Étudier le processus démocratique avec la famille.	Plus la famille est démocratique pour prendre les décisions et résoudre les conflits, moins il y a de risques de violence.	Le client explique le processus démocratique.
Demander à la famille de résoudre un problème familial mineur et sans charge émotive de façon démocratique.	Une fois le processus appris, la famille peut transposer ses connaissances et son expérience à la résolution d'autres problèmes.	La famille utilise le « processus démocratique ».
Discuter des moyens non violents d'exprimer la colère.	Le fait d'apprendre d'autres façons d'exprimer la colère va diminuer la fréquence de la violence.	La famille trouve d'autres moyens d'exprimer la colère.
Demander à la famille d'établir les moments et les endroits où chacun peut s'isoler périodiquement.	La possibilité de s'isoler au calme, diminue le stress et la tension entre les membres de la famille et accroît le respect mutuel.	La famille fixe des moments et des lieux d'intimité pour chacun de ses membres.

▮ **Diagnostic infirmier :** Stratégies d'adaptation individuelle inefficaces, reliées au fait d'être victime de la violence.
▮ **Objectif :** Le client gère ses sentiments et les troubles physiques reliés à la violence.

Intervention	Justification	Résultat escompté
Écouter attentivement les difficultés du client et le traiter avec respect.	Le respect et l'écoute attentive augmentent le sentiment de valeur personnelle.	
Dire au client qu'on comprend son hésitation à faire confiance au personnel.	Les victimes de violences ont du mal à accorder leur confiance car la société les a souvent mal jugées.	Le client reconnaît sa crainte de faire confiance au personnel.
Aider le client à repérer les sentiments reliés au rôle de victime de la violence.	Le client risque dans un premier temps de nier ses sentiments ou d'avoir recours à la dissociation pour faire face à la situation ; il faut lui faire comprendre que les sentiments négatifs sont normaux.	Le client a moins recours au déni et reconnaît ses sentiments.

(suite du diagnostic page suivante)

Tableau 16-19   *(suite)*

Diagnostic infirmier *(suite)*: Stratégies d'adaptation individuelle inefficaces, reliées au fait d'être victime de la violence.
Objectif: Le client gère ses sentiments et les troubles physiques reliés à la violence.

Intervention	*Justification*	*Résultat escompté*
Aider le client à reconnaître ses sentiments ambivalents (amour/haine, espoir/désespoir, terreur/sécurité).	Pour réduire la confusion créée par ces sentiments, le client doit savoir que l'ambivalence est normale.	Le client explique ses sentiments ambivalents et les exprime.
Aider le client à utiliser la colère pour apporter des changements.	La colère peut être utilisée de façon constructive au lieu d'être transformée en désespoir.	Le client exprime sa colère de façon appropriée.
Discuter du droit et de la capacité du client de faire ses propres choix.	Faire ses propres choix augmente la maîtrise de soi (foyer de contrôle interne).	
Ne pas prendre de décisions à la place du client.	Le fait de prendre des décisions à la place du client renforce son rôle de victime impuissante.	Le client formule ses propres décisions.
Parler de la relation existant entre le stress et les troubles psycho-physiologiques.	Aide le client à faire un lien entre les symptômes physiques et les problèmes familiaux.	Le client exprime sa compréhension de la maladie physique et du stress.
Diriger le client vers un médecin pour un diagnostic des troubles psycho-physiologiques et une intervention médicale.	Les clients atteints de ces troubles doivent recevoir des soins médicaux adéquats.	Le client accepte les soins du médecin.
Préparer le client pour toute consultation qui lui a été conseillée.	S'il est préparé, le client acceptera plus facilement l'aide qui lui est offerte.	Le client donne suite aux consultations vers lesquelles il a été dirigé.

Diagnostic infirmier: Stratégies d'adaptation familiale efficaces: potentiel de croissance, relié au désir de mettre fin à la violence familiale.
   Objectif: La famille préserve l'unité familiale sans avoir recours à la violence.

Intervention	*Justification*	*Résultat escompté*
Aider la famille à prendre conscience que la violence familiale est un problème, c'est-à-dire que tous les membres participent au maintien du comportement violent mais qu'ils n'en sont pas également responsables.	La famille risque de croire que le problème vient uniquement de l'adulte violent; pour que la violence puisse cesser, il est nécessaire que chaque membre connaisse les modes d'interaction qui entretiennent la violence.	La famille repère le rôle de chaque membre dans le maintien du problème.
Aider la famille à utiliser la technique de résolution de problèmes pour trouver de nouveaux comportements pour chaque membre de la famille.	Les changements de comportement dans une partie du système familial vont entraîner des changements dans l'ensemble du système.	La famille découvre des changements possibles de comportement.

(suite page suivante)

Tableau 16-19 *(suite)*

Diagnostic infirmier : Perturbation de la dynamique familiale, reliée à l'usage de la violence pour maintenir les relations familiales.
    Objectif : La famille préserve l'unité familiale sans avoir recours à la violence.

Intervention	Justification	Résultat escompté
Aider l'agresseur à découvrir sa propre responsabilité vis-à-vis du comportement violent.	La victime n'est pas responsable ; pour changer la situation, l'agresseur doit cesser de nier et de rationaliser.	Le client reconnaît sa responsabilité.
Aider la famille à redéfinir des relations intrafamiliales où la violence est inacceptable.	Les familles violentes le sont rarement avec leurs amis ou avec des étrangers ; elles ont besoin de soutien pour fixer les mêmes limites à l'intérieur de la famille.	Le client définit la famille comme un refuge non violent.
Aider la famille à voir le lien entre les crises du développement et la violence physique.	Le counseling préventif réduit l'usage de la violence pour surmonter les changements escomptés dans la famille.	Le client explique les crises possibles.
Encourager la famille à formuler des solutions pour s'adapter à la présence de personnes âgées dans la maison : • foyers de jour ; • centres de soins prolongés ; • aide d'autres membres de la famille ; • soins de courte durée pour permettre à la famille de prendre des vacances.	La réduction du stress imposé par les soins constants à donner aux parents âgés réduit l'usage de la violence au domicile.	Le client élabore des projets permettant d'apporter un soulagement.
Orienter la famille vers une thérapie familiale.	Une thérapie à long terme peut être nécessaire pour établir une structure familiale non violente.	Le client s'adresse aux services vers lesquels on l'a dirigé.

Diagnostic infirmier : Perturbation dans l'exercice du rôle parental, reliée à la violence physique envers les enfants.
    Objectif : Les parents utilisent des comportements non violents envers leurs enfants.

Intervention	Justification	Résultat escompté
Se préoccuper de la famille, y compris des parents.	Si les parents voient que l'infirmière se préoccupe aussi d'eux, ils seront plus facilement prêts à participer activement au traitement.	Le client reconnaît verbalement que l'infirmière ne porte pas de jugement.
Encourager les aspects positifs du rôle exercé par les parents.	L'encouragement accroît le sentiment de valeur personnelle des parents.	Le client relève des aspects positifs du rôle parental.
Faire reconnaître aux parents que l'usage de la violence est une façon désespérée d'agir avec les enfants.	S'ils prennent conscience des soins et de l'intérêt qu'ils portent à leurs enfants, les parents auront plus de chances de participer activement au traitement.	Le client reconnaît la nécessité de trouver des stratégies plus efficaces.
Discuter avec les parents des punitions qu'ils recevaient lorsqu'ils étaient enfants.	Le rappel des effets de la violence vécue dans leur enfance va accroître leur motivation pour le traitement.	Le client parle de ce qu'il a vécu pendant son enfance.
Informer les parents sur les aspects normaux de la croissance et du développement de leurs enfants.	La violence est parfois due à des attentes excessives à l'égard des enfants, si ce que l'on exige d'eux est au-delà de leurs capacités.	Le client exprime ses connaissances liées à la croissance et au développement.

(suite du diagnostic page suivante)

Tableau 16-19 *(suite)*

Diagnostic infirmier *(suite)*: Perturbation dans l'exercice du rôle parental, reliée à la violence physique envers les enfants.
Objectif : Les parents utilisent des comportements non violents envers leurs enfants.

Intervention	Justification	Résultat escompté
Discuter des problèmes qu'ils rencontrent pour élever leurs enfants.	La détermination des sources précises de stress constitue la première étape pour résoudre le problème.	Le client nomme les problèmes.
Aider les parents à trouver des moyens autres que la violence et qui correspondent à l'âge de leurs enfants.	Le manque d'aptitudes parentales augmente le recours à la violence dans la famille.	Le client nomme d'autres moyens.
Aider les parents à trouver des moyens de passer du temps ensemble sans les enfants.	Le fait de renforcer la relation conjugale indépendamment des enfants réduit le stress et la tension.	Le couple planifie des tête-à-tête.
Diriger les parents vers les ressources communautaires (lignes d'appel pour personnes en difficulté, Parents Anonymes, thérapie familiale ou de groupe).	L'utilisation des ressources communautaires diminue l'isolement, améliore les relations familiales et offre un soutien en situation de crise.	Les parents utilisent les ressources vers lesquelles on les a dirigés.

Diagnostic infirmier : Sentiment d'impuissance, relié à l'impression de dépendance vis-à-vis de l'agresseur.
Objectif : Le client ne se sent plus prisonnier d'une relation de violence et de dépendance.

Intervention	Justification	Résultat escompté
Aider le client à reconnaître ses relations antérieures de dépendance.	L'analyse des schémas suivis tout au long de la vie aide le client à comprendre comment le sentiment d'impuissance est entretenu.	Le client reconnaît la situation de dépendance qu'il a vécue toute sa vie.
Demander au client d'énumérer les divers aspects de sa dépendance vis-à-vis de l'agresseur (affectifs et économiques).	Si le client est fortement dépendant, il lui est difficile de quitter son agresseur sans un soutien considérable.	Le client dresse une liste.
Aider le client à repérer ses qualités personnelles et relationnelles.	La prise de conscience de ses propres qualités réduit le sentiment d'impuissance du client.	Le client nomme ses qualités.
Aider le client à repérer les aspects de sa vie qu'il maîtrise.	Le sentiment de maîtrise réduit le sentiment d'impuissance.	Le client énumère les situations qu'il maîtrise.
Apprendre au client à s'affirmer.	La soumission continue à la violence entraîne souvent l'escalade dans le comportement violent.	Le client se comporte de manière plus ferme avec l'agresseur.
Prévenir le client des risques que présente l'affirmation de soi si l'agresseur continue à le battre.	Un comportement plus affirmé peut entraîner une escalade de la violence.	Le client décide du caractère approprié d'un comportement plus affirmé.
Diriger le client vers des ressources communautaires pour demander une aide financière, une aide juridique ou une formation professionnelle.	Le recours aux services communautaires peut aider le client à devenir moins dépendant de son agresseur sur le plan économique.	Le client s'adresse aux services vers lesquels il a été dirigé.

(suite page suivante)

Tableau 16-19   *(suite)*

▊ **Diagnostic infirmier :** Perturbation de l'estime de soi, reliée au sentiment de culpabilité.
▊ **Objectif :** Le client dit qu'il ne se sent plus responsable de la violence dont il a été victime.

Intervention	Justification	Résultat escompté
Aider le client à reconnaître ses qualités pour avoir supporté le partenaire violent jusque là et ses qualités dans d'autres rôles.	La découverte des qualités accroît la confiance en soi et l'estime de soi.	Le client nomme ses qualités.
Expliquer au client les théories relatives à la violence et insister sur le fait que les coups ne sont jamais justifiés.	La connaissance des théories va débarrasser le client de son sentiment de culpabilité.	Le client dit qu'il n'est pas responsable du comportement violent.
Aider le client à définir le comportement qu'il n'acceptera pas de la part de l'agresseur.	Le fait de fixer des limites aux comportements inadaptés va renforcer le respect de soi.	Le client fixe des limites au comportement violent.

▊ **Diagnostic infirmier :** Perturbation dans l'exercice du rôle, reliée à des rôles stéréotypés attribués aux deux sexes et à l'usage de la violence.
  Objectif : La famille redéfinit les rôles de chacun, sans violence.

Intervention	Justification	Résultat escompté
Donner aux membres de la famille la possibilité de décrire leur perception des rôles de chacun dans le système familial.	Chacun peut avoir une perception différente des rôles des divers membres de la famille.	Les membres décrivent les rôles de chacun dans la famille.
Demander aux membres de la famille de retrouver les origines de ces rôles (tradition, règlements, société, croyances religieuses).	La famille n'a peut-être pas conscience de la façon dont les rôles se sont créés; avant de pouvoir changer les rôles, il faut savoir comment ils sont nés.	La famille repère les origines des rôles dans la famille.
Discuter du comportement consistant à attribuer des rôles stéréotypés aux personnes des deux sexes.	Des rôles moins stéréotypés encouragent un comportement plus indépendant et réduisent l'acceptation de la violence.	Le client exprime ses idées à propos des rôles attribués aux deux sexes.
Aider les hommes à repérer leur attitude machiste et les femmes à reconnaître leur attitude soumise en rapport avec la violence.	La mise à jour des comportements qui favorisent la violence est préalable à tout changement de ces comportements.	Le client repère les rôles qui peuvent favoriser le recours à la violence.
Discuter avec la famille de la façon dont les rôles attribués aux sexes peuvent être élargis.	Le fait d'élargir les rôles va diminuer le besoin de défendre le comportement stéréotypé et réduire ainsi le stress et la tension.	Le client formule des changements dans l'exercice des rôles.
Discuter avec la famille des moyens de répartir plus équitablement l'autorité dans la famille.	Plus l'autorité est répartie démocratiquement dans la famille, moins la violence a des chances de se produire.	Le client recrée une structure familiale plus démocratique.

(suite page suivante)

Tableau 16-19 *(suite)*

> ▮ **Diagnostic infirmier :** Isolement social, relié à la honte de la violence familiale.
> ▮ **Objectif :** La famille développe ses relations avec des personnes extérieures au système familial.

Intervention	*Justification*	*Résultat escompté*
Aider la famille à trouver des réseaux de soutien (famille, amis, voisins, paroisse).	Cette recherche peut aider la famille à découvrir un réseau de soutien plus vaste que celui qu'elle connaissait.	Le client dresse une liste de personnes et d'endroits pouvant apporter un soutien.
Discuter avec la famille des moyens pour s'adresser aux réseaux de soutien et demander leur aide.	Le fait de pouvoir demander de l'aide en période de crise et de tension va diminuer l'usage de la violence comme comportement adaptatif.	Le client élabore un plan sur la façon de demander de l'aide.
Diriger la famille vers des groupes d'entraide traitant des problèmes de violence.	Les groupes d'entraide réduisent l'isolement, apportent un soutien psychologique et donnent un sentiment de confiance en soi.	Le client s'adresse aux services vers lesquels il a été dirigé.

> ▮ **Diagnostic infirmier :** Risque de violence envers les autres, relié à l'habitude d'avoir recours à la force physique dans la famille.
> ▮ **Objectif :** La famille cesse d'utiliser la violence.

Intervention	*Justification*	*Résultat escompté*
Évaluer le risque pour la victime.	L'homicide peut constituer un risque réel si des menaces ont déjà eu lieu.	Le client prend conscience qu'il peut être grièvement blessé.
Évaluer le risque pour l'agresseur.	L'ampleur de la violence est le principal facteur poussant les femmes à tuer leur agresseur par légitime défense.	Le client prend conscience qu'il peut blesser l'agresseur.
Si le risque est élevé, contacter les services de protection ou la police.	Les membres de la famille ont peut-être besoin d'être séparés jusqu'à ce qu'ils contrôlent mieux leurs pulsions violentes.	Le client respecte la séparation des membres du système familial.
Aider la famille à utiliser les techniques de résolution des problèmes pour déterminer si la victime va rester dans le système familial.	Le fait de mettre par écrit les solutions possibles et de faire des choix rationnels va accroître la capacité de la famille à résoudre ses problèmes, ce qui peut contribuer à diminuer la violence.	Le client utilise une approche de résolution de problèmes.
Discuter avec la famille des méthodes pour surmonter la colère correctement : • assumer la responsabilité de son propre comportement ; • exprimer la colère lorsqu'elle se présente ; • techniques de relaxation ; • exercice physique ; • taper dans des objets sans danger (p. ex. : coussin, matelas ou sac de boxe).	Si les clients peuvent utiliser d'autres manières d'exprimer leur colère, l'usage de la violence va diminuer.	Le client utilise d'autres moyens pour exprimer la colère.
Discuter avec la famille des faits relatifs à la violence familiale.	La violence a tendance à augmenter à moins que le système ne change.	Le client reconnaît le risque d'une augmentation de la violence.

(suite du diagnostic page suivante)

Tableau 16-19   *(suite)*

Diagnostic infirmier *(suite)* : Risque de violence envers les autres, relié à l'habitude d'avoir recours à la force physique dans la famille.
Objectif : La famille cesse d'utiliser la violence.

Intervention	Justification	Résultat escompté
Aider la famille à fixer des limites et à définir les conséquences d'une reprise de la violence.	Le fait de fixer des limites et de les faire respecter va faire disparaître la violence dans la famille.	Le client fait respecter les limites fixées.
Aider la victime à établir un plan détaillé de fuite si la violence reprend.	Un plan précis et prudent permet la fuite à un moment où l'anxiété et la peur sont intenses.	Le client dresse un plan de fuite.
Diriger la victime vers des services d'aide juridique.	Les victimes ne connaissent peut-être pas leurs droits pour faire cesser la violence familiale.	Le client s'adresse aux services vers lesquels on l'a dirigé.

mise en place de lignes d'appel, de centres d'accueil, et de maisons de transition pour les victimes de la violence. Au niveau politique, les infirmières doivent donner leur opinion sur les lois et les politiques concernant les enfants, les femmes et les personnes âgées (Broome et Daniels, 1987 ; Campbell, 1984C).

Violence familiale : Agressions sexuelles

Les enfants victimes d'agressions sexuelles et les adultes qui l'ont été lancent un appel au secours ; quelques-uns se révoltent ouvertement, mais la majorité souffre en silence. Avant, on pensait qu'une fillette sur quatre et un garçon sur dix étaient victimes d'agressions avant l'âge de 18 ans. Des études plus récentes montrent que le taux réel est peut-être d'une fillette sur deux et d'un garçon sur cinq (Wolfe, Wolfe, et Best, 1988 ; Wyatt, Peters et Guthrie, 1988). La violence sexuelle au sein de la famille sévit dans tous les groupes raciaux, religieux, économiques et culturels. Les auteurs de ces délits ne sont pas des monstres ; ils peuvent aimer leurs enfants, avoir un travail stable et subvenir aux besoins de la famille. Ils donnent souvent l'impression d'être de bons pères de famille.* Parmi toutes les formes de violence à l'égard des enfants, la violence sexuelle est la plus niée, la plus cachée et la plus traumatisante.

On utilise indifféremment les expressions **violence sexuelle intrafamiliale** ou **agressions sexuelles au sein de la famille** pour désigner l'*inceste*. C'est un comportement sexuel anormal de la part d'un adulte appartenant à la famille légitime ou à la famille d'adoption, dans le but d'exciter sexuellement l'adulte ou l'enfant. Ce comportement peut aller de l'exhibitionnisme, l'indécence malsaine et les conversations explicites sur des sujets sexuels, aux attouchements, aux caresses, à la masturbation et à l'acte sexuel (Trepper et Barrett, 1986A).

La violence sexuelle intrafamiliale crée des problèmes différents par rapport aux agressions sexuelles perpétrées par des voisins, des amis ou des étrangers. Dans le cadre du système familial, tous les participants, c'est-à-dire la victime, l'agresseur et les conspirateurs, doivent continuer à entretenir des relations et à fonctionner comme une seule entité. Ils ne peuvent pas s'éviter ni exprimer ouvertement leur colère et leur fureur. Les étrangers ont en général recours à la force ou aux menaces pour violer une autre personne, alors qu'en cas de violence sexuelle intrafamiliale, la force physique intervient rarement. L'adulte a recours à la contrainte psychologique pour obtenir le silence et la complaisance de l'enfant (Waterman et Luck, 1986).

Il lui dira par exemple : « Tu ne dois parler à personne de ce que nous faisons, sinon, ils vont m'emmener au loin et tu n'auras plus de père » ou bien « Tu comptes beaucoup pour moi, et les autres ne doivent pas le savoir, car ils pourraient le prendre mal » ou encore « Je vais t'acheter des tas de jouets et de cadeaux, à condition que tu ne parles à personne de notre secret. »

L'inceste est considéré comme une forme de violence parce qu'il engendre des blessures physiques et psychologiques. De par leur âge et leur niveau de développement, les enfants ne sont pas à même de choisir d'avoir une relation sexuelle avec un adulte ; par conséquent, l'activité sexuelle sous l'emprise de la force est un acte de violence envers l'enfant. C'est aussi un acte de violence parce qu'il utilise l'enfant pour satisfaire les besoins de l'adulte sans égard aux besoins ni à la sécurité de l'enfant.

Incidence des agressions sexuelles

Il est difficile de faire une estimation exacte de la fréquence des agressions sexuelles au sein de la famille. Le public étant de plus en plus sensibilisé au problème, le nombre des cas signalés a augmenté. On pense que ce n'est pas la fréquence réelle qui a augmenté, mais plutôt la tendance à garder le secret sur les cas actuels ou passés qui a diminué. Malgré cette meilleure information du public, le nombre de cas qui ne sont pas signalés demeure vertigineux. On estime que le nombre d'enfants victimes d'inceste se situe entre 100 000 et 500 000 par an. Dans 75 à 80 p. cent des cas, l'auteur du délit appartient à l'entourage de l'enfant (famille immédiate, parents, amis ou voisins) ; dans 92 à 98 p. cent des cas, l'assaillant est un homme, le plus souvent l'oncle ou le grand-père. Il est relativement fréquent de voir plusieurs enfants de la famille être victimes chacun leur tour, et dans 30 p. cent des cas, l'auteur a aussi agressé sexuellement d'autres parents ou membres de la famille. On ne connaît pas encore exactement la fréquence des actes de violence sexuelle commis sur les garçons, car ils ont tendance à être moins signalés. Deux facteurs contribuent à cela : l'homophobie et les normes relatives aux rôles attribués aux sexes ;

l'agression sexuelle envers un garçon renverse en effet deux tabous : l'inceste et l'homosexualité.

On croyait autrefois que la violence sexuelle familiale commençait lorsque l'enfant avait 10 ou 12 ans ; mais des études récentes ont montré que de nombreuses victimes ont moins de 5 ans, et certaines peuvent même avoir entre 3 et 6 mois. L'âge moyen des enfants victimes de violences sexuelles est de 4 ans et celui des enfants ayant eu un rapport sexuel avec un adulte de leur famille est de 9 ans (Courtois, 1988 ; Urbancic, 1987 ; Wolfe, Wolfe et Best, 1988).

Agressions sexuelles et soins infirmiers

La violence sexuelle familiale est un problème de santé important. On pense que la majorité des cas passent inaperçus parce qu'ils ne sont pas signalés. Les professionnels de la santé, tout comme les familles, ferment souvent les yeux lorsqu'ils se trouvent en face des signes ambigus du tabou de l'inceste. Les infirmières doivent connaître la dynamique et les caractéristiques des familles où sont commises des agressions sexuelles, de manière à réagir correctement aux indices existant au sein du système familial. Il faut cependant rester prudent : étant donné la publicité accrue autour de ce problème, il existe un réel danger de chasse aux sorcières : on risque de prendre n'importe quelle allusion ou accusation pour une preuve absolue de culpabilité. Des familles où aucun acte de violence sexuelle n'avait été commis ont ainsi été déchirées par des rumeurs et de fausses accusations. L'infirmière doit donc analyser les données avec précaution et trouver le juste milieu entre la tentation de nier l'acte d'inceste et le fait de conclure systématiquement à la culpabilité.

Le fait d'avoir été victime d'inceste pendant l'enfance peut être un facteur favorisant les troubles mentaux à l'âge adulte. Dans une étude réalisée auprès de femmes hospitalisées, 72 p. cent ont déclaré avoir été victimes d'agressions sexuelles à un moment de leur vie, dont 59 p. cent étaient des violences survenues avant l'âge de 16 ans. Par rapport aux autres clientes, celles qui avaient été victimes d'agressions souffraient de symptômes plus graves et avaient davantage de tendances suicidaires. Les maladies des clients qui avaient été violentés étaient peut-être liées à leur besoin de surmonter le sérieux traumatisme subi, ainsi qu'au déni et au secret qui a pesé sur toutes leurs relations ultérieures. Les troubles secondaires associés aux agressions sexuelles subies pendant l'enfance comprennent la dépression, l'anxiété, les troubles de l'alimentation, l'abus de substances chimiques, les troubles du sommeil et de la personnalité, les troubles dissociatifs et le stress post-traumatique. On recherche actuellement l'incidence des troubles mentaux chez les personnes ayant subi des agressions sexuelles (Bryer, 1987 ; Courtois, 1988).

Connaissances de base : Agressions sexuelles

Il est difficile de prévoir quelles caractéristiques vont être observées chez un enfant ou une famille donnés face à la sexualité au sein de la famille. Chez certains on observera la plupart des caractéristiques qui sont décrites ci-après ; chez d'autres, on en observera quelques-unes et chez d'autres encore, aucune. Ces caractéristiques doivent être envisagées comme des indices permettant de pousser l'investigation plus loin, car elles peuvent aussi être des signes ou des symptômes d'autres problèmes psychologiques chez les enfants ou dans leurs familles.

On sait qu'un grand nombre des victimes de ces agressions souffrent de problèmes à long terme, mais il y aussi des cas où il ne semble pas y avoir de conséquences durables. Lors d'enquêtes réalisées auprès de femmes qui ne suivaient pas de thérapie et qui avaient été victimes agressions sexuelles pendant l'enfance, on a observé 25 p. cent de cas où les agressions sexuelles avaient eu de fortes répercussions sur leur vie, 25 p. 100 de cas où ils avaient eu quelques répercussions, 25 p. cent où elles avaient eu peu de répercussions et 25 p. cent où elles n'avaient pas eu d'effets durables. Il semble y avoir corrélation entre la gravité des effets à long terme et la présence de violence, la durée des agressions et le type d'activité sexuelle impliqué. Les agressions qui ont le plus gravement

marqué les victimes étaient celles infligées par leur père ou leur beau-père ; celles qui ont laissé le moins de traces étaient infligées par leurs frères ou par d'autres parents hors de la famille nucléaire. Là encore, les infirmières doivent trouver le juste milieu entre les deux extrêmes qui consistent soit à nier la pathologie, soit à attribuer une responsabilité excessive à l'individu ou à sa famille (Harman, 1988 ; Trepper et Traicoff, 1983).

Caractéristiques comportementales

Les adultes qui se livrent à des agressions sexuelles sur des membres de leur famille ont assez souvent tendance à pousser à l'extrême l'autorité et la domination parentale, et il n'est pas rare qu'ils aient recours aux menaces ou à la violence. Le plus souvent, l'adulte contraint l'enfant et lui donne une fausse représentation de la relation et de l'acte imposés. Tout peut commencer par un semblant d'affection ou un prétexte éducatif, que l'adulte présente comme un jeu ou une activité amusante. En général, les adultes qui se livrent à ce genre d'activité maîtrisent mal leurs pulsions.

Les enfants qui sont victimes d'inceste ont parfois un comportement régressif qui peut prendre des formes diverses, mais qui se manifeste le plus couramment par l'incontinence nocturne. Souvent, leur sommeil est perturbé, surtout s'ils ont été agressés pendant la nuit. Certains reviennent à un attachement excessif envers l'un ou l'autre des deux parents. Ils peuvent devenir extrêmement affectueux, à la fois dans leur famille et à l'extérieur. D'autres enfants s'isolent et restent à l'écart de leur milieu scolaire et de leur voisinage et ils limitent leurs relations aux membres de leur famille. Ils peuvent aussi devenir excessivement complaisants dans l'espoir de faire cesser les agressions dont ils sont victimes.

Il arrive que les enfants victimes d'inceste aient un comportement sexuel extraverti avec d'autres enfants ou avec des adultes. Il faut distinguer ce comportement de l'attitude normale de l'enfant qui imite les attitudes sexuelles qu'il a observées entre ses parents ou qu'il a pu voir à la télévision. Le comportement extraverti des enfants victimes d'inceste se manifeste à travers des activités sexuelles génitales ou orales avec d'autres enfants ou des adultes.

Les adolescents victimes d'inceste fuient parfois le toit familial pour échapper à une situation insupportable. Certaines victimes se tournent vers la prostitution puisqu'elles ont appris dans leur famille que la sexualité est un moyen de recevoir de l'affection, de l'amour et de l'attention. D'autres, par désespoir, tentent de se suicider, afin d'échapper à un système familial pathologique (Courtois, 1988 ; Herman, 1988 ; Wolfe, Wolfe et Best, 1988).

Lorsque la victime atteint l'âge adulte, son comportement est parfois marqué par des répercussions à long terme, sous forme d'activité sexuelle relâchée ou de dysfonctions sexuelles, comme une inhibition du désir, des difficultés orgasmiques ou un comportement sexuel compulsif. Elles souffrent parfois de perturbations du sommeil, ont tendance à abuser de substances chimiques, à souffrir d'isolement social, de dépression, ou à être suicidaires (Wolfe, Wolfe et Best, 1988).

Sonia attribue la promiscuité de sa vie sexuelle désordonnée au fait d'avoir été molestée par son grand-père lorsqu'elle avait entre 4 et 7 ans. Voici la description qu'elle fait des mauvais traitements qu'il lui faisait subir : «Chaque fois que je me trouvais seule avec lui en voiture, il me faisait des caresses et me montrait son pénis. Il me disait que je pouvais le toucher, que ce n'était pas mal. La plupart du temps, j'essayais de ne pas faire attention ; j'ai du mal à me rappeler exactement ce qui se passait. Par contre, je me souviens très bien de certains détails, comme son fauteuil bergère par exemple. Quand nous étions seuls, il me faisait asseoir sur ses genoux et me pénétrait avec le doigt. Il l'a fait très souvent. Un jour, il a garé la voiture dans un endroit isolé, a commencé à jouer avec moi et m'a obligée à le toucher et à embrasser son pénis. Ensuite, il a essayé de me cajoler pour me persuader d'avoir un rapport sexuel avec lui, en me disant que ça ne ferait pas mal. Mais je me suis mise à pleurer, alors il s'est masturbé dans son mouchoir. Comme la plupart des victimes, il m'avait fait jurer de garder le secret. *Il m'achetait toujours des cadeaux ou il me donnait de l'argent. Je me souviens du jour où il est mort ; ma mère me l'a annoncé à mon retour de l'école. J'ai pleuré mais, au fond, j'étais contente parce que j'étais enfin délivrée. Je le détestais pour le mal qu'il m'avait fait et parce qu'il m'obligeait à mentir continuellement.»*

Caractéristiques affectives

Sous une façade dominatrice, les auteurs d'agressions sexuelles se sentent souvent faibles, lâches et impuissants. L'enfant représente pour eux une source d'affection et d'attention moins menaçante qu'une relation avec un adulte. De plus, ils sont incapables de faire la distinction entre l'affection sexuelle et l'affection non sexuelle (Bolton et Bolton, 1987).

La victime de l'inceste est souvent en proie à plusieurs types de peurs. Elle a peur qu'on ne la croit pas si elle raconte tout à un autre adulte, elle a peur qu'on la rende responsable de ce qui est arrivé et elle craint que l'autre parent prenne la défense de l'agresseur. Elle craint d'être mise à la porte si les autres membres de la famille apprennent ce qui s'est passé. Certaines victimes ont peur de perdre l'amour de leurs parents ou de provoquer une séparation dans la famille, surtout si leur agresseur leur a fait cette menace. Elles peuvent aussi avoir peur d'être battues si elles résistent ou si elles dévoilent le secret, même si le parent qui les maltraite n'a jamais été violent ni ne les a menacées.

Les réactions affectives aux agressions sexuelles plongent souvent l'enfant dans la confusion. Il éprouve des sentiments contradictoires, et son niveau de développement ne lui permet pas toujours de surmonter le conflit créé par ces sentiments ambivalents. La victime ressent souvent un plaisir physique lors des activités sexuelles auxquelles elle est soumise, et le fait d'être considérée comme l'enfant «particulier» de la famille risque de lui plaire, car cela lui confère du pouvoir sur le parent en question et sur ses frères et sœurs. En même temps, l'enfant risque de se sentir responsable de la situation et coupable de ne pas pouvoir y mettre fin. L'ambivalence lui donne un profond sentiment de confusion et de culpabilité.

Il éprouve un grand sentiment d'impuissance car il a l'impression que toute parole ou tout acte serait inutile. La révolte qui en découle n'apparaît en général qu'à l'adolescence et risque alors de se retourner contre soi sous forme de comportements défaitistes et auto-destructeurs.

Lorsqu'elle parvient à l'âge adulte, la victime décrit souvent les effets à long terme comme étant la peur devant la sexualité et la méfiance envers les hommes. Les victimes ont parfois des crises d'anxiété chroniques ou présentent les caractéristiques affectives de la personnalité limite. Elles ne peuvent ressentir et exprimer que de la colère. Tous les autres sentiments sont sérieusement réprimés.

> *Pierre, qui a 36 ans, vient d'être hospitalisé pour des symptômes de dépression liés à l'approche de son divorce. Pendant toute la durée de son mariage, il n'a jamais pu montrer d'autre émotion que la colère. Depuis plusieurs mois, il ne dort plus et il lui arrive souvent de pleurer au travail. Il a eu de violentes crises de colère. Au cours de la thérapie, Pierre confie à l'infirmière qu'il a été victime d'agressions sexuelles lorsqu'il était enfant et qu'il n'en a parlé à personne pendant 25 ans. Sa mère étant décédée lorsqu'il avait 11 ans, il était allé vivre chez sa tante et son oncle. Peu après son arrivée, son oncle a commencé à se livrer sur lui à des agressions sexuelles et la situation a duré 2 ans. Pierre en a parlé à sa tante et à son père, mais ils ne l'ont pas cru et leur réaction a eu sur lui un effet dévastateur. Voici comment il en parle aujourd'hui : « J'ai gardé cette souffrance pendant toutes ces années jusqu'à ce qu'elle devienne insupportable. Je pense que tous mes problèmes conjugaux sont reliés à ma colère envers mon oncle, ma tante et mon père. Ma femme ne sait même pas que j'ai été violé lorsque j'étais enfant et je n'arrive pas à comprendre pourquoi je suis toujours en colère. »*

Caractéristiques cognitives

Sur le plan cognitif, l'auteur d'agressions sexuelles pense que ce sont ses propres besoins qui sont les plus importants dans le système familial. Mis en face de ses comportements, il nie parfois avoir abusé de l'enfant et accuse celui-ci de mentir. Parfois, il reconnaît l'agression mais il en minimise les répercussions en disant : « Il vaut mieux que ce soit son père qui lui fasse découvrir la sexualité plutôt qu'un adolescent vicieux. » ou « Elle ne s'en plaint pas ; en fait, nous sommes très proches l'un de l'autre ». Certains utilisent la projection comme mécanisme de défense et font porter la responsabilité à l'enfant en déclarant : « C'est une enfant très provocante et elle a essayé de me séduire » ou « Si elle n'y avait pas pris autant de plaisir, je n'aurais pas continué » (Bolton et Bolton, 1987).

Le déni d'activités sexuelles intrafamiliales par la victime peut prendre plusieurs formes. Certaines victimes nient que la chose se soit effectivement produite ; d'autres reconnaissent que l'agression a eu lieu mais en minimisent les effets en disant que cela n'a pas d'importance : « Ce n'est pas si grave, ça n'arrive qu'une fois par mois » ou « Ça va encore, parce que ça a cessé quand j'avais 11 ans. » D'autres encore, tout en reconnaissant la réalité et ses conséquences, déchargent le parent de toute responsabilité et pensent qu'elles sont entièrement à blâmer : « C'est de ma faute. J'ai séduit mon grand-père » ou « Si je ne m'étais pas promenée en costume de bain, rien ne serait arrivé. » Le déni vise parfois à protéger le système familial tout autant que la victime. L'enfant a parfois tellement peur que la famille soit séparée, soit par le départ du parent coupable, soit par son propre départ dans une famille adoptive, qu'il préfère garder le secret à l'intérieur de la famille (Barrett, Sykes et Byrnes, 1986).

Assez souvent, la dissociation est le principal mécanisme de défense de la victime. Il y a alors « séparation » entre le corps et l'esprit : la victime n'est pas réellement présente pendant l'activité sexuelle : « J'étais ailleurs, et il ne pouvait pas m'atteindre entièrement », « Quand il entrait dans ma chambre, je fermais les yeux et je me réfugiais par la pensée dans mon coin favori. Mon corps restait sur le lit, mais moi, je n'étais pas là. » En cas de traitements sexuels graves ou sadiques, la victime est parfois atteinte de troubles de dissociation sous forme de personnalité multiple (voir le chapitre 8).

Les enfants agressés pendant la nuit font parfois des cauchemars. Ils commencent par rêver qu'ils sont agressés et sont ensuite incapables de faire la distinction entre leur rêve et la réalité. Ils peuvent aussi commencer à croire que l'agression n'a pas eu lieu et qu'il s'agissait seulement d'un rêve.

Voici comment Sarah, qui a maintenant 19 ans, décrit la relation qu'elle avait avec son père lorsqu'elle avait 12 ans : «Je ne me souviens plus comment ça a commencé, mais mon père m'avait donné l'habitude de lui savonner le ventre, les testicules et de lui provoquer une érection lorsqu'il prenait son bain. Cela se passait dans son appartement quand j'allais lui rendre visite en compagnie de mes frères. Ça ne me plaisait pas particulièrement, mais mon père m'encourageait à le faire; j'ai été tout à fait dégoûtée lorsqu'il m'a proposée d'avoir un rapport sexuel avec moi. Une fois, je me souviens, j'étais en train de dormir et je me suis réveillée parce que le lit bougeait. Je portais un maillot et des shorts. Je me suis rendu compte que mon père était en train de frotter son pénis entre mes cuisses et contre mon vagin. Je ne lui ai pas montré que j'étais réveillée, je me suis tournée en espérant qu'il arrêterait. Je n'ai plus jamais porté le maillot ni les shorts que j'avais ce jour-là, et je n'ai rien dit à personne. Même mon père ignore que je sais ce qu'il a fait. Je crois que cette expérience a profondément marqué les relations que j'ai eues par la suite. Chaque fois que je me trouve près d'un homme, j'ai peur. Ce que je crains le plus, c'est qu'on se serve de moi. Ce qui s'est passé lorsque j'étais enfant m'ennuie surtout lorsque mes amies parlent avec nostalgie de leur père et de leur enfance. Je garde en moi un sentiment profond de colère, de fureur et de dégoût absolu. »

Il arrive assez souvent que l'adulte montre une totale amnésie vis-à-vis de l'inceste dont il a été victime étant enfant. L'amnésie est dans ce cas un mécanisme de défense en réaction aux traitements subis pendant l'enfance. Le souvenir de l'agression peut être déclenché par un événement important, comme le mariage, la naissance d'un enfant ou une psychothérapie.

Les adultes qui ont été victimes d'agressions sexuelles pendant l'enfance souffrent souvent d'un manque d'estime personnel dû à la culpabilité et au dégoût envers soi-même. Les victimes de sexe masculin peuvent avoir l'impression de manquer de virilité parce qu'ils n'ont pas su se défendre. Le rôle de victime entraîne un manque de maîtrise (foyer de contrôle externe) qui risque de les suivre dans leur vie adulte et de se traduire dans d'autres circonstances.

Parvenue à l'âge adulte, la victime a parfois du mal à acquérir une véritable estime de soi. Elle continue à se sentir responsable de l'inceste et a tendance à se dévaloriser et à se sentir différente des autres. Elle risque de ne se voir que comme un objet sexuel dont les autres peuvent user et abuser. Certaines victimes souffrent d'amnésie à l'égard des traitements qu'elles ont subis, revivent l'événement, ont des cauchemars ou d'autres symptômes liés au trouble post-traumatique (voir le chapitre 8) (Courtois, 1988).

Caractéristiques physiologiques

Les signes évidents de violence sexuelle sur un enfant sont la présence d'une maladie transmise sexuellement, une irritation ou un aspect enflé des organes génitaux ou des tissus rectaux. Entre 12 et 24 p. cent des victimes de sexe féminin tombent enceintes à la suite d'inceste et elles essaient parfois de dissimuler leur grossesse dans le but de protéger leur famille contre le conflit et la détresse (Krueger, 1988, Zdanuck, Harris et Wilsien, 1987). Une infection chronique du vagin ou des voies urinaires sans cause médicale connue peut être le signe d'abus sexuels. Certains enfants ont des maladies transmises sexuellement dans la bouche ou la gorge ; la fellation étant fréquemment pratiquée dans les relations incestueuses, la gorge de l'enfant peut aussi être irritée. L'enfant a parfois un réflexe nauséeux hyperactif et peut souffrir de vomissements inexpliqués. Les jeunes enfants se plaignent d'avoir mal au ventre et situent la douleur près du diaphragme. Le pénis leur semble si gros que lorsqu'il y a pénétration ou simple tentative de pénétration, ils ont l'impression qu'il risque de les atteindre jusqu'à la poitrine.

Certains enfants essaient, consciemment ou non, de maltraiter leur corps dans le but d'empêcher ou de faire cesser l'abus sexuel. Certains prennent énormément de poids dans l'espoir de devenir si repoussants que leur agresseur ne voudra plus s'approcher d'eux et les laissera tranquilles. D'autres deviennent anorexiques. Si sa sœur aînée est victime d'abus sexuels, la cadette va devenir anorexique pour éviter de se développer et courir moins de risques de subir le même traitement. Ce manque de soins corporels se poursuit parfois à l'âge adulte et correspond au désir inconscient de maintenir les autres à distance et d'éviter toute relation intime (Herman, 1988 ; Wolfe et Best, 1988).

> *Un homme de 23 ans a été condamné à 45 ans de prison pour avoir agressé sexuellement la fillette de son amie, âgée de 2 ans. Suite à l'agression, la fillette a subi une appendicectomie et une colostomie (Metro Digest, 1988).*

Caractéristiques socioculturelles

Un certain nombre de caractéristiques socioculturelles peuvent contribuer à la violence sexuelle intrafamiliale. La présence de rôles stricts ou compulsifs attribués aux deux sexes augmente la vulnérabilité des enfants dans la famille. Il est difficile pour un enfant de protester face à un traitement abusif si le système familial est très autoritaire et structuré. Les rôles stricts attribués aux deux sexes placent les femmes et les enfants dans une position de soumission. Dans une culture qui a toujours affirmé la suprématie du mâle et considéré femmes et enfants comme étant sa propriété, il n'est pas surprenant que la violence sexuelle ait été tolérée et continue de l'être (Trepper et Barrett, 1986B ; Waterman, 1986).

Selon une idée très répandue, la mère sait toujours si son mari a une relation de nature sexuelle avec un ou plusieurs des enfants. En réalité, la mère a rarement connaissance de la violence sexuelle intrafamiliale et, lorsqu'elle en fait la découverte, elle réagit souvent avec inquiétude et de manière protectrice (Trepper et Traicoff, 1983). Certaines femmes nient l'évidence parce qu'elles se sentent incapables d'affronter les problèmes familiaux. D'autres ont peur que leur mari se retourne contre elles si elles l'accusent ouvertement d'inceste. Le déni est parfois un mécanisme de défense utilisé par les femmes qui craignent les problèmes financiers, sociaux ou émotifs auxquels elles auraient à faire face si leur mari devait être éloigné de la famille (Barrett, Sykes et Byrnes, 1986). Lorsqu'elles découvrent des indices d'agressions sexuelles dans la famille, certaines femmes commencent à remettre en question leur propre mode de pensée. Persuadées que leur mari est incapable d'un tel comportement, elle ont tendance à croire à un déséquilibre ou une anomalie dans leur propre attitude.

> *Depuis quelques temps, Cécile se demande si son mari Georges n'abuse pas de leur fille. En réaction à son inquiétude, elle se dit ce qui suit : «Je dois vraiment avoir un esprit malsain. Comment puis-je penser cela de Georges ? C'est un bon époux ; il travaille dur et il nous aime. Il va à l'église toutes les semaines et tout le monde sait qu'il est bon père de famille. Comment puis-je seulement oser penser qu'il pourrait faire quelque chose d'aussi affreux ? Je dois être vraiment malade.»*

Une situation stressante chronique au sein de la famille peut contribuer aux mauvais traitements sexuels. Les familles souffrant d'isolement social et qui ont peu de réseaux de soutien sont plus sensibles aux effets du stress chronique ou aigu. Lorsque la famille a épuisé ses ressources externes et internes, la dynamique familiale risque de devenir pathologique. Dans certaines familles, l'alcool est un facteur favorisant l'inceste. Cela ne veut pas dire que la consommation excessive d'alcool est la cause, mais plutôt que l'intoxication par l'alcool réduit les inhibitions et sert souvent d'excuse à des comportements irresponsables (Trepper et Barrett, 1986B).

Les anciennes victimes risquent de rester prisonnières de ce rôle à l'âge adulte et un grand nombre d'entre elles vivent des relations empreintes de violence physique, ou bien elles sont limitées à des relations superficielles car elles ont du mal à faire confiance à autrui. Certains adultes continuent de s'occuper de leur famille d'origine parce qu'ils n'arrivent pas à fixer des limites à ce qu'on exige d'eux. D'autres coupent tout contact avec leur famille ou ne restent en contact qu'avec certains de ses membres (Courtois, 1988).

Théories de la causalité

Il n'y a pas de cause unique à la violence sexuelle intrafamiliale, qui en réalité n'est pas un diagnostic en soi mais plutôt un symptôme de dysfonctionnement de l'individu, de la famille et de la société. Pour comprendre la dynamique d'une famille donnée, l'infirmière doit tenir compte de ces trois systèmes (Trepper et Barrett, 1986B). Nous présentons ici les théories de l'inceste qui font intervenir le système individuel et le système familial (les théories socioculturelles figurent dans le chapitre sur les mauvais traitements physiques).

Théories intrapersonnelles   On peut faire de nombreuses descriptions des victimes d'agressions sexuelles intrafamiliales et de leurs auteurs. La plupart de ces descriptions sont contradictoires et ne permettent pas de dégager un modèle de personnalité qui soit caractéristique de la victime ou de l'auteur (Barrett, Sykes et Byrnes, 1986). L'infirmière ne doit pas oublier que ces descriptions peuvent s'appliquer à bien des cas mais que tous ne sont pas impliqués dans la violence sexuelle intrafamiliale. Ces théories doivent servir de guide pour la collecte des données mais ne permettent pas d'établir la preuve absolue d'agressions sexuelles.

Selon les théories intrapersonnelles, l'auteur des agressions est la personne « malade » de la famille. C'est souvent quelqu'un qui manque d'assurance et d'estime de soi. Elle a peur des relations

avec d'autres adultes et se sent plus en sécurité avec un enfant. Cette peur de l'échec peut contribuer à un dysfonctionnement sexuel dans le cadre d'une relation adulte ; si le dysfonctionnement n'apparaît pas dans la relation avec l'enfant, il y a renforcement positif encourageant à continuer. Parfois le parent incestueux a été privé d'affection pendant son enfance et a un besoin immense d'amour constant et inconditionnel, que l'on trouve plus facilement auprès d'un enfant que d'un adulte. S'il a lui-même été victime d'agressions sexuelles lorsqu'il était enfant, il a appris à relier systématiquement amour et sexualité. Très souvent, son monde intérieur n'est peuplé que de victimes et d'agresseurs. S'il ne veut pas être victime, il doit donc être agresseur et il passe inconsciemment d'un rôle à l'autre (Trepper et Barrett, 1986B).

Certains auteurs d'actes incestueux sont des personnes qui ne maîtrisent pas leurs impulsions et qui sont incapables de ressentir de la culpabilité. D'autres se plient à une discipline stricte et à un contrôle excessif. Ils peuvent être dominants et agressifs. L'incapacité de remplir le rôle parental ou l'absence de la mère dans la famille peuvent entraîner une confusion des rôles revenant à chacun. Le père se tourne alors vers la fille pour trouver l'affection qui lui manque dans ses relations adultes (Trepper et Barrett, 1986B ; Waterman, 1986).

La mère de la victime est parfois dépendante affectivement et financièrement de la relation conjugale, et le déni est alors le principal mécanisme de défense qui lui permette de rester. Elle a peut-être été elle-même dans son enfance victime d'agressions sexuelles qui ont provoqué un dysfonctionnement de sa sexualité, par exemple une inhibition du désir. Si la mère n'est pas capable d'assumer le rôle parental, la fille aînée va assumer ce rôle auprès des enfants plus jeunes. Il arrive souvent qu'on lui demande en plus d'assumer le rôle d'épouse (Barrett, Sykes et Byrnes, 1986).

Les filles victimes d'inceste se sentent parfois privées d'affection et ont un violent besoin d'amour et d'attention. Si elles manquent d'estime de soi, l'attention « spéciale » dont elles sont l'objet de la part de leur père les aide parfois à se sentir attirantes, désirées et utiles. Elle peuvent alors afficher une attitude provocante et séductrice qui est une réaction au comportement sexuel du père et non pas la cause de l'inceste (Trepper et Barrett, 1986A).

Théorie fondée sur le système familial

Selon cette théorie, la violence sexuelle intra-familiale provient des relations entre tous les membres de la famille et elle est entretenue par eux. Au lieu d'examiner *pourquoi* le comportement existe, comme dans les théories intrapersonnelles, les théories familiales essaient de déterminer *comment* il se produit. La théorie repose sur plusieurs aspects, qui sont la structure de la famille, sa cohésion, sa capacité d'adaptation et la communication intrafamiliale.

La structure familiale correspond à l'organisation hiérarchique des membres de la famille selon l'âge, le rôle et le niveau d'autorité. En général, le rôle parental est assumé par les adultes, qui sont plus âgés et qui ont la plus grande influence. Souvent, la structure des familles incestueuses est bien différente et on peut y voir un adulte assumer un rôle et une influence qui le font descendre dans l'échelle hiérarchique alors qu'un enfant peut se trouver à un niveau supérieur à celui qu'il devrait occuper normalement. Le père joue alors un rôle infantile et sa femme le materne et s'occupe de lui comme des autres enfants de la famille ; dans ce cas, il assume peu de responsabilités parentales et peut se tourner vers sa fille pour recevoir la gratification affective et sexuelle dont il a besoin. Dans d'autres systèmes familiaux, la fille peut occuper un rôle supérieur dans la hiérarchie et remplacer la mère, qui généralement ne descend pas de niveau dans la structure familiale, mais a plutôt tendance à en sortir et à s'éloigner de la famille, affectivement et physiquement. La fille assumant les rôles et responsabilités des parents, le père s'attend à ce qu'elle lui apporte aussi la satisfaction de ses besoins affectifs et sexuels (Barrett, Sykes et Byrnes, 1986 ; Trepper et Barrett, 1986B).

La cohésion familiale correspond aux liens émotifs plus ou moins intenses qui existent entre les membres de la famille. À une extrémité du spectre des niveaux de cohésion se trouve la famille dont les membres sont isolés et détachés les uns des autres ; à l'autre extrémité se trouve le système familial de type fusionnel, dans lequel les membres sont complètement immergés et absorbés. Les systèmes familiaux les plus adaptatifs se situent entre ces deux extrêmes (Barrett, Sykes et Byrnes, 1986 ; Trepper et Barrett, 1986B).

La violence sexuelle intrafamiliale se produit en général dans des familles de type fusionnel. Le besoin excessif de partager la vie des autres membres de la famille s'accompagne d'une peur intense d'être abandonné ou de voir la famille se désintégrer. Pour préserver les liens étroits qui existent entre ses membres, le système familial est fermé à tout apport ou soutien venant de l'extérieur. Si la relation conjugale des parents n'est pas satisfaisante sur le plan sexuel et émotif, le père préfère se tourner vers sa fille pour satisfaire ces besoins plutôt que de chercher une partenaire à l'extérieur (Barrett, Sykes et Byrnes, 1986 ; Zdanuk, Harris et Wislan, 1987).

La capacité d'adaptation du système familial se mesure aussi sur une échelle dont les positions extrêmes sont occupées d'un côté par la famille rigide et de l'autre par la famille anarchique. Les familles incestueuses ont tendance à se trouver aux deux extrémités de ce spectre. Dans les systèmes familiaux rigides, les règlements sont stricts, les rôles attribués aux deux sexes sont stéréotypés et les interactions émotives sont minimes. Les enfants n'ont aucune autorité et aucun pouvoir, même sur leur propre corps. Ils ne sont pas autorisés à mettre en question le comportement sexuel malsain qui règne dans la famille. Dans les familles anarchiques au contraire, il n'y a pas de règles et les rôles sont interchangeables. Les parents sont incapables d'assumer leur rôle et de diriger les autres membres de la famille. Dans ces familles, l'absence de rôles et de règlements définis concernant le comportement sexuel normal favorise parfois les agressions sexuelles (Trepper et Barrett, 1986B).

Les modes de communication au sein du système familial peuvent favoriser l'inceste. Dans certaines familles, il arrive que les messages entre deux personnes soient transmis par un troisième membre de la famille. Cette communication indirecte entretient le secret et empêche tout conflit dans le but de fermer les yeux sur la réalité (Barrett, Sykes et Byrnes, 1986 ; Trepper, 1989). La violence sexuelle continue si le secret reste dans la famille; dans les familles qui évitent les conflits, l'accusation de violence sexuelle n'est pas tolérée, car la paix familiale doit être préservée à n'importe quel prix.

Collecte des données : Agressions sexuelles

Il est essentiel que les infirmières reconnaissent la réalité de la violence sexuelle intrafamiliale. En niant l'existence du problème, à tous les niveaux de la société, les infirmières laisseraient inaperçus les indices individuels ou familiaux et seraient dans l'incapacité de dresser un bilan de santé détaillé. Les infirmières qui connaissent l'incidence et les caractéristiques du problème sont à même de découvrir les indices justifiant un bilan de santé spécifique, tel qu'il est donné ici.

BILAN DE SANTÉ
Inceste

Données sur le comportement
Enfant

L'enfant a-t-il donné des signes de comportement régressif ?
L'enfant a-t-il des problèmes de sommeil ?
L'enfant montre-t-il un attachement excessif envers ses parents ou d'autres personnes ?
L'enfant a-t-il des amis ?
L'enfant a-t-il eu des gestes provocants de nature sexuelle ?
L'enfant a-t-il fait des fugues ou menacé d'en faire ?
L'enfant a-t-il déjà tenté de se suicider ?

Agresseur

Comment la discipline s'exerce-t-elle dans la famille ?
Vous considérez-vous comme la personne dominante dans la famille ?
À quel âge pensez-vous que les parents doivent cesser de diriger leurs enfants ?
Combien d'amis avez-vous ?
Quelles relations avez-vous avec ces amis ?
Quelles sont vos relations avec votre conjoint ?
Avez-vous des difficultés sexuelles avec votre conjoint ?
Quand vous étiez jeune, avec quel membre de votre famille aviez-vous une activité sexuelle ?

Système familial

Décrire qui se charge (la mère, le père, les deux parents, ou les enfants) des aspects suivants de la gestion du ménage :
Garde les enfants les plus jeunes ?
Fait la cuisine ?
Entretient la maison ?
Paie les factures ?
Fait les courses ?
S'occupe de l'entretien extérieur ?
Planifie le budget ?
Prend les décisions concernant les loisirs ?
Surveille les devoirs des enfants ?
Conduit les enfants à leurs activités ?
Met les enfants au lit ?
Quels sont les membres de la famille qui communiquent le mieux ?
Lesquels se parlent le plus entre eux ?
Lesquels ne se parlent pas beaucoup ?
Comment les membres de la famille gardent-ils les secrets des uns vis-à-vis des autres ?
Comment empêche-t-on les secrets de sortir de la famille ?

Données sur l'état affectif
Enfant

Te sens-tu impuissant à changer les problèmes qu'il peut y avoir dans la famille ?
De quelle façon es-tu responsable des problèmes de la famille ?
Ta famille te donne-t-elle assez d'amour ?
Es-tu plus aimé que les autres enfants dans ta famille ?
Que craindrais-tu si un des secrets de ta famille venait à être dévoilé ?
As-tu peur que l'on ne te croie pas ?
As-tu peur que l'on te rende responsable des problèmes ?
As-tu peur que tes parents ne t'aiment plus ?
As-tu peur que l'on t'envoie dans un foyer d'adoption ?
As-tu peur que l'on emmène tes parents ?
As-tu peur de te faire battre ?

Agresseur

Qui vous aime le plus dans la famille ?
Qui est capable de vous donner une affection et un soutien inconditionnels ?
En quoi vous sentez-vous responsable des problèmes de la famille ?
Quel effet la peur de l'échec a-t-elle sur votre vie ?

Système familial

Décrire les relations affectives entre les membres de la famille.

Est-ce que chacun est au courant des affaires des autres membres de la famille ?

Comment l'intimité est-elle préservée au sein de la famille ?

Avez-vous peur que l'unité familiale se désintègre ?

Que va-t-il se passer si la famille est séparée ?

Données sur l'état cognitif

Enfant

Fais-tu des cauchemars ?

Comment peux-tu décrire les problèmes qui existent dans ta famille ?

Quels effets ces problèmes ont-ils sur toi ?

Quels effets ces problèmes ont-ils sur le reste de la famille ?

À ton avis, qui est responsable de ces problèmes ?

Agresseur

Quel genre de personne êtes-vous ?

Quelles sont vos qualités ?

Quelles sont vos limites ?

Comment réagissez-vous face à une situation nouvelle ?

Aimez-vous les changements de situation ?

Système familial

Qui fixe les règles dans la famille ?

Quelles sont les règles les plus importantes dans la famille ?

Comment les règles changent-elles dans la famille ?

Qu'attend-on hommes et des garçons dans la famille ?

Qu'attend-on des femmes et des filles dans la famille ?

Données sur la vie socioculturelle

Quels événements importants se sont produits dans votre famille dans l'année qui vient de s'écouler ?

Quels réseaux de soutien avez-vous à l'extérieur de la famille ?

Rendez-vous souvent visite à des amis ?

Quelqu'un a-t-il des problèmes de boisson dans la famille ?

Comment est traitée la question des drogues dans la famille ?

Lorsqu'on établit le bilan de santé d'un enfant, il faut garder à l'esprit que certains enfants vont présenter la plupart des caractéristiques décrites dans ce chapitre, d'autres ne vont en présenter que quelques-unes et d'autres encore n'en auront aucune. Il ne faut pas oublier que ces mêmes caractéristiques comportementales, cognitives et affectives peuvent être des signes et des symptômes d'autres problèmes affectifs. Il faut également analyser la dynamique familiale avant d'évoquer l'existence éventuelle de mauvais traitements sexuels. Les questions courantes que posent les infirmières pour établir le bilan de santé donnent parfois l'occasion aux anciennes victimes de parler de leur souffrance et d'obtenir un traitement en tant qu'adultes. C'est l'infirmière qui a la responsabilité d'amener la conversation sur le sujet car l'adulte en est parfois empêché par la honte ou la gêne. Les infirmières qui évitent le sujet entretiennent la pathologie en encourageant le client à nier la réalité. À présent que la violence sexuelle intrafamiliale est reconnue comme un problème de santé majeur, les infirmières de tous les milieux cliniques doivent être vigilantes et à même de reconnaître les indices provenant des clients ou de leurs familles (Bryer, 1987). Voir au tableau 16-20 les indices qu'il faut essayer de repérer pendant la collecte des données.

Le tableau 16-21 donne les lignes directrices à suivre pour établir l'évaluation physique des victimes d'agressions sexuelles.

Analyse des données et planification des soins : Agressions sexuelles

À partir des renseignements recueillis durant la collecte des données sur l'enfant, l'agresseur et le système familial, l'infirmière va formuler les diagnostics, les interventions et les résultats à atteindre. Les objectifs à long terme des interventions sont de défendre les intérêts de l'enfant, de soutenir les enfants non victimes qui risquent d'être impressionnés et d'éviter le traumatisme que peuvent causer les procédures judiciaires. Chercher à résoudre la colère, l'hostilité, la honte et la peur peut représenter un but pour apaiser la famille et réduire le stigmate de l'inceste. Il est important d'identifier les points forts des personnes concernées et de la famille dans son ensemble, afin de pouvoir les renforcer et les appuyer. La thérapie familiale étant

Tableau 16-20   *Indices de violence sexuelle intrafamiliale*

	Auteur	*Enfant – adolescent*	*Survivant adulte*
Indices comportementaux	domination coercition affection déplacée manque de maîtrise des pulsions	régression soumission affection exagérée actes sexuels isolement problèmes de sommeil fugues prostitution suicide	isolement social problèmes de sommeil abus de substances chimiques dysfonctionnement sexuel conduite sexuelle de séduction tendance suicidaire

Indices affectifs	sentiment de faiblesse et
	   d'impuissance
	peur de l'échec
	peur de l'intimité avec un adulte
	incapacité de faire la distinction entre
	   l'affection et la sexualité
		peurs multiples
		culpabilité
		impuissance
		fureur
		ambivalence
			crises d'anxiété
			fureur
			peur de la sexualité
			méfiance et peur des hommes

Indices cognitifs	déni minimisation des répercussions projection du blâme manque d'estime de soi	déni minimisation des répercussions culpabilité dissociation manque d'estime de soi cauchemars	déni manque de maîtrise reproche envers soi dissociation manque d'estime de soi amnésie sélective scèncs rétrospectives cauchemars sentiment d'être différent des autres
Troubles mentaux	troubles du contrôle des pulsions	dissociation personnalité multiple anxiété dépression	dissociation personnalité multiple anxiété dépression abus de substances chimiques troubles de la personnalité troubles psychosomatiques troubles dus au stress post- traumatique

un élément essentiel de la résolution du problème, l'infirmière doit en priorité aiguiller la famille vers des thérapeutes spécialisés dans le traitement des familles incestueuses. Le tableau 16-13 (page 666) donne une liste d'organismes utiles pour trouver les spécialistes appropriés.

La violence sexuelle intrafamiliale est un problème de santé qui est très chargé sur le plan émotif. Il est indispensable que l'infirmière analyse ses propres valeurs et détermine si elles risquent d'interférer avec sa capacité de s'occuper de cha-cun des membres de la famille. Ses idées quant au maintien ou à la rupture de l'unité familiale vont influencer ses interventions. De nombreuses infir-mières ressentent une vive colère et une grande

Tableau 16-21   *Examen physique de la victime de violence sexuelle*

Effectuer un examen complet en accordant une attention
   particulière aux points suivants :
Poids et état nutritionnel
Irritation de la gorge
Réflexe nauséeux
Épisodes de vomissements
Douleur abdominale près du diaphragme
Frottis de la bouche, de la gorge, vaginal et rectal pour
   déceler les maladies transmises sexuellement
Irritation ou traumatisme génital
Irritation ou traumatisme rectal
Infections vaginales chroniques
Infections chroniques des voies urinaires
Grossesse

hostilité vis-à-vis de l'auteur des agressions et du parent qui n'a pas été capable de les empêcher ou de les faire cesser. Si l'infirmière a elle-même été victime de violences sexuelles lorsqu'elle était enfant, des questions et des sentiments d'ordre personnel risquent de compromettre l'efficacité des soins. Certaines infirmières doivent renoncer d'elles-mêmes à s'occuper de familles incestueuses.

Le tableau 16-22 présente le plan de soins infirmiers pour les familles où sont infligés de mauvais traitements d'ordre sexuel.

Évaluation : Agressions sexuelles

Les infirmières des milieux de soins aux malades en phase aiguë n'ont pas toujours la possibilité de faire une évaluation à long terme de la cellule familiale. L'évaluation à court terme doit essentiellement porter sur :

- La détection des mauvais traitements sexuels au sein de la famille ;

- La capacité de la famille à reconnaître qu'il existe un problème ;

- La volonté de la famille d'accepter une aide en s'adressant aux personnes vers lesquelles on la dirige ;

- L'identification des adultes qui ont été victimes d'agressions sexuelles pendant leur enfance.

Dans les milieux de soins de longue durée ou les centres communautaires, l'infirmière a la possibilité d'évaluer l'efficacité du plan de traitement pluridisciplinaire sur une longue période ; le fait de suivre les progrès réalisés par la famille et d'observer son processus d'adaptation lorsque les agressions cessent peut apporter d'énormes satisfactions professionnelles à l'infirmière.

RÉSUMÉ

Violence contre soi-même : le suicide

1. Le suicide est une manifestation dramatique des problèmes de santé mentale parmi les jeunes de 15 à 24 ans..

2. Le suicide peut être déclenché par des illusions, des hallucinations, le désespoir, une douleur incurable, des crises multiples ou une colère refoulée.

3. Certains comportements sont des indices du risque éventuel de suicide : des remarques verbales, le fait de se procurer une arme, l'isolement social, la distribution de ses effets personnels ou la consommation excessive de drogues ou d'alcool.

4. Les indices affectifs du risque de suicide sont l'ambivalence, la désolation, la culpabilité, l'échec, la honte, le désespoir et l'impuissance.

5. Les indices cognitifs du risque de suicide sont : le fait de parler de la mort, les problèmes relationnels, et des hallucinations ordonnant de se suicider.

6. Les facteurs déclencheurs du suicide comprennent l'isolement, les changements brusques, les pertes, la peur, les échecs et les problèmes relationnels.

7. Le suicide est un acte qui a des effets traumatisants sur la famille et les amis de la victime. Ils doivent surmonter le chagrin, la culpabilité, la colère et le stigmate culturel associé au suicide.

8. L'infirmière doit prendre l'initiative d'interroger le client suicidaire pour établir son profil de santé. Si la question n'est pas soulevée, le client risque d'être livré à lui-même dans une situation dangereuse.

9. Des interventions actives de l'infirmière peuvent empêcher certains suicides.

Violence contre les autres : le viol

10. Le viol est un crime violent perpétré contre des victimes de tous âges.

11. Il arrive souvent que le viol dans le cadre d'une fréquentation ou du mariage ne soit pas signalé. La victime risque de se sentir responsable ou craint de ne pas être crue.

12. Les comportements caractéristiques des victimes de viol sont l'agitation sous un calme apparent, les pleurs, les cauchemars, les perturbations du sommeil ou les phobies.

13. Les caractéristiques affectives des victimes de viol comprennent le choc, l'anxiété, la peur, la dépression, la honte, la gêne, l'impuissance et la vulnérabilité.

14. Les caractéristiques cognitives des victimes de viol comprennent l'incrédulité, la dépersonnalisation, la dissociation, le déni, la confusion, les reproches envers soi-même, les obsessions et la peur pour leur sécurité future.

15. Les théories de la causalité relatives au viol font intervenir la vengeance, la domination, l'assaut érotisé, les relations interpersonnelles difficiles, les attentes strictes vis-à-vis des rôles attribuées aux sexes, et la ségrégation fondée sur l'âge.

Tableau 16-22   **Plan des soins infirmiers destinés à la famille où sont commises des agressions sexuelles**

▪ **Diagnostic infirmier :** Stratégies d'adaptation familiale inefficaces : absence de soutien, reliées à des agressions sexuelles commises sur un enfant.

    Objectif : La famille ne se livre plus à des actes sexuels déplacés.

Intervention	Justification	Résultat escompté
Aider chaque membre de la famille à dresser une liste des objectifs personnels et familiaux du traitement.	Le fait de dresser une liste des résultats escomptés va encourager chaque membre à participer au traitement.	Chaque membre établit une liste.
Aider la famille à repérer les qualités individuelles et familiales.	S'ils sont capables de repérer les qualités, les clients seront plus optimistes quant aux changements et auront moins tendance à se décourager dès le début.	Le client énumère les qualités et exprime un espoir pour l'avenir.
En discutant des rôles et de l'inversion des rôles, aider la famille à déterminer comment certains membres dépassent les limites propres aux âges respectifs.	Le fait d'outrepasser les limites propres à chaque âge favorise la violence sexuelle intrafamiliale car le parent et l'enfant ont une relation d'égaux.	Le client nomme les rôles inadaptés pour la génération de chacun des membres de la famille.
Discuter des moyens pour maintenir les limites propres à chaque génération.	Les parents doivent assumer leur rôle parental avec chacun de leurs enfants.	Le client prend des décisions quant à la manière de changer les rôles.
Aider les membres de la famille à communiquer ouvertement les uns avec les autres.	De nouveaux styles de communication plus efficaces sont nécessaires pour améliorer le fonctionnement de la famille.	Le client communique directement.
Décourager les secrets au sein de la famille.	Les secrets contribuent au manque de confiance et encouragent la violence sexuelle.	Le client communique ouvertement.

▪ **Diagnostic infirmier :** Perturbation dans l'exercice du rôle parental, reliée au fait d'être l'auteur d'agressions sexuelles.

    Objectif : Le client acquiert des habiletés adaptées à son rôle parental.

Intervention	Justification	Résultat escompté
Discuter de la violence sexuelle et de l'exercice du rôle parental dans la famille d'où est issu le client.	L'auteur a souvent été victime de violence sexuelle étant enfant et tend à reproduire son monde d'éducation.	Le client parle de son enfance et fait le lien entre ce qu'il a vécu et le problème actuel.
Aider le client à parler des sentiments engendrés par la découverte de ses actes.	Les clients ont besoin de repérer et de gérer leur honte, culpabilité ou colère pour retrouver le respect de soi.	Le client exprime ses sentiments.
Discuter des facteurs qui selon le client ont favorisé les agressions.	Le fait d'examiner les facteurs multiples va aider le client à déterminer les changements qui doivent être apportés.	Le client énumère les facteurs.
Aider le client à utiliser la résolution de problèmes pour trouver une autre conduite adaptative.	Le client doit participer activement à la mise en place des changements.	Le client détermine des changements de comportement précis.

(suite page suivante)

Tableau 16-22 *(suite)*

Diagnostic infirmier : Stratégies d'adaptation individuelle inefficaces, reliées au fait d'avoir été victime de l'inceste.
Objectif : Le client surmonte le traumatisme subi.

Intervention	Justification	Résultat escompté
Utiliser une thérapie à partir d'activités ludiques et artistiques avec les enfants de moins de 5 ans.	Les activités ludiques et artistiques aident les jeunes enfants à exprimer leurs sentiments, à se sentir moins coupables et plus confiants.	Le client participe aux activités ludiques et artistiques de la thérapie.
Aider les enfants plus âgés à démêler leurs sentiments à l'égard de la violence subie et à en parler.	La honte, la culpabilité, l'anxiété et la colère doivent être normalisées dans le cadre du processus thérapeutique.	Le client exprime ses sentiments.
Utiliser les thérapies de groupe avec les adolescents et les pré-adolescents.	La thérapie de groupe diminue le sentiment d'isolement et de différence.	Le client participe aux thérapies de groupe.
Aider le client à acquérir des moyens d'éviter la violence future, comme de parler aux autres des avances qui lui sont faites, de dire non et de refuser de se trouver seul avec l'auteur des agressions.	Le support donné à l'enfant pour l'aider à trouver des solutions et à utiliser la résolution de problèmes peut lui permettre d'éviter d'être à nouveau victime si d'autres occasions se présentent.	Le client cite des moyens d'adaptation pour l'avenir.

Diagnostic infirmier : Stratégies d'adaptation familiale inefficaces : absence de soutien, reliées à un système familial de type fusionnel qui est soit rigide soit anarchique.
Objectif : La famille évolue vers une dynamique plus équilibrée.

Intervention	Justification	Résultat escompté
Discuter des façons dont la famille peut accroître la flexibilité des rôles et des règlements.	Les systèmes familiaux rigides sont un facteur favorisant la violence sexuelle intrafamiliale.	Les règlements et les rôles sont plus souples.
Discuter des façons d'organiser des rôles appropriés et établir des règlements cohérents.	Les systèmes familiaux anarchiques sont un facteur favorisant la violence sexuelle intrafamiliale.	Des règlements et des rôles cohérents sont établis.
Aider la famille à identifier les rôles appropriés et la répartition de l'autorité dans la famille.	Si les parents ont un sentiment accru de responsabilité et d'autorité, ils exercent mieux leur rôle parental.	Les parents exercent le rôle parental et les enfants exercent un rôle qui convient à leur âge.
Enseigner à la famille le processus de résolution des problèmes.	Les nouvelles facultés d'adaptation vont diminuer l'incidence de la violence.	Le client utilise le processus de résolution de problèmes.
Aider la famille à préparer les périodes de développement de la famille.	Le counseling préventif peut empêcher le renouvellement de la violence sexuelle intrafamiliale.	Le client exprime sa compréhension des phases du développement de la famille.

Diagnostic infirmier : Réaction post-traumatique, reliée au fait d'être un adulte ayant été victime de l'inceste pendant l'enfance.
Objectif : Le client gère ses sentiments de colère, d'anxiété et de peur en rapport avec l'inceste.

Intervention	Justification	Résultat escompté
Interroger le client sur ses relations avec ses parents.	Le client montre s'il est prêt à parler des agressions sexuelles passées.	Le client parle de l'inceste lorsqu'il est prêt.

(suite du diagnostic page suivante)

Tableau 16-22 *(suite)*

Diagnostic infirmier *(suite)*: Réaction post-traumatique, reliée au fait d'être un adulte ayant été victime de l'inceste pendant l'enfance.
Objectif: Le client gère ses sentiments de colère, d'anxiété et de peur en rapport avec l'inceste.

Intervention	*Justification*	*Résultat escompté*
Discuter du sentiment de culpabilité.	Le client a besoin d'entendre dire clairement que l'enfant n'est pas responsable de l'inceste; l'auteur adulte en a toute la responsabilité.	Le client reconnaît que son sentiment de culpabilité est moins fort.
Discuter de la colère envers les parents.	La discussion autour de la colère ressentie envers l'auteur et envers l'autre parent qui n'a pas su protéger le client permet de normaliser ce sentiment.	Le client exprime sa colère de manière appropriée.
Relier le manque d'estime de soi à la culpabilité et à la colère.	Le client peut se faire des reproches injustifiés liés à l'inceste.	Le client reconnaît son absence de responsabilité envers le passé.
Aider le client à repérer des aspects de sa vie sur lesquels il peut agir.	Le client passe ainsi d'un foyer de contrôle externe à un foyer de contrôle interne.	Le client nomme des situations qu'il maîtrise.
Examiner si le client présente un dysfonctionnement: l'orienter vers une thérapie sexuelle ou un groupe d'autres victimes d'inceste si le problème est sérieux.	La dysfonctionnement sexuel risque d'être un problème majeur dans la relation adulte actuelle du client.	Le client s'adresse au service vers lequel on l'a orienté.

Diagnostic infirmier: Détresse spirituelle, reliée au fait d'être une ancienne victime et de se demander: « Pourquoi cela m'est-il arrivé à moi? » ou « Pourquoi Dieu a-t-il permis que cela m'arrive? »
Objectif: Le client exprime une détresse spirituelle décroissante.

Intervention	*Justification*	*Résultat escompté*
Montrer de l'empathie pour le client plutôt que d'engager une discussion théologique sur Dieu.	Le client reconnaît que quelque chose de tragique et d'injuste s'est produit.	Le client prend conscience du caractère tragique de l'inceste.
Porter attention aux préoccupations religieuses du client et l'orienter vers un conseiller religieux.	La foi peut devenir une ressource et non pas un élément du problème.	Le client reconnaît que sa foi est source de réconfort et de soutien.
Discuter des manières dont la souffrance peut être surmontée.	Il est plus utile de se concentrer sur les moyens de surmonter la souffrance que sur les raisons pour lesquelles on souffre.	Le client parle d'un plan visant à atténuer la souffrance.

16. Pour éviter d'enfoncer le client dans son rôle de victime, l'infirmière doit prendre la défense des victimes de viols.

Violence intrafamiliale: les mauvais traitements physiques

17. Le domicile familial peut être un endroit dangereux pour de nombreux enfants, femmes et personnes âgées.

18. Les caractéristiques de comportement liées à la violence intrafamiliale comprennent: les coups, les coups de pied et les violences avec arme. La violence a tendance à augmenter en fréquence et en intensité.

19. Les caractéristiques affectives de la violence intrafamiliale comprennent la jalousie, l'hostilité, la dépendance, l'incompétence, la culpabilité, la dépression et les peurs multiples.

20. Les caractéristiques cognitives liées à la violence intrafamiliale comprennent la rigidité, le manque d'estime de soi, les attentes irréalistes, la rationalisation et l'espoir de réforme.

21. Le risque de violence intrafamiliale est plus élevé en cas d'isolement social, de rôles stricts attribués aux sexes, de stress intense, et si les membres de la famille sont fortement dépendants.

22. Les théories de la causalité relatives à la violence intrafamiliale comprennent l'abus de substances chimiques, la projection, l'impulsivité, les comportements acquis, la pauvreté, les systèmes familiaux fusionnels, et les structures familiales sexistes.

23. Dans tous les milieux cliniques, les infirmières doivent être vigilantes à l'égard des signes de violence et doivent être capables d'identifier les victimes de la violence domestique.

24. Les interventions infirmières préventives consistent à informer le public au niveau communautaire, à créer des groupes de soutien, à faire valoir les droits des enfants, des femmes et des personnes âgées au niveau social et politique.

Violence intrafamiliale : les agressions sexuelles

25. Les mauvais traitements sexuels au sein de la famille se produisent dans tous les groupes raciaux, religieux, économiques et socioculturels. Jusqu'à 50 p. cent des filles et 20 p. cent des garçons risquent d'en être victimes avant l'âge de 18 ans.

26. Les violences sexuelles subies pendant l'enfance peuvent être à l'origine des troubles mentaux à l'âge adulte.

27. Les signes de comportement pouvant indiquer des agressions sexuelles comprennent la régression, la perturbation du sommeil, l'isolement, une affection démesurée, une attitude sexuelle provocante, des fugues, ou le suicide.

28. Les indices affectifs chez les victimes de violence sexuelle comprennent la peur, la méfiance, l'ambivalence, la culpabilité, l'impuissance et la haine envers soi-même.

29. Les indices cognitifs pouvant correspondre à des agressions sexuelles sont le déni, la culpabilité, le manque d'estime de soi et de maîtrise (foyer de contrôle externe).

30. La dissociation est un mécanisme de défense fréquemment utilisé par les victimes. Le trouble de personnalité multiple est parfois une conséquence d'agressions sexuelles particulièrement violentes et sadiques.

31. Les facteurs déclenchant la violence sexuelle intrafamiliale comprennent les rôles stricts attribués aux sexes, le stress chronique, le manque d'estime de soi, la peur des relations adultes, l'impulsivité, l'altération de la structure familiale, et une faible capacité d'adaptation au changement.

32. Il est essentiel que les infirmières reconnaissent la réalité de la violence sexuelle intrafamiliale et qu'elles soient vigilantes à l'égard des indices qui exigent de procéder à une collecte spécifique des données.

EXERCICES DE RÉVISION

Danielle est une femme de 35 ans, mère de trois enfants, qui vient d'être admise au service de psychiatrie. Elle a d'abord passé 24 heures au service de soins intensifs après avoir absorbé chez elle 10 comprimés de Triavil.

Depuis plusieurs mois, Danielle était de plus en plus déprimée, dormait mal et avait perdu 10 kg. Elle déclare que ses problèmes sont dus au fait que son père a abusé d'elle sexuellement lorsqu'elle avait entre 9 et 17 ans. Lorsqu'à 17 ans elle tomba enceinte de son père, celui-ci l'obligea à épouser le garçon qu'elle fréquentait « parce que la société méprise les mères célibataires ».

Le père de Danielle est mort il y a un an ; elle dit à quel point elle le hait et à quel point sa mort l'a soulagée. Ce n'est qu'après sa mort qu'elle a pu parler à sa mère des agressions sexuelles dont elle avait été victime. Envers sa mère, elle ressent alternativement de la colère parce qu'elle ne l'a pas protégée et l'envie de lui pardonner parce que « ce n'est pas elle la coupable, c'était lui. » Elle se reproche de ne pas en avoir parlé plus tôt. Elle dit qu'il lui est encore difficile de parler de l'inceste parce qu'elle a l'impression d'être la seule personne à qui une telle chose soit arrivée. Elle ajoute : « Je souffre trop pour essayer de continuer à vivre, je veux mourir pour ne plus avoir mal. »

1. À partir des données recueillies ci-dessus, quel est le diagnostic infirmier à établir en priorité pour Danielle ?
   (a) Risque de violence envers soi, relié à un état suicidaire aigu.
   b) Anxiété, reliée à l'incapacité de résoudre le conflit relatif aux agressions sexuelles infligées par le père.
   (c) Stratégies d'adaptation individuelle inefficaces, reliée au fait d'être victime de l'inceste.
   (d) Perturbation chronique de l'estime de soi, reliée au fait d'avoir été victime pendant l'enfance.

2. Lors de l'admission de Danielle, quel est l'aspect prioritaire des soins infirmiers ?
   (a) Une attitude consistant à accepter sans juger.
   (b) Lui montrer que quelqu'un s'intéresse à elle.

(c) La protéger jusqu'à ce qu'elle puisse se protéger elle-même.

(d) Lui apprendre de nouvelles façons de surmonter sa colère.

Durant sa deuxième semaine d'hospitalisaton, Danielle parle davantage de ce qu'elle ressent en tant qu'adulte ayant été victime de l'inceste pendant l'enfance. Elle déclare : « J'ai tant de colère et de fureur en moi ! Parfois, c'est tout ce que je ressens. Je suis en colère envers Dieu, mon père, ma mère, et plus que tout envers moi-même. Pourquoi n'ai-je pas été capable de faire cesser cette violence ? Si j'avais été moins faible, j'aurais pu le faire arrêter. C'est peut-être de ma faute si tout cela est arrivé. »

3. À partir de ces données, quel est le diagnostic le plus approprié ?

(a) Stratégies d'adaptation familiale inefficaces : absence de soutien, reliées à un système familial de type imbriqué.

(b) Anxiété, reliée à une tentative de suicide avant l'admission.

(c) Isolement social, relié au fait de s'éloigner de la famille et des amis.

(d) Perturbation chronique de l'estime de soi, reliée à la haine envers soi-même et à la culpabilité.

4. À la suite des déclarations de Danielle, quelle serait l'intervention la plus appropriée de la part de l'infirmière ?

(a) Lui demander si elle souhaite parler de sa relation avec ses parents pour déterminer les stratégies familiales inefficaces.

(b) Établir un lien entre son manque d'estime de soi et ses sentiments de colère et de culpabilité puisqu'elle se rend injustement responsable des mauvais traitements.

(c) L'aider à identifier des aspects de sa vie qu'elle maîtrise pour l'aider à passer d'un foyer de contrôle externe à un foyer de contrôle interne.

(d) La diriger vers un groupe d'anciennes victimes de l'inceste pour réduire son sentiment d'isolement.

5. Parmi les déclarations suivantes de Danielle, laquelle peut signifier qu'elle est sur le point d'arriver à résoudre ses sentiments négatifs ?

(a) « Je commence à croire que ce n'est pas de ma faute si mon père a abusé de moi. »

(b) « Je n'arrive toujours pas à comprendre comment ma mère a pu ignorer ce qui se passait. »

(c) « Il savait qu'il m'avait rendue enceinte et ensuite il m'a obligée à me marier pour ne rien avoir à se reprocher. »

(d) « Pensez-vous que j'arriverai un jour à me débarrasser de la douleur et de la honte que je ressens à cause de ce qu'a fait mon père ? »

BIBLIOGRAPHIE

Arbore P, Willis AT: Suicide and the elderly. In: *Toward a Science of Family Nursing*. Gilliss CL, et al. (editors). Addison-Wesley, 1989.

Barrett MJ, Sykes C, Byrnes W: A systematic model for the treatment of intrafamily child sexual abuse. In: *Treating Incest: A Multiple Systems Perspective*. Trepper TS, Barrett MJ (editors). Hayworth Press, 1986.

Bennett G: Group therapy for men who batter women. *Holistic Nurs Pract* 1987; 1(2):33–42.

Bersani CA, Chen HT: Sociological perspectives in family violence. In: *Handbook of Family Violence*. Vanhasselt VB, et al. (editors). Plenum, 1988; 57–86.

Bolton FG, Bolton SR: *Working with Violent Families*. Sage, 1987.

Boxwell, AO: Geriatric suicide. *Nurs Pract* 1988; 13(6): 10–19.

Broome ME, Daniels D: Child abuse: A multidimensional phenomenon. *Holistic Nurs Pract* 1987; 1(2):13–24.

Bryer JB, et al.: Childhood sexual and physical abuse as factors in adult psychiatric illness. *Am J Psychiatry* 1987; 144(11):1426–1430.

Bullock L, et al.: The prevalence and characteristics of battered women in a primary care setting. *Nurs Pract* 1989; 14(6):47–54.

Burden DS, Gottlieb N: *The Woman Client*. Tavistock, 1987.

Burt MKR: Cultural myths and supports for rape. *J Personality Soc Psychol* 1980; 38:217.

Campbell J: Abuse of female partners. In: *Nursing Care of Victims of Family Violence*. Campbell J, Humphreys J (editors). Reston, 1984A. 74–108.

Campbell J: Nursing care of abused women. In: *Nursing Care of Victims of Family Violence*. Campbell J, Humphreys J (editors). Reston, 1984B. 246–280.

Campbell J: Nursing care of families using violence. In: *Nursing Care of Victims of Family Violence*. Campbell J, Humphreys J (editors). Reston, 1984C. 216–245.

Campbell J: Theories of violence. In: *Nursing Care of Victims of Family Violence*. Campbell J, Humphreys J (editors). Reston, 1984D. 13–52.

Campbell JC, Sheridan DJ: Emergency nursing interventions with battered women. *J Emergency Nurs* 1989; 15(1):12–17.

Casey J, O'Connor PJ: Dad seized in Indiana in Schaumberg baby killing. *Chicago Sun-Times* June 10, 1988.

Courtois C: *Healing the Incest Wound.* Norton, 1988.

Curran DK: Scope of the problem in the United States. *Issues Ment Health Nurs* 1986; 8(4):287–308.

Cutter F: *Art and the Wish to Die.* Nelson-Hall, 198○.

Denmark FL, Kabatznick RM: Women and suicide. In: *Affective Disorders,* No. 3. Flach, F (editor). Norton, 1988. 10–18.

Dobash RE, Dobash R: *Violence Against Wives.* Free Press, 1979.

Dongen CJ: The legacy of suicide. *J Psychosoc Nurs* 1988; 26(1):8–13.

Erickson CA: Rape and the family. In: *Treating Stress in Families.* Figley CR (editor). Brunner/Mazel, 1989. 257–289.

Fawcett J, et al.: Clinical predictors of suicide in patients with major affective disorders. *Am J Psychiatry* 1987; 144(1):35–40.

Foley TS: The client who has been raped. In: *The American Handbook of Psychiatric Nursing.* Lego S (editor). Lippincott, 1984.

Giles-Sims J: *Wife Battering: A Systems Theory Approach.* Guilford, 1983.

Gilligan C: *In a Different Voice.* Harvard University Press, 1982.

Goodrich TJ, et al.: *Feminist Family Therapy.* Norton, 1988.

Gould M, Shaffer D: Study shows that TV suicide dramas may contribute to teen suicide. *J Child Adol Psychiatry* 1987; 4(2):139–140.

Groth AN, Birnbaum HJ: The rapist. In: *The Rape Crisis Intervention Handbook.* McCombie SL (editor). Plenum, 1980.

Hafen B, Frandsen K: *Psychological Emergencies and Crisis Intervention.* Morton, 1985.

Hammond N: Lesbian victims and the reluctance to identify abuse. In: *Naming the Violence: Speaking Out About Lesbian Battering.* Lobel K (editor). Seal Press, 1986. 190–197.

Hart B: Lesbian battering: An examination. In: *Naming the Violence: Speaking Out About Lesbian Battering.* Lobel, K (editor). Seal Press, 1986. 173–189.

Hartman CR, Burgess AW: Rape trauma and treatment of the victim. In: *Post-Traumatic Therapy and Victims of Violence.* Ochberg FM (editor). Brunner/Mazel, 1988. 152–174.

Hauser MJ: Special aspects of grief after a suicide. In: *Suicide and Its Aftermath.* Dunne EJ, et al. (editors). Norton, 1987. 57–70.

Hawton K: *Suicide and Attempted Suicide Among Children and Adolescents.* Sage, 1986.

Herman JL: Father-daughter incest. In: *Post-Traumatic Therapy and Victims of Violence.* Ochberg FM (editor). Brunner/Mazel, 1988. 175–195.

Hillard PJA: Physical abuse and pregnancy. *Med Aspects Human Sexuality* 1988; 22(10):30–41.

Hudson MF: Elder mistreatment: Current research. In: *Elder Abuse.* Pillemer KA, Wolf RS (editors). Auburn House, 1986. 125–166.

Humphreys J, Campbell J: Introduction: Nursing and family violence. In: *Nursing Care of Victims of Family Violence.* Campbell J, Humphreys J (editors). Reston, 1984.

Humphreys J, Campbell J: Abusive behavior in families. In: *Toward a Science of Family Nursing.* Gilliss CL, et al. (editors). Addison-Wesley, 1989. 394–417.

Keye WR: *The Premenstrual Syndrome.* Saunders, 1988.

Krueger MM: Pregnancy as a result of rape. *J Sex Ed Theory* 1988; 14(1):23–27.

Magnuson E: Suicides: The gun factor. *Time* July 17, 1989; 134(3):61.

McIntosh JL: Suicide as a mental health problem. In: *Suicide and Its Aftermath.* Dunne EJ, et al. (editors). Norton, 1987. 19–30.

McLeer SU: Psychoanalytic perspectives on family violence. In: *Handbook of Family Violence.* VanHasselt VB, et al. (editors). Plenum, 1988. 11–30.

Metro Digest, *Chicago Sun Times,* June 8, 1988. p. 60.

Miller M: *Suicide Intervention by Nurses.* Springer, 1982.

Mittleman RE, Mittleman HS, Wetli CV: What child abuse really looks like. *Am J Nurs* 1987; 87(9):1185–1188.

Montague MC: Physiology of aggressive behavior. *J Neurosurg Nurs* 1979; 11:10.

O'Connor PJ: Sitter charged with biting boy to death. *Chicago Sun-Times,* February 24, 1985.

Okum L: *Women Abuse.* State University of New York, 1986.

O'Leary KD: Physical aggression between spouses. In: *Handbook of Family Violence.* VanHasselt VB, et al. (editors). Plenum, 1988. 31–55.

Pagelow MD: Marital rape. In: *Handbook of Family Violence.* VanHasselt VB, et al. (editors). Plenum, 1988. 87–118.

Parker DS: Accident or suicide. *J Psychosoc Nurs* 1988; 26(6):15–19.

Phillips LR: Theoretical explanations of elder abuse. In: *Elder Abuse.* Pillemer KA, Wolfe RS (editors). Auburn House, 1986; 167–196.

Quinn MJ, Tomita SK: *Elder Abuse and Neglect.* Springer, 1986.

Resick PA: Sex-role stereotypes and violence against women. In: *The Stereotyping of Women.* Franks V, Rothblum E (editors). Springer, 1983.

Richardson C: Fenwick mourns "marvelous boy." *Chicago Sun-Times,* April 18, 1985.

Richman J: *Family Therapy for Suicidal People.* Springer, 1986.

Rose K, Saunders DG: Nurses' and physicians' attitudes about women abuse. *Health Care for Women Internatl* 1986; 7(6):427–438.

Rosen H: *A Clinician's Guide to Affective Disorders.* Mnemosyne, 1981.

Rossi R: Dad convicted of plot to kill son, 17. *Chicago Sun-Times,* February 7, 1985.

Russell DE: *The Politics of Rape: The Victim's Perspective.* Stein and Day, 1975.

Sachs A: Swinging-and-ducking-singles. *Time* Sept 5, 1988. 54.

Sengstock MC, Barrett S: Domestic abuse of the elderly. In: *Nursing Care of Victims of Family Violence.* Campbell J, Humphreys J (editors). Reston, 1984.

Shotland RL: A model of the causes of date rape in developing and close relationships. In: *Close Relationships.* Hendrick C (editor). Sage, 1989. 247–270.

Stark E, Flitcraft A: Personal power and institutional victimization. In: *Post-Traumatic Therapy and Victims of Violence.* Ochberg FM (editor). Brunner/Mazel, 1988. 115–151.

Starr RH: Physical abuse of children. In: *Handbook of Family Violence.* VanHasselt VB, et al. (editors). Plenum, 1988. 119–155.

Strach A, Jervey N: Lesbian abuse: The process. In: *Naming the Violence: Speaking Out About Lesbian Battering.* Lobel K (editor). Seal Press, 1986. 88–94.

Straus MA, Gelles RJ, Steinmetz SK: *Behind Closed Doors: Violence in the American Family.* Anchor Press/Doubleday, 1980.

Straus MA, Hotaling GT: *The Social Causes of Husband-Wife Violence.* University of Minnesota Press, 1980.

Tilden VP, Shepherd P: Battered women: The shadow side of families. *Holistic Nurs Pract* 1987; 1(2):25–32.

Trepper TS: Intrafamily child sexual abuse. In: *Treating Stress in Families.* Figley CR (editor). Brunner/Mazel, 1989. 185–208.

Trepper TS, Barrett MJ: Introduction to a multiple systems approach for the assessment and treatment of intrafamily child sexual abuse. In: *Treating Incest: A Multiple Systems Perspective.* Trepper TS, Barrett MJ (editors). Hayworth Press, 1986A.

Trepper TS, Barrett MJ: Vulnerability to incest: A framework for assessment. In: *Treating Incest: A Multiple Systems Perspective.* Trepper TS, Barrett MJ (editors). Hayworth Press, 1986B.

Trepper TS, Traicoff ME: Treatment of intrafamily sexuality: Issues in therapy and research. *J Sex Educ Ther* 1983; 9:14.

Urbancic JC: Incest trauma. *J Psychosoc Nurs* 1987; 25(7):33–35.

Valenti C: Working with the physically abused woman. In: *Women in Health and Illness.* Kjervik DK, Martinson IM (editors). Saunders, 1986. 127–133.

Walker L: Battered women's shelters and work with battered lesbians. In: *Naming the Violence: Speaking Out About Lesbian Battering.* Lobel K (editor). Seal Press, 1986. 73–79.

Walker LE: Violence against women: Implications for mental health policy. In: *Women and Mental Health Policy.* Walker LE (editor). Sage Publications, 1984.

Warner CG: *Rape and Sexual Assault.* Aspen Systems, 1980.

Waterman J: Family dynamics of incest with young children. In: *Sexual Abuse of Young Children.* McFarlane K, Waterman J (editors). Guilford Press, 1986. 204–219.

Waterman J, Luck R: Scope of the problem. In: *Sexual Abuse of Young Children.* McFarlane K, Waterman J (editors). Guilford Press, 1986. 3–12.

Wheeler CN: Woman con asks clemency. *Chicago Sun-Times* July 8, 1988.

Wilson T: Man gets 15 years in wife's rape. *Chicago Sun-Times* July 9, 1988.

Wolfe DA, Wolfe VV, Best CL: Child victims of sexual abuse. In: *Handbook of Family Violence.* VanHasselt VB, et al. (editors). Plenum, 1988. 157–185.

Wrobleski A: The suicide survivors grief group. *Omega* 1984–1985; 15:173.

Wyatt GE, Peters SD, Guthrie D: Kinsey revisited. *Arch Sexual Behav* 1988; 17(3):201–239.

Zdanuk JM, Harris CC, Wisian NL: Adolescent pregnancy and incest. *JOGNN* 1987; 16(2):99–104.

Association québécoise de suicidologie. *La prévention du suicide au Québec : vers un modèle intégré de services,* mémoire présenté au Ministre de la Santé et des Services sociaux, Québec, 1990.

Gendron, C. « Silence, on viole. », *Nursing Québec,* Vol. 7, N° 5, sept.-oct. 1987, p. 26-32.

Gordon, R., et S. Tomita. « La divulgation des cas de mauvais traitements et de négligence à l'égard des aînés : procédure obligatoire ou volontaire ? », *Santé mentale au Canada,* décembre 1990, p. 1-7.

Mc Laren, J., et R.E. Brown. « Les problèmes des enfants victimes de mauvais traitements et de négligence », *Santé mentale au Canada,* sept. 1989, p. 1-6.

Métivier, J. « Quand la loi intervient », *Carrefour des affaires sociales,* Vol. 7, N° 3, 1985, p. 30-35.

Presses de la santé de Montréal. *L'agression sexuelle,* édition revue et corrigée, Montréal, Presses de la santé de Montréal, 1987.

LECTURES COMPLÉMENTAIRES

Association québécoise de suicidologie. *Actes du 2ᵉ colloque provincial*, Montréal, A.Q.S., 1988.

Beck, C., R., Rawlins et S. Williams. *Mental Health Psychiatric Nursing: a holistic life cycle Approach*, St Louis, Mosby, 1984.

Bélanger, L. « La violence envers les personnes âgées », *Nursing Québec*, Vol. 5, N° 6, 1985.

Blank, M. « Suicide : The other victims », *Nursing Times*, 26 (85), 28-30, 1989.

Brisson, M., et L. Delisle. « Des groupes d'entraide pour ceux qui continuent à vivre », *Le Soleil*, 2, (16) A-13, Québec, 1991.

Bydle-Brown, B., et R. Billman. « At risk for suicide », *Am. J. Nurs.*, (10), 1358-1361, 1988.

Couture, M., et D. Beauvois. « Violence aux personnes âgées », *Nursing Québec*, Vol. 7, N° 2, 1987.

Dowling, C. *Le complexe de Cendrillon*, Paris, Éd. Grasset et Fasquelle, 1982.

Dupuis, J., et A. Vandal. « Abus envers les personnes âgées », *Nursing Québec*, Vol. 9, N° 6, 1989.

Gaze, H. « Suicide : How do we cope ? », *Nursing Times*, 85 (26), 34-35, 1989.

Gendron, C., et M. Beauregard. *Les femmes et la santé*, Chicoutimi, Gaëtan Morin Éd., 1985.

Griffin, W. « An act of Suicide : Did you hear the cry ? », *Can. Journal Psych. Nurs.*, 3 (30), 14-16, 1989.

Holmstrom, C. « Youth Suicide », *Canadian Journal of Psychiatric Nursing*, 30 (1), 6-10, 1989.

Hradek, E. « Crisis intervention and suicide », *J. Psycho. Social Nursing mental Health Serv.* 26, (5), 24-40, 1988.

Jaffe P., D.A. Wolfe et coll. « Emotional and Physical health problems of battered women », *Canadian Journal of Psychiatry*, Vol. 31, N° 7, 1986.

Lalonde, Grunberg et coll. *Psychiatrie clinique – approche bio-psycho-sociale*, Boucherville, Gaëtan Morin Éd., 1988.

Landeen, J. « Patient suicide : Its impact on the Therapeutic milieu of a psychiatric Unit », *Persp. in Psych. Care*, 14 (2), 74-78, 1987-1988.

Landenberger K. « A process of entrapment in and recovery from an abusive relationship », *Issues in Mental Health Nursing*, Vol. 10, N° 3, 4, 1989.

Laplante, L. *Le Suicide*, Québec, Institut québécois de recherche sur la culture, 1985.

Larouche, G. *Agir contre la violence*, Montréal, Éd. de la Pleine Lune, 1987.

Larouche G. *Guide d'intervention auprès des femmes violentées*, Montréal, Corporation des travailleurs sociaux du Québec, 1985.

Leach C.L. « The abused woman and her family of origin », *Perspectives in Psychiatric Care*, Vol. 26, (2), 1990.

Lego, S. *The American Handbook of Psychiatric nursing*, New-York, Springer, 1984.

Lesse, S. *What do we know about suicidal behavior and how to treat it*, Northvale, New-Jersey, Jason Aronson, 1988.

Massé R. « Évaluation critique de la recherche sur l'étiologie de la violence envers les enfants », *Santé mentale au Québec*, Vol. XV, N° 2, Nov. 1990.

Mc Leod, L. et A. Cadieux. *La femme battue au Canada : un cercle vicieux*, Conseil consultatif canadien de la situation de la femme, Ottawa, Centre d'édition du gouvernement du Canada, 1980.

Miller, F., et L.A. Chabrier. « The Relation of Delusional Content in Psychotic Depression to Life-Threatening Behavior », *Suicide and Life-Threatening Behavior*, 17 (1), 13-17, 1987.

Morissette, P. *Le Suicide, démystification, intervention, prévention*, Québec, Centre de prévention du suicide, 1984.

O.I.I.Q. *La violence conjugale : interventions infirmières auprès des femmes. Écouter le langage des maux*, Brochure de l'O.I.I.Q., 1987.

O.I.I.Q. « La violence conjugale », *Nursing Québec*, Vol. 5, N° 5, 1985.

Plante, M.C. « Prévention du suicide chez les jeunes au Québec : utopie ou réalité ? Apprentissage et Socialisation », *En piste*, 9 (1), 26-36, 1986.

Salama, A.A. « Depression and Suicide in Schizophrenic Patients », *Suicide and Life-Threatening Behavior*, 18 (4), 379-384, 1988.

Santé et Bien-être social Canada. « L'enfance maltraitée », *Santé mentale au Canada*, juin 1984.

Santé et Bien-être social Canada. « Questions liées à la violence familiale et la santé mentale », *Santé mentale au Canada*, Vol. 38, N° 2/3, juin-sept. 1990.

Santé et Bien-être social Canada. *Soins de santé liés aux mauvais traitements et à la négligence, aux voies de fait et à la violence familiale*, Guide, ministère des Approvisionnements et Services, Ottawa, 1989.

Tousignant, M. « Le mal de vivre : comportements et idéations suicidaires chez les cégépiens de Montréal », *Santé mentale au Québec*, 9, (2), 122-123, 1984.

Waller I. « Déclaration sur la protection et l'aide accordées aux victimes d'actes criminels », *Santé mentale au Canada*, mars 1984.

CHAPITRE 17

Les grands dossiers de demain

JOSEPH E. SMITH* et J. SUE COOK

Un lieu sûr

*Assis sur un énorme rocher ancré au fond
des eaux tranquilles, je contemple,
détendu et heureux, l'immensité
du monde à son zénith. Mon âme
est une vaste fenêtre qui communique avec la magie de ce
décor somptueux. C'est une
large porte – qui ouvre
sur de multiples choix et
qui libère mes espoirs et mes rêves.*

*Joseph E. Smith a participé à l'élaboration des textes consacrés au sida.

■ *Objectifs*

Après avoir étudié le présent chapitre, vous devriez être en mesure de :

- discuter des conséquences pour la société de l'épidémie du sida ;
- décrire l'importance du sida pour les soins infirmiers psychiatriques ;
- expliquer les connaissances de base sur le sida ;
- dresser le bilan de santé d'une personne sidatique ;
- déterminer les diagnostics infirmiers qui s'appliquent aux personnes sidatiques ;
- établir des plans de soins infirmiers pour les personnes sidatiques ;
- expliquer les connaissances de base sur le problème des sans-abri ;
- déterminer les diagnostics infirmiers qui s'appliquent au client sans abri ;
- établir des plans de soins infirmiers pour le client sans abri ;
- décrire l'orientation que prendront les soins infirmiers en psychiatrie et en santé mentale.

■ *Sommaire*

Introduction

Le XXIe siècle promet d'apporter la réponse à de nombreuses questions médicales qui nous tourmentent. La nature des soins infirmiers psychiatriques en sera probablement modifiée, nécessitant alors de nouvelles approches. Le présent chapitre examinera deux questions délicates et compliquées auxquelles doivent actuellement faire face les infirmières en santé mentale : l'épidémie de sida et le problème des sans-abri.

Infection par le VIH

Le syndrome d'immunodéficience acquise (sida) est rapidement devenu l'un des problèmes de santé publique les plus complexes de notre société. Le sida, signalé pour la première fois aux États-Unis en 1981, est une maladie mortelle, causée par le virus de l'immunodéficience humaine (VIH). Il existe deux voies de transmission du VIH. La voie sexuelle est la plus courante. Le contact direct de sang à sang – par le partage d'aiguilles servant à l'injection de drogues, ou par une transfusion de sang contaminé ou de dérivés sanguins contaminés, par exemple – est moins fréquente. La contamination du fœtus par la mère est un autre exemple de contact direct de sang à sang. Comme le contact sexuel intime est le mode le plus commun de transmission du virus, toute personne ayant une vie sexuelle devrait être informée au sujet de la maladie et des moyens de la prévenir.

Le VIH abolit les défenses immunitaires qui maintiennent l'intégrité de l'organisme. Par conséquent, les personnes infectées contractent des maladies mortelles qui n'affectent pas les personnes dont le système immunitaire est intact. Le système immunitaire lésé ne guérit pas. L'amélioration des connaissances médicales permet toutefois aux personnes infectées par le VIH, qui sont suivies de près, de vivre plus longtemps.

Le porteur du virus reste souvent sain pendant de nombreuses années. Cette tendance devrait se poursuivre à mesure que des médicaments sont mis à l'essai et approuvés. Le nombre des décès dus au sida continue toutefois d'augmenter et, partant, la peur du public. Étant donné la durée d'incubation du virus, on peut estimer que la moitié des cas de sida diagnostiqués après 1991 proviendront de personnes aujourd'hui séropositives. Il faut présumer que les personnes exposées au virus sont contagieuses de façon chronique. Au 31 octobre 1988, le Centre fédéral sur le sida signale 21 138 cas, au Canada. On prévoyait alors, de façon hypothétique, 7 000 cas pour 1991.

En l'absence de vaccin ou de thérapie efficace, les infirmières doivent apprendre à apaiser les craintes et à informer le grand public des méthodes de prévention. Quant aux victimes de l'épidémie, elles ont besoin d'aide. Pour empêcher la propagation de cette maladie mortelle, la mise en place d'un programme d'information s'impose. Il faudrait instituer des programmes éducatifs dans les écoles, les collèges, les entreprises, les usines, les organismes professionnels et non professionnels, les églises, les centres communautaires, en somme partout. Aucun pays ne peut se dispenser de diffuser des renseignements sur le sida.

La prévention reste le seul moyen de lutte contre la propagation du sida. Comme il s'agit d'une maladie liée au comportement, seul un changement dans le comportement peut protéger les personnes et limiter le mal en attendant le traitement et le vaccin (Montagnier, 1989).

Le présent texte traite davantage des aspects psychosociaux de l'infection par le VIH que de ses éléments pathophysiologiques. Il est aussi axé sur les usagers de drogues injectables ainsi que sur les homosexuels ou les personnes bisexuelles, groupes à haut risque (voir à la fin du chapitre la rubrique « Lectures complémentaires » pour approfondir l'étude du processus d'infection par le VIH ainsi que de ses signes et symptômes).

Incidence et prévalence

En 1988, l'OMS avait déjà enregistré 120 000 cas de sida dans le monde. Le rythme actuel est de 700 nouveaux cas par semaine – et les chiffres officiels seraient sous-estimés (voir le tableau 17-1 sur la distribution des cas de sida en Amérique du Nord).

En Europe et en Amérique du Nord, la maladie touche encore principalement les hommes qui ont des relations sexuelles avec d'autres hommes et les utilisateurs de drogues injectables qui partagent des aiguilles et des seringues.

Au Québec, on dénombre 97 cas de sida par million d'habitants, soit 618 adultes ou 30 p. cent des cas qui touchent les adultes au Canada (Centre fédéral sur le sida, 31 octobre 1988).

Tableau 17-1   *Distribution des cas de sida en Amérique du Nord*

ADULTES	au Québec (%)	au Canada (%)	aux États-Unis (%)
Activité homosexuelle ou bisexuelle (seulement)	70	82	63
Partage d'aiguilles et de seringues	1	1	19
Les deux activités précédentes combinées	1	2	7
Receveurs de sang ou de produits du sang	5	5	4
Activité hétérosexuelle : a) origine : région endémique	15	5	4
b) contact sexuel avec une personne infectée ou à risque	5	2	
Aucun facteur identifié	3	3	3
TOTAL	100	100	100
ENFANTS			
Transmission périnatale	93	84	78
Receveurs de sang ou de produits du sang	7	16	19
Aucun facteur identifié	0	0	3
TOTAL	100	100	100

Source : Montagnier et coll. *Sida : les faits, l'espoir*, RDSCMM et ministère de la Santé et des Services sociaux, 1989, p. 21.

Infection par le VIH et soins infirmiers

Depuis le début de l'épidémie, les infirmières participent activement à l'information et à la prestation de soins directs aux clients, aux personnes clés et au personnel soignant infectés par le VIH (Smith, 1988). Les infirmières en santé mentale fournissent des soins de soutien aux clients infectés par le VIH dans les hôpitaux, les établissements de soins de santé et dans la communauté. Étant donné l'étendue de la maladie, il faut évaluer régulièrement l'état mental du client afin de détecter le plus tôt possible tout changement dans son comportement, son état affectif, ses rapports avec la société. Comme des troubles psychiatriques préexistants peuvent influer sur la façon d'accepter le diagnostic de VIH, il convient d'établir minutieusement le bilan de santé du client.

Connaissances de base : Infection par le VIH

L'annonce de la séropositivité est source d'angoisse. Il faudra donc, à chaque visite, procéder à des évaluations psychosociales approfondies pour noter les changements comportementaux, affectifs et cognitifs. Les changements, qui peuvent signaler l'anxiété et la dépression, sont décelés lors du bilan de santé, de l'examen physique et des tests.

Caractéristiques comportementales

Des changements comportementaux se produisent à mesure que la maladie progresse. Au début, le client peut se plaindre de malaises et de fatigue, puis présenter des symptômes de lenteur, de troubles de l'équilibre et de tension musculaire. Le client se plaint aussi souvent de difficultés motrices et de troubles de la parole. Il arrive, par ailleurs, qu'il subisse une perte de sa concentration intellectuelle.

L'angoisse croissante de perdre la maîtrise de soi et des événements de sa vie peut entraîner chez le client une dépression qui l'amène à s'isoler socialement et à se replier sur lui-même. Sans intervention, ce comportement risque de mener à des idées ou à des menaces de suicide, voire à des tentatives (Green, 1986).

Caractéristiques affectives

Lors de l'évaluation de clients infectés par le VIH, les infirmières doivent surveiller de près les changements affectifs. L'anxiété est une réaction fréquente à la séropositivité ou à la première infection opportuniste contractée, qui indique la destruction du système immunitaire. Elle peut se manifester de façon somatique par la diarrhée, les désordres gastro-intestinaux, la nausée et les vomissements, la transpiration, les difficultés respiratoires ou les états de panique. Mais un grand nombre de ces signes peuvent aussi révéler que l'infection par le VIH progresse.

Comme tout autre malade chronique, la personne infectée par le VIH éprouve une souffrance psychique et un sentiment de perte. Elle devient tenaillée par l'angoisse, fait face à des problèmes financiers dus à la perte de son emploi ou à l'annulation des polices d'assurance-maladie et d'assurance-vie ; elle peut ne pas rencontrer de soutien de la part des personnes clés, des amis, des membres de la famille et autres, ne pas avoir de contact physique intime avec le conjoint, la personne aimée et les amis ; éventuellement, elle perd sa situation, subit une dégradation physique et ne maîtrise plus les fonctions de son corps ; elle connaît l'issue fatale de la maladie (Strawn, 1987). Le tableau 17-2 résume les réactions émotives communes en cas d'infection par le VIH.

La dépression est le plus courant des désordres affectifs reliés à l'infection par le VIH ; c'est aussi, très souvent, le principal changement que décèlent les infirmières. L'angoisse face à l'inconnu est généralement la cause de cette dépression. Le séropositif subit l'attente anxieuse du réveil du virus

Tableau 17-2 *Conséquences émotives de l'infection par le VIH*

Choc	Diagnostic, incertitude, possibilité d'issue fatale
Anxiété	Incertitude quant au pronostic et à l'évolution de la maladie ; effets des médicaments et du traitement ; réaction de la personne aimée et capacité de faire face à la situation ; réactions des autres (famille, amis, collègues, employeurs, etc.) ; perte des capacités sur le plan cognitif, physique, social et professionnel ; risque de contaminer et d'être contaminé
Dépression	Impuissance à changer les circonstances ; bouleversement de l'existence par la présence du virus ; baisse de la qualité de vie dans tous les domaines ; avenir sombre, probablement douloureux ; culpabilisation et récriminations au sujet des « actions » passées ; diminution de la tolérance sociale et de l'acceptation de la sexualité ; isolement
Colère	Au sujet du mode de vie et des activités passés à haut risque ; au sujet de l'incapacité de vaincre le virus ; au sujet des restrictions nouvelles et involontaires qui perturbent le mode de vie
Culpabilité	D'être homosexuel ; du caractère inacceptable de l'homosexualité que confirme la maladie
Obsessions	Recherche incessante d'explications, d'un autre diagnostic, de preuve sur son corps ; certitude du déclin et de la mort ; lubies relatives à la santé et à l'alimentation

Source : D. Miller, « Psychology, AIDS, ARC, and PGL », paru dans *The Management of AIDS Patients* (Macmillan, 1986).

alors que le sidatique est angoissé par la perte totale de sa maîtrise physique et mentale et de son bien-être. Très souvent, ces personnes ont des relations ou des amis intimes, également infectés par le VIH, qui sont mourants ou sont déjà morts. Elles peuvent alors se reprocher des comportements passés et éprouver un sentiment de culpabilité qu'elles doivent s'efforcer d'extérioriser. La crainte de ne pas participer aux prises de décision peut aussi entraîner dépression et anxiété. La dépression se manifeste par une perturbation de l'estime de soi, de l'insomnie, une chute de la libido et des sautes d'humeur. Ces sautes d'humeur vont du cafard et des crises de larmes aux explosions soudaines de colère. Ces signes dénotent souvent l'effet pathologique de l'infection par le VIH sur le SNC.

Caractéristiques cognitives

La progression de l'infection s'accompagne de changements cognitifs définitifs dont les signes précoces sont des troubles de mémoire, une perte de la concentration et un ralentissement des facultés intellectuelles. Le client se plaint souvent de périodes de confusion. L'examen de l'état mental devrait inclure l'évaluation de la capacité du client de faire de simples abstractions. L'exacerbation de l'atteinte neurologique peut se traduire par des symptômes comme la démence, les hallucinations, le délire et la paranoïa aiguë. (Voir au chapitre 15 les soins à prodiguer aux clients atteints de troubles organiques du cerveau.)

Caractéristiques socioculturelles

Un diagnostic de maladie chronique provoque des réactions complexes et intenses. En ce qui concerne l'infection par le VIH, le diagnostic est plus stressant pour le sujet et les personnes aimées, à cause des stigmates qui y sont associés. Les infirmières doivent être sensibilisées aux réactions de ces personnes et leur fournir le soutien et l'information nécessaires.

Les préoccupations des parents   Les réactions des parents à l'annonce que leur fils ou leur fille est sidatique ou séropositif peuvent être complexes. En plus d'apprendre le diagnostic médical, les parents peuvent découvrir que leur enfant est homosexuel ou toxicomane. Il arrive qu'ils jugent avoir échoué en tant que parents.

Comme avec toutes les autres maladies chroniques mais plus encore avec le VIH, la menace de mort qui pèse sur la personne aimée est présente et il faut en parler. Les craintes reliées à la dégradation physique et mentale associée à la progression de l'infection par le VIH sont fondées. Il faut prendre le temps de discuter avec la famille afin de déterminer les solutions possibles concernant les soins de la personne aimée. La famille devrait faire part de ses appréhensions.

Outre l'analyse des ressources disponibles pour les soins et le traitement médical, il faut discuter avec la personne infectée et ses soignants des possibilités de logement et de soins à domicile. Il faut également passer en revue avec elle les options d'aide financière. En dernier lieu, l'utilisation de l'AZT (Retrovir) ou de médicaments à l'essai comme le DDI doit aussi être abordée.

De nombreuses familles accueillent à la maison la personne atteinte. Certaines d'entre elles s'en cachent toutefois, de peur d'être rejetées par leur communauté.

Tout comme les autres familles de malades, les familles de clients infectés par le VIH ont besoin d'un soutien physique et spirituel, et d'une aide pour traverser les étapes du deuil. Il faut aussi aborder la question de dépendance et d'autonomie en ce qui a trait à la personne infectée et à sa famille.

Les préoccupations et les besoins du partenaire   Les questions reliées aux soins physiques ou aux soins de soutien nécessaires pour les personnes infectées par le VIH se posent également dans le cas des partenaires, qui peuvent être appelés à fournir le même type de soins que les familles ou les conjoints. La personne infectée par le VIH et son partenaire doivent aussi aborder les problèmes se rapportant à la sexualité et au soutien psychosocial.

Il faut discuter des pratiques sexuelles, notamment de la réduction des risques (voir le tableau 17-3.) L'infirmière doit s'assurer que les deux partenaires les connaissent et qu'ils saisissent bien l'importance de les respecter au cours des activités sexuelles. Les toxicomanes doivent de plus comprendre pourquoi ils doivent absolument utiliser des aiguilles et des seringues propres s'ils continuent à se droguer.

Outre les questions de soutien physique et psychosocial, il faut discuter des rapports entre les parents et les partenaires ou les conjoints et la personne infectée. Il arrive que les parents blâment le conjoint ou le partenaire. Selon que les parents acceptent ou rejettent l'identité sexuelle de leur enfant ou sa toxicomanie, le partenaire pourra, à divers degrés, participer aux soins du client.

Les partenaires des personnes infectées par le VIH peuvent s'adresser à divers groupes d'entraide qui exercent une action thérapeutique sur tous les participants (voir le tableau 17-4). En dirigeant les partenaires vers ces groupes, l'infirmière

Tableau 17-3   *Les pratiques sexuelles et leur niveau de risques*

Pratiques sexuelles à risque élevé :
  la pénétration anale et vaginale sans protection.

Pratiques sexuelles à faible risque :
  le sexe oral, pratiqué avec un homme ou avec une femme.

Pratiques sexuelles sans risque ou « Safer Sex » :
  • toute pénétration protégée par un condom correctement utilisé ;
  • la masturbation mutuelle ;
  • les caresses au pénis avec la langue, tout en évitant le contact avec le liquide pré-éjaculatoire ;
  • les baisers avec ou sans échange de salive ;
  • les étreintes ;
  • les massages.

Source : MIELS-QUÉBEC, *SIDA : Ne vous laissez pas emporter par l'ignorance*, 1989.

répond à un besoin essentiel. Par ailleurs, à la mort du client, les personnes qui l'ont soutenu ont besoin de temps pour pleurer, ce que leur permettent les groupes de deuil (Flaskerud, 1987 ; Marshall et Nieckarz, 1988 ; Pheiffer et Houseman, 1988). Les infirmières facilitent souvent l'établissement de ces groupes dans nombre de cadres différents.

Le soutien aux travailleurs de la santé   Les travailleurs de la santé, qu'il s'agisse de professionnels ou de bénévoles, possèdent certaines valeurs ; et leurs propres croyances, attitudes et stéréotypes influent sur leurs rapports avec les clients. Les soins à prodiguer aux personnes infectées par le VIH peuvent donc susciter au fond d'eux-mêmes des conflits qu'ils doivent extérioriser. Par ailleurs, comme de nombreux clients sont du même âge ou plus jeunes qu'eux, les travailleurs de la santé prennent conscience de leur propre mortalité. Il leur faut discuter franchement de leurs craintes à l'égard de la contamination et de la stigmatisation par les pairs et les membres de la famille. Ils doivent en parler dans une atmosphère sécurisante, qui leur inspire confiance et où ils ne se sentent pas jugés, comme au sein de groupes d'entraide dirigés par des cliniciens de la santé mentale, des aumôniers ou des conseillers pastoraux, des psychologues ou d'autres professionnels de la santé.

L'épidémie de sida a fait surgir certaines questions dont les prestateurs de soins doivent discuter franchement, mais de façon confidentielle. Outre les craintes provoquées par la contagiosité, il faut tenir compte de l'**homophobie** – qui peut se traduire par de l'hystérie et des peurs irréalistes à l'égard des homosexuels et de l'homosexualité – si l'on veut réduire au minimum l'effet destructeur qu'elle pourrait avoir sur le client (Viele, Dodd et Morrison, 1984).

Diverses recherches ont montré que les infirmières ne sont pas à l'abri de l'homophobie (Barrick, 1988 ; Douglas, Kalman et Kalman, 1985 ; Kelly et coll., 1988 ; Smith, 1981). L'homophobie peut être abordée dans des groupes de soutien où l'on discute d'homosexualité, de bisexualité et d'autres pratiques sexuelles. L'**homophobie « face à soi »** ou des sentiments comme la haine envers

Tableau 17-4   *Ressources disponibles pour aide et information*

GAP-SIDA Montréal
8000, 8e Avenue Est
Montréal
H2Z 2V9   (514) 722-5655

C-SAM – Comité Sida-Aide Montréal
3600, avenue de l'Hôtel-de-Ville,
C.P. 5098, succursale C
Montréal
H2X 3B6   (514) 282-9888

Fondation SIDA – Secours du Québec
C.P. 2104, succursale de Lorimier
Montréal
H2H 2R8   (514) 521-7432

IRIS Estrie
137, boulevard Jacques-Cartier Sud
Sherbrooke
J1J 2Z4   (819) 823-6704

LEMIENS
387, rue Racine Est
C.P. 723
Chicoutimi
G7H 5E1   (418) 693-8983

BLITS
59, rue Monfette
Victoriaville
G6P 1J8   (819) 758-2662

MIELS-QUÉBEC
575, boulevard Saint-Cyrille Ouest
Québec
G1S 1S6   (418) 687-3032

soi et la honte de sa propre homosexualité peuvent aussi être préjudiciables aux rapports infirmière-client. Qu'ils soient éprouvés par l'infirmière ou par le client, ces sentiments nuisent à l'instauration d'un climat de confiance et de franchise. Si l'on constate leur existence, il faut en parler ouvertement, prodiguer un soutien et respecter la confidentialité ; autrement, la prestation de soins globaux devient impossible.

Hétérophobie Les homosexuels éprouvent parfois une crainte et un manque de confiance envers les hétérosexuels. L'hétérophobie, tout comme l'homophobie, peut faire obstacle aux rapports infirmière-client. Il faut aborder l'hétérophobie comme on le ferait pour l'homophobie.

Outre les questions d'orientation sexuelle, la **phobie des toxicomanes** – des sentiments irréalistes de peur, de dégoût ou d'aversion envers les toxicomanes – existe parmi les infirmières. Le racisme et le sexisme peuvent aussi compromettre les soins fournis aux sidatiques. Il faut inventorier tous les préjugés qui influent sur le rapport infirmière-client et les examiner.

Le jeu de rôles peut aider les infirmières à comprendre leurs propres réactions envers les clients. Certaines infirmières éprouvent par exemple de la réticence à poser des questions au sujet de l'orientation sexuelle du client ou de sa toxicomanie. Le jeu de rôles leur permettrait de se sentir plus à l'aise en menant ces examens, sans lesquels aucune intervention ne saurait être efficace.

Les croyances religieuses ou spirituelles peuvent engendrer des conflits de valeurs. Si une infirmière juge par exemple que le sida est le châtiment de Dieu, les soins qu'elle prodigue à un sidatique peuvent s'en ressentir (Fletcher, 1984). L'euthanasie passive ou active peut également donner naissance à un conflit moral. Dans ce cas, il faut réunir les infirmières, les conseillers pastoraux, les éthiciens, les avocats, les médecins et le client qui prendront ensemble les décisions concernant ces conflits. Lorsque l'état physique ou mental du client lui interdit de participer au processus de prise de décision, la personne qui le représente y est déléguée.

Les travailleurs de la santé qui prodiguent des soins à leurs propres amis, aux personnes qu'ils aiment ou à d'ex-partenaires sexuels subissent un stress énorme. Tous les prestateurs de soins risquent d'ailleurs d'être accablés par l'accumulation de stress. Si les travailleurs de la santé dans une unité désignée pour sidatiques ou dans la maison du client ne reconnaissent pas leurs propres limites physiques et mentales, ils risquent de souffrir d'épuisement professionnel ou de problèmes de santé mentale.

Les considérations juridiques et éthiques

Sur le lieu de travail, les gestionnaires doivent aborder un certain nombre de questions se rapportant à l'infection par le VIH. Les infirmières font face à un dilemme : ne pas accomplir leur devoir, c'est-à-dire ne pas prodiguer de soins, ou prendre le risque d'être contaminées par le VIH. La décision de rendre obligatoires les tests de dépistage pour toutes les admissions dans les établissements de santé est une décision délicate. Le droit à l'inviolabilité entraîne l'obligation d'obtenir un consentement éclairé de la personne en cause. On s'interroge également sur la légalité des tests de dépistage du VIH avant une intervention chirurgicale ou avant un traitement. Ce sujet donne lieu à de nombreux débats. Comme tous les travailleurs de la santé prennent les précautions universelles préconisées par les centres de contrôle des maladies infectieuses (CDC) pour empêcher la transmission du VIH, les défenseurs des droits de la personne et des droits civils avancent que les tests ne sont pas nécessaires, compte tenu de tous les cas documentés qui confirment le danger de discrimination envers le client infecté. Des séropositifs ont en effet perdu leur emploi, leur maison, leurs amis et ont vu leur assurance annulée.

Toute discussion sur les questions de soins soulève le problème du droit de la personne au traitement, droit qui a pour corollaire celui de choisir le moment où, à cause de la diminution de la qualité de la vie, le traitement devrait cesser. L'essai sur les clients de médicaments au stade expérimental soulève un autre débat d'ordre éthique.

Avec l'augmentation du nombre de cas, on se demande si les travailleurs de la santé infectés par le VIH devraient soigner des clients. Selon Rothstein (1987), les centres de contrôle des maladies infectieuses ont décrété qu'il n'existait pas de justification médicale au refus d'employer des travailleurs de la santé, des travailleurs de service personnel ou autres qui sont infectés par le VIH. Il n'existe pas, à l'heure actuelle, de critères de référence pour établir dans quel milieu de travail ou dans quel environnement la personne séropositive ou atteinte de sida pourra ou ne pourra pas continuer d'exercer sa profession ou ses activités (Ménard, 1988). Il faudrait analyser individuellement les besoins de chaque personne. Par exemple, si une personne infectée par le VIH travaille dans un secteur où elle est particulièrement exposée aux infections opportunistes, il peut falloir prendre des arrangements raisonnables pour lui permettre de continuer à travailler.

Des tiers – c'est-à-dire les compagnies d'assurance, les employeurs ou un service de dossiers médicaux – peuvent demander à l'infirmière de leur fournir le dossier de santé du client. Compte tenu des graves répercussions d'un tel acte, il faut préserver la confidentialité des dossiers (Herrick et Smith, 1988 ; Kelly et St. Lawrence, 1988). L'équilibre précaire qui existe entre les droits de l'individu et la santé et le bien-être publics engendre de nombreux autres débats d'ordre éthique.

Théories de la causalité et caractéristiques physiologiques

Le sida est un désordre de l'immunité à médiation cellulaire et humorale qui est causé par le VIH. Le virus lèse les fonctions du système immunitaire par la modification du patrimoine génétique des lymphocytes T^4, ce qui entraîne la réplication du VIH aux dépens de ces lymphocytes (voir la figure 17-1). La perturbation du ratio entre les cellules T, qui attaquent directement l'envahisseur, et B, qui produisent des anticorps, accélère la dégradation du système immunitaire. Les fonctions monocytaires sont également touchées. La personne infectée par le VIH devient immunodéficiente et sensible aux infections opportunistes caractéristiques, aux cancers et autres complications. Le tableau 17-5 énumère les infections et les maladies communément associées à l'infection par le VIH.

Les atteintes neurologiques sont fréquentes dans l'infection par le VIH. Lorsque le VIH envahit

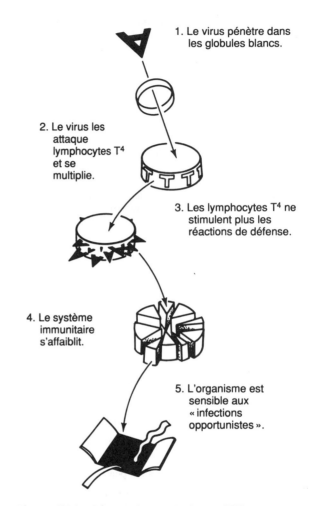

1. Le virus pénètre dans les globules blancs.

2. Le virus les attaque lymphocytes T^4 et se multiplie.

3. Les lymphocytes T^4 ne stimulent plus les réactions de défense.

4. Le système immunitaire s'affaiblit.

5. L'organisme est sensible aux « infections opportunistes ».

Figure 17-1   *Réponse immunitaire au VIH*
Source : Adapté de Sam B. Puckett, Alan R. Emery, *Managing AIDS in the Workplace* (Addison-Wesley, 1988).

le SNC, il provoque pertes de mémoire, confusion mentale et démence.

Traitement médical

Lorsqu'on soigne une personne infectée par le VIH, on vise dans un premier temps les buts suivants :

1. Aider le client à faire face au diagnostic d'infection par le VIH et à ses conséquences.

Tableau 17-5   *Infections et maladies communément associées à l'infection par le VIH*

Maladies pulmonaires

Protozoaires	*Pneumocystis carinii* (pneumonie)
Bactéries	*Mycobacterium* (tuberculose)

Atteintes cérébrales et altération du SNC

Levure	*Cryptococcus neoformans* (méningite par cryptococcus)
Protozoaires	*Toxoplasma gondii* (toxoplasmose)
Virus d'immunodéficience humaine (VIH) Virus Epstein-Barr Cytomégalovirus	Leucoencéphalopathie (démence progressive)

Diarrhée

Bactérie	*Salmonella* *Shigella* Complexe *Mycobacterium avium*
Virus	Cytomégalovirus
Protozoaires	*Cryptosporidium*

Atteinte systémique

Saccharomyces	*Candida albicans* (candidiase)
Virus	Cytomégalovirus Epstein-Barr

Altérations de muqueuses et de la peau

Virus	*Herpes simplex* *Herpes zoster*

Cancers et tumeurs malignes

Sarcomes	Maladie de Kaposi
Lymphomes	Hématosarcome non hodgkinien Tumeur de Burkitt

2. Aider le client à améliorer sa qualité de vie en mettant au point de nouvelles stratégies d'adaptation et en soignant les infections opportunistes et les néoplasies.

3. Aider le client à garder la maîtrise de sa vie plutôt que de se considérer comme la victime impuissante et désespérée du VIH. Ce changement d'attitude peut amener la reconstitution ou la stimulation du système immunitaire du client.

Enjeux du traitement

Les personnes infectées par le VIH et les personnes qui les soignent s'inquiètent essentiellement de savoir dans quel lieu les soins seront dispensés : consultations médicales externes, hôpitaux, communauté, services de soins à domicile, programme de soins palliatifs ou soins en établissement. Lorsque la personne n'est pas obligée de quitter son domicile, elle a le sentiment de maîtriser davantage la situation. Cela resserre les liens entre les personnes qui s'aiment, avec la famille et les personnes soignantes.

Les interventions comprennent les soins médicaux et pharmacologiques contre les infections opportunistes et les néoplasies. L'administration de psychotropes permet de combattre les syndromes neuropsychiatriques. Certains médicaments, comme l'AZT, la pentamidine, d'autres antiviraux, les immunomodulateurs et des médicaments au stade expérimental, peuvent favoriser la prévention de la maladie et le maintien de la santé (tableau 17-6).

L'apport nutritif doit être adéquat. Les personnes qui soignent le malade doivent participer aux discussions qui portent sur ce sujet ; grâce à leur soutien, le client pourra obtenir les aliments qu'il préfère.

Comme l'isolement social est un problème commun chez les clients infectés par le VIH, le toucher, sous forme d'étreintes ou de massages du dos et du corps, est très thérapeutique. On a constaté par ailleurs, dans de nombreuses situations et quel que soit l'âge du client, que la présence d'un animal de peluche pouvait être d'un grand réconfort.

Collecte des données : Infection par le VIH

Bilan de santé

L'évaluation des clients infectés par le VIH commence par la collecte des données lors de l'en-

Tableau 17-6 *Médicaments susceptibles de prévenir la maladie et de maintenir la santé*

Produits inhibant la transcriptase inverse ou agissant sur la multiplication virale :

Suramine
HPA 23
Phosphonoformate
Rifabutine
Ribavirine
Acide fusidique
AZT (azidothymidine)
Didéoxynucléosides

Immunostimulants ou immunomodulateurs utilisés dans le traitement de l'infection par le VIH :

Isoprinosine
Levamisole
Interféron (Alpha-Bêta-Gamma)
Interleuprine-2
Imuthiol
Thimostimuline
IMREG I et II

Source : Cournoyer Raymonde. « Traiter le sida et ses principales complications », *Nursing Québec*, Vol 8, n° 3, mai-juin 1988.

trevue initiale. Un diagnostic d'infection par le VIH suscite de nombreuses pensées effrayantes ; l'infirmière doit donc se montrer rassurante et offrir son soutien lorsqu'elle établit le bilan de santé du client.

Examen physique

L'examen physique d'un client infecté par le VIH détermine les problèmes susceptibles de se produire par suite de la progression de la maladie ou des traitements administrés.

BILAN DE SANTÉ
Client infecté par le VIH

Données sur le comportement
En quoi le diagnostic a-t-il modifié votre comportement ?
Dans quelle mesure vous faut-il une aide pour prendre votre bain, faire votre toilette, vous habiller, manger ?
Quelles difficultés éprouvez-vous à accomplir des tâches complexes à la maison ? au travail ?
Avez-vous noté des changements dans votre comportement ? Les autres en ont-ils remarqué ?

Fumez-vous ? Dans l'affirmative, combien de cigarettes par jour ? Par rapport à votre consommation habituelle, s'agit-il d'une augmentation ou d'une diminution ?
Quelle est votre consommation d'alcool ? Par rapport à votre consommation habituelle, s'agit-il d'une augmentation ou d'une diminution ?
Quels médicaments prescrits et quelles drogues prenez-vous ? Par rapport à votre consommation habituelle, s'agit-il d'une augmentation ou d'une diminution ?
Êtes-vous moins actif qu'avant ?
Quand vous isolez-vous ou vous repliez-vous sur vous-même ?
Quels sont les mécanismes qui vous aident à réduire votre tension nerveuse ?
Vous sentez-vous dépendant ? autonome ?

Données sur l'état affectif
En quoi le diagnostic a-t-il changé votre humeur ?
Quand vous sentez-vous triste ?
Le nombre de périodes de tristesse ou de cafard a-t-il changé depuis que le diagnostic a été posé ?
L'idée de vous faire du mal ou d'en faire aux autres vous a-t-elle traversé l'esprit ?
Piquez-vous des crises de colère ?
Quel genre de choses vous rend anxieux ?
Vous sentez-vous souvent irritable ?
Avez-vous des affaires en suspens que vous voudriez traiter ?
Avez-vous des craintes particulières ?

Données sur l'état cognitif
Avez-vous de la difficulté à vous souvenir de certains événements ? Desquels en particulier ?
Le diagnostic a-t-il affecté votre mémoire (faits récents et lointains) ?
Le diagnostic a-t-il affecté votre capacité de prendre des décisions ? Comptez-vous sur les autres pour prendre des décisions ?
Le diagnostic a-t-il affecté votre capacité d'apprendre ?
Qu'est-ce qui vous préoccupe ?

Tout comme pour les autres maladies, les données initiales sont importantes. Étant donné que les changements dans l'état physique et mental du client se produisent rapidement, l'infirmière doit effectuer un examen minutieux et consigner soigneusement ses constatations. Il est important de se rappeler que de nombreux signes physiques précoces peuvent être pris à tort pour des agents de stress émotifs, comme la fatigue et l'intolérance à l'activité.

Lorsqu'elle procède à l'examen physique, l'infirmière doit consigner tout changement dans l'état neurologique du client, compte tenu de la fréquence des syndromes neurologiques dans l'infection par le VIH. Le système gastro-intestinal peut aussi être perturbé par des infections opportunistes ou par les médicaments prescrits. L'incidence de muguet exige l'examen régulier de la cavité orale. Les diarrhées sont fréquentes et peuvent signaler une infection opportuniste ou l'effet secondaire d'un médicament.

Des infections opportunistes spécifiques, notamment l'herpès-virus, peuvent attaquer le système génito-urinaire. Les fonctions sexuelles peuvent être perturbées à cause des agents de stress physiques et psychologiques, comme la peur de transmettre le virus à d'autres.

Analyse des données et planification des soins : Infection par le VIH

Les diagnostics infirmiers sont nombreux dans le cas des clients infectés par le VIH. Le présent texte met l'accent sur les problèmes psychosociaux. La façon de prodiguer les soins influe sur la qualité de vie du client et améliore l'attitude des parents, des personnes aimées ou des conjoints, des amis et du personnel soignant. En posant des diagnostics individualisés, on favorise l'élaboration de plans de soins qui rehaussent la qualité de vie du client. Le tableau 17-7 énumère des diagnostics infirmiers dans le cas de clients infectés par le VIH.

Le tableau 17-8 présente un plan de soins infirmiers pour le client infecté par le VIH.

Évaluation : Infection par le VIH

L'évaluation des soins dispensés au client infecté par le VIH dépend des objectifs ou résultats escomptés.

Tableau 17-7   *Diagnostics infirmiers du client infecté par le VIH*

Perturbation dans l'exercice du rôle

Altération des opérations de la pensée

Chagrin (deuil) par anticipation

Anxiété

Perturbation de l'image corporelle

Peur

Perte d'espoir

Stratégies d'adaptation familiale inefficaces : absence de soutien

Stratégies d'adaptation individuelle inefficaces

Manque de connaissances

Sentiment d'impuissance

Altération de la perception sensorielle : visuelle, auditive

Dysfonctionnement sexuel

Perturbation situationnelle de l'estime de soi

Isolement social

Risque de violence envers soi

ÉTUDE DE CAS

Client infecté par le VIH

Pierre Dupré, un infirmier de 23 ans, a récemment appris qu'il était infecté par le VIH. Son compagnon des cinq dernières années vient de mourir du sida. Pierre poursuit en ce moment des études en vue d'obtenir une maîtrise en soins infirmiers et travaille bénévolement comme thérapeute auprès de sidatiques. Après avoir terminé ses études secondaires, il a quitté sa petite ville natale, où son père occupe la fonction de pasteur. Pierre s'inquiète de savoir comment ce dernier réagira à son homosexualité. Il n'en a jamais discuté avec ses parents ni avec ses frères et sœurs. Il craint également de perdre son travail de bénévole à l'hôpital. Actuellement, le seul symptôme qu'il ressente est une fatigue constante.

Bilan de santé

Nom du client : Pierre Dupré   Âge : 23 ans
Diagnostic : Séropositif

Données sur l'état de santé
Taille : 1,80 m
Poids : 85 kg
Prend 2 à 3 repas par jour
Dort de 6 à 7 heures par nuit
N'a jamais fumé, sauf, à l'occasion, de la marijuana avec des amis
Boit de temps à autre une bière ou un verre de vin

Données sur la vie sociale
A eu un amant pendant 5 ans (qui est mort récemment du sida)
Vit seul
Aime assister à des comédies musicales ; milite activement pour la défense des droits des homosexuels
Fait du bénévolat auprès de sidatiques

Données cliniques
Test positif ELISA et test de confirmation utilisant deux techniques d'analyse : IFA et RIPA
Les numérations sanguines sont normales, sauf celle des cellules T, qui est de 425

Observations de l'infirmière
Pierre se confie sans réserve et révèle ses antécédents médicaux et sociaux. Il semble triste mais n'est pas surpris d'être séropositif. Il parle beaucoup de ses progrès en tant qu'infirmier, maintenant qu'il se sait séropositif. Il estime qu'il saura mieux aider les malades et montrera plus d'empathie. Enfin, il souhaite tirer parti au maximum du temps qu'il lui reste à vivre.

Diagnostics infirmiers

Deuil par anticipation

Perturbation de l'image corporelle

Stratégies d'adaptation individuelle inefficaces

Stratégies d'adaptation familiale inefficaces

Sentiment d'impuissance

Dysfonctionnement sexuel

Isolement social

Suggestions pour la planification des soins

1. Déterminer les priorités dans la prestation des soins.

2. Déterminer à quel stade du deuil se situe M. Dupré.

3. Inventorier les systèmes de soutien dont M. Dupré pourrait se prévaloir.

4. Décrire les besoins d'apprentissage de M. Dupré.

5. Établir les objectifs de soins infirmiers pour M. Dupré.

6. Énumérer les interventions infirmières dans les soins prodigués à M. Dupré.

Clients sans abri

L'avènement du phénomène des sans-abri a de nombreuses causes : un taux de chômage et de sous-emploi très élevé, la compression des programmes de subventions, la rareté des habitations à prix modiques, les transformations de la structure de la famille nord-américaine, la désinstitutionnalisation des malades mentaux.

Quelles qu'en soient les raisons, l'itinérance constitue un problème social manifeste, particulièrement en milieu urbain, où le nombre de sans-abri est le plus élevé depuis la crise des années 30.

Description du problème des sans-abri

Être un sans-abri, ce n'est pas seulement ne pas avoir de gîte, c'est avoir faim, ne pas être vêtu convenablement, avoir accès difficilement aux services de santé, d'assistance sociale et d'éducation (Fischer, 1986 ; Riesdorph-Ostrow, 1989).

Les organismes communautaires, de même que les médias, ont pris l'habitude de découper la population des sans-abri en différents sous-groupes : les jeunes itinérants, les femmes victimes de violence et en difficulté, les ex-psychiatrisés, les ex-contrevenants, les alcooliques et toxicomanes, les personnes démunies (Simard, 1990).

La politique de désinstitutionnalisation a eu comme conséquence de faire perdre leur abri à un grand nombre de **malades mentaux chroniques**. Les places disponibles dans les hôpitaux psychiatriques ont été réduites radicalement, et les clients retournent dans un cadre communautaire où les ressources d'hébergement sont insuffisantes. L'objectif visant à assurer le soutien du malade mental chronique dans sa propre communauté n'a pas été atteint. Un grand nombre de malades mentaux chroniques ne reçoivent pas de services médicaux ou de services sociaux. Les autorités du secteur de la santé mentale sont peu disposées à faire de l'absence de logement un problème de santé mentale parce que cela pourrait mener à la réhospitalisation des clients (Hyde, 1985 ; Riesdorph-Ostrow, 1989).

Incapables d'assumer les responsabilités de la vie quotidienne, les itinérants font face au rejet

(suite page 738)

Tableau 17-8   Plan des soins infirmiers destinés au client infecté par le VIH

Diagnostic infirmier: Perturbation dans l'exercice du rôle, reliée à la modification des responsabilités.
Objectif: Le client accepte les conséquences de l'infection par le VIH sur son mode de vie et les modifications qu'elle entraîne dans l'exercice du rôle.

Intervention	Justification	Résultat escompté
Déterminer l'impact de la maladie dans l'exercice du rôle.	Le client est ainsi assisté dans sa démarche.	Le client dit quelles sont ses limites dans sa capacité de fonctionner.
Encourager le client à examiner l'impact que les changements dans l'exercice de son rôle ont entraîné sur son mode de vie.	Par cet examen, le client se sent aidé dans l'inventaire de ses forces et de ses limites.	Le client montre sa capacité de composer avec ses limites.
Montrer une écoute attentive aux inquiétudes du client.	La verbalisation des inquiétudes concourt à l'acceptation des changements dans l'exercice du rôle.	Le client dit qu'il est disposé à envisager des changements dans son mode de vie.
Faire participer la famille et les personnes clés à la planification des soins.	Les divers membres de la famille peuvent également avoir à modifier le rôle qu'ils jouent.	Le client indique quels rôles la famille et (ou) les personnes clés devront jouer dorénavant pour favoriser l'implantation de changements dans son mode de vie.

Diagnostic infirmier: Altération des opérations de la pensée, reliée à la démence progressive provoquée par le VIH.
Objectif: Le client montre qu'il garde le contact avec la réalité en se situant par rapport aux personnes, aux lieux, au temps et aux situations.

Intervention	Justification	Résultat escompté
Orienter au besoin le client: • appeler le client par son nom; • se nommer; • lui rappeler le lieu où il est; • lui dire l'heure, lui fournir horloges, montres et calendriers.	Cette mesure permet au client de garder le contact avec la réalité.	Le client donne son nom. Le client indique l'endroit exact où il se trouve. Le client indique l'heure juste. Le client précise le but de la rencontre avec l'infirmière.
Créer un environnement sûr pour le client: • aider le client à marcher; • utiliser au besoin de légères contentions; • assurer un éclairage adéquat; • laisser le lit en position basse et utiliser des ridelles; • placer les articles d'usage courant à portée du client et toujours au même endroit.	Cette mesure vise à prévenir les blessures accidentelles lorsque le client est désorienté.	Le client évite les blessures. Le client déclare se sentir en sécurité.

(suite page suivante)

Tableau 17-8 *(suite)*

▌ **Diagnostic infirmier :** Chagrin/deuil par anticipation, relié aux pertes personnelles et à la perspective de la mort.
▌ **Objectif :** Le client verbalise la signification des pertes perçues.

Intervention	*Justification*	*Résultat escompté*
Évaluer l'étape de deuil du client.	À chaque étape de deuil correspondent des besoins particuliers.	Le client verbalise l'importance et le sens des pertes.
Aider le client, en fonction de ses besoins, à traverser les différentes étapes du deuil : • dénégation ; • colère ; • marchandage ; • dépression ; • acceptation.	L'établissement de buts communs permet de traverser les étapes du deuil.	Le client partage son vécu avec une personne.
Appliquer les principes de la communication thérapeutique : • montrer son intérêt ; • utiliser l'écoute active ; • souligner les pensées irrationnelles ; • appliquer toute autre mesure adéquate.	La communication thérapeutique favorise l'expression des pensées et des émotions.	Le client exprime ses idées, ses émotions.
Observer et signaler les tendances suicidaires ou homicides.	Des réactions émotives intenses, suite au diagnostic reçu, peuvent inciter à des actes de violence envers soi ou les autres.	Le client ne pose pas de gestes suicidaires ou meurtriers.

▌ **Diagnostic infirmier :** Anxiété, reliée à la nature du diagnostic qui met en jeu la vie.
▌ **Objectif :** Le client montre que son anxiété diminue.

Intervention	*Justification*	*Résultat escompté*
Établir un rapport de confiance et de soutien avec le client.	La confiance et le soutien favorisent l'expression par le client de ses pensées et de ses sentiments.	Le client verbalise son anxiété.
Aider le client à prendre conscience de son anxiété (ex. : nombreuses plaintes somatiques).	Le client peut ainsi comprendre les réactions d'anxiété.	Le client diminue ses plaintes.
Maintenir un environnement calme, non stimulant.	Cette précaution vise à réduire l'anxiété du malade.	Le client dit qu'il se sent moins anxieux.
Planifier des activités récréatives : • magasinage ; • cinéma ; • danse ; • exercice physique.	Les activités récréatives permettent de réorienter l'anxiété du client.	Le client planifie des activités récréatives.
Enseigner de nouvelles stratégies d'adaptation : • diminution des attentes irréalistes que l'on nourrit envers soi-même ; • résolution de problème ; • affirmation de soi ; • techniques de relaxation musculaire ; • échanges avec les autres.	L'acquisition de nouvelles stratégies d'adaptation contribue à l'augmentation de l'estime de soi du client.	Le client utilise de nouvelles stratégies d'adaptation.

(suite page suivante)

Tableau 17-8 *(suite)*

■ **Diagnostic infirmier :** Perturbation de l'image corporelle, reliée à des changements que l'infection par le VIH et (ou) les pertes entraînent.

Objectif : Le client prend conscience des changements dans son apparence physique.

Intervention	Justification	Résultat escompté
Établir un lien de confiance avec le client.	On encourage ainsi le client à faire part de ses sentiments au sujet de son image corporelle.	Le client verbalise son inquiétude au sujet de son image corporelle.
Encourager le client à nommer les changements d'ordre physique et émotif qui perturbent son image corporelle.	En précisant les changements qui touchent son image corporelle, le client entame le processus d'acceptation.	Le client précise quels changements marquent réellement son apparence.
Encourager le client à soigner son apparence.	Une apparence soignée contribue à une bonne estime de soi.	Le client participe quotidiennement aux activités pour soigner son apparence.
Respecter la dignité et l'intimité du client ; se montrer impartial.	Cette attitude préserve l'estime de soi du client.	Le client énumère ses forces personnelles.

■ **Diagnostic infirmier :** Peur, reliée à la nature · menaçante · du diagnostic.

Objectif : Le client dit avoir moins peur.

Intervention	Justification	Résultat escompté
Observer les signes de peur : • dilatation des pupilles ; • augmentation du pouls, de la respiration, de la tension ; • transpiration ; • agitation ; • pleurs.	En détectant de bonne heure les signes de peur, on évite que les réactions ne s'intensifient.	
Encourager le client à exprimer ce qui, selon lui, menace son bien-être : • lui manifester soutien et compassion ; • lui tenir compagnie ; • se montrer franche ; • poser des questions ouvertes.	Le client se sent apprécié et acquiert une compréhension de lui-même qui contribue à réduire ses réactions de peur.	Le client dit qu'il se sent bien. Le client fait montre de comportements qui dénotent un apaisement de la peur.
Si c'est nécessaire, encourager le client à parler de ses peurs au sujet : • de la progression de la maladie ; • d'altérations physiques ; • des changements dans l'état mental ; • de la capacité de s'adapter ; • de la discrimination reliée aux stigmates du pronostic ; • de la mort ; • des questions familiales.	Le client découvre ainsi les sources de ses peurs et l'infirmière peut alors apporter des informations spécifiques.	Le client précise ses peurs.

(suite page suivante)

Tableau 17-8 *(suite)*

▌ **Diagnostic infirmier :** Perte d'espoir, reliée à la perspective d'une issue fatale.
▌ **Objectif :** Le client inventorie les forces qui lui permettent de s'adapter à la situation.

Intervention	Justification	Résultat escompté
Déterminer avec le client les facteurs contribuant au sentiment de désespoir : • pronostic ; • perte des soutiens sociaux ; • peur de la mort ; • défiguration ; • changements dans l'état mental.	Le client se sent ainsi impliqué dans le déroulement de son processus.	Le client prend conscience de ses forces.
Évaluer le risque de suicide et prendre les précautions qui s'imposent : • prévoir une infirmière de garde 24 heures sur 24 ; • attribuer au client une chambre près du poste des infirmières ; • ôter les objets dangereux de la chambre.	L'évaluation du risque permet des interventions rapides pour prévenir tout geste fatal.	Le client fait part de pensées suicidaires mais ne passe pas à l'acte.
Passer du temps avec le client pour renforcer les comportements positifs : • contact visuel ; • révélation de soi ; • soins personnels ; • alimentation ; • périodes de sommeil raisonnables.	En renforçant les comportements positifs, on valorise le client.	Le client manifeste des comportements qui révèlent l'émergence de sentiments d'espoir.

▌ **Diagnostic infirmier :** Risque de stratégies d'adaptation familiale inefficaces : absence de soutien, reliées au diagnostic posé et au mode de vie du client.
▌ **Objectif :** Le client et les membres de sa famille discutent ouvertement des facteurs de stress reliés au diagnostic d'infection par le VIH.

Intervention	Justification	Résultat escompté
Évaluer l'interaction entre le client et sa famille.	L'infirmière peut ainsi planifier ses interventions en toute connaissance de cause.	Le client et les membres de sa famille prennent conscience des conflits qui les opposent.
Encourager les membres de la famille à discuter de leurs sentiments au sujet du diagnostic.	La discussion permet au client et aux membres de sa famille de découvrir les émotions reliées à la perte.	Le client et la famille expriment leurs sentiments.
Favoriser l'intimité entre le client et sa famille.		
Assurer la continuité des soins en : • amenant la famille à reconnaître ses forces ; • encourageant les membres de la famille à participer aux soins du client ; • dirigeant la famille vers des groupes de soutien.	La famille peut avoir besoin d'aide pour assumer la situation.	Le client et sa famille participent au plan de soins. La famille commence à discuter ouvertement des problèmes.

(suite page suivante)

Tableau 17-8 *(suite)*

Diagnostic infirmier : Risque de stratégies d'adaptation individuelle inefficaces, reliées à l'incapacité de faire face à la menace, au déni et à d'autres réactions du diagnostic d'infection par le VIH.

Objectif : Le client précise les forces qui lui permettent de s'adapter.

Intervention	*Justification*	*Résultat escompté*
Déterminer les stratégies d'adaptation passées du client et leur efficacité.	On peut ainsi réutiliser ces stratégies dans le plan de soins.	Le client énumère les stratégies d'adaptation qu'il juge efficaces.
Aider le client à déceler d'autres mécanismes d'adaptation : • planification d'activités récréatives ; • verbalisation des inquiétudes ; • planification des modifications nécessaires à la situation actuelle ; • reconnaissance de l'étape du deuil.	Le client découvre ainsi des moyens supplémentaires pour surmonter les facteurs de stress qui l'accablent.	Le client participe aux AVQ. Le client manifeste de l'intérêt pour les activités récréatives. Le client participe à la prise de décision. Le client précise ses plans d'action pour les changements éventuels de son mode de vie.

Diagnostic infirmier : Manque de connaissances, relié aux perceptions inexactes du client au sujet de l'infection par le VIH.

Objectif : Le client précise ses besoins d'information sur la progression et la transmission de la maladie, les comportements à risques et les divers traitements possibles.

Intervention	*Justification*	*Résultat escompté*
Évaluer et noter les connaissances du client en ce qui concerne : • la progression de la maladie ; • son mode de transmission ; • les comportements à risques ; • les règles de prudence pour une sexualité à risques réduits ; • les divers traitements offerts.	En détectant le manque d'information du client, on peut prendre des mesures pour réduire les risques de transmission du VIH.	Le client précise les informations dont il a besoin.
Élaborer un plan d'enseignement pour la prévention de l'infection à la maison et dans la communauté.	Le client apprend ainsi à effectuer lui-même ses soins personnels.	Le client applique les mesures visant à prévenir l'infection.
Passer en revue les différents traitements et soins offerts.	S'il comprend les différents traitements, le client est susceptible d'y adhérer de façon responsable.	Le client participe au plan de traitement. Le client applique des mesures de soins de santé.

Diagnostic infirmier : Dysfonctionnement sexuel, relié à la peur de transmettre le VIH ou de contracter une maladie, et/ou au traitement médical (prise de médicaments, par exemple).

Objectif : Le client adopte des pratiques sexuelles sans risque.

Intervention	*Justification*	*Résultat escompté*
Évaluer les rapports sexuels actuels du client sans porter de jugement.	Les rapports sexuels risquent de transmettre le VIH ; le client peut craindre les préjugés et refuser de donner des renseignements importants lors de l'évaluation initiale.	Le client discute de ses préoccupations au sujet des rapports sexuels actuels.

(suite du diagnostic page suivante)

Tableau 17-8 *(suite)*

Diagnostic infirmier (suite) : Dysfonctionnement sexuel, relié à la peur de transmettre le VIH ou de contracter une maladie, et/ou au traitement médical (prise de médicaments, par exemple).
Objectif : Le client adopte des pratiques sexuelles sans risque.

Intervention	Justification	Résultat escompté
Passer en revue avec le client les pratiques sexuelles de façon à en signaler les risques.	La connaissance des risques de transmission permet des décisions plus éclairées.	Le client explique les risques reliés aux diverses pratiques sexuelles.
Assurer le caractère privé des entrevues concernant les préoccupations sexuelles du client.	Le caractère privé des entrevues aide le client à déceler ses besoins d'apprentissage.	Le client fait part de ses inquiétudes au sujet de la sexualité.

Diagnostic infirmier : Perturbation situationnelle de l'estime de soi, reliée aux sentiments négatifs envers soi-même que l'infection par le VIH a engendrés.
Objectif : Le client manifeste des comportements qui témoignent d'une augmentation de l'estime de soi.

Intervention	Justification	Résultat escompté
Déterminer le niveau d'estime de soi du client.	Cette mesure permet de déceler les facteurs qui influent sur l'estime de soi.	Le client admet que son estime de lui-même est perturbée.
Encourager le client à préciser les sentiments qu'il éprouve à l'égard de lui-même.	L'introspection peut aider le client à prendre conscience de ses forces personnelles.	Le client indique quels ont été les effets du diagnostic sur son estime de soi.
Mettre au point des mesures pour stimuler la confiance en soi du client : • lui assigner une infirmière ; • inventorier les comportements d'adaptation efficaces ; • donner une rétroaction positive sur les comportements désirés ; • renseigner sur les divers comportements d'adaptation (ex. : rechercher un soutien auprès des autres).	L'infirmière fournit au client des occasions d'accroître son estime de lui-même.	Le client manifeste des comportements qui indiquent la confiance en soi.

Diagnostic infirmier : Isolement social, relié aux stigmates causés par la maladie et aux craintes de contacts fortuits entraînant une infection.
Objectif : Le client entretient un réseau de soutien social.

Intervention	Justification	Résultat escompté
Déterminer le réseau de soutien du client.	L'infirmière inventorie les ressources dont bénéficie le client et en profite pour rectifier les préjugés au sujet de l'infection par le VIH.	Le client décrit son réseau de soutien : ses amis, les personnes qu'il aime, le personnel soignant, etc.
Fournir des ressources pour les services de counseling, de soutien et d'information.	Les services de soutien aident le client et les personnes de l'entourage à s'adapter à l'infection par le VIH.	Le client énumère les ressources communautaires qui peuvent l'aider à sortir de son isolement social.
		Le client a recours aux ressources communautaires.

(suite du diagnostic page suivante)

Tableau 17-8   *(suite)*

Diagnostic infirmier (suite) : Isolement social, relié aux stigmates causés par la maladie et aux craintes de contacts fortuits entraînant une infection.
Objectif : Le client entretient un réseau de soutien social.

Intervention	Justification	Résultat escompté
Amener progressivement le client et sa famille à exprimer leurs sentiments et leurs préoccupations au sujet de l'isolement provoqué par les précautions universelles.	La compréhension des précautions universelles réduit la sensation d'être à part.	Le client déclare comprendre la nécessité des précautions universelles.
Encourager le personnel, la famille et les personnes aimées à toucher le client et à le serrer dans leurs bras.	Le contact physique diminue le sentiment d'isolement et indique l'intérêt et la compassion.	Le client demande au personnel et à ceux qu'il aime de le serrer dans leurs bras.

de leurs pairs, aux craintes du personnel qui travaille dans des centres pour itinérants et, enfin, aux réticences des professionnels du milieu hospitalier car, en plus de ne pas avoir d'adresse fixe, ils sont souvent hostiles au traitement. Cependant, malgré l'image de détérioration sociale qu'ils présentent, leurs problèmes ne requièrent généralement pas l'hospitalisation (Doré, 1987).

À l'écart de tout réseau, ces personnes ne trouvent plus leur place dans le système. Les jeunes en voie de chronicisation viennent de plus en plus nombreux grossir les rangs des sans-abri. Ne vivant plus une vie docile et enfermée à l'hôpital psychiatrique, ces derniers auraient dans la rue un comportement instable, agressif et, très souvent, délinquant ; ils présenteraient une symptomatologie non contrôlée et aggravée par la prise de drogues illicites, tout en demeurant sans racines et sans avenir. Ils formeraient un fort pourcentage des millions de sans-abri en Amérique du Nord et en Europe (Voyer J., 1988, dans Lalonde et Grunberg).

Incidence du phénomène des sans-abri

Il est difficile d'estimer la population des sans-abri. Selon l'unique recensement des sans-abri jamais effectué au Canada en 1987, 10 672 personnes séjournaient dans des abris d'urgence ou temporaires *le 22 janvier 1987.* On considère que cette étude du Conseil canadien de développement social (CCDS) sous-estime la gravité de la situation. Les centres d'hébergement et les services sociaux parti-

cipant à l'enquête ont dénombré entre 130 000 et 250 000 personnes sans logement ou mal logées ; 105 organismes sociaux ont servi 1 222 555 repas en 1986 (Bégin, 1989).

Lors du recensement de 1991, les énumérateurs doivent parcourir les ruelles, les ponts, les parcs et les soupes populaires de dix grandes villes afin d'établir le nombre des sans-abri au Canada. On estime qu'entre 10 000 et 15 000 itinérants seraient apparus dans les rues de Montréal depuis les années 70 (Bonin et coll., 1988). Entre le 1er mars 1988 et le 28 février 1989, on a recensé 15 636 itinérants à Montréal. Le problème connaît une croissance explosive avec un taux de renouvellement se situant autour de 30 p. cent, soit environ 4 700 nouveaux itinérants par année (Fournier et Mercier, 1989). Le phénomène s'étend à des populations autrefois peu touchées, à savoir les femmes et les jeunes (Simard, 1990).

Connaissances de base : Clients sans abri

Caractéristiques comportementales

Sans endroit où vivre et avec des ressources financières limitées ou absentes, les sans-abri sont souvent obligés de voler, de fouiller dans les poubelles ou de mendier pour trouver de la nourriture. Ils peuvent aller dans les soupes populaires, mais on n'y sert généralement qu'un repas par jour.

Toute protection contre les éléments constitue pour eux un abri : sous les ponts, dans les voitures, les bâtiments abandonnés, les cafés ouverts toute la nuit, les gares d'autobus et autres lieux publics, les missions, les hôtels ou les motels bon marché et l'hébergement chez des amis. Les sans-abri peuvent commettre des crimes mineurs pour dormir en prison la nuit. À l'occasion, la personne qui ne trouve pas d'abri se couche sur un banc dans un parc ou sur une bouche de chaleur.

Compte tenu du fait qu'elles ne peuvent satisfaire des besoins aussi fondamentaux que se nourrir et se loger, de nombreuses personnes sans abri ont de la difficulté à accomplir les activités de la vie quotidienne. Les pratiques d'hygiène les plus élémentaires sont parfois absentes. Il leur est souvent très difficile de trouver des vêtements qui conviennent au climat, de même que des abris contre la pluie, le froid et la neige.

Le malade mental chronique peut cesser de prendre ses médicaments, à dessein ou par manque d'argent. Certains se tournent vers l'alcool ou les drogues pour essayer de guérir eux-mêmes leurs symptômes psychiatriques. S'ils font appel au système des soins de santé, ils n'y donnent pas suite (Ryan, 1989).

Caractéristiques affectives

La société perçoit les sans-abri comme des échecs. Beaucoup de sans-abri estiment qu'ils n'ont pas de prise sur leur vie et se sentent impuissants et désespérés face à l'avenir. Une grave dépression les paralyse souvent et les rend incapables de rassembler l'énergie nécessaire pour entreprendre des démarches en vue de trouver un logement. D'autres sont la proie de peurs multiples, de soupçons et de pensées paranoïaques qui les empêchent de s'adresser aux services communautaires de soutien. Les enfants sans abri sont humiliés lorsque leurs pairs les taquinent ou se moquent de leur apparence ou de leur situation (Gonzales-Osler, 1989 ; Lamb, 1990 ; Tower et White, 1989).

Caractéristiques cognitives

Malgré les humiliations qu'il subit dans la rue, le malade mental chronique peut préférer l'autonomie que cette vie lui laisse aux indignités encore pire qui lui seraient imposées dans un centre de soins ou d'hébergement où le personnel fournit des soins dépersonnalisés et traite les clients sans respect. Il peut donc s'agir, de sa part, d'un effort en vue de préserver sa propre estime (Ryan, 1989).

Le malade mental chronique peut souffrir d'hallucinations et de délire. Une désorganisation des opérations de la pensée peut entraver la capacité de trouver de la nourriture, un abri et des services communautaires. Certains sont incapables de réfléchir à un problème ou possèdent des capacités de résolution tellement limitées qu'ils n'arrivent pas à trouver de l'aide (Lamb, 1990).

Le fait d'être sans abri contribue à la perturbation de l'estime de soi. De nombreuses personnes sans abri sont accablées par un sentiment d'incompétence. Pour que les enfants développent l'estime d'eux-mêmes, ils ont besoin de sentir qu'ils réussissent et ils doivent pouvoir établir des liens avec les autres enfants, d'égal à égal, dans un environnement stable ; or, les enfants sans abri n'en ont pas la possibilité. Les adolescents qui ont fui leur maison à cause de violence physique ou sexuelle n'ont pas eu l'occasion de développer leur propre estime. Les adultes sans abri sont meurtris dans leur estime de soi lorsque les autres les évitent et parlent d'eux en termes négatifs en leur présence.

Caractéristiques socioculturelles

Les familles qui ne trouvent pas de logement risquent d'être séparées. Les parents peuvent décider de confier les jeunes enfants à des parents, à des amis ou à des services sociaux plutôt que de les exposer à la vie dans la rue. Le processus d'attachement et le développement du sentiment d'appartenance à la famille en sont perturbés.

Lorsque les enfants fréquentent l'école, leurs pairs peuvent les taquiner ou se moquer d'eux parce qu'ils ne sont pas propres ou qu'ils sont drôlement habillés.

La stigmatisation de l'absence de logement ne plaide pas en faveur des sans-abri, qui souffrent cruellement de l'environnement social : ils sont méprisés ou laissés pour compte ; l'administration, par sa paperasserie et ses procédures tatillonnes, ôte souvent toute envie aux sans-abri de se prévaloir des services existants. Le malade mental chronique peut, en effet, ne pas être en mesure d'organiser ses pensées assez longtemps pour traiter avec un système bureaucratique.

Caractéristiques physiologiques

De nombreux problèmes physiologiques sont directement reliés à l'absence de logement. Les sans-abri sont plus susceptibles de tomber malades à cause de l'exposition aux éléments, au stress, aux drogues et à la promiscuité des gîtes. Les enfants sans abri courent trois fois plus de risque que les autres enfants d'avoir des problèmes médicaux. Les problèmes de santé empirent parce que les sans-abri sont difficilement en mesure de s'occuper d'eux-mêmes lorsqu'ils sont malades (Emergency Medicine, 1989 ; Tower et White, 1989).

Les taux de tuberculose parmi les sans-abri sont de 50 à 500 fois plus élevés que dans la population générale. Les sans-abri souffrent également de sida, de pédiculose et de gale, de maladies vasculaires périphériques et d'hypertension. Un grand nombre d'entre eux ont des problèmes d'alimentation, comme la carence nutritive ou vitaminique. Ceux qui fouillent dans les poubelles à la recherche de nourriture risquent l'empoisonnement alimentaire. L'incidence des traumatismes est élevée en raison des rossées, des agressions à coups de couteau, des chutes et des accidents de voiture. Le milieu entraîne souvent des maladies comme les gelures, l'hypothermie et les brûlures provoquées par les bouches de chaleur sur lesquelles les sans-abri dorment (Damrosch et Strasser, 1988 ; Emergency Medicine, 1989 ; Tower et White, 1989). Le tableau 17-9 résume les caractéristiques des sans-abri.

Rôle de l'infirmière en psychiatrie et en santé mentale

De nombreux professionnels de la santé mentale évitent souvent de s'occuper des malades mentaux itinérants (Minkoff, 1987). Comme l'expliquent Hombs et Snyder (1986), plusieurs mythes au sujet des sans-abri renforcent ce manque d'intérêt de la part des professionnels de la santé mentale :

- L'absence de logement est un choix qu'a fait le sans-abri.

- La plupart des sans-abri sont des ivrognes paresseux ou des gens de passage.

- La plupart des sans-abri ne sont pas disposés à faire le nécessaire pour s'en sortir.

Le Comité de la santé mentale du Québec souligne l'efficacité des interventions en santé mentale, et croit qu'elles sont susceptibles de conduire à une réduction de l'incidence et de la prévalence des troubles mentaux ou des problèmes psychosociaux (*«La santé mentale : Synthèse et recommandations»*, 1985). Lors de ses travaux, le Comité s'est penché sur les facteurs communs aux programmes réussis. Ces derniers, pour la plupart américains, sont liés au processus de désinstitutionnalisation. Le Comité a relevé les facteurs de réussite suivants :

- une médiation appropriée ;

- un support au patient et l'intervention familiale ;

- l'intervention en situation de crise et le lien avec l'équipe psychiatrique ;

- l'hébergement protégé et la réadaptation dans certains cas ;

- l'utilisation de non-professionnels comme intervenants dans un nombre limité de programmes.

De plus, les programmes réussis démontrent un leadership professionnel, portent une attention particulière aux besoins du malade chronique et prônent la recherche de solutions dans la communauté. Outre un certain investissement de fonds, le Comité souligne la nécessité d'un changement important des mentalités chez les professionnels.

Le Comité de la santé mentale fait des recommandations concernant la recherche, la formation des intervenants et la distribution des services. Ces recommandations pourront améliorer la situation des sans-abri, lorsqu'elles seront concrétisées dans des programmes où les considérations

Tableau 17-9 *Caractéristiques des sans-abri*

Comportement	État affectif	État cognitif	Vie socioculturelle	Problèmes physiques
Vole de la nourriture	Désespoir	Besoin d'autonomie	Séparation des familles	Tuberculose
Fouille les poubelles pour trouver de la nourriture	Impuissance	Hallucinations	Absence d'éducation pour les enfants	Sida
Mendie	Grave dépression	Délire	Stigmates	Poux et gale
Dort dans des abris divers	Peurs	Pensées désorganisées		Maladies vasculaires périphériques
A une piètre hygiène	Soupçons	Concentration affaiblie		Carence nutritive
Porte des vêtements en piteux état	Humiliation	Capacité limitée de résoudre les problèmes		Empoisonnement alimentaire
Cesse la prise des médicaments		Piètre estime de soi		Hypertension
Se soigne à l'aide d'alcool et de drogues				Traumatismes
				Gelures
				Hypothermie
				Brûlures

économiques, psychologiques et sociales présideront aux actions mises en place.

Face au nombre grandissant des itinérants, les instances gouvernementales et municipales (Montréal, en particulier) ont adopté certaines mesures, que ce soit l'élaboration de politiques sur le logement, l'emploi, la prévention, le dépistage, l'octroi de subventions à des organismes privés ou à d'autres intervenants, ou la reconnaissance du besoin de travailleurs de rue. Par exemple, la ville de Montréal, le gouvernement du Québec et deux groupes communautaires ont signé un accord novateur qui permet aux personnes sans abri de recevoir des prestations d'aide sociale, deux mois consécutifs. Pour recevoir cette aide financière, les sans-abri doivent accepter de suivre une orientation professionnelle et de se chercher un logement (Bégin P., 1989).

Collecte des données : Clients sans abri

Lorsque le malade mental itinérant intègre le système de santé mentale ou de soins de santé, il faut indiquer à l'admission qu'il est sans abri. Les infirmières doivent déceler les indices dénotant que le client est sans abri. En dehors des considérations sur les conditions d'hébergement, l'infirmière devrait être en mesure de faire des observations générales pouvant décrire l'absence d'abri : le sans-abri a parfois une tenue débraillée, il porte souvent sur lui tous les vêtements qu'il possède ou les a avec lui en tout temps, il souffre souvent de problèmes dermatologiques à cause du manque d'hygiène, il répond évasivement au sujet de ses habitudes en matière d'alimentation, de sommeil et d'hygiène. S'il se présente pour une consultation, c'est essentiellement dans l'espoir de recevoir de la nourriture et un abri pendant quelques jours.

Analyse des données et planification des soins : Clients sans abri

Que les sans-abri soient étiquetés comme malades mentaux ou comme inadaptés sociaux, il faut les aider à satisfaire leurs besoins de base. Il leur faut un abri adéquat, de la nourriture, des soins de santé, une éducation, une formation à un emploi et d'autres services visant à en faire des membres productifs de la société. Il est essentiel de trouver une solution à long terme au problème des sans-abri. Le tableau 17-10 énumère les organismes à consulter.

Les diagnostics infirmiers pouvant s'appliquer aux sans-abri sont nombreux. Les trois principaux sont : Difficulté à se maintenir en santé ; Incapacité (partielle ou totale) de se laver/d'effectuer ses soins d'hygiène, de se vêtir/de soigner son apparence, de s'alimenter, d'utiliser les toilettes ; Isolement social. Pour planifier les soins aux sans-abri, il faut qu'il y ait collaboration entre services. L'orientation vers un spécialiste dépend de la nature des problèmes du client. Le tableau 17-11 présente un plan de soins infirmiers pour le sans-abri.

Évaluation : Clients sans abri

L'évaluation des soins à un sans-abri est difficile. Sa participation à un programme de traitement ou son orientation vers des ressources communautaires adéquates, qui répondent à ses besoins de base, constituent les meilleurs gages de succès. Les malades mentaux sans abri sont un groupe difficile à rejoindre. Il faudrait implanter des mesures qui permettent aux intervenants d'assurer un suivi régulier de ces clients à leur sortie de l'hôpital. Il sera également nécessaire de financer des programmes en vue de fournir des logements à prix modiques aux personnes et aux familles, et de mettre au point des méthodes qui permettent aux enfants sans abri de fréquenter régulièrement

Tableau 17-10 *Sources d'aide pour les sans-abri*

QUÉBEC

Armée du Salut
14, Côte-du-Palais
Québec
G1R 4H8 (418) 692-3956

Maison de Lauterivière
401, rue Saint-Paul
C.P. 1392
Québec
G1K 7G7 (418) 694-9316

Maison Revivre
261, rue Saint-Vallier Ouest
Québec
G1K 1K4 (418) 523-4343

Hébergement jeunesse
2808, Chemin des Quatre-Bourgeois
Sainte-Foy
G1V 1X7 (418) 659-1077

MONTRÉAL

Armée du Salut – L'abri d'espoir (pour femmes)
2000, rue Notre-Dame Ouest
Montréal
H4B 2K5 (514) 934-5615

Armée du Salut – Hôtellerie pour hommes
1620, rue Saint-Antoine Ouest
Montréal
H3J 1A1 (514) 932-2214

L'Accueil Bonneau
427, rue de la Commune Est
Montréal
H2Y 1J4 (514) 845-3906

L'Arrêt-Source
10249, avenue Christophe-Colomb
Montréal
H2C 2T8 (514) 383-2335

Maison du Père
550, boulevard René-Lévesque Est
Montréal
H2L 2L3 (514) 845-0168

Mission Old Brewery
915, rue Clark
Montréal
H2Z 1J8 (514) 866-6591

Dernier Recours Montréal (D.R.M.)
1250, rue Sanguinet
Montréal
H2X 3E7 (514) 872-2453

Pour les autres régions, consulter :
Diffusion de l'Amorce, *Répertoire des ressources pour les sans-abri.*
Québec : Société d'habitation du Québec, 1987.

Tableau 17-11 Plan des soins infirmiers destinés au client sans abri

▊ **Diagnostic infirmier :** Difficulté à se maintenir en santé, reliée au facteur situationnel qu'est l'absence de logement.
▊ **Objectif :** Le client énumère les ressources susceptibles de l'aider à satisfaire ses besoins quotidiens.

Intervention	Justification	Résultat escompté
Évaluer la situation.	Cette mise au point permet d'inventorier les solutions possibles.	
Aider le client à établir un plan pour l'utilisation des ressources disponibles.	La connaissance des ressources disponibles fournit des solutions possibles aux problèmes du client.	Le client énumère les ressources disponibles.
Diriger le client vers les ressources.	L'orientation du client vers des centres spécialisés stimule ses efforts.	Le client communique avec les ressources communautaires.

▊ **Diagnostic infirmier :** Incapacité (partielle ou totale) de se laver/d'effectuer ses soins d'hygiène, de se vêtir/de soigner son apparence, de s'alimenter, d'utiliser les toilettes, reliée à l'incapacité d'obtenir de la nourriture, de l'eau, des vêtements et de l'équipement sanitaire.
Objectif : Le client utilise toutes les ressources personnelles et communautaires disponibles.

Intervention	Justification	Résultat escompté
Aider le client à désigner les éléments nécessaires à la vie.	L'inventaire des besoins aide à situer les ressources possibles.	Le client énumère les éléments nécessaires à l'exécution des AVQ.
Aider le client à mettre au point un plan qui lui permettra d'effectuer ses soins personnels.	Si le client participe à l'établissement du plan, les chances qu'il le suive sont plus grandes.	Le client nomme les ressources communautaires qui lui permettront d'effectuer ses soins personnels.
Diriger le client vers des services sociaux.	Certains programmes de services sociaux pourraient aider le client à obtenir les ressources qui lui permettront d'effectuer ses soins personnels.	

▊ **Diagnostic infirmier :** Isolement social, relié à l'extrême pauvreté.
Objectif : Le client établit des rapports avec les autres.

Intervention	Justification	Résultat escompté
Évaluer la perception que le client a de l'isolement.	Le client ne perçoit pas nécessairement l'isolement social comme un problème.	Le client précise le type de contact qu'il a avec les autres.
Amener le client à décrire son réseau de soutien.	Le réseau de soutien détermine la capacité de fonctionner dans un cadre social.	Le client nomme les principales personnes qui constituent son réseau de soutien.
Aider le client à déceler ses caractéristiques positives.	Une image de soi positive et le sentiment de sa propre valeur améliorent les interactions sociales.	Le client nomme des aspects positifs de lui-même.
Aider le client à inventorier les facteurs susceptibles de réduire l'isolement social (ex. : apprentissage d'un métier, programmes d'assistance).	S'il connaît les moyens de réduire la pauvreté, le client peut acquérir de plus grandes aptitudes sociales.	Le client connaît ses forces et ses faiblesses dans les interactions sociales.

l'école. Les infirmières peuvent agir aussi bien à titre de soignantes que de protectrices des intérêts des sans-abri, à l'échelle de la communauté.

ÉTUDE DE CAS

Client sans abri

Georges, 19 ans, plongeur sans emploi, a été admis à l'hôpital général pour une thrombophlébite de la jambe gauche. Georges est qualifié de client difficile parce qu'il débranche constamment le dispositif de perfusion intraveineuse et qu'il quitte l'hôpital. À tous les repas, il demande des portions supplémentaires. Le gardien de sécurité a trouvé la femme de Georges, âgée de 17 ans, et son fils de 1 an dans une vieille voiture garée dans le terrain de stationnement de l'hôpital. Georges a avoué que sa famille et lui vivent dans l'auto depuis environ trois mois. Ayant perdu son emploi de plongeur, Georges n'avait plus les moyens de payer le loyer de leur petit appartement. Georges apportait en cachette de la nourriture à sa femme et à son fils parce qu'ils n'avaient pas d'argent pour s'en acheter. L'infirmière de service a appelé une église locale pour que la femme et l'enfant puissent être hébergés en attendant que Georges guérisse. Les services sociaux ont été saisis du cas.

Bilan de santé

Nom du client : Georges Dupuis   Âge : 19 ans
Diagnostic à l'admission : Thrombophlébite
T. = 37,9, P. = 100, R. = 18, T.A. = 120/70

Données sur l'état de santé
Taille : 1,80 m
Poids : 65 kg
A refusé d'indiquer le nombre de repas qu'il prend quotidiennement et ses habitudes de sommeil
Nie fumer ou boire

Données sur la vie sociale
Marié depuis près de deux ans
A un enfant de 1 an
Sans emploi

Observations de l'infirmière
Georges semble préoccupé et angoissé. Il a fallu lui répéter à maintes reprises que sa femme et son fils ne pouvaient être à son chevet qu'aux heures de visite. Après que le gardien eut dit avoir vu Georges monter dans une vieille auto dans le parc de stationnement, Georges a avoué à l'infirmière que sa femme et son fils vivaient dans cette auto.

Diagnostics infirmiers

Difficulté à se maintenir en santé
Incapacité (partielle ou totale) de se laver/d'effectuer ses soins d'hygiène, de se vêtir/de soigner son apparence, de s'alimenter, d'utiliser les toilettes
Isolement social

Suggestions pour la planification des soins

1. Déterminer les priorités dans la prestation des soins.

2. Inventorier les systèmes de soutien dont M. Dupuis et sa famille pourraient se prévaloir.

3. Établir les objectifs de soins infirmiers pour M. Dupuis.

4. Décrire les besoins d'apprentissage de M. Dupuis.

5. Énumérer les interventions infirmières dans les soins prodigués à M. Dupuis.

Perspectives d'avenir

Les points particuliers dont nous avons discuté dans le présent chapitre et d'autres qui demeurent sous-jacents influeront sur la pratique future des soins infirmiers en santé mentale. D'autres facteurs entreront aussi en ligne de compte, notamment l'environnement économique, les caractéristiques et les besoins des consommateurs, l'évolution du rôle des infirmières en psychiatrie et en santé mentale, les découvertes de la recherche et la formation professionnelle (Aiken, 1982).

Les services de santé mentale seront de plus en plus fournis dans la communauté. Les deux principaux groupes de clients seront les malades mentaux chroniques et les personnes âgées. Le groupe des malades chroniques comprendra probablement des personnes atteintes de graves désordres psychiatriques – comme la schizophrénie et les troubles émotifs – et devant recevoir des psychotropes. Étant donné que les clients les plus atteints seront soignés dans des centres implantés dans la communauté, le plan de congé revêtira une importance cruciale pour le suivi. Les infirmières en santé mentale devront jouer un rôle de liaison important afin que les clients puissent demeurer dans la communauté (Robinson, 1986).

Bouchard (1986) dresse une liste des approches qui doivent prévaloir dans un contexte de désinstitutionnalisation et de communautarisation des services. Notamment, l'intervenant devra : posséder une connaissance pratique de l'intervention ; reconnaître les parents et le milieu comme partenaires essentiels ; informer et former les proches du malade ; être capable d'utiliser ses ressources personnelles, de vulgariser ses connaissances et de mettre à profit l'expérience des parents et de la communauté, de travailler au sein d'équipes multidisciplinaires ; savoir tirer avantage des divers services offerts ; intervenir dans les familles et la communauté ; fonder ses interventions sur une approche globale, multifonctionnelle et décloisonnée ; savoir gérer et animer les plans de service et d'intervention.

L'infirmière doit aussi apprendre à développer chez son client des habiletés psychosociales, ainsi que des habiletés de résolution de problèmes et de gestion du stress. La participation à l'élaboration et à l'évaluation de programmes ainsi que les fonctions de « case manager » (tableau 17-12) exigent de l'infirmière qu'elle possède des compétences particulières (Nadeau, 1989).

Notons aussi l'importance du rôle d'avocate du client, dans un contexte de socialisation où les problèmes quotidiens exigent parfois une présence dans la rue avec le client.

Et que dire de la recherche en soins infirmiers ? Il est impérieux, une fois de plus, de cerner les fonctions spécifiques, les cadres conceptuels particuliers aux infirmières. Forchuk et ses collaborateurs (1989) montrent comment le modèle relationnel de Peplau, associé à des fonctions de « case manager », permet un niveau de fonctionnement supérieur et donne une meilleure qualité de soins. Les recherches sur les diagnostics infirmiers et sur les types de réactions humaines (« human responses pattern ») aux problèmes de santé permettront de définir la profession infirmière. Peplau (1989) pose aux infirmières psychiatriques un défi pour les années futures : comprendre les distorsions des réactions humaines face à la schizophrénie.

Il est essentiel aussi d'évaluer l'effet des interventions. Pothier, Stuart et ses collaborateurs (1990) notent les trois champs de recherche retenus par la Task Force on Nursing (1987) : 1) l'amélioration de la compréhension, du traitement et de la réhabilitation du malade mental, la prévention de la

Tableau 17-12 *Fonctions du « case management » (selon les modèles)*

A. Dimension relationnelle	• Établissement d'une relation avec la personne ; • Évaluation des besoins exprimés.
B. Dimension « gestion » des services	• Planification des services selon les besoins exprimés ; • Soutien à la personne dans la négociation de services (défense, communication inter-services) ; • Développement de nouveaux services (défense au niveau du système).
C. Dimension « traitement »	• Psychothérapie ; • Assistance au niveau de la médication.
D. Dimension « réhabilitation »	• Évaluation du fonctionnement social ; • Accompagnement en situation sociale et enseignement d'habiletés ; • Évaluation du degré de réussite par rapport aux objectifs fixés.
E. Dimension « communautaire »	• Soutien au réseau naturel ; • Soutien à la famille ; • Sensibilisation communautaire.
F. Dimension « crise »	• Intervention en situation de crise.

Source : NADEAU B. « Le *case management* au carrefour de l'intervention clinique et communautaire », *Santé Mentale au Québec*, XIV, N° 2, 1989, p. 53.

maladie et la promotion de la santé mentale ; 2) la continuité des soins chez les chroniques, en phase aiguë ou à risque, et leur famille, ainsi que les interventions thérapeutiques et les modifications de l'environnement qui atténuent les effets de la maladie et renforcent la capacité des individus et des familles de réagir aux problèmes de santé mentale, actuels ou potentiels ; 3) la conception, l'implantation et l'évaluation de modèles de distribution de soins infirmiers, nouveaux ou existants. McBride (1990) reprend quelques-unes des questions soulevées par le N.I.M.H. (National Institute of Mental Health) : Quels sont les indices qui permettent de prévoir le développement d'une maladie mentale, avant que les symptômes cliniques n'apparaissent ? Est-il possible de concevoir des stratégies pour prévenir la détérioration des fonctions mentales chez les personnes âgées ? Comment favoriser l'efficacité des soignants naturels, lors du retour dans la famille d'un membre malade chronique ? Quels sont les moyens susceptibles de réduire les effets secondaires des médicaments ? Quels sont les signes précurseurs d'épisodes de violence ?

La recherche en soins doit aussi se soucier des données d'ordre juridique, politique et éthique, en constante évolution, susceptibles d'influer sur la nouvelle problématique qu'engendre la désinstitutionnalisation.

Il est urgent que les institutions responsables de la formation et du perfectionnement des infirmières s'interrogent sur la pertinence des programmes offerts, face aux exigences imposées par la désinstitutionnalisation et la communautarisation des services. Les programmes d'études, quel que soit le niveau, doivent s'inspirer d'une approche globale de la personne et d'une approche systémique dans l'organisation des cours. La formation professionnelle devrait être axée sur les questions de comportement, les évaluations psychologiques, les techniques socio-psychologiques, l'évaluation des problèmes physiques concomitants et la gestion des psychotropes (Christman, 1987 ; Fagin, 1981 ; Mitsunaga, 1982). Alors que la psychiatrie s'oriente vers une remédicalisation, les infirmières en santé mentale devraient préserver les aspects humains des soins, voire les développer (Peplau, 1989).

RÉSUMÉ

1. Dans les prochaines années, le milieu de la santé mentale devra faire face à deux problèmes particulièrement difficiles : l'épidémie de sida et la multiplication des sans-abri.

Infection par le VIH

2. Le syndrome d'immunodéficience acquise (sida) est devenu l'un des problèmes les plus complexes de toute l'histoire de la santé publique.

3. Le sida est causé par le virus d'immunodéficience humaine (VIH) et ses voies de transmission sont triples : sexuelle, sanguine (par l'utilisation d'aiguilles pour injection intraveineuse ou lors de transfusions) et verticale (de la mère à l'enfant).

4. Il n'existe pas de traitement pour le sida. Plus de la moitié des gens qui ont contracté le sida en sont morts.

5. Le rôle des infirmières en santé mentale est de fournir des soins de soutien avec évaluations fréquentes de l'état mental relié à des changements comportementaux, émotifs et sociaux.

6. Les principaux changements comportementaux sont la lenteur, la démarche vacillante et la tension musculaire. Ils sont suivis de dépression et d'isolement social.

7. L'anxiété, le chagrin et la perte constituent les principales réactions affectives. Il peut aussi y avoir des sentiments de culpabilité.

8. Les pertes de mémoire, les difficultés de concentration et le ralentissement de la pensée constituent les principales caractéristiques cognitives. L'exacerbation de l'atteinte neurologique peut provoquer démence, hallucinations et délire.

9. Sur le plan socioculturel, les réactions des parents au sida engendrent de profonds tourments. Le logement, l'aide financière et les services de soutien adéquats sont de grands sujets d'inquiétude.

10. Les soins de soutien sont essentiels pour les personnes aimées et les familles des personnes infectées par le VIH. Il faut aussi veiller à répondre aux besoins du personnel soignant.

11. Le sida est considéré pour le moment comme un désordre immunitaire à médiation cellulaire et humorale causé par le VIH. Le virus lèse les fonctions du système immunitaire en perturbant le patrimoine génétique des cellules T[4] ou lymphocytes auxiliaires. Il en résulte une réplication du VIH aux dépens des cellules T.

12. Le traitement vise à aider le client à accepter le diagnostic, à améliorer sa qualité de vie et à renforcer le sentiment qu'il maîtrise la situation.

Clients sans abri

13. L'absence de logement a de nombreuses causes, dont les taux élevés de sous-emploi et de chômage, les compressions des programmes de subventions, le manque de logements à prix modiques, les changements dans la structure de la famille nord-américaine et la désinstitutionnalisation des malades mentaux.

14. Non seulement les sans-abri n'ont-ils pas d'endroit où vivre mais, en plus, ils sont sous-alimentés, mal vêtus, souvent malades, en retrait des réseaux de la santé, des services sociaux et de l'éducation.

15. Près de la moitié des sans-abri souffriraient de désordres mentaux chroniques.

16. La vie dans la rue signifie voler pour acheter de la nourriture ou fouiller les poubelles pour en trouver, vivre dans des abris temporaires et avoir un accès limité aux installations sanitaires.

17. Les caractéristiques affectives des sans-abri incluent le désespoir, le sentiment d'impuissance, la dépression, les peurs multiples, les soupçons et l'humiliation.

18. Les caractéristiques cognitives des sans-abri incluent les tentatives pour devenir autonome, la perturbation de l'estime de soi, les hallucinations et les délires.

19. Les caractéristiques socioculturelles incluent la dispersion des membres de la famille, la non-fréquentation scolaire des enfants, la stigmatisation sociale et la difficulté à traiter avec le système bureaucratique.

20. Les problèmes de santé des sans-abri peuvent inclure la tuberculose, le sida, la pédiculose et la gale, les maladies vasculaires périphériques, l'hypertension, la carence nutritive, l'empoisonnement alimentaire, les traumatismes, les gelures, l'hypothermie et les brûlures.

21. Les enfants sans abri courent trois fois plus de risques d'avoir des problèmes médicaux.

22. Les trois principaux diagnostics infirmiers qui s'appliquent aux sans-abri sont : Difficulté à se maintenir en santé; Incapacité (partielle ou totale) de se laver/d'effectuer ses soins d'hygiène, de se vêtir/de soigner son apparence, de s'alimenter, d'utiliser les toilettes ; Isolement social.

23. L'environnement économique, les caractéristiques et les besoins des consommateurs, l'évolution du rôle des infirmières, la recherche et la formation professionnelle influeront sur la pratique future des soins infirmiers dans le domaine de la psychiatrie et de la santé mentale.

EXERCICES DE RÉVISION

1. Parmi les énoncés ci-dessous, lequel décrit le mieux la cause du sida ?

(a) Le contact sanguin.

(b) La transmission de la mère à l'enfant.

(c) Le virus d'immunodéficience humaine.

(d) L'infection bactérienne du système nerveux.

2. Quel est l'objectif principal de l'infirmière en santé mentale, en présence d'un sidatique ?

(a) L'éducation du client.

(b) Le soutien.

(c) Les soins palliatifs.

(d) Le traitement comportemental.

BIBLIOGRAPHIE

Aiken L: The Impact of Federal Health Policy on Nurses. In: Nursing in the 1980's. Aiken L (editor). Lippincott, 1982.

American Nurses' Association : Professional Heroism, Professional Activism : Nursing and the Battle Against AIDS. American Nurses' Association, 1988.

American Red Cross : *Public AIDS Education Presenter's Program*. American Red Cross, 1988.

Barrick B: The willingness of nursing personnel to care for patients with acquired immune deficiency syndrome : A survey study and recommendations. *J. Prof Nurs* 1988 ; 4 : 366-372.

Bateson MC, Goldsby R: *Thinking AIDS: The Social Response to Biological Threat*. Addison-Wesley, 1988.

Baxter E, Hopper K : *Private Lives/Public Spaces: Homeless Adults on the Streets of New York*. Community Service Society, 1984.

Black PH : HTLV-III, AIDS, and the Brain. *N Engl J Med* 1985 ; 313 : 1538-1540.

Bégin, P. : *Les sans-abri au Canada*. Division des affaires politiques et sociales. Service de recherche, Bibliothèque du Parlement, 15 nov. 1989.

Bobo BF : A Report to the Secretary on the Homeless and Emergency Shelters. US Department of Housing and Urban Development, 1984.

Bonin, J., L. Houde, et coll. *Les sans-abri au Québec*. Québec, ministère de la Main-d'œuvre et de la Sécurité du revenu, 1988.

Bouchard, J.-M. : Désinstitutionnalisation, communautarisation des services et formation des intervenants. *Santé mentale au Québec*, II (2), 1986, 26-36.

Carpenito LJ : Handbook of Nursing Diagnosis, 2nd ed. Lippincott, 1987.

Cournoyer, R. Traiter le sida et ses principales complications. *Nursing Québec*, vol. 8, n° 3, mai-juin 1988.

Christman L: Psychiatric nurses and the practice of psychotherapy : Current status and future possibilities. *Am J Psychother* (July) 1087 ; 51 : 384-390.

Classification system for human T-lymphotrophic virus type III/lymphadenopathy-associated virus infections. *Morbidity and Mortality Weekly Report*, CDC. 1986 ; 35 : 335.

Damrosch S, Strasser JA : The homeless eldelry in America. *Gerontological Nurs*. 1988. 14(10) : 26-29.

Delorme, M. Le virus, ses signes et ses symptômes. *Nursing Québec*, vol. 8, n° 3, mai-juin 1988.

Diamond R : N.Y. Homeless seek shelter underground : Desperate residents call subway home. *San Francisco Examiner* (Feb 5) 1989 ; A5.

Doenges ME, Towsend MC, Moorhouse MF : *Psychiatric Care Plans*. Davis, 1989.

Doré M. : La désinstitutionnalisation au Québec. *Santé mentale au Québec*, XII, n° 2, 1987, 144-157.

Douglas C, Kalman C, and Kalman T : Homophobia among physicians and nurses : An empirical study. *Hosp Community Psychiatry*, 1985 ; 36 : 1309-1310.

With neither home nor health. *Emergency Medicine*. Feb. 28, 1989. 21(4) : 21-46.

Fagin C : Psychiatric Nursing at the Crossroads: Quo Vadis. *Perspec Psychiatr Care*, 1981 ; 19 : 99-106.

Fischer PJ et al. : Mental health and social characteristics of the homeless : A survey of mission users. *Am J Public Health* (May) 1986 ; 76 : 519-523.

Flaskerud JH : AIDS : Psychosocial aspects. *J Psychosoc Nurs* 1987 ; 25 : 9-16.

Fletcher J : Homosexuality : Kick and kickback. *Southern Medical Journal* 1984 ; 77 : 149-150.

Forchuk C., *et al.* : Incorporating Peplau's Theory and Case Management. *Journal of Psychosocial Nursing*, 27 (2), 1989, 35-38.

Fournier L., et C. Mercier : *Étude spéciale sur Dernier Recours Montréal*. Montréal, CSSSRMM, 1989.

Gonzales-Osler E : Coping with transition. J. Ps*ychosoc Nurs*. 1989. 27(6) : 29-33.

Green J : Counseling HTLV-III seropositives. In : *The Management of AIDS Patients*. Miller D, Weber J, Green (editors). Macmillan, 1986. 151-168.

Gullberg PL : The homeless chronically mentally ill : A psychiatric nurse's role. *J Psychosoc Nurs* (June) 1989 ; 27 : 9-13.

Herrick CA, Smith JE : *Ethical Dilemmas and AIDS: Nursing Issues Regarding rights and Obligations*. Unpublished manuscript, 1988.

Holland JC, Tross S : Psychosocial and neuropsychiatric sequelae of the acquired immunodeficiency syndrome and related disorders. *Ann Intern Med* 1985 ; 103 : 760-764.

Hombs ME, Snyder M : *Homelessness in America : A Forced March to Nowhere*. Community for Creative Nonviolence, 1986.

Hyde PS : Homelessness : A state mental health director perspective. *Psychosoc Rehab J* 1985 ; 8 : 21-24.

Jaynes G : 2000 : Visions of tomorrow. *Life* (Feb) 1989 12 : 50-78.

Kellerman SL, et al. : Psychiatry and the homeless : Problems and programs. In : *Health Care of Homeless People*, Brickner PW, et al. (editors). Springer, 1985.

Kelly JA, et al. : Nurses' attitudes toward AIDS. *J Contin Educ Nurs* 1988 ; 2 : 78-83.

Kelly JA, St. Lawrence JS : *The AIDS Health Crisis : Psychological and Social Interventions*. Plenum, 1988.

Kubler-Ross E : Five stages a dying patient goes through. *Medical Economics* (Sept 14) 1970 ; 272-292.

Lamb HR, Lamb DM : Factors contributing to homelessness among the chronically and severely mentally ill. *Hosp and Community Psychiatry*. 1990. 41(3) : 301-305.

Levy RM, Bredesen DE, Resenblum M : Neurological manifestations of the acquired immunodeficiency syndrome (AIDS) : Experience at UCSF and review of the literature. *J Neurosurgery* 1985 ; 62 : 475-495.

Marshall TA, Nieckarz JP : Bereavement counseling : Unique factors call for unique approaches. *AIDS Patient Care* (Apr) 1988 ; 2 : 13-15.

Mc Bride, A.B. : Psychiatric Nursing in the 1990s. *Archives of Psychiatric Nursing*, 4 (1), 1990, 21-28.

Mechanic D : Nursing and mental health care : Expanding future possibilities for nursing service. In : *Nursing in the 1980's*. Aiken L (editor). Lippincott, 1982.

Ménard, C. : Face au sida, le respect des droits. *Nursing Québec*, vol 8, n° 3, mai-juin 1988.

Miller D : Psychology, AIDS, ARC, and PGL. In : The Management of AIDS Patients. Miller D, Weber J, Green J (editors). Macmillan, 1986. 131-149.

Minkoff K : Resistance of mental health professionals to working with the chronically mentally ill. In : *Barriers to Treating the Chronically Mentally Ill : New directions for Mental Health Services*. Meyerson At (editor). Jossey-Bass, 1987.

Mitsunaga B : Designing Psychiatric/mental health nursing for the future : Problems and prospects. *J Psychosoc Nurs* 1982 ; 20 : 15-21.

Montagnier L., et coll. : *Sida : les faits, l'espoir*. RDSCMM et ministère de la Santé et des Service sociaux, 1989.

Nadeau B. : « Le *Case Management* au carrefour de l'intervention clinique et communautaire ». *Santé mentale au Québec*, 14 (2), 1989, 51-59.

National Academy Press : Confronting AIDS : Update 1988. Institute of Medicine, National Academy of Sciences, National Academy Press, 1988.

Norman C : Politics and science clash on African AIDS. *Science* 1985 ; 230 : 1140-1142.

Nursing and Health Care : Foundation announces $17.2 million for AIDS health services. *Nurs Health Care* 1986 ; 7 : 186.

Pheiffer WG, Houseman C : Bereavement and AIDS : A framework for intervention. *J Psychosoc Nurs* 1988 ; 26: 21-26.

Peplau H.E. : Future Directions in Psychiatric Nursing from the Perspective of History. *Journal of Psychosocial Nursing*, vol 27 (2), 1989, 18-28.

Pothier P.C., et al. : Dilemmas and Directions for Psychiatric Nursing in the 1990s. *Archives of Psychiatric Nursing*, 4 (5), 1990, 284-291.

Pothier PC : The future of psychiatric nursing – revisited. Arch Psychiatr Nurs (Oct) 1987 ; 1 : 299-300.

Puckett SB, Emery AR : *Managing AIDS in the Workplace.* Addison-Wesley, 1988.

Recommendations for preventing transmission of infection with human T-lymphotropic virus type III/ lymphadenopathy – associated virus in the workplace. *Morbidity and Mortality Weekly Report* 1985 ; 34: 682-686, 691-695.

Riesdorph-Ostro W : The homeless chronically mentally ill: Deinstitutionalization : A public policy perspective. *J Psychosoc Nurs* (June) 1989 ; 27 : 4-7.

Robinson L : The future of psychiatric/mental health nursing. *Nurs Clin North Am* (Sept) 1986 ; 21 : 537-543.

Roth D, Bean GJ : New perspectives on homelessness : Findings from a statewide epidemiological study. *Hosp Community Psychiatry* (July) 1986 ; 37 : 712-719.

Roth D, Bean G, Hyde PS : Homelessness and mental health policy : Developing and appropriate role for the 1980s. *Community Ment Health J* (Fall) 1986 ; 22 : 203-214.

Rothstein MA : Screening workers for AIDS. In : *AIDS and the Law : A Guide for the Public.* Dalton HL, Burris, Yale AIDS Law Project (editors). Yale University Press, 1987.

Ryan MT : Providing shelter. *J Psychosoc Nurs.* 1989. 27(6) : 15-18.

Simard P. : Les itinérants de Montréal. *Service social.* vol. 39, n° 2, 1990, 59-75.

Singer M : AIDS in Africa : Transmission and prevention. *AIDS Patient Care*, 1988 ; 2 : 13-15.

Sipes C : AIDS : The haunting facts, the human care. *Nurs Life* (Mar/Apr) 1988 ; 34-38.

Smith JE : *Female Nurses' Attitudes Regarding Male Homosexuals.* Unpublished thesis, University of Southern Mississippi, 1981.

Smith JE : The role of the nurse in the AIDS epidemic. *ASNA Reporter* (July) 1988.

Strawn J : The psychosocial consequences of AIDS. In : *The Person with AIDS : Nursing Perspectives.* Durham JD, Cohen FL (editors). Springer, 1987. 126-149.

Tower CC, White DJ : *Homeless Students.* National Education Association, 1989.

US Department of Health and Human Services : *The Report of the Presidential Commission on the Human Immunodeficiency Virus Epidemic.* US Department of Health and Human Services, 1988.

Viele CS, Dodd MJ, Morrison C : Caring for the acquired immune deficiency syndrome patient. *Oncol Nurs Forum*, 1984 ; 11 : 56-60.

Wolcott D : Neuropsychiatric syndrome in AIDS and AIDS-related illnesses. In : *What to Do About AIDS : Physicians and Mental Health Professionals Discuss the Issues.* McKusick L (editor). The University of California Press, 1986.

Wolcott D, Fawzy F, Pasnau R : Acquired immune deficiency syndrome (AIDS) and consultation-liaison psychiatry. *General Hospital Psychiatry*, 1985 ; 7 : 280-292.

LECTURES COMPLÉMENTAIRES

Asselin, L., M.E. Taggert et M. Reidy. « Les aspects biopsychosociaux du sida infantile », *Nursing Québec*, vol. 11, n° 2, avril 1991, 22-30.

Baier, M. « Case Management with the Chronically Mentally Ill », *Journal of Psychosocial Nursing*, vol. 25, n° 6, 1987, 17-20.

Belliveau Krauss, J. « The Chronic Psychiatric Patient in the Community – A model of Care », *Nursing Outlook*, mai 1980, 308-314.

Blondeau, D. *De l'éthique à la bioéthique : repères en soins infirmiers*, Chicoutimi, Gaëtan Morin, 1986.

Carson, V., K.L. Soeken, et al. « Hope and Spiritual Well-being: Essentiels for Living with AIDS ». *Perspectives in Psychiatric Care*. vol. 26, n° 2, 1990, 28-34.

Coulombe, D. « L'itinérance et le système de justice ». Mémoire de maîtrise en criminologie. Université de Montréal, Montréal, 1985.

Fournier, L., et C. Mercier. *Étude spéciale sur Dernier Recours Montréal*, Montréal, CSSSRMM, 1989.

Gagné, J., et H. Dorvil. « L'itinérance, le regard sociologique », *Revue québécoise de psychologie*, vol. 9, n° 1 : 63-78, 1988.

Kubler-Ross, E. *Sida, un ultime défi à la société* (Collection « Parcours »), Montréal, Stanké, 1987.

Lalonde, Grunberg, et coll. *Psychiatrie clinique : approche bio-psycho-sociale* (chapitre 26), Boucherville, Gaëtan Morin, 1988.

Lamontagne, Y., Y. Durand-Garceau, S. Blais et R. Élie. *La jeunesse québécoise et le phénomène des sans-abri*, Québec, Presses de l'Université du Québec, Québec-Sciences Éditeur, 1987.

Lefebvre, Y. « Chercher asile dans la communauté », *Santé mentale au Québec*, vol. XII, n° 1, 1987, 66-78.

Lefley, H.P. « Culture and Chronic Mental Illness ». *Hospital and Community Psychiatry*, vol. 41, n° 3, mars 1990, 277-286.

McLaughlin, M.A. *Les sans-abri au Canada*, rapport sur l'enquête nationale, Conseil canadien de développement social, Ottawa/Montréal, 1987.

Mercier, C., et J. Filion. « La qualité de la vie : perspectives théoriques et empiriques », *Santé mentale au Québec*, 12 (1), 1987, 135.

Nursing Québec. Numéro sur le sida, vol. 8 (3), mai-juin 1988.

Ouellette, F.-R. *Femmes sans toit ni voix*, Québec, Les Publications du Québec, 1989.

Paradis, M., *Histoire de passion et de raison – Jeunes et itinérantes*, Montréal, Les Éditions du remue-ménage, 1990.

Rogers, B. « AIDS and Ethics in the WorkPlace ». *Nursing Outlook*. vol. 37 (6), 1989, 254-255.

Roy, S. *Seuls dans la rue*, Montréal, Éditions Saint-Martin, 1988.

Simard, P. *Le clochard de Montréal, une histoire à coucher dehors*, Montréal, Éditions Saint-Martin, 1990.

Szazs, T. « Folie et clochardisme », *Santé mentale au Québec*, 15 (2), 1990, 233-239.

Université du Québec à Montréal, *Frontières*, numéro consacré au sida, vol. 2, n° 2, automne 1989.

Ville de Montréal. *Vers une politique municipale pour les sans-abri*, Montréal, Comité des sans-abri, 1987.

Classification du DSM-III-R : Axes I-IV

Tous les codes du DSM-III-R sont inclus dans la CIM-9-MC. Les codes suivis d'un astérisque (*) sont utilisés lorsqu'il y a plusieurs diagnostics – ou sous-types – du DSM-III-R pour maintenir la compatibilité avec la CIM-9-MC.

Un long tiret (————) suivant un terme diagnostique indique la nécessité d'ajouter un cinquième chiffre pour désigner un sous-type ou un qualificatif supplémentaire.

Le terme *spécifier*, figurant après le nom de certaines catégories diagnostiques, concerne des caractéristiques que les cliniciens peuvent souhaiter ajouter, entre parenthèses, après le nom du trouble.

NS = Non Spécifié

La gravité du trouble au moment précis peut être spécifiée après le diagnostic de la façon suivante :

léger ⎤
moyen ⎬ répond actuellement aux critères diagnostiques
sévère (grave) ⎦

en rémission partielle (ou état résiduel)
en rémission complète

Adaptation : d'après le *Manuel diagnostique et statistique des troubles mentaux, DSM-III-R*, Paris, Masson, 1989.

Axes I et II
Catégories et codes

- Troubles apparaissant habituellement durant la première et la deuxième enfance, ou à l'adolescence
- Troubles du développement
  Remarque : ces troubles sont codés sur l'axe II.

Retard mental

317.00	Retard mental léger
318.00	Retard mental moyen
318.10	Retard mental grave
318.20	Retard mental profond
319.00	Retard mental non spécifié

Troubles envahissants du développement

299.00	Trouble autistique (*spécifier* s'il survient au cours de la première enfance.)
299.80	Trouble envahissant du développement NS

Troubles spécifiques du développement

Troubles des acquisitions scolaires

315.10	Trouble de l'acquisition de l'arithmétique
315.80	Trouble de l'acquisition de l'expression écrite
315.00	Trouble de l'acquisition de la lecture

Troubles du langage et de la parole

315.39	Trouble de l'acquisition de l'articulation
315.31*	Trouble de l'acquisition du langage (versant expressif)

315.31* Trouble de l'acquisition du langage (versant réceptif)

Troubles des aptitudes motrices

315.40 Trouble de l'acquisition de la coordination
315.90* Trouble spécifique du développement NS

Autres troubles du développement

315.90* Trouble du développement NS

Comportements perturbateurs (Troubles)

314.01 Hyperactivité avec déficit de l'attention

Troubles des conduites

312.20 type : en groupe
312.00 type solitaire-agressif
312.90 type indifférencié
313.81 Trouble oppositionnel avec provocation

Troubles anxieux de l'enfance ou de l'adolescence

309.21 Trouble : Angoisse de séparation
313.21 Trouble : Évitement de l'enfance ou de l'adolescence
313.00 Trouble : Hyperanxiété

Troubles de l'alimentation

307.10 Anorexie mentale
307.51 Boulimie (*bulimia nervosa*)
307.52 Pica
307.53 Mérycisme de l'enfance
307.50 Trouble de l'alimentation NS

Troubles de l'identité sexuelle

302.60 Trouble de l'identité sexuelle de l'enfance
302.50 Transsexualisme (*spécifier* la tendance sexuelle antérieure : asexuelle, homosexuelle, hétérosexuelle, non spécifiée)
302.85* Trouble de l'identité sexuelle de l'adolescence ou de l'âge adulte de type non transsexuel (*spécifier* la tendance sexuelle antérieure: asexuelle, homosexuelle, hétérosexuelle, non spécifiée)
302.85* Trouble de l'identité sexuelle NS

Tics (Troubles)

307.23 Maladie de Gilles de la Tourette
307.22 Tic moteur ou vocal chronique
307.21 Tic transitoire (*spécifier :* épisode isolé ou récurrent)
307.20 Tic NS

Troubles des conduites excrémentielles

307.70 Encoprésie fonctionnelle (*spécifier :* type primaire ou secondaire)
307.60 Enurésie fonctionnelle (*spécifier :* type primaire ou secondaire ; *spécifier :* exclusivement nocturne, exclusivement diurne, ou nocture et diurne)

Troubles de la parole non classés ailleurs

307.00* Langage précipité
307.00* Bégaiement

Autres troubles de la première et de la deuxième enfance ou de l'adolescence

313.23 Mutisme électif
313.82 Trouble de l'identité
313.89 Trouble réactionnel de l'attachement de la première ou de la deuxième enfance
307.30 Stéréotypies / Comportements répétitifs (Trouble)
314.00 Trouble déficitaire de l'attention, indifférencié

Troubles mentaux organiques

Démences débutant dans la sénescence et le présenium

Démence dégénérative primaire de type Alzheimer débutant dans la sénescence.

(Remarque : coder 331.00 la maladie d'Alzheimer sur l'axe III)

290.30 avec delirium
290.20 avec idées délirantes
290.21 avec dépression
290.00* non compliquée

Coder au 5e chiffre :
1 = avec delirium ; 2 = avec idées délirantes ; 3 = avec dépression ; O* = non compliquée
290.1x Démence dégénérative primaire de type Alzheimer débutant dans le présenium

⎯⎯⎯

(Remarque : coder 331.00 la maladie d'Alzheimer sur l'axe III)

290.4x Démence par infarctus multiples ⎯⎯⎯
290.00* Démence sénile NS (*spécifier :* l'étiologie sur l'axe III si elle est connue)
290.10* Démence présénile NS (*spécifier :* l'étiologie sur l'axe III si elle est connue, par exemple : maladie de Pick, maladie de Jakob-Creutzfeldt)

Troubles mentaux organiques induits par des substances psycho-actives

Alcool

303.00	Intoxication
291.40	Intoxication idiosyncrasique
291.80	Sevrage alcoolique non compliqué
291.00	Delirium du sevrage
291.30	État hallucinatoire
291.10	Trouble amnésique
291.20	Démence associée à l'alcoolisme

Amphétamine ou sympathomimétiques d'action similaire

305.70*	Intoxication
292.00	Syndrome de sevrage
292.81*	Delirium
292.11*	Trouble délirant

Caféine

305.90*	Intoxication

Cannabis

305.20	Intoxication
292.11*	Trouble délirant

Cocaïne

305.60*	Intoxication
292.00	Syndrome de sevrage
292.81*	Delirium
292.11*	Trouble délirant

Hallucinogènes

305.30*	État hallucinatoire
292.11*	Trouble délirant
292.84*	Trouble de l'humeur
292.89*	Trouble des perceptions post-hallucinogènes

Inhalation d'une substance psycho-active

305.90*	Intoxication

Nicotine

292.00*	Syndrome de sevrage

Opiacés

305.50*	Intoxication
292.00*	Syndrome de sevrage

Phencyclidine (PCP) ou arylcyclohexylamine d'action similaire

305.90*	Intoxication
292.81*	Delirium
292.11*	Trouble délirant
292.84*	Trouble de l'humeur
292.90*	Trouble mental organique NS

Sédatifs, hypnotiques ou anxiolytiques

305.40*	Intoxication
292.00*	Syndrome de sevrage aux sédatifs, hypnotiques ou anxiolytiques, non compliqué
292.00*	Delirium du sevrage
292.83*	Trouble amnésique

Substances psycho-actives autres ou non spécifiées

305.90*	Intoxication
292.00*	Syndrome de sevrage
292.81*	Delirium
292.82*	Démence
292.83*	Trouble amnésique
292.11*	Trouble délirant
292.12	État hallucinatoire
292.84*	Trouble de l'humeur
292.89*	Trouble anxieux
292.89*	Psycho-syndrome organique
292.90*	Trouble mental organique NS

Troubles mentaux organiques associés à des affections ou à des troubles physiques de l'axe III ou d'étiologie inconnue

293.00	Delirium
294.10	Démence
294.00	Trouble amnésique
293.81	Trouble délirant organique
293.82	État hallucinatoire organique
293.83	Trouble thymique organique (*spécifier*: maniaque, déprimé, mixte)
294.80*	Trouble anxieux organique
310.10	Psychosyndrome organique (*spécifier*: si type explosif)
294.80*	Trouble mental organique NS

Troubles liés à l'utilisation de substances psycho-actives

Alcool

303.90	Dépendance
305.00	Abus

Amphétamine ou sympathomimétiques d'action similaire

304.40	Dépendance
305.70*	Abus

Cannabis

304.30	Dépendance
305.20*	Abus

Cocaïne

304.20   Dépendance
305.60*   Abus

Hallucinogènes

304.50*   Dépendance
305.30*   Abus

Inhalation de substances psycho-actives

304.60   Dépendance
305.90*   Abus

Nicotine

305.10   Dépendance

Opiacés

304.00   Dépendance
305.50*   Abus

Phencyclidine (PCP) ou arylcyclohexylamine d'action similaire

304.50*   Dépendance
305.90*   Abus

Sédatifs, hypnotiques ou anxiolytiques

304.10   Dépendance
305.40*   Abus
304.90*   Dépendance à plusieurs substances
304.90*   Dépendance à une substance psycho-active NS
305.90*   Abus d'une substance psycho-active NS

Schizophrénie

Coder au 5e chiffre : 1 = subchronique ; 2 = chronique ; 3 = subchronique avec exacerbation aiguë ; 4 = chronique avec exacerbation aiguë ; 5 = en rémission ; O = non spécifiée

Schizophrénie

295.2x   catatonique _____
295.1x   désorganisé _____
295.3x   paranoïde _____ (*spécifier* si type stable)
295.9x   indifférencié _____
295.6x   résiduelle _____ (*spécifier* si début tardif)

Trouble délirant (paranoïaque)

297.10   Trouble délirant (paranoïaque) (*spécifier* le type : érotomaniaque, mégalomaniaque, à type de jalousie, à type de persécution, somatique non spécifié)

Troubles psychotiques non classés ailleurs

298.80   Psychose réactionnelle brève

295.40   Trouble schizophréniforme (*spécifier :* sans caractéristiques de bon pronostic ou avec caractéristiques de bon pronostic)
295.70   Trouble schizo-affectif (*spécifier :* type bipolaire ou type dépressif)
297.30   Trouble psychotique induit
298.90   Trouble psychotique NS (psychose atypique)

Troubles de l'humeur

Coder au 5e chiffre l'état actuel de la Dépression majeure et du Trouble bipolaire : 1 = léger ; 2 = moyen ; 3 = sévère, sans caractéristiques pschotiques ; 4 = avec caractéristiques psychotiques (*spécifier :* congruentes ou non congruentes à l'humeur) ; 5 = en rémission ; 6 = en rémission complète ; 0 = non spécifié

Pour les épisodes dépressifs majeurs, *spécifier* s'ils sont chroniques ; *spécifier* s'ils sont de type mélancolique.

Pour le Trouble bipolaire, le Trouble bipolaire NS, la Dépression majeure récurrente et le Trouble dépressif NS, *spécifier* s'il existe un caractère saisonnier.

Troubles bipolaires

Trouble bipolaire

296.6x   mixte _____
296.4x   maniaque _____
296.5x   dépressif _____
301.13   Cyclothymie
296.70   Trouble bipolaire NS

Troubles dépressifs

Dépression majeure

296.2x   épisode isolé _____
296.3x   récurrente _____
300.40   Dysthymie (ou Névrose dépressive) (*spécifier :* type primaire ou type secondaire ; *spécifier :* à début précoce ou à début tardif)
311.00   Trouble dépressif NS

Troubles anxieux (états névrotiques anxieux et phobiques)

Trouble panique

300.21   avec agoraphobie (*spécifier* l'intensité actuelle de l'évitement phobique ; *spécifier* l'intensité actuelle des attaques de panique)
300.01   sans agoraphobie (*spécifier* l'intensité actuelle des attaques de panique)

300.22 Agoraphobie sans antécédents de Trouble panique (*spécifier:* avec ou sans attaques paucisymptomatiques)

300.23 Phobie sociale (*Spécifier* si type généralisé)

300.29 Phobie simple

300.30 Trouble obsessionnel-compulsif (ou Névrose obsessionnelle-compulsive)

309.89 État de stress post-traumatique (Trouble) (*spécifier* si le début est différé)

300.02 Anxiété généralisée (Trouble)

300.00 Trouble anxieux NS

Troubles somatoformes

300.70* Trouble : peur d'une dysmorphie corporelle

300.11 Trouble de conversion (ou névrose hystérique de type conversif) (*spécifier:* épisode isolé ou recurrent)

300.70* Hypocondrie (ou névrose hypocondriaque)

300.81 Somatisation (Trouble)

307.80 Trouble somatoforme douloureux

300.70* Trouble somatoforme indifférencié

300.70* Trouble somatoforme NS

Troubles dissociatifs (ou Névroses hystériques de type dissociatif)

300.14 Personnalité multiple

300.13 Fugue psychogène

300.12 Amnésie psychogène

300.60 Dépersonnalisation (Trouble) (ou Névrose de dépersonnalisation)

300.15 Trouble dissociatif NS

Troubles sexuels

Paraphilies

302.40 Exhibitionnisme

302.81 Fétichisme

302.89 Frotteurisme

302.20 Pédophilie (*spécifier:* même sexe, sexe opposé, même sexe et sexe opposé ; *spécifier:* si limité à l'inceste ; *spécifier:* type exclusif ou non exclusif)

302.83 Masochisme sexuel

302.84 Sadisme sexuel

302.30 Travestisme fétichiste

302.82 Voyeurisme

302.90* Paraphilie NS

Dysfonctions sexuelles

(*Spécifier:* exclusivement psychogène ou psychogène et biogène)

Remarque : si exclusivement biogène, coder sur l'axe III. (*Spécifier:* de tout temps ou acquise ; *spécifier:* généralisée ou situationnelle)

Troubles du désir sexuel

302.71 Baisse du désir sexuel (Trouble)

302.79 Aversion sexuelle (Trouble)

Troubles de l'excitation sexuelle

302.72* Trouble de l'excitation sexuelle chez la femme

302.72* Trouble de l'érection chez l'homme

Troubles de l'orgasme

302.73 Inhibition de l'orgasme chez la femme

302.74 Inhibition de l'orgasme chez l'homme

302.75 Éjaculation précoce

Troubles sexuels douloureux

302.76 Dyspareunie

306.51 Vaginisme

302.70 Dysfonction sexuelle NS

Autres troubles sexuels

302.90* Trouble sexuel NS

Troubles du sommeil

Dyssomnies

Insomnie (Trouble)

307.42* liée à un autre trouble mental (non organique)

780.50* liée à un facteur organique connu

307.42* Insomnie primaire

Hypersomnie (Trouble)

307.44 liée à un autre trouble mental (non organique)

780.50* liée à un facteur organique connu

780.54* Hypersomnie primaire

307.45 Trouble du rythme veille-sommeil (*spécifier* le type : avec avance ou retard de phase, type désorganisé, type avec changements répétés)

Autres dyssomnies

307.40* Dyssomnie NS

Parasomnies

307.47 Rêves d'angoisse (cauchemars)

307.46* Terreurs nocturnes (Trouble)

307.46* Somnambulisme (Trouble)

307.40* Parasomnie NS

Troubles factices

Trouble factice

301.51 avec symptômes physiques
300.16 avec symptômes psychologiques
300.19 Trouble factice NS

Troubles du contrôle des impulsions non classés ailleurs

312.34 Trouble explosif intermittent
312.32 Kleptomanie
312.31 Jeu pathologique
312.33 Pyromanie
312.39* Trichotillomanie
312.39* Trouble du contrôle des impulsions NS

Troubles de l'adaptation

Trouble de l'adaptation

309.24 avec humeur anxieuse
309.00 avec humeur dépressive
309.30 avec perturbation des conduites
309.40 avec perturbation mixte des émotions et des conduites
309.28 avec caractéristiques émotionnelles mixtes
309.82 avec plaintes somatiques
309.83 avec retrait social
309.23 avec inhibition au travail (ou dans les études)
309.90 Trouble de l'adaptation NS

Facteurs psychologiques influençant une affection physique

316.00 Facteurs psychologiques influençant une affection physique (*spécifier* l'affection physique sur l'axe III)

Troubles de la personnalité

Remarque : À coder sur l'axe II

Groupe A

301.00 Paranoïaque
301.20 Schizoïde
301.22 Schizotypique

Groupe B

301.70 Antisociale
301.83 Limite (Borderline)
301.50 Histrionique
301.81 Narcissique

Groupe C

301.82 Évitante
301.60 Dépendante

301.40 Obsessionnelle-compulsive
301.84 Passive-agressive
301.90 Trouble de la personnalité NS

Codes V pour les situations non attribuables à un trouble mental, motivant examen ou traitement

V62.30 Problème scolaire ou universitaire
V71.01 Comportement antisocial de l'adulte
V40.00 Fonctionnement intellectuel limite (Borderline)
  (Remarque : À coder sur l'axe II)
V71.02 Comportement antisocial de l'enfant ou de l'adolescent
V65.20 Simulation
V61.10 Problème conjugal
V15.81 Non-observance du traitement médical
V62.20 Problème professionnel
V61.20 Problème parent-enfant
V62.81 Autre problème interpersonnel
V61.80 Autres situations familiales spécifiées
V62.89 Problème en rapport avec une étape de la vie ou autre problème situationnel
V62.82 Deuil non compliqué

Codes additionnels

300.90 Trouble mental non spécifié (non psychotique)
V71.09* Absence de diagnostic ou d'affection sur l'axe I
799.90* Affection ou diagnostic différé sur l'axe I
V71.09* Absence de diagnostic ou d'affection sur l'axe II
799.90* Affection ou diagnostic différé sur l'axe II

Système multiaxial

Axe I   Syndromes cliniques Codes V

Axe II   Troubles du développement et troubles de la personnalité
Axe III Affections et troubles physiques
Axe IV   Gravité (sévérité) des facteurs de stress psychosociaux
Axe V   Évaluation globale du fonctionnement

Axe III

■ Troubles ou affections physiques

L'axe III permet au clinicien de noter tout trouble ou toute affection physique susceptible d'avoir une importance pour la compréhension ou le traitement du cas. Il s'agit des affections ne faisant pas partie de la section des troubles mentaux de la CIM9-MC. Dans certains cas, l'affection peut avoir une signification étiologique (par exemple, un trouble neurologique associé à une Démence) ; dans d'autres cas, l'affection physique peut n'avoir aucune valeur étiologique, mais être importante pour la prise en charge globale de l'individu (par exemple, le diabète chez un enfant ayant un Trouble des conduites). Dans d'autres cas encore, le clinicien peut vouloir noter des signes physiques significatifs associés, tels que des « signes neurologiques mineurs ». Des diagnostics multiples sont possibles.

Axe IV

■ Gravité (sévérité) des facteurs de stress psychosociaux

L'axe IV fournit une échelle, l'Échelle de sévérité (gravité) des facteurs de stress psychosociaux, pour coder la gravité globale d'un ou de plusieurs facteurs de stress psychosociaux survenus au cours de l'année précédant l'examen actuel.

Pour évaluer la gravité d'un facteur de stress, le clinicien doit se fonder sur l'estimation du retentissement qu'auraient des stress psychosociaux donnés sur un individu « moyen » dans des circonstances similaires et dans le même cadre de valeurs socioculturelles.

Les facteurs de stress psychosociaux spécifiques doivent être notés et précisés selon qu'il s'agit :
– d'événements essentiellement aigus
  (durée inférieure à six mois) ou

– de circonstances essentiellement durables
  (durée supérieure à six mois).

Pour la mise en évidence des facteurs de stress ayant une signification étiologique, les domaines suivants doivent être explorés :
– Conjugal (marital et concubinage)
– Parental
– Autres difficultés interpersonnelles
– Professionnel
– Conditions de vie
– Financier
– Légal
– Étapes de la vie
– Maladie physique ou blessures
– Autres facteurs de stress psychosociaux
– Facteurs familiaux (enfants et adolescents)

Axe V

■ Évaluation globale du fonctionnement

L'axe V permet au clinicien d'indiquer son jugement global sur le fonctionnement psychologique, social et professionnel d'une personne sur l'échelle d'évaluation globale du fonctionnement qui apprécie le rapport santé-maladie mentale.

L'estimation sur cette échelle se fait pour deux périodes :
(1) actuelle : le niveau de fonctionnement au moment de l'examen
(2) l'année écoulée : le plus haut niveau de fonctionnement maintenu pendant au moins quelques mois au cours de l'année précédente. Pour les enfants ou les adolescents, cette période doit comprendre au moins un mois de l'année scolaire.

Loi sur la protection du malade mental (Loi 40)

Loi du Québec (1972) et refondue (1977)

La loi sur la protection du malade mental dont le texte est reproduit ici s'applique à toute personne vivant au Québec. Elle n'est qu'un des éléments du régime de protection juridique des malades et des déficients mentaux. Cette loi traite spécifiquement de quatre éléments : elle définit les établissements de santé où l'on traite ces malades ; elle détermine les règles des examens cliniques et des cures fermées ; elle spécifie les droits des clients en cure fermée ; et elle prévoit les sanctions.

SECTION I
DÉFINITIONS

Interprétation : 1. Dans la présente loi et les règlements, à moins que le contexte n'indique un sens différent, les expressions et mots suivants signifient :

« *établissement* » ; *a*) « établissement » : un établissement au sens de la Loi sur les services de santé et les services sociaux (chapitre S-5) ;

« *centre hospitalier* » ; *b*) « centre hospitalier » : un centre hospitalier au sens de ladite Loi sur les services de santé et les services sociaux qui est aménagé pour recevoir et traiter des personnes souffrant de troubles mentaux ;

« *centre local de services communautaires* » ; *c*) « centre local de services communautaires » : un centre local de services communautaires au sens de ladite Loi sur les services de santé et les services sociaux, qui est aménagé pour recevoir et traiter des personnes souffrant de troubles mentaux ;

« *établissement psychiatrique pour détenus* » ; *d*) « établissement psychiatrique pour détenus » : un établissement visé à l'article 33 ;

« *établissement de détention* » ; *e*) « établissement de détention » : un établissement de détention au sens de la Loi sur la probation et sur les établissements de détention (chapitre P-26) ;

« *examen clinique psychiatrique* » ; *f*) « examen clinique psychiatrique » : un examen tenu en vue de déterminer si l'état de santé mentale d'une personne requiert qu'elle soit mise en cure fermée ;

« *psychiatre* » ; *g*) « psychiatre » : un médecin qui détient un certificat en vigueur de spécialité en psychiatrie délivré par l'Ordre des médecins du Québec ;

« *Commission* » ; *h*) « Commission » : la Commission des affaires sociales ;

« règlement » ; *i*) « règlement » : tout règlement adopté en vertu de la présente loi par le gouvernement ;
« ministre ». *j*) « ministre » : le ministre des affaires sociales.

1972, c. 44, a. 1 ; 1973, c. 46, a. 49 ; 1974, c. 39, a. 57.

1. Chapitre P.41 mis à jour le 1ᵉʳ juin 1979.

SECTION II
EXAMENS ET CURE FERMÉE

Examen par établissement.

2.   Tout établissement doit prendre les mesures requises, compte tenu de son organisation et de ses ressources, pour faire subir sans délai un examen clinique psychiatrique à toute personne chez qui se manifestent des troubles d'ordre mental susceptibles de mettre en danger la santé ou la sécurité de cette personne ou la santé ou la sécurité d'autrui.

Si l'établissement n'est pas en mesure de faire subir un tel examen en raison de son organisation ou de ses ressources, il doit diriger cette personne vers un centre hospitalier ou un centre local de services communautaires.

1972, c. 44, a. 2.

Transfert à un centre hospitalier.

3.   Un examen clinique psychiatrique doit être fait par un psychiatre qui n'est ni parent, ni allié de la personne qui le subit ; toutefois un médecin peut faire un tel examen s'il n'est ni parent ni allié de la personne qui le subit et si, en raison de l'urgence, de la distance et des autres circonstances, aucun autre psychiatre n'est disponible dans la région où réside cette personne.

1972, c. 44, a. 3.

Personnes qualifiées pour faire un examen.

4.   L'examen visé à l'article 2 peut être requis d'un centre hospitalier ou d'un centre local de services communautaires, pour le compte de la personne chez qui se manifestent les troubles d'ordre mental, par un médecin qui a droit, en vertu de la loi, d'exercer sa profession dans le Québec.

1972, c. 44, a. 4.

Examen de détenus.

5.   Dans le cas où il s'agit d'une personne détenue dans un établissement de détention, cet examen doit être requis d'un établissement psychiatrique pour détenus par un médecin dont les services sont requis par l'établissement de détention, à moins que ce médecin ne soit d'avis que la protection du public ne sera pas mise en danger si cet examen est requis d'un centre hospitalier et que l'administrateur de l'établissement de détention ne partage cet avis.

1972, c. 44, a. 5.

Examen requis par un juge.

6.   Cet examen doit être requis d'un centre hospitalier ou d'un centre local de services communautaires par tout juge devant qui comparaît une personne chez qui se manifestent des troubles d'ordre mental susceptibles de la rendre inapte à subir son procès.

1972, c. 44, a. 6.

Délai et rapport.

7.   L'examen clinique psychiatrique doit, en autant que possible, être fait dans les vingt-quatre heures qui suivent la demande qui en est faite et être suivi d'un rapport écrit signé par la personne qui a fait l'examen à l'effet que la cure fermée est nécessaire ou ne l'est pas.

1972, c. 44, a. 7.

Portée

Mention de la capacité.

8.   Le rapport visé à l'article 7 doit porter sur l'aptitude de la personne qui a subi l'examen à subir un procès, si tel est l'objet de l'examen.

Il doit, dans tous les cas, faire état de la capacité de cette personne d'administrer ses biens.

1972, c. 44, a. 8.

Copie du rapport au centre hospitalier.

Autorisation.

9.   Si l'examen clinique psychiatrique a été tenu en dehors d'un centre hospitalier et si le rapport visé à l'article 7 conclut que la cure fermée est requise ou que la personne en cause est incapable d'administrer ses biens, le psychiatre ou médecin qui a fourni le rapport doit en faire tenir un double exemplaire à un centre hospitalier qui tient un dossier médical sur la personne qui a subi l'examen ou, à défaut, au centre hospitalier le plus rapproché.

Nul ne peut prendre connaissance d'un tel rapport s'il n'y est autorisé en vertu de la loi.

1972, c. 44, a. 9.

Certificat au curateur.

Certificat au curateur.

Accomplissement de devoirs.

10.   Le directeur des services professionnels de tout centre hospitalier où s'est tenu un examen clinique psychiatrique doit, chaque fois que le rapport visé à l'article 7 conclut que la personne qui en est l'objet est incapable d'administrer ses biens, donner sans délai au curateur public le certificat prévu à l'article 6 de la Loi sur la curatelle publique (chapitre C-80).

La même obligation lui incombe lorsque le rapport visé à l'article 9 en vient à la même conclusion.

Les devoirs prévus par les alinéas précédents peuvent être accomplis par un médecin exerçant dans le centre hospitalier.

1972, c. 44, a. 10 ; 1974, c. 71, a. 18 ; 1974, c. 39, a. 71.

Cure fermée.

11.   Une personne ne peut être admise en cure fermée à moins que son état mental ne soit susceptible de mettre en danger la santé ou la sécurité de cette personne ou la santé ou la sécurité d'autrui.

1972, c. 44, a. 11.

Conditions d'admission.

Admission temporaire.

12.   Un centre hospitalier ne peut admettre une personne en cure fermée à moins que cette personne n'ait subi un examen clinique psychiatrique, que le rapport visé à l'article 7 ne conclue à la nécessité de la cure fermée à la suite d'un examen psychiatrique fait par cet autre psychiatre.

Le centre hospitalier peut toutefois admettre cette personne en cure fermée pour une période d'au plus quatre-vingt-seize heures tant qu'un deuxième psychiatre n'a pas confirmé le rapport du premier.

1972, c. 44, a. 12.

Ordre du juge sur refus de subir un examen.

Émission contre le tuteur.

Ordre du juge dans le cas d'un détenu.

13.   Si une personne refuse de se soumettre à un examen clinique psychiatrique qui a été requis à son égard conformément à l'article 4 ou à l'article 5 ou à la cure fermée à laquelle conclut le rapport visé à l'article 7, tout juge de la Cour provinciale, de la Cour des sessions, du Tribunal de la jeunesse ou des cours municipales des villes de Montréal, Laval ou Québec, ayant juridiction dans la localité où se trouve cette personne, peut lui ordonner de se soumettre à cet examen ou, suivant la cas, à la cure fermée.

Une telle ordonnance peut être émise contre le tuteur, le curateur ou le gardien légal d'une telle personne si le refus émane de ce tuteur, curateur ou gardien.

Le juge visé à l'article 6 peut rendre une pareille ordonnance à l'égard de la personne visée à cet article qui refuse de se soumettre à l'examen clinique psychiatrique requis par ce juge.

1972, c. 44, a. 13 ; 1977, c. 20, a. 138.

Requête sommaire. **14.** L'ordonnance visée à l'article 13 s'obtient sur requête sommaire de toute personne intéressée, accompagnée de son serment ou de sa déclaration solonelle attestant la véracité des faits qui sont allégués dans la requête et dont elle a personnellement connaissance; les autres faits allégués dans la requête doivent être attestés de la même façon par les personnes qui en ont personnellement connaissance.

1972, c. 44, a. 14.

Signification. **15.** La requête doit être signifiée tant à la personne de qui émane le refus qu'à une personne raisonnable de la famille de la personne au sujet de laquelle l'ordonnance est requise ou, si elle est pourvue d'un tuteur ou curateur ou si une personne en a la garde légale, à ce tuteur ou curateur ou à cette personne; la signification à la personne de qui émane le refus doit être faite à personne.

Exemption de signification. Le juge peut toutefois dispenser le requérant de signifier la requête à la personne au sujet de laquelle l'ordonnance est requise s'il y va de la santé ou de la sécurité de cette personne ou d'autrui ou s'il y a urgence.

1972, c. 44, a. 15.

Ordonnance sur vu du rapport. **16.** Lorsque la requête vise à faire mettre une personne en cure fermée à la suite d'un rapport visé à l'article 7 concluant à cet effet, le juge peut rendre l'ordonnance sur vu de ce rapport après avoir vérifié si toutes les exigences de la présente loi ont été remplies mais sans prononcer sur l'état mental de la personne qui fait l'objet de ce rapport.

1972, c. 44, a. 16.

Interrogatoire. **17.** Lorsque la requête vise à faire subir par une personne un examen clinique psychiatrique, le juge doit interroger la personne au sujet de laquelle la requête lui est présentée à moins que cette personne ne soit introuvable ou en fuite ou que le juge estime préférable pour la santé ou la sécurité de cette personne ou d'autrui de ne pas l'interroger.

1972, c. 44, a. 17 ; 1974, c. 43, a. 1.

Ordre de transport dans un centre. **18.** Le juge peut décréter que la personne qui est l'objet de la requête soit transportée dans un centre hospitalier pour qu'il y soit satisfait à l'ordonnance.

1972, c. 44, a. 18.

Signification de l'ordonnance. Exécution. **19.** L'ordonnance est signifiée à la personne de qui émane le refus et à celle au sujet de laquelle l'ordonnance est rendue ; cette signification doit être faite à personne.

L'ordonnance peut être exécutée par tout agent de la paix.

1972, c. 44, a. 19.

Signification à la Commission. Copie du dossier. **20.** L'ordonnance est signifiée par le greffier de la Cour à la Commission, laquelle est par le fait même chargée de réviser la décision quant au fond.

Dès que l'ordonnance a été signifiée à la Commission, le greffier de la Cour transmet à celle-ci copie du dossier complet.

1972, c. 44, a. 20 ; 1974, c. 39, a. 58.

Admission temporaire sans examen.

21. Le directeur des services professionnels ou, en son absence, tout médecin exerçant dans un centre hospitalier peut y admettre provisoirement une personne sans qu'elle ait subi un examen clinique psychiatrique s'il juge que l'état mental de cette personne est tel qu'il présente pour elle ou pour autrui un péril grave et immédiat.

Délai pour faire l'examen.

Une telle personne doit, dans les quarante-huit heures, être soumise à un examen clinique psychiatrique ; si le rapport qui suit cet examen conclut à la nécessité de la cure fermée, la requête prévue à l'article 14 doit être présentée au juge par le directeur des services professionnels comme si cette personne refusait de se soumettre à un examen clinique psychiatrique.

1972, c. 44, a. 21 ; 1974, c. 43, a. 2.

Transfert à un centre d'accueil.

22. Une personne qui est en cure fermée dans un centre hospitalier peut être transférée à un centre d'accueil au sens de la Loi sur les services de santé et les services sociaux pour y continuer ou parfaire sa cure fermée, si le médecin qui traite cette personne atteste par un certificat qu'il délivre à cette fin que cette mesure n'offre aucun danger pour la santé ou la sécurité de cette personne ou pour la santé ou la sécurité d'autrui.

Contenu du certificat.

Ce certificat doit désigner le centre d'accueil où cette personne doit être transférée et indiquer la période de temps pendant laquelle elle doit y séjourner, au terme de laquelle cette personne doit retourner au centre hospitalier.

1972, c. 44, a. 22.

Délai pour nouvel examen.

23. Un centre hospitalier ne peut garder une personne en cure fermée plus de vingt et un jours après son admission sans qu'un nouvel examen clinique psychiatrique n'ait confirmé la nécessité de prolonger la cure fermée.

Autres examens.

Un tel examen doit avoir lieu à nouveau trois mois après le premier et par la suite au moins une fois tous les six mois, à défaut de quoi la cure fermée de cette personne doit prendre fin.

1972, c. 44, a. 23.

Cessation de cure fermée.

24. Une personne cesse d'être en cure fermée lorsque :

a) elle est libérée par l'établissement où elle séjourne sur la recommandation d'un psychiatre au moyen d'un certificat qu'il délivre à cette fin ;

b) sa libération est ordonnée par jugement définitif d'une cour compétente ou par décision de la Commission.

1972, c. 44, a. 24 ; 1974, c. 39, a. 59.

Transfert dans établissement de détention.

25. Dans le cas d'une personne qui cesse d'être en cure fermée sans avoir purgé une peine qu'elle doit purger dans un établissement de détention, dans une prison, dans un pénitencier ou dans une maison de correction, le centre hospitalier qui la libère doit prendre les moyens requis pour la mettre sous la garde de cet établissement de détention, de cette prison, de ce pénitencier ou de cette maison de correction.

1972, c. 44, a. 25.

Transfert dans autre centre hospitalier.

26. Le directeur des services professionnels de tout centre hospitalier où une personne est en cure fermée peut ordonner que cette personne soit transférée à un autre centre hospitalier au Québec ou, avec l'autorisation du ministre, à l'extérieur du Québec si, à leur avis, une telle mesure n'est pas de nature à nuire à l'évolution de l'état mental de cette personne.

1972, c. 44, a. 26.

SECTION III
DROITS DES PERSONNES EN CURE FERMÉE

Renseignements sur droits et recours.

27. Tout centre hospitalier ou centre d'accueil où une personne est admise en cure fermée doit informer par écrit cette personne, conformément aux règlements, des droits et recours qui lui sont conférés par la présente loi ; il doit aussi l'aviser par écrit que sa cure fermée est terminée dès que celle-ci prend fin.

1972, c. 44, a. 27 ; 1974, c. 43, a. 3.

Avis à la famille

28. Tout médecin qui traite une personne en cure fermée doit aviser la famille de cette personne ou les personnes qui en prennent soin des dispositions prises à son sujet ainsi que des mesures susceptibles de hâter son retour à la santé. Il doit également en aviser la personne en cure fermée sauf si elle est dans un état mental tel qu'elle ne peut en tirer aucun profit ou s'il serait nuisible à cette personne de prendre connaissance de son état.

1972, c. 44, a. 28.

Transmission des écrits d'un patient.

29. Tout titulaire d'une fonction, d'un office ou d'un emploi dans un centre hospitalier ou un centre d'accueil doit, quand un écrit lui est remis par un patient en cure fermée à l'adresse d'un avocat, d'un notaire, d'un médecin, du curateur public, de la Commission, de l'un de ses membres, d'un député à l'Assemblé nationale ou du Protecteur du citoyen, transmettre cet écrit immédiatement à son destinataire sans prendre connaissance de son contenu.

Transmission des écrits au patient.

Il en est de même de tout écrit transmis à un patient en cure fermée par l'une des personnes énumérées au premier alinéa.

1972, c. 44, a. 29.

Demande de révision.

30. Toute personne qui n'est pas satisfaite d'une décision rendue à son sujet ou au sujet d'un de ses parents ou alliés en vertu de la présente loi peut demander à la Commission de réviser cette décision. Peuvent aussi faire cette demande le tuteur ou curateur de la personne qui est l'objet de la décision et la personne qui en a la garde légale.

Exécution non suspendue.

La demande de révision d'une décision n'en suspend pas l'exécution à moins que la Commission n'en décide autrement.

1972, c. 44, a. 46.

Avis de cure fermée.

31. L'établissement où une personne est admise en cure fermée depuis trente jours doit transmettre sans délai à la Commission un avis donnant le nom de la personne et la date du début de la cure fermée.

Nouvel avis.

Si la cure fermée se poursuit pendant six mois, l'établissement doit transmettre un nouvel avis à la Commission. Il doit en outre transmettre un avis lorsque la cure fermée se termine.

Dossier à la Commission.
Enquête et décision.

Le dossier médical complet d'un personne en cure fermée doit être transmis à la Commission si celle-ci le requiert.

Lorsque la Commission reçoit un avis transmis conformément au présent article, elle peut faire enquête et rendre une décision comme si une demande de révision avait été formulée en vertu de l'article 30.

1974, c. 43, a. 4.

SECTION IV
DISPOSITIONS DIVERSES

Infraction et peine.

32. Quiconque enfreint l'une des dispositions de la présente loi ou des règlements ou refuse de se conformer à un ordre donné en vertu de cette loi ou des règlements commet une infraction et est passible, sur poursuite sommaire, en outre du paiement des frais, d'une amende d'au plus 200$ s'il s'agit d'un individu et d'une amende d'au plus 1 000$ s'il s'agit d'une corporation.

Dispositions applicables.

La partie II de la Loi sur les poursuites sommaires s'applique à ces poursuites.

1972, c. 44, a. 57.

Établissements psychiatriques pour détenus.

33. Le gouvernement peut, par règlement, instituer des établissements psychiatriques pour détenus destinés à accueillir et traiter des personnes détenues en vertu du Code criminel ou d'une loi pénale. Il peut aussi convertir à cette fin tout établissement psychiatrique existant.

1972, c. 44, a. 58. (*partie*).

Établissement psychiatrique pour détenus.

34. Le gouvernement peut aussi, par règlement, autoriser tout établissement psychiatrique qu'il désigne à accueillir et traiter des personnes détenues en vertu du Code criminel ou d'une loi pénale.

1972, c. 44, a. 59.

Direction d'établissements.

35. Le gouvernement statue, par règlement, sur la direction, la surveillance et l'administration des établissements visés à l'article 33 ou à l'article 34 où sont accueillis et traités les détenus, ainsi que sur les normes de sécurité qui doivent y être observées.

1972, c. 44, a. 60.

Accords autorisés.

36. Le gouvernement peut conclure des accords, aux conditions qu'il détermine, avec tout gouvernement, organisme gouvernemental, corporation publique ou privée, personne ou société pour l'instauration, l'organisation et l'administration de centres hospitaliers, de centres d'accueil ou d'établissements psychiatriques pour détenus et généralement pour l'exécution de la présente loi.

1972, c. 44, a. 61.

SECTION V
DISPOSITIONS FINALES

Applications de la loi.

37. Le ministre des affaires sociales est chargé de l'application de la présente loi.

1972, c. 44, a. 69.

ANNEXE ABROGATIVE

Conformément à l'article 17 de la Loi sur la refonte des lois (chapitre R-3), le chapitre 44 des lois annuelles de 1972, tel qu'en vigueur au 31 décembre 1977, à l'exception des articles 58 al. 2, 64 à 68 et 70, est abrogé à compter de l'entrée en vigueur du chapitre P-41 des Lois refondues.

© Éditeur officiel du Québec, 1980.

MISE À JOUR TOUCHANT CE CHAPITRE :
1er JUIN 1979.

Corrigé des exercices de révision

Chapitre 1

1. a. Le terme *santé* est un concept très large ; il signifie beaucoup plus que l'absence de maladie.
   b. La santé comprend la capacité de limiter le stress, mais n'inclut pas l'idée d'ennui.
   c. Être satisfait de ses relations personnelles est un signe de santé.
   d. *Réponse correcte ;* vous avez la preuve que votre client chemine vers un fonctionnement optimal et qu'il se sent en harmonie avec lui-même et le monde qui l'entoure.

2. a. *Réponse correcte ;* les croyances personnelles de l'infirmière influent sur l'évaluation qu'elle fait de la souffrance des autres.
   b. Il n'existe aucune définition universelle de la raison d'être de la souffrance.
   c. On ne peut pas mesurer la souffrance de façon objective.
   d. En ayant conscience de ses croyances personnelles, l'infirmière peut éviter de réagir trop vivement. Mais ce n'est pas certain.

3. a. Rien ne prouve qu'elle soit isolée de son groupe de pairs.
   b. *Réponse correcte ;* elle a perdu le contact avec ses fils et éprouve un sentiment d'injustice.
   c. Elle ne reconnaît pas que ses fils ont entamé le processus normal de séparation ; cependant, elle n'est pas encore entrée dans les étapes du deuil.
   d. Rien ne prouve qu'elle hésite entre deux décisions.

4. a. *Réponse correcte ;* elle reconnaît être personnellement aux prises avec des problèmes de violence, et sait qu'elle ne pourrait pas agir efficacement avec ce type de client.
   b. Le refus de l'infirmier d'admettre son propre problème nuira à la qualité des soins qu'il dispensera.
   c. La non-reconnaissance de l'alcoolisme de son mari entravera son travail au sein du groupe d'entraide.
   d. Avant d'animer un groupe de deuil, Michelle devrait suivre les activités d'un tel groupe à titre de simple participante afin de surmonter son propre problème.

5. a. Rien ne prouve qu'il soit capable de maîtriser son niveau de stress.
   b. Il croit plus au hasard qu'aux conséquences de son comportement.
   c. Il ne croit pas pouvoir empêcher ce qui lui arrive.
   d. *Réponse correcte.*

Chapitre 2

1. a. *Réponse correcte.*
   b. Marie a dit avoir de la difficulté à s'habiller le matin.
   c. Marie a affirmé être incapable de faire ses exercices parce que sa douleur est trop vive.

d. Pour conserver ses capacités motrices, aussi limitées soient-elles, il est important que Marie bouge.

2. a. Marie a dit avoir des difficultés à s'habiller; elle n'a pas dit qu'elle en était incapable.
   b. *Réponse correcte*.
   c. Il n'y a pas forcément de rapport entre les activités de loisir et la mobilité.
   d. Rien ne prouve, dans le bilan de santé, qu'il y ait diminution du débit cardiaque.

3. a. Il n'est pas prouvé que Marie n'accomplit pas ses activités de la vie quotidienne.
   b. *Réponse correcte*.
   c. La cliente n'est pas confinée à son lit.
   d. Le but pourrait être réaliste si la collecte des données révélait de réelles limites.

4. a. La cliente n'est pas confinée à son lit.
   b. L'intervention serait appropriée si la collecte des données avait signalé que l'alignement corporel était déficient.
   c. *Réponse correcte*.
   d. La cliente n'est pas confinée à un fauteuil roulant.

5. a. Le bain dans une baignoire d'hydromassage est particulièrement indiqué pour soulager la douleur.
   b. Il s'agit là d'une intervention infirmière « dépendante » qui peut nuire à la mobilité.
   c. Ce n'est pas une réaction probable de la part de cette cliente.
   d. *Réponse correcte*.

Chapitre 3

1. a. Théorie de Sullivan.
   b. Théorie behavioriste.
   c. *Réponse correcte*.
   d. Théorie cognitive.

2. a. *Réponse correcte*.
   b. Projection.
   c. Annulation.
   d. Formation réactionnelle.

3. a. Théorie de Sullivan.
   b. *Réponse correcte*.
   c. Théorie de Maslow.
   d. Théorie psychanalytique.

4. a. Théorie de Maslow.
   b. Théorie d'Erikson.
   c. Théorie de Sullivan.
   d. *Réponse correcte*.

5. a. *Réponse correcte*.
   b. Théorie d'Erikson.
   c. Théorie psychanalytique.
   d. Théorie behavioriste.

Chapitre 4

1. a. *Réponse correcte*.
   b. Ils peuvent avoir lieu à l'occasion, mais ils ne permettent pas de déterminer les problèmes de santé mentale.
   c. Cette évaluation est prévue uniquement s'il doit y avoir rééducation professionnelle.
   d. Ces tests ne sont effectués qu'à la demande du psychiatre.

2. a. Le client peut vouloir essayer de se faire soigner par d'autres méthodes avant.
   b. Le client ne peut être hospitalisé contre son gré.
   c. *Réponse correcte*.
   d. Inciter le client à observer les comportements inadaptés des autres n'est pas une intervention thérapeutique.

3. a. Il s'agit d'un objectif de l'intervention thérapeutique ; ce climat familial positif est peut-être à instaurer.
   b. *Réponse correcte*.
   c. Les familles fuient généralement les activités sociales.
   d. Les membres de la famille ont plutôt tendance à être en désaccord les uns avec les autres.

4. a. La bienfaisance a trait au devoir de faire du bien et de ne pas faire de tort.
   b. La justice concerne l'équité, l'impartialité.
   c. La liberté n'est pas un principe éthique.
   d. *Réponse correcte*.

5. a. Fait appel à la partie saine et rationnelle du moi du client.
   b. Un environnement thérapeutique.
   c. *Réponse correcte*.
   d. C'est la capacité de voir le monde avec les yeux de l'autre.

Chapitre 5

1. a. Sentiment d'appartenir à un groupe culturel particulier.
   b. Façon dont un groupe culturel perçoit le monde.
   c. *Réponse correcte*.
   d. Groupes de personnes vivant ensemble.

2. a. *Réponse correcte*.
   b. Tout en évitant d'être à contre-courant, ce groupe valorise particulièrement le passé.

c. Ce groupe valorise certes le présent et la coopération, mais il privilégie l'intérêt de la famille avant l'intérêt collectif.

d. C'est la plus proche de la culture blanche.

3. a. Les personnes qui appartiennent à cette culture parlent des dialectes amérindiens.

b. Les langues parlées par les immigrants du Sud-Est asiatique ont subi l'influence du chinois et, dans une moindre mesure, du français.

c. Les personnes de culture hispanique ou leurs ascendants parlent l'espagnol.

d. *Réponse correcte.*

4. a. La famille est importante, mais elle peut prendre diverses formes.

b. C'est le patriarche qui tient la place principale dans le clan et qui le dirige.

c. *Réponse correcte.*

d. La plupart vivent dans des familles monoparentales dirigées par une femme célibataire.

Chapitre 6

1. a. Se produit entre 22 et 28 ans.

b. *Réponse correcte.*

c. Se produit entre 54 ans et le début de la soixantaine.

d. Se produit entre 16 et 18 ans.

2. a. *Réponse correcte.*

b. Cette question met le client sur la défensive.

c. Rien ne prouve qu'il ait des idées suicidaires.

d. Rien ne prouve qu'il soit perfectionniste ; il pourrait s'agir de l'observation d'un comportement qui s'est manifesté dans le passé.

3. a. Cette question n'est pas primordiale en situation de crise.

b. Cette question n'est pas primordiale en situation de crise.

c. *Réponse correcte.*

d. Cette question est une ébauche de réponse et risque de mettre le client sur la défensive.

4. a. Il se peut que le client souffre d'une détresse spirituelle, mais ce n'est pas le diagnostic principal.

b. *Réponse correcte.*

c. Rien ne prouve que le client vive un conflit de rôles.

d. Rien ne prouve que le client ait des difficultés à se détendre de façon créative.

5. a. L'intervention en situation de crise a pour but de régler le problème immédiat.

b. L'intervention en situation de crise est une thérapie de courte durée.

c. L'intervention en situation de crise est axée sur l'« ici et maintenant ».

d. *Réponse correcte.*

6. a. *Réponse correcte.*

b. On peut y recourir, mais ce n'est pas essentiel.

c. On peut y recourir, mais ce n'est pas essentiel.

d. On peut y recourir, mais ce n'est pas essentiel.

Chapitre 7

1. a. *Réponse correcte.*

b. Ce terme désignait autrefois les troubles de la personnalité.

c. Ce terme qualifie les circonstances qui engendrent la maladie.

d. Il s'agit d'un terme générique qui décrit le trouble d'un point de vue holistique.

2. a. Il s'agit d'une réaction non spécifique.

b. Il y a « anxiété » lorsqu'il y a perte.

c. *Réponse correcte.*

d. Il s'agit d'une réaction non spécifique.

3. a. Il n'y a pas toujours difficulté respiratoire.

b. *Réponse correcte.*

c. Ce symptôme peut être constaté, mais cela dépend de la maladie.

d. Il n'y a pas toujours sensation de vertige.

4. a. Cela signifierait : élimination de tous les symptômes.

b. Cela signifierait : disparition provisoire de tous les symptômes.

c. Cela signifierait : réapparition des symptômes.

d. *Réponse correcte.*

5. a. La peur est une réaction plus vive que le stress.

b. *Réponse correcte.*

c. C'est possible, toutefois ce n'est pas l'unique source de stress.

d. Il n'y a aucun lien entre cet aspect et la gestion du stress.

6. a. C'est un trouble de l'alimentation.

b. L'œsophage ne fait pas partie des intestins.

c. *Réponse correcte.*

d. C'est un trouble de l'alimentation.

Chapitre 8

1. a. Les personnes qui vivent une crise de panique ont généralement peur d'être abandonnées.

b. *Réponse correcte.*

c. En augmentant les stimuli, on risque d'augmenter l'anxiété.

d. Le recours à la contention fait augmenter l'anxiété.

2. a. Antidépresseur.
   b. Antidépresseur.
   c. Antiparkinsonien.
   d. *Réponse correcte.*

3. a. La guerre est traumatisante, quel que soit l'âge de la personne.
   b. *Réponse correcte.*
   c. Le manque d'expérience est un facteur négligeable.
   d. La cause du problème n'est pas le manque de prestige de la vie militaire ; c'est le contact avec la mort que cette vie implique.

4. a. *Réponse correcte.*
   b. Trouble obsessionnel-compulsif.
   c. Trouble de la personnalité multiple.
   d. Elle connaît des sautes d'humeur.

5. a. Trouble de la personnalité obsessionnelle-compulsive.
   b. Trouble obsessionnel-compulsif.
   c. *Réponse correcte.*
   d. Agoraphobie.

Chapitre 9

1. a. Les épreuves diagnostiques sont normales ; il s'agit d'un trouble psychosomatique.
   b. Possible. Cependant, ils ne constituent pas le problème principal.
   c. *Réponse correcte.*
   d. Rien n'indique qu'elle veut se suicider.

2. a. La mettre face à son déni peut l'amener à changer à nouveau de spécialiste.
   b. *Réponse correcte.*
   c. Seule la famille peut satisfaire les besoins émotionnels du client ; l'infirmière ne peut la remplacer.
   d. Ce n'est pas la principale raison.

3. a. Ce trouble n'est pas relié à l'abus de laxatifs.
   b. Ce trouble n'est pas relié à l'abus de laxatifs.
   c. Ce sont les vomissements fréquents qui engendrent l'acidose hypochlorémique.
   d. *Réponse correcte.*

4. a. *Réponse correcte.*
   b. Concerne seulement les anorexiques.
   c. Concerne seulement les anorexiques.
   d. Concerne seulement les anorexiques.

5. a. Données sur le comportement.
   b. Données sur l'état affectif.
   c. *Réponse correcte.*
   d. Données sur le comportement.

Chapitre 10

1. a. *Réponse correcte.*
   b. Groupe B.
   c. On note souvent peu de dispositions pour les relations sociales.
   d. Groupe B, personnalité antisociale.

2. a. Groupe A.
   b. *Réponse correcte.*
   c. Groupe A.
   d. Groupe A.

3. a. Groupe A.
   b. Groupe B.
   c. *Réponse correcte.*
   d. Groupe A.

4. a. Irresponsabilité et comportement antisocial.
   b. Dépendance et soumission.
   c. Perfectionnisme et inflexibilité.
   d. *Réponse correcte.*

5. a. Indifférence aux relations sociales.
   b. Timidité, peur d'être mal jugé, malaise en société.
   c. *Réponse correcte.*
   d. Résistance passive se traduisant par le refus d'accéder aux demandes des autres sur le plan social et professionnel.

6. a. Personnalité paranoïaque.
   b. Personnalité schizoïde.
   c. Personnalité antisociale.
   d. *Réponse correcte.*

Chapitre 11

1. a. Réponse impolie qui menace l'estime de soi.
   b. Approbation d'un comportement inacceptable.
   c. Désapprobation de l'action qui ne tient pas compte des sentiments exprimés.
   d. *Réponse correcte.*

2. a. *Réponse correcte.*
   b. Il y a trop de compétition ; ce jeu augmentera le niveau d'activité de la cliente.
   c. Ce jeu requiert trop de concentration.
   d. Ce jeu est trop long pour la capacité d'attention de la cliente.

3. a. C'est possible, mais ce n'est pas la raison principale.

b. *Réponse correcte.*

c. Il faut empêcher les comportements déplacés ; cependant, les considérations concernant la moralité n'entrent pas en ligne de compte.

d. Les arguments d'ordre moral n'ont aucun effet sur une personne qui traverse une phase maniaque.

4. a. Négation des sentiments de la cliente.

b. Défense d'un comportement inacceptable ; utilisation d'arguments faux pour rassurer.

c. Désaccord avec les sentiments de la cliente.

d. *Réponse correcte.*

5. a. Ne règle en rien le problème actuel.

b. *Réponse correcte.*

c. Supprime toute possibilité d'initiative de la part de la cliente.

d. Repose sur l'autorité du médecin ; la cliente n'a aucun droit de regard.

Chapitre 12

1. a. *Réponse correcte.*

b. Il existe certains critères précis permettant de reconnaître la consommation excessive d'alcool.

c. Il s'agit d'une fausse idée ; des connaissances de base n'empêchent pas l'abus.

d. La seule reconnaissance de la désapprobation ne suffit pas dans le cas du client alcoolique.

2. a. Les femmes sont aussi capables que les hommes de gérer leurs émotions et leur comportement.

b. *Réponse correcte.*

c. Le nombre de sujets n'influe en rien sur le comportement de codépendance.

d. Le comportement de codépendance ne protège pas les enfants.

3. a. Psychose de Korsakoff.

b. Rationalisation.

c. *Réponse correcte.*

d. Dissociation.

4. a. Il s'agit d'un traitement initial, qui doit être suivi par l'adhésion aux Alcooliques anonymes.

b. Moins efficace que les Alcooliques anonymes.

c. Mode de traitement peu courant.

d. *Réponse correcte.*

5. a. Le client peut répondre tout simplement « oui » ou « non ».

b. *Réponse correcte.*

c. Le client peut répondre tout simplement « oui » ou « non ».

d. Le client peut nier le fait qu'il boit.

6. a. Ces observations ne fournissent aucune donnée sur l'activité.

b. Ces observations ne fournissent aucune donnée sur la consommation de liquides.

c. *Réponse correcte.*

d. Ces observations ne fournissent aucune donnée sur les opérations de la pensée.

Chapitre 13

1. a. *Réponse correcte.*

b. Il s'agit de problèmes moins graves que la toxicomanie (codépendance du type « sauveur »).

c. La culpabilité n'intervient que lorsque le toxicomane réduit ou abandonne sa consommation (codépendance du type « victime »).

d. Cette démarche est inutile puisque la toxicomanie altère les sens de l'individu (codépendance du type « tyran »).

2. a. Appellation populaire de la cocaïne.

b. *Réponse correcte.*

c. Appellation populaire des hallucinogènes.

d. Appellation populaire de la marijuana.

3. a. Le haschisch est une autre forme de cannabis.

b. La marijuana est un autre nom du cannabis.

c. *Réponse correcte.*

d. Il s'agit du nom chimique de la sérotonine.

4. a. La méthaqualone est un barbiturique.

b. La phencyclidine est un hallucinogène.

c. Le LSD est un hallucinogène.

d. *Réponse correcte.*

5. a. Dans cette position, les voies aériennes du client pourraient s'obstruer.

b. *Réponse correcte.*

c. Les dispositifs de contention peuvent blesser le client.

d. Cette réponse est trop vague.

6. a. Aucune donnée ne permet d'affirmer que le client est incapable de mener à bien les tâches qui caractérisent son groupe d'âge.

b. Aucune donnée ne permet d'affirmer que les membres de la famille sont incapables d'envoyer ou de recevoir des messages.

c. *Réponse correcte.*

d. Aucune donnée ne permet d'affirmer que les membres de la famille sont incapables d'établir des contacts sociaux.

Chapitre 14

1. a. *Réponse correcte.*

b. Fausse perception de la réalité en l'absence de toute stimulation de l'extérieur.

c. Appréciation infatuée de sa propre valeur.

d. Altération de la perception de l'image corporelle.

2. a. Fausse conviction impossible à déloger malgré le raisonnement ou des preuves du contraire.

b. *Réponse correcte.*

c. Sentiment très profond de l'importance de sa propre valeur.

d. Altération de la perception de l'image corporelle.

3. a. Mode pathologique de pensée, caractérisé par une ou plusieurs idées délirantes systématiques.

b. Mode de pensée incohérent avec altération de l'affect.

c. *Réponse correcte.*

d. Symptômes psychotiques manifestes communs à plusieurs formes de schizophrénie.

4. a. Perturbation psychomotrice importante, caractérisée par la stupeur, le négativisme, la rigidité, l'excitation ou la position bizarre.

b. Type chronique, caractérisé par l'émoussement de l'affect, le repli sur soi, le comportement bizarre, la pensée illogique et le relâchement des associations.

c. Mode pathologique de pensée, caractérisé par une ou plusieurs idées délirantes systématiques.

d. *Réponse correcte.*

5. a. *Réponse correcte.*

b. Un antipsychotique.

c. Un antipsychotique.

d. Un antipsychotique.

6. a. Cette intervention aggraverait sa désorientation.

b. *Réponse correcte.*

c. Cette intervention intensifierait son agitation.

d. Cette intervention rendrait le client méfiant.

Chapitre 15

1. a. Une collecte des données sur l'état cognitif d'Irène ne fournit pas des renseignements directs sur la capacité de la famille à s'occuper d'elle.

b. *Réponse correcte;* la famille doit faire appel à un réseau de soutien.

c. Le simple embarras causé par le comportement d'Irène n'est pas une raison suffisante pour la placer en foyer.

d. L'incapacité de conserver des rapports sociaux ne justifie pas le placement en foyer.

2. a. *Réponse correcte.*

b. Cette question fait partie de la collecte des données sur l'état affectif.

c. Cette question fait partie de la collecte des données sur l'état cognitif.

d. Cette question fait partie de la collecte des données sur les hallucinations.

3. a. Nous n'avons aucune preuve qu'Irène a des hallucinations.

b. Nous n'avons aucune preuve qu'Irène perd l'équilibre.

c. Bien qu'Irène ait perdu le contact avec la réalité, il est plus important d'assurer sa sécurité.

d. *Réponse correcte.*

4. a. *Réponse correcte;* il s'agit de la solution la plus pratique pour protéger Irène.

b. Les dispositifs de contention augmenteraient sa confusion; il ne faudrait les utiliser qu'en cas de besoin impératif.

c. Les voisins dorment aussi la nuit.

d. Il s'agit d'une solution irréaliste puisqu'il faut tenir compte de la santé des membres de la famille également.

5. a. *Réponse correcte;* la famille a trouvé un aspect positif.

b. Les membres de la famille semblent épuisés et désespérés.

c. La famille n'exprime pas de pensées positives à propos des soins actuels.

d. La famille n'exprime pas de pensées positives à propos des relations actuelles avec Irène.

Chapitre 16

1. a *Réponse correcte.*

b. Le suicide demeure le problème prioritaire.

c. Le suicide demeure le problème prioritaire.

d. Le suicide demeure le problème prioritaire.

2. a. Il faut en premier lieu protéger le client.

b. Il faut en premier lieu protéger le client.

c. *Réponse correcte.*

d. Il faut en premier lieu protéger le client.

3. a. Les données recueillies pas plus que les déclarations de la cliente ne permettent de dire que la cliente évolue dans un système familial fusionnel.

b. Actuellement, la cliente ne parle pas de sa tentative de suicide.

c. Les données recueillies pas plus que les déclarations de la cliente ne permettent de dire qu'elle souffre d'isolement.

d. *Réponse correcte.*

4. a. Cette intervention ne porte pas sur les sentiments de colère et de culpabilité exprimés par la
cliente.
   b. *Réponse correcte.*
   c. Cette intervention n'est pas opportune ; il faut
attendre que la cliente ait surmonté ses sentiments de colère et de culpabilité.
   d. Cette intervention n'est pas opportune ; elle ne
porte pas sur les sentiments qui bouleversent
actuellement la cliente.

5. a. *Réponse correcte.*
   b. Elle ne sait toujours pas quoi penser de l'attitude
de sa mère et continue de nourrir à son égard
un sentiment de colère.
   c. Sa colère envers son père persiste.

   d. Elle n'a toujours pas réussi à résoudre les
sentiments négatifs qui la perturbent.

Chapitre 17

1. a. Ce n'est que partiellement exact ; il faut identifier
le germe.
   b. Ce n'est que partiellement exact ; il faut identifier
le germe.
   c. *Réponse correcte.*
   d. La maladie est causée par un virus.

2. a. C'est une tâche importante mais ce n'est pas la
principale.
   b. *Réponse correcte.*
   c. Cette tâche incombe au médecin.
   d. Tâche non spécifique.

Abattement Sentiment de découragement, de tristesse et de désespoir.

Abstraction sélective Distorsion des opérations de la pensée qui consiste à ne tenir compte que de certaines données et à ignorer toutes les données contradictoires.

Abus Mode d'utilisation inadapté d'une substance psycho-active qui ne correspond pas aux critères de la dépendance.

Acathisie Impossibilité de rester immobile ; il peut s'agir d'une complication du traitement aux phénothiazines.

Acceptation de soi Degré de cohérence entre le concept de soi et le soi idéal.

Accommodation Modification de schèmes existants sous l'influence de connaissances nouvelles.

Acculturation Processus qui consiste à acquérir une nouvelle culture, à adopter en totalité ou en partie les valeurs culturelles d'un autre groupe.

Acide lysergique diéthylamide (LSD) Drogue psychodysleptique qui peut produire un état psychotique ; cette drogue n'a pas d'usage thérapeutique.

Affect État émotionnel consécutif au vécu d'une expérience que la personne communique verbalement ou non verbalement.

Affect déprimé Réaction de tristesse ou d'abattement.

Affect émoussé Réaction affective affaiblie.

Affect exalté Réaction d'euphorie ou de très grand bien-être.

Affect hyperréactif État émotionnel qui convient à la situation mais qui est hors de proportion.

Affect inadéquat État émotionnel en désaccord avec la situation.

Affect labile État émotionnel qui change soudainement en l'absence d'une stimulation de l'extérieur.

Affect plat Absence de réaction physique à l'émotion; absence d'indices visibles de l'état émotionnel.

Affect stable État émotionnel qui ne change pas brusquement en l'absence d'une stimulation de l'extérieur.

Affect syntone État émotionnel qui convient à la situation.

Agnosie Perte de la capacité de reconnaître des situations, des personnes ou des stimuli familiers; sans lien avec un trouble sensitif élémentaire.

Agoraphobie Crainte pathologique des espaces ouverts.

Agraphie Perte de la capacité de lire ou d'écrire.*

Akinésie Diminution ou disparition des mouvements spontanés et volontaires, observée dans la schizophrénie de type catatonique.

Alcoolisme Maladie provoquée par la consommation continue et excessive d'alcool, caractérisée par un ensemble de troubles physiologiques, psychologiques et sociaux.

Alexie Perte de la capacité de reconnaître les objets ou leur usage par la vue ; aussi appelée agnosie visuelle.

Ambivalence État de conscience comportant des

sentiments ou des pensées contraires surgissant simultanément (p. ex. : « J'aime ma mère. Je ne sais pas pourquoi je souhaite sa mort. »).

Amnésie psychogène Perte de mémoire qui n'est pas causée par un trouble organique.

Amphétamine Médicament stimulant le SNC dont les effets sont l'euphorie, la suppression de l'appétit et la diminution de la sensation de fatigue ; l'usage abondant et prolongé peut causer des hallucinations, la psychose et la dépendance.

Amyloïde Substance extracellulaire contenant des protéines, qui ressemble à l'amidon et qui se dépose dans les tissus de l'encéphale.

Anhédonie Incapacité d'éprouver du plaisir.

Annulation Action ou mot visant à annuler des pensées, des impulsions ou des actes que l'individu désapprouve ; peut soulager la culpabilité.

Anorexie Perte pondérale provoquée par un régime alimentaire draconien qui s'accompagne généralement d'exercices physiques excessifs.

Anxiété Émotion éprouvée en réaction à la peur de souffrir ou de subir une perte importante.

Apathie Indifférence ou absence d'émotion face à l'entourage ou au milieu environnant.

Aphasie Perte de la capacité de comprendre ou d'utiliser le langage.

Apraxie Perte de la capacité d'effectuer des mouvements cohérents.

Assimilation Processus d'acculturation suivant lequel une minorité est contrainte à adopter les valeurs et les comportements de la majorité.

Association libre Façon de présenter des réactions subjectives (pensées, souvenirs, rêves et sentiments) telles qu'elles surgissent.

Astéréognosie Perte de la capacité de reconnaître les objets familiers par le toucher ; aussi appelée agnosie tactile.

Asterixis Flexion palmaire involontaire survenant lorsque la main est en hyperextension.

Asthénie État ou sensation de faiblesse.*

Asthme Maladie caractérisée par des spasmes des bronches, de l'œdème de la muqueuse bronchique et une dyspnée paroxystique.

Ataxie Démarche chancelante ou mal assurée.

Athétose Mouvements lents, irréguliers et involontaires des membres, résultant d'une toxicité médicamenteuse.

Autisme Repli sur soi ; dans la schizophrénie, il se manifeste surtout par des pensées sans rapport avec la réalité.

Autochtone Amérindien.

Autonomie Capacité du client de participer aux décisions qui concernent sa santé et son bien-être et de les respecter.

Barbiturique Médicament qui déprime le SNC, prescrit comme sédatif ou anticonvulsivant ; l'usage prolongé et abondant peut causer la dépendance.

Belle indifférence Absence relative d'intérêt pour les symptômes physiques.

Bizarre Extrêment inhabituel ou excentrique.

Blocage Difficulté de rappel ou interruption du fil de la pensée ou de la parole, attribuables à des facteurs émotifs habituellement inconscients.*

Bouc émissaire Individu taxé de déviance sur lequel on déplace tous les conflits ; personne qui devient injustement la cible de l'hostilité et de reproches.

Boulimie Trouble de l'alimentation caractérisé par des excès alimentaires que la personne essaie de compenser par des régimes et la purgation dans le but de perdre du poids.

Ça Ensemble inné des pulsions biologiques et psychologiques ; le ça est égocentrique et pousse d'abord et avant tout à la satisfaction immédiate des besoins.

Cannabis Plante (chanvre indien) dont on extrait des hallucinogènes (marijuana, haschich).

Capacité Faculté de s'occuper de ses propres affaires et de participer aux décisions relatives à son traitement.

Catalepsie Phénomène en vertu duquel les membres ou le corps conservent passivement n'importe quelle position qui leur est assignée.*

Cataplexie Perte momentanée du tonus musculaire squelettique avec faiblesse concomitante.*

Catastrophisme Distorsion des opérations de la pensée qui amène le sujet à exagérer ses échecs.

Chasse aux sorcières Recherche de coupables à l'occasion de laquelle les insinuations et les accusations sont érigées en preuves absolues de culpabilité.

Claustrophobie Crainte pathologique des espaces clos.*

Cocaïne Drogue dérivée des feuilles du coca qui cause l'euphorie et qui peut entraîner une grave dépendance psychologique.

Codéine Narcotique dérivé de l'opium et dont l'usage prolongé cause la dépendance.

Codépendant Partenaire abstinent d'un toxicomane qui tente de résoudre les problèmes engendrés par ce dernier.

Cohésion familiale Degré d'intensité des liens affectifs qui existent dans une famille.

Compensation Fait de dissimuler ses faiblesses en mettant en valeur des traits désirables au détriment de traits indésirables ou en poussant à l'excès une aptitude donnée.

Comportement égodystonique Comportement contraire aux pensées, aux souhaits et aux valeurs du sujet.

Comportement égosyntonique Comportement conforme aux pensées, aux souhaits et aux valeurs du sujet.

Comportement ritualisé Comportement invariable ou stéréotypé qui peut être compulsif.

Compulsion Tendance à répéter des actions indésirables.

Concept de soi Ensemble organisé de pensées relatives au « je » ou au « moi ».

Conditionnement Processus par lequel le client apprend à modifier un comportement ; les trois opérations du conditionnement sont l'inhibition réciproque, le reconditionnement positif et l'extinction expérimentale.

Confabulation Fait de combler les trous de mémoire par des données inventées.

Congruence Cohérence entre le langage verbal et le langage non verbal.

Conscient Partie de l'activité psychique qui englobe toute connaissance immédiate et tout élément facile à mémoriser (p. ex. : un numéro de téléphone).

Consentement éclairé Autorisation que le client donne à propos de son traitement après avoir reçu toutes les explications qui s'imposent.

Contre-transfert Ensemble des réactions inconscientes du thérapeute à la personne du client.

Conversion Mécanisme de défense inconscient par lequel des conflits intra-psychiques, susceptibles d'engendrer de l'angoisse, trouvent à s'exprimer symboliquement.*

Crise État manifeste de détresse psychologique ou physique résultant de l'insuffisance des ressources internes ou externes face à une situation.

Crise développementale Étape cruciale survenant à un stade de transition du cycle vital que l'individu doit surmonter pour continuer son évolution.

Crise situationnelle État critique provoqué par des événements traumatisants imprévisibles.

Culture Ensemble des comportements et des valeurs appris par les membres d'un même groupe.

Delirium Altération de la conscience et de la vigilance, qui comporte une perturbation des opérations de la pensée ; le delirium ne signifie pas « délire » ou « idée délirante » (en anglais delusion).*

Démence Trouble cérébral chronique ou incurable ; aussi appelée encéphalopathie primaire.

Déni Refus de reconnaître une réalité intolérable.

Dépendance Besoin acquis d'une drogue ou d'un médicament ; terme maintenant utilisé à la place de *accoutumance* et de *assuétude*.

Dépendance physique Changements physiologiques résultant de l'usage prolongé d'une drogue ou d'un médicament et que l'on croit causés par une altération du métabolisme cellulaire.

Dépendance psychologique Besoin impérieux de drogue engendré par l'usage prolongé.

Dépersonnalisation Distorsion des idées relatives à l'image corporelle ou à l'existence.

Déplacement Mécanisme par lequel l'individu transfère des réactions affectives à un objet ou à une personne sur un autre objet ou une autre personne.

Dépression iatrogène Dépression causée par les actes ou les paroles d'un professionnel de la santé.

Désynchronisation Perturbation des rythmes circadiens normaux par des facteurs externes ou internes.

Détresse spirituelle Sentiment de culpabilité et d'injustice, insatisfaction, incapacité de trouver un sens et un but à la vie, isolement.

Déviance Ensemble d'attitudes ou de comportements qui s'écartent des normes sociales.

Dissociation Scission ou fragmentation psychiques, mécanisme de défense automatique et inconscient. La charge émotive et les affects sont séparés des idées, des situations et des objets auxquels ils devraient en réalité s'associer.*

Distorsion des opérations de la pensée Voir *abstraction sélective, exagération, catastrophisme, pensée dichotomique, personnalisation* et *généralisation excessive*.

Diurne Qui se produit pendant le jour.

Drogue psychédélique Drogue qui cause des hallucinations et d'autres anomalies à caractère psychotique (p. ex. : le LSD, la psilocybine et la mescaline).

Drogue psychodysleptique Voir *hallucinogène*.

Écholalie Répétition involontaire des paroles entendues ; se manifeste souvent dans la schizophrénie de type catatonique.

Échopraxie Imitation des mouvements d'une autre

personne.

Empathie Capacité de voir le monde du point de vue de l'interlocuteur et de lui communiquer cette compréhension pour qu'il la confirme ou la corrige.

Enculturation Processus d'apprentissage de sa propre culture et de la vision du monde qui s'y attache.

Estime de soi Opinion affective du soi englobant les sentiments et les valeurs.

État crépusculaire Intensification des symptômes caractéristiques qui se manifestent dans le comportement du sujet à la fin de l'après-midi ou au début de la soirée ; observé dans la démence et le delirium.

Ethnicité Sentiment d'appartenance à un groupe doté d'un héritage culturel, social et linguistique qui lui est propre.

Ethnocentrisme Tendance de tout être humain à privilégier sa propre culture.

Euphorie Sentiment de joie ou de bien-être exagéré.

Famille binucléaire Famille formée par les parents divorcés qui continuent de s'occuper de leurs enfants tout en formant des ménages distincts.

Fixation Arrêt, normal ou pathologique selon le degré de la maturation psychosexuelle.*

Flexibilité cireuse Signe catatonique caractérisé par le maintien pendant une période prolongée d'une même position anatomique.

Focalisation Technique de communication qui permet au client de se concentrer sur un problème précis et de l'analyser sans s'écarter du sujet.

Folie du doute Comportement obsessionnel-compulsif qui consiste à douter de ses actes et à les vérifier sans cesse.

Formation réactionnelle Mécanisme par lequel le sujet agit de façon contraire à ses sentiments.

Foyer externe de contrôle Fait de croire qu'on n'a aucune emprise sur la plupart des événements et qu'ils sont déterminés par la chance, le hasard ou le destin.

Foyer interne de contrôle Fait de croire qu'on a une emprise sur la plupart des événements qui surviennent au cours de la vie.

Frénésie alimentaire Consommation de très grandes quantités de nourriture en très peu de temps.

Fugue Dissociation grave de la personnalité caractérisée par de l'amnésie et par la fuite réelle et subite du milieu dans lequel le sujet vit habituellement.*

Fuite des idées Succession fragmentée et rapide des pensées, manifestée par un flot accéléré et pratiquement ininterrompu du discours.

Gain secondaire Avantage ou gratification que le client tire de sa maladie.

Généralisation excessive Distorsion des opérations de la pensée qui consiste à appliquer à une multitude de situations les renseignements propres à une situation en particulier.

Génogramme Représentation picturale des rôles, des relations et des données démographiques d'une famille.

Grégaire Tendance à être extrêmement sociable.

Hallucination Fausse perception en l'absence de toute stimulation externe.

Hallucinogène Drogue qui entraîne des effets psychologiques intenses : hallucinations, idées de persécution, idées de grandeur et autres manifestations psychotiques.

Haschich Résine tirée du cannabis.

Hébétude Atténuation de l'affect avec émoussement des émotions.

Héroïne Dérivé semi-synthétique de l'opium qui cause une très forte accoutumance.

Homophobie Peur ou haine des lesbiennes et des homosexuels ; aussi, peur des rapprochements d'une personne du même sexe.

Hypermétamorphose Besoin compulsif de toucher et d'examiner tous les objets.

Hyperoralité Besoin de goûter et de mastiquer tout objet qui peut être introduit dans la bouche.

Hypersomnie Sommeil excessif.

Hypertonie Accroissement du tonus musculaire qui peut se traduire par des tressautements.

Hypnotique Médicament qui cause le sommeil ou la somnolence.

Idée délirante Fausse croyance sur laquelle le raisonnement logique et les preuves concrètes n'ont aucune prise.

Idées de grandeur Sentiment exagéré de sa propre importance ou valeur, généralement accompagné du sentiment d'avoir des pouvoirs magiques.

Idées de référence Idées délirantes du sujet qui croit que d'autres personnes ou des forces extérieures dirigent ses pensées ou ses activités.

Idées d'influence Idées délirantes du sujet qui croit qu'une autre personne ou une puissance extérieure gouverne ses pensées, ses comportements et ses sentiments.

Identification Imitation du comportement d'une personne crainte ou respectée en vue d'atténuer l'anxiété.

Illusion Interprétation fausse d'une expérience sensorielle réelle.*

Impartialité Attitude qui consiste à éviter de se laisser influencer par des pensées et des sentiments défavorables, à respecter les décisions et les choix des autres de même qu'à s'associer à leurs joies et à leurs peines.

Impuissance Faiblesse, incapacité.

Inceste Agression sexuelle intrafamiliale.

Inconscient La partie du psychisme qui échappe entièrement à la conscience.

Individuation Processus par lequel l'individu établit son territoire et son autonomie au sein de la famille.

Insidieuse Maladie qui s'installe lentement et sournoisement.

Intellectualisation Mécanisme par lequel la réaction émotionnelle qui accompagne normalement un incident désagréable ou douloureux est évacuée au moyen d'explications rationnelles retirant à l'incident sa charge affective.

Interprétation Description détaillée faite par le psychanalyste à propos du comportement du client.

Intoxication Ensemble de troubles qui résultent de l'ingestion d'alcool ou d'une substance psychoactive.

Introjection Forme d'identification par laquelle le sujet intègre les normes et les valeurs d'un autre.

Jeu de rôle Mise en situation d'un événement passé ou futur comportant un objectif, que l'on interprète comme s'il se passait au moment présent.

Lapsus linguæ Emploi, dans la conversation, d'un mot pour un autre. La substitution serait attribuable à des facteurs inconscients.*

Libido Énergie psychique ou pulsions habituellement associées à l'instinct sexuel. Au sens large, la libido désigne toute énergie psychique associée aux instincts en général.*

Logorrhée Loquacité excessive.*

Marijuana Drogue euphorisante qui peut entraîner une dépendance.

Mescaline Le plus actif des hallucinogènes, extrait des bourgeons du cactus appelé peyotl.

Méthadone Analgésique narcotique synthétique qui entraîne moins de dépendance que l'héroïne, la morphine et les autres narcotiques et qui, de ce fait, est employé pour traiter la dépendance chez les toxicomanes.

Migraine Céphalée précipitée par un conflit émotionnel ou un stress psychologique ; aussi appelée céphalée vasculaire.

Moi Instance de la personnalité qui adapte les pulsions du ça de manière à favoriser le bien-être et la survie.

Monoamine oxydase (MAO) Enzyme qui inactive les amines telles que la noradrénaline, la sérotonine et la dopamine.

Morphine Analgésique narcotique extrait du suc des capsules du pavot et causant une forte dépendance.

Narcissisme Attention et admiration excessives qu'un individu porte à l'image de lui-même.

Narcotique Relatif au sommeil ou apte à le provoquer ; médicament possédant un effet analgésique et sédatif puissant qui entraîne une forte dépendance.

Négativisme Opposition obstinée, résistance aux suggestions et aux conseils ; s'observe souvent chez les sujets qui ont toujours le sentiment d'être commandés.*

Néologisme Mot inventé par le schizophrène et dont lui seul connaît la signification.

Nihilisme Idées pessimistes d'indignité, d'inutilité et d'absurdité.

Obsession Pensées indésirables et répétitives.

Omniscience Sentiment de tout savoir.

Opiacé Narcotique dérivé du pavot.

Opium Mélange d'analgésiques narcotiques tirés du suc du pavot (p. ex. : la morphine, la codéine et Dilaudid), entraînant la dépendance.

Pensée dichotomique Distorsion du raisonnement qui consiste à faire appel à des catégories opposées et qui s'excluent mutuellement.

Pensée illogique Pensée qui comporte des contradictions internes évidentes et qui aboutit à des conclusions erronées se basant, par exemple, sur des termes analogues (p. ex. : « Dieu est un homme ; je suis un homme. Par conséquent, je suis Dieu. »)

Persévération Comportements répétitifs qui n'ont ni sens ni but.

Personnalisation Voir *idées de référence*.

Personnification Image que la personne a d'elle-même et des autres.

Peyotl Plante cactée dont on extrait un alcaloïde hallucinogène, la mescaline.

Pharmacodépendance Voir *dépendance*.

Photothérapie Exposition à des lampes fluorescentes

à spectre complet visant à traiter le trouble de l'humeur à caractère saisonnier.

Pluralisme Doctrine stipulant qu'il faut préserver les richesses culturelles des minorités ethniques.

Principe de plaisir Tendance à la réduction de l'anxiété par la satisfaction rapide des besoins, sans égard à la réalité ou à la moralité.

Principe de réalité Tentative de maintenir la tension à un niveau supportable jusqu'au moment où les besoins peuvent être satisfaits de manière adéquate.

Projection Mécanisme qui pousse le sujet à accuser son entourage pour ses désirs, ses pensées, ses échecs et ses erreurs inacceptables.

Pseudodémence Trouble qui prend l'aspect de la démence.

Psilocybine Alcaloïde et principe actif d'un champignon doté de propriétés psychodysleptiques ou hallucinogènes.

Psychodrame Technique de psychothérapie collective par la dramatisation des problèmes affectifs.*

Purgation Évacuation de la nourriture ingérée au moyen de vomissements ou par la consommation abusive de laxatifs ou de diurétiques.

Râles Bruits crépitants produits par le passage de l'air dans des alvéoles remplies de liquide.

Rationalisation Justification d'un comportement au moyen d'une logique erronée ou de l'invocation de motifs socialement acceptables, mais sans rapport réel avec le comportement.

Réactions de catastrophe Réactions excessives aux situations de la vie courante se manifestant par des crises subites de colère ou de larmes.

Refoulement Mécanisme inconscient qui consiste à empêcher les pensées, les sentiments et les désirs menaçants de remonter à la conscience.

Régression Retour à un niveau de fonctionnement antérieur et qui a la particularité d'être moins exigeant.

Réitération Technique de communication qui consiste à répéter les idées principales de l'interlocuteur afin de lui faire comprendre qu'on l'écoute ; aussi appelée reflet simple.

Relativité culturelle Reconnaissance des différences qui existent entre diverses cultures.

Réseau de soutien Membres de la famille, amis et voisins.

Respiration sifflante Bruits aigus perçus à l'inspiration et à l'expiration, le plus souvent à l'aide du stéthoscope.

Révélation de soi Fait de révéler des renseignements à son propre sujet.

Rhonchus Bruit caverneux généralement entendu à l'inspiration, mais qu'on peut aussi entendre pendant toute la durée de l'inspiration et de l'expiration.

Rumination Pensée ou discours incessant portant sur un sujet précis ; préoccupation exagérée ou morbide en rapport avec un sujet précis.

Rythme circadien Fluctuations régulières de divers facteurs physiologiques au cours d'une période de 24 heures.

Salade de mots Expressions verbales souvent néologiques sans signification pour l'interlocuteur.

Sevrage Syndrome qui apparaît lors de l'abandon ou de la diminution de la consommation d'une substance psycho-active.

Signe de Russell Callosités sur le dos de la main, qui apparaissent chez les boulimiques qui se font vomir pour se purger après un épisode de frénésie alimentaire.

Spiritualité Sur le plan intrapsychique, élaboration de valeurs et de croyances relatives au sens et au but de la vie, de la mort et de ce qui vient après ; sur le plan interpersonnel, sentiment d'union avec autrui et avec une puissance extérieure, souvent appelée Dieu.

Stimulant Substance qui accroît la vigilance, la conscience et l'activité mentale et motrice (p. ex. : la caféine et les amphétamines).

Stress Réponse de l'organisme aux facteurs d'agression qui nécessitent une adaptation.

Stupeur Désigne en psychiatrie une indifférence et une absence de réaction à toute stimulation du milieu.*

Subconscient Niveau du psychisme englobant tout ce qui a été oublié mais qui peut facilement être ramené à la conscience ; parfois appelé préconscient.

Subculture Sous-groupe d'une culture.

Sublimation Transformation des pulsions sexuelles ou agressives primitives en valeurs socialement reconnues.

Substitution Remplacement d'un objet fortement valorisé, inacceptable ou inaccessible par un objet moins valorisé, plus acceptable ou plus accessible.

Surmoi Instance morale de la personnalité ; englobe les règles sociales et les valeurs personnelles.

Symbolisation Mécanisme psychologique inconscient par lequel on se forme une représentation abstraite d'un objet, d'une idée ou d'un ensemble d'idées. Le symbole conserve, sous une forme plus ou moins masquée, la charge affective liée originairement à l'objet ou aux idées qu'il représente.*

Syndrome de Stockholm Réaction observée chez les personnes gardées en otages et qui se caractérise par des sentiments de responsabilité personnelle, d'indignité et de sympathie à l'égard des ravisseurs.

Syndrome (général) d'adaptation Signes et symptômes d'adaptation au stress.

Syndrome malin des neuroleptiques Réaction toxique aux neuroleptiques, peu courante mais souvent mortelle.

Syndrome parkinsonien secondaire Effet extrapyramidal des neuroleptiques, caractérisé par une diminution de l'activité, des tremblements, une expression figée du visage, la rigidité, des écoulements de salive, une perte des mouvements associés des bras, l'agitation, la démarche titubante et des mouvements d'émiettement.

Système familial anarchique Famille où il n'existe pas de rôles ni de règles concernant le comportement.

Système familial fermé Famille qui décourage les apports des amis et du milieu et qui incite ses membres à trouver entre eux les solutions des problèmes ; ce type de famille tend à être rigide et inflexible.

Système familial fusionnel Famille dans laquelle les frontières entre les membres sont minces, les interactions, intenses, la dépendance, forte, et l'autonomie, minimale.

Système familial rigide Famille dotée de règles strictes, d'attentes liées aux rôles stéréotypés et d'interactions émotionnelles minimales.

Théorie de l'apprentissage social Théorie qui met en relief les modes d'apprentissage et de croissance de l'individu.

Théorie des stades Théorie du développement qui met en relief les problèmes et les capacités qui caractérisent des périodes précises de la vie de l'être humain.

Théorie humaniste Théorie qui définit l'être humain de manière holistique, soit comme un ensemble dynamique de processus physiques, émotionnels, mentaux et spirituels.

Théorie psychanalytique Théorie du comportement humain fondée sur des observations attentives du sujet et faisant appel à des stratégies pour modifier un comportement inadapté.

Tic Mouvement involontaire spasmodique et intermittent. Un tic peut exprimer de façon déguisée un conflit affectif latent ou relever de causes organiques.*

Tolérance Besoin d'une dose accrue d'une substance pour obtenir le même effet qu'apportait la dose initiale.

Torticolis Torsion du cou constituant une réaction dystonique aux principaux tranquillisants.

Toute-puissance Sentiment de posséder tous les pouvoirs ou toutes les connaissances.

Toxicomanie Prise régulière de narcotiques, à des doses de plus en plus élevées, menant à une dépendance physique.

Trait de personnalité Ensemble stable de perceptions, de relations et de pensées face à l'environnement.

Tranquillisant Médicament psychotrope faisant partie de la classe des tranquillisants neuroleptiques majeurs, ou des tranquillisants anxiolytiques mineurs.

Transfert Processus par lequel le client déplace inconsciemment sur les autres les modes de comportement et les réactions émotionnelles suscités par les personnes clés de son enfance.

Trouble concomitant Trouble qui apparaît en même temps qu'un trouble primaire.

Trouble psychophysiologique Trouble organique qui se manifeste lorsque des événements importants sur le plan psychologique provoquent des symptômes physiologiques.

Verbigération Productions verbales de caractère stéréotypé, et apparemment dénué de sens, qui ne présentent aucun rapport avec les affirmations ou les questions de l'interlocuteur.*

Viol motivé par la domination Viol en tant que moyen d'expression du pouvoir ; l'intention première de l'agresseur n'est pas de blesser physiquement la victime.

Viol provoquée par la colère Viol caractérisé par la violence et la cruauté physiques ; sert d'exutoire à la rage de l'agresseur.

Viol sadique Type de viol où l'agresseur doit recourir à la violence et à la torture pour atteindre l'excitation sexuelle.

---

* *Vocabulaire psychiatrique*, Association canadienne pour la santé mentale, Montréal, 1963.

Index